Vos ressources pédagogiques en ligne !

Un ensemble d'outils numériques spécialement conçus pour vous aider dans l'acquisition des connaissances liées à

CHIMIE ORGANIQUE 1

- Chapitre 12
  Survol des principaux groupements fonctionnels utiles à la biochimie et à la biologie

- Solutions de tous les exercices

- Compléments au contenu du manuel

- Liste de mots clés pour chaque chapitre

- Activités interactives

Achetez en ligne ou en librairie

En tout temps, simple et rapide!
www.cheneliere.ca

Chimie organique 1

Stéphane Girouard
Danielle Lapierre
Claudio Marrano

http://mabibliotheque.cheneliere.ca

CODE D'ACCÈS ÉTUDIANT →

VOUS ÊTES ENSEIGNANT?
Contactez votre représentant pour recevoir votre code d'accès permettant de consulter les ressources pédagogiques en ligne exclusives à l'enseignant.

CHENELIÈRE
ÉDUCATION

Chimie organique 1

Stéphane Girouard
Danielle Lapierre
Claudio Marrano

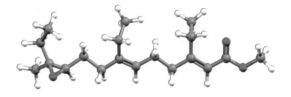

Achetez en ligne ou en librairie
En tout temps, simple et rapide!
www.cheneliere.ca

CHENELIÈRE
ÉDUCATION

Chimie organique 1

Stéphane Girouard, Danielle Lapierre et Claudio Marrano

© 2013 Chenelière Éducation inc.

Conception éditoriale : Sophie Gagnon
Édition : Julie Fortin et Marie Victoire Martin
Coordination : Jean-Philippe Michaud et Catherine Nicole
Révision linguistique : Chantale Bordeleau
Correction d'épreuves : Marie Le Toullec
Conception graphique : Josée Bégin
Conception de la couverture : Micheline Roy
Impression : TC Imprimeries Transcontinental

Source iconographique
Photo de la couverture : © National Geographic.

**Catalogage avant publication
de Bibliothèque et Archives nationales du Québec
et Bibliothèque et Archives Canada**

Vedette principale au titre :

Chimie organique

Comprend un index.
Pour les étudiants du niveau collégial.

ISBN 978-2-7650-3356-1 (v. 1)
ISBN 978-2-7650-3358-5 (v. 2)

1. Chimie organique – Manuels d'enseignement supérieur. 2. Chimie organique – Problèmes et exercices. I. Girouard, Stéphane, 1974- .

QD251.23.C44 2013   547   C2012-942482-X

5800, rue Saint-Denis, bureau 900
Montréal (Québec) H2S 3L5 Canada
Téléphone : 514 273-1066
Télécopieur : 514 276-0324 ou 1 800 814-0324
info@cheneliere.ca

ISBN 978-2-7650-3356-1

Dépôt légal : 2ᵉ trimestre 2013
Bibliothèque et Archives nationales du Québec
Bibliothèque et Archives Canada

Imprimé au Canada

3 4 5 6 7 ITIB 21 20 19 18 17

Gouvernement du Québec – Programme de crédit d'impôt pour l'édition de livres – Gestion SODEC.

Ce projet est financé en partie par le gouvernement du Canada

Avant-propos

Cet ouvrage n'est pas simplement le fruit de plus de deux ans d'efforts et de travail passionné de trois auteurs : il est aussi celui d'un très grand nombre de collaborateurs provenant du Québec, du Canada et de l'international. C'est ce qui lui donne sa force et sa couleur. Nous souhaitons qu'il soit pour vous un manuel agréable et rigoureux qui vous accompagnera dans votre apprentissage de la chimie organique.

Nous avons mis un point d'honneur à ne laisser aucune question en suspens et à expliquer dans les moindres détails tant les règles de base que les concepts plus élaborés. Dans cette optique, nous avons voulu vous amener à comprendre les notions afin de minimiser la mémorisation. Ce livre est donc conçu pour faciliter votre étude de la chimie organique. Vous y trouverez entre autres :

- Un chapitre complet, inséré au début du manuel, décrivant les notions fondamentales afin de vous assurer de bien maîtriser les concepts chimiques de base.
- Une section traitant de façon exhaustive des règles de nomenclature des composés organiques. La décision de soumettre toute la nomenclature en un seul bloc a été prise afin de permettre une meilleure compréhension du nom des molécules présentées dans les chapitres ultérieurs. De cette manière, il vous sera possible de mettre en pratique les règles de nomenclature tout au long du manuel et de les utiliser pour l'identification de substances au cours des expériences de laboratoire.
- Tous les mécanismes des réactions globales illustrés à l'aide d'un code de couleurs vous aidant à repérer rapidement les atomes qui participent aux différentes transformations chimiques à l'étude.
- De nombreux exercices, dont plusieurs traitent de sujets concrets, vous permettant de vérifier vos acquis tout en vous faisant découvrir plusieurs molécules présentes dans votre quotidien.
- Un index détaillé facilitant votre recherche des concepts présentés.

Grâce à ce manuel, nous espérons vous transmettre notre amour pour cette science merveilleuse et omniprésente qu'est la chimie organique !

Remerciements

L'éditeur et les auteurs tiennent à remercier les personnes suivantes qui, grâce à leurs nombreux commentaires et suggestions, ont contribué à l'élaboration de cet ouvrage : Azélie Arpin (Collège de Maisonneuve), Sonia Bourgeois (Collège Ahuntsic), France Demers (Collège Édouard-Montpetit), Martin Giroux (Cégep du Vieux Montréal), Danny Halim (Collège Lionel-Groulx), Marie-Hélène Houle (Cégep de Saint-Laurent), Mario Lessard (Cégep de Sainte-Foy), Ketata Navil (Cégep de l'Outaouais), Yannick Pelletier (Cégep de Sherbrooke), Jocelyne Poupart-Deneux (retraitée du Collège Jean-de-Brébeuf), Tarik Rahem (Cégep de Sherbrooke), Patrice Roberge (Cégep de Granby – Haute-Yamaska), Danielle Rousseau (Collège de Maisonneuve).

Nous remercions également, pour la rédaction des rubriques « Chroniques d'une molécule », les collaborateurs suivants : Natalhie Campos Reales (sous-directrice de l'innovation et du développement scientifique et technologique à la CIBIOGEM à Mexico, Mexique), Daniel Gareau (Collège Édouard-Montpetit), Julie Gauthier (Collège de Valleyfield), Steve Gillet (Haute École Charlemagne, Belgique), Suzanne Girard (Cégep de Sherbrooke), Christian Gravel (Collège de Bois-de-Boulogne), Alain Lachapelle (Collège André-Grasset), Mylène Morin (Cégep régional de Lanaudière à L'Assomption), Philippe Murphy (professeur dans le réseau collégial), Élise Rioux (chercheure en chimie médicinale), François Raymond (Collège Jean-de-Brébeuf), Patrice Roberge (Cégep de Granby – Haute-Yamaska), Dana K. Winter (Boston University). Grâce à votre contribution, les étudiants pourront voir sous un nouvel angle les notions qui leur seront transmises dans les cours théoriques.

Remerciements des auteurs

À la mémoire de Sylvain Boulanger
À nos enfants, Hugo, Marielle et Nathan

Nous tenons d'abord à remercier l'équipe de Chenelière Éducation et les auteurs du volume 2 pour leur rigueur et leur professionnalisme. Un merci particulier à nos collaborateurs pour avoir été si généreux de leurs temps : François Raymond, Sonia Bourgeois, Patrice Roberge, Marie-Hélène Houle, Azélie Arpin, Alain Lachapelle (adaptation) et Daniel Després (adaptation). De plus, nous ne pouvons passer sous silence le travail colossal et méticuleux de notre réviseure scientifique, Jocelyne Poupart-Deneux. Merci également à tous les scientifiques passionnés qui ont généreusement rédigé les rubriques « Chroniques d'une molécule ».

Nous désirons témoigner notre gratitude à Benoît Deschênes-Simard (étudiant au doctorat et assistant de recherche au laboratoire du professeur Stephen Hanessian) pour avoir réalisé les cartes de potentiel électrostatique des deux volumes, à notre ancien directeur de recherche et ami, Jeffrey Keillor (Université d'Ottawa), pour avoir réalisé certaines modélisations moléculaires de ce volume, à Étienne Lanthier pour ses révisions scientifiques de certains chapitres, ainsi qu'à Isabelle Roy et à Christophe Pardin qui nous ont fourni un grand nombre d'articles scientifiques.

Nous souhaitons exprimer toute notre reconnaissance à Marie-Josée Émard (agente de bureau à la bibliothèque du Collège Jean-de-Brébeuf) pour nous avoir acheminé plusieurs articles de vulgarisation scientifique ainsi qu'à Sylvie Lavoie (technicienne de laboratoire dans une pharmacie) pour les nombreuses photos de médicaments. Un merci particulier à François Raymond pour les nombreuses heures de discussion et pour son expertise dans la modélisation moléculaire en haute résolution. Enfin, nous remercions le comité des relations professionnelles du Collège Jean-de-Brébeuf qui, lors de l'année scolaire 2011-2012, nous a permis de nous consacrer à temps plein à ce projet.

Merci à Andréanne Bégin, à Vanessa Masson et à Antoine Cantin Lafleur de s'être portés volontaires pour jouer le rôle de modèles dans certaines photos !

Claudio souhaite remercier sa compagne de vie, Valérie, pour ses encouragements dans les moments plus difficiles et pour sa patience durant les nombreuses journées qui se terminaient à des heures tardives. Un merci spécial à mes parents, Orazio et Micheline, ainsi qu'à mon frère Roberto et à mon cousin Giuseppe pour leur soutien tout au long de mon parcours. Je tiens également à remercier mes amis Stéphane et Danielle, avec qui j'ai eu le privilège de travailler, pour la confiance qu'ils m'ont témoignée.

Danielle remercie son amoureux, Stéphane, qui, depuis leur premier ouvrage, est devenu son mari. Ta ténacité et ta passion pour l'enseignement de la chimie organique m'inspirent. Ta folie nous aura entraînés dans une aventure que nous pourrons nous remémorer, en nous berçant sur la galerie, durant nos vieux jours… Stéphane remercie sa conjointe Danielle, une femme d'exception, qui a su mener de main de maître ce projet d'envergure tout en donnant naissance à notre premier enfant, Nathan. Sans toi, je ne serais rien… c'est du moins ce que tu dis toujours ! Nous remercions nos familles immédiates : Jacqueline, Fernand, Laurent et particulièrement grand-maman Renée, qui nous ont grandement aidés à concilier biberons et chimie. Enfin, nous remercions Claudio, ami depuis toujours et collègue, pour sa grande créativité, son professionnalisme et sa persévérance.

Enfin, c'est avec un brin de nostalgie et un sourire complice que deux des auteurs, Claudio et Stéphane, vous dévoilent qu'ils avaient caressé ce rêve improbable, il y a vingt ans, d'écrire un jour leur propre livre de chimie organique. Voilà, c'est maintenant chose faite !

Stéphane Girouard, Danielle Lapierre et Claudio Marrano

« Lorsqu'on rêve tout seul, ce n'est qu'un rêve, alors que lorsqu'on rêve à plusieurs, c'est déjà une réalité. L'utopie partagée, c'est le ressort de l'Histoire. »

Elder Camara

Table des matières

Chapitre 3

Isomérie ... 98

Chapitre 4

Réactivité chimique ... 173

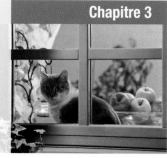

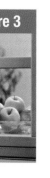

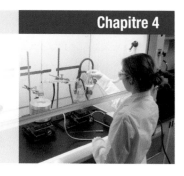

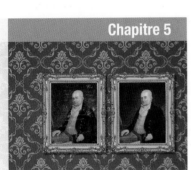

Chapitre 5

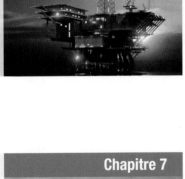

Chapitre 6

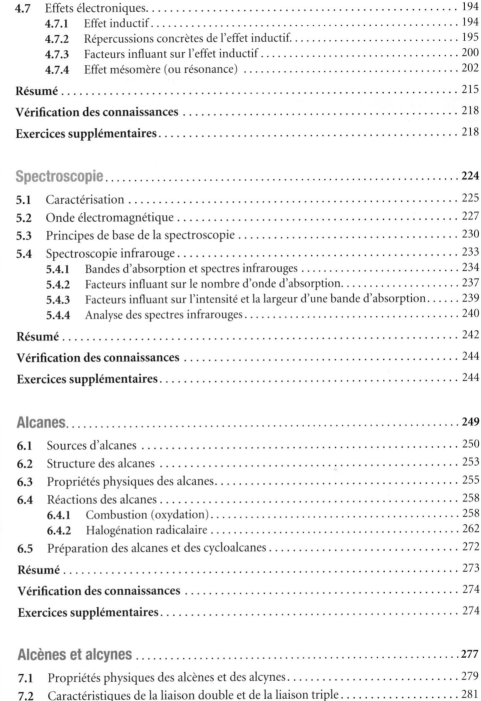

Chapitre 7

Chapitre 8

Composés aromatiques **342**

Chapitre 9

Composés halogénés **379**

Chapitre 10

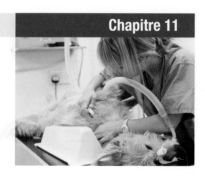

Chapitre 11

Chapitre 12   **Survol des principaux groupements fonctionnels utiles à la biochimie et à la biologie**

 Chapitre en ligne : cheneliere.ca/chimieorganique

Des couleurs pour vous aider à bien comprendre et apprendre les concepts !

Le texte est rédigé dans un style à la fois accessible et rigoureux. Tous les mots clés sont en caractères gras et certains sont aussi en rouge, ce qui signifie qu'ils sont définis. De plus, certaines phrases sont imprimées en rouge afin d'en souligner l'importance.

Un code de couleurs vous permettra de comprendre plus aisément les mécanismes des réactions chimiques et de vous familiariser avec les règles de nomenclature de l'Union internationale de chimie pure et appliquée (UICPA) et avec les noms triviaux.

De façon générale, à l'intérieur d'un composé électrophile, les sites pauvres en électrons ont été mis en évidence en bleu et ceux riches en électrons, en rouge, selon le code de couleurs des cartes de potentiel électrostatique.

(S)-2-bromobutane   (R)-butan-2-ol

Le groupe d'atomes qui est expulsé du substrat est en rouge.

De plus, dans un mécanisme réactionnel, le nucléophile allant attaquer le site positif de l'électrophile est en noir et mis en évidence par une trame jaune, notamment dans les réactions de substitution nucléophile.

Dans les figures et les tableaux, tous les noms précis des composés commencent par une lettre minuscule et sont en bleu s'il s'agit du nom systématique établi par les règles de l'UICPA ou en noir s'il s'agit des noms triviaux.

éthène   Peracide   oxirane (époxyde)   Acide carboxylique

Les indications et les noms généraux des divers groupements fonctionnels sont en noir et commencent par une majuscule.

Pour une meilleure compréhension des couleurs...

Lorsqu'une réaction chimique se produit en plusieurs étapes, une couleur est attribuée à chaque réactif pour permettre de mieux comprendre l'origine des atomes ou des groupes d'atomes ajoutés au substrat.

Des rubriques «Pour une meilleure compréhension des couleurs...» ont été insérées dans la marge aux endroits stratégiques afin de comprendre plus aisément les mécanismes des réactions chimiques.

1 Notions fondamentales

Élément de compétence

- Le cadre de ce chapitre ne fait pas partie du devis ministériel, mais il a été conçu dans le but de rappeler les notions de base essentielles à la compréhension des chapitres suivants.

cheneliere.ca/chimieorganique

› Mots clés

Les cristaux de neige sont le résultat d'attractions intermoléculaires très importantes en chimie et en biologie, les ponts hydrogène.

Qu'est-ce qu'un atome ? Qu'est-ce qu'une molécule ? Pourquoi les éléments cherchent-ils à former des liaisons chimiques ? Quelles sont les informations pertinentes à tirer d'un tableau périodique ? Qu'est-ce qui explique la géométrie moléculaire tétraédrique du méthane ? Pourquoi l'eau bout-elle à 100 °C alors que l'éthanol bout à 78,3 °C à une pression de 101,3 kPa ? Toutes ces questions vous semblent peut-être aisées si vous avez déjà abordé ces différentes notions lors de vos cours de chimie préalables à l'enseignement de la chimie organique. Il sera néanmoins important de s'y arrêter de nouveau, pour s'assurer d'une bonne compréhension des fondements de la chimie, avant d'entreprendre cette belle aventure qu'est la chimie organique !

1.1 Structure atomique, symbolisme de l'atome et isotopes

Un atome est constitué d'un noyau, au centre, entouré d'un nuage électronique. Le terme «atome» fait référence au travail de Démocrite, un philosophe grec du IVe siècle avant Jésus-Christ, qui fut le premier à concevoir l'idée que la matière était constituée d'unités insécables, pleines et solides, et impossibles à décomposer. Le mot grec *atomos* signifie «indivisible».

Les noyaux des atomes sont composés de deux types de particules: les protons et les neutrons. L'atome d'hydrogène (^{1}H) est la seule exception, car il ne possède qu'un seul proton et aucun neutron. Les **protons** sont des particules chargées positivement qui assurent l'attraction des électrons. Les **neutrons** sont des particules électriquement neutres ayant pour rôle d'assurer la cohésion dans le noyau, puisque les protons se repoussent mutuellement. Les protons et les neutrons sont des **nucléons**, c'est-à-dire des composantes du noyau atomique. Le noyau d'un atome est très dense, car il est petit par rapport à la taille totale de l'atome, et il est constitué des particules subatomiques les plus massiques (*voir le tableau 1.1*).

Tableau 1.1 Particules élémentaires constituant l'atome

Nom	Symbole	Charge relative	Masse (kg)
Proton[a]	p^+	+1	$1{,}672\,52 \times 10^{-27}$
Neutron	n^0	0	$1{,}674\,95 \times 10^{-27}$
Électron	e^-	−1	$9{,}109\,5 \times 10^{-31}$

a. Le proton étant constitué de quarks, sa masse s'avère mesurable. Par une méthode indirecte, au moyen de l'énergie de liaison de l'hydrogène muonique (atome d'hydrogène dans lequel l'électron a été remplacé par un muon, 207 fois plus massif que l'électron), le rayon du proton a été déterminé très précisément. Il serait de 0,8418 fm au lieu de 0,877 fm, comme des techniques antérieures moins précises l'avaient établi. Le proton est donc plus petit que ce que l'on croyait jusqu'à présent! Pour plus de détails, consulter la revue *Sciences et avenir*, août 2010.

Les **électrons** sont des particules chargées négativement qui sont situées autour du noyau dans des orbitales atomiques (*voir la section 1.2, p. 4*). Le nuage électronique est peu dense, puisqu'il est formé d'électrons, des particules environ 1850 fois moins massiques que les nucléons, et que son volume est très grand comparativement à celui du noyau. Les **électrons de valence**, appelés également **électrons périphériques** ou **externes**, sont situés sur le dernier niveau énergétique occupé. Ils sont responsables de la réactivité chimique, contrairement aux **électrons de cœur** (ou **internes**) situés sur des niveaux inférieurs, plus près du noyau.

À ce jour, 118 éléments chimiques naturels et artificiels ont été découverts. Ils sont classés dans le tableau périodique selon leur **numéro atomique**, symbolisé par la lettre Z, qui indique le nombre de protons compris dans le noyau. Le numéro atomique est caractéristique d'un élément donné. Il détermine ses propriétés physiques et chimiques. Dans le tableau périodique, cette information est fournie par le numéro de la case occupée par l'élément. Toutefois, dans le symbolisme conventionnel de l'atome (ou de l'ion), le nombre de protons (Z) est inscrit en bas, à gauche du **symbole de l'élément chimique**, **X** (*voir la figure 1.1*).

cheneliere.ca/chimieorganique www

› Caractéristiques du tableau périodique

Figure 1.1
Symbolisme de l'atome

$$_Z^A X^{\,n}$$

Exemples: $\quad _1^1 H \quad$ et $\quad _3^7 Li$

X = Symbole de l'élément chimique;

A = Nombre de masse (protons + neutrons);

Z = Numéro atomique (protons);

n = Charge de l'ion ($n = 0$ si l'atome est neutre).

Dans le tableau périodique, les atomes présentés sont électriquement neutres (la charge n est 0). Il est possible d'en déduire que le nombre d'électrons situés dans le nuage électronique autour du noyau est équivalent au numéro atomique, soit le nombre de protons. Ainsi, l'atome d'hydrogène (H, $Z = 1$) possède un seul électron, alors que l'atome de lithium (Li, $Z = 3$) en possède trois. Si un atome accepte des électrons (n est négatif), alors il se forme un **anion**. À l'inverse, si un atome perd des électrons (n est positif), un **cation** est créé; il s'agit, entre autres, du principe des réactions d'oxydoréduction.

Le **nombre de masse**, symbolisé par la lettre A, correspond à la somme du nombre de neutrons et du nombre de protons, soit le nombre de nucléons. Dans le symbolisme de l'atome (ou de l'ion), le nombre de masse s'inscrit en haut, à gauche du symbole de l'élément chimique (*voir la figure 1.1*).

Ainsi, pour obtenir le nombre de neutrons (n^0) d'un élément chimique dont le nombre de masse A et le numéro atomique Z sont connus, il suffit de résoudre l'équation suivante : $n^0 = A - Z$. Toutes les valeurs de n^0, A et Z sont des nombres entiers.

La datation au ^{14}C est une méthode permettant de déterminer précisément l'âge d'un grand nombre d'objets contenant de la matière organique datant de quelques centaines d'années, jusqu'à 45 000 ans avant Jésus-Christ. Cet isotope a rendu de grands services en archéologie et en paléoanthropologie. Par exemple, la technique de datation au ^{14}C a permis de déterminer l'âge des peintures rupestres et d'objets (15 000 à 20 000 ans) trouvés dans l'un des sites paléolithiques les plus spectaculaires du monde, soit la grotte de Lascaux, située en France.

cheneliere.ca/chimieorganique **www**

> Principe général de la datation au ^{14}C

Exercice 1.1 Déterminez le nombre de protons, de neutrons et d'électrons pour les atomes ou les ions suivants.

$$^{14}_{6}\text{C} \quad ^{16}_{8}\text{O} \quad ^{19}_{9}\text{F}^{-} \quad ^{81}_{35}\text{Br} \quad ^{24}_{12}\text{Mg}^{2+} \quad ^{136}_{54}\text{Xe}$$

Les **isotopes** sont des atomes d'un même élément qui possèdent le même nombre de protons, mais un nombre différent de neutrons. Quelques exemples figurent dans le tableau 1.2. Seul le nombre de protons caractérise un élément. Ainsi, ^{1}H, ^{2}H et ^{3}H dans le tableau 1.2 sont les trois isotopes de l'hydrogène, puisqu'ils possèdent tous un proton ($Z = 1$). L'ajout d'un proton à l'hydrogène interdit de parler d'hydrogène, puisqu'il s'agit dès lors d'hélium ($Z = 2$). Les isotopes d'un même élément chimique possèdent la même réactivité chimique, car ils ont le même nombre d'électrons. Cependant, leur réactivité nucléaire est différente, n'ayant pas le même nombre de neutrons qui constituent, avec les protons, le noyau atomique. Tous les éléments possèdent au moins un isotope, mais dans le cas où il en existe plusieurs, les abondances relatives sont très variables d'un élément à l'autre. De plus, certains sont très instables et radioactifs en raison du fait que leurs noyaux se décomposent plus ou moins rapidement en formant des noyaux plus stables correspondant à d'autres éléments, tout en émettant des particules et certains rayonnements de haute énergie (p. ex.: datation au ^{14}C).

Tableau 1.2 **Abondance de différents isotopes dans la nature**

Symbolisme de l'atome	Nom	Abondance relative (%)	Masse molaire (g/mol)	p^+	n^0	e^-
^{1}H	Hydrogène	99,985	1,008	1	0	1
^{2}H ou D	Deutérium	0,015	2,014	1	1	1
^{3}H ou T	Tritium	$1,0 \times 10^{-16}$	3,016	1	2	1
^{12}C	Carbone-12	98,892	12,000	6	6	6
^{13}C	Carbone-13	1,108	13,003	6	7	6
^{14}C	Carbone-14	$1,3 \times 10^{-10}$	14,003	6	8	6
^{14}N	Azote-14	99,635	14,003	7	7	7
^{15}N	Azote-15	0,365	15,000	7	8	7
^{16}O	Oxygène-16	99,759	15,995	8	8	8
^{17}O	Oxygène-17	0,037	16,999	8	9	8
^{18}O	Oxygène-18	0,204	17,999	8	10	8

cheneliere.ca/chimieorganique

› Rappel des définitions de masse atomique, de mole et de masse molaire

Exercice 1.2

a) Dans le tableau périodique, la masse molaire atomique du carbone est 12,011 g/mol. Expliquez pourquoi aucun isotope du carbone présent dans le tableau 1.2 (*voir page précédente*) ne possède cette masse molaire.

b) Le bore possède deux isotopes : ^{10}B et ^{11}B. Sachant que la masse molaire atomique du bore indiquée dans le tableau périodique est 10,811 g/mol, donnez votre conclusion qualitative sur l'abondance relative de ces isotopes.

Exercice 1.3   Considérez la composition des espèces suivantes.

Espèce	Nombre de protons	Nombre de neutrons	Nombre d'électrons
I	35	44	36
II	20	28	18
III	17	20	18
IV	18	20	18
V	47	60	47
VI	18	22	18

a) Pour chaque espèce présente dans le tableau, précisez s'il s'agit d'un atome, d'un cation ou d'un anion. Déterminez le symbolisme de chaque espèce.

b) Lesquelles forment une paire d'isotopes ?

c) Laquelle a pour nombre de masse 37 ?

1.2   Orbitales atomiques

En chimie organique, les notions faisant référence au noyau atomique sont très peu employées. En contrepartie, les électrons sont sans cesse utilisés pour expliquer les concepts chimiques tels que la réactivité des composés et la formation des liaisons entre les atomes constituant les molécules. Pour cette raison, il est primordial de revoir brièvement certains concepts de la mécanique quantique et la notion d'orbitales atomiques.

En 1913, **Niels Bohr** (1885-1962) conçoit un modèle de l'atome d'hydrogène dans lequel l'électron circule autour du noyau selon des orbites fixes auxquelles sont associées des énergies spécifiques. Peu de temps après la publication de cette théorie révolutionnaire, plusieurs points restent toutefois à éclaircir. En effet, seuls l'hydrogène et les atomes monoélectroniques respectent ce modèle. De plus, des raies additionnelles apparaissent dans le spectre d'émission de l'atome d'hydrogène lorsque ce dernier est soumis à un champ magnétique extérieur, ce qui soulève de nouvelles interrogations. Il devient rapidement évident que ce modèle atomique présente des lacunes.

En 1924, le physicien français **Louis de Broglie** (1892-1977) formule le concept de la **nature dualiste de la matière** telle que l'électron. Il parvient ainsi à quantifier la longueur d'onde, et donc l'énergie de l'électron dans l'atome d'hydrogène.

Une particule qui se comporte comme une onde peut-elle être localisable ? Le physicien allemand **Werner Heisenberg** (1901-1976), grâce à une équation mathématique, décrit l'impossibilité de déterminer la position exacte d'un électron, une particule subatomique ayant des caractéristiques ondulatoires. Son équation porte sur deux paramètres, soit l'incertitude sur la position d'une particule et l'incertitude sur la quantité de mouvement. Grâce à celle-ci, il formule ce qui est connu aujourd'hui comme le **principe d'incertitude d'Heisenberg** qui stipule l'impossibilité de connaître précisément et simultanément la quantité de mouvement et la position exacte d'une particule.

REMARQUE

La nature dualiste de la matière stipule que la matière possède à la fois des propriétés corpusculaires et ondulatoires. Par exemple, l'électron se comporte à la fois comme une particule et comme une onde stationnaire.

En 1926, le physicien autrichien **Erwin Schrödinger** (1887-1961) propose une équation mathématique très complexe pour décrire le comportement d'un système quantique (p. ex.: l'atome). L'**équation de Schrödinger** ($\hat{H}\Psi = E\Psi$, où Ψ est la fonction d'onde du système, E, l'énergie associée, et $\hat{H}$, l'opérateur hamiltonien du système) tient compte des paramètres ondulatoires et massiques de l'électron ainsi que de sa localisation spatiale. À défaut de pouvoir déterminer la trajectoire d'un électron, il devient possible de prévoir la probabilité de le trouver à l'intérieur d'un volume donné. Cette probabilité est proportionnelle à la fonction d'onde au carré (Ψ^2). La notion d'orbitale atomique venait de naître.

Une **orbitale atomique** est une région de l'espace autour du noyau où la probabilité de trouver un électron est très élevée, soit 90 %, une valeur arbitraire fixe pour toutes les représentations orbitalaires à des fins comparatives. Les orbitales atomiques sont les solutions obtenues en résolvant l'équation de Schrödinger. Les calculs confirment que les orbitales atomiques peuvent prendre diverses formes et correspondre à différents niveaux énergétiques. Elles sont caractérisées par trois nombres quantiques : le **nombre quantique principal (n)**, le **nombre quantique secondaire (ℓ)** et le **nombre quantique magnétique (m_ℓ)**. Un quatrième nombre quantique, le **nombre quantique de spin (m_s)**, décrit les deux orientations possibles du moment magnétique de l'électron selon ce qui peut être interprété de façon simplifiée comme le sens de rotation de l'électron sur lui-même (*voir le tableau 1.3*).

Tableau 1.3 Tableau récapitulatif des nombres quantiques et des orbitales atomiques correspondantes

Nombre quantique	Valeurs numériques possibles	Représentation – Orbitale atomique
Nombre quantique principal (n)	Nombre entier plus grand que 0 $n = 1, 2, 3, 4,...$	Taille de l'orbitale (niveau d'énergie) 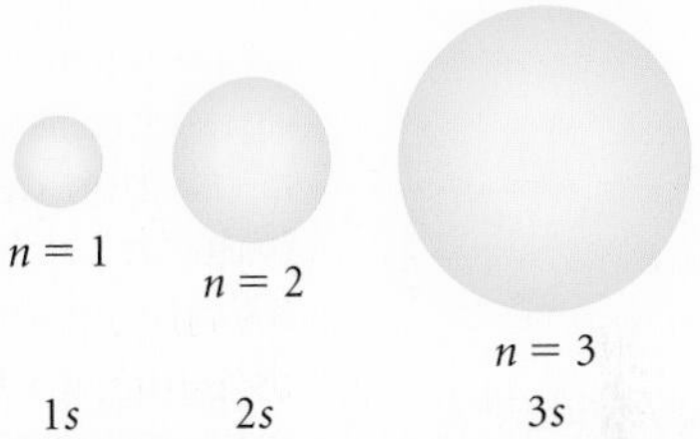
Nombre quantique secondaire (ℓ)	Nombre entier de 0 à $n-1$ $\ell = 0, 1, 2, 3, ..., n-1$	Forme de l'orbitale (sous-niveau d'énergie) 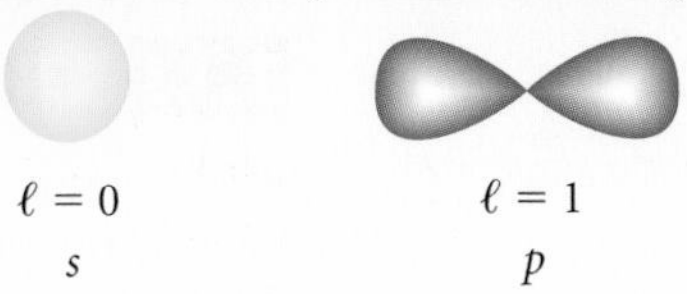
Nombre quantique magnétique (m_ℓ)	Nombre entier entre $-\ell$ et $+\ell$ $m_\ell = 0, \pm 1, \pm 2, \pm 3, ..., \pm\ell$	Orientation des orbitales p dans l'espace 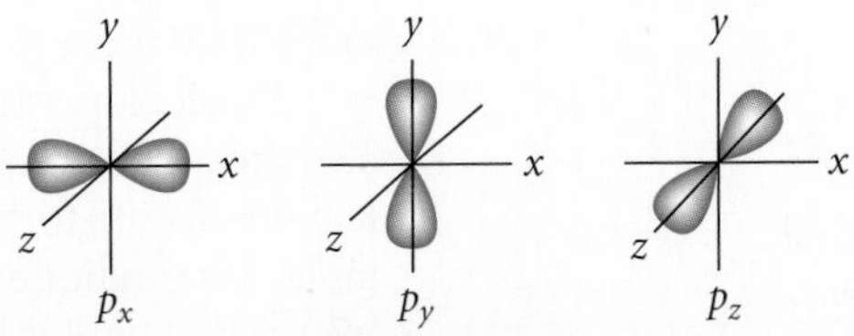
Nombre quantique de spin (m_s)	Valeur de $+\dfrac{1}{2}$ ou $-\dfrac{1}{2}$	Sens de rotation de l'électron sur lui-même 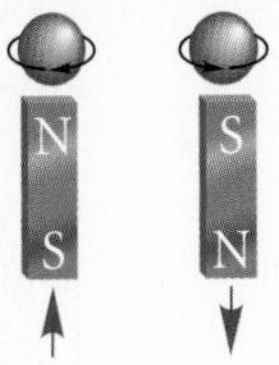

Si le nombre quantique secondaire (ℓ) est égal à 0, la forme de l'orbitale est sphérique[1]. Il est alors question d'une **orbitale s**. Les orbitales dont le nombre quantique secondaire (ℓ) est 1 ont une forme bilobée et portent le nom d'**orbitale p**. L'orbitale s, par sa forme sphérique, ne possède qu'une seule orientation dans l'espace ($m_\ell = 0$). Dans le cas des orbitales p, il en existe trois qui s'orientent selon les axes x, y et z (soit les orbitales p_x, p_y et p_z). Elles sont perpendiculaires les unes par rapport aux autres (*voir le tableau 1.3, page précédente*). D'autres orbitales plus complexes de types d et f sont également possibles pour les éléments de numéro atomique plus élevé, mais elles ne seront pas utilisées dans le cadre de ce cours de chimie organique.

Selon le principe d'exclusion de Pauli, chaque électron dans un atome possède son propre **état quantique**. Par conséquent, les électrons d'un même atome à l'état fondamental ne peuvent avoir les quatre mêmes nombres quantiques (*voir la section 1.3.1*). Ainsi, deux électrons peuvent se trouver sur le même niveau (n), dans une même orbitale (mêmes nombres quantiques ℓ et m_ℓ), mais avec un nombre quantique de spin (m_s) différent pour chacun des deux électrons. L'un sera de spin +1/2 et l'autre, de spin −1/2.

> **Exercice 1.4** Donnez les valeurs possibles de ℓ pour $n = 2$. Quelle différence y a-t-il entre les orbitales atomiques correspondant à ces valeurs?
>
> **Exercice 1.5** Déterminez les valeurs possibles de m_ℓ lorsque $n = 3$ et $\ell = 1$. Quelle différence y a-t-il entre les orbitales atomiques correspondant à ces valeurs? Quels sont leurs points communs?

1.3 Configurations électroniques

La **configuration électronique** d'un atome consiste à répartir ses électrons dans les différentes orbitales autour de son noyau. Puisqu'il serait complexe et lourd de décrire la position des électrons en utilisant leurs quatre nombres quantiques, des systèmes codés ont été établis pour représenter les orbitales atomiques de façon schématisée, soit les cases quantiques, la notation *spdf* et la notation abrégée. Il faut respecter les règles dictant l'ordre de remplissage des orbitales atomiques, soit le principe de l'*aufbau*, le principe d'exclusion de Pauli et la règle de Hund.

1.3.1 Règles de remplissage des orbitales atomiques

Pour déterminer la disposition des électrons au sein des orbitales atomiques, la première règle de remplissage est celle du **principe de l'*aufbau*** (mot allemand signifiant «construction par empilement»). Cette règle précise que les orbitales de plus faible énergie doivent être remplies en premier. Plusieurs moyens mnémotechniques, dont la **règle de Klechkowski**, rappellent l'ordre de remplissage des orbitales atomiques selon leur niveau énergétique.

Le tableau périodique, construit en fonction des configurations électroniques des éléments, du numéro atomique et des propriétés chimiques des familles, s'avère également un outil fort intéressant pour déterminer l'ordre de remplissage. En effet, dans un tableau périodique (*voir la figure 1.2*), les deux premières familles (groupes 1 et 2), en bleu, représentent les orbitales du bloc «s». Les familles de droite (groupes 13 à 18), en rose, sont associées aux orbitales du bloc «p». Les métaux de transition (groupes 3 à 12), en jaune, correspondent aux orbitales du bloc «d». Finalement, les lanthanides et les actinides, en vert, font partie du groupement des orbitales du bloc «f».

Dans le tableau périodique, les périodes représentent les différents niveaux d'énergie (n) que peuvent occuper les électrons d'un élément à l'état fondamental. Ainsi, l'hydrogène, dont le numéro atomique est 1, possède un électron. Ce dernier se trouve dans l'orbitale 1s, car l'hydrogène est situé dans le bloc «s» et sur la première période. Dans le cas des atomes polyélectroniques plus complexes, il est possible de déterminer l'ordre de remplissage des orbitales atomiques en débutant par l'orbitale 1s et en écrivant

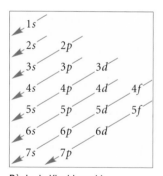

Règle de Klechkowski

Figure 1.2
Tableau périodique des éléments et blocs d'orbitales atomiques

Bien que l'hélium (He) appartienne à la famille des gaz rares (groupe 18), à l'état fondamental, il ne possède pas d'électrons peuplant des orbitales *p*. Il se trouve à cet endroit dans le tableau périodique, car sa couche électronique est remplie au niveau *n* = 1. Sa stabilité devient alors analogue à celle des gaz rares. Cependant, au moment du remplissage, il doit être « déplacé » vers la deuxième famille (groupe 2) du tableau périodique, puisque, étant donné sa configuration électronique, il ne possède que deux électrons et fait donc partie du bloc « *s* » au lieu du bloc « *p* ».

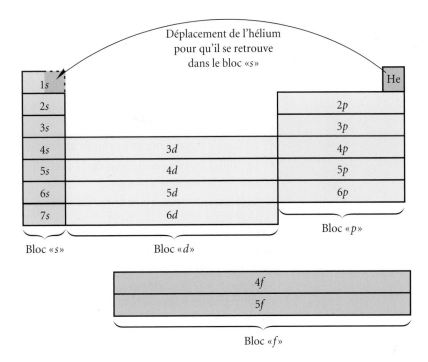

chaque orbitale rencontrée au cours de la lecture du tableau périodique (de gauche à droite et de haut en bas), jusqu'à atteindre l'atome à l'étude.

Il convient d'affirmer qu'en se déplaçant d'un élément à un autre, et si l'atome est neutre, un électron et un proton s'ajoutent. Ainsi, pour un atome d'azote ($Z = 7$) se trouvant sur la deuxième période et dans le bloc « *p* », les sept électrons se distribuent dans les orbitales 1*s*, 2*s* et 2*p*.

La deuxième règle de remplissage des orbitales atomiques se base sur le **principe d'exclusion de Pauli** (**Wolfgang Pauli**, 1900-1958) qui précise l'impossibilité pour deux électrons de se trouver dans le même état quantique à l'état fondamental, c'est-à-dire de posséder les quatre mêmes nombres quantiques. Chaque orbitale peut donc contenir un maximum de deux électrons qui doivent avoir des spins opposés. Ainsi, si deux électrons se trouvent dans la même orbitale et que l'un est de spin +1/2, le second sera systématiquement de spin opposé, soit −1/2. Dans le cas de l'atome d'azote, deux électrons de spins opposés occupent donc l'orbitale 1*s*, deux électrons de spins opposés se trouvent dans l'orbitale 2*s* et trois électrons sont localisés dans les orbitales 2*p*.

La dernière règle de remplissage, la **règle de Hund** (**Friedrich Hund**, 1896-1997), énonce que, dans le cas des **orbitales atomiques dégénérées** (c'est-à-dire des orbitales de même énergie, de même forme, mais d'orientation différente, trouvées notamment dans les orbitales *p*, *d* ou *f*), les électrons doivent être placés successivement, avec le même spin (+1/2 par convention), dans chaque orbitale, jusqu'à ce que toutes les orbitales possèdent un électron, avant de placer un deuxième électron, de spin opposé (−1/2), dans une même orbitale. Cette règle tient compte du fait qu'il est plus favorable énergétiquement de positionner deux électrons dans deux orbitales dégénérées distinctes, minimisant ainsi une répulsion électronique, puisque chaque électron, portant une charge négative, se repousse. Ainsi, pour respecter cette dernière règle, dans l'exemple de l'atome d'azote, les trois derniers électrons sont répartis, avec le même spin (+1/2 par convention), dans chacune des trois orbitales 2*p* (*voir la figure 1.3, page suivante*).

Le nombre d'orientations possibles de chaque type d'orbitales dégénérées peut être déduit en observant le tableau périodique. En effet, pour une période donnée du tableau périodique, 2 éléments se trouvent dans le bloc « *s* », 6 éléments dans le bloc « *p* », 10 éléments dans le bloc « *d* » et 14 éléments dans le bloc « *f* ». Par conséquent, pour un même niveau énergétique, il n'existe qu'une seule orbitale *s* sphérique (2 éléments ÷ 2 e⁻ par orbitale), 3 orbitales *p* ayant 3 orientations différentes p_x, p_y et p_z (6 éléments ÷ 2 e⁻ par orbitale), 5 orbitales *d*, soit d_{xy}, d_{xz}, d_{yz}, $d_{x^2-y^2}$ et d_{z^2} (10 éléments ÷ 2 e⁻ par orbitale) et 7 orbitales *f* d'orientations différentes (14 éléments ÷ 2 e⁻ par orbitale).

1.3.2   Représentations des configurations électroniques

Cette section présente différentes méthodes d'écriture des configurations électroniques.

1.3.2.1   Cases quantiques

L'écriture des configurations électroniques à l'aide des **cases quantiques** se fait de la façon suivante :

- La case ☐ représente une orbitale atomique.
- Le chiffre inscrit en dessous de la case correspond au niveau d'énergie (n), soit le nombre quantique principal.
- La lettre correspond à la forme de l'orbitale (s, p, d ou f), soit le nombre quantique secondaire (ℓ).

Les orbitales dégénérées sont représentées par des cases juxtaposées. Par exemple, les orbitales p sont schématisées par trois cases collées en raison des orbitales p_x, p_y et p_z existantes (*voir la figure 1.3*).

Dans le système codé des cases quantiques, un électron est représenté par une demi-flèche verticale. Pour bien mettre en évidence la différence de spin, l'une des flèches pointe vers le haut ($+1/2$ par convention), et l'autre vers le bas. Le sens de la flèche représente les moments magnétiques distincts (m_s) de l'électron ou, plus simplement, le sens de rotation de l'électron sur lui-même.

La figure 1.3 illustre les configurations électroniques représentées sous forme de cases quantiques de quelques éléments fréquents dans les composés organiques.

Figure 1.3
Configurations électroniques de certains éléments fréquents dans les composés organiques

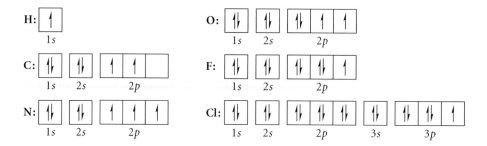

Exercice 1.6   À l'aide des cases quantiques, donnez la configuration électronique du magnésium, du phosphore et du potassium.

1.3.2.2   Notations *spdf* et abrégée

La **notation *spdf*** simplifie l'écriture des cases quantiques. Dans cette notation, les lettres (s, p, d et f) représentent les quatre types d'orbitales de forme particulière. Le nombre d'électrons présents dans chaque orbitale est indiqué par un chiffre situé en exposant de la lettre. Enfin, le nombre quantique principal n est inscrit devant la lettre. La figure 1.4 montre des exemples. Pour que la dégénérescence soit toujours visible, les orientations des orbitales p, par exemple, doivent être spécifiées de la manière suivante : p_x, p_y et p_z. Toutefois, une version condensée de la notation *spdf*, dans laquelle tous les électrons des orbitales dégénérées sont cumulés, est fréquemment employée (p. ex. : $2p^6$ au lieu de $2p_x^2\,2p_y^2\,2p_z^2$).

La **notation abrégée** est souvent utilisée pour les configurations électroniques des éléments ayant un numéro atomique élevé. Dans cette écriture, le symbole du gaz rare qui précède l'élément à décrire est inscrit entre crochets et suivi de la configuration électronique de la couche de valence.

Figure 1.4
Représentations des diverses méthodes d'écriture de la configuration électronique d'un élément (cases quantiques, notation *spdf* et notation abrégée)

Cases quantiques

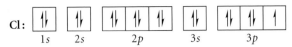

Cl : 1s 2s 2p 3s 3p

Notation *spdf*

Cl : $1s^2 2s^2 2p_x^2 2p_y^2 2p_z^2 3s^2 3p_x^2 3p_y^2 3p_z^1$

$1s^2 2s^2 2p^6 3s^2 3p^5$ (notation *spdf* condensée)

Notation abrégée

Cl : $[Ne] 3s^2 3p_x^2 3p_y^2 3p_z^1$ ou encore $[Ne] 3s^2 3p^5$

cheneliere.ca/chimieorganique **www**

› Configurations électroniques des ions

Exercice 1.7 Des métaux de transition tels que le palladium et le manganèse sont souvent utilisés dans certaines réactions de chimie organique. Écrivez, en notations *spdf* et abrégée, la configuration électronique de ces métaux.

1.3.3 Électrons de valence et électrons de cœur

Les **électrons de valence**, appelés aussi **périphériques** ou **externes**, sont responsables des propriétés chimiques des éléments, en particulier de la réactivité chimique. Ils sont plus aptes à participer aux réactions, car ils sont plus éloignés du noyau et donc moins bien retenus par celui-ci. Tous les éléments d'une même famille possèdent le même nombre d'électrons de valence. Dans cette catégorie d'électrons, il est possible de distinguer les **électrons célibataires** (ou **non appariés**) des **doublets d'électrons** (ou **électrons appariés**). Les électrons célibataires sont seuls dans une orbitale atomique et ils cherchent à effectuer des liaisons chimiques pour générer des composés. Pour leur part, les électrons appariés correspondent à une paire d'électrons localisés dans une même orbitale atomique.

Les électrons situés sur les couches inférieures sont les **électrons de cœur**, ou **internes**, qui ne participent nullement à la réactivité chimique. Ce sont tous des électrons appariés. Dans la figure 1.5, l'exemple de la configuration électronique du soufre illustre ces différents termes.

Figure 1.5
Illustration des électrons de cœur et des électrons de valence dans la configuration électronique du soufre (S) représentée par les cases quantiques et la notation abrégée

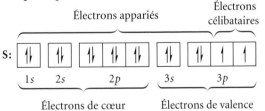

Cases quantiques

Électrons appariés   Électrons célibataires

S : 1s 2s 2p 3s 3p

Électrons de cœur   Électrons de valence

Notation abrégée

S : $[Ne] 3s^2 3p^4$

Électrons de cœur   Électrons de valence

Dans les **électrons de valence** du soufre, il est possible de distinguer **deux doublets d'électrons (quatre électrons appariés)** ainsi que **deux électrons célibataires**.

Exercice 1.8 Dessinez les cases quantiques des éléments suivants : $Z = 5$, $Z = 14$ et $Z = 20$. Déterminez le nombre d'électrons de valence pour chacun d'eux.

1.4 Notation de Lewis

En 1916, le professeur **Gilbert Newton Lewis** (1875-1946) propose la théorie des électrons localisés, une manière rapide et facile de visualiser les électrons de valence d'un élément. La **notation de Lewis** consiste à répartir les électrons de valence, représentés par de petits signes (x, •, etc.). D'abord, les électrons sont répartis un à un sur les quatre côtés du symbole chimique de l'élément. Les électrons supplémentaires sont ensuite ajoutés pour former des doublets d'électrons. La figure 1.6 illustre les notations de Lewis des 18 premiers éléments.

Figure 1.6
Notations, telles que décrites par Lewis, des 18 premiers éléments du tableau périodique[a]

a. Les notations de la figure 1.6 sont employées pour écrire les diagrammes de Lewis. Toutefois, selon la théorie quantique, les notations de Lewis du He, du Be, du Mg, du B, de Al, du Si et du C coïncidant avec les configurations électroniques à l'état fondamental sont :

He: Be: Mg: •B: •Al: •Si: •C:

GILBERT NEWTON LEWIS (1875-1946)

Chimiste et physicien américain né le 23 octobre 1875 dans la petite ville de Weymouth, au Massachusetts, Lewis fréquenta la prestigieuse Université de Harvard dès l'âge de 17 ans et obtint son doctorat en chimie à 24 ans. Il consacra sa vie à l'étude de la thermodynamique, des isotopes et des liaisons chimiques. Lewis s'éteignit le 23 mars 1946 à Berkeley et, selon certains, dans son laboratoire de l'Université de Californie.

Par exemple, la configuration électronique des électrons de valence de l'oxygène présente une orbitale 2s remplie et une seule orbitale p remplie, soit deux doublets d'électrons. Les deux autres orbitales p ne renferment qu'un seul électron. Il y a donc deux électrons célibataires. La notation de Lewis montre le même patron électronique, soit deux côtés possédant un doublet d'électrons et deux autres côtés avec un seul électron. Dans les deux notations, six électrons de valence sont ainsi dénombrés, dont deux doublets d'électrons et deux électrons célibataires (*voir la figure 1.7*).

Figure 1.7
Comparaison de la configuration électronique de l'oxygène à l'état fondamental avec sa notation de Lewis

Configuration électronique (cases quantiques)

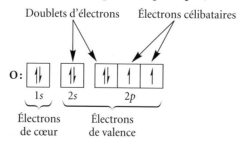

Notation de Lewis

Électrons célibataires ⟶ •Ö: ⟵ Doublets d'électrons

Exercice 1.9 À partir des notations de Lewis, déterminez le nombre de doublets d'électrons ainsi que le nombre d'électrons célibataires sur la couche de valence des atomes suivants : K, Ge, Sb, Ba et I.

Exercice 1.10 Pour l'atome de brome :

a) représentez sa configuration électronique à l'aide des cases quantiques ;

b) dessinez sa notation de Lewis ;

c) dites combien il a d'électrons de cœur ;

d) dites combien il a d'électrons de valence ;

e) dites combien il a d'électrons célibataires.

1.5 Règles du doublet et de l'octet

REMARQUE

Depuis les années 1960, des études ont toutefois mené à la découverte de quelques composés chimiques moléculaires (exciplexes) du xénon, du krypton et du radon.

Au cours de ses recherches, Lewis constate que les gaz rares, appelés également gaz « nobles » ou « inertes », ne se combinent pas avec d'autres atomes, car ils bénéficient d'un arrangement électronique leur conférant une stabilité particulière. En effet, qu'il s'agisse du néon, du krypton, du xénon ou du radon, ils possèdent tous une configuration électronique dans laquelle le dernier niveau d'énergie est complètement rempli en électrons. Lewis avance donc l'idée que tous les atomes cherchent à acquérir cette stabilité en tentant d'obtenir (ou d'imiter) la configuration électronique des gaz rares. Il énonce la **règle de l'octet** (du latin *octo* qui signifie « huit »), puisque les éléments tendent à obtenir huit électrons sur leur couche de valence. De façon générale, il faut huit électrons pour combler un niveau électronique, c'est-à-dire deux électrons dans l'orbitale *s* et six électrons dans les orbitales *p*.

Cependant, l'hydrogène et l'hélium ne respectent pas la règle de l'octet. En effet, l'hélium est un gaz rare, très stable, même s'il ne possède que deux électrons sur sa couche de valence. L'hydrogène, pour sa part, cherche à compléter sa couche de valence (l'orbitale atomique 1*s*), en s'entourant de deux électrons. Dans ces deux cas particuliers, il s'agit alors de la **règle du doublet**.

Il existe des exceptions à la règle de l'octet et à celle du doublet. En effet, les éléments à partir de la troisième période peuvent avoir un octet étendu dans lequel la couche de valence contient plus de huit électrons. Cela est possible en raison de la disponibilité des orbitales *d* dans lesquelles des électrons peuvent se placer. Enfin, la règle de l'octet fait aussi exception dans le cas des éléments de la famille IIIA ou 13 (B, Al, etc.) dont l'octet est incomplet. Ces atomes ne s'entourent généralement que de six électrons sur leur couche de valence[2].

Lewis propose que l'obtention d'une stabilité maximale se réalise de deux manières. D'une part, les atomes peuvent partager des électrons avec d'autres atomes pour combler mutuellement leur valence et ainsi respecter la règle du doublet ou de l'octet. Par cette mise en commun, ils forment des liaisons chimiques covalentes (*voir les sections 1.6.1 et 1.6.2, p. 12 et 14*). D'autre part, les atomes peuvent aussi accepter ou céder des électrons, ce qui mène à la formation d'ions (Na^+, Cl^-, Ca^{2+}, etc.) et de composés ioniques ($NaCl$, $CaCl_2$, etc.) (*voir la section 1.6.3, p. 16*).

1.6 Différents types de liaisons chimiques et structures de Lewis des molécules

Les **structures de Lewis** sont des représentations permettant d'illustrer les molécules et les ions polyatomiques en associant les électrons célibataires des atomes formant les structures pour tenter de respecter les règles de l'octet et du doublet. Cette association entre les atomes mène à différentes catégories de liaisons chimiques. En chimie organique, il existe deux types principaux de liaisons chimiques : la **liaison covalente** (non polaire, polaire et de coordination ou de coordinence) et la **liaison ionique**. Les liaisons de coordination ne seront toutefois pas traitées dans ce chapitre.

La distinction entre les liaisons chimiques covalentes et les liaisons ioniques nécessite l'introduction de la notion d'**électronégativité (Én)**. L'électronégativité est la tendance d'un atome à attirer vers lui les électrons partagés dans une liaison chimique. Plus un élément est électronégatif, plus il attire vers lui les électrons de la liaison chimique. L'échelle d'électronégativité utilisée aujourd'hui a été proposée par le chimiste américain **Linus Carl Pauling** (1901-1994) en 1932. Dans le tableau périodique, l'électronégativité des éléments augmente globalement de gauche à droite (en excluant les gaz rares qui n'ont pas, en général, de valeur d'électronégativité) dans une période à cause de la charge nucléaire effective ($Z_{effectif}$) de plus en plus grande et diminue de haut en bas dans une famille à cause du nombre croissant d'électrons des couches électroniques internes. Ces valeurs d'électronégativité, sur l'échelle de Pauling, se situent entre 0 et 4 et sont sans unité. Elles sont inscrites dans le tableau périodique fourni à la fin du manuel.

LINUS CARL PAULING (1901-1994)

Chimiste et physicien américain né le 28 février 1901 à Portland, en Oregon, Pauling fut diplômé en génie chimique du Collège de l'État d'Oregon en 1922. Il poursuivit ses études à l'Institut de technologie de Californie où il obtint son doctorat en chimie en 1925. Puis, il entama des études postdoctorales en Europe où il travailla avec les renommés Erwin Schrödinger et Niels Bohr. En 1935, il publia un livre sur la mécanique quantique dans lequel il développait les notions d'électronégativité, de résonance et d'orbitales atomiques hybrides, et ce, pour la première fois. Il reçut en 1954 le prix Nobel de chimie pour son travail sur les liaisons chimiques. Au cours de la Deuxième Guerre mondiale, il travailla sur la conception de substituts de plasma sanguin, puis sur l'anémie falciforme. Défenseur de la vie humaine, il s'opposa aux essais nucléaires en faisant signer une pétition par 11 000 scientifiques, pétition qu'il adressa à l'Organisation des Nations Unies en 1958. Honoré du prix Nobel de la paix en 1962, il reste le seul homme, à ce jour, à détenir plus d'un prix Nobel individuel dans deux catégories différentes. Pauling décéda le 14 août 1994.

REMARQUE

Les électrons de cœur forment un écran entre les électrons de valence et le noyau atomique. Par conséquent, la charge nucléaire effective ($Z_{effectif}$) ressentie par un électron n'est pas égale à la charge nucléaire du noyau (Z) de l'atome. L'équation mathématique empirique permettant de calculer la **charge nucléaire effective** est :

$$Z_{effectif} = Z - \sigma$$

où

$Z_{effectif}$ = charge nucléaire ressentie par un électron donné ;

Z = numéro atomique (nombre de protons) ;

σ = constante d'écran.

Pour déterminer le type de liaison chimique, il ne faut pas simplement considérer l'électronégativité propre à un atome. Il s'agit plutôt de calculer la différence d'électronégativité (ΔÉn) entre les deux atomes constituant la liaison[3].

1.6.1 Liaison covalente non polaire

Dans une liaison chimique covalente, les électrons célibataires de deux atomes sont mis en commun ; ils sont donc partagés par les deux atomes qui la composent. La **liaison covalente non polaire** implique un partage égal des électrons entre les atomes dans la liaison chimique.

La molécule de H_2 est un exemple de structure présentant une liaison covalente non polaire (*voir la figure 1.8*). Dans un tel cas, le nuage électronique caractéristique de la liaison est symétrique, puisque chaque atome d'hydrogène possède la même électronégativité ; les électrons qui composent la liaison ne se voient pas attirés davantage vers l'un ou l'autre des atomes.

Il a été établi que si la différence d'électronégativité entre deux atomes d'une liaison se trouve entre 0 et 0,40, il s'agit d'une liaison covalente non polaire. Lorsque la valeur de la différence d'électronégativité est 0, la liaison covalente est parfaitement non polaire (nuage électronique symétrique). Quand la différence d'électronégativité est localisée dans la zone frontière (soit environ 0,40), la seule façon de savoir avec précision si une liaison est polarisée ou non est de procéder à des études expérimentales telles que des études de conductivité électrique. Dans le cas de la molécule de méthane (CH_4), les quatre liaisons C—H autour de l'atome de carbone sont parfaitement équivalentes. La différence d'électronégativité pour chacune des liaisons C—H est 0,35. Cette valeur étant très faible, le nuage électronique de la liaison ne se déforme pratiquement pas. Les scientifiques s'accordent pour conclure qu'un lien C—H est une liaison covalente qu'il est possible de considérer comme non polaire (*voir la figure 1.9*). Toutefois, il ne faut pas négliger la très faible polarité entre ces deux atomes qui devra être prise en considération pour expliquer certains phénomènes chimiques (*voir la section 4.7.1 sur l'effet inductif, p. 194*).

Figure 1.8
Liaison covalente non polaire de la molécule de H_2

Formation d'une liaison covalente non polaire entre deux atomes d'hydrogène

$$H\cdot \ + \ \cdot H \ \longrightarrow \ H:H \quad \text{ou simplement} \quad H\!-\!H$$

Notations de Lewis

Structure de Lewis
Chaque atome de la molécule respecte la règle du doublet. Un trait est utilisé généralement pour illustrer une liaison simple entre deux atomes.

cheneliere.ca/chimieorganique www
› Comprendre les cartes de potentiel électrostatique

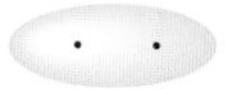

Nuage électronique symétrique
de la molécule de H_2
($\Delta \text{Én} = 0$)

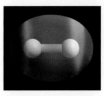

Carte de potentiel
électrostatique de la
molécule de H_2

La densité électronique est plus importante dans la région entre les deux noyaux d'hydrogène (en rouge) où elle est répartie uniformément.

Figure 1.9
Liaisons covalentes non polaires de la molécule de CH_4

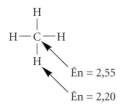

Én = 2,55
Én = 2,20

$\Delta \text{Én} = 2{,}55 - 2{,}20 = 0{,}35$
La liaison C—H est covalente non polaire.

Carte de potentiel
électrostatique
du méthane (CH_4)

La densité électronique est plus importante dans la région entre les noyaux d'hydrogène et de carbone (en rouge) pour chaque liaison C—H. Les électrons sont répartis uniformément.

Exemple 1.1

Dessinez la structure de Lewis de la molécule organique de $CH_3CH(CH_3)CH_3$ et démontrez que cette molécule n'est constituée que de liaisons covalentes non polaires.

Solution

Démarche suggérée pour dessiner une structure de Lewis :

1. Déterminez les notations de Lewis des atomes présents et calculez le nombre total d'électrons de valence à représenter.

   $\cdot\dot{\underset{\cdot}{C}}\cdot$ ⟹ 4 électrons de valence × 4 atomes = 16 électrons de valence ⎫
   ⎬ 26 électrons de valence au total
   $H\cdot$ ⟹ 1 électron de valence × 10 atomes = 10 électrons de valence ⎭

2. Déterminez l'arrangement des atomes en respectant la formule moléculaire fournie dans l'énoncé du problème et en distribuant les électrons dans le respect des règles de l'octet et du doublet. En général, dans le cas des composés organiques, les carbones sont les atomes centraux autour desquels les autres atomes, dont l'hydrogène, viennent se lier en périphérie.

   Dans une structure de Lewis, il faut placer un minimum d'une liaison entre chaque atome. Les liaisons covalentes sont représentées par un trait, ce qui correspond au partage de deux électrons. Il est important de se rappeler que, dans les molécules organiques, le carbone fait toujours quatre liaisons.

Le calcul de l'étape 1 montre que cette structure de Lewis comporte 26 électrons de valence à représenter, c'est-à-dire 13 paires d'électrons.

$$
\begin{array}{ccc}
 & H & \\
 & | & \\
H & -C- & H \\
 & | & \\
 & H & H \\
 & | & | \\
H-C- & C- & C-H \\
| & | & | \\
H & H & H
\end{array}
$$

La molécule n'est formée que de liaisons C—C et C—H dont les différences d'électronégativité sont respectivement 0 et 0,35. Ces valeurs étant inférieures à 0,40, ce sont donc des liaisons covalentes non polaires.

Remarques générales :

- L'hydrogène et le fluor sont toujours des atomes terminaux. Dans les molécules organiques, les autres halogènes (chlore, brome et iode) sont également des atomes terminaux, puisqu'ils possèdent un seul électron célibataire.

- S'il y a lieu, les doublets d'électrons libres demeurent sous la forme de points.

- Dans certains cas, pour respecter la règle de l'octet, le carbone devra s'entourer de liaisons doubles ou triples (*voir la section 1.6.4, p. 17*).

1.6.2   Liaison covalente polaire

La **liaison covalente polaire** est une liaison formée par des atomes qui se partagent inégalement les électrons. À titre d'exemple, un atome d'hydrogène peut s'unir avec un atome de brome pour former la molécule de H—Br. La différence principale est que les deux électrons partagés ne ressentent pas la même attraction de part et d'autre de la liaison. En effet, selon les valeurs d'électronégativité fournies dans le tableau périodique, le brome (Én = 2,96) est plus électronégatif que l'hydrogène (Én = 2,20) et attire davantage les électrons vers lui. Par conséquent, la densité électronique autour du brome augmente (un enrichissement en électrons), et la densité électronique à proximité de l'hydrogène diminue (un appauvrissement en électrons). Le nuage d'électrons n'est donc plus symétrique. La liaison covalente est dite « polaire ». Pour être en mesure d'affirmer qu'une liaison est covalente polaire, il faut que la différence d'électronégativité entre les deux atomes qui la composent ait une valeur située entre 0,40 et 1,7.

Le **dipôle** créé par la polarisation de ce type de liaison peut être représenté par un vecteur dont la pointe indique la zone riche en électrons. L'autre extrémité de la flèche débute du côté de l'atome le moins électronégatif et présente un signe positif (observé par le croisement entre la petite ligne verticale et la flèche). Au lieu d'indiquer le dipôle par une flèche, les chimistes utilisent aussi les symboles δ^+ et δ^-, qui se lisent respectivement « delta plus » et « delta moins », pour déterminer les régions enrichies ou appauvries en électrons. Le delta signifie « charge partielle ». Ainsi, dans l'exemple de la figure 1.10, le brome n'est pas électriquement neutre et ne porte pas de charge complète négative ; il est plutôt partiellement négatif, en raison du caractère covalent de cette liaison polaire.

La figure 1.11 illustre la molécule de CH_3F qui possède trois liaisons covalentes non polaires et une liaison covalente polaire.

Dans une liaison covalente polaire, la charge partielle positive (δ^+) est en bleu et celle négative (δ^-) est en rouge, en accord avec le code de couleurs des cartes de potentiel électrostatique.

Figure 1.10 Liaison covalente polaire de la molécule de HBr

Formation d'une liaison covalente polaire entre un atome d'hydrogène et un atome de brome

Notations de Lewis

Structure de Lewis
Chaque atome de la molécule respecte
la règle du doublet ou de l'octet.

H ·· Br:

Nuage électronique
déformé de la molécule de HBr

Les électrons ne sont pas
localisés également entre
les atomes de brome et
d'hydrogène. Le nuage
électronique est déformé
et déplacé vers l'atome de
brome, le plus électronégatif.

Carte de potentiel électrostatique
de la molécule de HBr

Représentations schématiques du dipôle de la liaison covalente polaire

H—Br: ou encore δ^+ δ^- Én Br = 2,96
                                   H—Br: Én H = 2,20
Vecteur   Charges partielles ΔÉn = 2,96 – 2,20 = 0,76

Exercice 1.11 Les molécules de H_2 et de Cl_2 sont non polaires, alors que la
molécule de HCl est polaire. Expliquez ces différences.

Figure 1.11 Liaisons chimiques covalentes non polaires
et liaison covalente polaire constituant la molécule de CH_3F

Représentations schématiques du dipôle de la liaison covalente polaire

H—C—F: ← Én = 3,98

Én = 2,55

Én = 2,20

Liaisons C—H: ΔÉn = 2,55 – 2,20 = 0,35
(liaisons covalentes non polaires)

Liaison C—F: ΔÉn = 3,98 – 2,55 = 1,43
(liaison covalente polaire)

Vecteur   Charges partielles

ou
encore

H—C—F: δ^+ δ^-

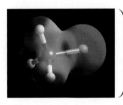

Carte de potentiel électrostatique
de la molécule de CH_3F

Lorsqu'une molécule possède des liaisons
covalentes non polaires et polaires, seule la
richesse de la densité électronique (en rouge)
de la liaison covalente polaire est visible
(la couleur rouge dans les liaisons covalentes
non polaires C—H est négligeable et
n'est plus perceptible).

Exercice 1.12 Pour les molécules suivantes, déterminez les liaisons covalentes
non polaires et polaires, et attribuez les charges partielles (δ^+ et δ^-) aux atomes
appropriés.

a)

H—C—O—H
(H above and below C)

b)

H—C—Cl:
(H above and below C)

c)

:Br—C—Cl:
(H above and below C)

Exercice 1.13 Attribuez les charges partielles (δ^+ et δ^-) aux atomes appropriés dans les molécules suivantes.

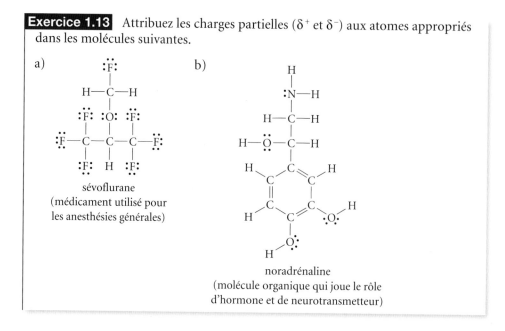

a)

sévoflurane
(médicament utilisé pour
les anesthésies générales)

b)

noradrénaline
(molécule organique qui joue le rôle
d'hormone et de neurotransmetteur)

1.6.3 Liaison ionique

Dans ce type de «liaison», la différence d'électronégativité entre les atomes qui la composent est telle que l'un des atomes arrache littéralement le ou les électrons disponibles de son voisin. Il est alors question d'un transfert complet d'électrons qui se produit généralement d'un atome donneur d'électrons, peu électronégatif (un métal), à un autre atome accepteur d'électrons, très électronégatif (un non-métal). L'atome qui cède ses électrons devient un cation. L'atome qui capte les électrons se transforme en anion. Les deux ions demeurent à proximité l'un de l'autre en raison d'une attraction anion-cation qui est appelée **attraction électrostatique**, ce qui constitue la liaison ionique. Il a été déterminé expérimentalement que lorsque la différence d'électronégativité entre deux atomes est égale ou supérieure à 1,7, la liaison est ionique.

En prenant le chlorure de sodium (NaCl) à titre d'exemple, il est possible de remarquer qu'un transfert d'électron s'effectue de l'atome de sodium vers l'atome de chlore, menant à la formation de l'anion Cl⁻ et du cation Na⁺. Les deux ions sont attirés mutuellement grâce à leur charge opposée, ce qui forme une liaison ionique (*voir la figure 1.12*).

Figure 1.12
Formation de la liaison ionique
du NaCl

$$:\ddot{C}l\cdot \quad + \quad \cdot Na \quad \longrightarrow \quad :\ddot{\ddot{C}}l:^- \quad + \quad Na^+$$

Liaison ionique entre l'ion
sodium et l'ion chlorure

$$\Delta \acute{E}n = \acute{E}n\ Cl - \acute{E}n\ Na = 3,16 - 0,93 = 2,23$$

Dans un cristal de sel de table (NaCl), une organisation bien précise entre les ions forme un réseau cristallin complexe et stable (*voir la figure 1.13*). Quand la substance est dissoute dans l'eau, les ions sont solvatés par celle-ci et se séparent; le réseau cristallin se dissipe et perd ses propriétés physiques et chimiques initiales.

Exercice 1.14 Dessinez la structure de Lewis des composés suivants et déterminez les types de liaisons chimiques qui unissent chaque atome: CH_3COOK, CH_3Br, PBr_3, $NaNH_2$, MgF_2.

Figure 1.13
a) Réseau cristallin à faces centrées du NaCl composé d'ions sodium (en violet) et d'ions chlorure (en vert); b) Cristaux de NaCl

a)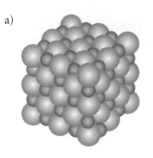

b)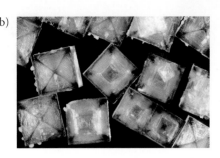

1.6.4 Liaisons multiples

Dans les molécules organiques, il est fréquent que des atomes partagent plus d'une paire d'électrons afin d'acquérir l'octet. Cela donne lieu à des **liaisons multiples** entre ces atomes. Lorsque deux paires d'électrons sont partagées par deux mêmes atomes d'une molécule, il se crée une **liaison double**. Une **liaison triple** se forme lorsque trois paires d'électrons sont partagées par les deux mêmes atomes d'une molécule. La figure 1.14 illustre la structure de Lewis de la molécule de formaldéhyde dans laquelle se trouve une liaison double.

Figure 1.14
Structure de Lewis du formaldéhyde (CH_2O) et visualisation du respect de la règle de l'octet ou du doublet pour chaque atome

Le formaldéhyde (CH_2O) est constitué de deux atomes d'hydrogène, d'un atome d'oxygène et d'un atome de carbone.

$$2 \times H\cdot \qquad \cdot\ddot{O}\colon \qquad \cdot\dot{C}\cdot$$

Les notations de Lewis s'agencent afin de compléter la couche de valence de chaque atome dans la structure.

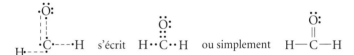

Dans cette molécule, tous les atomes respectent la règle du doublet ou de l'octet.

Il y a deux électrons dans l'environnement de chaque hydrogène (respect de la règle du doublet).

Il y a huit électrons dans l'environnement du carbone et de l'oxygène (respect de la règle de l'octet).

Exercice 1.15 Dessinez la structure de Lewis des molécules suivantes. Déterminez, s'il y a lieu, les liaisons covalentes non polaires, polaires et ioniques.

a) CO_2 (le dioxyde de carbone, un gaz à effet de serre)

b) $CH_3CH(OH)CH_3$ (l'alcool isopropylique, anciennement utilisé dans l'alcool à friction)

c) $NH_2CH_2CO_2H$ (la glycine, un acide aminé)

d) HCN (l'acide cyanhydrique, un gaz très toxique ayant une odeur d'amandes)

1.7 Charge formelle

Les structures de Lewis donnent la description des liaisons chimiques dans les molécules et les ions polyatomiques. C'est à partir de ces structures que la charge formelle des atomes est calculée. La **charge formelle** d'un atome correspond à sa charge électrique hypothétique. Elle fait le bilan du nombre total d'électrons qui appartient à un atome dans une structure donnée par rapport au nombre d'électrons de valence de cet atome. Elle indique donc si un atome a accepté ou donné des électrons par rapport à sa configuration électronique lorsque celui-ci est neutre. Puisque les charges sont de bons indicateurs des atomes participant à une réaction chimique, il est alors important de bien savoir les déceler et les localiser.

Le calcul de la charge formelle est basé sur deux hypothèses principales :

1. Les doublets d'électrons libres d'un atome sont assignés en totalité à l'atome qui les porte.

2. Les doublets d'électrons liants sont partagés également entre les deux atomes qui constituent la liaison.

La charge formelle est calculée à l'aide de l'équation mathématique suivante :

(équation 1.1)

$$\text{Charge formelle d'un atome donné} = \begin{pmatrix}\text{Nombre d'électrons} \\ \text{de valence présents} \\ \text{dans l'atome neutre}\end{pmatrix} - \begin{pmatrix}\text{Nombre} \\ \text{d'électrons} \\ \text{libres}\end{pmatrix} - \begin{pmatrix}\text{Nombre de liaisons} \\ \text{(ou la moitié du nombre} \\ \text{d'électrons liants)}\end{pmatrix}$$

Ainsi, dans la structure de Lewis de l'ion ammonium (NH_4^+) illustrée à la figure 1.15, les charges formelles des atomes d'azote et d'hydrogène sont calculées grâce à l'équation 1.1. L'atome d'azote respecte la règle de l'octet, et les atomes d'hydrogène, la règle du doublet. Lorsqu'un atome possède une charge formelle, il est essentiel de désigner celle-ci directement à côté du symbole de l'atome concerné à l'aide du signe + ou − approprié. Si tel n'est pas le cas, la structure est considérée comme erronée. Il n'est toutefois pas rare d'indiquer en exposant la charge globale de la structure mise entre crochets. Il faut remarquer que la somme des charges formelles des atomes composant l'ion ammonium est égale à la charge globale de l'ion. Dans le cas d'une molécule, la somme des charges formelles des atomes est nulle, puisqu'il s'agit d'un composé neutre.

Figure 1.15 Détermination des charges formelles de l'atome d'azote et des atomes d'hydrogène dans l'ion ammonium

Structure de Lewis de l'ion ammonium

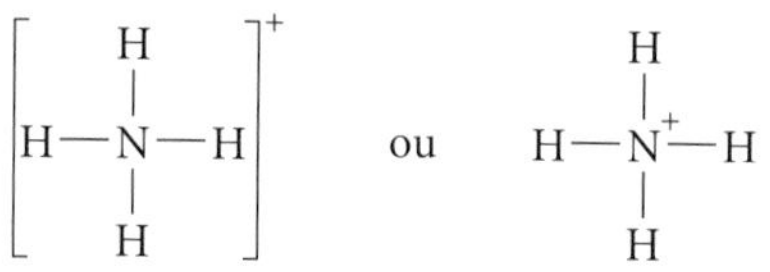

$$\begin{bmatrix} & H & \\ & | & \\ H-&N&-H \\ & | & \\ & H & \end{bmatrix}^+ \quad \text{ou} \quad \begin{matrix} & H & \\ & | & \\ H-&\overset{+}{N}&-H \\ & | & \\ & H & \end{matrix}$$

Détermination des charges formelles

Charge formelle (N) = 5 − 0 − 4 = 1 **La charge formelle de l'azote est +1.**

L'atome d'azote possède cinq électrons de valence.

L'azote fait quatre liens dans cette structure (ou huit électrons liants divisés par deux).

Selon la structure de Lewis, l'azote ne possède pas d'électrons libres.

Charge formelle (H) = 1 − 0 − 1 = 0 **La charge formelle de l'hydrogène est nulle.**

L'atome d'hydrogène possède un électron de valence.

L'hydrogène fait un lien dans cette structure (ou deux électrons liants divisés par deux).

Selon la structure de Lewis, l'hydrogène ne possède pas d'électrons libres.

Dans l'exemple de l'ion méthanolate présenté à la figure 1.16, le carbone possède quatre électrons de valence, mais il est entouré de huit électrons dans son environnement immédiat. Il respecte la règle de l'octet. L'oxygène possède sept électrons de valence (*voir le cercle*) et en a huit au total (*voir le rectangle*). Il respecte également la règle de l'octet. Toutefois, dans ce cas, l'oxygène possède un électron de plus que son nombre d'électrons de valence, qui est égal à six lorsqu'il est neutre. Il a donc une charge formelle négative de −1, car il est pourvu d'un électron supplémentaire.

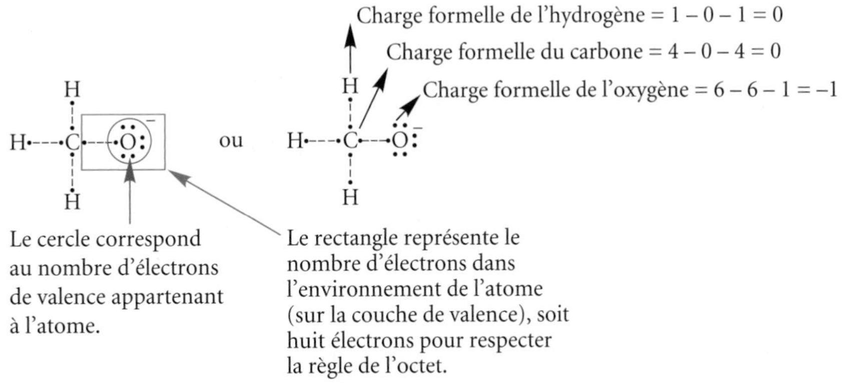

Figure 1.16

Structure de Lewis et charge formelle des atomes dans l'ion méthanolate (CH_3O^-)

Charge formelle de l'hydrogène = $1 - 0 - 1 = 0$
Charge formelle du carbone = $4 - 0 - 4 = 0$
Charge formelle de l'oxygène = $6 - 6 - 1 = -1$

Le cercle correspond au nombre d'électrons de valence appartenant à l'atome.

Le rectangle représente le nombre d'électrons dans l'environnement de l'atome (sur la couche de valence), soit huit électrons pour respecter la règle de l'octet.

Exercice 1.16 Attribuez les charges formelles aux atomes dans les composés suivants en prenant soin de dessiner d'abord les structures de Lewis: $CH_3OH_2^+$, $CH_3CO_2^-$, $CH_3CH_2NH_3^+$.

1.8 Hybridation des orbitales atomiques

Les structures de Lewis qui constituent la théorie des électrons localisés illustrent les liaisons chimiques entre les atomes d'un composé. Toutefois, cette théorie se limite à représenter le composé en deux dimensions. La **théorie de la répulsion des paires d'électrons de valence (théorie RPEV)**, ou **modèle de Gillespie**, permet de visualiser en trois dimensions l'arrangement des liaisons chimiques dans l'espace. En fait, ce modèle complète la description de l'agencement des atomes en tenant compte de la géométrie globale de la molécule (géométrie moléculaire).

La théorie RPEV a été formulée vers 1957 par le chimiste canadien **Ronald James Gillespie** (1924-...). Elle permet d'estimer la disposition des liaisons et des doublets d'électrons libres autour d'un atome en considérant la répulsion des nuages électroniques. Cette théorie repose sur le principe que les paquets ou groupements d'électrons de valence au sein d'un composé chimique sont disposés dans l'espace de manière à être éloignés le plus possible les uns des autres. Le composé est alors plus stable. Un **paquet** ou **groupement d'électrons de valence** peut être un doublet d'électrons libre, une liaison simple, une liaison double ou une liaison triple. Diverses géométries de répulsion peuvent être adoptées (*voir le tableau 1.4, page suivante*) selon le nombre de paquets d'électrons disposés autour d'un atome.

Tableau 1.4	Principales géométries de répulsion utilisées en chimie organique selon la théorie RPEV

Nombre de paquets d'électrons de valence	Géométrie de répulsion	Représentation structurale et angle de liaison
Deux	Linéaire	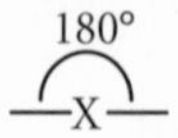 180° —X—
Trois	Triangulaire plane	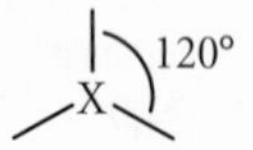 120° X
Quatre	Tétraédrique	 109,5° X

Le méthane (CH_4), l'ammoniac (NH_3) et l'eau (H_2O) sont des molécules ayant une géométrie de répulsion tétraédrique. Par contre, lorsqu'il y a présence sur l'atome central de doublets d'électrons libres, la géométrie moléculaire se différencie de la géométrie de répulsion. Ainsi, la géométrie moléculaire de l'ammoniac (NH_3) est pyramidale à base triangulaire, et celle de l'eau (H_2O) est angulaire. Le méthane, n'ayant pas de doublets d'électrons libres, possède une géométrie moléculaire identique à sa géométrie de répulsion, soit tétraédrique.

Pour expliquer la formation des liaisons chimiques, les structures de Lewis et la théorie RPEV ne suffisent pas. En effet, il faut avoir recours à la **théorie des orbitales hybrides** (ou **de l'hybridation**). Cette théorie, issue de la mécanique quantique, a été formulée par Linus Carl Pauling pour expliquer certains résultats expérimentaux ne concordant pas avec le simple recouvrement des orbitales des atomes à l'état fondamental.

Dans le cas de l'atome de carbone, l'atome qui constitue le cœur des molécules organiques, sa configuration électronique à l'état fondamental montre que cet atome ne possède que deux électrons célibataires, ne pouvant donc faire que deux liaisons. La notation de Lewis du carbone à l'état fondamental est :Ċ· (*voir la figure 1.6, p. 10*). Pour expliquer la formation de quatre liaisons entre l'atome de carbone et les atomes d'hydrogène dans la molécule de méthane (CH_4), une hypothèse a été formulée. Lorsque les atomes d'hydrogène s'approchent du carbone, une **promotion électronique** doit d'abord avoir lieu de l'orbitale $2s$ à l'orbitale $2p$ non occupée à l'état fondamental. Bien qu'à ce moment la configuration électronique du carbone seul soit identique à celle d'un état excité, la promotion électronique ne correspond pas à une excitation, puisqu'elle n'est pas accompagnée d'un retour à l'état fondamental (relaxation). Le carbone possède alors quatre électrons célibataires pouvant faire quatre liaisons avec d'autres atomes, tel l'hydrogène, qui viendront partager un électron et entourer l'atome de carbone. L'atome de C peut respecter la règle de l'octet, ce qui serait impossible s'il demeurait à l'état fondamental (*voir la figure 1.17*).

cheneliere.ca/chimieorganique **www**

› Orbitales moléculaires et formation de liaisons chimiques

Figure 1.17 Promotion électronique menant à la formation possible de quatre liaisons pour l'atome de carbone

Pour un carbone à l'état fondamental

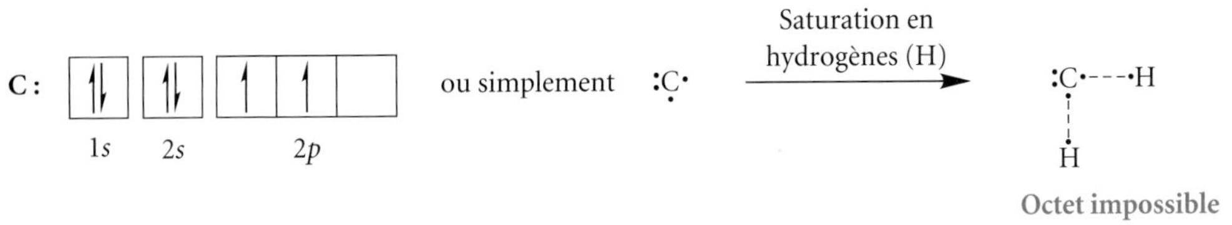

C :   ↑↓   ↑↓   ↑   ↑   ou simplement   :Ċ·   —Saturation en hydrogènes (H)→   :C····H

      1s   2s   2p

      H

Octet impossible

Pour un carbone ayant subi une promotion électronique

C :   ↑↓   ↑   ↑   ↑   ↑   ou simplement   ·Ċ·   —Saturation en hydrogènes (H)→

      1s   2s   2p

H

H····C····H

H

Octet possible

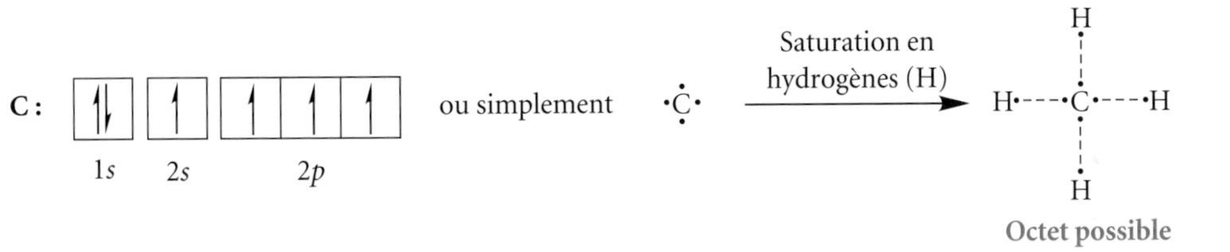

Par ailleurs, les résultats expérimentaux ont également indiqué que les quatre liaisons C—H dans la molécule de méthane sont de la même longueur et de la même force. Or, la configuration électronique de l'atome de carbone, obtenue à la suite de la promotion électronique, ne permet pas d'appuyer ces observations expérimentales. En effet, pour former la molécule de méthane (CH_4), l'un des électrons célibataires du carbone provient d'une orbitale s, et les trois autres proviennent d'une orbitale p. Puisque les électrons d'une orbitale $2s$ et d'une orbitale $2p$ n'occupent pas le même type d'orbitales, les liaisons possibles qui résulteraient de la combinaison des électrons de l'atome de carbone avec l'électron célibataire dans l'orbitale $1s$ de l'atome d'hydrogène ne devraient pas être de la même longueur ni de la même force (*voir la figure 1.18*). Pourtant, des mesures expérimentales indiquent bien que les quatre liens C—H sont identiques.

Figure 1.18
Recouvrements axiaux d'orbitales *s* et *p* menant à la formation de liaisons chimiques distinctes

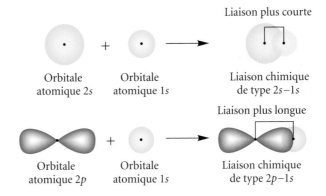

Orbitale atomique $2s$ +   Orbitale atomique $1s$ →   Liaison plus courte — Liaison chimique de type $2s-1s$

Orbitale atomique $2p$ +   Orbitale atomique $1s$ →   Liaison plus longue — Liaison chimique de type $2p-1s$

De plus, il faut s'arrêter à la géométrie de la molécule et des orbitales concernées. Comme le mentionne le tableau 1.3 (*voir p. 5*), les orbitales p_x, p_y et p_z possèdent des orientations différentes et sont mutuellement perpendiculaires. Un angle de 90° entre les atomes H—C—H devrait donc être observé. Cependant, des mesures expérimentales ont montré que dans la molécule de CH_4, l'angle H—C—H vaut 109,5°. La **théorie des orbitales hybrides** (ou **de l'hybridation**) permet d'expliquer ces observations expérimentales. En se basant sur des équations mathématiques de la mécanique quantique, il a été démontré que, d'un point de vue énergétique, il est plus avantageux pour un atome de « mélanger », de réorganiser ses orbitales atomiques de valence pour générer des **orbitales hybrides** que de demeurer à l'état fondamental. Les nouvelles orbitales ainsi créées sont de forme et d'énergie différentes de celles des orbitales atomiques de départ. Le nombre d'orbitales hybrides correspond cependant à celui des orbitales atomiques initiales. De plus, le niveau énergétique de ces orbitales hybrides est intermédiaire.

Les sous-sections suivantes traitent des trois types principaux d'hybridation des orbitales atomiques en chimie organique. Elles abordent d'abord l'hybridation des orbitales atomiques du carbone, puis quelques exemples concernant d'autres éléments[4].

1.8.1 Hybridation de type *sp*³

Le cas du CH_4 décrit plus haut est un exemple parfait d'hybridation de type *sp*³. Pour que le méthane possède quatre liaisons covalentes identiques, selon les résultats expérimentaux, les quatre orbitales, dans lesquelles les quatre électrons de valence du carbone se trouvent, doivent être équivalentes. Ainsi, les quatre orbitales atomiques $2s$, $2p_x$, $2p_y$ et $2p_z$ subissent l'hybridation, ce qui mène à la formation de quatre **orbitales hybrides *sp*³**. Le symbole «*sp*³» provient du nombre d'orbitales atomiques de chaque type impliqué dans l'hybridation : une seule orbitale *s* et trois orbitales *p* se combinent pour donner quatre orbitales hybrides *sp*³ (*voir la figure 1.19*). La notation *sp*³ précise que les orbitales hybridées *sp*³ sont constituées d'un quart de caractère *s* et de trois quarts de caractère *p*. Ainsi, leur forme est plus arrondie qu'une orbitale *p*, mais moins sphérique qu'une orbitale *s*... C'est un hybride !

> **REMARQUE**
>
> Seules les orbitales atomiques renfermant les électrons de valence peuvent s'hybrider.

Figure 1.19 Formation des orbitales hybrides *sp*³ pour l'atome de carbone

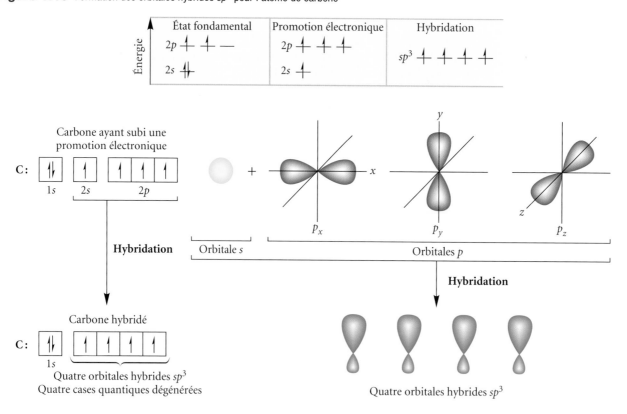

Afin d'alléger les dessins des orbitales hybrides, le petit lobe qui résulte de l'hybridation est rarement illustré ; seul le gros lobe est représenté. De plus, selon la théorie RPEV qui stipule que les nuages électroniques doivent être placés dans l'espace le plus loin possible les uns des autres pour minimiser la répulsion, les quatre orbitales hybrides *sp*³ (quatre paquets d'électrons de valence) adoptent une géométrie tétraédrique avec un angle de 109,5° entre chacune d'elles. Les liaisons C—H de la molécule de CH_4 correspondent au recouvrement des orbitales hybrides *sp*³ du carbone et des orbitales $1s$ des quatre atomes d'hydrogène. La molécule de méthane porte donc quatre liaisons covalentes identiques de type (*sp*³–*s*), ce qui peut aussi s'écrire (*s*–*sp*³). Le recouvrement

REMARQUE
Une rotation libre est possible autour d'une liaison simple (une liaison σ seulement).

de deux orbitales atomiques ou hybrides qui se réalise le long du même axe reliant les noyaux des deux atomes impliqués, soit le **recouvrement axial**, comme observé entre l'orbitale atomique $1s$ de l'hydrogène et l'orbitale hybride sp^3 du carbone, forme une **liaison covalente de type sigma (σ)** (*voir la figure 1.20*).

Figure 1.20
Représentation des liaisons chimiques du méthane –
a) Par les cases quantiques ;
b) Par le modèle hybridé avec liaisons σ (s–sp^3) ; c) Selon la géométrie tridimensionnelle de la molécule (modèle de Gillespie)

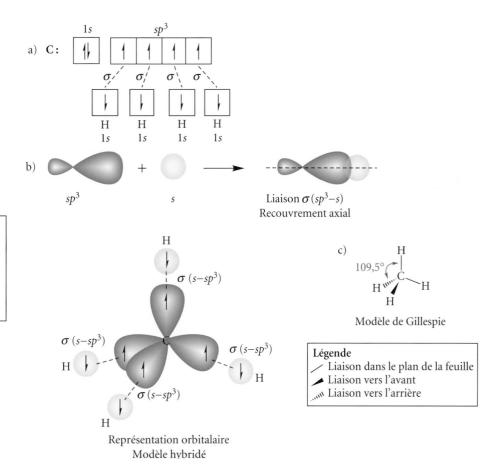

REMARQUE
Dans le cas d'une orbitale hybride sp^3, le noyau de l'atome (ici, l'atome de carbone) est localisé à l'intersection des deux lobes, comme cela est observé dans les orbitales p.

Dans ce manuel, les orbitales s sont représentées en jaune, et les orbitales p en bleu. Les orbitales hybrides, quant à elles, sont vertes, étant constituées d'un mélange entre les orbitales s et p. De plus, un gradient dans la teinte de vert démontre la composition (caractères s et p) des orbitales hybrides d'une manière qualitative.

Plusieurs atomes peuvent être hybridés sp^3. Par exemple, la molécule d'eau possède un atome d'oxygène entouré de quatre paquets d'électrons, soit deux doublets d'électrons libres et deux liaisons simples σ. Les orbitales de l'oxygène s'hybrident donc de la même manière que celles du carbone dans le méthane, c'est-à-dire en hybridant les orbitales $2s$, $2p_x$, $2p_y$ et $2p_z$. L'oxygène n'a toutefois pas besoin de promotion électronique pour avoir deux électrons célibataires disponibles afin d'établir deux liaisons chimiques. Les deux doublets d'électrons libres se trouvent dans deux orbitales atomiques hybrides distinctes. Dans la molécule d'eau, l'angle de liaison observé expérimentalement est plus petit (104,5°) que la valeur théorique (109,5°). Cela s'explique par le fait que les doublets d'électrons libres occupent un plus grand volume que le doublet d'électrons d'une liaison chimique, ce qui entraîne une compression de l'angle de liaison en raison des répulsions électroniques occasionnées par les doublets d'électrons libres (*voir la figure 1.21, page suivante*).

Figure 1.21 Formation des orbitales hybrides sp^3 pour l'atome d'oxygène et représentation des liaisons chimiques de la molécule d'eau – a) Par les cases quantiques ; b) Par le modèle hybridé avec liaisons $\sigma\,(s-sp^3)$ et doublets d'électrons libres ; c) Selon la géométrie tridimensionnelle de la molécule (modèle de Gillespie)

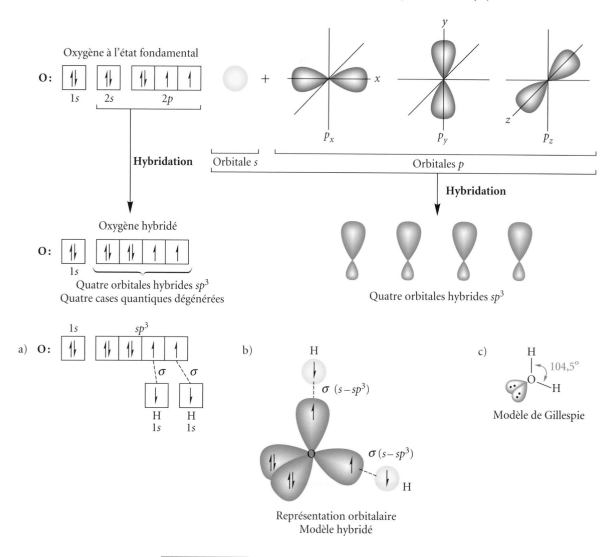

Exercice 1.17 Dessinez la structure de Lewis, le modèle de Gillespie et le modèle hybridé de l'éthane (CH_3CH_3). À l'aide des cases quantiques, illustrez les liaisons chimiques entre chaque atome et désignez adéquatement chaque liaison σ formée. Dans le modèle de Gillespie, donnez les valeurs des angles de liaison.

Exercice 1.18 Faites le même exercice que précédemment avec les composés suivants : CH_3OCH_3, CH_3F et $CH_3CH_2NH_2$. Pour chaque liaison, déterminez également s'il s'agit d'une liaison covalente polaire, non polaire ou ionique.

1.8.2   Hybridation de type sp^2

L'hybridation de type sp^2 permet de décrire, entre autres, dans le cas des composés organiques, l'arrangement des atomes formant une liaison double. Elle indique comment s'agencent les orbitales atomiques d'un atome possédant trois groupements (ou paquets) d'électrons de valence. Dans un pareil cas, l'hybridation d'une orbitale s et de deux orbitales p a lieu. La combinaison de ces trois orbitales atomiques mène à la formation de trois **orbitales hybrides sp^2** de même forme et de même énergie, mais d'orientations différentes. Ces trois orbitales sont situées dans un même plan et sont orientées vers les sommets d'un triangle équilatéral. Elles adoptent donc une géométrie triangulaire plane. L'angle entre ces orbitales hybrides est de 120° afin de minimiser la répulsion électronique entre chaque orbitale hybride, selon la théorie RPEV. Dans le cas de l'atome de carbone ayant subi une promotion électronique, trois électrons célibataires sont situés dans les trois orbitales hybrides sp^2, tandis que le quatrième électron de valence se trouve dans l'orbitale p restante, non hybridée. Celle-ci est perpendiculaire au plan formé par les trois orbitales hybrides sp^2 (*voir la figure 1.22*).

Figure 1.22

a) Formation des orbitales hybrides sp^2 pour l'atome de carbone ; b) Représentation des orbitales hybrides sp^2 et de l'orbitale p de l'atome de carbone

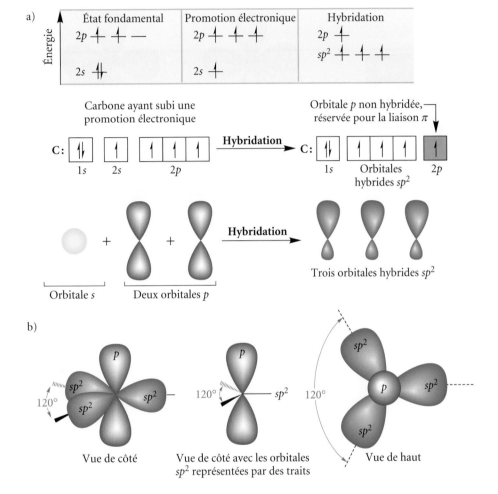

L'exemple de la molécule d'éthène (éthylène) ($CH_2{=}CH_2$) peut illustrer ce qui arrive lorsque deux atomes de carbone hybridés sp^2 interagissent de manière à former une liaison double. Un des liens de la liaison double est créé par le recouvrement axial de deux orbitales hybrides sp^2. Il s'agit alors d'une liaison sigma (σ). Par contre, le second lien est dû à un recouvrement qui s'effectue latéralement entre les deux orbitales p non hybridées parallèles des deux atomes de carbone. Ce **recouvrement latéral** porte le nom de **liaison pi (π)** (*voir la figure 1.23, page suivante*).

Il est important de souligner que, dans une liaison double, les orbitales p se recouvrant sont non hybridées et exactement les mêmes qu'à l'état fondamental. Si les orbitales p s'hybrident et que leur forme change, le recouvrement latéral n'est alors plus possible, car l'orientation des orbitales p est modifiée. Pour produire une liaison π, les orbitales p participant à ce type de liaison ne doivent pas être hybridées.

Les orbitales p devant toujours être parallèles, la rotation libre autour d'une liaison double est bloquée par ce type de recouvrement. Pour réaliser une rotation, il faudrait briser la liaison π, ce qui est impossible à la température ambiante.

Enfin, la liaison double C$=$C est plus courte que la liaison simple C—C en raison des deux paires d'électrons partagées entre les deux noyaux des carbones de la liaison double, ce qui favorise le rapprochement des noyaux comparativement à une seule paire d'électrons de valence pour la liaison simple C—C. Un carbone hybridé sp^3 a un plus grand caractère p (75 %) qu'un carbone hybridé sp^2 (67 %). Plus le caractère p est élevé, plus les électrons sont situés loin du noyau de l'atome et plus la liaison est longue. La liaison $\sigma(sp^3{-}sp^3)$ est ainsi plus longue que la liaison $\sigma(sp^2{-}sp^2)$ ou la liaison $\sigma(sp^3{-}sp^2)$. Par exemple, la longueur de la liaison double de l'éthène est 0,133 nm, alors que celle de la liaison simple C—C dans l'éthane (CH$_3$—CH$_3$) est 0,154 nm.

Figure 1.23 Recouvrement orbitalaire représentant la formation de la liaison double C=C pour la molécule d'éthène (éthylène)

L'éthène (éthylène) est la matière première de nombreux produits chimiques tels que le polyéthylène, l'éthylèneglycol, l'éthanol, le chlorure de vinyle, etc. C'est aussi une hormone végétale induisant le mûrissement des fruits.

Les liaisons chimiques de l'éthène consistent en une liaison $\sigma(sp^2{-}sp^2)$ (C—C), quatre liaisons $\sigma(sp^2{-}s)$ (C—H) et une liaison $\pi(p{-}p)$ (C—C).

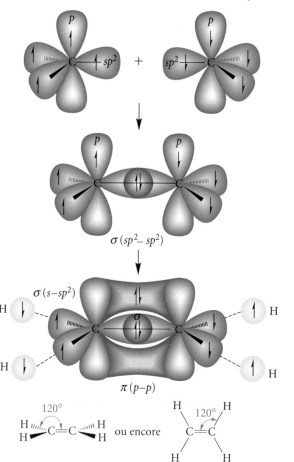

Deux carbones hybridés sp^2 avec leurs orbitales p non hybridées parallèles

La liaison $\sigma(sp^2{-}sp^2)$ est formée par le recouvrement axial des deux orbitales hybridées sp^2. Elle contient deux électrons de spins opposés.

La liaison $\pi(p{-}p)$ est formée par le recouvrement latéral des orbitales p parallèles. Elle contient deux électrons de spins opposés. Elle est perpendiculaire au plan des liaisons σ.

Modèle de Gillespie

REMARQUE

Certains composés tels que le BH$_3$, le BF$_3$, le AlCl$_3$, etc., ont leur atome central hybridé sp^2, celui-ci étant entouré de trois paquets d'électrons de valence (trois liaisons simples identiques), sans pour autant avoir une liaison double. Les atomes centraux de ce type de molécules ne respectent pas la règle de l'octet ; ils possèdent plutôt un octet incomplet. L'orbitale p non hybridée est présente, mais elle est vide. Par conséquent, il serait fort imprudent de conclure trop rapidement qu'une molécule ne possédant aucune liaison double ou triple est formée exclusivement d'atomes hybridés sp^3.

Exercice 1.19 Pour chaque molécule, dessinez la structure de Lewis, le modèle de Gillespie et le modèle hybridé. À l'aide des cases quantiques, illustrez également les liaisons entre chaque atome et désignez adéquatement chacune des liaisons σ et π formées. Dans le modèle de Gillespie, donnez les valeurs des angles de liaison.

a) BH$_3$ (un réactif utilisé dans certaines réactions de chimie organique)

b) CH$_3$CH=CH$_2$ (le propène)

c) CH$_3$COCH$_3$ (l'acétone, un solvant organique)

d) HCOOH (l'acide formique, également appelé « acide méthanoïque »)

L'acétone est un solvant organique utilisé entre autres pour assécher la verrerie de laboratoire.

1.8.3   **Hybridation de type *sp***

Si un atome est entouré de deux groupements (ou paquets) d'électrons, ces derniers, selon la théorie RPEV, adoptent une géométrie linéaire avec un angle de liaison de 180°. Dans la molécule d'éthyne (acétylène), CH≡CH, chaque atome de carbone forme une liaison simple avec un atome d'hydrogène et une liaison triple avec le carbone voisin ; chaque carbone est ainsi entouré de deux paquets d'électrons.

Du point de vue des orbitales atomiques, à la suite de la promotion électronique dans la configuration électronique du carbone, l'orbitale 2*s* et une seule orbitale 2*p* se combinent pour générer deux **orbitales hybrides *sp*** ayant chacune un électron célibataire (*voir la figure 1.24*).

Figure 1.24
Formation des orbitales hybrides *sp* pour l'atome de carbone

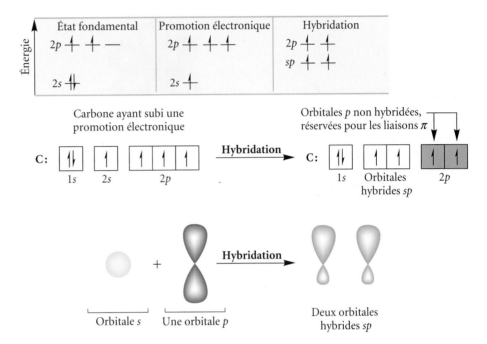

Ces deux orbitales de même forme et de même énergie se positionnent autour du carbone dans des directions opposées pour minimiser la répulsion électronique selon la théorie RPEV. Dans ce type d'hybridation, deux orbitales *p* non hybridées, contenant chacune un électron célibataire, sont réservées pour faire deux liaisons π. Les deux orbitales *p* sont perpendiculaires entre elles et par rapport au plan des orbitales hybrides *sp*. L'hybridation *sp* du carbone peut se rencontrer dans deux cas précis en chimie organique : au moment de la formation d'une liaison triple (p. ex. : CH≡CH) ou de la formation de liaisons doubles cumulées (p. ex. : CH_2=C=CH_2). Ainsi, la liaison triple entre les deux carbones de l'éthyne est formée par le recouvrement axial des deux orbitales hybrides *sp* (une liaison σ), puis par les recouvrements latéraux de deux séries d'orbitales *p* parallèles (deux liaisons π) (*voir la figure 1.25, page suivante*). Dans le cas des liaisons doubles cumulées, les liaisons σ sont formées par les recouvrements axiaux des orbitales hybrides *sp²* des atomes de carbone terminaux et de l'orbitale hybride *sp* de l'atome de carbone central. Les liaisons π, quant à elles, sont le résultat de recouvrements latéraux entre les orbitales *p* parallèles de part et d'autre du carbone central, l'un selon l'axe des *y* et l'autre selon l'axe des *z*.

Figure 1.25 Recouvrement orbitalaire représentant la formation de la liaison triple C≡C pour la molécule d'éthyne (acétylène)

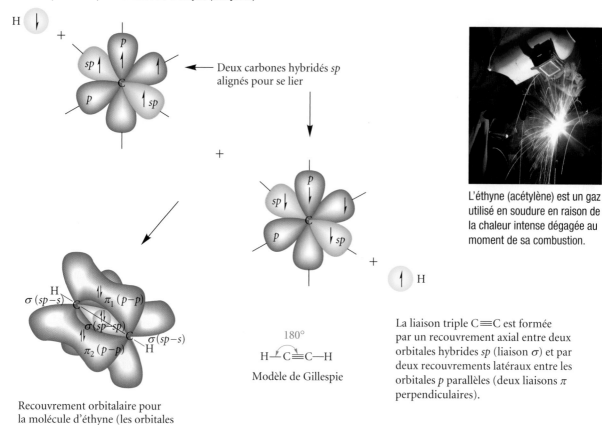

← Deux carbones hybridés *sp* alignés pour se lier

L'éthyne (acétylène) est un gaz utilisé en soudure en raison de la chaleur intense dégagée au moment de sa combustion.

Recouvrement orbitalaire pour la molécule d'éthyne (les orbitales impliquées dans les liaisons C—H ont été omises pour mettre en relief la liaison triple).

180°

H—C≡C—H

Modèle de Gillespie

La liaison triple C≡C est formée par un recouvrement axial entre deux orbitales hybrides *sp* (liaison σ) et par deux recouvrements latéraux entre les orbitales *p* parallèles (deux liaisons π perpendiculaires).

Exercice 1.20 Dessinez la structure de Lewis, le modèle de Gillespie et le modèle hybridé de l'acétonitrile (CH_3CN). À l'aide des cases quantiques, illustrez également les liaisons entre chaque atome et désignez adéquatement chacune des liaisons σ et π formées. Dans le modèle de Gillespie, donnez les valeurs des angles de liaison.

Le tableau 1.5 généralise en trois catégories les relations entre le nombre de paquets d'électrons de valence autour d'un carbone, la théorie RPEV et l'hybridation de cet atome.

REMARQUE

Si un **atome de carbone** est entouré de :

- deux paquets d'électrons, il forme alors deux liaisons σ et deux liaisons π ;
- trois paquets d'électrons, il forme alors trois liaisons σ et une liaison π ;
- quatre paquets d'électrons, il forme alors quatre liaisons σ.

Tableau 1.5 **Relation entre le nombre de paquets d'électrons de valence, l'hybridation et la géométrie de répulsion**

Nombre de paquets d'électrons de valence	Hybridation	Géométrie	Angle
Deux	Deux orbitales hybrides *sp* + deux orbitales *p*	Linéaire	180°
Trois	Trois orbitales hybrides *sp²* + une orbitale *p*	Triangulaire plane	120°
Quatre	Quatre orbitales hybrides *sp³*	Tétraédrique	109,5°

1.9 Polarité des molécules

Les sections précédentes ont abordé les notions de liaisons covalentes polaires et non polaires entre deux atomes. Déterminer si une molécule ayant plusieurs liaisons est polaire ou non polaire se révèle plus complexe. Pour connaître la **polarité globale** d'une molécule, il faut tout d'abord considérer l'électronégativité de chacun des atomes afin de déterminer tous les dipôles des liaisons covalentes polaires présentes dans la molécule. Chaque dipôle est représenté par un vecteur. La polarité de chaque dipôle est caractérisée par une valeur quantitative, soit la grandeur du vecteur du moment dipolaire (μ), lequel est exprimé en debyes. Cette valeur correspond au produit de la charge (Q) par la distance (d) séparant les charges ($\mu = Q \times d$). Plus la différence d'électronégativité est élevée entre deux atomes d'une liaison, plus la liaison est polaire et plus la valeur du moment dipolaire est grande.

Ensuite, il importe de considérer la géométrie moléculaire du composé étudié. Chaque dipôle présent dans le composé possède une orientation qui lui est propre. Il faut combiner tous les dipôles des liaisons covalentes polaires en tenant compte de leur orientation afin de trouver le dipôle résultant. Mathématiquement, il s'agit d'effectuer la somme des vecteurs. Si le dipôle résultant est nul, la molécule est non polaire. Par contre, s'il ne l'est pas, la molécule est alors polaire.

Exemple 1.2

Déterminez si les molécules de CH_3F et de CF_4 sont polaires ou non polaires.

Solution

Pour la molécule de CH_3F, sa géométrie est celle d'un tétraèdre. Les trois liaisons C—H sont considérées comme étant des liaisons covalentes non polaires, n'ayant pas de dipôle significatif. Par contre, la liaison C—F est une liaison covalente polaire dans laquelle le dipôle pointe vers l'élément le plus électronégatif, le fluor. Globalement, la molécule est polaire, puisqu'il y a un dipôle (vecteur) non nul.

Pour la molécule de CF_4, sa géométrie est également tétraédrique. Par contre, ici, les quatre liaisons C—F sont covalentes polaires. Le dipôle pointe vers l'atome de fluor, le plus électronégatif, pour les quatre liaisons. En effectuant la somme de ces vecteurs (additionnez les vecteurs deux par deux), ils s'annulent. Le dipôle résultant est alors nul, et la molécule est globalement non polaire.

Molécule de CF_4

Illustration des vecteurs (dipôles) seulement

La somme de ces vecteurs en trois dimensions est égale à 0.

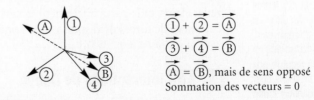

$$\overrightarrow{①} + \overrightarrow{②} = \overrightarrow{Ⓐ}$$
$$\overrightarrow{③} + \overrightarrow{④} = \overrightarrow{Ⓑ}$$
$$\overrightarrow{Ⓐ} = \overrightarrow{Ⓑ}, \text{ mais de sens opposé}$$
Sommation des vecteurs = 0

Exercice 1.21 Parmi les molécules des exercices 1.19 (*voir p. 26*) et 1.20, déterminez celles qui sont polaires.

1.10 Attractions intermoléculaires

Jusqu'à présent, les structures chimiques ont été étudiées séparément, sans tenir compte de leur environnement. Toutefois, il faut toujours considérer que pour un échantillon donné, les molécules sont très nombreuses et interagissent continuellement entre elles grâce aux **attractions intermoléculaires**, c'est-à-dire des attractions entre les molécules. Moins fortes que les **liaisons intramoléculaires** (liaisons au sein d'une même molécule), elles permettent cependant la cohésion des molécules conférant l'état physique de la matière et elles expliquent certaines propriétés physiques telles que la viscosité, le point de fusion, le point d'ébullition, la tension de surface, la solubilité, etc.

Il existe deux principales catégories d'attractions intermoléculaires : les **forces de Van der Waals** et les **ponts hydrogène**.

1.10.1 Forces de Van der Waals

Des charges partielles positives (δ^+) et négatives (δ^-) peuvent être présentes au sein des molécules (dipôles instantanés, induits ou permanents). Sachant que deux charges de signes opposés s'attirent, il se crée des forces électrostatiques entre les charges partielles opposées présentes dans les molécules. Ces forces d'attraction, nommées « forces de Van der Waals » (qui tiennent leur nom du physicien hollandais **Johannes Diderik Van der Waals**, 1837-1923), se subdivisent en trois catégories : forces de dispersion de London, interactions de Debye et interactions de Keesom.

1.10.1.1 Forces de dispersion de London

Les **forces de dispersion de London** (qui tiennent leur nom du physicien allemand **Fritz London**, 1900-1954) sont générées lorsqu'il y a, dans un premier temps, création d'un **dipôle instantané**, due au mouvement aléatoire des électrons, générant une déformation soudaine du nuage électronique à l'intérieur d'une molécule. Il s'ensuit une induction dans une seconde molécule située à proximité, formant un **dipôle induit**. Une interaction stabilisante se crée alors entre les deux structures désormais polarisées (*voir la figure 1.26 a*). C'est ce qui est appelé « forces de dispersion de London ».

Les forces de dispersion de London existent entre toutes les molécules, qu'elles soient non polaires ou polaires. Dans les molécules polaires, en raison de leurs dipôles permanents, les forces de dispersion de London sont plus faibles que les autres types d'attractions intermoléculaires, notamment les interactions de Keesom et les ponts hydrogène (*voir les sections 1.10.1.3 et 1.10.2*). Toutefois, il ne faut pas sous-estimer l'effet des forces de dispersion de London, car elles peuvent être nombreuses, notamment dans le cas de longues chaînes de carbones.

L'importance des forces de dispersion de London entre les molécules dépend en fait de leur **polarisabilité**, qui consiste en une facilité de déformation du nuage électronique des molécules. Plus une molécule a une masse moléculaire élevée, plus elle est polarisable, c'est-à-dire que les nuages électroniques sont plus facilement déformables. Les forces de dispersion de London sont alors plus fortes. De plus, la structure moléculaire, plus particulièrement la surface de contact, joue un rôle important dans le nombre de forces de dispersion de London pouvant se produire entre des molécules (*voir la section 6.3, p. 255*).

1.10.1.2 Interactions de Debye

Les **interactions de Debye** (qui tiennent leur nom du chimiste hollandais **Peter Debye**, 1884-1966) sont très similaires aux forces de dispersion de London. Par contre, l'induction n'est pas créée par un dipôle instantané, mais plutôt par le dipôle permanent d'une molécule polaire (*voir la figure 1.26 b*).

JOHANNES **VAN DER WAALS** (1837-1923)

Physicien néerlandais né le 23 novembre 1837 à Leyde (Pays-Bas), Van der Waals fit ses études à l'Université de Leyde et enseigna de 1862 à 1865 dans une petite école secondaire de sa ville. En 1873, il obtint son doctorat après avoir soumis une thèse qui ne passa pas inaperçue. En effet, cette dernière permit d'améliorer l'équation des gaz parfaits en tenant compte des attractions intermoléculaires. En 1875, il fut élu à l'Académie royale des sciences et des lettres des Pays-Bas et se vit offrir un poste à l'Université d'Amsterdam. Il y travailla jusqu'à sa retraite en 1907. Van der Waals reçut le prix Nobel de physique en 1910 pour ses travaux sur l'équation d'état des gaz et des liquides. Il décéda quelques années plus tard, le 8 mars 1923.

1.10.1.3 Interactions de Keesom

Les **interactions de Keesom** (qui tiennent leur nom du physicien hollandais **Willem Hendrik Keesom**, 1876-1956) ont lieu lorsque deux dipôles permanents (deux molécules polaires) interagissent entre eux par des forces électrostatiques (*voir la figure 1.26 c*).

Figure 1.26 Représentation schématisée – a) Des forces de dispersion de London; b) Des interactions de Debye; c) Des interactions de Keesom

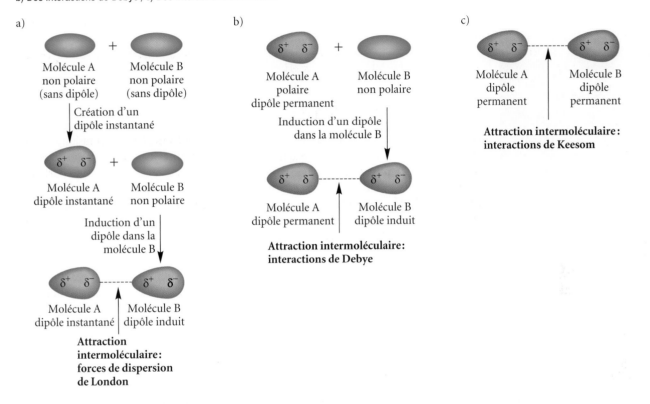

1.10.2 Ponts hydrogène

Les **ponts hydrogène** (ou **liaisons hydrogène**, ou simplement **ponts H**) sont un cas particulier des interactions de Keesom, car ils sont réalisés entre de très forts dipôles permanents. En effet, ces interactions électrostatiques se produisent entre des molécules possédant un élément très électronégatif (N, O ou F) ayant des doublets d'électrons libres et une molécule voisine renfermant un hydrogène (H) directement lié à un de ces éléments très électronégatifs (N, O ou F). De plus, les ponts H sont directionnels. Par conséquent, pour qu'un pont hydrogène puisse avoir lieu, le profil suivant doit être observé:

$$\overset{\delta^-}{X} \!\!-\!\! \overset{\delta^+}{H} \text{----} :X \qquad (\text{où } X = N, O, F)$$

L'hydrogène lié à un atome de fluor, d'oxygène ou d'azote porte une charge partielle positive très importante et interagit avec le doublet d'électrons libre des atomes N, O ou F de la molécule voisine. Seuls ces éléments sont capables de réaliser des ponts hydrogène, puisque ce sont les plus électronégatifs du tableau périodique et qu'ils ont de petits rayons atomiques, ce qui leur confère des charges partielles négatives concentrées (*voir la figure 1.27, page suivante*).

Les ponts hydrogène peuvent également avoir lieu au sein d'une même molécule. Ce sont des ponts hydrogène intramoléculaires comme ceux observés, entre autres, dans les structures secondaires (hélices α et feuillets β) des protéines.

Figure 1.27
Représentation schématisée des ponts hydrogène

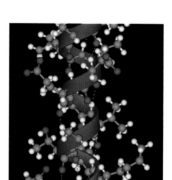

La protéine Fos est de forme hélicoïdale (hélice α) en raison de ponts hydrogène (représentés par des pointillés) qu'elle crée au sein de sa structure. Elle est impliquée dans le contrôle de l'induction de facteurs de transcription.

Bien que moins forts que les liaisons intramoléculaires, les ponts H et toutes les autres attractions intermoléculaires peuvent faire varier considérablement les propriétés physiques des substances chimiques comme la solubilité, le point de fusion, le point d'ébullition, la tension superficielle, etc.

Exercice 1.22 Déterminez le ou les types d'attractions entre des molécules:
a) de butane ($CH_3CH_2CH_2CH_3$);
b) de butan-1-ol ($CH_3CH_2CH_2CH_2OH$);
c) d'éther diéthylique ($CH_3CH_2OCH_2CH_3$).

Exercice 1.23 Déterminez la plus forte attraction intermoléculaire qui unit les molécules suivantes.
a) CH_4 b) CH_3Cl c) CH_3OH d) CH_3F

1.10.3 État physique de la matière et attractions intermoléculaires

L'**état physique** des composés est influencé par la cohésion entre les molécules. Celle-ci est assurée par les attractions intermoléculaires. Les **solides** sont des structures possédant un très haut niveau d'organisation dans lesquelles les attractions intermoléculaires sont fortes et abondantes. Les **liquides** sont moins bien organisés et possèdent des attractions moins fortes ou moins nombreuses. Les **gaz**, quant à eux, sont dépourvus d'attractions intermoléculaires (pour un gaz parfait seulement), et leurs molécules sont isolées les unes des autres.

1.10.3.1 Points d'ébullition et de fusion, et attractions intermoléculaires

Le **point d'ébullition normal** d'un liquide est la température à laquelle la pression de vapeur au-dessus du liquide correspond à une pression de 101,3 kPa, soit la pression atmosphérique.

Le **point de fusion normal** d'un solide, quant à lui, est la température à laquelle le solide fond à une pression de 101,3 kPa.

À titre d'exemple, le point d'ébullition normal de l'hexane (C_6H_{14}), un composé covalent non polaire, est de 69 °C. Cela signifie qu'à 69 °C, l'énergie thermique sert à briser les attractions intermoléculaires, c'est-à-dire à rompre complètement les forces de dispersion de London qui unissent les molécules liquides d'hexane entre elles. Plus les attractions intermoléculaires sont fortes et nombreuses, plus il faut fournir une grande quantité d'énergie pour rompre les attractions et changer l'état physique d'une substance. Les liaisons intramoléculaires sont toutefois conservées. Il s'agit toujours des mêmes molécules, mais dans différents états.

Exemple 1.3

Expliquez les raisons faisant que le méthane (CH_4) possède un point de fusion inférieur à celui du tétrafluorométhane (CF_4).

Points de fusion de molécules non polaires similaires

Composé	Point de fusion (°C)
CH_4	−182,5
CF_4	−150,0
CCl_4	−23,0
CBr_4	90,0
CI_4	171,0

Solution

Le méthane est non polaire et ne produit que des forces de dispersion de London entre ses molécules. Le tétrafluorométhane est également non polaire et ne produit que des forces de dispersion de London. Lequel est alors le plus polarisable? Il faut regarder les masses molaires. Le méthane possède une masse molaire de 16 g/mol, tandis que la masse molaire du tétrafluorométhane est de 88 g/mol. Ce dernier est donc beaucoup plus gros, volumineux, plus polarisable, et ses forces de dispersion de London sont donc plus fortes. Le point de fusion du tétrafluorométhane est ainsi plus élevé.

Exercice 1.24   Expliquez l'évolution du point d'ébullition des molécules organiques suivantes.

Molécule	Formule	Point d'ébullition (°C)
méthane	CH_4	−162
éthane	CH_3CH_3	−89
propane	$CH_3CH_2CH_3$	−42
butane	$CH_3CH_2CH_2CH_3$	−0,5
pentane	$CH_3CH_2CH_2CH_2CH_3$	36
hexane	$CH_3CH_2CH_2CH_2CH_2CH_3$	69

1.10.3.2 Solubilité et attractions intermoléculaires

Pour qu'une substance soit soluble dans un solvant donné, les attractions intermoléculaires entre les molécules de soluté et de solvant doivent être favorables, c'est-à-dire de type et de grandeur similaires. Pour estimer si deux substances sont solubles, il faut d'abord déterminer leur polarité globale afin d'établir les types d'attractions intermoléculaires qu'elles sont aptes à former. En général, des molécules polaires forment des attractions intermoléculaires favorables et nombreuses avec d'autres molécules polaires. Ces molécules seront donc solubles l'une dans l'autre. En suivant cette même logique, deux substance non polaires seront également solubles l'une dans l'autre. Par contre, si une substance très polaire est placée en présence d'une substance non polaire, les deux ne seront pas solubles, ne formant pas les mêmes types d'attractions intermoléculaires (*voir la figure 1.28, page suivante*).

Exercice 1.25 Prédisez si les composés suivants sont solubles l'un dans l'autre.

a) eau et pentane ($CH_3CH_2CH_2CH_2CH_3$)

b) eau et octanol ($CH_3CH_2CH_2CH_2CH_2CH_2CH_2CH_2OH$)

c) éthane (CH_3CH_3) et butane ($CH_3CH_2CH_2CH_3$)

Exercice 1.26 Classez les composés suivants par ordre croissant de leur solubilité dans l'eau.

CH_3CH_2OH CH_3OCH_3 CH_3CH_3 $CH_3CH_2CH_2CH_2OH$

Figure 1.28 Exemples de substances solubles et insolubles l'une dans l'autre

Exemple 1

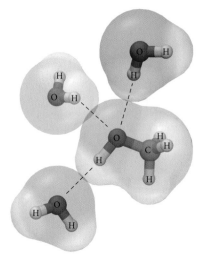

Méthanol (CH_3OH)
* Molécule polaire
* Attractions intermoléculaires:
  – forces de dispersion de London
  – interactions de Keesom
  – ponts hydrogène

Eau (H_2O)
* Molécule polaire
* Attractions intermoléculaires:
  – forces de dispersion de London
  – interactions de Keesom
  – ponts hydrogène

Le méthanol est soluble dans l'eau, puisque ce sont deux molécules polaires réalisant les mêmes types d'attractions intermoléculaires. Le groupement méthyle (— CH_3) du méthanol, la partie non polaire de la molécule, est trop petit pour empêcher la solubilité.

Les pointillés représentent des ponts hydrogène.

Exemple 2

Forces de dispersion de London

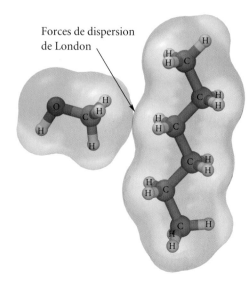

Méthanol (CH_3OH)
* Molécule polaire
* Attractions intermoléculaires:
  – forces de dispersion de London
  – interactions de Keesom
  – ponts hydrogène

Hexane (C_6H_{14})
* Molécule non polaire
* Attractions intermoléculaires:
  – forces de dispersion de London

Le méthanol n'est pas soluble dans l'hexane. En effet, les molécules de méthanol ne briseront pas leurs ponts hydrogène (très forts) entre elles pour ne faire, avec les molécules d'hexane, que des forces de dispersion de London très faibles et peu nombreuses (dans ce cas-ci, en raison du petit groupement méthyle — CH_3 du méthanol).

VÉRIFICATION DES CONNAISSANCES

Après l'étude de ce chapitre, je devrais être en mesure :

○ de connaître les particules élémentaires (électrons, protons et neutrons) d'un atome et leurs caractéristiques générales ;

○ de caractériser un élément par son symbole, son nombre de protons, de neutrons, d'électrons, et plus particulièrement son nombre d'électrons de valence (électrons célibataires et doublets d'électrons) et son nombre d'électrons de cœur ;

○ de distinguer les isotopes d'un élément donné ;

○ de définir le concept des orbitales atomiques et de les représenter au moyen des nombres quantiques ;

○ d'écrire les configurations électroniques des atomes et des ions polyélectroniques avec les cases quantiques, la notation *spdf* ou la notation abrégée, en respectant les règles de remplissage (principe d'exclusion de Pauli, principe de l'*aufbau* et règle de Hund) des orbitales atomiques ;

○ de représenter les électrons de valence des atomes à l'état fondamental grâce à la notation de Lewis ;

○ de décrire les différents types de liaisons (covalentes non polaires et polaires, liaisons ioniques) des composés chimiques ;

○ de représenter les composés chimiques simples par les structures de Lewis en respectant, de façon générale, les règles de l'octet et du doublet ;

○ de calculer la charge formelle des atomes dans un composé chimique ;

○ de dessiner la géométrie moléculaire (modèle de Gillespie) des composés organiques selon la théorie de la répulsion des paires d'électrons de valence (RPEV) ;

○ d'utiliser la théorie des orbitales atomiques hybrides pour représenter les liaisons chimiques dans les structures chimiques ;

○ de distinguer les liaisons σ et π dans les composés chimiques covalents ;

○ de déterminer la polarité globale d'un composé chimique covalent ;

○ de définir les attractions intermoléculaires (ponts hydrogène et forces de Van der Waals : forces de dispersion de London, interactions de Debye et de Keesom) existant entre les composés chimiques ;

○ de prédire l'influence des attractions intermoléculaires sur l'état physique, sur les points de fusion et d'ébullition et sur la solubilité (dans l'eau ou tout autre solvant) des composés chimiques.

EXERCICES SUPPLÉMENTAIRES

Structure atomique, symbolisme de l'atome et isotopes

1.27 Déterminez le nombre de protons, de neutrons et d'électrons pour les atomes ou les ions suivants.

$$^{127}_{53}I^- \qquad ^{23}_{11}Na \qquad ^{27}_{13}Al^{3+} \qquad ^{207}_{82}Pb^{2+}$$

Configurations électroniques, notation de Lewis, règle de l'octet et liaisons chimiques

1.28 À l'aide des cases quantiques, écrivez la configuration électronique à l'état fondamental de l'aluminium et de l'argon.

1.29 Donnez, en notations *spdf* et abrégée, la configuration électronique du zinc et de l'iode.

1.30 Placez les éléments suivants par ordre croissant d'électronégativité : Na, S, K, O, C, F, Br.

1.31 a) Dessinez les notations de Lewis du carbone (carbone excité) et de l'hydrogène.

b) Démontrez ensuite comment 4 carbones et 10 hydrogènes peuvent s'unir pour donner une structure linéaire et stable dans laquelle tous les atomes respectent la règle de l'octet et la règle du doublet.

c) Déterminez les types de liaisons (covalente polaire, covalente non polaire ou ionique). Ajoutez à la structure les charges formelles, si nécessaire.

1.32 Dessinez la structure de Lewis des composés suivants et déterminez les types de liaisons (covalente polaire, covalente non polaire ou ionique). Ajoutez à la structure les charges formelles, si nécessaire.

a) CH_2FCl b) CH_3SH c) CHO_2K

1.33 Jusqu'au début du XXe siècle, les gens vivant dans les régions montagneuses pouvaient souffrir d'une carence en iode. En effet, les montagnes bloquent les vents marins riches en iode, appauvrissant ainsi l'air de cet élément chimique. L'iode est indispensable à la biosynthèse des hormones thyroïdiennes. Sa rareté donne lieu à une insuffisance hormonale, une maladie nommée « crétinisme » (d'où l'expression « crétin des Alpes »). Pour pallier ce déficit, le sel de table a été enrichi en iode par l'ajout d'iodure de sodium (NaI), entraînant ainsi la disparition de cette maladie.

Dessinez la structure de Lewis du NaI et déterminez le type de liaison (covalente polaire, covalente non polaire ou ionique). Ajoutez les charges à la structure.

Hybridation des orbitales atomiques

1.34 Déterminez l'hybridation de chaque atome dans les molécules suivantes.

a)

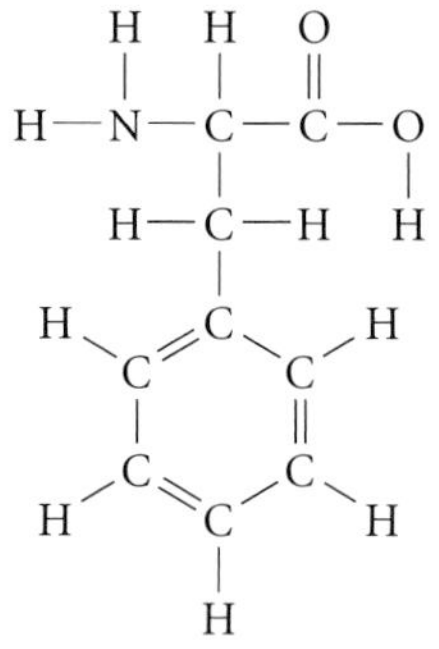

phénylalanine
(acide aminé)

b)

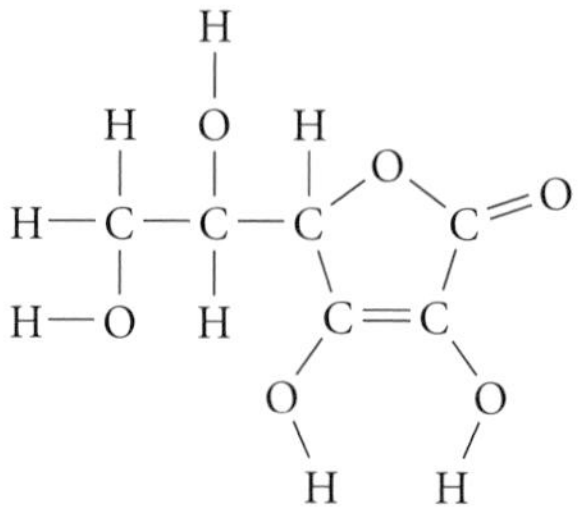

vitamine C

c)

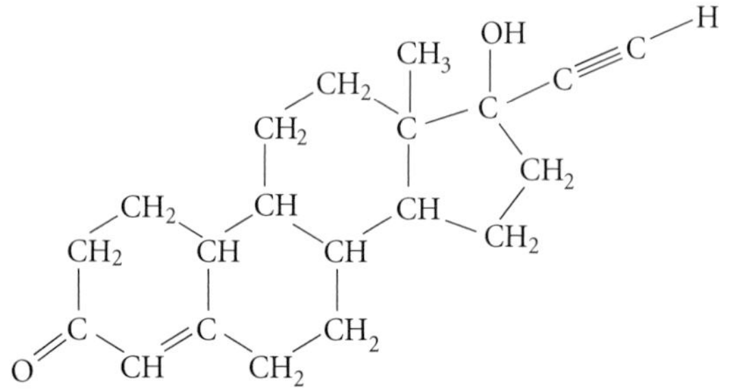

noréthindrone
(hormone présente dans certains contraceptifs oraux)

1.35 Dessinez la structure de Lewis de $AlCl_3$ et déterminez le type d'hybridation de chaque atome.

1.36 Quelle est l'hybridation des atomes dans la molécule suivante : $CH_2=C=CH_2$? Représentez la molécule selon le modèle de Gillespie et le modèle hybridé.

1.37 L'alcool consommé par l'humain est connu sous le nom d'« éthanol ». Il est essentiellement transformé par le foie qui le métabolise tout d'abord en acétaldéhyde, puis en acide acétique et, finalement, en dioxyde de carbone et en eau.

a) Représentez la structure de Lewis de l'éthanol, de l'acétaldéhyde et de l'acide acétique.

$$CH_3CH_2OH \qquad CH_3CHO \qquad CH_3COOH$$
éthanol   acétaldéhyde   acide acétique

b) Dessinez le modèle de Gillespie de ces trois molécules. Dans chacun des cas, indiquez la géométrie autour de chaque atome ainsi que l'hybridation.

1.38 Un énol est une structure particulière trouvée dans certains composés organiques. Un énol présente un groupement hydroxyle (—OH) lié à un carbone réalisant une liaison double avec un autre carbone.

$$CH_2=CH—OH$$
Énol

a) Déterminez l'hybridation de chaque atome présent dans cette structure.

b) Représentez le modèle de Gillespie de cette molécule en y indiquant les différentes géométries, les angles caractéristiques et les doublets d'électrons libres, s'il y a lieu.

c) Dessinez la molécule avec les orbitales hybrides et indiquez les liaisons σ et π.

Polarité des molécules

1.39 La molécule de trichlorure de bore (BCl_3) est non polaire. Cependant, l'ammoniac (NH_3) est une molécule polaire. Expliquez brièvement.

1.40 Pour les molécules CH_3NHCH_3, CH_3OCH_3, CH_3SCH_3, $CH_3CH_2CH_3$:
   a) déterminez les liaisons covalentes polaires ;
   b) déterminez si les molécules sont polaires ou non polaires ;
   c) placez les molécules par ordre croissant de polarité.

1.41 Parmi les molécules suivantes, déterminez celles qui sont polaires.

$$CS_2, \ HCN, \ SO_2, \ CCl_4, \ PH_3, \ AlCl_3, \ CH_2{=}CH_2, \ CH_3{-}CH_3, \ CHCl_3, \ CH_2O, \ CH_2Br_2$$

1.42 Pour les molécules de l'exercice 1.37, déterminez celles qui sont polaires.

Attractions intermoléculaires

1.43 Prédisez si les composés suivants sont solubles l'un dans l'autre. Expliquez votre raisonnement à l'aide des attractions intermoléculaires.
   a) eau + huile (triglycérides renfermant de longues chaînes composées d'atomes de carbone et d'hydrogène)
   b) eau + vinaigre (CH_3CO_2H)
   c) vinaigre + huile
   d) huile + hexane ($CH_3CH_2CH_2CH_2CH_2CH_3$)

1.44 Quelles sont les conditions requises pour la réalisation d'un pont hydrogène entre deux molécules ?

1.45 Dessinez, s'il y a lieu, les ponts hydrogène qui peuvent se produire théoriquement entre les molécules suivantes.
   a) $H_2O + CH_3NH_2$ b) $H_2O + CH_3CH_3$ c) $CH_3NH_2 + CH_3SH$
   d) $CH_3OCH_3 + CH_3OH$ e) $CH_3OCH_3 + CH_3OCH_2CH_3$

1.46 Qu'est-ce qu'un dipôle induit ? Comment peut-il être impliqué dans une attraction intermoléculaire ?

1.47 Le 3-méthoxypropan-1-ol ($CH_3OCH_2CH_2CH_2OH$) est soluble dans l'eau, puisqu'il peut faire un grand nombre de ponts hydrogène avec les molécules d'eau. Lorsqu'il est placé dans un solvant polaire qui ne peut pas faire de ponts hydrogène, notamment le chloroforme ($CHCl_3$), le 3-méthoxypropan-1-ol se stabilise en se recroquevillant sur lui-même par la formation d'un pont hydrogène intramoléculaire. Illustrez les ponts hydrogène dans les deux cas possibles.

1.48 Classez les composés suivants dans l'ordre croissant de leur point d'ébullition. Expliquez votre raisonnement à l'aide des attractions intermoléculaires.

$$H_2O \qquad H_2S \qquad H_2Se \qquad H_2Te$$

1.49 Classez les composés de l'exercice 1.37 dans l'ordre décroissant de leur point d'ébullition. Expliquez votre raisonnement à l'aide des attractions intermoléculaires.

1.50 Classez les composés suivants par ordre croissant des points de fusion. Expliquez brièvement votre raisonnement.

$$CH_3COCH_3 \qquad CH_3CH_2CH_2OH \qquad CH_3CH_2CH_2CH_3$$

1.51 Un alcool est un groupement hydroxyle (—OH) lié à une chaîne de carbones. $C_{10}H_{21}OH$ représente la formule d'un alcool organique à longue chaîne de carbones. Prédisez et expliquez la solubilité (soluble ou insoluble) de cet alcool dans :
   a) l'eau ;
   b) le butanol ($CH_3CH_2CH_2CH_2OH$).

2

Écriture spécifique en chimie organique

Élément de compétence

- Appliquer les règles de la nomenclature à des composés organiques simples.

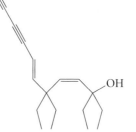

Les composés organiques peuvent être représentés grâce à la formule stylisée ou simplifiée, ce qui donne des formes cocasses ayant parfois l'aspect d'animaux. La molécule ci-contre a un nom trivial (familier) basé sur sa ressemblance avec la girafe, soit la girafénynénynol. Cependant, son nom systématique, établi selon les règles de l'Union internationale de chimie pure et appliquée (UICPA), est (4Z,7E)-12-cyclopropyl-3, 6,6-triéthyldodéca-4,7-diène-9,11-diyn-3-ol.

L a chimie organique date du milieu du XVIIIᵉ siècle. À cette époque, les alchimistes s'affairaient déjà à comprendre pourquoi les composantes des minéraux étaient plus faciles à purifier et supportaient mieux la chaleur que les composantes issues des plantes et des animaux. L'expression «chimie organique» fut utilisée pour la première fois en 1807 par un chimiste suédois nommé **Jöns Jacob Berzelius** (1779-1848). Ce scientifique était également professeur de botanique, de médecine et de pharmacie. Il qualifia d'«organique» toute substance provenant d'un produit tiré du vivant. La compréhension de ces composés organiques naturels était d'une telle complexité que les scientifiques leur attribuaient l'existence d'une «force vitale» interne qui était, croyait-on, impossible à définir et à reproduire. Il semblait ainsi inconcevable de synthétiser une molécule organique. Il fallut attendre jusqu'en 1828 pour que **Friedrich Wöhler** (1800-1882) démontre qu'il était possible de synthétiser des composés organiques en laboratoire, hors de tout organisme vivant. En effet, en chauffant du cyanate d'ammonium (une substance minérale considérée comme inorganique au XIXᵉ siècle), il fabriqua de l'urée, un composant naturel de l'urine… un composé organique (*voir la figure 2.1*)!

cheneliere.ca/chimieorganique

› Mots clés

Figure 2.1
Synthèse de l'urée par Friedrich Wöhler, en 1828

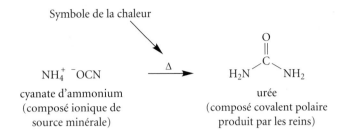

Symbole de la chaleur

$$NH_4^+ \; {}^-OCN \quad \xrightarrow{\Delta} \quad H_2N \overset{\displaystyle O}{\underset{\displaystyle C}{\|}} NH_2$$

cyanate d'ammonium
(composé ionique de
source minérale)

urée
(composé covalent polaire
produit par les reins)

FRIEDRICH WÖHLER (1800-1882)

Chimiste allemand né le 31 juillet 1800 dans la ville d'Eschersheim, connue aujourd'hui sous le nom de Francfort-sur-le-Main, Wöhler fut tout d'abord médecin. Toutefois, sa passion pour la chimie l'emmena rapidement à Stockholm où il étudia une année entière la chimie analytique avec le renommé professeur Jöns Jacob Berzelius (qui découvrit et étudia plusieurs éléments du tableau périodique, notamment le cérium et le sélénium). Après ses études, Wöhler devint professeur titulaire de médecine, de chimie et de pharmacie à l'Université de Göttingen de 1825 jusqu'à sa mort, le 23 septembre 1882.

Wöhler et la communauté scientifique furent à la fois étonnés et excités par ce résultat inattendu. Malgré quelques contestations, les scientifiques se rendirent à l'évidence qu'il était possible de produire un composé organique sans recourir à un organisme vivant. **Justus von Liebig** (1803-1873), un éminent chimiste de l'époque, considéré comme le père de la chimie agricole, déclara : « L'extraordinaire et inexplicable production d'urée sans l'assistance de fonctions vitales, que nous devons à Wöhler, doit être considérée comme l'une des découvertes avec lesquelles une nouvelle ère de la science commence[1]. » Le concept de « force vitale » fut dès lors abandonné. Emportés par la frénésie de la découverte de Wöhler, plusieurs chimistes s'affairèrent à leur tour à synthétiser des composés organiques naturels ; la chimie organique moderne venait de naître.

2.1 Propriétés du carbone

Depuis ce temps, en plus de synthétiser des composés organiques dits « naturels », c'est-à-dire des composés pouvant être extraits d'organismes vivants, les chimistes ont fabriqué une grande variété de composés organiques inexistants dans la nature nommés « composés organiques artificiels ». Ce n'est qu'avec l'avènement de plusieurs techniques analytiques modernes (XIXe et XXe siècles) que ces nombreux composés organiques purent être classifiés. En effet, faute d'appareils sophistiqués, il a été impossible d'élucider leurs structures chimiques particulières et de catégoriser les composés organiques selon leurs propriétés chimiques, car celles-ci étaient bien trop complexes et diversifiées. Cependant, un point commun sur le plan de leur composition atomique a été observé : les structures de ces composés comprenaient toutes des atomes de carbone. La **chimie organique** est aujourd'hui définie comme étant la chimie du carbone. Par convention, les oxydes de carbone (p. ex. : CO, CO_2), les carbonates (p. ex. : Na_2CO_3, $KHCO_3$), les cyanures (p. ex. : $NaCN$), les carbures (p. ex. : CaC_2, Na_2C_2) et les solides covalents tels que le diamant, le graphite ou les autres formes allotropiques du carbone sont toutefois exclus des composés organiques.

> **REMARQUE**
>
> L'**allotropie** est la propriété que possèdent certains éléments chimiques d'exister tant sous une forme cristalline que sous une forme amorphe dans les mêmes conditions physiques. Par exemple, le carbone se trouve dans la nature sous une forme amorphe (suie) et sous deux formes cristallines, le graphite et le diamant. D'autres formes allotropiques du carbone ont été synthétisées, dont, entre autres, les fullerènes (C_{60} et C_{70}) et les nanotubes de carbone.

> **REMARQUE**
>
> Quelques autres éléments, notamment le soufre, le silicium et le germanium, sont également capables de caténation, mais les chaînes formées sont beaucoup plus courtes que celles construites à partir des atomes de carbone.

Contrairement aux autres éléments chimiques, le carbone possède la capacité de se lier à lui-même pour former des chaînes de carbones de taille très variable, une observation réalisée en 1858 par le scientifique allemand **Friedrich August Kekulé von Stradonitz** (1829-1896). Ces chaînes sont parfois constituées de milliers d'atomes de carbone rattachés les uns aux autres par des liaisons simples ou multiples. Les polymères, les cires et les acides gras, entre autres, renferment de longues chaînes de carbones (*voir la figure 2.2, page suivante*). La capacité que possède le carbone à former de longues chaînes avec lui-même, sans perdre de stabilité, porte le nom de **caténation**.

Figure 2.2
Structure du polyisoprène
(caoutchouc naturel)

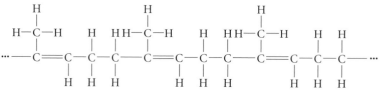

Une séquence identique d'atomes est répétée un très grand nombre
de fois, menant à la formation d'une chaîne de plusieurs centaines
d'atomes de carbone.

Le polyisoprène (caoutchouc naturel) est extrait de l'hévéa (*Hevea brasiliensis*), un arbre des régions tropicales. Les Mayas et les Aztèques l'utilisaient pour la confection de chaussures et de balles pour leur *juego de pelota*, un jeu de pelote qui se voulait un sport rituel. Aujourd'hui, le polyisoprène est un substitut au latex pour les gens qui en sont allergiques. Il se trouve, entre autres, dans les gants chirurgicaux et dans les préservatifs.

Le carbone possède également d'autres caractéristiques particulières qui expliquent son abondance au sein des molécules organiques. En effet, lorsqu'il est hybridé, il possède quatre électrons de valence célibataires qui lui permettent de créer quatre liens avec d'autres atomes. Cette particularité est appelée la **tétravalence** du carbone. Enfin, la valeur d'électronégativité du carbone, qui est moyenne, soit 2,55, lui permet de se lier aux différents éléments situés de part et d'autre du tableau périodique, mais surtout aux non-métaux tels que l'oxygène, l'azote, les halogènes, le soufre et le phosphore. En chimie organique, tous les éléments autres que le carbone et l'hydrogène sont qualifiés d'**hétéroatomes**.

La figure 2.3 présente un tableau périodique dressant la liste des éléments les plus fréquemment trouvés dans les composés organiques en indiquant leur couleur selon le code universel. Ces couleurs sont importantes à reconnaître, car elles permettent de mieux comprendre et d'analyser les modèles à boules et bâtonnets qui seront présentés tout au long de cet ouvrage.

Depuis les débuts de la chimie organique, les connaissances ne cessent d'évoluer. Les scientifiques ont synthétisé une telle variété de composés qu'il est devenu essentiel de trouver des méthodes faciles et rapides de les représenter, de les classifier et de les identifier. Ce chapitre a pour but de montrer les différents modes d'écriture possibles en chimie organique. La notion de groupement fonctionnel et les règles internationales de nomenclature des composés organiques y seront également abordées.

Figure 2.3
Différents éléments chimiques capables de se lier à un carbone dans un composé organique ainsi que leur couleur caractéristique

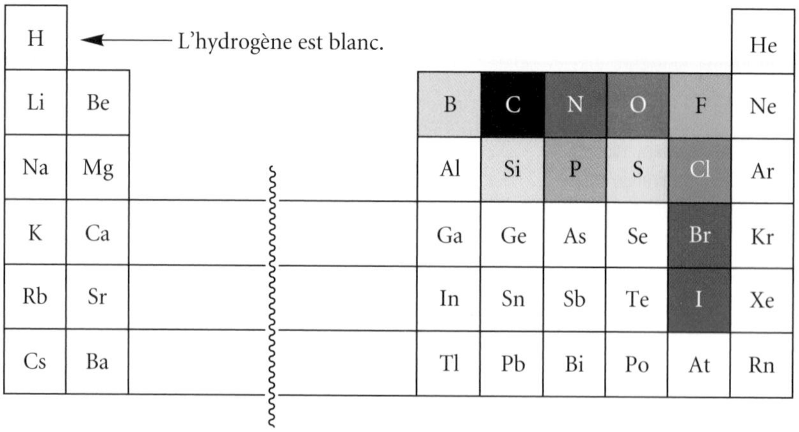

H		← L'hydrogène est blanc.							He
Li	Be			B	C	N	O	F	Ne
Na	Mg			Al	Si	P	S	Cl	Ar
K	Ca			Ga	Ge	As	Se	Br	Kr
Rb	Sr			In	Sn	Sb	Te	I	Xe
Cs	Ba			Tl	Pb	Bi	Po	At	Rn

2.2 Écriture des formules structurales

La représentation des molécules peut être très diversifiée. Dans les cours précédents en chimie, quelques formes d'écriture telles que la **formule moléculaire** ont été abordées. La formule moléculaire indique la nature des atomes présents dans la molécule ainsi que le nombre réel de chacun d'eux. Par exemple, la formule moléculaire de l'éthanol est C_2H_6O. Cette formule permet de calculer facilement la masse molaire de la molécule, mais son problème majeur est qu'elle n'indique pas l'agencement des atomes. Ainsi, plusieurs molécules peuvent correspondre à une même formule moléculaire. Pour une bonne communication entre les scientifiques du monde entier, il est donc important de concevoir d'autres modes

REMARQUE

$$\text{Formule moléculaire} = \left(\text{Formule empirique}\right)_n$$

où *n* est un entier.

d'écriture pour représenter les molécules et ainsi éviter toute confusion possible. Cette section est vouée à l'étude des différents modes d'écriture utilisés en chimie organique, soit les formules développées, semi-développées et simplifiées (ou stylisées).

2.2.1 Formules développées et semi-développées

Les formules structurales, comme celles dessinées jusqu'à maintenant, sont appelées **formules développées**. Il s'agit en fait de structures de Lewis dont chaque liaison covalente est représentée par un trait. Elles mettent en évidence chacune des liaisons formées par l'union des atomes. Toutes les liaisons et tous les atomes sont présentés. Elles n'illustrent toutefois pas la véritable structure tridimensionnelle des molécules (géométrie moléculaire). Bien que très utiles pour la compréhension des notions de base, elles sont encombrantes en raison de la lourdeur de leur représentation. En effet, elles nécessitent beaucoup d'espace et elles sont longues à écrire, surtout lorsqu'il faut représenter des molécules complexes telles que celle présentée dans la figure 2.2. C'est la raison pour laquelle des formes abrégées sont souvent utilisées. Par exemple, il existe les **formules semi-développées** dans lesquelles les hydrogènes portés par un même atome sont regroupés. Ainsi, les liens C—H et les liens O—H, S—H, N—H, etc., ne paraissent plus. On écrit simplement CH, OH, SH, NH. Les liens entre le carbone et les halogènes sont également très souvent omis (C—X devient CX, où X = F, Cl, Br, I). La figure 2.4 présente deux molécules ayant la même formule moléculaire, C_2H_6O, soit l'éthanol et le méthoxyméthane, mais ayant des formules développées et semi-développées différentes.

> **REMARQUE**
>
> Deux molécules possédant la même formule moléculaire mais dont l'arrangement entre les atomes est différent sont des isomères. Cette notion sera traitée en détail dans le chapitre 3.

Figure 2.4
Deux exemples de molécules organiques représentées selon différents modes d'écriture

Pour l'éthanol (un alcool)

C_2H_6O

Formule moléculaire   Formule développée   Formule semi-développée

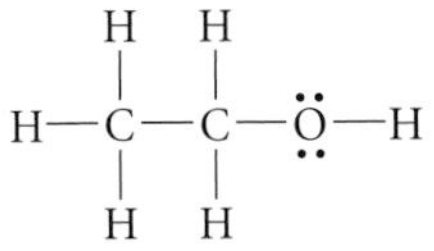

Pour le méthoxyméthane (un éther)

C_2H_6O

Formule moléculaire   Formule développée   Formule semi-développée

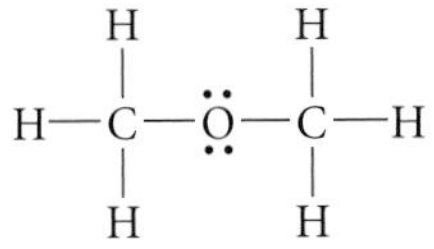

> **REMARQUE**
>
> Dans les formules semi-développées, les liens entre les carbones (C—C) et entre les hétéroatomes (p. ex.: C—O, C—N, etc.) paraissent, mais il est fréquent de les omettre pour abréger davantage la formule. Il s'agit alors de la **formule semi-développée abrégée**.
>
> **Exemples**
>
> CH_3-CH_2-OH donne CH_3CH_2OH
>
> CH_3-O-CH_3 donne CH_3OCH_3

Il est préférable de prendre l'habitude de repérer les doublets d'électrons libres dans les formules structurales afin de s'assurer que l'octet soit respecté pour tous les atomes dans les molécules étudiées. Il est d'autant plus important de représenter les doublets d'électrons libres pour l'écriture des mécanismes réactionnels (lesquels seront vus dans les chapitres à venir), car certains doublets participent à la réactivité chimique. Par contre, lorsque les composés ne sont pas impliqués dans des réactions chimiques, les doublets d'électrons libres sont souvent omis dans les formules structurales afin d'alléger les dessins.

> **REMARQUE**
>
> Dans ce chapitre et dans plusieurs figures de ce manuel, par souci de simplicité, seuls les doublets d'électrons libres dans les formules développées ont été indiqués.

Dans la figure 2.5, une variante dans l'écriture des formules semi-développées est présentée. Un groupe d'atomes entre parenthèses permet de désigner une séquence d'atomes unie à un même atome précédent.

Figure 2.5
Formule développée et formules semi-développées du propan-2-ol

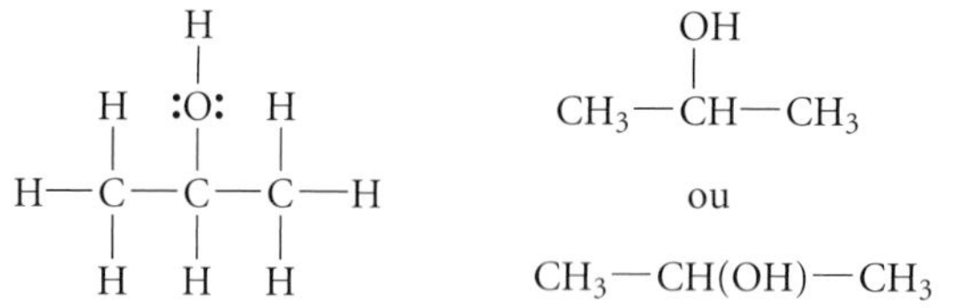

Formule développée du propan-2-ol — Formules semi-développées du propan-2-ol

REMARQUE

En anglais, les parenthèses, plutôt que les crochets, sont utilisées pour désigner la répétition d'un groupe d'atomes.

Les crochets indiquent la répétition d'un groupe d'atomes au sein d'une molécule. Ainsi, la formule semi-développée du pentane peut s'écrire de deux manières : la formule semi-développée et la **formule semi-développée condensée** (avec les crochets). Dans la figure 2.6, le groupement méthylène —CH_2— du pentane se répète à trois reprises, et la chaîne comprend au total cinq carbones.

Figure 2.6
Formule développée, formule semi-développée et formule semi-développée condensée du pentane

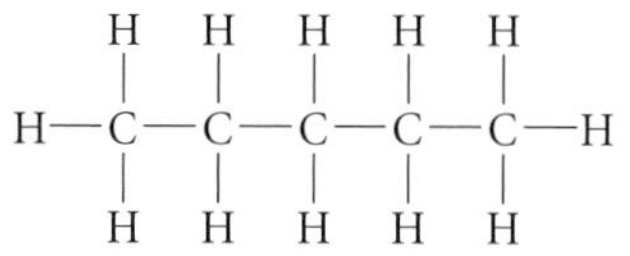

Formule développée du pentane

$CH_3—CH_2—CH_2—CH_2—CH_3$

Formule semi-développée du pentane

$CH_3 [CH_2]_3 CH_3$

Formule semi-développée condensée du pentane

Exercice 2.1 Écrivez une formule développée et une formule semi-développée possibles pour les formules moléculaires suivantes.

a) C_3H_7Br b) $C_2H_6O_2$ c) C_6H_{14} (l'hexane, six carbones consécutifs)

2.2.2 Formules simplifiées, ou stylisées

La formule d'une molécule peut être encore plus succincte. Dans les **formules simplifiées**, ou **stylisées**, les hydrogènes liés aux atomes de carbone sont omis. De plus, la lettre « C » représentant l'atome de carbone est supprimée. Les liaisons C—C sont toutefois conservées. Dans ces formules, chaque extrémité d'une ligne et chaque intersection entre deux segments comportent un atome de carbone. Les hétéroatomes sont toujours inscrits, ainsi que les atomes d'hydrogène directement attachés à ceux-ci (p. ex. : OH, NH, SH, etc.).

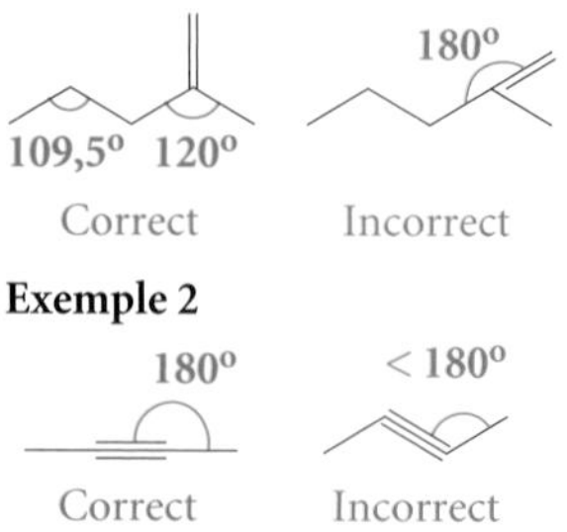
Exemple 1
109,5° 120°
Correct
180°
Incorrect
Exemple 2
180°
Correct
< 180°
Incorrect

Dans ce type d'écriture, les liaisons multiples sont représentées par des segments de ligne multiples. De plus, le squelette carboné de ces formules est dessiné de façon à montrer les angles approximatifs des structures en trois dimensions. Ainsi, un arrangement spatial en zigzag est employé pour les chaînes carbonées de géométrie tétraédrique (angle de 109,5° et carbone hybridé sp^3) et de géométrie triangulaire plane (angle de 120° et carbone hybridé sp^2). Cette représentation sera expliquée en détail dans le chapitre 3. Seules les liaisons triples seront représentées en ligne droite, avec un angle de 180°, en raison de la géométrie linéaire et de l'hybridation *sp* des carbones. Il sera important de se familiariser avec ce mode d'écriture, puisqu'il est le plus répandu en chimie organique.

La figure 2.7 illustre la transposition de la formule simplifiée d'un composé à sa formule développée. Le nombre d'atomes d'hydrogène est déduit en gardant à l'esprit que les carbones forment quatre liaisons.

Figure 2.7

Passage de la formule simplifiée d'une molécule à sa formule développée

Formule simplifiée

- Le carbone forme quatre liaisons.
- Il fait deux liens avec 1 C (liaison double).
- 2 H sont sous-entendus.

- Le carbone forme quatre liaisons.
- Il fait un lien avec 1 C (liaison simple).
- 3 H sont sous-entendus.

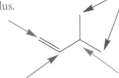

- Le carbone forme quatre liaisons.
- Il fait trois liens avec 2 C différents (liaison simple + liaison double).
- 1 H est sous-entendu.

- Le carbone forme quatre liaisons.
- Il fait trois liens avec 3 C différents (trois liaisons simples).
- 1 H est sous-entendu.

Formule développée correspondante

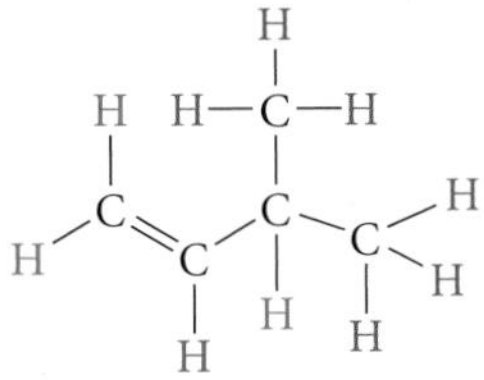

que l'on écrit :

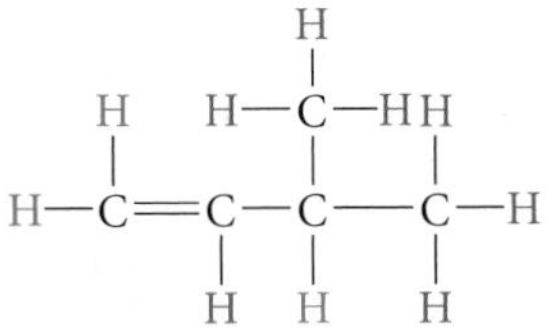

Chaque atome de carbone respecte l'octet.

Exemple 2.1

Dessinez la formule simplifiée de $(CH_3)_2CH-CH=CH-CH_2-CH_2-CH_3$.

Solution

Il s'agit de créer un arrangement (généralement en zigzag) avec le bon nombre de carbones et d'ajouter ensuite la liaison double entre les carbones 3 et 4.

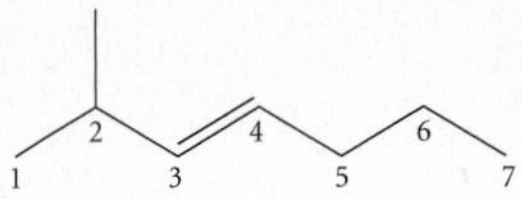

Exercice 2.2   Dessinez la formule simplifiée des molécules suivantes.

a)

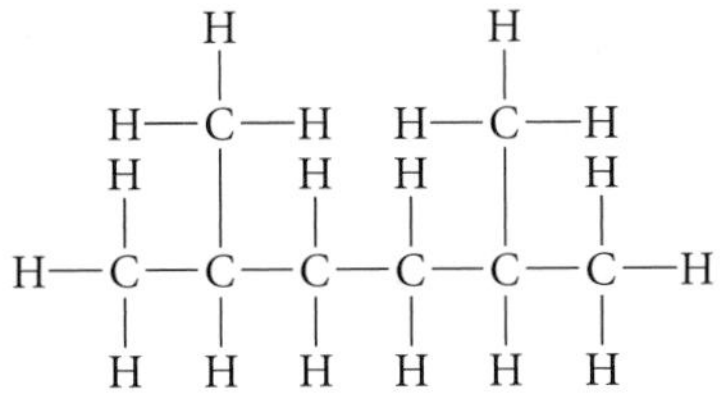

b)

$$CH_3-CH_2-\underset{\underset{CH_3}{|}}{C}=CH-CH_3$$

c)

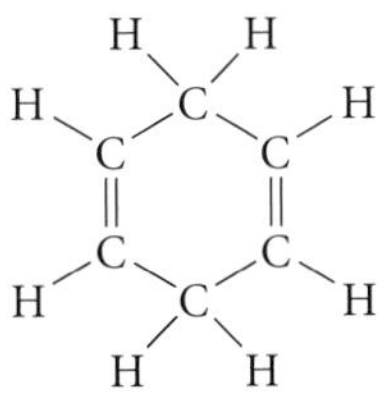

Exemple 2.2

Dessinez la formule simplifiée de la molécule suivante.

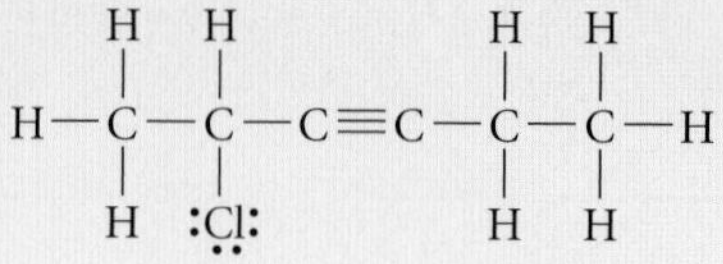

$$H-\overset{\overset{\displaystyle H}{|}}{\underset{\underset{\displaystyle H}{|}}{C}}-\overset{\overset{\displaystyle H}{|}}{\underset{\underset{\displaystyle :\ddot{C}l:}{|}}{C}}-C\equiv C-\overset{\overset{\displaystyle H}{|}}{\underset{\underset{\displaystyle H}{|}}{C}}-\overset{\overset{\displaystyle H}{|}}{\underset{\underset{\displaystyle H}{|}}{C}}-H$$

Solution

Dans cet exemple, il faut porter une attention particulière à l'arrangement spatial de la liaison triple, laquelle doit être représentée en ligne droite, avec un angle de 180°, en raison de la géométrie linéaire et de l'hybridation *sp* des carbones 3 et 4.

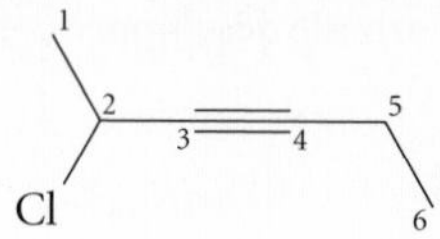

Exercice 2.3 Dessinez la formule simplifiée pour les molécules suivantes.

a)

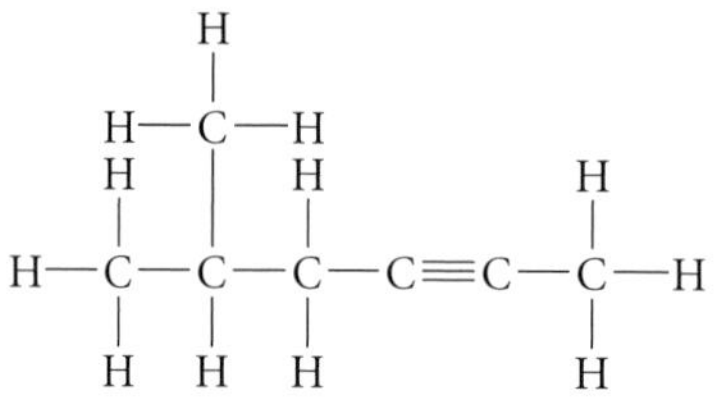

$$H-\overset{\overset{\displaystyle H}{|}}{\underset{\underset{\displaystyle H}{|}}{C}}-\overset{\overset{\displaystyle H}{|}}{\underset{\underset{\displaystyle H}{|}}{C}}-\overset{\overset{\displaystyle H}{|}}{\underset{\underset{\displaystyle H}{|}}{C}}-C\equiv C-\overset{\overset{\displaystyle H}{|}}{\underset{\underset{\displaystyle H}{|}}{C}}-H$$

b) CH_3-CH_2
$$CH_3-CH-CH_2-C\equiv C-CH_2-CH_2-OH$$

c) $CH_3-CH-C=CH-C\equiv C-CH-O-CH_3$
avec NH_2 CH_3 et $CH_2-CH_2-CH_3$

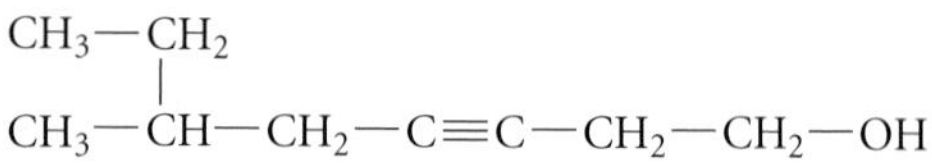

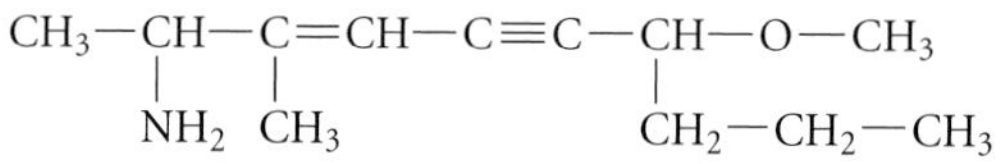

En résumé, dans le tableau 2.1, quelques molécules sont décrites en ayant recours aux différentes formules structurales.

Tableau 2.1 **Exemples de molécules représentées par différentes formules structurales**

Formule structurale	Exemples		
Développée	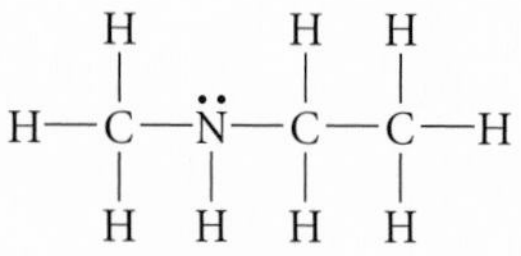 $H-\overset{H}{\underset{H}{C}}-\overset{\cdot\cdot}{N}-\overset{H}{\underset{H}{C}}-\overset{H}{\underset{H}{C}}-H$	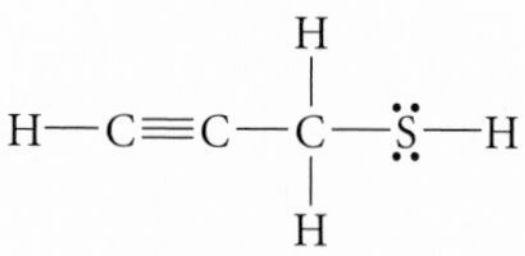 $H-C\equiv C-\overset{H}{\underset{H}{C}}-\overset{\cdot\cdot}{S}-H$	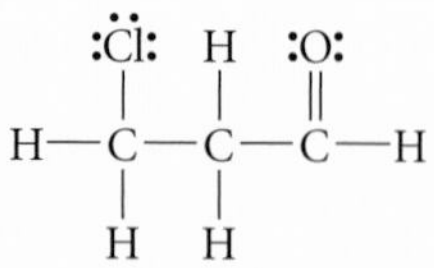 $H-\overset{:\ddot{C}l:}{\underset{H}{C}}-\overset{H}{\underset{H}{C}}-\overset{:O:}{C}-H$
Semi-développée	$CH_3-NH-CH_2-CH_3$	$CH\equiv C-CH_2-SH$	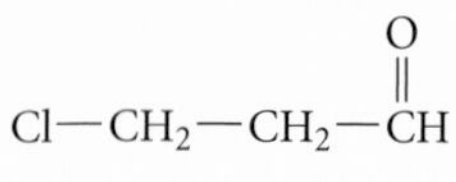 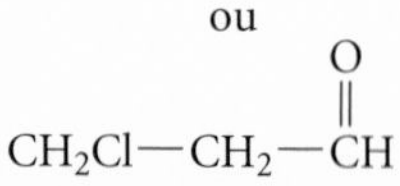 $Cl-CH_2-CH_2-\overset{O}{\overset{\|}{CH}}$ ou $CH_2Cl-CH_2-\overset{O}{\overset{\|}{CH}}$
Simplifiée, ou stylisée	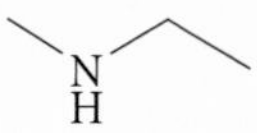	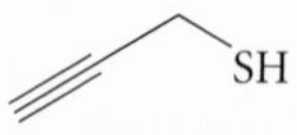	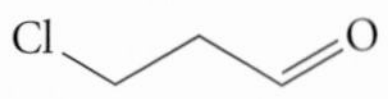
Moléculaire	C_3H_9N	C_3H_4S	C_3H_5ClO

Dans les articles scientifiques ou les manuels de référence, il est fréquent de voir la structure de la molécule représentée à l'aide d'un mélange de formules structurales (p. ex.: une partie en formule développée et une autre en formule simplifiée). En fait, cela arrive très souvent lorsque les auteurs veulent attirer l'attention sur une certaine partie de la molécule.

ENRICHISSEMENT

Modèles à boules et bâtonnets, et modèles compacts

Les **modèles à boules et bâtonnets** ainsi que les **modèles compacts** sont des structures tridimensionnelles (modèle de Gillespie), mais qui, en plus de donner des informations sur la géométrie, tiennent compte de la grosseur relative des atomes qui composent la molécule. Ces informations sont particulièrement importantes au moment de l'étude de la réactivité des molécules.

Le tableau ci-dessous montre chacune des représentations tridimensionnelles possibles du bromoéthane (CH_3CH_2Br) ainsi que les caractéristiques principales de chacune d'elles.

Dans les modèles à boules et bâtonnets ou compacts, il est essentiel de respecter les couleurs universelles des atomes (*voir la figure 2.3, p. 40*).

Diverses représentations du bromoéthane (CH_3CH_2Br)

Modèle de Gillespie (géométrie moléculaire)	Modèle à boules et bâtonnets	Modèle compact	Superposition sur le modèle à boules et bâtonnets du modèle compact
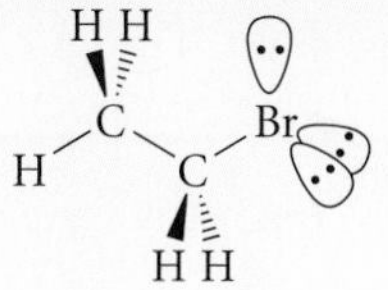 		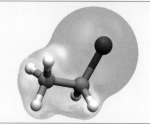	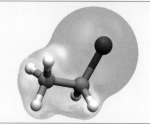
• Visualisation de la disposition spatiale (angles) des différentes liaisons chimiques	• Visualisation de la disposition spatiale (angles) des différentes liaisons chimiques • Observation de la grosseur relative de chaque atome	• Visualisation partielle des angles de liaison • Emphase sur la grosseur des atomes formant la molécule	• Superposition du modèle à boules et bâtonnets et du modèle compact; bonne visualisation de la grosseur des atomes sans perte de précision quant aux angles de liaison

Exercice 2.4 **Enrichissement** Dessinez les formules développée, semi-développée et simplifiée des molécules suivantes.

a)

b)

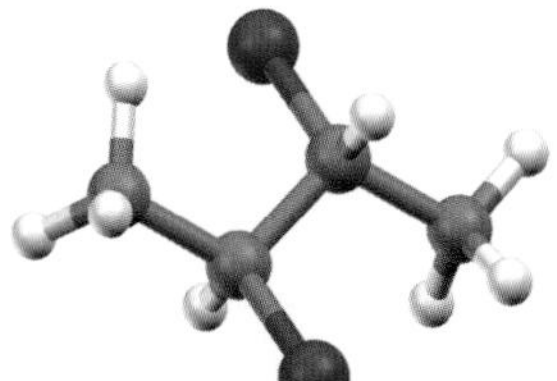

2.3 Classification selon la charpente moléculaire

Dans toutes les molécules organiques, il existe un squelette de carbones sur lequel peuvent s'embrancher d'autres atomes. La **chaîne principale** est, de façon générale, la plus longue séquence continue de carbones dans la molécule. Dans la section 2.5.1.1 (*voir p. 58*), des précisions seront apportées quant à cette définition de la chaîne principale. Les embranchements de la chaîne principale sont appelés **substituants** ou **ramifications**. Le terme général «substituant» représente tout groupe d'atomes fixé à la chaîne principale, tandis que le terme «ramification» s'emploie pour des embranchements exclusivement constitués d'atomes de carbone et d'hydrogène.

Les molécules organiques sont classées principalement en trois grandes catégories:

1. les **composés acycliques**;
2. les **composés carbocycliques** (ou **homocycliques**);
3. les **composés hétérocycliques**.

REMARQUE

Les **composés aliphatiques** regroupent tous les composés carbonés, acycliques et cycliques, saturés et insaturés, excluant les composés aromatiques (*voir le tableau 2.2, p. 49*).

Exemple 2.3

Déterminez la chaîne principale du composé ci-dessous ainsi que les ramifications.

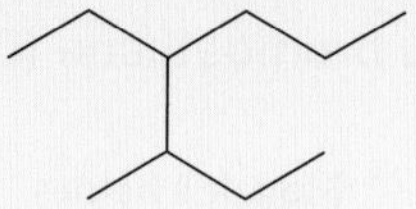

Solution

La chaîne principale n'est pas nécessairement dans l'axe horizontal; elle implique simplement le plus grand nombre de carbones possible (dans cet exemple, la plus longue chaîne contient sept carbones). Les groupes d'atomes de carbone et d'hydrogène fixés à la chaîne principale sont les ramifications.

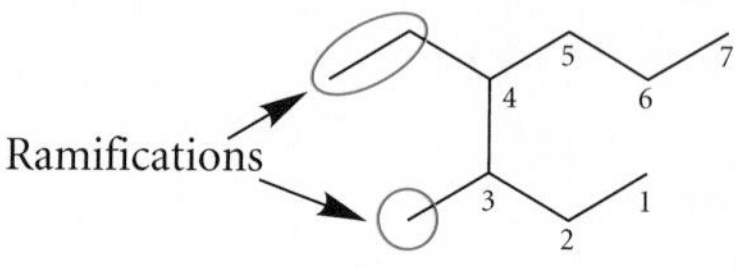

Ramifications

Exercice 2.5 Déterminez la chaîne principale et les ramifications des molécules suivantes.

a) 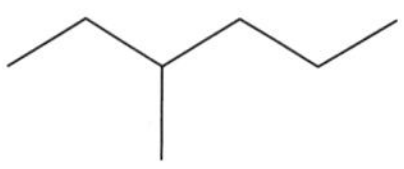   b) 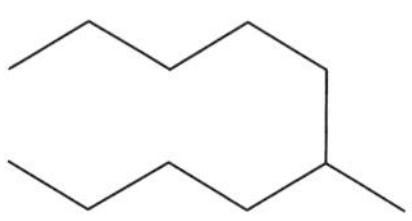   c)

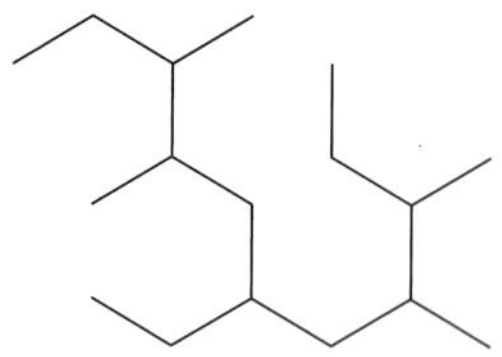

2.3.1 Composés acycliques

Comme leur nom l'indique, les **composés acycliques** (du préfixe d'origine grecque *a-* signifiant la négation «non» ou «pas») représentent une classe de molécules organiques dépourvues de cycle, et ce, tant dans la chaîne principale que dans les substituants. La chaîne principale d'un composé acyclique peut ou non porter un ou des substituants. La figure 2.8 présente deux exemples de composés acycliques. L'octane est un exemple d'un composé acyclique sans substituant, tandis que le 3,4-diméthyl-hexane est un exemple de composé acyclique renfermant deux ramifications ayant un carbone chacune.

Figure 2.8
Exemples de composés
acycliques

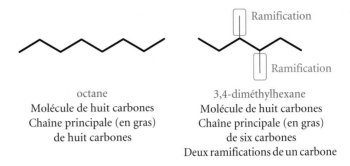

octane
Molécule de huit carbones
Chaîne principale (en gras)
de huit carbones

3,4-diméthylhexane
Molécule de huit carbones
Chaîne principale (en gras)
de six carbones
Deux ramifications de un carbone

Quelques composés acycliques naturels sont illustrés dans la figure 2.9. La chaîne principale (en gras) des composés acycliques implique exclusivement des atomes de carbone consécutifs.

Figure 2.9
Composés acycliques présents
dans la nature

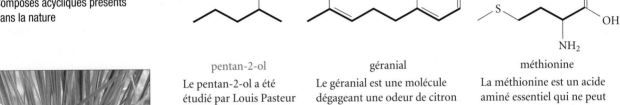

pentan-2-ol

Le pentan-2-ol a été étudié par Louis Pasteur au milieu du XIXᵉ siècle pour ses propriétés optiques particulières ; cette molécule peut dévier la lumière polarisée.

géranial

Le géranial est une molécule dégageant une odeur de citron très prononcée. Il est utilisé principalement en parfumerie.

méthionine

La méthionine est un acide aminé essentiel qui ne peut pas être synthétisé chez l'homme adulte. Elle doit donc être consommée dans l'alimentation. Elle se trouve dans plusieurs aliments tels que les viandes, les œufs, les poissons, etc.

La citronnelle est une plante riche en géranial.

2.3.2 Composés carbocycliques, ou homocycliques

Un **composé carbocyclique** est une molécule ayant un ou des cycles formés uniquement d'atomes de carbone. Il est également possible de parler de **composé homocyclique** (du préfixe grec *homo-* signifiant « semblable, le même »), car les cycles ne possèdent que des atomes de même nature, soit des carbones. Dans ce type de composés, le ou les cycles représentent souvent la chaîne principale. Un ou plusieurs substituants peuvent s'y rattacher.

Dans la nature, plusieurs composés sont des homocycles. Les cycles à trois ou à quatre atomes de carbone, bien que possibles, sont toutefois peu présents, car ils sont très instables en raison d'une très grande tension de cycle. En revanche, les homocycles de cinq ou de six carbones sont très répandus, puisqu'ils sont très stables (*voir la section 3.4, p. 110*). La figure 2.10 (*voir page suivante*) présente quelques exemples de composés carbocycliques naturels et artificiels.

L'odeur du miel provient du phényléthanoate d'éthyle, un composé carbocyclique.

2.3.3 Composés hétérocycliques

Les **composés hétérocycliques** (du préfixe grec *hetero-* signifiant « autre ») correspondent à une classe de composés cycliques dont au moins un atome du cycle est un hétéroatome. Plusieurs hétéroatomes, identiques ou différents, peuvent être présents dans un même cycle. Les plus fréquents sont l'oxygène, l'azote et le soufre. Cette classe de molécules est très répandue dans la nature avec des structures variées. Tout comme pour les composés carbocycliques, la chaîne principale des hétérocycles simples est le cycle lui-même. Les structures polycycliques des hétérocycles ne seront pas abordées en détail dans ce manuel. La figure 2.11 (*voir page suivante*) présente quelques composés hétérocycliques naturels.

Figure 2.10 Composés carbocycliques naturels et artificiels

cyclopropane

Molécule autrefois utilisée comme anesthésique, mais abandonnée en raison des risques élevés d'explosion lorsqu'elle réagit avec l'oxygène.

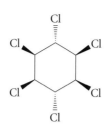

lindane
Insecticide

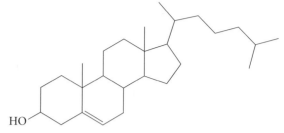

cholestérol

Son accumulation dans le sang est responsable du durcissement des artères (arthérosclérose), mais le cholestérol est aussi essentiel au maintien de la stabilité des membranes cellulaires.

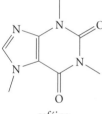

La civette produit la civettone, une molécule odorante utilisée en parfumerie.

civettone

Molécule odorante provenant des glandes périnéales des civettes. Elle est largement utilisée en parfumerie et rappelle l'odeur du musc.

phényléthanoate d'éthyle

Molécule odorante associée à l'arôme du miel

Figure 2.11 Composés hétérocycliques naturels (dans ces exemples, présence des hétéroatomes N et O dans le cycle)

caféine

La caféine est produite en tant qu'insecticide par de nombreuses plantes pour se défendre. Chez l'homme, la molécule agit comme stimulant psychotrope.

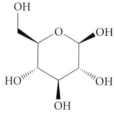

β-D-glucose

Substance énergétique essentielle aux cellules. Le glucose est le seul nutriment du cerveau si l'organisme n'est pas dans un jeûne prolongé. Un dérèglement du taux de glucose sanguin entraîne l'hypoglycémie ou le diabète.

furfural

Le furfural est utilisé dans la fabrication d'arômes de chocolat, de beurre, de café, etc. Il se caractérise par une odeur épicée et amandée.

Le café est une bonne source de caféine, un composé hétérocyclique. Il peut être sucré avec du glucose et peut même être aromatisé grâce à un autre hétérocycle, le furfural.

Exercice 2.6 Classez les composés suivants selon les trois grandes catégories (acyclique, homocyclique ou hétérocyclique) de molécules organiques.

a)

b)
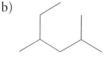

c)

d)
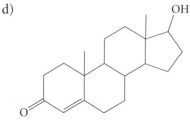

testostérone

e)
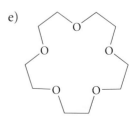

2.4 Classification des composés organiques selon les groupements fonctionnels

À ce jour, la chimie organique dénombre plus de 15 millions de composés naturels et artificiels, et ce nombre ne cesse d'augmenter! Il est impensable que des chimistes cherchant à étudier les propriétés chimiques de tous ces composés le fassent une molécule à la fois. Ceci constituerait une tâche colossale! Heureusement, les chimistes ont découvert que des regroupements très spécifiques d'atomes confèrent une réactivité chimique caractéristique aux molécules. Cette réactivité dépend très peu de la structure carbonée à laquelle les regroupements sont rattachés.

Ces arrangements particuliers d'atomes portent le nom de **groupements fonctionnels**, **groupes fonctionnels** ou simplement **fonctions**. Lorsqu'ils sont présents dans les molécules, ils forment des classes de composés dont la réactivité chimique est similaire. Une vingtaine de classes de composés permettent d'expliquer la réactivité de l'ensemble des molécules connues (*voir le tableau 2.2*). Une même molécule renferme souvent plusieurs fonctions, identiques ou différentes. En général, chaque groupement fonctionnel d'une même molécule possède une réactivité spécifique, indépendante de la fonction voisine. Ainsi, il arrive fréquemment qu'une seule fonction subisse des transformations sans que le reste de la structure soit modifié.

Tableau 2.2 Principaux groupements fonctionnels		
Hydrocarbures (composés ne renfermant que des C et des H)		
	Structure · **Exemple**	
Alcanes (absence de groupement fonctionnel)	$-\overset{\mid}{\underset{\mid}{C}}-\overset{\mid}{\underset{\mid}{C}}-$; $CH_3-\overset{\overset{\textstyle CH_3}{\mid}}{\underset{\underset{\textstyle CH_3}{\mid}}{C}}-CH_2-\overset{\overset{\textstyle CH_3}{\mid}}{CH}-CH_3$ 2,2,4-triméthylpentane (isooctane)	Combustible utilisé comme référence pour l'évaluation de la qualité de l'essence en ce qui a trait à sa propriété antidétonante (indice d'octane)
Alcènes	$\overset{\diagdown}{\diagup}C=C\overset{\diagup}{\diagdown}$; $CH_3-CH{=}CH_2$ propène (propylène)	Unité de base pour la fabrication du polypropylène, un polymère servant à la fabrication des tapis et de matériaux divers
Alcynes	$-C{\equiv}C-$; $CH{\equiv}CH$ éthyne (acétylène)	Combustible engendrant une flamme très brillante; les spéléologues utilisent des lampes à acétylène pour s'éclairer au cours de leurs expéditions
Arènes ou composés aromatiques (composés benzéniques)	⬡ ⬡ benzène	Molécule obtenue à la suite de la pyrolyse de l'huile de baleine, et utilisée comme matière première dans plusieurs réactions chimiques
Groupements fonctionnels renfermant des liaisons simples de type C—O		
	Structure · **Exemple**	
Alcools	$-\overset{\mid}{\underset{\mid}{C}}-O-H$; $CH_3{-}\!\!\left[CH_2\right]_{\!5}\!\!{-}OH$ hexan-1-ol	Molécule utilisée en parfumerie et dont l'odeur s'apparente à celle de l'herbe coupée

▶ **Tableau 2.2** (*suite*)

Groupements fonctionnels renfermant des liaisons simples de type C—O

	Structure	Exemple	
Phénols	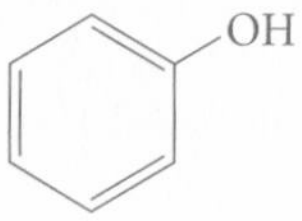	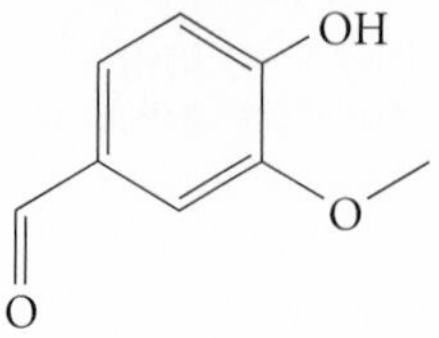 vanilline	Substance à l'état naturel trouvée dans la gousse de vanille
Éthers	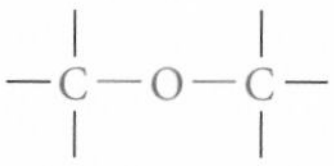	$CH_3-CH_2-O-CH_2-CH_3$ éthoxyéthane (éther éthylique)	Autrefois utilisé comme anesthésique
Peroxydes	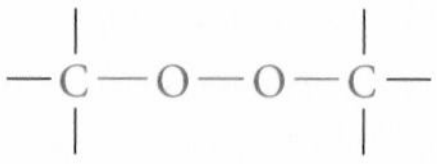 ou 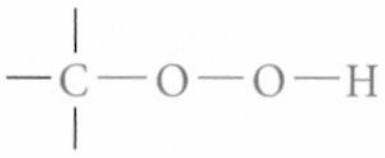 Peroxyde organique $H-O-O-H$ Peroxyde d'hydrogène (composé inorganique)	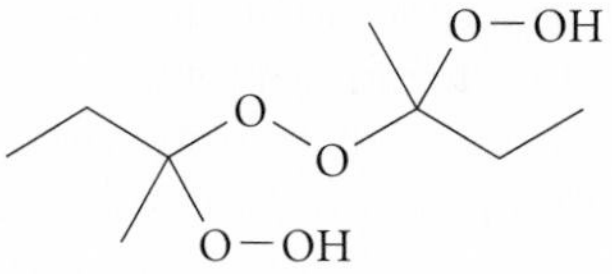 peroxyde de butan-2-one (peroxyde de méthyléthylcétone ou MEKP)	Catalyseur dans des réactions de polymérisation, telles que la fabrication de résines de polyester ou d'acrylique

Groupements fonctionnels renfermant des liaisons simples de type C—S

	Structure	Exemple	
Thiols ou mercaptans	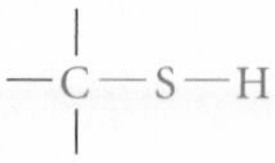	CH_3-CH_2-SH éthanethiol	Molécule chimique à l'odeur d'œufs pourris ajoutée au gaz naturel (inodore) afin de détecter les fuites
Thioéthers ou sulfures	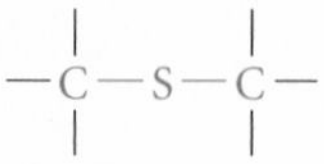	CH_3-S-CH_3 sulfure de diméthyle	Molécule chimique ayant une odeur caractéristique de chou (très désagréable à forte concentration)

Groupements fonctionnels renfermant des liaisons simples de type C—N

		Structure	Exemple
Amines	primaires	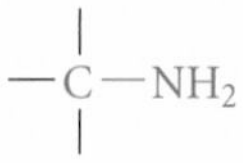	
	secondaires	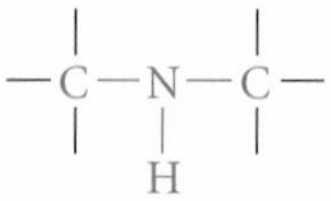	$NH_2-CH_2-CH_2-CH_2-CH_2-CH_2-NH_2$ pentane-1,5-diamine (cadavérine) Molécule à l'odeur nauséabonde libérée par les cadavres en décomposition… d'où son nom familier
	tertiaires	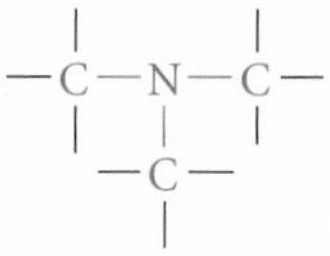	

▷ Tableau 2.2 (*suite*)

Groupements fonctionnels renfermant des liaisons de type C—X

	Structure	Exemple	
Composés halogénés (ou dérivés halogénés, ou halogénures, ou halogénoalcanes)	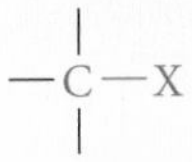 $-\overset{\mid}{\underset{\mid}{C}}-X$ X = F, Cl, Br, I	CH_3-Br bromométhane	Autrefois utilisé pour fertiliser les sols (cette utilisation est aujourd'hui interdite par le Protocole de Montréal)
Halogénures d'acide (ou halogénures d'acyle)	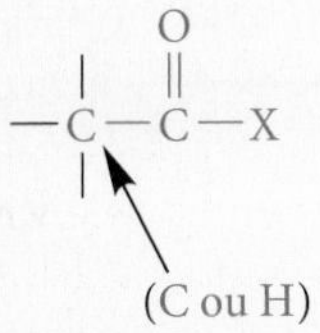 $-\overset{\mid}{\underset{\mid}{C}}-\overset{O}{\overset{\|}{C}}-X$ (C ou H) X = F, Cl, Br, I	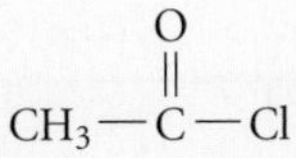 $CH_3-\overset{O}{\overset{\|}{C}}-Cl$ chlorure d'éthanoyle (chlorure d'acétyle)	Réactif largement répandu en synthèse organique

Groupements fonctionnels renfermant un ou des groupements carbonyles (C=O) liés à des H, C ou O

	Structure	Exemple	
Aldéhydes	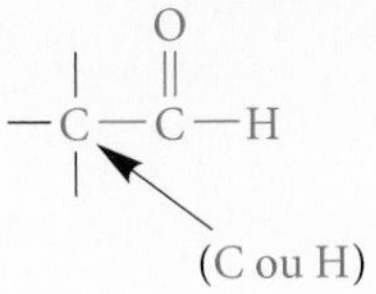 $-\overset{\mid}{\underset{\mid}{C}}-\overset{O}{\overset{\|}{C}}-H$ (C ou H)	$CH_2=O$ méthanal (formaldéhyde)	Molécule utilisée comme désinfectant en dentisterie; son utilisation la plus connue est, en solution dans l'eau, pour la conservation des tissus corporels (formol)
Cétones	$-\overset{\mid}{\underset{\mid}{C}}-\overset{O}{\overset{\|}{C}}-\overset{\mid}{\underset{\mid}{C}}-$	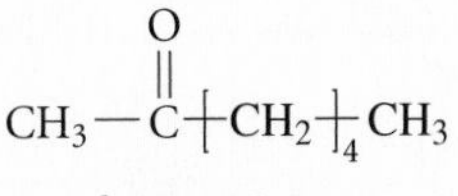 $CH_3-\overset{O}{\overset{\|}{C}}{\left[CH_2\right]}_4 CH_3$ heptan-2-one	Molécule, à l'odeur poivrée, caractéristique du fromage bleu
Acides carboxyliques	$-\overset{\mid}{\underset{\mid}{C}}-\overset{O}{\overset{\|}{C}}-O-H$ (C ou H)	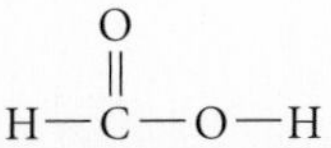 $H-\overset{O}{\overset{\|}{C}}-O-H$ acide méthanoïque (acide formique)	Le terme «formique» provient du latin *formica* («fourmis»); certaines fourmis la sécrètent comme moyen de défense (en la propulsant sur leurs ennemis)
Esters	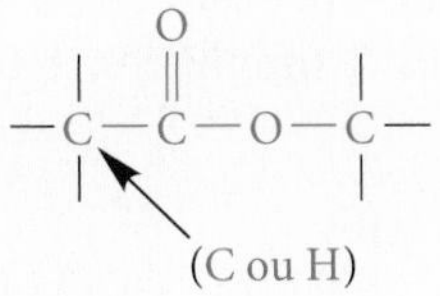 $-\overset{\mid}{\underset{\mid}{C}}-\overset{O}{\overset{\|}{C}}-O-\overset{\mid}{\underset{\mid}{C}}-$ (C ou H)	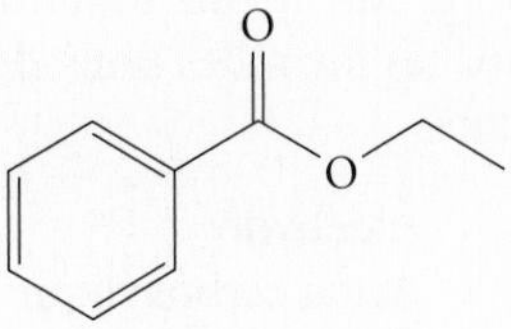 benzoate d'éthyle	Molécule utilisée dans le domaine de la chimie agroalimentaire et offrant une odeur de cerise
Anhydrides	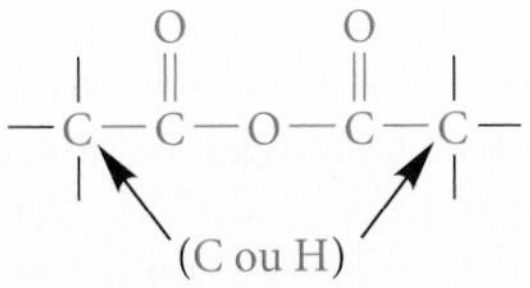 $-\overset{\mid}{\underset{\mid}{C}}-\overset{O}{\overset{\|}{C}}-O-\overset{O}{\overset{\|}{C}}-\overset{\mid}{\underset{\mid}{C}}-$ (C ou H)	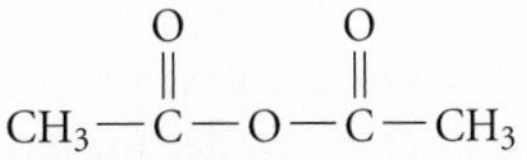 $CH_3-\overset{O}{\overset{\|}{C}}-O-\overset{O}{\overset{\|}{C}}-CH_3$ anhydride acétique	Molécule utilisée, entre autres, dans la synthèse de l'aspirine

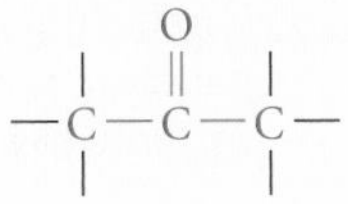

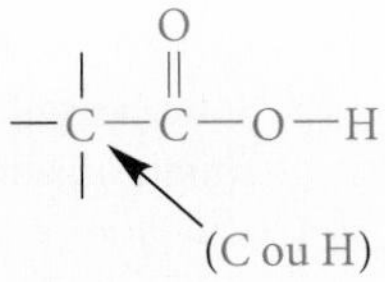

▶ **Tableau 2.2** (*suite*)

Groupements fonctionnels renfermant un N lié à un groupement carbonyle (C═O) ou faisant des liaisons multiples

		Structure	Exemple
Amides	**primaires**	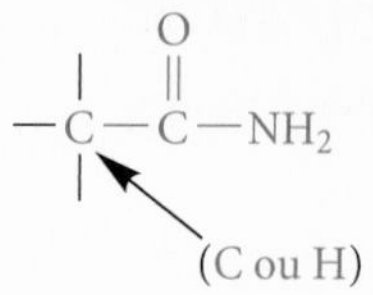	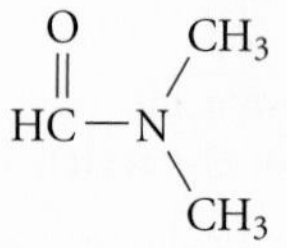 *N,N*-diméthylméthanamide (diméthylformamide)
	secondaires	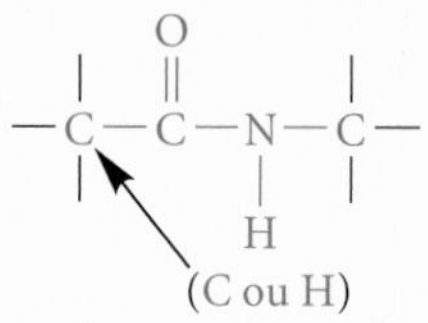	Molécule utilisée comme solvant dans certaines réactions chimiques ainsi que dans la synthèse de nombreuses molécules telles que les pesticides, les fibres acryliques, etc.
	tertiaires	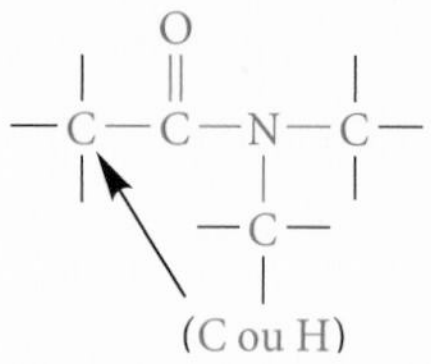	
Nitro (ou composés nitrés)		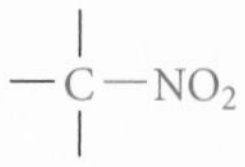 $-\overset{\textstyle\vert}{\underset{\textstyle\vert}{C}}-NO_2$	CH_3-NO_2 nitrométhane Carburant pour fournir plus de puissance aux véhicules de course, en particulier pour les *dragsters*
Nitriles		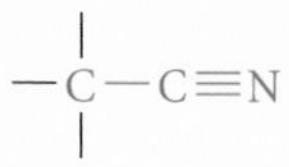 $-\overset{\textstyle\vert}{\underset{\textstyle\vert}{C}}-C\equiv N$	$CH_3-C\equiv N$ acétonitrile Solvant régulièrement utilisé en chimie organique

Quelques groupements fonctionnels usuels peuvent être représentés par des abréviations dans les formules semi-développées et simplifiées. À titre d'exemple, voici les plus fréquents :

Aldéhyde	—CHO
Acide carboxylique	—COOH (ou —CO₂H)
Cétone	—CO—
Nitrile	—CN

Les termes « primaire », « secondaire » et « tertiaire », utilisés pour catégoriser les fonctions amines et amides présentées dans le tableau 2.2, indiquent le nombre de carbones liés à l'atome d'azote. Dans le cas d'un carbone hybridé sp^3, lorsqu'il est lié à un, deux, trois ou quatre carbones, il portera respectivement le nom de **carbone primaire**, **secondaire**, **tertiaire** ou **quaternaire** (*voir la figure 2.12*). Toutefois, s'il n'est lié à aucun autre carbone, mais à quatre atomes d'hydrogène, il sera qualifié de **nullaire**.

Figure 2.12
Représentations des carbones nullaire, primaire, secondaire, tertiaire et quaternaire

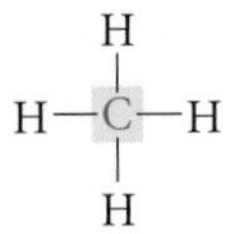

Carbone nullaire (0°)
(carbone lié à aucun carbone)

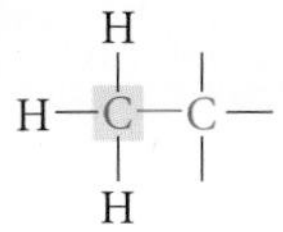

Carbone primaire (1°)
(carbone lié à 1 C)

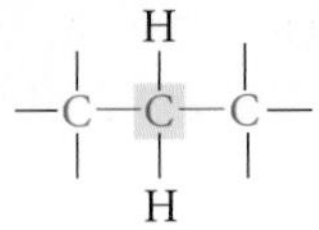

Carbone secondaire (2°)
(carbone lié à 2 C)

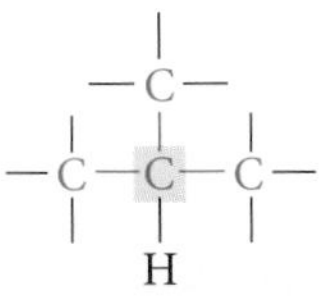

Carbone tertiaire (3°)
(carbone lié à 3 C)

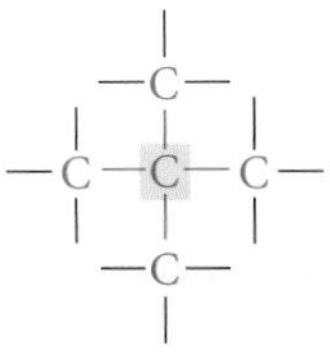

Carbone quaternaire (4°)
(carbone lié à 4 C)

Exercice 2.7 Encerclez et nommez les différents groupements fonctionnels dans les molécules suivantes.

a)

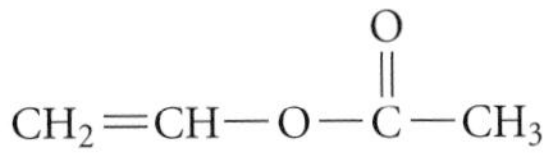

$$CH_2=CH-O-\overset{\overset{\displaystyle O}{\|}}{C}-CH_3$$

acétate de vinyle

Unité de base du polyacétate de vinyle, un polymère utilisé dans les colles à bois

b)

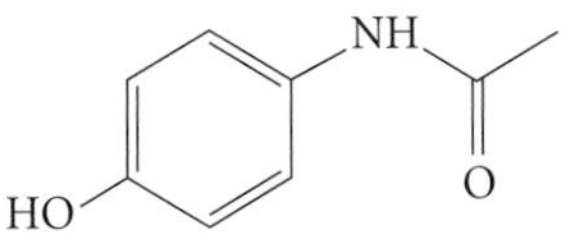

acétaminophène
Nom commercial : Tylenol

c)

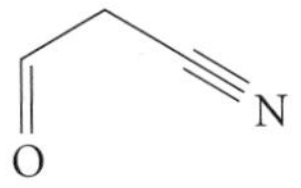

3-oxopropanenitrile
(2-cyanoacétaldéhyde)

Molécule à l'origine de la vie, à l'ère prébiotique ; si elle est combinée à l'urée, la cytosine retrouvée dans l'ADN est formée.

d)

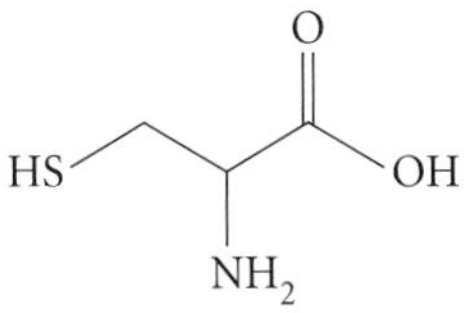

cystéine
Acide aminé

Exercice 2.8 Encerclez et nommez les différents groupements fonctionnels dans les molécules suivantes et déterminez les types de carbones ciblés par les flèches (primaire, secondaire, tertiaire, quaternaire).

a)

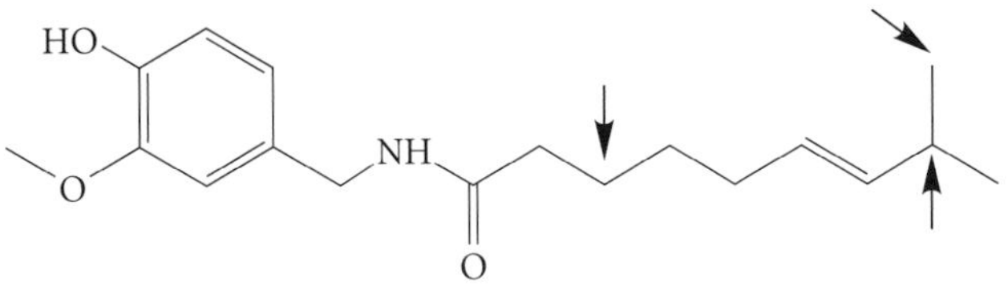

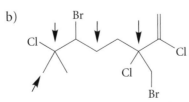

capsaïcine

La capsaïcine est le composé actif du piment qui donne une sensation de brûlure lorsqu'il est ingéré. La plante la produit afin de repousser les prédateurs.

b)

halomon
Composé produit par une algue marine rouge (*Portieria hornemannii*) qui fait l'objet d'études pour ses propriétés anticancéreuses.

CHRONIQUES D'UNE MOLÉCULE

Conception d'un nouveau médicament : la recherche chimique du pharmacophore et l'importance des groupements fonctionnels

Par Élise Rioux, chercheure en chimie médicinale

Les compagnies pharmaceutiques qui se lancent dans la recherche et la conception de nouveaux médicaments doivent investir beaucoup d'argent et de temps avant qu'un nouveau composé chimique soit offert sur les tablettes des pharmacies. En effet, la fabrication d'un nouveau médicament commence par sa synthèse chimique (étape qui sera décrite dans cette rubrique). Des études précliniques sont ensuite réalisées sur des animaux avant que le médicament puisse être testé sur les humains dans les différentes phases cliniques (phase I, phase II, phase III et phase IV, ou postcommercialisation)[2]. La durée totale des diverses phases cliniques varie environ de 5 à 10 ans.

Il existe plusieurs façons de procéder pouvant mener à la découverte d'un nouveau médicament[3]. Tout d'abord, les entreprises définissent leurs sujets de recherche en formulant des théories et en menant des essais biologiques. À titre d'exemple, il est possible de citer le célèbre anti-inflammatoire Vioxx (*voir ci-contre*), dont la clientèle cible était les personnes vieillissantes souffrant d'arthrite rhumatoïde.

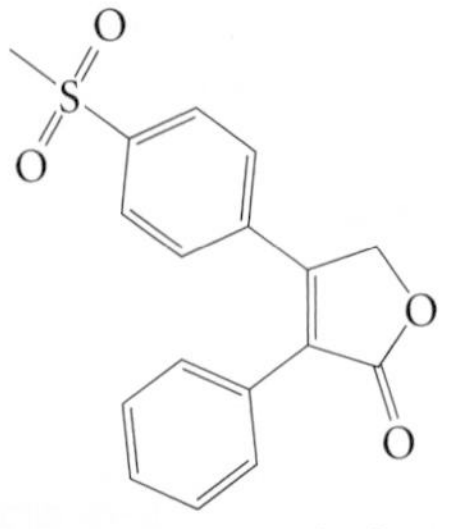

Les compagnies pharmaceutiques commencent leur recherche en criblant des bases de données de millions de composés chimiques déjà connus et répertoriés,

Structure du Vioxx (rofecoxib)

soit de façon virtuelle (chimie computationnelle), soit directement dans différents essais biologiques menés. Ils obtiennent dès lors une liste de molécules cibles (*hits*) qui détiennent potentiellement les activités biologiques recherchées. Dans le cas des recherches qui ont mené au Vioxx, plusieurs familles de produits ont été identifiées (*voir ci-dessous*) et resynthétisées par des chimistes pour en valider leur potentiel à réduire l'inflammation dans des modèles biologiques[4].

Une fois l'activité biologique confirmée, les composés validés sont soumis au processus de transformation du **pharmacophore** (un fragment d'une molécule

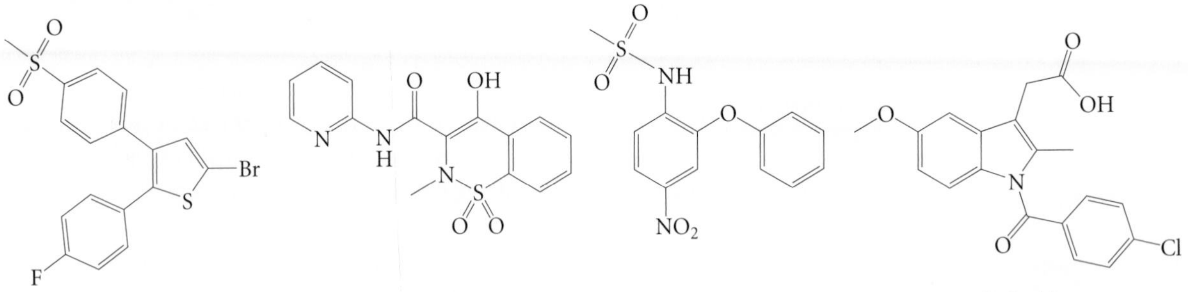

| DuP-697 | Feldene (piroxicam) | Nexen (nimésulide) | Indocid (indométacine) |

Quelques molécules cibles (*hits*) dans l'élaboration du Vioxx

2.5   Nomenclature des composés organiques

L'histoire de la nomenclature remonte à des temps anciens, plus d'un siècle avant même l'élaboration de la première molécule organique. À cette époque, les scientifiques ne disposaient d'aucune règle claire pour nommer les molécules. Ainsi, plusieurs noms devenaient disponibles pour décrire une même substance. À titre d'exemple, l'oxygène moléculaire portait des noms aussi variés qu' « air vital », « air déphlogistiqué » ou encore « air de feu ». Des noms certes amusants de nos jours, mais qui devenaient un problème pour les scientifiques de l'époque, ne parlant plus le même langage. **Antoine Laurent de Lavoisier** (1743-1794), le père de la chimie moderne, a été le premier à décréter l'urgence d'établir des règles de nomenclature. Suivant ses recommandations,

DuP-697   Pharmacophore du Vioxx   DFU   Celebrex (celecoxib)

Optimisation de la relation structure-activité

jugé important pour l'activité biologique) qui permet d'étudier la relation structure-activité pour améliorer à la fois l'activité biologique et la stabilité chimique et biologique. Pour ce faire, les groupements fonctionnels des molécules ciblées sont interchangés afin de voir comment ces derniers influencent l'efficacité du médicament. Il devient dès lors possible d'établir de nouvelles molécules optimisées portant les groupements fonctionnels les plus prometteurs. Dans le cas de l'étude du Vioxx, quelques particularités ont été déterminées à partir du premier *hit* obtenu (*voir ci-dessus*):

- Le groupement fonctionnel méthylsulfonyle (CH_3SO_2—) a été préféré au groupement sulfonamide (NH_2SO_2—) (présent dans le cas du Celebrex).
- Le groupement central, illustré en pointillé (dans le pharmacophore du Vioxx), est modifié pour plus de spécificité dans les essais biologiques. Il s'agit d'un hétérocycle à cinq membres.
- La présence de deux composés aromatiques (en gras dans le pharmacophore du Vioxx) est obligatoire.
- La disponibilité orale est maximisée (c'est-à-dire la quantité de médicament qui sera absorbée dans le corps du sujet)[5].

Ainsi, des milliers de composés peuvent avoir été synthétisés par les chimistes depuis le criblage initial, et ce, en très peu de temps en utilisant les techniques de chimie combinatoire. Ces techniques permettent de fabriquer une multitude de composés chimiques similaires en combinant différents groupements fonctionnels de diverses molécules cibles.

Les meilleurs résultats sont alors retenus comme composés vedettes (*leads*) qui sont ensuite testés sur les animaux; il s'agit de l'étape des études précliniques. Au cours des tests sur les animaux, les propriétés pharmacologiques des composés synthétisés, notamment l'activité biologique et la toxicité, sont évaluées.

Malheureusement, malgré des années de recherche et un nombre important d'études tant précliniques que cliniques demandées pour l'approbation de la commercialisation d'un nouveau médicament, il arrive parfois que certains effets secondaires du médicament, qui semblaient *a priori* inoffensifs, se révèlent très critiques. Ce fut le cas du Vioxx qui, lorsqu'il faisait l'objet d'un usage prolongé, s'est avéré responsable d'une augmentation significative de risques cardiovasculaires. La compagnie Merck Frosst, qui commercialisait le Vioxx entre 1999 et 2004, a finalement décidé de retirer du marché ce médicament après que la Food and Drug Administration (FDA) a estimé et conclu, selon une étude, qu'il aurait provoqué près de 30 000 décès et cas d'arrêts cardiaques subits au cours de cette période[6].

le chimiste français **Louis Bernard Guyton de Morveau** (1737-1816) a publié, en 1782, une première ébauche de nomenclature en chimie inorganique[7]. Selon ses dires, cette méthode « aiderait l'intelligence et soulagerait la mémoire ». Elle a ensuite été raffinée, en 1787, dans un traité intitulé *Méthode de nomenclature chimique*[8].

Il fallut attendre plus d'un siècle pour qu'une conférence internationale sur la nomenclature des composés organiques soit organisée, la chimie organique étant encore méconnue avant le milieu du XIXe siècle. La conférence eut lieu en 1892, à Genève[9]. Pour la première fois, une nomenclature systématique fut proposée en tenant compte de la structure des molécules. Quelques années plus tard, soit en 1911, à Paris, naissait l'Association internationale des sociétés de chimie (AISC). Cette association avait pour but de s'assurer de la normalisation internationale de plusieurs paramètres

Logo de l'Union internationale de chimie pure et appliquée (UICPA), fondée en 1919

de la chimie, dont la nomenclature. Ce travail de coopération scientifique fut malencontreusement interrompu lors de la Première Guerre mondiale, mais il fut réinstauré en 1919 sous le nom de l'**Union internationale de chimie pure et appliquée (UICPA)**.

L'UICPA existe toujours et est plus active que jamais. En effet, lors d'une assemblée générale qui s'est déroulée à Turin (Italie) en 2007, il a été décrété que l'année 2011 serait l'année internationale de la chimie. L'année n'a pas été choisie au hasard. En effet, 2011 marquait la commémoration du centenaire de la création de l'AISC et rendait hommage, par la même occasion, à **Marie Curie** (1867-1934) qui reçut le prix Nobel de chimie pour ses travaux sur le polonium et le radium, il y a déjà 100 ans ! L'Organisation des Nations Unies pour l'éducation, la science et la culture (UNESCO) et l'UICPA ont été responsables d'organiser l'événement, et leur but premier visait à démontrer le rôle essentiel de la chimie pour le bien de l'humanité.

En ce qui a trait à la nomenclature en chimie organique, toutes les règles sont répertoriées dans un livre officiel appelé le « livre bleu[10] ». Il existe plusieurs livres de nomenclature dont les couvertures sont de couleurs différentes : le livre rouge pour la chimie inorganique, le livre vert pour la chimie physique, le livre orange pour la chimie analytique, le livre mauve pour les macromolécules, le livre blanc pour la biochimie, le livre argenté pour la chimie clinique et, finalement, le livre or représentant un compendium de terminologie chimique. Les dernières recommandations provisoires datent de 2004, et la nomenclature actuelle s'y réfère toujours. Cette section présente les grandes lignes de cette réglementation internationale.

Dans cet ouvrage, les molécules portent parfois deux noms. Le premier, écrit en bleu, est le nom systématique établi par l'UICPA, alors que le second, en noir, est un nom familier, trivial, encore fréquemment utilisé aujourd'hui. La **nomenclature systématique**, régie par les règles établies par l'UICPA, alourdit souvent le nom des molécules, mais elle offre l'avantage d'être basée sur des règles claires, définies d'après la disposition des atomes dans la structure à nommer. La **nomenclature classique**, quant à elle, fait appel à la mémorisation et ne suit aucune règle établie. Des exemples amusants sont présentés dans la rubrique « Chroniques d'une molécule – Des noms triviaux… inspirés ! ».

Les groupements fonctionnels énumérés dans le tableau 2.2 (*voir p. 49*) prennent, en nomenclature, une importance de premier plan. En effet, le nom d'une molécule dépend des groupements fonctionnels présents. Certaines fonctions sont toutefois prédominantes sur d'autres. Le tableau 2.3 présente un résumé de l'ordre décroissant de priorité des groupements fonctionnels auquel il faudra se référer au moment de la nomenclature de molécules organiques complexes renfermant plusieurs fonctions.

Tableau 2.3 **Ordre décroissant de priorité des groupements fonctionnels**

+ important

- Acides carboxyliques
- Halogénures d'acide
- Esters
- Amides
- Nitriles
- Aldéhydes
- Cétones
- Alcools et thiols
- Amines
- Alcènes et alcynes
- Ramifications alkyles et aryles, composés halogénés, éthers, thioéthers et nitro

– important

Dans ces deux cas, les deux groupements fonctionnels énumérés sont de même priorité, mais en présence d'une numérotation identique de la chaîne principale (d'une extrémité à l'autre), l'ordre alphabétique doit être considéré.

CHRONIQUES D'UNE MOLÉCULE

Des noms triviaux... inspirés!

La nomenclature systématique permet de nommer les structures chimiques en respectant une série de règles bien établies selon la présence des groupements fonctionnels et de leur emplacement dans la molécule. Or, il est fréquent d'attribuer des noms triviaux aux structures complexes afin d'alléger leur identification. Ces noms ne sont, dès lors, plus soumis à aucune règle, ce qui donne parfois des noms complètement loufoques. Voici les trois grandes catégories générales de noms familiers.

Catégorie 1 : Noms inspirés de leur origine

Dans cette catégorie, le composé est nommé en fonction du lieu où il a été découvert, ou encore de la plante ou de l'animal duquel il a été isolé. Par exemple, la **valériane**, ou «herbe à chat», doit son nom à *Valéria*, une province de l'époque de l'Empire romain.

Centaure

La **centaureidine**, une molécule possédant des propriétés anti-inflammatoires, est trouvée dans une plante de la famille des Astéracées, soit la *Centaurea corcubionensis*. Cette dernière tire son nom d'une vieille légende selon laquelle la plante aurait guéri les blessures d'un centaure[11].

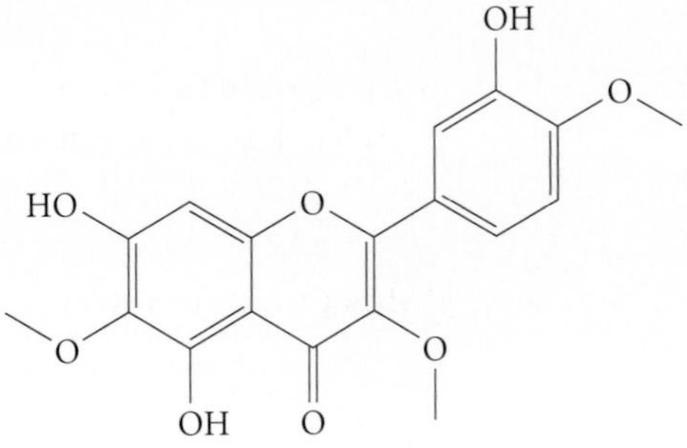

centaureidine

La **gigantine** n'est pourtant pas une molécule très volumineuse! Son nom provient d'un cactus géant présent en Arizona et au nord du Mexique, soit le *Carnegia gigantea*[12]. Ce dernier peut atteindre jusqu'à 15 m de hauteur. Il s'agit du deuxième plus grand cactus du monde. La gigantine est un puissant hallucinogène.

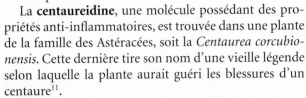

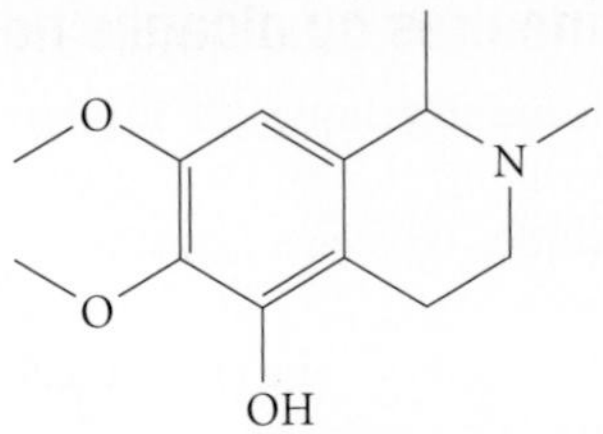

gigantine

Catégorie 2 : Noms inspirés d'une personne, d'un animal ou d'une chose

La deuxième catégorie répertorie les molécules dédiées à des personnes qui, souvent, ont joué un rôle majeur dans la découverte de la structure à nommer. Cependant, il arrive que les noms ne soient en rien liés au champ d'expertise de la découverte. La nomenclature devient alors un hommage à une personne aimée ou témoigne simplement des intérêts du chercheur.

L'étymologie de l'**acide bohémique** est presque inimaginable! Le professeur **Donald E. Nettleton** (1930-2005), un chercheur sérieux, a étudié, en 1979, un antibiotique complexe qui n'avait pas encore été répertorié et qui n'avait donc pas encore de nom. Or, le professeur Nettleton, un passionné d'opéra, s'est inspiré de son œuvre préférée entre toutes, vous l'aurez deviné... *La Bohème*! Son enthousiasme pour l'opéra de Puccini ne s'arrêta pas là. Lorsqu'il a étudié les sous-unités de l'acide, il s'est empressé de leur trouver des noms de circonstance en relation avec les personnages de l'opéra, notamment ceux décrits dans le tableau ci-dessous[13]. Les sous-unités sont produites par la fermentation de l'acide bohémique causée par l'*Actinosporangium*.

Personnage de *La Bohème*	Nom de la sous-unité
Rudolpho (le poète)	rudolphomycine
Marcello (le peintre)	marcellomycine
Colline (la philosophe)	collinemycine
Musetta (la chanteuse)	musettamycine
Mimi (la couturière)	mimimycine
Alcindoro (le conseiller d'État)	alcindoromycine

La structure des sous-unités renferme un squelette commun:

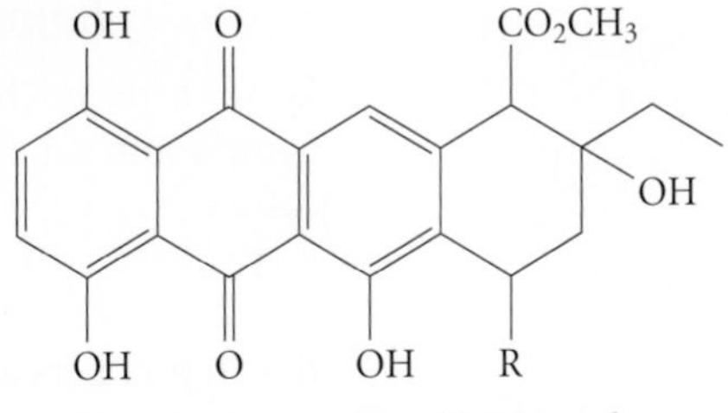

R = chaînes variables d'hétérocycles

Enfin, dans les années 1960, des fermiers de l'Idaho comptent soudainement, parmi leurs troupeaux de moutons, des nouveau-nés ayant des malformations. Des chercheurs, en se rendant sur place, découvrent qu'une plante broutée par les brebis en gestation, la *Veratrum californicum*, est la cause de cette malformation. En effet, cette plante contient une molécule tératogène (qui cause des mutations sur le fœtus), nommée d'après les agneaux cyclopes, la **cyclopamine**[14]. Cette molécule est utilisée aujourd'hui pour ses propriétés antitumorales, notamment pour combattre le cancer du cerveau.

Catégorie 3: Noms inspirés de leur ressemblance structurale

À la simple vue des molécules dans cette catégorie, qui se passe de présentation, il devient aisé de deviner leur nom.

Tout le monde connaît la chanson À *la ferme de Mathurin* (*Old MacDonald Had a Farm*). Eh bien, selon l'auteur de l'article «Old MacDonald Named a Compound: Branched Enynenynols[15]», **Dennis Ryan**, voici à quoi ressemblerait le fermier Mathurin (vieux MacDonald) si ce dernier était un chimiste organicien! Il est accompagné ici de son taureau et de son canard.

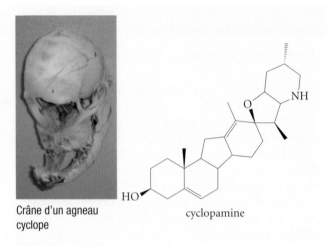

Crâne d'un agneau cyclope

cyclopamine

À la lumière de ce qui est présenté dans cette rubrique, il semble évident qu'une nomenclature plus systématique est nécessaire. En effet, sachant qu'il existe des millions de molécules organiques, ce serait une tâche colossale que de mémoriser, sans une approche méthodologique telle que proposée par l'UICPA, tous les noms triviaux des molécules…

Le fermier, oldmacdenynenynol

son taureau, cowenynenynol

et son canard, duckenynenynol

2.5.1 Nomenclature des alcanes

Les alcanes sont des molécules composées exclusivement de liaisons simples C—C et C—H. Ils existent sous deux catégories: les composés acycliques et les composés carbocycliques (ou homocycliques).

2.5.1.1 Nomenclature des alcanes acycliques non ramifiés (appelés aussi alcanes linéaires ou alcanes normaux)

Le nom de la chaîne principale d'un alcane acyclique est toujours formé de deux composantes. La première, le préfixe, commence le nom en indiquant le nombre de carbones qui composent la chaîne. La seconde, le suffixe, informe sur le ou les groupements fonctionnels que porte la chaîne principale. S'il s'agit d'un alc**ane** (absence de groupement fonctionnel), le suffixe utilisé est «**-ane**». Le tableau 2.4 présente une liste des 20 premiers alcanes et leurs noms respectifs.

> **REMARQUE**
>
> Les descripteurs stéréochimiques (*E-Z* et *R-S*) seront étudiés et ajoutés aux règles de nomenclature à la section 3.5 portant sur la stéréoisomérie.

Les noms présents dans ce tableau s'inspirent du grec ancien. C'est notamment le cas du pentane (dont «pent-» provient du mot grec *pente*, qui signifie «cinq»). Seuls les quatre premiers noms (en gras) ne suivent pas cette logique. Ces noms ont été conservés pour des raisons historiques.

Tableau 2.4 **Noms des chaînes acycliques des 20 premiers alcanes linéaires**

Nom	Nombre de carbones	Formule semi-développée condensée	Nom	Nombre de carbones	Formule semi-développée condensée
méthane	1	CH_4	undécane	11	$CH_3\!-\!\!\left[CH_2\right]_9\!\!-\!CH_3$
éthane	2	CH_3-CH_3	dodécane	12	$CH_3\!-\!\!\left[CH_2\right]_{10}\!\!-\!CH_3$
propane	3	$CH_3-CH_2-CH_3$	tridécane	13	$CH_3\!-\!\!\left[CH_2\right]_{11}\!\!-\!CH_3$
butane	4	$CH_3\!-\!\!\left[CH_2\right]_2\!\!-\!CH_3$	tétradécane	14	$CH_3\!-\!\!\left[CH_2\right]_{12}\!\!-\!CH_3$
pentane	5	$CH_3\!-\!\!\left[CH_2\right]_3\!\!-\!CH_3$	pentadécane	15	$CH_3\!-\!\!\left[CH_2\right]_{13}\!\!-\!CH_3$
hexane	6	$CH_3\!-\!\!\left[CH_2\right]_4\!\!-\!CH_3$	hexadécane	16	$CH_3\!-\!\!\left[CH_2\right]_{14}\!\!-\!CH_3$
heptane	7	$CH_3\!-\!\!\left[CH_2\right]_5\!\!-\!CH_3$	heptadécane	17	$CH_3\!-\!\!\left[CH_2\right]_{15}\!\!-\!CH_3$
octane	8	$CH_3\!-\!\!\left[CH_2\right]_6\!\!-\!CH_3$	octadécane	18	$CH_3\!-\!\!\left[CH_2\right]_{16}\!\!-\!CH_3$
nonane	9	$CH_3\!-\!\!\left[CH_2\right]_7\!\!-\!CH_3$	nonadécane	19	$CH_3\!-\!\!\left[CH_2\right]_{17}\!\!-\!CH_3$
décane	10	$CH_3\!-\!\!\left[CH_2\right]_8\!\!-\!CH_3$	icosane	20	$CH_3\!-\!\!\left[CH_2\right]_{18}\!\!-\!CH_3$

cheneliere.ca/chimieorganique www

› Étymologie des noms des alcanes suivants : méthane, éthane, propane et butane

La chaîne principale d'un alcane acyclique est la plus longue chaîne consécutive de carbones. Elle n'est pas nécessairement représentée horizontalement. En effet, les liaisons simples pouvant tourner autour de leur axe (*voir la section 3.3, p. 105*), une même chaîne principale peut être représentée de plusieurs façons. Dans la figure 2.13, l'heptane, un alcane constitué de sept carbones, est dessiné avec plusieurs formules simplifiées possibles. Pour bien déterminer une chaîne principale, il suffit de numéroter les atomes de carbone consécutifs.

Figure 2.13
Différentes représentations de la chaîne principale de l'heptane

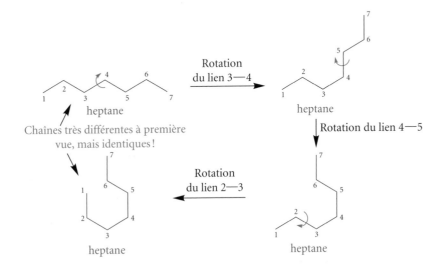

2.5.1.2 Nomenclature des alcanes acycliques ramifiés

La nomenclature des alcanes acycliques ramifiés est plus complexe. Une démarche rigoureuse doit être suivie pour bien les nommer.

1. Déterminer la chaîne principale et lui donner le nom de l'alcane linéaire correspondant. Si plusieurs chaînes possèdent le même nombre de carbones, déterminer la chaîne ayant le plus de ramifications.

2. Déterminer la ou les ramifications et leur donner un nom en comptant le nombre de carbones pour chacune d'elles. Le nom des ramifications découle des noms des alcanes acycliques non ramifiés. Puisqu'ils sont des embranchements sur la chaîne principale, il est possible de les distinguer par l'attribution du suffixe « -yle » au lieu de « -ane » (*voir le tableau 2.5*). Si une ramification formée à partir du méthane se nomme « groupement méthyle », il faut considérer que les alcanes, convertis en ramifications, se nomment **alkyles** (du mot anglais *alkane*). Ainsi, le terme « alkyle » signifie une ramification quelconque. Certaines ramifications plus complexes possèdent des noms spécifiques (*voir le tableau 2.7, p. 62*) ou sont nommées en tant que chaînes latérales ramifiées (*voir la rubrique « Enrichissement – Nomenclature des chaînes latérales ramifiées », p. 65*).

REMARQUE
Le trait bleu des ramifications est positionné à l'endroit où un des H terminaux de l'alcane linéaire correspondant a été enlevé. C'est à cet endroit que la ramification est liée à la chaîne principale.

Tableau 2.5 **Nomenclature des ramifications simples**

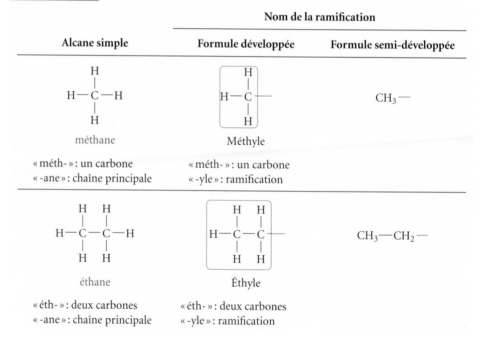

	Nom de la ramification	
Alcane simple	**Formule développée**	**Formule semi-développée**
méthane	Méthyle	CH_3-
« méth- » : un carbone « -ane » : chaîne principale	« méth- » : un carbone « -yle » : ramification	
éthane	Éthyle	CH_3-CH_2-
« éth- » : deux carbones « -ane » : chaîne principale	« éth- » : deux carbones « -yle » : ramification	

3. Numéroter les carbones de la chaîne principale, d'une extrémité à l'autre, en attribuant les plus petits indices de position possible aux ramifications. Choisir l'ensemble des indices de position indiquant le plus petit nombre. Attention ! Il ne faut surtout pas additionner les indices pour déterminer l'ensemble à choisir. L'ensemble des indices à sélectionner est celui commençant par le plus petit chiffre.

4. Nommer les ramifications.

   a) Les ramifications sont nommées avant le nom de la chaîne principale ; elles sont donc considérées comme des préfixes. Le « e » terminal des ramifications (en « -yle ») est alors supprimé.

   b) Les préfixes multiplicatifs indiqués dans le tableau 2.6 sont utilisés lorsque la même ramification se présente plusieurs fois.

Tableau 2.6	Préfixes multiplicatifs		
Chiffre	**Préfixe**	**Chiffre**	**Préfixe**
2	Di-	8	Octa-
3	Tri-	9	Nona-
4	Tétra-	10	Déca-
5	Penta-	11	Undéca-
6	Hexa-	12	Dodéca-
7	Hepta-	13	Tridéca-

c) La position de chaque ramification est indiquée par un chiffre devant le nom de la ramification. Un trait d'union sépare le chiffre du nom. La dernière ramification à être nommée est toujours fusionnée avec le nom de la chaîne principale.

d) Les ramifications sont nommées selon l'ordre alphabétique en ne tenant pas compte des préfixes multiplicatifs (« di- », « tri- », « tétra- », etc.) ni des préfixes « *sec-* » et « *tert-* » des ramifications plus complexes, détaillées dans le tableau 2.7 (*voir page suivante*).

e) Les chiffres et les lettres sont toujours séparés par des traits d'union. Les chiffres sont séparés les uns des autres par des virgules.

5. Finalement, en joignant toutes ces règles, nommer l'alcane acyclique ramifié selon les indications présentées dans la figure 2.14.

Plusieurs exemples sont décrits en détail dans la figure 2.15 (*voir page suivante*).

Figure 2.14
Principales composantes pour nommer des alcanes acycliques ramifiés

Numéros des positions séparés par des virgules pour chaque ramification	Trait d'union (-)	Préfixes multiplicatifs (si nécessaire) + nom des ramifications (par ordre alphabétique, chaque ramification différente étant séparée par un trait d'union (-), la dernière ramification étant fusionnée directement avec le nom de la chaîne principale)	Nom de la chaîne principale (alcane linéaire correspondant)

Exemple 1 : 2 - méthylhexane

Exemple 2 : 3,4 - diéthyl- 5 -méthyldécane

REMARQUE

Pour déterminer la numérotation adéquate, celle qui attribue les plus petits indices possible aux ramifications, il ne faut jamais additionner les chiffres et comparer les réponses finales, mais plutôt choisir la numérotation qui donne le plus petit indice possible, et donc le plus petit nombre, en juxtaposant les indices les uns aux autres, par ordre croissant. En effet, selon la numérotation choisie à l'exemple d) de la figure 2.15, la somme des indices est : 2 + 7 + 7 = 16. Si l'autre numérotation possible (dans le sens contraire) avait été sélectionnée, les indices auraient été : 3 + 3 + 8 = 14. Cette somme est inférieure à celle obtenue avec la bonne numérotation. Cet exemple démontre bien que si la priorité des ramifications n'est pas respectée en sélectionnant celle qui donne le plus petit nombre (277 contre 338), il sera impossible d'obtenir la bonne réponse !

Des ramifications plus complexes que les groupements alkyles linéaires sont parfois présentes dans les structures organiques. Dans les ramifications ayant trois carbones et plus, la disposition des carbones peut être différente. Plus le nombre de carbones est grand, plus il y aura de ramifications possibles pour un même nombre de carbones. Ces ramifications particulières sont présentées dans le tableau 2.7 (*voir page suivante*).

Figure 2.15 Différents exemples pour assimiler les règles de nomenclature des alcanes acycliques ramifiés

a)
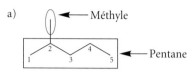

2-méthylpentane
- Chaîne principale : 5 C = pentane.
- Ramification : méthyle en position 2 pour attribuer le plus petit indice à la ramification (nommée avant le nom de la chaîne principale ; le « e » du préfixe « méthyle » est tronqué).

b)
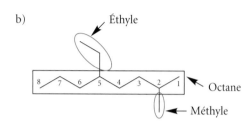

5-éthyl-2-méthyloctane
- Chaîne principale : 8 C = octane.
- Ramifications : éthyle et méthyle.
- Numérotation de la chaîne principale :
  - de gauche à droite : ramifications aux positions 4 et 7 (47) ;
  - de droite à gauche : ramifications aux positions 2 et 5 (25).

  Cette dernière numérotation sera retenue, car le nombre 25 est plus petit que 47 ; les ramifications ont donc les plus petits indices possible.
- Ordre alphabétique : **é**thyle, **m**éthyle.

c)
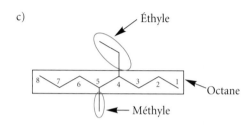

4-éthyl-5-méthyloctane
- Chaîne principale : 8 C = octane.
- Ramifications : éthyle et méthyle.
- Numérotation de la chaîne principale :
  - de gauche à droite : ramifications aux positions 4 et 5 (45) ;
  - de droite à gauche : ramifications aux positions 4 et 5 (45).

  Il faut attribuer le plus petit chiffre à la ramification nommée en premier selon l'ordre alphabétique, soit, dans ce cas-ci, l'**é**thyle en position 4. La numérotation de droite à gauche sera retenue.

d)
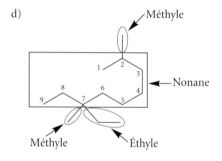

7-éthyl-2,7-diméthylnonane
- Chaîne principale : 9 C = nonane.
- Ramifications : méthyle, méthyle et éthyle.
- Numérotation de la chaîne principale :
  - de gauche à droite : ramifications aux positions 3, 3, 8 (338) ;
  - de droite à gauche : ramifications aux positions 2, 7, 7 (277).

  La numérotation de droite à gauche sera retenue.
- Deux ramifications méthyles : préfixe multiplicatif « di- ».
- Ordre alphabétique : **é**thyle, **m**éthyle.

Tableau 2.7 **Noms et structures des ramifications alkyles et aryles particulières**

Nom de la ramification	Abréviation	Formule semi-développée	Exemple concret (ramification encerclée en rouge et en formule simplifiée)
Ramifications à trois carbones			
n-Propyle ou simplement propyle[a]	*n*-Pr ou Pr	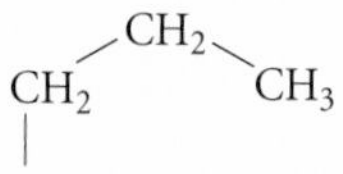 CH_2 / CH_2 / CH_3	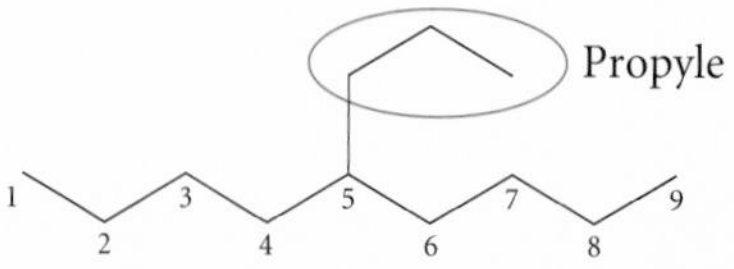 Propyle — 5-propylnonane
Isopropyle	iPr	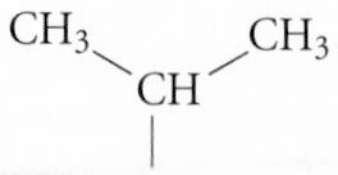 CH_3 CH_3 / CH	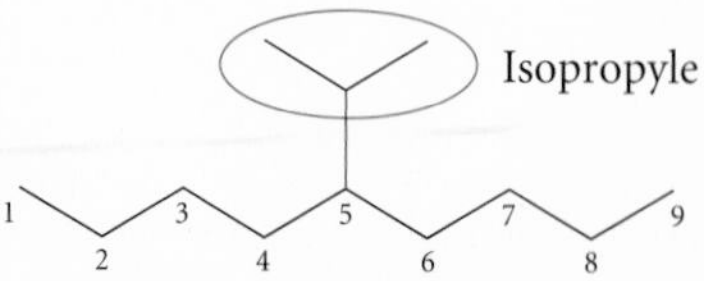 Isopropyle — 5-isopropylnonane

Tableau 2.7 *(suite)*

Nom de la ramification	Abréviation	Formule semi-développée	Exemple concret (ramification encerclée en rouge et en formule simplifiée)
Ramifications à quatre carbones			
n-Butyle ou simplement butyle	*n*-Bu ou Bu	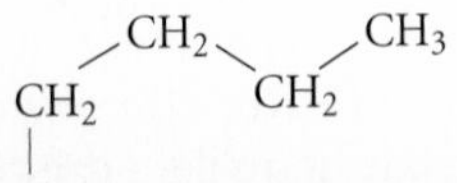 CH_2 CH_3 CH_2 CH_2	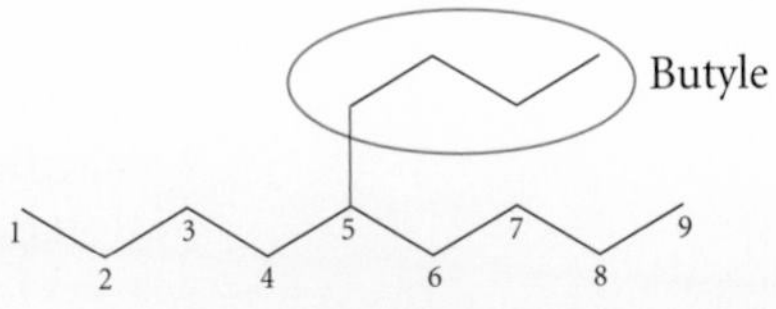 5-butylnonane
Isobutyle	iBu	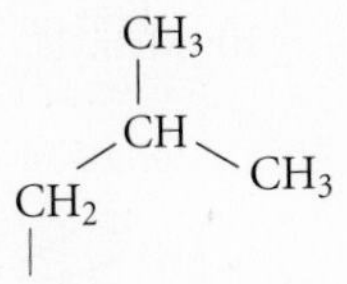 CH_3 CH CH_3 CH_2	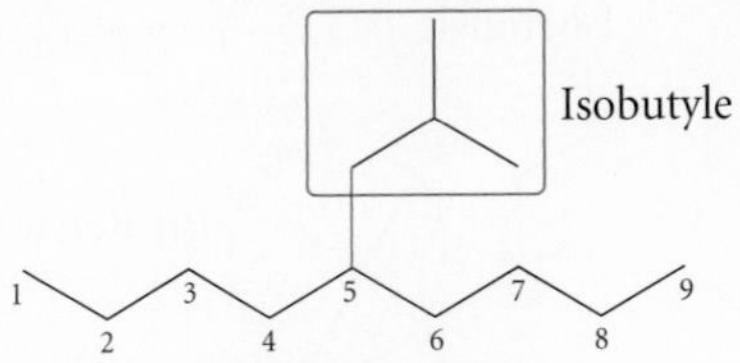 5-isobutylnonane
sec-Butyle	*sec*-Bu ou *s*-Bu	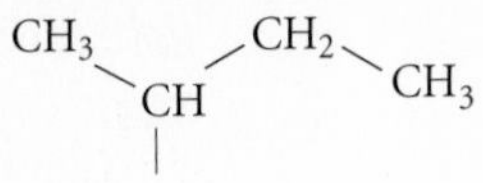 CH_3 CH_2 CH CH_3	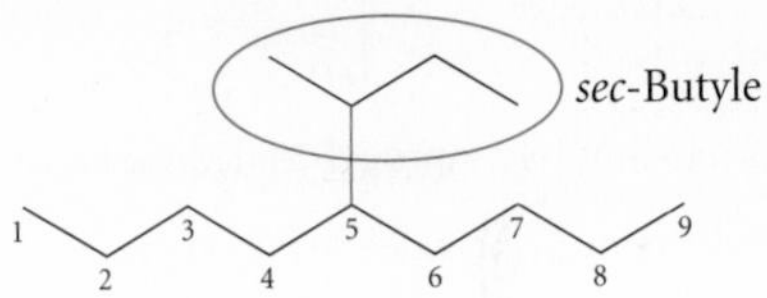 5-*sec*-butylnonane
tert-Butyle	*tert*-Bu ou *t*-Bu	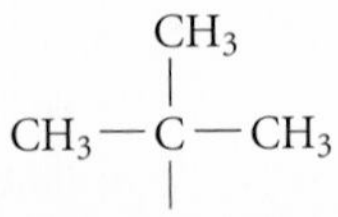 CH_3 $CH_3 - C - CH_3$	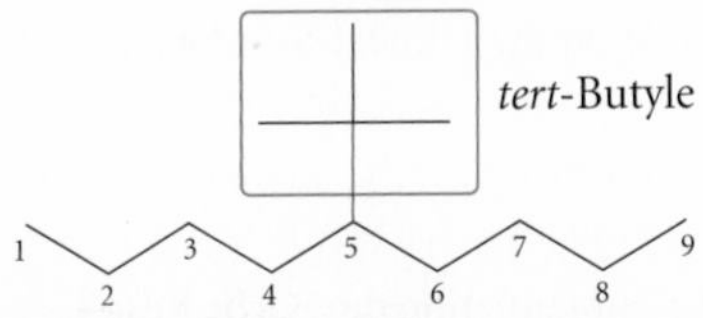 5-*tert*-butylnonane
Ramifications aryles			
Phényle	Ph ou Ø	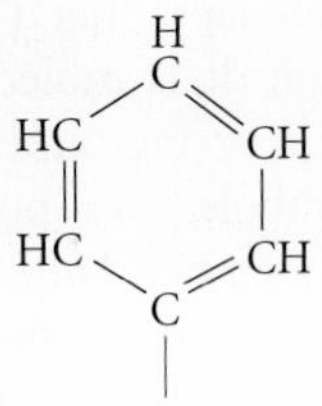	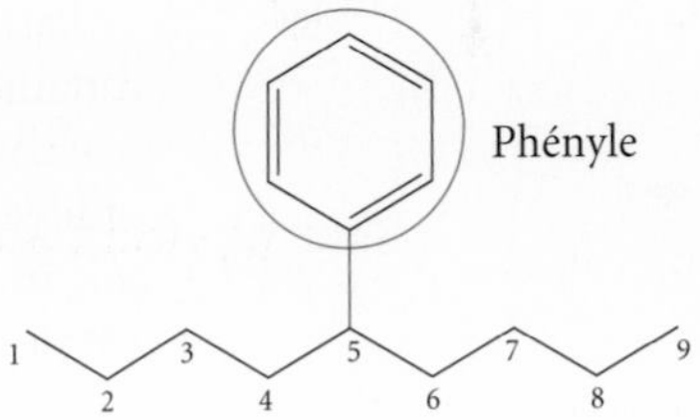 5-phénylnonane
Benzyle	Bn	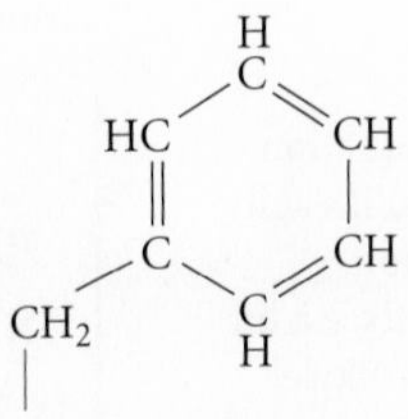	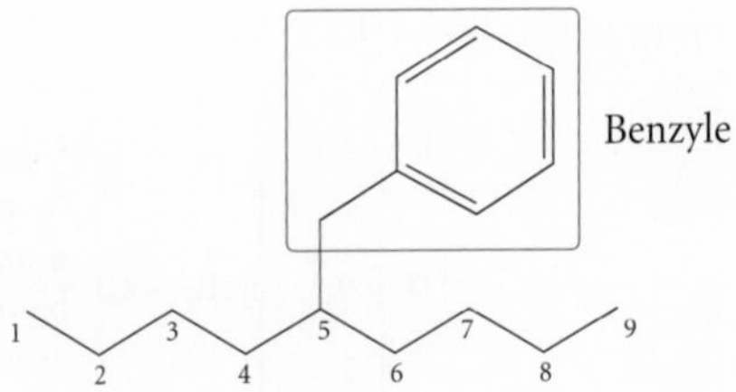 5-benzylnonane

a. Lorsque les groupements alkyles proviennent d'une chaîne linéaire, ils sont dits « normaux ». Un «*n*» est parfois placé devant le nom de la ramification. Toutefois, il est optionnel et rarement indiqué ; l'inscrire n'est cependant pas une erreur.

Il sera plus facile de mémoriser les noms de certaines ramifications du tableau 2.7 (*voir p. 62*) en considérant le carbone de la ramification directement lié à la chaîne principale. Celui-ci peut être secondaire (d'où le préfixe «*sec-*») ou tertiaire (d'où le préfixe «*tert-*»). Le préfixe «*iso-*» (du grec ancien *isos*, qui signifie «même» ou «égal») indique pour sa part que la structure de la ramification est symétrique.

Comme mentionné précédemment, pour nommer un composé, les ramifications doivent être placées par ordre alphabétique. Or, il ne faut jamais considérer ce qui est en italique. Ainsi, la lettre «b» sera considérée pour la ramification *tert*-butyle plutôt que la lettre «t», tandis qu'il faudra considérer la première lettre, soit «i», pour la ramification isobutyle (*voir la figure 2.16*).

Figure 2.16 Exemples plus complexes renfermant des ramifications particulières

a)

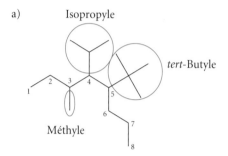

5-*tert*-butyl-4-isopropyl-3-méthyloctane

- Chaîne principale : 8 C = octane.
- Ramifications : méthyle, isopropyle, *tert*-butyle.
- Numérotation de la chaîne principale :
  - de gauche à droite : ramifications aux positions 3, 4, 5 (345);
  - de droite à gauche : ramifications aux positions 4, 5, 6 (456).

  La numérotation de gauche à droite sera retenue.
- Ordre alphabétique : *tert*-**b**utyle, **i**sopropyle et **m**éthyle.

b)

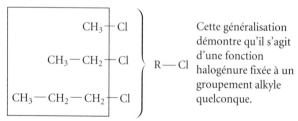

4-*sec*-butyl-3-éthyl-2,5-diméthylnonane

- Chaîne principale : 9 C = nonane (plus longue chaîne de carbones portant le plus grand nombre de ramifications).
- Ramifications : méthyle, méthyle, éthyle, *sec*-butyle.
- Numérotation de la chaîne principale :
  - de gauche à droite : ramifications aux positions 2, 3, 4, 5 (2345);
  - de droite à gauche : ramifications aux positions 5, 6, 7, 8 (5678).

  La numérotation de gauche à droite sera retenue.
- Deux ramifications méthyles : préfixe multiplicatif «di-».
- Ordre alphabétique : *sec*-**b**utyle, **é**thyle et **m**éthyle.

Parfois, pour simplifier l'écriture d'une molécule ou pour mettre l'accent sur une certaine portion de la molécule, l'abréviation «**R**», qui désigne un **groupement alkyle** quelconque, soit un regroupement d'atomes de carbone en série cyclique ou acyclique, est utilisée. Le symbole «**Ar**», pour sa part, est utilisé pour représenter un **groupement aryle**, soit un regroupement d'atomes de carbone renfermant un cycle aromatique. Le terme «aryle» vient du nom «arène» donné aux composés aromatiques (*voir la figure 2.17*).

Figure 2.17 Groupements alkyles (R) et aryles (Ar)

Groupements alkyles (R)

CH_3—Cl

CH_3—CH_2—Cl

CH_3—CH_2—CH_2—Cl

R—Cl

Cette généralisation démontre qu'il s'agit d'une fonction halogénure fixée à un groupement alkyle quelconque.

Groupements aryles (Ar)

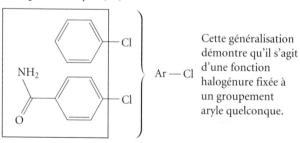

Ar—Cl

Cette généralisation démontre qu'il s'agit d'une fonction halogénure fixée à un groupement aryle quelconque.

ENRICHISSEMENT

Nomenclature des chaînes latérales ramifiées

Dans un cas où un substituant est présent à l'intérieur d'une ramification complexe, il faut choisir la chaîne carbonée la plus longue (en considérant toujours que le carbone lié à la chaîne principale doit en faire partie et porte systématiquement l'indice de position 1). Les substituants y sont greffés et nommés selon les règles indiquées dans cette section. Tous les constituants se terminent par le suffixe «-yl». Le nom complet est mis entre parenthèses. Deux exemples sont illustrés dans la figure ci-dessous.

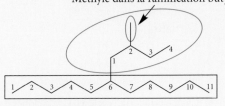

Méthyle dans la ramification butyle

6-(2-méthylbutyl)undécane

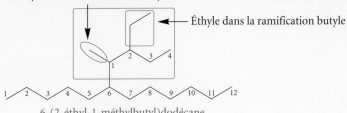

Méthyle dans la ramification butyle

Éthyle dans la ramification butyle

6-(2-éthyl-1-méthylbutyl)dodécane

Exercice 2.9 Nommez les composés suivants selon les règles de l'UICPA.

a) $CH_3-CH-CH-CH_2-CH_3$
         $|$ $|$
        CH_3 CH_3

b)
                  CH_3
                  $|$
  $CH_3-CH_2-C-CH_2-CH_2-CH_3$
                  $|$
                  CH_3

c) $CH_3-CH-CH_2-CH-CH_2-CH_2$
          $|$ $|$ $|$
     CH_3-CH_2 CH_3-CH_2 CH_3

Exercice 2.10 Nommez les composés suivants selon les règles de l'UICPA.

a)

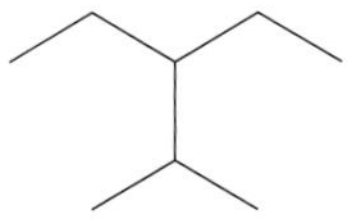

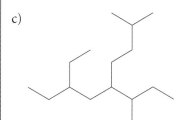

b)

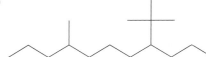

c)

Exercice 2.11 Dessinez, en formule simplifiée, les structures associées aux noms suivants selon les règles de l'UICPA.

a) 4-isopropyl-3-méthylheptane

b) 3,7-diéthyl-5-isopropyldécane

c) 2,3,5-triméthylheptane

d) 4-éthyl-2-méthylhexane

Exercice 2.12 Dessinez la structure des composés suivants et expliquez pourquoi leur nom est incorrect. Donnez ensuite le véritable nom de ces molécules.

a) 3-méthylbutane

b) 5-éthylhexane

c) 2-isobutylpentane

d) 5-éthyl-3-méthylheptane

2.5.2 Nomenclature des alcanes cycliques

Dans le cas des alcanes cycliques, la chaîne principale est le cycle si ce dernier constitue la plus longue chaîne de carbone. Lorsque la chaîne principale est cyclique, cette particularité est précisée devant le nom de la chaîne principale en utilisant le préfixe « cyclo- ». Ainsi, un cycle à six carbones ne sera plus un hexane, mais bien un cyclohexane. Toutes les règles de nomenclature vues pour les alcanes acycliques, non ramifiés et ramifiés, sont toujours en vigueur. La figure 2.18 illustre quelques exemples.

Figure 2.18
Nomenclature des alcanes cycliques dont le cycle constitue la chaîne principale

a)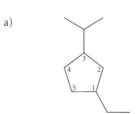

1-éthyl-3-isopropylcyclopentane

- Chaîne principale : cycle à 5 C = cyclopentane.
- Ramifications : éthyle, isopropyle.
- Numérotation de la chaîne principale : indice 1 à la ramification nommée en premier selon l'ordre alphabétique, soit **é**thyle.

b)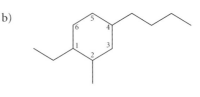

4-butyl-1-éthyl-2-méthylcyclohexane

- Chaîne principale : cycle à 6 C = cyclohexane.
- Ramifications : méthyle, éthyle, butyle.
- Numérotation de la chaîne principale : les ramifications doivent avoir les plus petits indices possible.
- La numérotation retenue sera alors 1, 2, 4 (124) au lieu, par exemple, de 1, 3, 4 (134).
- Ordre alphabétique : **b**utyle, **é**thyle et **m**éthyle.

Si le cycle ne constitue pas la plus longue chaîne continue de carbone, il devient alors une ramification de type « cycloalkyl- » (*voir la figure 2.19*).

Figure 2.19 Nomenclature des alcanes cycliques dont le cycle est une ramification

a)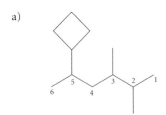

5-cyclobutyl-2,3-diméthylhexane

- Chaîne principale : 6 C = hexane.
- Le cycle n'est pas la chaîne principale, puisqu'il possède 4 C.
- Numérotation retenue des ramifications : 2, 3, 5 (235) au lieu de 2, 4, 5 (245) pour avoir les plus petits indices de position possible.
- Ordre alphabétique : **c**yclobutyle, **m**éthyle.

b)

2-cyclopentyl-4-méthylhexane

- Chaîne principale : 6 C = hexane.
- Le cycle n'est pas la chaîne principale, puisqu'il possède 5 C.
- Numérotation retenue des ramifications : 2, 4 (24) au lieu de 3, 5 (35) pour avoir les plus petits indices de position possible.
- Ordre alphabétique : **c**yclopentyle, **m**éthyle.

c)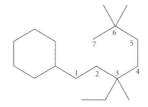

1-cyclohexyl-3-éthyl-3,6,6-triméthylheptane

- Chaîne principale : 7 C = heptane.
- Le cycle n'est pas la chaîne principale, puisqu'il possède 6 C.
- Numérotation retenue des ramifications : 1, 3, 3, 6, 6 (13366) plutôt que 2, 2, 5, 5, 7 (22557) pour avoir les plus petits indices de position possible.
- Ordre alphabétique : **c**yclohexyle, **é**thyle, **m**éthyle.

Exercice 2.13 Nommez les composés suivants selon les règles de l'UICPA.

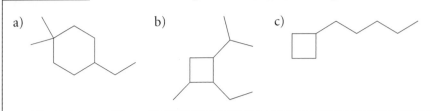

a) b) c)

2.5.3 Nomenclature des composés halogénés

Dans les composés halogénés (R—X, où X = F, Cl, Br ou I), les halogènes sont traités en tant que substituants fixés au squelette carboné des alcanes, au même titre que les groupements alkyles. Les groupements alkyles et les halogènes sont traités comme des substituants de même importance (*voir le tableau 2.3, p. 56*). Les mêmes règles que celles adoptées pour les ramifications des alcanes s'appliquent. Toutefois, les noms des substituants halogénés se terminent par le suffixe « -o ». Le fluor devient donc du « fluoro », le chlore, du « chloro », le brome, du « bromo », et l'iode, de l'« iodo ». Les noms de quelques molécules sont donnés en exemples dans la figure 2.20.

Figure 2.20 Nomenclature des composés halogénés

a)

$$CH_3—CH_2—CH_2—CH_2—Cl$$

1-chlorobutane

b)

$$CH_3—\underset{Br}{\overset{F}{CH}}—CH—CH_2—CH_3$$

3-bromo-2-fluoropentane

c)

2-iodo-3,5-diméthylheptane

d)

2-bromo-5-chlorohexane

Les numérotations de droite à gauche et de gauche à droite attribuent aux substituants les mêmes indices de position (2 et 5). Il faut attribuer le plus petit indice de position au substituant qui est nommé en premier selon l'ordre alphabétique.

e)

1-fluoro-3-isopropylcyclopentane

La numérotation du cycle doit attribuer les plus petits indices possible aux substituants. Le substituant fluoro et la ramification isopropyle peuvent donc avoir les indices 1 ou 3. Il faut attribuer le plus petit indice de position au substituant qui est nommé en premier selon l'ordre alphabétique.

f)

4-bromo-1-éthyl-2-méthylcyclohexane

La numérotation choisie doit être celle attribuant les plus petits indices de position aux substituants. Le substituant bromo ne peut avoir la position 1, car les substituants auraient alors des indices de position 1, 3 et 4 (au lieu de 1, 2 et 4). L'ordre alphabétique des substituants n'est pris en compte que lorsqu'il y a une égalité dans les indices de position au moment des numérotations envisagées.

Exercice 2.14 Nommez les composés suivants selon les règles de l'UICPA.

a)

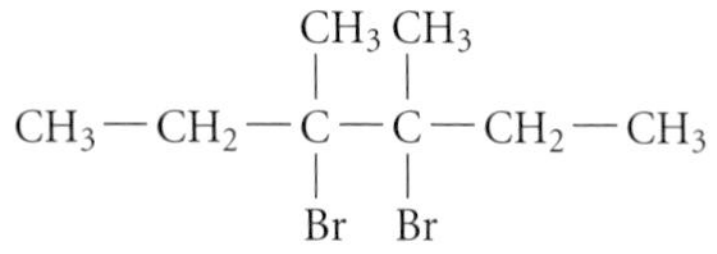

$$CH_3-CH_2-\underset{\underset{Br}{|}}{\overset{\overset{CH_3}{|}}{C}}-\underset{\underset{Br}{|}}{\overset{\overset{CH_3}{|}}{C}}-CH_2-CH_3$$

b)

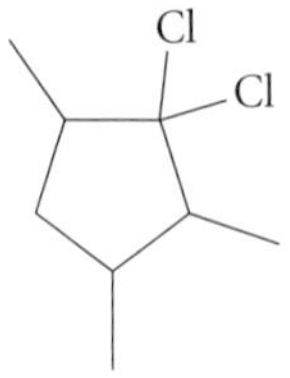

c)

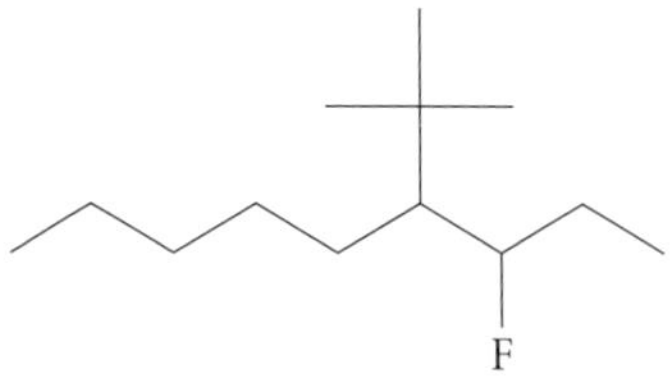

Exercice 2.15 Dessinez la formule simplifiée des composés suivants.

a) 1-bromo-3-isopropylcyclobutane   b) 1-iodo-2-méthyloctane

c) 2,3-dichloro-3-éthylheptane   d) 8-bromo-5-*sec*-butyl-2-fluorodécane

2.5.4 Nomenclature des alcènes

Les alcènes sont des molécules portant une liaison double entre deux atomes de carbone. Leur nomenclature est très semblable à celle des alcanes. Toutefois, il faut apporter une précision sur la définition de la chaîne principale, qui doit absolument inclure les groupements fonctionnels prioritaires, c'est-à-dire, dans le cas présent, le maximum de liaisons doubles des alcènes, tout en étant la plus longue séquence de carbones possible.

Puisque la fonction alcène a priorité sur les alcanes, il faut transformer le suffixe du nom de la chaîne principale « -ane » (pour un alc**ane**) en « -**ène** » (pour un alc**ène**). La numérotation de la chaîne principale est réalisée en donnant les plus petits indices possible aux liaisons doubles, sans tenir compte de la position des substituants. Cependant, si les deux numérotations possibles d'une extrémité à l'autre de la chaîne principale donnent les mêmes indices de position aux alcènes, il faudra alors choisir la numérotation offrant les plus petits indices de position aux substituants.

Au moment de la numérotation, les deux atomes de carbone d'une liaison double C=C doivent, par convention, avoir des chiffres consécutifs. Il faut donc indiquer seulement le numéro du premier carbone où commence la liaison double devant le suffixe « -ène ». Le second est sous-entendu. Ainsi, si l'indice de position 1 est donné à une liaison double, il est clair que le carbone sur lequel se termine la liaison double est celui portant l'indice suivant, soit 2. Quelques exemples sont présentés dans la figure 2.21.

Dans les molécules renfermant deux ou trois atomes de carbone, il n'est pas nécessaire d'inscrire l'indice de position pour la fonction alcène, car elle est toujours située par défaut à la position 1 (p. ex.: $CH_2=CH_2$ et $CH_2=CH-CH_3$). De plus, pour les cycloalcènes n'ayant qu'une seule liaison double, celle-ci occupe nécessairement la position 1, puisqu'il s'agit d'un groupement prioritaire. Par conséquent, l'indice de position 1 est omis (*voir la figure 2.21 e et f*).

Figure 2.21
Nomenclature des alcènes

a) 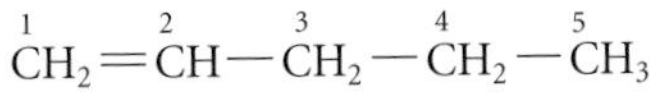
$$\overset{1}{CH_2}=\overset{2}{CH}-\overset{3}{CH_2}-\overset{4}{CH_2}-\overset{5}{CH_3}$$
pent-1-ène

Et non pas pent-1,2-ène, puisqu'il faut uniquement inscrire le premier indice de position de la liaison double.

b) 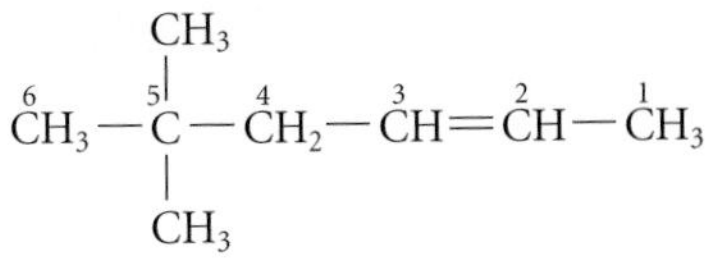
$$\overset{6}{CH_3}-\overset{5}{\underset{\underset{CH_3}{|}}{\overset{\overset{CH_3}{|}}{C}}}-\overset{4}{CH_2}-\overset{3}{CH}=\overset{2}{CH}-\overset{1}{CH_3}$$
5,5-diméthylhex-2-ène

Malgré la plus petite numérotation des substituants de gauche à droite, il faut numéroter la chaîne principale de la droite vers la gauche pour prioriser la liaison double.

c) 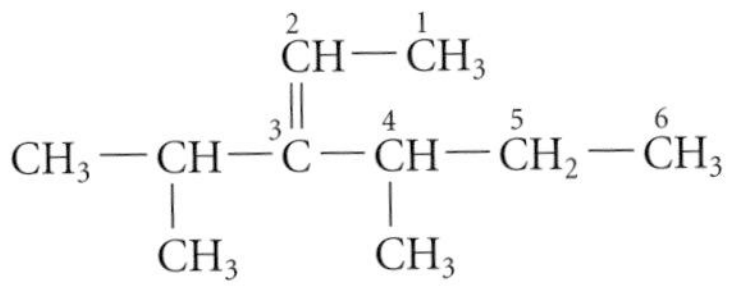
$$CH_3-\overset{3}{\underset{\underset{CH_3}{|}}{CH}}-\overset{}{\underset{}{\overset{\overset{2}{CH}-\overset{1}{CH_3}}{||}}}\overset{3}{C}-\overset{4}{\underset{\underset{CH_3}{|}}{CH}}-\overset{5}{CH_2}-\overset{6}{CH_3}$$
3-isopropyl-4-méthylhex-2-ène

d)

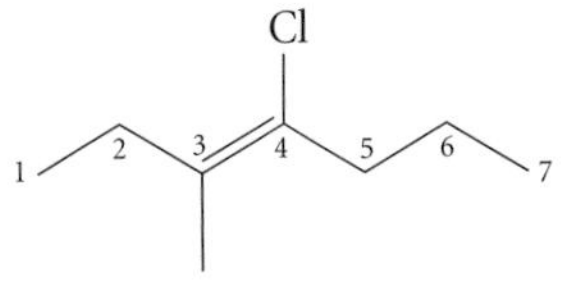

4-chloro-3-méthylhept-3-ène

e)

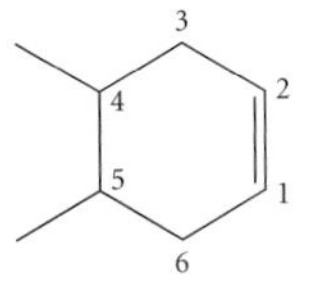

4,5-diméthylcyclohexène

Les mêmes indices de position sont attribués dans les deux sens pour les substituants méthyles (4 et 5).

f)

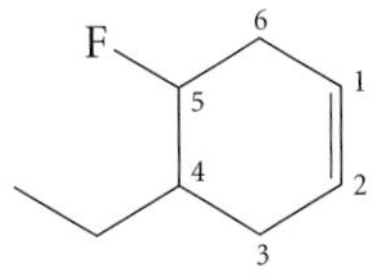

et non pas

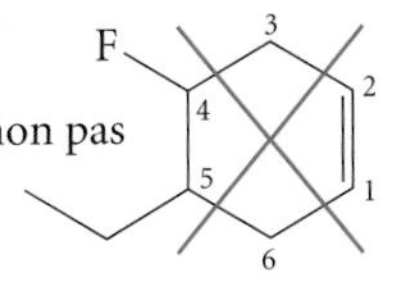

4-éthyl-5-fluorocyclohexène

Les mêmes indices de position sont attribués dans les deux sens pour les substituants (4 et 5), mais l'éthyle est prioritaire, car il est nommé en premier selon l'ordre alphabétique.

L'exemple de la figure 2.22 montre une erreur fréquemment commise en nomenclature. Bien que les substituants aient les plus petits indices de position dans la molécule numérotée à droite, celle-ci est mal numérotée. En effet, cela impliquerait que la liaison double soit entre les carbones 1 et 6, ce qui est formellement interdit ; si la liaison double débute à la position 1, elle se termine automatiquement à la position suivante, soit 2, par convention.

Figure 2.22
Erreur fréquente rencontrée dans la nomenclature des alcènes

et non pas

1,6-diméthylcyclohexène

La liaison double porte les plus petits indices possible. Il faut également attribuer les plus petits indices aux ramifications.

La structure est mal numérotée (indices de position non consécutifs sur les carbones de la liaison double).

S'il y a plusieurs liaisons doubles (polyènes), un préfixe multiplicatif est inséré devant le « -ène » (**diène**, **triène**, etc.). De plus, le nom de la chaîne principale se voit enrichi d'un « a » (devant les indices de position des alcènes) pour des raisons d'euphonie, évitant ainsi d'obtenir deux consonnes consécutives (*voir la figure 2.23, page suivante*).

Figure 2.23 Nomenclature des polyènes

Alcènes

a) $CH_3-CH_2-CH_2-CH_2-CH=CH-CH_3$

hept-2-ène

b) $CH_2=CH-CH_2-CH_2-CH_2-CH_2-CH_2-CH_3$

oct-1-ène

c)

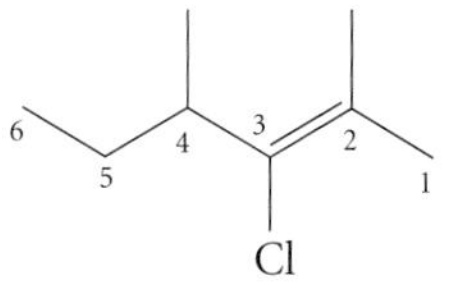

3-chloro-2,4-diméthylhex-2-ène

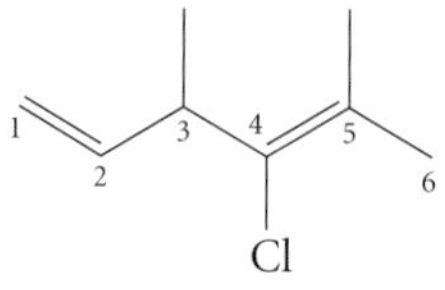

Polyènes

Ajout d'au moins une liaison double
par rapport à l'exemple de gauche

$CH_3-CH=CH-CH_2-CH=CH-CH_3$

hept**a**-2,5-diène

$CH_2=CH-CH=CH-CH=CH-CH_2-CH_3$

oct**a**-1,3,5-triène

4-chloro-3,5-diméthylhex**a**-1,4-diène

Les plus petits indices de position
doivent être attribués aux alcènes.

REMARQUE

Certains noms triviaux d'alcènes sont fréquemment utilisés, notamment ceux mentionnés ci-dessous. Toutefois, seuls les noms courants « éthylène » et « allène » sont acceptés par l'UICPA pour désigner l'éthène et le propadiène, respectivement.

$CH_2=CH_2$

éthène
(éthylène)

$CH_2=CH-CH_3$

propène
(propylène)

$CH_2=C=CH_2$

propadiène
(allène)

$CH_2=\overset{\overset{\textstyle CH_3}{|}}{C}-CH_3$

2-méthylpropène
(isobutène)

$CH_2=\overset{\overset{\textstyle CH_3}{|}}{C}-CH=CH_2$

2-méthylbuta-1,3-diène
(isoprène)

REMARQUE

Il est possible de trouver des ramifications qui portent des liaisons doubles. C'est notamment le cas des groupements **vinyle** ($-CH=CH_2$) et **allyle** ($-CH_2-CH=CH_2$). Ces notions ne seront toutefois pas détaillées davantage dans cet ouvrage.

Exemple 2.4

Écrivez la formule semi-développée du 4-méthylhex-2-ène.

Solution

Pour respecter le nom de ce composé selon les règles de l'UICPA, il faut se rappeler que la chaîne principale est la plus longue chaîne continue de carbones, et elle doit porter la ou les liaisons doubles. Il faut également attribuer aux fonctions alcènes les plus petits indices de position.

Il faut commencer par représenter le squelette de la chaîne principale (« hex- » = 6 C) en positionnant la liaison double entre les carbones 2 et 3.

$$\overset{1}{C}-\overset{2}{C}=\overset{3}{C}-\overset{4}{C}-\overset{5}{C}-\overset{6}{C}$$

Ensuite, il faut ajouter les ramifications. Dans cet exemple, une seule ramification méthyle en position 4 est présente.

$$\overset{1}{C}-\overset{2}{C}=\overset{3}{C}-\overset{\overset{4}{C}}{\underset{\underset{\textstyle CH_3}{|}}{}}-\overset{5}{C}-\overset{6}{C}$$

La formule semi-développée est finalisée en distribuant les hydrogènes pour que tous les atomes de carbone respectent la règle de l'octet.

$$CH_3-CH=CH-\underset{\underset{\textstyle CH_3}{|}}{CH}-CH_2-CH_3$$

Exercice 2.16   Nommez les composés suivants selon les règles de l'UICPA.

a) $CH_3-CH_2-CH=CH_2$

b) $CH_2=CH-CH=CH-CH_3$

c)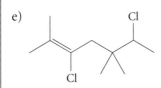

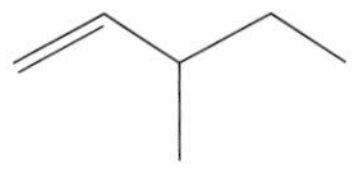

d)

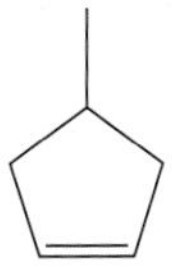

e)

Cl

Cl

f)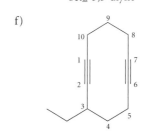

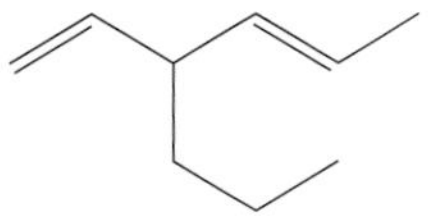

Exercice 2.17   Écrivez les formules semi-développées des composés suivants.

a) 3-éthylpent-2-ène

b) 2,6,6-triméthylhept-3-ène

c) 3-isopropylcyclohexène

d) 2-bromo-3-éthylbuta-1,3-diène

2.5.5   Nomenclature des alcynes

Les alcynes sont des composés carbonés portant des liaisons triples. Les alcynes ayant la même priorité que les alcènes, les mêmes règles de nomenclature sont donc appliquées. Ainsi, la chaîne principale doit inclure le maximum de liaisons multiples (doubles et triples), tout en étant la plus longue possible, même si elle ne renferme pas le nombre maximal de carbones. La terminologie de la chaîne qui porte un alcyne est en « **-yne** » (ne pas confondre avec le suffixe « **-yle** » des ramifications). Tout comme les alcènes, un préfixe multiplicatif doit être ajouté au suffixe « -yne » s'il y a plus d'une liaison triple. Un « a » est alors inséré, par euphonie, dans le nom de la chaîne principale, devant les indices de position des liaisons triples. Dans la figure 2.24, certaines molécules renfermant des liaisons triples sont illustrées et nommées.

Figure 2.24

Nomenclature des alcynes

REMARQUE

Le nom trivial « acétylène » est couramment employé et il est accepté par l'UICPA pour désigner l'éthyne.

a) $CH\equiv CH$

éthyne
(acétylène)

b)

$$CH_3-CH-CH_2-C\equiv CH$$

avec CH_3 en ramification

4-méthylpent-1-yne

c)

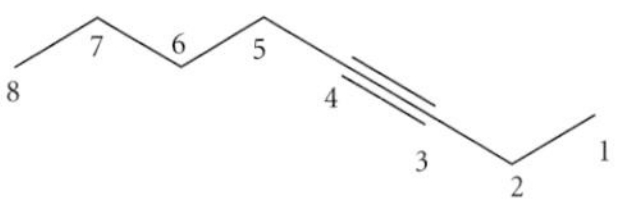

oct-3-yne

d)

oct**a**-3,5-diyne

e)

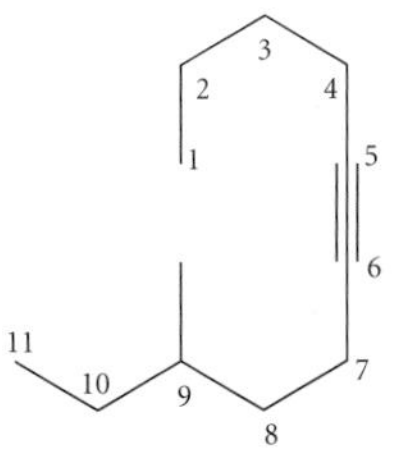

9-méthylundéc-5-yne

f)

3-éthylcyclodéc**a**-1,6-diyne

Lorsque des liaisons doubles et triples figurent dans la même molécule, il faut leur accorder la même priorité et leur attribuer les plus petits indices possible. Les suffixes des fonctions alcènes et alcynes sont placés par ordre alphabétique dans le nom de la chaîne principale. La terminaison de la chaîne principale s'écrit ainsi de la façon suivante : « **-én** » suivi de « **-yne** » (le « è » de l'alcène est devenu un « é », et le « e » terminal est tronqué pour des raisons d'euphonie) (*voir la figure 2.25, page suivante*).

Que faire si la liaison double ou la liaison triple peut obtenir le même indice de position au moment de la numérotation de la chaîne principale? Dans pareil cas, comme ils ont la même priorité, il convient d'attribuer simplement le plus petit indice à l'alcène, puisque le « -**é**n » arrive en premier selon l'ordre alphabétique par rapport au « -**y**ne » (*voir la figure 2.25 c*). Dans une molécule renfermant des alcènes et des alcynes, il n'y aura un « a » attribué au nom de la chaîne principale que lorsque l'alcène s'y trouve plus d'une fois (*voir la figure 2.25 d*). Un seul alcène et un seul alcyne dans une même molécule ne demandent pas le « a » en question (*voir la figure 2.25 a, b et c*). Enfin, s'il y a plus d'une liaison triple, le « e » du suffixe de l'alcène doit être réécrit, ce qui devient « **è**ne-…-diyne » (p. ex.: s'il y a deux liaisons triples) pour éviter encore une fois deux consonnes consécutives.

> **REMARQUE**
>
> Il existe des ramifications qui portent des liaisons triples, notamment le groupement **éthynyle** (—C≡CH), mais ces cas plus complexes ne sont pas abordés dans cet ouvrage.

Figure 2.25
Nomenclature de molécules renfermant des alcènes et des alcynes

Puisque l'alcène et l'alcyne sont de même priorité, il convient d'attribuer les plus petits indices de position possible à ces fonctions.

a)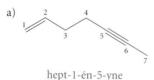

hept-1-én-5-yne

b) $CH\equiv C-CH_2-CH_2-CH=CH-CH_3$

hept-5-én-1-yne

Si les indices de position sont les mêmes selon les deux numérotations possibles, l'alcène est nommé en premier selon l'ordre alphabétique.

c)

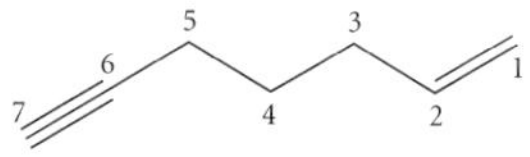

hept-1-én-6-yne

d) $CH_2=CH-CH=CH-CH_2-C\equiv CH$

hept**a**-1,3-dién-6-yne

Exemple 2.5

Indiquez le nom des molécules suivantes selon les règles de l'UICPA.

a)    b) 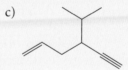   c)

Solution

Les chaînes principales sont respectivement:

a)

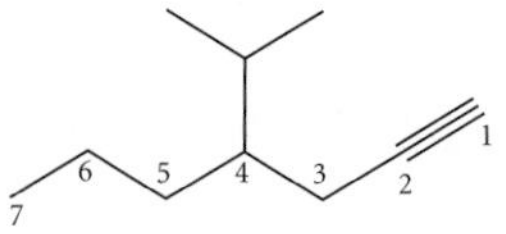

4-isopropylhept-1-yne

- Chaîne principale: 7 C = hept-1-yne (chaîne de C la plus longue incorporant la fonction alcyne).

- Ramification: isopropyle.

- Numérotation de la chaîne principale: la fonction alcyne doit avoir les plus petits indices possible.

b)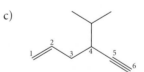

4-éthyl-5-méthylhex-1-yne

- Chaîne principale: 6 C = hex-1-yne (chaîne de C la plus longue incorporant la fonction alcyne et ayant le plus de ramifications).

- Ramifications: éthyle et méthyle.

- Numérotation de la chaîne principale: la fonction alcyne est prioritaire.

- Ordre alphabétique: **é**thyle, **m**éthyle.

c)

4-isopropylhex-1-én-5-yne

- Chaîne principale: 6 C = hex-1-én-5-yne (chaîne de C la plus longue incorporant les fonctions alcyne et alcène au détriment du plus grand nombre de ramifications).

- Ramification: isopropyle.

- Numérotation de la chaîne principale: l'indice de position 1 est attribué à la fonction alcène, car elle est nommée en premier selon l'ordre alphabétique.

Exercice 2.18 Nommez les composés suivants selon les règles de l'UICPA.

a) 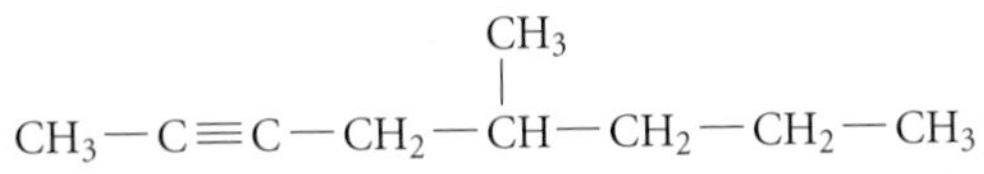
$$CH_3-C\equiv C-CH_2-\underset{\underset{CH_3}{|}}{CH}-CH_2-CH_2-CH_3$$

b) $CH\equiv C-CH_2-CH_2-C\equiv CH$

c)

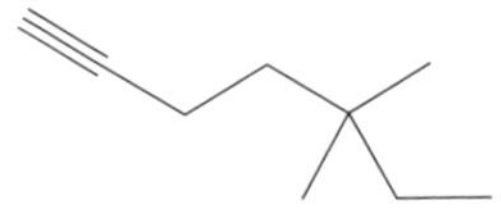

d) $CH\equiv C-CH=CH-CH_3$

e) 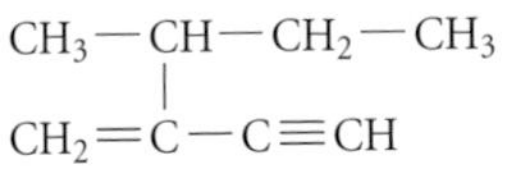 $CH_3-\underset{\underset{CH_2=C-C\equiv CH}{|}}{CH}-CH_2-CH_3$

Exercice 2.19 Dessinez la formule simplifiée des composés suivants.

a) 3,3-diméthylpent-1-yne

b) 4-bromohex-2-yne

c) 5-éthylhept-3-én-1-yne

d) 6-méthylocta-1,4-diyne

Exercice 2.20 Dessinez la structure des composés suivants et corrigez leur nom, s'il y a lieu.

a) 2-méthylpent-3-yne

b) 3-méthylhex-5-én-1-yne

c) 5-éthyl-4-méthyloct-2-én-6-yne

d) 1,5-diméthylcyclohexa-1,4-diène

2.5.6 Nomenclature des composés aromatiques

Les composés aromatiques qui seront à l'étude dans cet ouvrage sont les **composés benzéniques**, soit des composés incluant la structure du **benzène**. Ce cycle à six carbones porte trois liaisons doubles conjuguées, c'est-à-dire trois liaisons doubles s'alternant avec trois liaisons simples. Cette structure ne peut cependant pas porter le nom de cyclohexa-1,3,5-triène, puisque les électrons π des liaisons doubles peuvent se délocaliser à l'intérieur du cycle par le phénomène de résonance, ou effet mésomère, décrit en détail dans la section 4.7.4 (*voir p. 202*). Il faut savoir que les dérivés du benzène sont très largement répandus dans la nature et sont étudiés depuis fort longtemps. Par respect des traditions et par souci de commodité, plusieurs noms familiers ont été conservés et sont acceptés par l'UICPA (*voir le tableau 2.8, page suivante*).

Dans le cas de composés benzéniques monosubstitués n'ayant pas déjà un nom familier, il faut les caractériser à l'aide des règles de nomenclature systématique. Ainsi, pour les molécules simples, le noyau aromatique (le benzène) doit être considéré comme étant la chaîne principale, et la numérotation adéquate est toujours celle permettant d'obtenir les plus petits indices possible aux substituants (sans tenir compte de la position des liaisons doubles dans le cycle en raison de la résonance). Par exemple, un groupement éthyle ($-CH_2CH_3$) greffé sur un cycle benzénique donne une molécule d'éthylbenzène (*voir la figure 2.26, page suivante*).

REMARQUE

S'il y a un seul substituant sur le cycle benzénique, l'indice de position 1 lui est attribué par défaut. Il n'est donc pas inscrit dans l'écriture du nom de la structure chimique.

Tableau 2.8 Noms familiers des composés benzéniques acceptés par l'UICPA

Structure générale	Nature de R	Nom de la molécule	Catégorie de composés
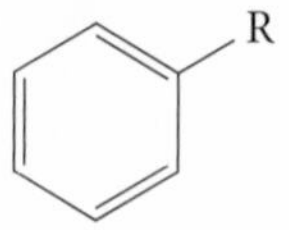	—H	benzène	Ne renfermant que des carbones et des hydrogènes
	—CH₃	toluène	
	—CH(CH₃)₂	cumène	
	—CH=CH₂	styrène	
	—OH	phénol	Renfermant une liaison simple C—O
	—CH₂OH	alcool benzylique	
	—OCH₃	anisole	
	—COOH	acide benzoïque	Renfermant un groupement carbonyle (C=O)
	—CHO	benzaldéhyde	
	—COCH₃	acétophénone	
	—NH₂	aniline	Renfermant un atome d'azote
	—SH	thiophénol	Renfermant un atome de soufre
	—SO₃H	acide benzènesulfonique	

Structure générale	Nature de R	Nom de la molécule		Remarque
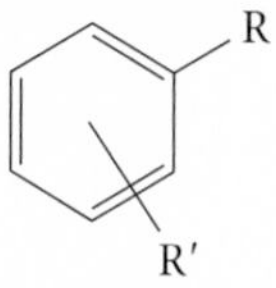	—CH₃	xylène		Un lien partant du centre du cycle benzénique signifie que le substituant peut être sur n'importe lequel des carbones non substitués (soit les carbones 2, 3 ou 4).
	—OH	R′ position 2	catéchol	
		R′ position 3	résorcinol	
		R′ position 4	hydroquinone	

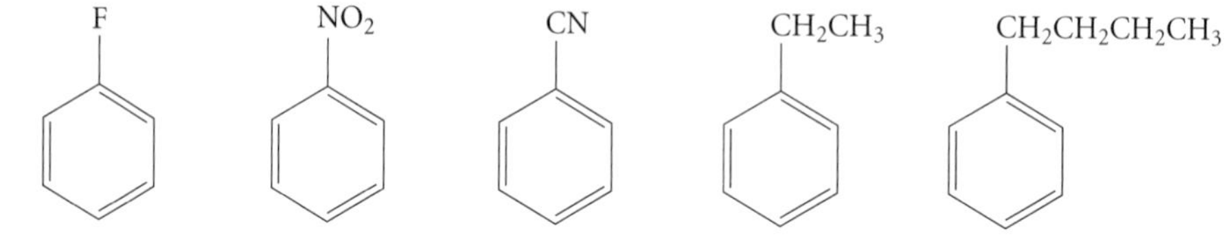

Figure 2.26
Nomenclature de composés benzéniques ayant des noms dérivés du benzène

fluorobenzène   nitrobenzène   cyanobenzène   éthylbenzène   butylbenzène

REMARQUE

Le groupement fonctionnel —CN porte le nom de nitrile. Toutefois, lorsqu'il est traité comme un substituant, le préfixe « cyano- » est parfois utilisé (*voir le tableau 2.9, p. 87*).

Lorsque les composés benzéniques possèdent deux substituants, il suffit tout d'abord de vérifier si l'un d'eux confère un nom familier particulier. Dans un pareil cas, l'indice de position 1 est attribué au substituant conférant un nom familier au composé benzénique. Le nom du second substituant s'ajoute devant le nom familier avec l'indice de position adéquat. Si chacun d'eux présente un nom familier accepté par l'UICPA, il faut respecter l'ordre de priorité des différents groupements fonctionnels, comme cela est décrit dans le tableau 2.3 (*voir p. 56*), pour établir celui qui déterminera le nom de la chaîne principale (soit celui ayant la priorité la plus élevée). Quelques exemples sont illustrés dans la figure 2.27.

Si aucun substituant ne permet de donner au composé benzénique un nom familier, le nom « benzène » est donné à la chaîne principale. Les substituants sont numérotés avec les plus petits indices possible et, s'il y a égalité, selon l'ordre alphabétique (*voir la figure 2.28*).

Figure 2.27
Nomenclature de composés benzéniques avec un substituant conférant un nom familier accepté par l'UICPA

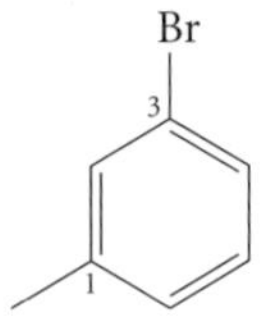

3-bromotoluène

Substituants : brome et méthyle.
Nom familier avec le méthyle: toluène.
La position 1 est donc attribuée au méthyle.

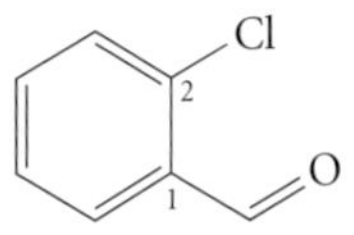

2-chlorobenzaldéhyde

Substituants: aldéhyde et chlore.
Nom familier avec l'aldéhyde: benzaldéhyde.
La position 1 est donc attribuée à l'aldéhyde.

REMARQUE

À cause du phénomène de la résonance, la numérotation des carbones pour les composés benzéniques ne tient pas compte de la position des liaisons doubles.

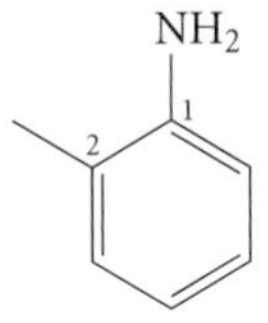

2-méthylaniline

Substituants: amine et méthyle.
Nom familier avec le méthyle: toluène.
Nom familier avec l'amine: aniline.
Priorité: amine > ramification alkyle (*voir le tableau 2.3, p. 56*).
La position 1 est donc attibuée à l'amine.

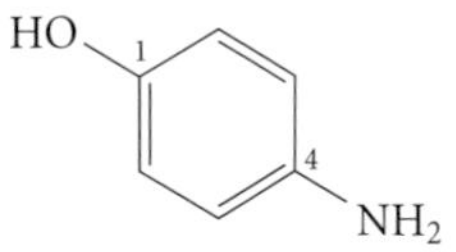

4-aminophénol

Substituants: amine et alcool.
Nom familier avec l'alcool: phénol.
Nom familier avec l'amine: aniline.
Priorité: alcool > amine (*voir le tableau 2.3, p. 56*).
La position 1 est donc attribuée à l'alcool.

Figure 2.28 Nomenclature de composés benzéniques avec des substituants de même priorité et ne conférant aucun nom familier

1,3-dinitrobenzène

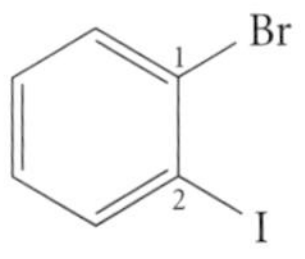

1-bromo-2-iodobenzène

1-chloro-4-cyanobenzène

1-éthyl-3-isopropylbenzène

S'il y a plus de deux substituants sur le cycle et qu'ils n'attribuent pas de nom familier, la chaîne principale porte le nom de « benzène », et les indices de position sont attribués aux substituants selon les règles de l'UICPA. Comme mentionné précédemment, si un seul substituant confère un nom familier au composé, ce nom est employé, et l'indice de position 1 est attribué au groupement particulier. Cependant, si l'un des substituants qui modifient le nom de la chaîne principale se trouve à plusieurs reprises sur la molécule, la terminologie « benzène » est conservée (*voir la figure 2.29*).

Figure 2.29
Nomenclature de composés benzéniques ayant plus de deux substituants

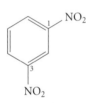

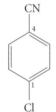

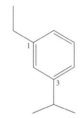

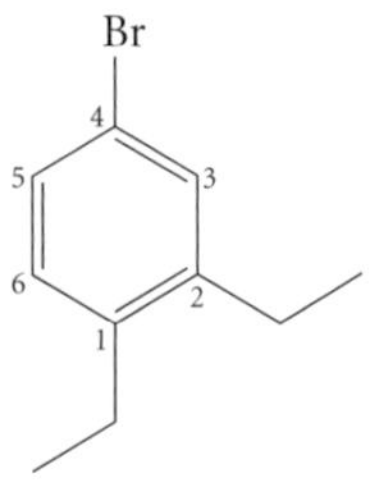

4-bromo-1,2-diéthylbenzène

Aucun substituant ne change le nom de la chaîne principale pour un nom familier.

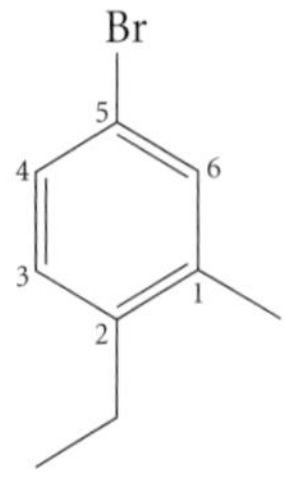

5-bromo-2-éthyltoluène

Un seul substituant, le méthyle, change le nom de la chaîne principale pour un nom familier (toluène).

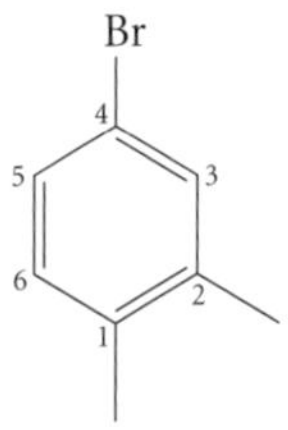

4-bromo-1,2-diméthylbenzène

Plus d'un substituant identique pourrait changer le nom de la chaîne principale pour un nom familier. Le nom de la chaîne principale est donc « benzène ».

Des préfixes peuvent être également utilisés pour nommer des composés ayant seulement deux substituants rattachés au cycle benzénique. Les préfixes « ***ortho*-** », « ***méta*-** » et « ***para*-** » sont employés pour désigner la position relative des substituants plutôt que les indices de position, ce qui vient alléger la nomenclature de ce type de composés. Leurs abréviations, respectivement « ***o*-** », « ***m*-** » et « ***p*-** », sont habituellement écrites en italique. En fixant arbitrairement un groupement quelconque (A) à la position 1, la position « *ortho* » est sur le carbone 2 du benzène, la position « *méta* » est sur le carbone 3 du benzène et la position « *para* » est sur le carbone 4 du benzène, comme illustré dans la figure 2.30.

Figure 2.30

Préfixes désignant la position relative des substituants des cycles benzéniques disubstitués et exemples

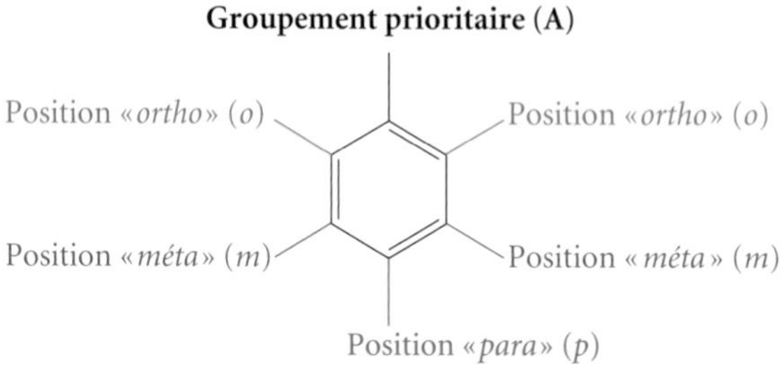

Groupement prioritaire (A)

Position « *ortho* » (*o*) Position « *ortho* » (*o*)

Position « *méta* » (*m*) Position « *méta* » (*m*)

Position « *para* » (*p*)

Exemples

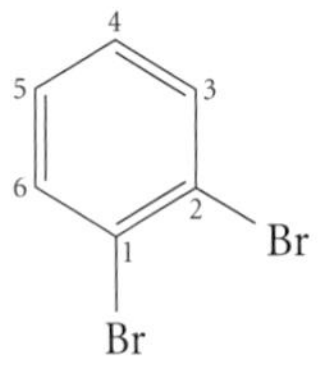

o-dibromobenzène
ou 1,2-dibromobenzène

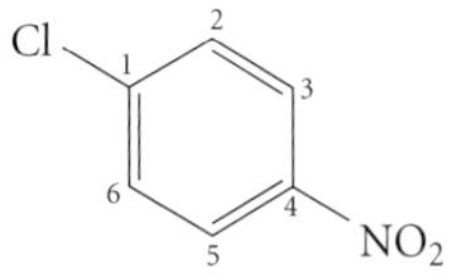

p-chloronitrobenzène
ou 1-chloro-4-nitrobenzène

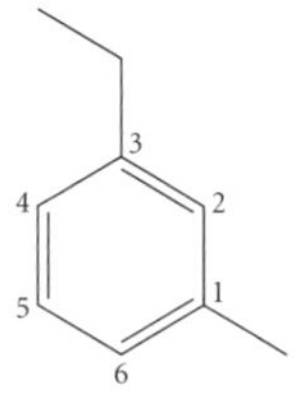

m-éthyltoluène
ou 3-éthyltoluène

Enfin, il est possible de considérer le cycle benzénique ou toute autre ramification renfermant un cycle benzénique en tant que substituant, comme cela est illustré dans les exemples de la figure 2.31. Ces cas sont généralement observés lorsqu'un groupement fonctionnel a priorité par rapport au cycle benzénique ou dans des composés complexes formés de plusieurs cycles benzéniques. Les deux substituants aromatiques les plus utilisés sont les groupements phényle (—Ph) et benzyle (—Bn) (*voir le tableau 2.7, p. 62*). Dans la nomenclature, ces groupements aryles sont traités, sans priorité, comme les groupements alkyles.

Figure 2.31 Nomenclature de composés ayant des substituants renfermant des cycles benzéniques

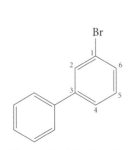

1-bromo-3-phénylbenzène

La chaîne principale est le benzène le plus substitué.

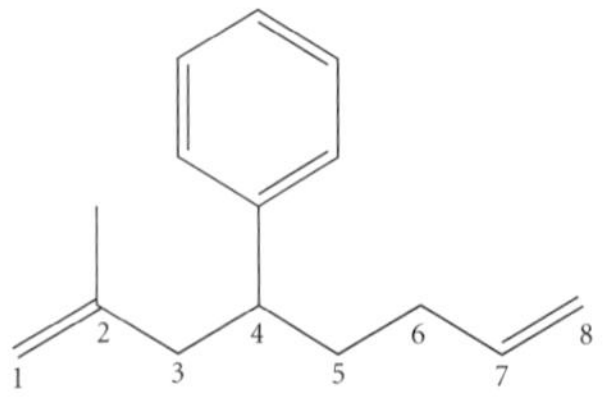

2-méthyl-4-phénylocta-1,7-diène

La chaîne principale est la plus longue chaîne de carbones (8 C).

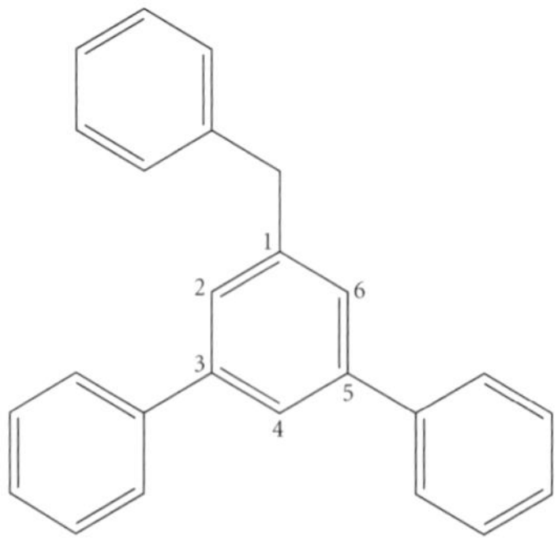

1-benzyl-3,5-diphénylbenzène

La chaîne principale est le benzène le plus substitué. Puisque les numérotations des substituants donnent toujours les indices de position 1, 3 et 5, c'est au substituant benzyle que l'indice de position 1 est octroyé en raison de l'ordre alphabétique (**b**enzyle *vs* **p**hényle).

Exemple 2.6

Indiquez le nom des molécules suivantes selon les règles de l'UICPA.

a) b) 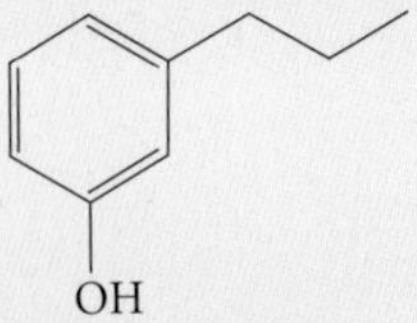 c) OCH$_3$ Br d) 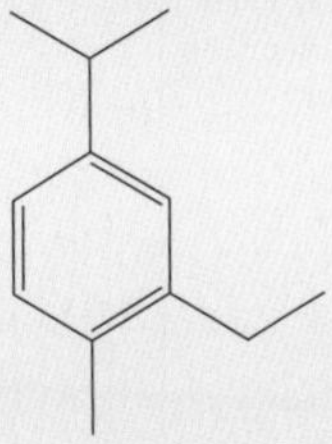 e)

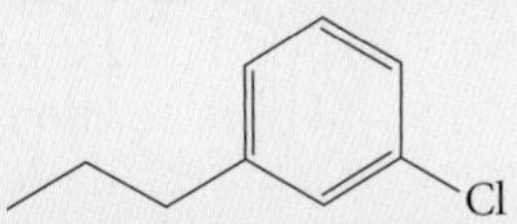

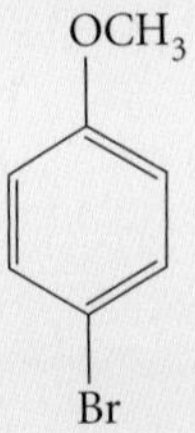

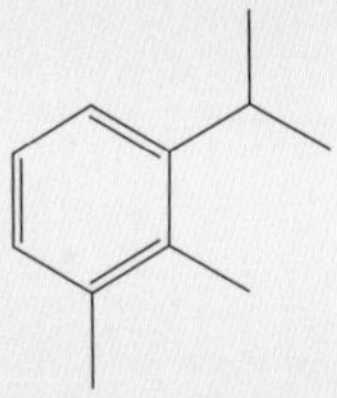

Solution

a)

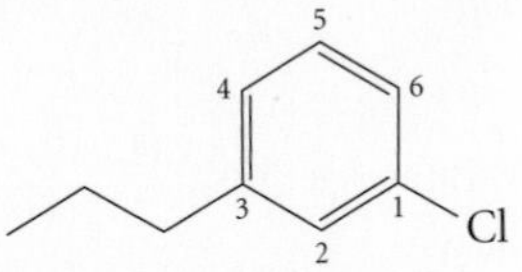

1-chloro-3-propylbenzène ou *m*-chloropropylbenzène

- Chaîne principale : benzène (aucun nom familier spécifique).
- Substituants : chloro, propyle.
- Numérotation de la chaîne principale : substituants aux positions 1 et 3. L'indice 1 est attribué au substituant chloro, nommé en premier selon l'ordre alphabétique.

b)

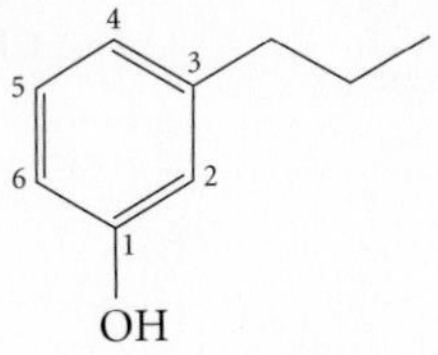

3-propylphénol ou *m*-propylphénol

- Chaîne principale : phénol (nom familier accepté par l'UICPA).
- Substituant : propyle.
- Numérotation de la chaîne principale : substituant à la position 3, car l'indice de position 1 est attribué au groupement —OH du nom familier.

c)

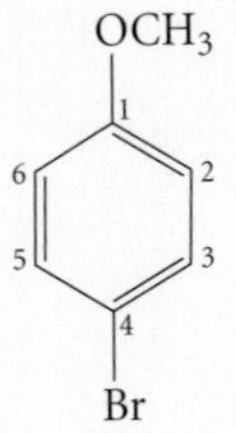

4-bromoanisole ou *p*-bromoanisole

- Chaîne principale : anisole (nom familier accepté par l'UICPA).
- Substituant : bromo.
- Numérotation de la chaîne principale : substituant à la position 4, car l'indice de position 1 est attribué au groupement —OCH$_3$ du nom familier.

d)

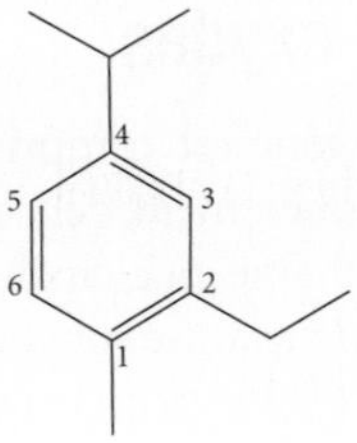

2-éthyl-4-isopropyltoluène

- Chaîne principale : toluène (trois substituants alkyles, mais un seul substituant pouvant attribuer un nom familier accepté par l'UICPA).
- Substituants : isopropyle, éthyle.
- L'indice 1 est attribué au substituant donnant le nom familier. Numérotation de la chaîne principale : substituants aux positions 1, 2, 4 (124), substituants aux positions 1, 4, 6 (146). La première numérotation est retenue, car les substituants doivent avoir les plus petits indices possible.
- Ordre alphabétique : **é**thyle, **i**sopropyle.

e)

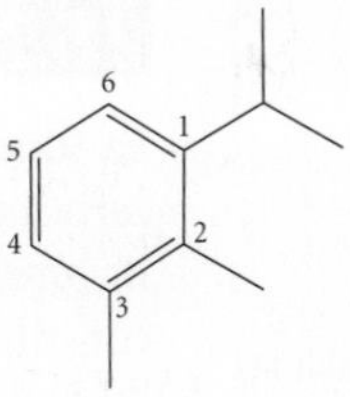

1-isopropyl-2,3-diméthylbenzène

- Chaîne principale : benzène (pas de nom familier spécifique, car il y a présence de deux méthyles).
- Substituants : méthyle, méthyle, isopropyle.
- Numérotation de la chaîne principale : substituants aux positions 1, 2, 3. L'indice 1 est attribué au substituant isopropyle, nommé en premier selon l'ordre alphabétique.

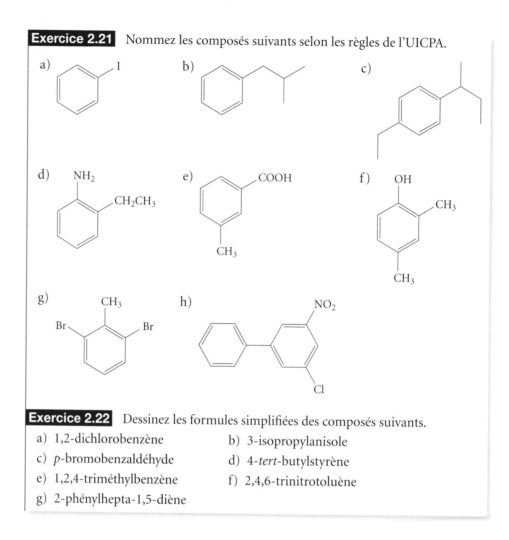

Exercice 2.21   Nommez les composés suivants selon les règles de l'UICPA.

a)   b)   c)

d)   e)   f)

g)   h)

Exercice 2.22   Dessinez les formules simplifiées des composés suivants.

a) 1,2-dichlorobenzène   b) 3-isopropylanisole

c) *p*-bromobenzaldéhyde   d) 4-*tert*-butylstyrène

e) 1,2,4-triméthylbenzène   f) 2,4,6-trinitrotoluène

g) 2-phénylhepta-1,5-diène

2.5.7 Nomenclature des éthers-oxydes

La fonction éther est celle dans laquelle un oxygène est compris entre deux chaînes de carbones. La nomenclature des éthers est particulièrement délicate, puisqu'il ne faut pas inclure l'oxygène comme faisant partie de la chaîne principale, cette dernière n'étant constituée que d'atomes de carbone. Selon la nomenclature substitutive recommandée par l'UICPA, pour nommer un éther, il faut cibler la chaîne principale comme étant la chaîne de carbones la plus longue de part et d'autre de l'oxygène. L'oxygène attaché à la plus petite chaîne de carbones est ensuite considéré comme un substituant. Dans l'exemple décrit dans la figure 2.32, il y a une chaîne de quatre carbones à gauche et une chaîne constituée d'un seul carbone à droite de l'oxygène. Par conséquent, la chaîne de quatre carbones est la chaîne principale, et le —OCH₃ est considéré comme un substituant.

Lorsqu'un groupement alkyle est lié à un oxygène (« -oxy »), le substituant formé porte le nom d'**alkoxy** ou d'**alkyloxy**. Par conséquent, si un oxygène (« -oxy ») se lie à un —CH₃ (« méthyl- »), le substituant se nomme **méthoxy**. Il en va de même pour les trois substituants suivants (2 C: **éthoxy**; 3 C: **propoxy**; 4 C: **butoxy**). Toutefois, à partir des chaînes de cinq carbones et plus, le suffixe « -yl » d'un groupement alkyle est préservé avant le suffixe « -oxy » pour donner des substituants **yloxy** (5 C: **pentyloxy**; 6 C: **hexyloxy**, etc.). De plus, les groupements phényle (—Ph) et benzyle (—Bn), lorsqu'ils sont séparés de la chaîne principale par une fonction éther, deviennent des substituants **phényloxy** (—OPh) et **benzyloxy** (—OBn).

Ayant déterminé la chaîne principale ainsi que le substituant renfermant la fonction éther, toutes les mêmes règles de nomenclature vues précédemment s'appliquent pour donner le nom complet du composé. Les groupements alkoxy (ou alkyloxy),

Figure 2.32

Détermination de la chaîne principale et du substituant pour la nomenclature des éthers simples

Substituant

Chaîne principale

phényloxy et benzyloxy sont traités comme des substituants de même importance que les groupements alkyles et les halogènes (*voir le tableau 2.3, p. 56*). La figure 2.33 illustre quelques exemples.

Figure 2.33
Nomenclature des éthers simples et ramifiés

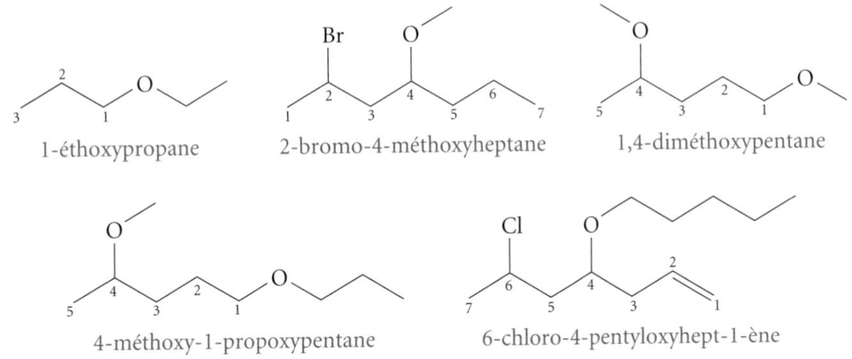

1-éthoxypropane

2-bromo-4-méthoxyheptane

1,4-diméthoxypentane

4-méthoxy-1-propoxypentane

6-chloro-4-pentyloxyhept-1-ène

cheneliere.ca/chimieorganique www

› Nomenclature de substituants éthérés substitués
› Nomenclature des éthers cycliques

Il existe une autre méthode, encore largement utilisée et acceptée par l'UICPA, soit la nomenclature radicofonctionnelle, pour nommer les molécules simples renfermant la fonction éther. Dans ce mode d'écriture, l'oxygène est considéré comme étant la chaîne principale, et les chaînes de carbones qui y sont attachées sont les substituants. Le nom « oxyde », qui est écrit en premier, est donné à l'oxygène, puis les groupements carbonés sont énumérés selon l'ordre alphabétique. Contrairement à ce qui a été vu jusqu'à maintenant, une espace est laissée entre chacun des constituants du nom (aucun trait d'union). Quelques exemples sont fournis dans la figure 2.34.

Figure 2.34
Nomenclature des éthers en tant qu'oxydes

CH_3-O-CH_3
oxyde de diméthyle

$CH_3-CH_2-O-CH_3$
oxyde d'éthyle et de méthyle

$CH_3-CH_2-O-CH_2-CH_3$
oxyde de diéthyle
(éther diéthylique)

$CH_3-CH_2-CH_2-CH_2-O-CH-CH_3$ avec CH_3
oxyde de butyle et d'isopropyle

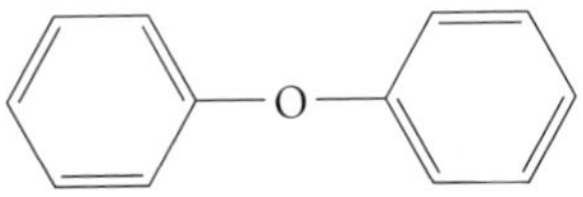

oxyde de diphényle
(éther diphénylique)

Exemple 2.7

Nommez le composé suivant selon la nomenclature substitutive recommandée par l'UICPA.

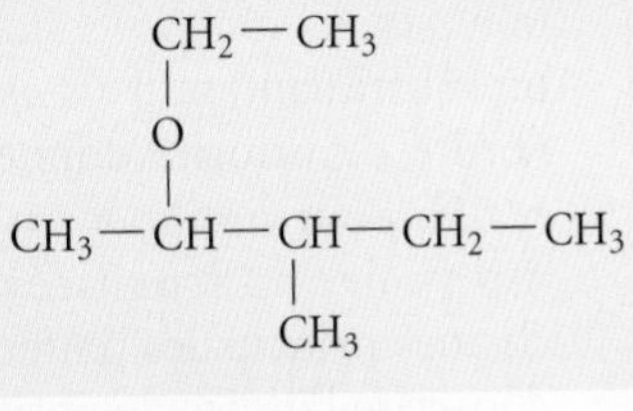

CH_2-CH_3 / O / $CH_3-CH-CH-CH_2-CH_3$ avec CH_3

Solution

Il faut déterminer la chaîne principale en repérant la plus longue chaîne de carbones de part et d'autre de l'oxygène de la fonction éther. L'oxygène attaché à la chaîne la plus courte est considéré comme un substituant au même titre que les autres ramifications.

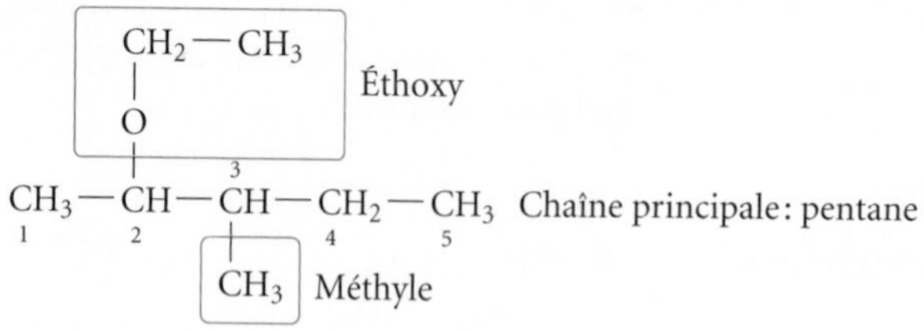

$$CH_2 - CH_3 \quad \text{Éthoxy}$$
$$|$$
$$O$$
$$|^{3}$$
$$CH_3 - \overset{}{CH} - \overset{}{CH} - CH_2 - CH_3 \quad \text{Chaîne principale: pentane}$$
$$^{1} \quad ^{2} \quad ^{4} \quad ^{5}$$
$$CH_3 \quad \text{Méthyle}$$

L'assemblage du nom complet, en appliquant les mêmes règles de nomenclature que celles vues précédemment, donne 2-éthoxy-3-méthylpentane.

Exercice 2.23 Nommez les composés suivants selon la nomenclature substitutive recommandée par l'UICPA.

a) $CH_3 - CH_2 - CH_2 - O - CH_3$

b) $CH_3 - O - CH_2 - CH_2 - O - CH_3$

c)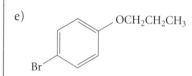

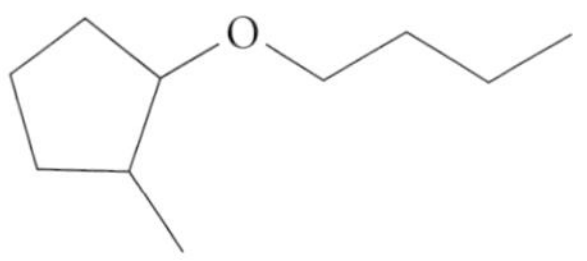

d)

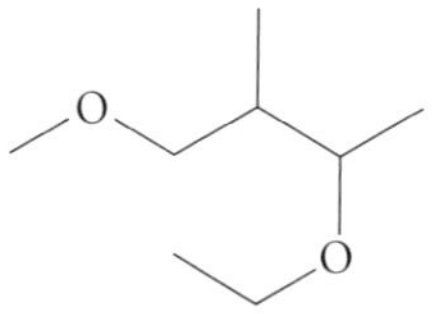

e) $OCH_2CH_2CH_3$

Br

Exercice 2.24 Dessinez les formules simplifiées des composés suivants.

a) 2-propoxyheptane

b) 3-éthoxy-4-éthylhexane

c) oxyde d'éthyle et d'isopropyle

d) oxyde d'isobutyle et de méthyle

e) 4-chloro-6-hexyloxyhex-1-ène

2.5.8 Nomenclature des alcools

Les alcools sont des molécules renfermant un groupement hydroxyle (—OH) fixé à un carbone hybridé sp^3. En nomenclature, les alcools ont priorité sur tous les groupements fonctionnels étudiés jusqu'à présent (*voir le tableau 2.3, p. 56*). Le plus petit indice de position doit donc être attribué au carbone portant le groupement —OH, et non pas aux fonctions alcènes et alcynes. L'alcool (R—OH) n'est pas considéré comme un substituant, sauf s'il est en présence d'un groupement fonctionnel prioritaire selon l'ordre de priorité donné dans le tableau 2.3 (*voir les sections 2.5.9 et 2.5.10, p. 83 et 85*). Pour nommer un alcool selon la nomenclature systématique, le « e » du suffixe « -ane » est remplacé par « -ol » pour obtenir « -anol ». Dans les molécules dont les chaînes principales renferment un ou deux atomes de carbone, il n'est pas nécessaire d'inscrire l'indice de position pour la fonction alcool, car, par défaut, elle est toujours située à la position 1 (p. ex.: méthanol et éthanol). De plus, pour les alcools cycliques n'ayant qu'une seule fonction alcool, celle-ci occupe nécessairement la position 1, puisqu'il s'agit d'un groupement prioritaire. Par conséquent, l'indice de position 1 est omis. Enfin, toutes les règles de nomenclature de l'UICPA énumérées dans les sections antérieures sont toujours valides (*voir la figure 2.35*).

Figure 2.35 Nomenclature des alcools simples

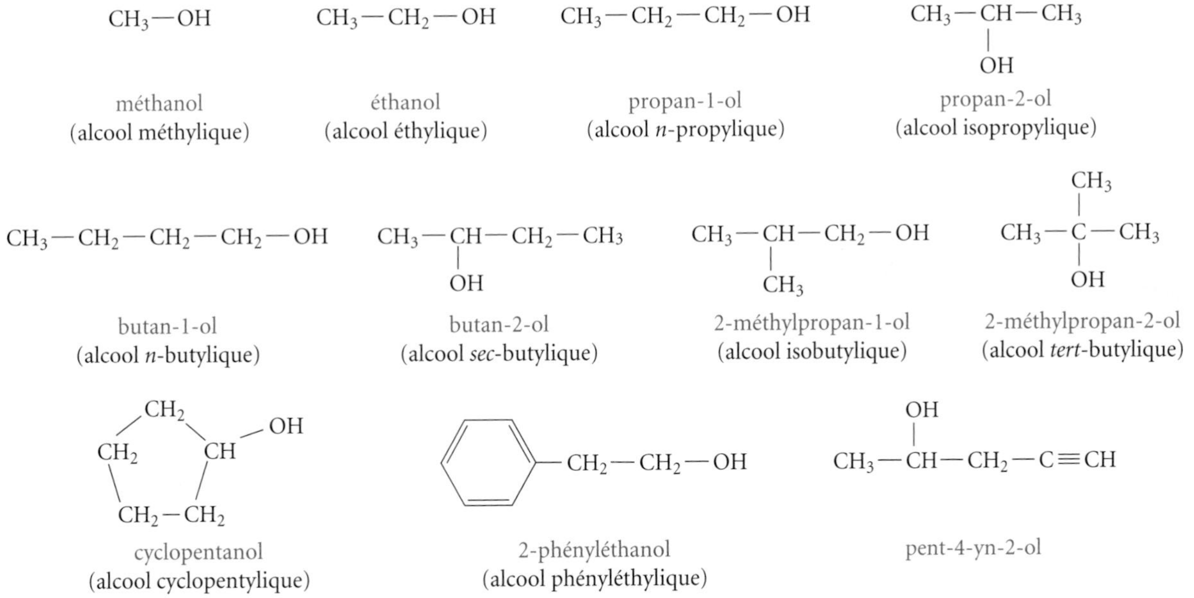

$$CH_3-OH$$

méthanol
(alcool méthylique)

$$CH_3-CH_2-OH$$

éthanol
(alcool éthylique)

$$CH_3-CH_2-CH_2-OH$$

propan-1-ol
(alcool *n*-propylique)

$$CH_3-\underset{\underset{OH}{|}}{CH}-CH_3$$

propan-2-ol
(alcool isopropylique)

$$CH_3-CH_2-CH_2-CH_2-OH$$

butan-1-ol
(alcool *n*-butylique)

$$CH_3-\underset{\underset{OH}{|}}{CH}-CH_2-CH_3$$

butan-2-ol
(alcool *sec*-butylique)

$$CH_3-\underset{\underset{CH_3}{|}}{CH}-CH_2-OH$$

2-méthylpropan-1-ol
(alcool isobutylique)

$$CH_3-\underset{\underset{OH}{|}}{\overset{\overset{CH_3}{|}}{C}}-CH_3$$

2-méthylpropan-2-ol
(alcool *tert*-butylique)

cyclopentanol
(alcool cyclopentylique)

2-phényléthanol
(alcool phényléthylique)

$$CH_3-\underset{\underset{OH}{|}}{CH}-CH_2-C\equiv CH$$

pent-4-yn-2-ol

Dans la figure 2.36 a), une fonction alcool est en position 3 sur une chaîne principale de sept carbones. Il s'agit de l'heptan-3-ol ; l'heptane ne devient pas de l'heptol, mais bien de l'heptanol. Cette particularité permet de préserver l'information, à savoir qu'un alcane porte l'alcool. De plus, il est possible de distinguer un alcane (heptanol) (*voir la figure 2.36 a*) d'un alcène (hepténol) (*voir la figure 2.36 b*) et d'un alcyne (heptynol) (*voir la figure 2.36 c*). Quant à l'orthographe, les suffixes « -ène » et « -yne » étant situés devant le suffixe « -ol » qui débute par une voyelle, ils perdent le « e » final, et l'accent grave de « -ène » devient un accent aigu « -én ». Dans les exemples b) et c), il faut aussi rappeler que le plus petit indice de position est donné à la fonction alcool, puisqu'elle est prioritaire, au lieu des fonctions alcène et alcyne.

> **REMARQUE**
>
> Les groupements de plus grande priorité sont toujours nommés à la fin de la chaîne principale.

Figure 2.36
Nomenclature des alcools plus complexes et polyfonctionnels

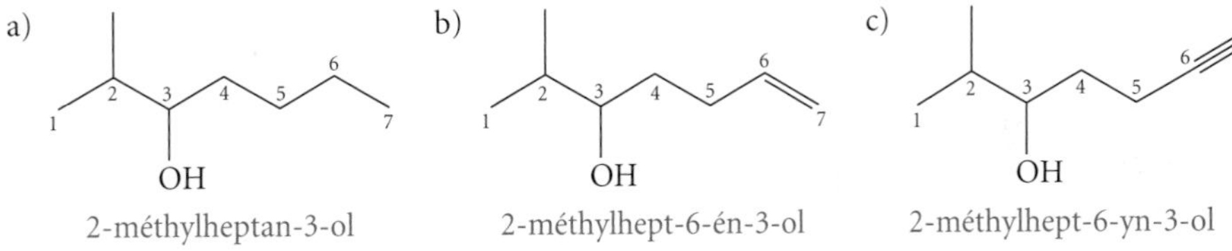

a)

2-méthylheptan-3-ol

b)

2-méthylhept-6-én-3-ol

c)

2-méthylhept-6-yn-3-ol

Si plusieurs alcools sont présents dans la structure, il faut redonner le « e » final à l'alcane (*voir la figure 2.37 a, page suivante*), à l'alcène (ainsi que l'accent grave) ou à l'alcyne correspondant en raison de l'ajout des préfixes multiplicatifs devant le suffixe « -ol » (p. ex.: ène-**di**ol ou yne-**tri**ol, etc.) (*voir la figure 2.37 b, c et d, page suivante*).

Figure 2.37
Nomenclature des polyols

a)

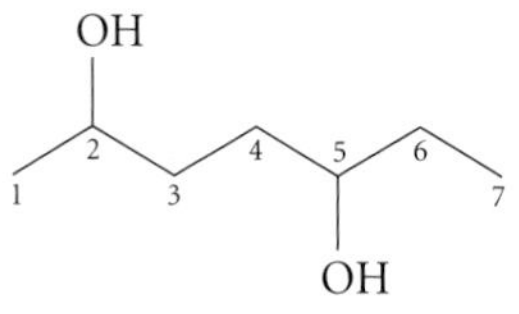

heptane-2,5-diol

b)

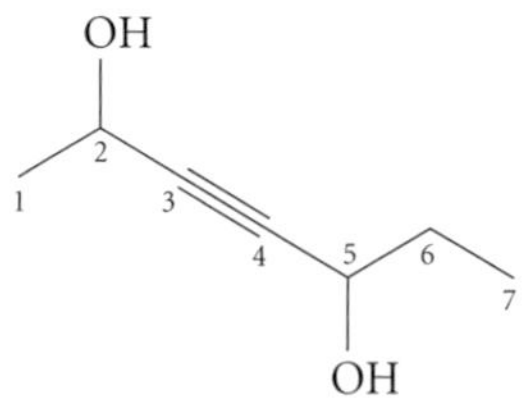

hept-3-yne-2,5-diol

c)

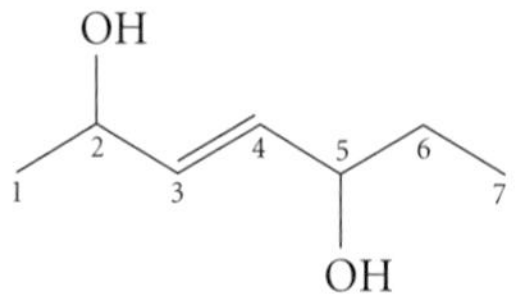

hept-3-ène-2,5-diol

d)

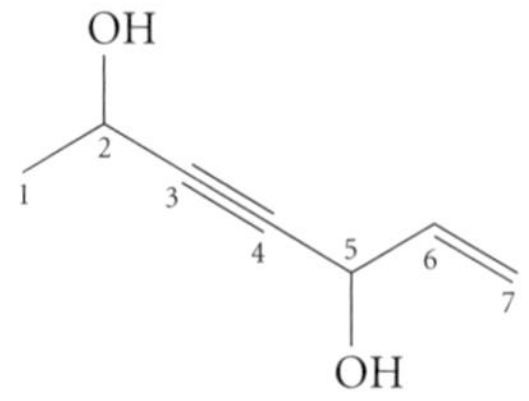

hept-6-én-3-yne-2,5-diol

Aucun changement pour l'alcène, car il
ne précède pas immédiatement le «-diol»
et il n'y a qu'une seule fonction alcyne.

> **REMARQUE**
>
> Pour les polyols, les pré-
> fixes multiplicatifs se termi-
> nant par un «a» («tétra-»,
> «penta-», «hexa-», etc.)
> voient cette voyelle tronquée,
> par euphonie, pour ainsi
> donner des tétrols, pentols,
> hexols, etc.

Dans les règles de nomenclature à venir, les aldéhydes et les cétones, par exemple,
ont priorité sur les alcools. Dans de pareils cas, l'alcool devant être considéré comme
un substituant est alors appelé un groupement **hydroxy**.

Exemple 2.8

Nommez le composé suivant selon les règles de l'UICPA.

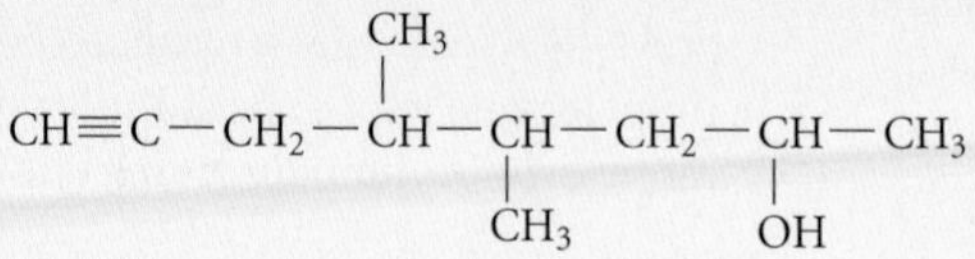

Solution

Il faut déterminer la chaîne principale en repérant la plus longue chaîne de carbones
portant les fonctions prioritaires. Étant donné que l'alcool a une plus grande priorité que
l'alcyne, il faut attribuer au carbone lié à l'alcool le plus petit indice de position. Finalement,
il faut déterminer les ramifications présentes.

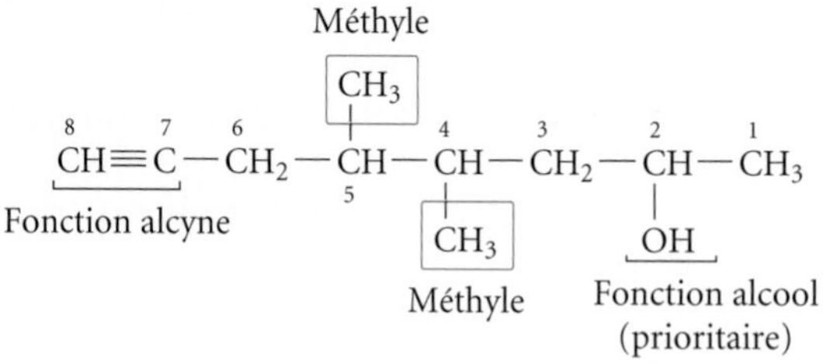

L'assemblage du nom complet se fait en appliquant les mêmes règles de nomenclature que
celles vues précédemment et en ajoutant le suffixe «-ol» : 4,5-diméthyloct-7-yn-2-ol.

Exercice 2.25 Nommez les composés suivants selon les règles de l'UICPA.

a)
$$CH_3 - \underset{\underset{CH_3}{|}}{CH} - CH_2 - CH_2 - OH$$

b) $Br - CH_2 - CH_2 - OH$

c)
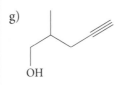

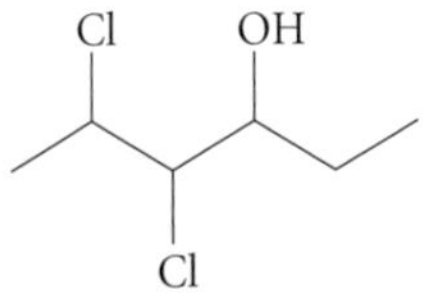

d)

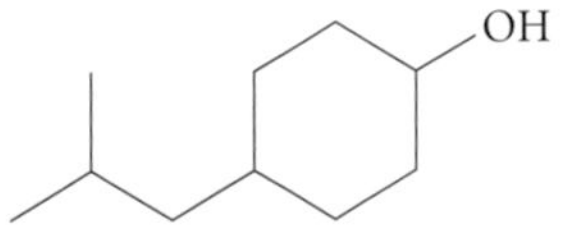

e)

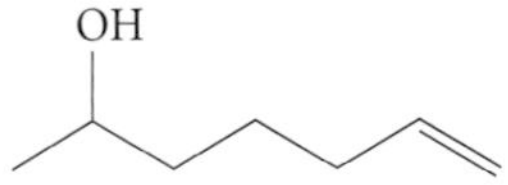

f) $CH_3 - CH_2 - CH_2 - \underset{\underset{OH}{|}}{CH} - CH_2 - OH$

g)

Exercice 2.26 Dessinez les formules simplifiées des composés suivants.

a) pentan-3-ol

b) propane-1,2-diol

c) 2-méthyl-2-phénylpropan-1-ol

d) hex-4-én-3-ol

e) pent-2-yn-1-ol

f) 4-bromohexane-1,5-diol

g) but-2-yne-1,4-diol

2.5.9 Nomenclature des aldéhydes

La fonction aldéhyde (—CHO) est une fonction terminale dans laquelle un groupement carbonyle (C=O) est situé entre une chaîne de carbones et un hydrogène. Cette fonction est prioritaire sur les alcools (*voir le tableau 2.3, p. 56*). Elle est nommée en ajoutant le suffixe «**-al**» (aldéhyde) à la terminaison «**-ane**» (alcane) pour obtenir «**-anal**» (*voir la figure 2.38*). Pour les alcènes et les alcynes, les suffixes «**-énal**» et «**-ynal**» sont respectivement obtenus. Les noms triviaux, en noir, en dessous des noms systématiques (UICPA), sont très souvent utilisés.

Figure 2.38 Nomenclature des aldéhydes simples

$$\underset{\substack{\text{méthanal} \\ \text{(formaldéhyde)}}}{H - \overset{\overset{\displaystyle O}{\|}}{C} - H} \qquad \underset{\substack{\text{éthanal} \\ \text{(acétaldéhyde)}}}{CH_3 - \overset{\overset{\displaystyle O}{\|}}{CH}} \qquad \underset{\substack{\text{propanal} \\ \text{(propionaldéhyde)}}}{CH_3 - CH_2 - \overset{\overset{\displaystyle O}{\|}}{CH}} \qquad \underset{\substack{\text{butanal} \\ \text{(butyraldéhyde)}}}{CH_3 - CH_2 - CH_2 - \overset{\overset{\displaystyle O}{\|}}{CH}} \qquad \underset{\substack{\text{pentanal} \\ \text{(valéraldéhyde)}}}{CH_3 - CH_2 - CH_2 - CH_2 - \overset{\overset{\displaystyle O}{\|}}{CH}}$$

Pour les aldéhydes substitués, la numérotation de la chaîne principale s'effectue toujours à partir du carbone de la fonction aldéhyde (*voir la figure 2.39, page suivante*). Cependant, dans l'écriture du nom du composé, la position 1 du groupement carbonyle (C=O) ne doit pas être précisée, puisqu'il est invariablement en bout de chaîne, l'aldéhyde étant une fonction terminale. Toutes les règles vues antérieurement doivent être respectées.

Figure 2.39

Nomenclature des aldéhydes substitués et polyfonctionnels

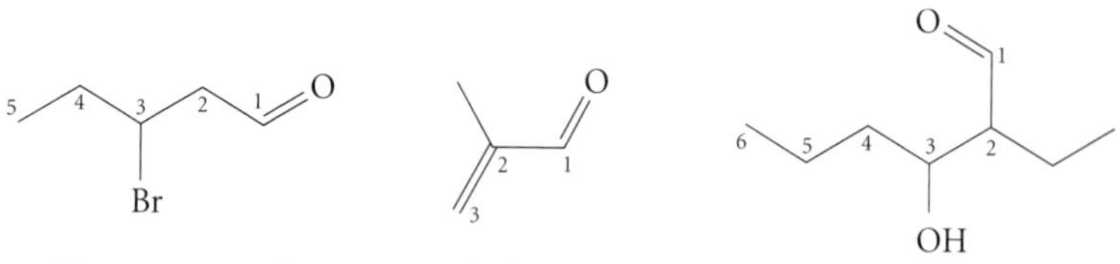

3-bromopentanal   2-méthylprop-2-énal   2-éthyl-3-hydroxyhexanal

En ce qui a trait à l'orthographe, les règles de nomenclature vues pour les alcools s'appliquent également à la fonction aldéhyde. En effet, une molécule portant deux fonctions aldéhydes préservera son « e » final dans les annotations « -ane », « -ène » ou « -yne » (*voir la figure 2.40*).

Figure 2.40

Nomenclature des molécules portant deux fonctions aldéhydes

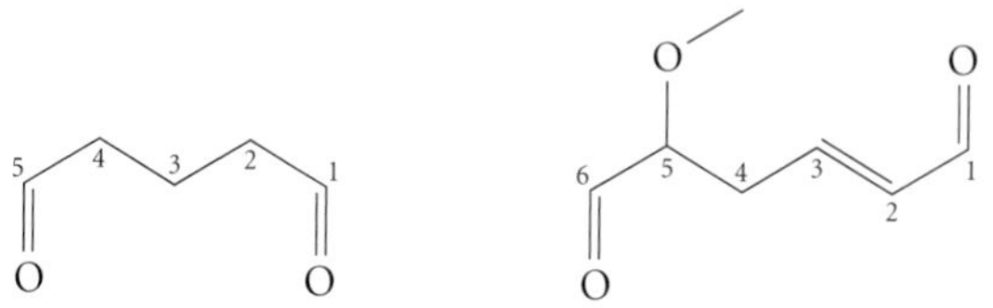

pentan**e**dial   5-méthoxyhex-2-èn**e**dial

Pour les aldéhydes cycliques (fonction directement greffée à un cycle) ou pour des molécules portant plus de deux fonctions aldéhydes, le suffixe « **-carbaldéhyde** » est utilisé. Dans ces cas, les carbones des fonctions aldéhydes ne font pas partie de la chaîne principale. Le « e » des suffixes « -ane », « -ène » ou « -yne » est préservé devant le « c » de carbaldéhyde. Dans la figure 2.41, certains exemples de ces cas particuliers sont montrés.

Figure 2.41

Nomenclature des molécules portant plus de deux fonctions aldéhydes et des aldéhydes cycliques

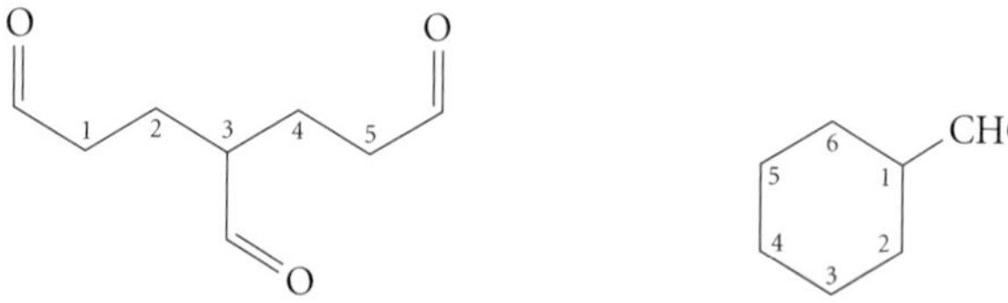

pentane-1,3,5-tricarbaldéhyde   cyclohexanecarbaldéhyde

Si l'aldéhyde se trouve en présence d'un groupement fonctionnel qui lui est prioritaire, son groupement carbonyle (C=O), considéré comme un substituant, portera le préfixe « **oxo-** » dans le cas où son carbone fait partie de la chaîne principale (abréviation —(C)HO), ou « **formyl-** » dans le cas où il n'en fait pas partie (abréviation —CHO). La nomenclature de ces composés sera traitée plus en détail dans le chapitre 12, disponible au <www.cheneliere.ca/chimieorganique>, et dans *Chimie organique 2*.

Exemple 2.9

Nommez le composé suivant selon les règles de l'UICPA.

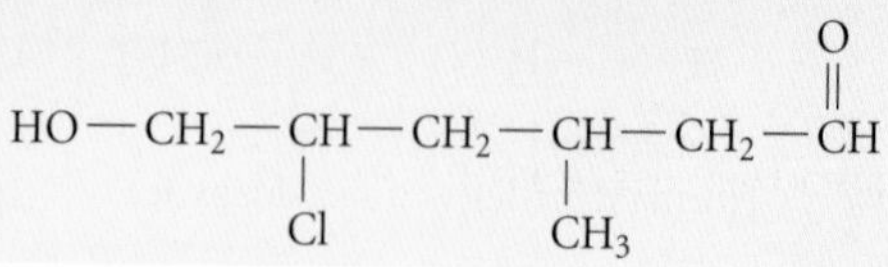

$$HO-CH_2-CH-CH_2-CH-CH_2-CH \overset{\overset{\displaystyle O}{\|}}{}$$
$$\qquad\qquad | \qquad\qquad |$$
$$\qquad\qquad Cl \qquad\qquad CH_3$$

Solution

Il faut déterminer la chaîne principale en repérant la plus longue chaîne de carbones portant les fonctions prioritaires. Étant donné que l'aldéhyde est toujours une fonction terminale et qu'elle a une plus grande priorité que l'alcool, il faut attribuer automatiquement au carbone lié à l'aldéhyde l'indice 1. Dans un pareil cas, l'indice de position 1 attribué à la fonction aldéhyde n'est pas écrit dans le nom de la molécule.

L'alcool est relégué en tant que substituant hydroxy, au même titre que les halogènes et les ramifications alkyles.

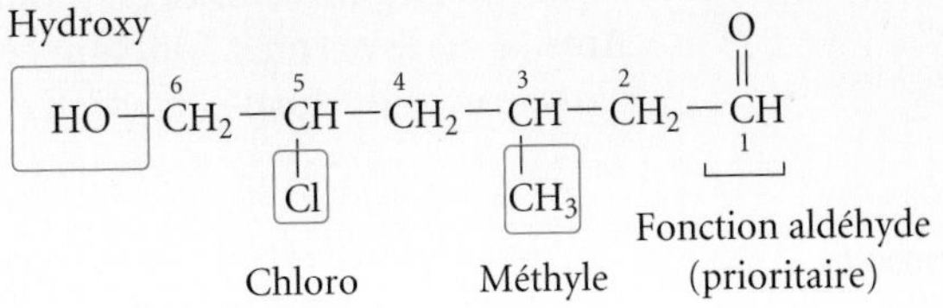

Hydroxy

$$HO\!-\!\overset{6}{C}H_2\!-\!\overset{5}{C}H\!-\!\overset{4}{C}H_2\!-\!\overset{3}{C}H\!-\!\overset{2}{C}H_2\!-\!\overset{1}{C}H$$

Chloro   Méthyle   Fonction aldéhyde (prioritaire)

L'assemblage du nom complet se fait en appliquant les mêmes règles de nomenclature que celles vues précédemment et en ajoutant le suffixe « -al » : 5-chloro-6-hydroxy-3-méthylhexanal.

Exercice 2.27   Nommez les composés suivants selon les règles de l'UICPA.

a) 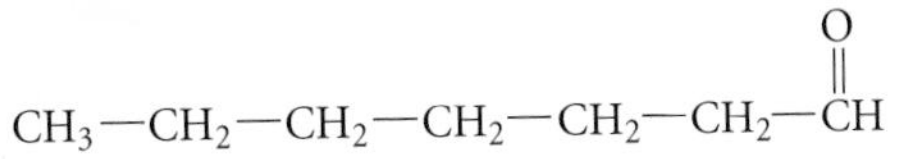
$$CH_3\!-\!CH_2\!-\!CH_2\!-\!CH_2\!-\!CH_2\!-\!CH_2\!-\!CH$$

b) 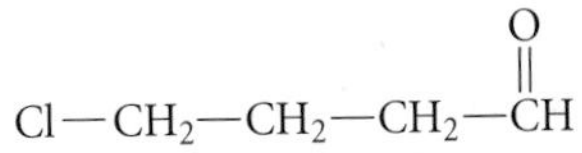
$$Cl\!-\!CH_2\!-\!CH_2\!-\!CH_2\!-\!CH$$

c)

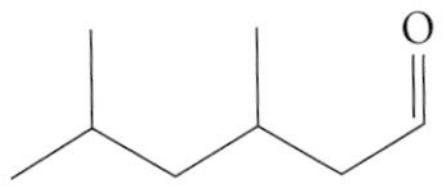

d)

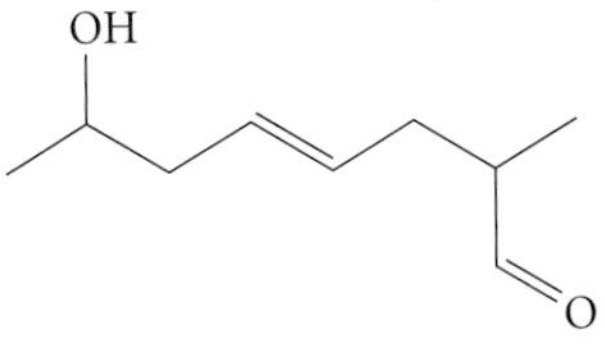

e)

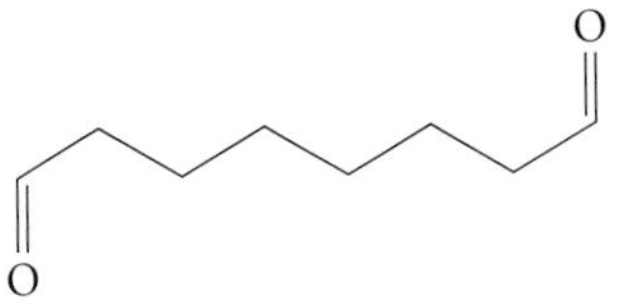

Exercice 2.28   Dessinez les formules simplifiées des composés suivants.

a) pent-2-énal
b) 2-cyclohexyléthanal
c) but-2-ynal
d) 3-butyl-4-chlorohexanedial
e) cyclopentane-1,3-dicarbaldéhyde

2.5.10   Nomenclature des cétones

La fonction cétone (R—CO—R′) est une fonction centrale dans laquelle un groupement carbonyle (C=O) est situé entre deux chaînes de carbones. La nomenclature des cétones est similaire à celle des aldéhydes à la seule exception près qu'une cétone n'est pas une fonction terminale. Le plus petit indice de position possible doit être attribué au carbone porteur du groupement carbonyle. Pour nommer une cétone, le « e » terminal des suffixes « -ane », « -ène » (qui devient « -én ») et « -yne » est remplacé par la terminaison « -one », selon la même procédure que pour les aldéhydes. S'il y a deux fonctions cétones et plus dans le même composé, il est question de dione, trione, tétrone, etc., et le « e » des suffixes « -ane », « -ène » et « -yne » est alors conservé. Plusieurs exemples de la figure 2.42 illustrent les différentes règles de nomenclature des cétones.

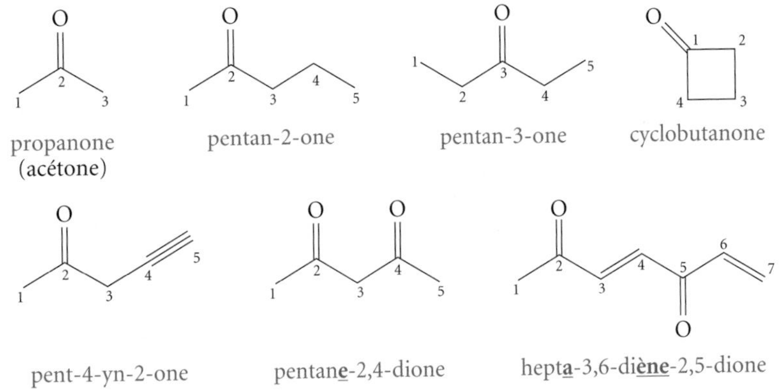

Figure 2.42
Nomenclature des cétones

propanone (acétone)   pentan-2-one   pentan-3-one   cyclobutanone

pent-4-yn-2-one   pentane-2,4-dione   hepta-3,6-diène-2,5-dione

La priorité des cétones est moindre que celle des aldéhydes (*voir le tableau 2.3, p. 56*). Ainsi, dans le cas où la fonction cétone est considérée comme un substituant, elle porte alors le nom de « **oxo-** » en préfixe (*voir la figure 2.43*).

Figure 2.43
Nomenclature de composés renfermant une fonction aldéhyde prioritaire et une fonction cétone considérée comme un substituant

5-oxohexanal

2-méthyl-4,6-dioxooct-2-én-7-ynal

Dans les cas des composés pour lesquels une seule position du groupement carbonyle est possible (pour obtenir une fonction cétone), l'indice de position peut être omis dans le nom de la molécule (p. ex.: le propanone). Pour les cétones cycliques n'ayant qu'une seule fonction cétone, celle-ci occupe nécessairement la position 1, puisqu'il s'agit d'un groupement prioritaire. Par conséquent, l'indice de position 1 est omis.

Exemple 2.10

Nommez le composé suivant selon les règles de l'UICPA.

Solution

Étant donné que la fonction cétone a une plus grande priorité que l'alcool et l'alcène, il faut attribuer le plus petit indice de position possible au carbone de la fonction cétone. L'alcool est relégué en tant que substituant hydroxy.

Hydroxy

OH

Fonction cétone (prioritaire)

Fonction alcène

L'assemblage du nom complet se fait en appliquant les mêmes règles de nomenclature que celles vues précédemment et en ajoutant le suffixe « -one » : 4-hydroxyhex-5-én-2-one.

Exercice 2.29 Nommez les composés suivants selon les règles de l'UICPA.

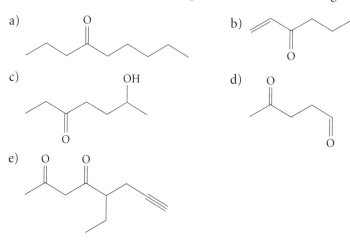

a)

b)

c) OH

d)

e)

Exercice 2.30 Dessinez les formules simplifiées des composés suivants.

a) 3-iodoheptan-4-one

b) hex-3-yn-2-one

c) 3-bromocyclopentanone

d) 3-isopropylheptane-2,6-dione

e) 8-chloro-6-méthyl-5-oxooctanal

2.5.11 Nomenclature sommaire des groupements fonctionnels étudiés dans le manuel *Chimie organique 2*

Le tableau 2.9 présente un bref aperçu des groupements fonctionnels qui sont abordés dans le manuel *Chimie organique 2*. Les groupements fonctionnels sont accompagnés des préfixes et des suffixes généraux usuels en nomenclature systématique.

Pour le moment, dans le cadre du cours de chimie organique 1, il est important de jeter un regard attentif sur le tableau synthèse ci-dessous, puisque les informations qui y sont présentées sont fort utiles pour mieux comprendre le nom des molécules qui seront employées comme substrats ou synthétisées en tant que produits au cours des réactions chimiques à l'étude dans les chapitres suivants de ce manuel.

Tableau 2.9   **Généralités sur la nomenclature des différents groupements fonctionnels étudiés dans le manuel *Chimie organique 2***

Groupement fonctionnel	Formule[a]	Préfixe	Suffixe
Acide carboxylique	—(C)OOH	Fonction sans préfixe	Acide -oïque
	—COOH	carboxy-	Acide -carboxylique
Amide	—CONH$_2$	Fonction sans préfixe	-amide
Amine	—NH$_2$	amino-	-amine
Anhydride	—COOCO—	Fonction sans préfixe	Anhydride -oïque
Ester	—COOR	alkoxycarbonyl-	-oate d'alkyle (ou d'aryle)
Halogénure d'acide	—COX	halogénurecarbonyl-	Halogénure de -oyle
Ion carboxylate	—COO$^-$	carboxylate-	Ion -oate
Nitrile	—(C)N	Fonction sans préfixe	-nitrile
	—CN	cyano-	-carbonitrile
Thioéther	—SR	R-sulfanyl-	Fonction sans suffixe
Thiol	—SH	sulfanyl-	-thiol

a. Dans la colonne des formules, pour certains groupements fonctionnels, il existe deux possibilités. Le « (C) » représente le cas où le carbone est inclus dans la chaîne principale, alors que le « C » (sans parenthèses) représente le carbone inclus dans un substituant et exclu de la chaîne principale.

RÉSUMÉ

Formules structurales (section 2.2)

Formule structurale	Caractéristiques	Exemple pour l'acide 5,5,5-trifluoropentanoïque
Moléculaire	• Nature des atomes présents • Nombre réel d'atomes	$C_5H_7F_3O_2$
Développée (structure de Lewis)	• Liaisons covalentes représentées à l'aide d'un trait	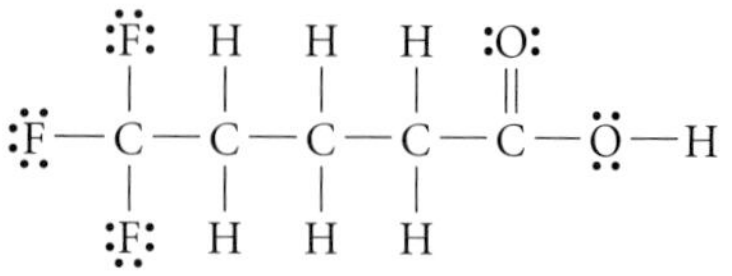
Semi-développée	• Omission des liens C—H, O—H, N—H, S—H, etc. • Omission fréquente des liens C—X • Maintien des liens C—C et C—hétéroatome	$CF_3 - CH_2 - CH_2 - CH_2 - \overset{\overset{\textstyle O}{\|}}{C} - OH$
abrégée	• Absence de trait pour représenter les liaisons	$CF_3CH_2CH_2CH_2COOH$
condensée	• Répétition d'un groupe d'atomes de la molécule entre crochets	$CF_3 {\left[CH_2 \right]}_3 \overset{\overset{\textstyle O}{\|}}{C} - OH$
Simplifiée	• Atome de C = extrémité d'une ligne et intersection entre deux segments (lettre « C » non inscrite) • Omission des H liés aux C • Maintien des liaisons C—C • Inscription des hétéroatomes et des H directement attachés à ceux-ci (OH, NH, SH, etc.) • Squelette carboné montrant les angles approximatifs des liaisons	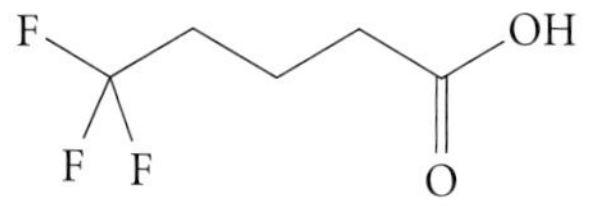

Groupements fonctionnels (section 2.4) (*voir le tableau 2.2, p. 49*)

$$-\overset{|}{\underset{|}{C}}-\overset{|}{\underset{|}{C}}-$$	$$\underset{/}{\overset{\backslash}{C}}=\overset{/}{\underset{\backslash}{C}}$$	$$-C\equiv C-$$	(cycle aromatique)
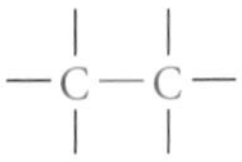 Alcane (absence de fonction)	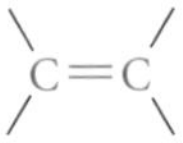 Alcène	 Alcyne	 Composé aromatique (ou arène)
$$-\overset{|}{\underset{|}{C}}-O-H$$	$$\text{(cycle)}-OH$$	$$-\overset{|}{\underset{|}{C}}-O-\overset{|}{\underset{|}{C}}-$$	$$-\overset{|}{\underset{|}{C}}-O-O-\overset{|}{\underset{|}{C}}-$$
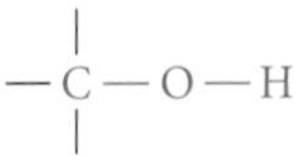 Alcool	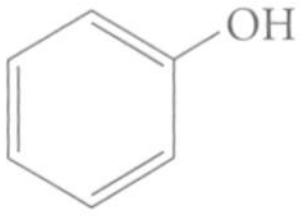 Phénol	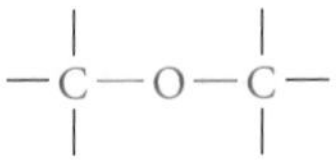 Éther	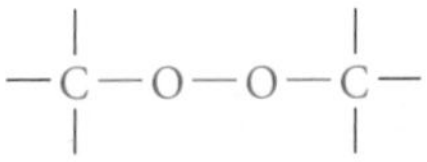 Peroxyde organique
$$-\overset{|}{\underset{|}{C}}-S-H$$	$$-\overset{|}{\underset{|}{C}}-S-\overset{|}{\underset{|}{C}}-$$	$$-\overset{|}{\underset{|}{C}}-X$$ X = F, Cl, Br, I	$$-\overset{|}{\underset{|}{C}}-\overset{\overset{O}{\|}}{C}-X$$ (C ou H) X = F, Cl, Br, I
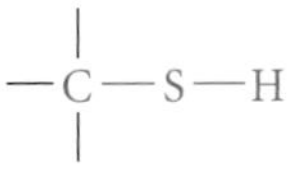 Thiol (ou mercaptan)	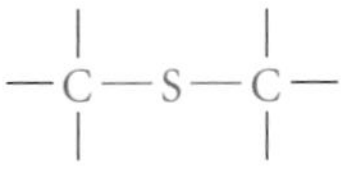 Thioéther (ou sulfure)	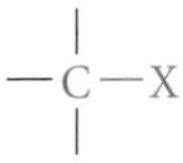 Composé halogéné (ou halogénure)	Halogénure d'acide (ou halogénure d'acyle)
$$-\overset{|}{\underset{|}{C}}-\overset{\overset{O}{\|}}{C}-H$$ (C ou H)	$$-\overset{|}{\underset{|}{C}}-\overset{\overset{O}{\|}}{C}-\overset{|}{\underset{|}{C}}-$$	$$-\overset{|}{\underset{|}{C}}-\overset{\overset{O}{\|}}{C}-O-H$$ (C ou H)	$$-\overset{|}{\underset{|}{C}}-\overset{\overset{O}{\|}}{C}-O-\overset{|}{\underset{|}{C}}-$$ (C ou H)
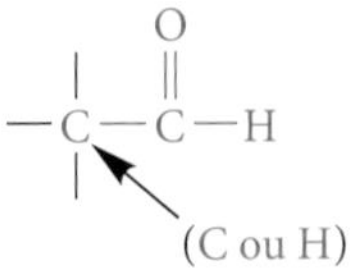 Aldéhyde	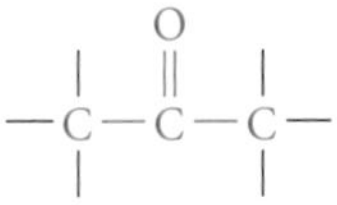 Cétone	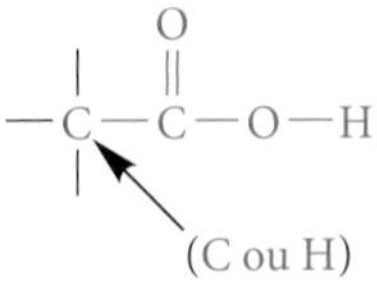 Acide carboxylique	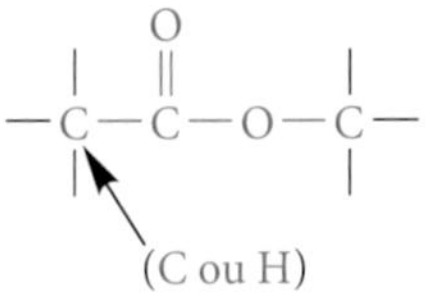 Ester
$$-\overset{|}{\underset{|}{C}}-NH_2$$	$$-\overset{|}{\underset{|}{C}}-\overset{\overset{O}{\|}}{C}-NH_2$$ (C ou H)	$$-\overset{|}{\underset{|}{C}}-C\equiv N$$	$$-\overset{|}{\underset{|}{C}}-NO_2$$
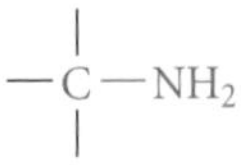 Amine (primaire)	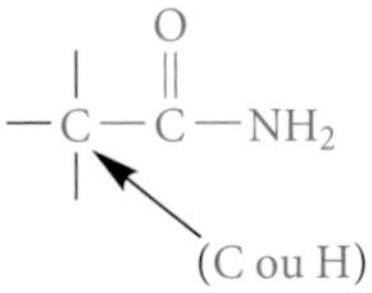 Amide (primaire)	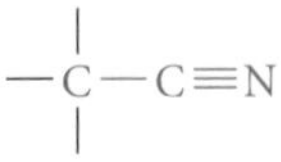 Nitrile	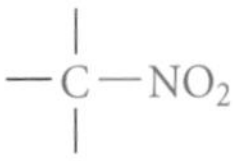 Nitro

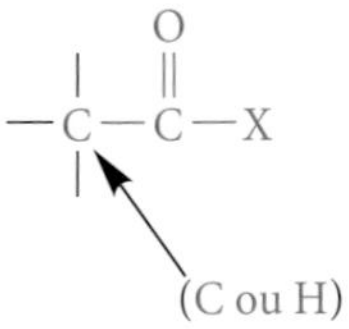

Nomenclature systématique selon les règles de l'UICPA (section 2.5)

Le nom d'un composé organique est divisé en trois blocs :

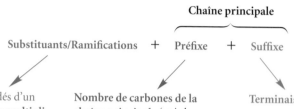

Chaîne principale

Substituants/Ramifications   +   Préfixe   +   Suffixe

Par **ordre alphabétique** et précédés d'un **indice de position** et d'un **préfixe multiplicatif**, s'il y a lieu (*voir le tableau 2.6, p. 61, et le tableau 2.7, p. 62*)

Les indices de position sont séparés par une virgule et les substituants sont séparés par un trait d'union (le dernier est directement attaché à la chaîne principale).

Exemple :
5,5,5-trifluoro-3-méthylpent-3-én-2-one

Nombre de carbones de la chaîne principale (*voir le tableau 2.4, p. 59*)

Terminaison

-**ane** (alcane ou présence de groupements fonctionnels sans priorité)

-**ène** (alcène)

-**yne** (alcyne)

-**én-…-yne** (alcène et alcyne)

-**ol** (alcool) (-én-…-ol ou -yn-…-ol)

-**al** (aldéhyde) (-énal ou -ynal)

-**one** (cétone) (-én-…-one ou -yn-…-one)

Les suffixes sont précédés d'un indice de position et d'un préfixe multiplicatif si la même fonction se trouve plusieurs fois dans le composé.

Généralités sur la nomenclature des différents groupements fonctionnels étudiés dans le manuel *Chimie organique 1*

	Fonctions[a] (ordre croissant de priorité)	**Préfixe** (si la fonction est traitée en tant que substituant)	**Suffixe** (la fonction prioritaire détermine le nom de la chaîne principale)
Aucune priorité	**Alcanes**[b] et **cycloalcanes** (sections 2.5.1 et 2.5.2)	alkyl-	-**ane** et -**cyclo … ane**
	Nitro	nitro-	Fonction sans suffixe
	Composés halogénés (section 2.5.3)	fluoro-, chloro-, bromo-, iodo-	Fonction sans suffixe
	Éthers-oxydes (section 2.5.7)	alkoxy- ou alkyloxy-	Fonction sans suffixe
Même priorité	**Alcènes** (section 2.5.4)	Fonction sans préfixe	-**ène** -**én** (par euphonie, si d'autres suffixes de fonctions sont inscrits à la suite de la fonction alcène)
	Alcynes (section 2.5.5)	Fonction sans préfixe	-**yne** -**yn** (par euphonie, si d'autres suffixes de fonctions sont inscrits à la suite de la fonction alcène)
	Alcools (section 2.5.8)	hydroxy-	-**ol**
	Cétones (section 2.5.10)	oxo-	-**one**
	Aldéhydes (section 2.5.9)	oxo- ou formyl-	-**al** ou -**carbaldéhyde**

a. Ayant une nomenclature particulière, les composés aromatiques (section 2.5.6) n'ont pas été décrits dans ce tableau récapitulatif.

b. Les alcanes ne sont pas des fonctions ; ils représentent plutôt le squelette de base des composés organiques.

Au sujet de la numérotation:

- La numérotation de la chaîne principale s'effectue en attribuant le plus petit indice de position possible à la fonction prioritaire (*voir le tableau 2.3, p. 56*).
- S'il y a égalité dans la numérotation des fonctions prioritaires aux alcènes et aux alcynes, la numérotation choisie sera celle attribuant les plus petits indices de position à ces derniers.
- S'il y a égalité dans la numérotation des alcènes et des alcynes:
  - l'alcène doit posséder le plus petit indice de position, car il est nommé en premier selon l'ordre alphabétique;
  - si le point précédent ne s'applique pas (même groupement fonctionnel), les substituants doivent posséder les plus petits indices de position possible.
- Si les substituants ont les mêmes indices de position, la priorité est donnée au substituant nommé en premier selon l'ordre alphabétique.
- Si l'ordre alphabétique des substituants est le même, la numérotation n'a pas d'importance, puisque la molécule est symétrique.
- Il n'y a aucun indice de position si la fonction prioritaire ne peut se trouver qu'à un seul endroit dans la molécule. Par exemple, les aldéhydes («-al»), une fonction terminale, ne possèdent jamais d'indice de position.

VÉRIFICATION DES CONNAISSANCES

Après l'étude de ce chapitre, je devrais être en mesure:
- ○ d'expliquer les caractéristiques (tétravalence, électronégativité moyenne et caténation) de l'atome de carbone;
- ○ de représenter les molécules à l'aide de diverses formules structurales, soit les formules moléculaires, développées (ou structures de Lewis), semi-développées et simplifiées (ou stylisées);
- ○ de déterminer la chaîne principale et les substituants d'une molécule;
- ○ de reconnaître les groupements fonctionnels dans les composés organiques: alcane (absence de fonction), alcène, alcyne, arène (composé aromatique), alcool,

phénol, éther, peroxyde, thiol, thioéther, composé halogéné (halogénure), amine, aldéhyde, cétone, acide carboxylique, anhydride, halogénure d'acide, ester, amide, nitro, nitrile;
- ○ d'appliquer les règles de la nomenclature systématique établies par l'Union internationale de chimie pure et appliquée (UICPA) pour nommer les alcanes et les composés comportant les groupements fonctionnels suivants: composé halogéné (halogénure), alcène, alcyne, arène (composé aromatique), éther, alcool, aldéhyde et cétone.

EXERCICES SUPPLÉMENTAIRES

Formules structurales

2.31 Écrivez les formules semi-développées suivantes en formules développées.

a) $CH_3\text{---}[CH_2]_2\text{---}CH_3$
b) $CH_3\text{---}CH_2\text{---}CH(CH_3)_2$
c) $CH_3\text{---}CO\text{---}CH_3$
d) $CH_3\text{---}CH_2\text{---}COOCH_3$
e) $CH_3\text{---}CH(OH)\text{---}CH_2\text{---}CH_3$
f) $BrCH_2\text{---}CH=CH\text{---}CH_2\text{---}CHO$

2.32 Représentez les formules simplifiées suivantes en formules semi-développées.

a)  b) c) 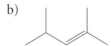 d)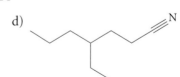

e)

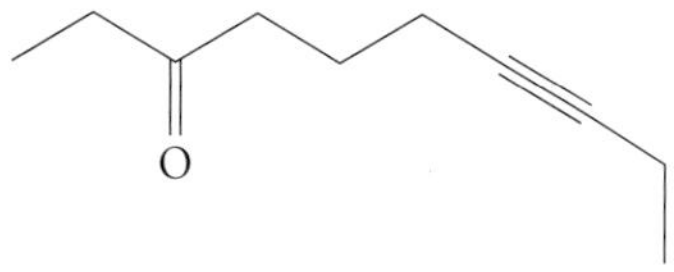

f)

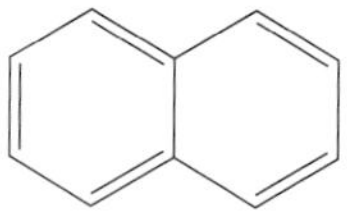

naphtalène
(molécule trouvée dans
les boules antimites)

2.33 Représentez les formules développées ou semi-développées suivantes en formules simplifiées.

a)

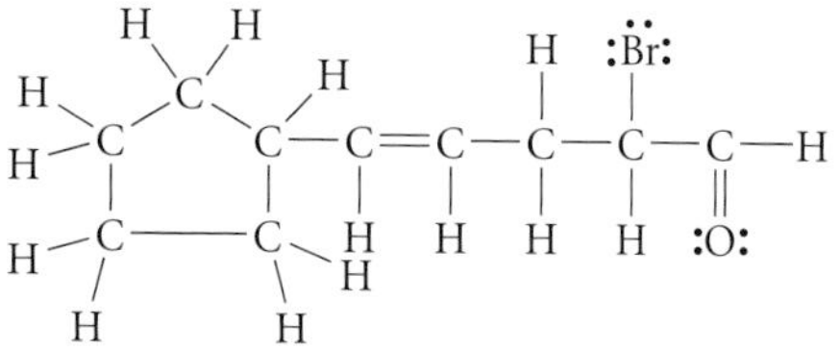

b)

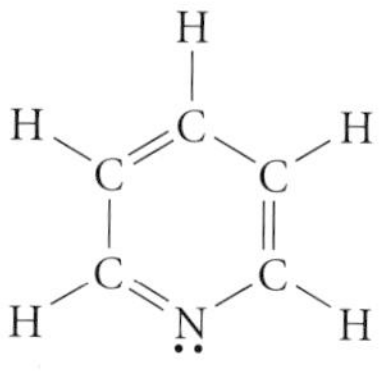

c)

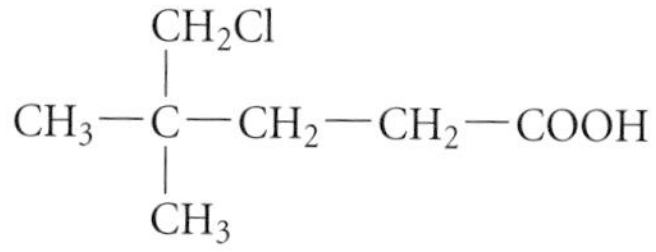

$$CH_3-\underset{\underset{CH_3}{|}}{\overset{\overset{CH_2Cl}{|}}{C}}-CH_2-CH_2-COOH$$

d)

$$CH_3-CO-CH_2-\underset{\underset{}{\overset{\overset{CH_3}{|}}{CH}}}-CN$$

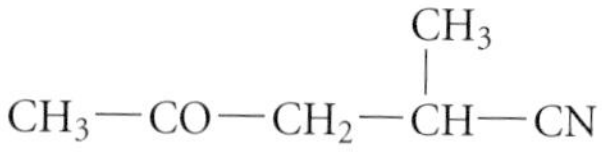

2.34 Quelle est la formule moléculaire des composés organiques suivants? Leurs formules simplifiées sont représentées dans les figures 2.10 et 2.11 (*voir p. 48*).
 a) phényléthanoate d'éthyle   b) civettone   c) lindane   d) cholestérol
 e) caféine   f) β-D-glucose   g) furfural

2.35 **Enrichissement** Pour les molécules suivantes, dessinez les formules développée, semi-développée et simplifiée. Donnez également la formule moléculaire. (**Indice:** Pour répondre à cette question, consultez la figure 2.3, à la page 40.)

a)

b)

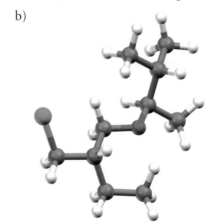

Classification des composés organiques

2.36 Écrivez une formule simplifiée contenant:
 a) un homocycle avec cinq atomes de carbone et une ramification Et;
 b) un hétérocycle avec cinq atomes de carbone et une ramification Ph;
 c) une chaîne linéaire de dix atomes de carbone avec une ramification Et et une ramification Me;
 d) une chaîne linéaire de cinq atomes de carbone avec un substituant contenant un halogène.

2.37 À partir de la structure suivante:

 a) déterminez les types de carbones ciblés par les flèches (primaire, secondaire, tertiaire, quaternaire);

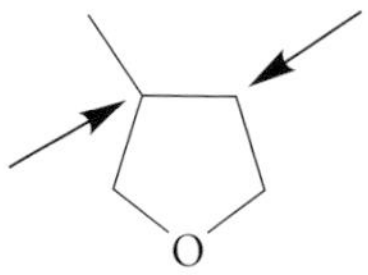

b) indiquez le type de composé (acyclique, homocyclique, hétérocyclique) auquel appartient cette molécule ;

c) indiquez sa formule moléculaire ;

d) écrivez, avec une formule semi-développée, un homocycle avec cinq atomes de carbone ayant la même formule moléculaire que celle trouvée en c). Déterminez les types de carbones.

2.38 Le méthylphénidate est un médicament appartenant à la famille des psychostimulants. Sa principale indication est le trouble de l'attention avec ou sans hyperactivité (TDA/H). Il est utilisé dans différents médicaments commerciaux, dont le Ritalin.

Encerclez et nommez les différents groupements fonctionnels du méthylphénidate et déterminez les types de carbones ciblés par les flèches (primaire, secondaire, tertiaire, quaternaire).

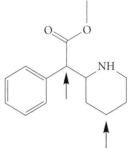

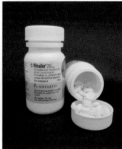

méthylphénidate

2.39 L'oséltamivir est un médicament antiviral utilisé pour le traitement et la prévention des grippes A et B. Il est distribué sous la marque Tamiflu.

Encerclez et nommez les différents groupements fonctionnels de l'oséltamivir et déterminez les types de carbones ciblés par les flèches (primaire, secondaire, tertiaire, quaternaire).

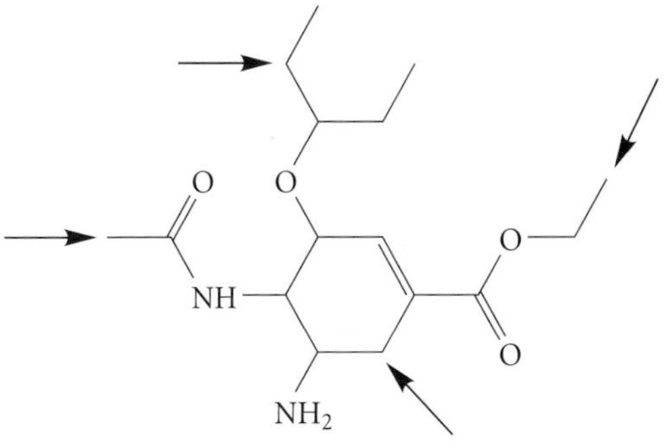

oséltamivir

2.40 Encerclez et nommez les groupements fonctionnels dans les composés organiques suivants.

a) géranial (*voir la figure 2.9, p. 47*)

b) méthionine (*voir la figure 2.9, p. 47*)

c) phényléthanoate d'éthyle (*voir la figure 2.10, p. 48*)

d) civettone (*voir la figure 2.10, p. 48*)

e)

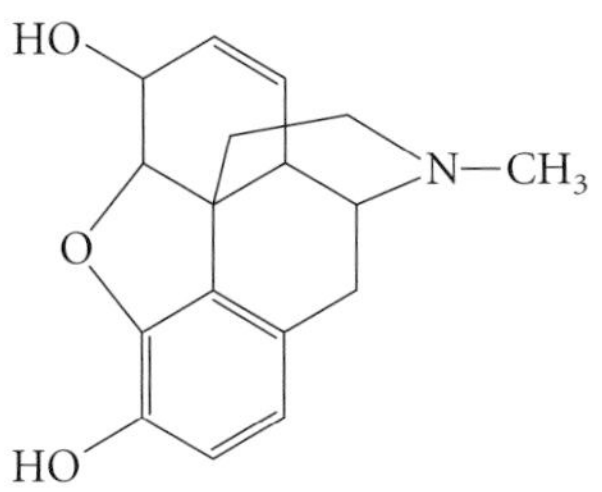

morphine

f)

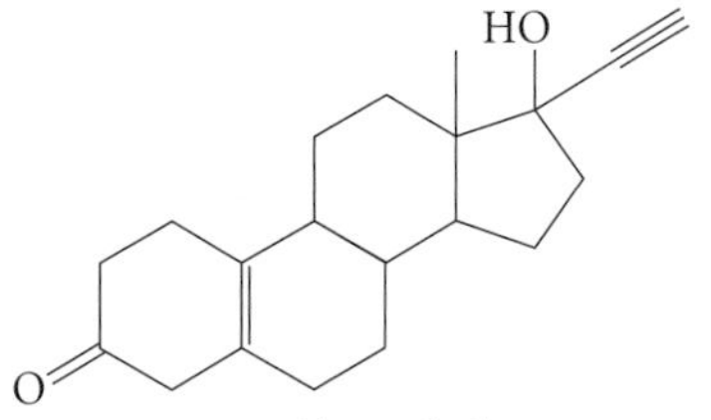

noréthynodrel
(analogue synthétique de la progestérone)

g)

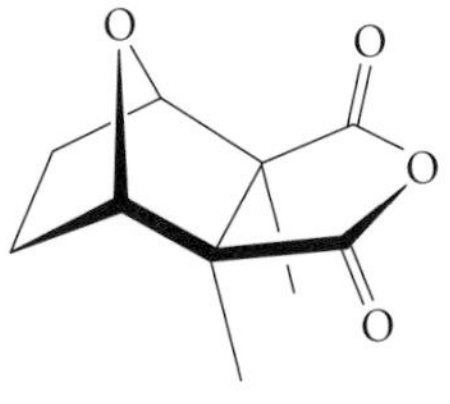

cantharidine

h)

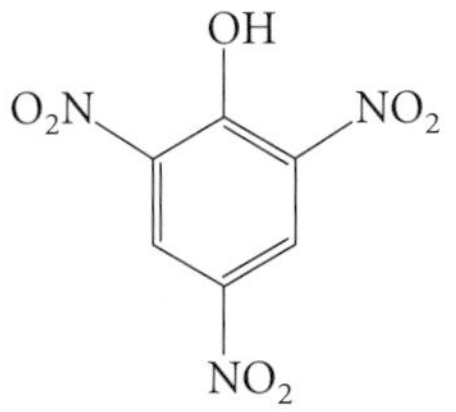

acide picrique

i)

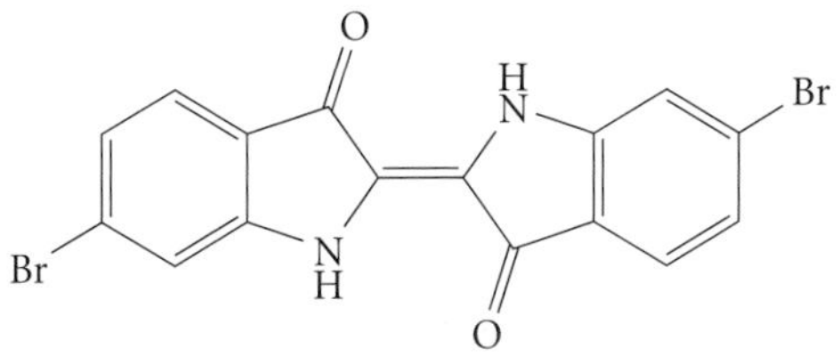

pourpre de Tyr

Le pourpre de Tyr est extrait de l'escargot *Murex brandaris*. Ce colorant, découvert par les Phéniciens, est devenu l'emblème de l'Antiquité et a été associé à la royauté à cause de sa rareté et de son coût.

Nomenclature des alcanes et des composés halogénés

2.41 Nommez les composés suivants selon les règles de l'UICPA.

a)

b)

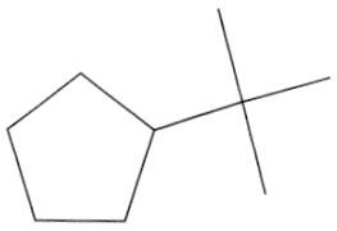

c)

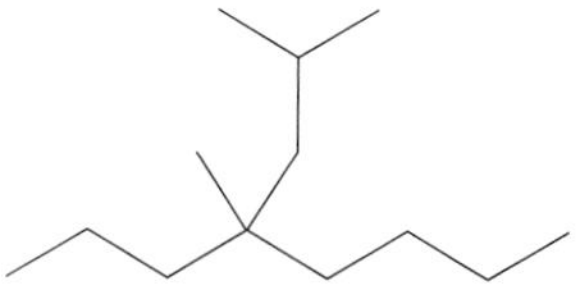

d)

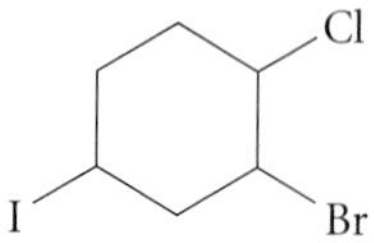

e)

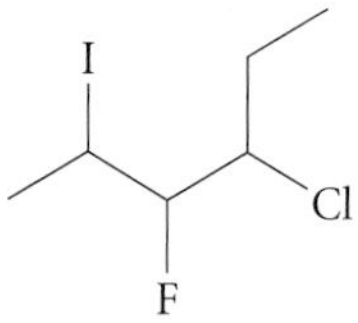

f)

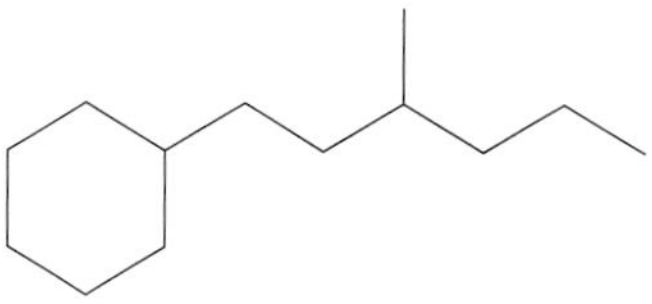

g)

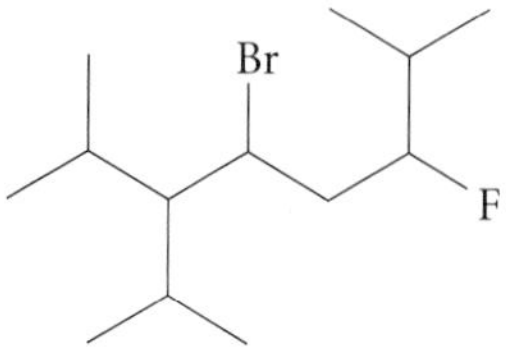

h)

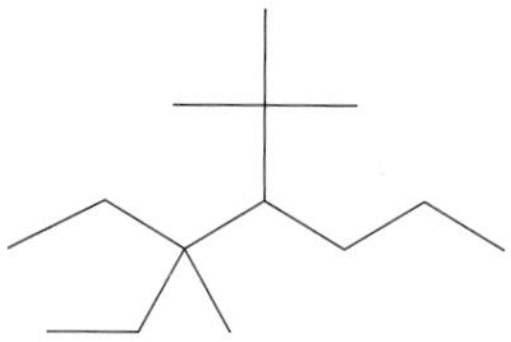

i)

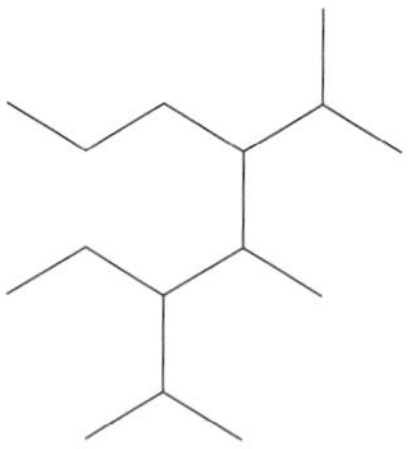

j) **Enrichissement**

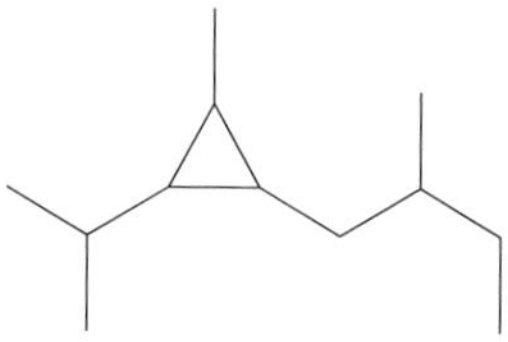

2.42 Dessinez la formule simplifiée des composés suivants.
a) isopropylcyclopentane
b) 4-éthyl-2,4-diméthylhexane
c) 5-bromo-2-chloro-6-méthyloctane
d) 7-bromo-5-éthyl-3-fluoro-2,6-diméthylnonane
e) 1-bromo-2-chloro-4-fluorodécane
f) 2,4-dicyclopropyl-4-isobutyl-5-méthylundécane
g) 3,3-di-*tert*-butyl-2,2,4,4-tétraméthylpentane

2.43 Dessinez la structure des composés suivants et expliquez pourquoi leur nom est incorrect. Donnez ensuite le véritable nom de ces molécules.
a) 2-chloro-4-éthylpentane
b) 3-isobutyl-5-isopropylheptane
c) 1-cyclopentylbutane
d) 1,2,2,3,4-pentaméthylcyclopentane
e) 4-*sec*-butyl-6-*tert*-butyl-3,5-diéthyl-7-isopropyl-2-méthylnonane

Nomenclature des alcènes et des alcynes

2.44 Nommez les composés suivants selon les règles de l'UICPA.

a) 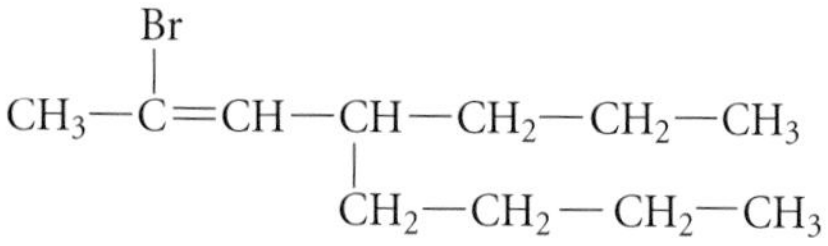
$$CH_3-\overset{\overset{\displaystyle Br}{|}}{C}=CH-\overset{\overset{}{|}}{CH}-CH_2-CH_2-CH_3$$
$$CH_2-CH_2-CH_2-CH_3$$

b)

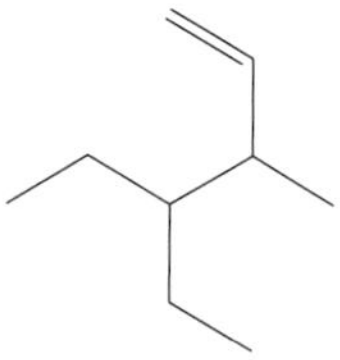

c)

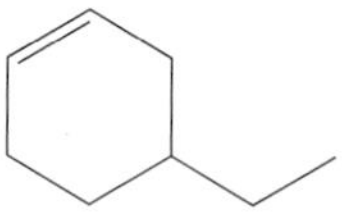

d) $CH_3-CH=C=CH-CH_3$

e)

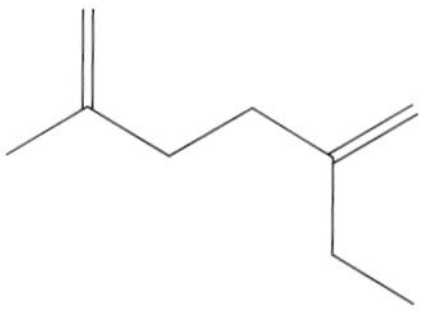

f)

g)

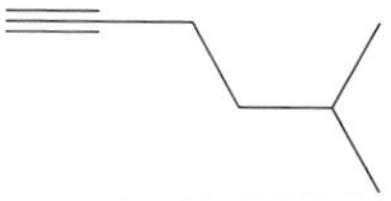

h)

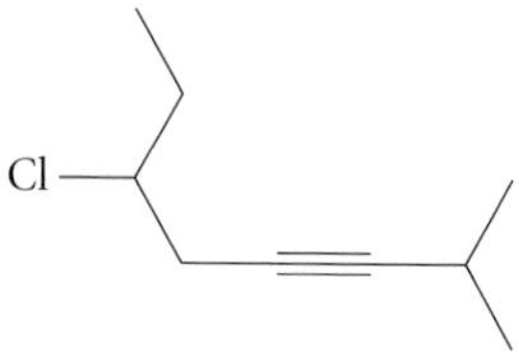

i)

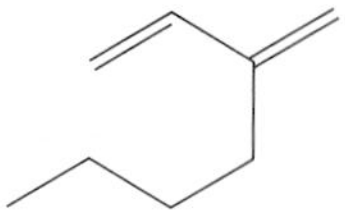

j) 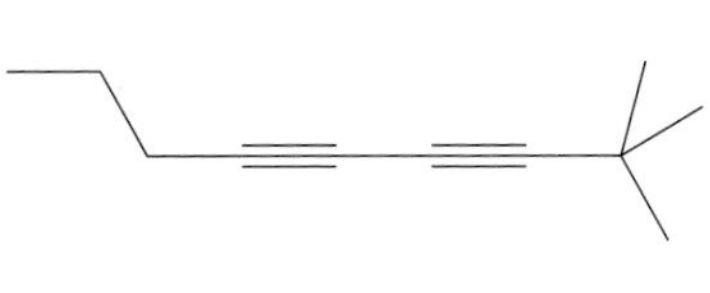   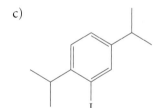   k) 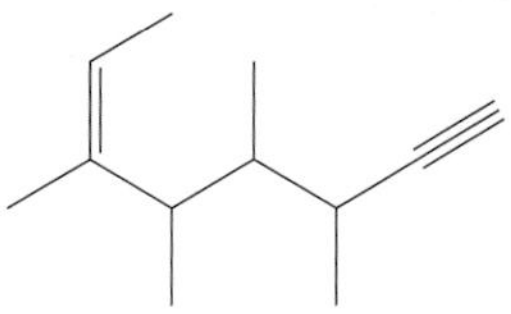   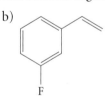   l)   **Enrichissement**

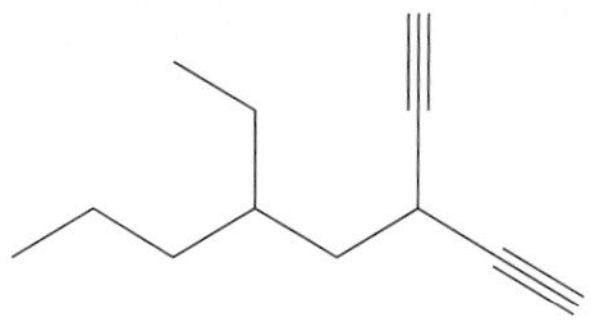

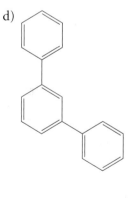

m)   **Enrichissement**

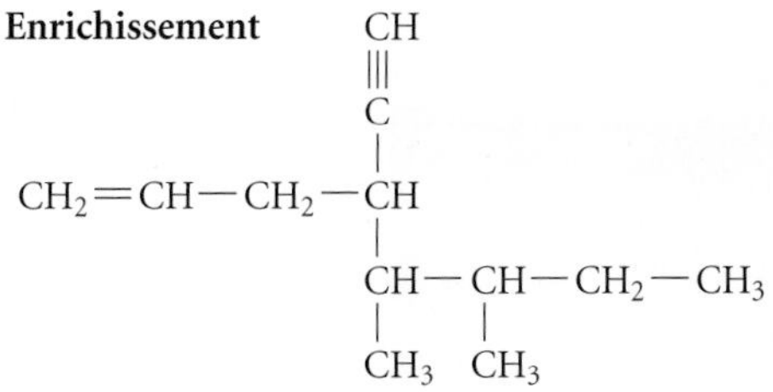

$$CH_2{=}CH{-}CH_2{-}\underset{\displaystyle \underset{CH_3 \quad CH_3}{|}}{\overset{\displaystyle \overset{CH}{\underset{|}{\overset{|||}{C}}}}{CH}}$$

$$\underset{CH_3 \quad CH_3}{CH{-}CH{-}CH_2{-}CH_3}$$

2.45 Dessinez la formule simplifiée des composés suivants.

a) 6-chloro-2,3-diméthylhex-2-ène
b) 3,6-diisopropylcyclohexa-1,4-diène
c) 3,3,4-triméthylnona-1,6-diyne
d) 3-*tert*-butyl-4-chlorohex-1-én-5-yne
e) 3-*sec*-butylhept-5-én-1-yne
f) 2,2,3,8,9,9-hexaméthyldéca-4,6-diyne
g) **Enrichissement** 4-(3-méthylcyclohexyl)cyclohexène

2.46 Dessinez la structure des composés suivants et expliquez pourquoi leur nom est incorrect. Donnez ensuite le véritable nom de ces molécules.

a) hept-4-ène
b) 2-éthylhepta-2,6-diène
c) 5-méthylhex-4-én-2-yne
d) 2-méthyl-6-éthylhept-3-ène
e) hexa-3,5-dién-1-yne

Nomenclature des composés benzéniques

2.47 Nommez les composés suivants selon les règles de l'UICPA.

a) 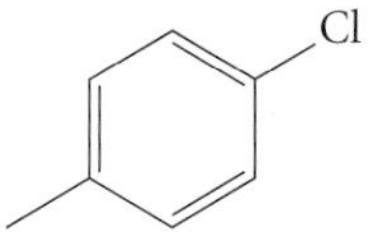   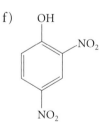   b)   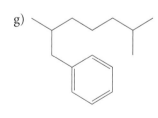   c)   d)

e) 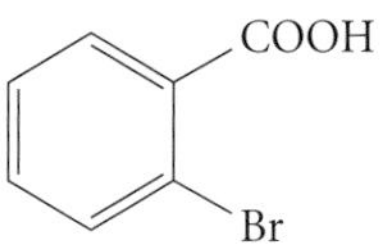   f)   g)

h) 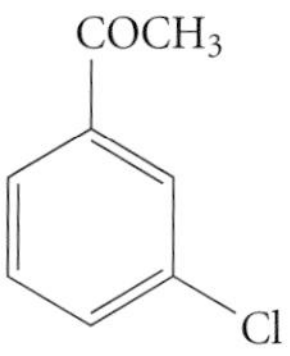   COCH₃   i)   CHO   j)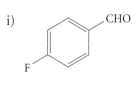

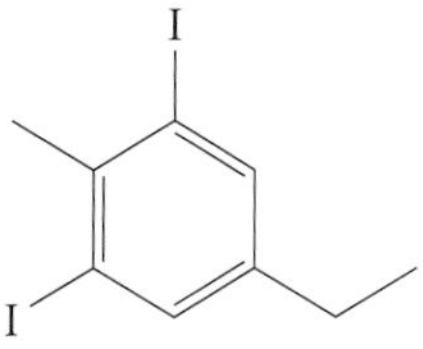

2.48 Dessinez la formule simplifiée des composés suivants.
a) 1,3-dipropylbenzène
b) *o*-chloroaniline
c) acide 4-méthylbenzènesulphonique
d) 2,4-dibromo-1-isobutylbenzène
e) acide *m*-aminobenzoïque
f) 3-nitrothiophénol

2.49 Le BHT est un additif alimentaire très utilisé par l'industrie agroalimentaire en raison de son pouvoir antioxydant qui lui confère la propriété d'être un excellent conservateur alimentaire.
a) L'abréviation BHT vient du nom traditionnellement, utilisé soit le 3,5-di-*tert*-butyl-4-hydroxytoluène. Écrivez la formule simplifiée du BHT.
b) Le nom 3,5-di-*tert*-butyl-4-hydroxytoluène ne respecte pas les règles de l'UICPA. Quel est le véritable nom du BHT?

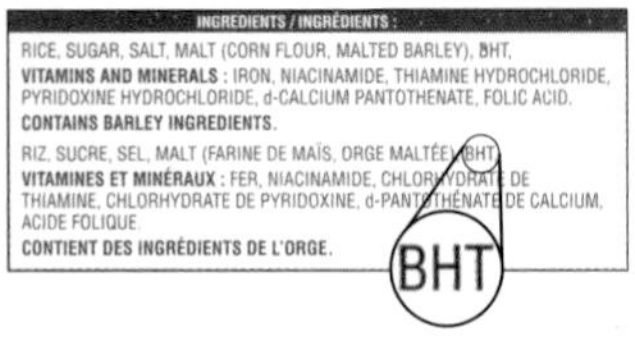

Nomenclature des éthers-oxydes

2.50 Nommez les composés suivants selon la nomenclature substitutive recommandée par l'UICPA.

a) $CH_3-CH-CH_2-CH-CH_3$
      | |
      $O-CH_3$ $O-CH_3$

b) 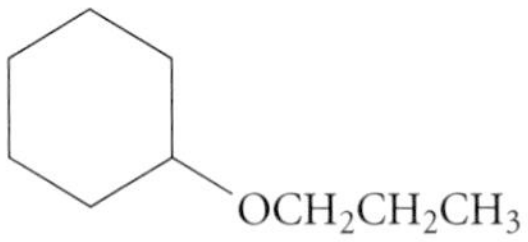 cyclohexane $OCH_2CH_2CH_3$

c) $Br-CH_2-CH_2-CH_2-O-CH_3$

d) $CH_3-O-CH_2-CH-CH_2-O-CH_3$
              |
              $O-CH_2-CH_3$

e) 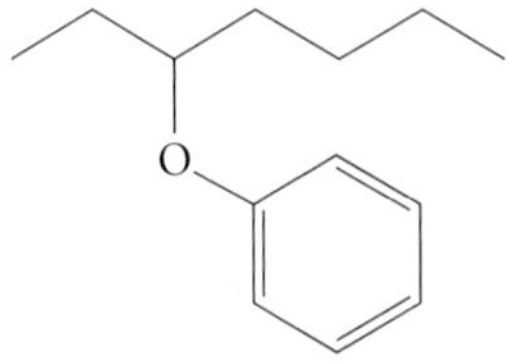 structure avec O–phényle

f) 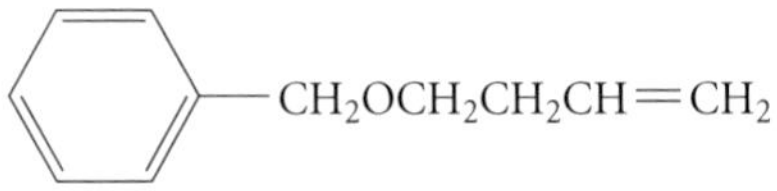 phényle $-CH_2OCH_2CH_2CH=CH_2$

2.51 Dessinez la formule simplifiée des composés suivants.
a) 1-méthoxy-2,2-diméthylpentane
b) 1,1,1-triéthoxyéthane
c) 4-méthoxybut-1-yne
d) oxyde de cyclobutyle et de phényle
e) 5-cyclopentyloxycyclopenta-1,3-diène

Nomenclature des alcools

2.52 Nommez les composés suivants selon les règles de l'UICPA.

a) $CH_3-CH-CH-CH_2-OH$
         | |
   CH_2-CH_3 Cl

b) $HO-CH_2-CH_2-CH_2-CH_2-OH$

c) 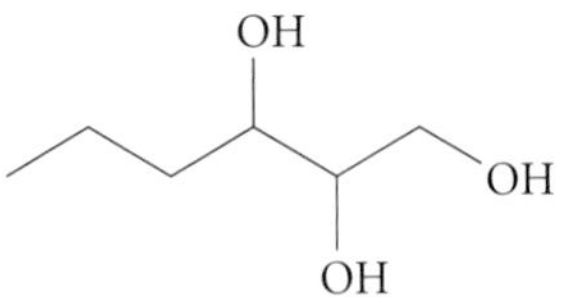 structure avec trois OH

d) 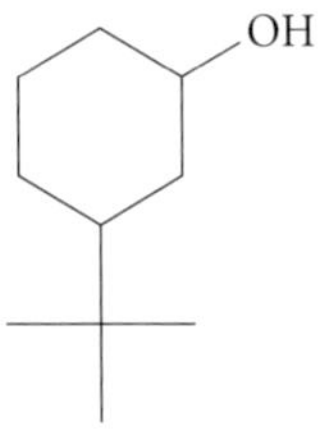 cyclohexane avec OH

e) 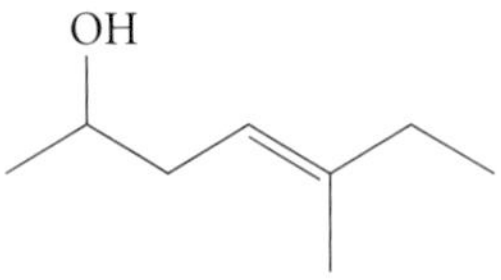 structure avec OH

f) $CH_3-CH_2-O-CH_2-CH_2-OH$

g) 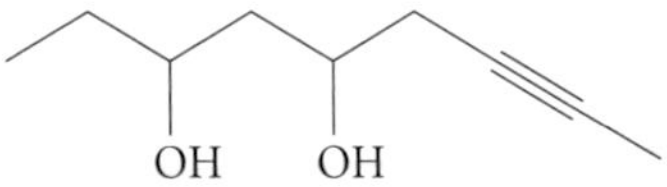 structure avec deux OH

h) 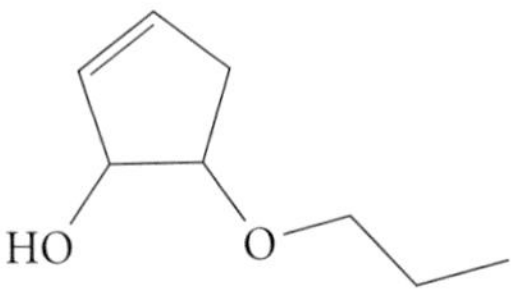 cyclopentène avec HO et O-propyle

2.53 Dessinez la formule simplifiée des composés suivants.

a) 4-iodohexan-2-ol

b) 3-propylcyclobutanol

c) cyclopentylméthanol

d) 5-éthoxy-2,3-diméthylpentan-1-ol

e) 2-cyclohexyl-3,5,5-triméthylhexan-1-ol

f) hexa-3,5-dién-1-ol

g) 3-phénylprop-2-én-1-ol

h) 3-éthyl-3-méthylhept-4-én-6-yn-2-ol

2.54 Dessinez la structure des composés suivants et expliquez pourquoi leur nom est incorrect. Donnez ensuite le véritable nom de ces molécules.

a) 1-chloro-2-méthylbutan-3-ol

b) 1-cyclohexylbut-1-én-3-ol

c) 5-isopropylhex-3-én-1-ol

d) 3-cyano-6-méthylphénol

e) 3-isobutyl-4-hydroxyanisole

f) 4-hydroxy-2-méthyltoluène

Nomenclature des aldéhydes et des cétones

2.55 Le citronellal est un composé organique contenu dans les huiles de citronnelle, d'eucalyptus et de citron de Java. Il est reconnu comme un excellent chasse-moustique en raison de ses propriétés insectifuges.

Quel est son nom systématique selon les règles de l'UICPA?

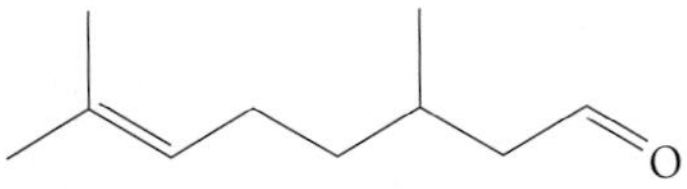

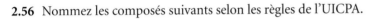

citronellal

2.56 Nommez les composés suivants selon les règles de l'UICPA.

a) 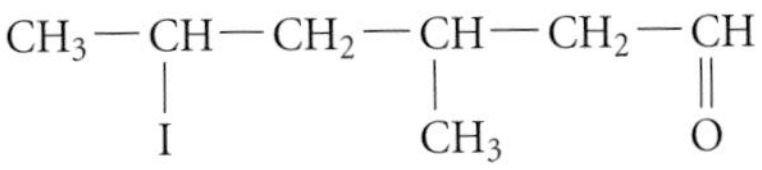 $CH_3-CH-CH_2-CH-CH_2-CH$
    $\quad\quad |\quad\quad\quad\quad |\quad\quad\quad\ \ \|$
    $\quad\quad I\quad\quad\quad\quad CH_3\quad\ O$

b) 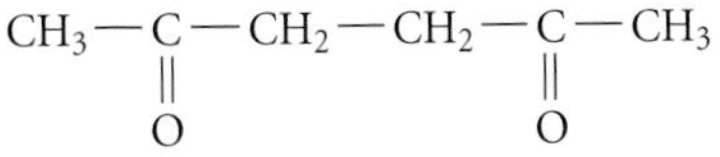 $CH_3-C-CH_2-CH_2-C-CH_3$
    $\quad\quad\quad \|\quad\quad\quad\quad\quad\quad \|$
    $\quad\quad\quad O\quad\quad\quad\quad\quad\ O$

c)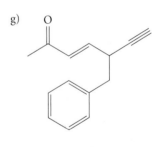

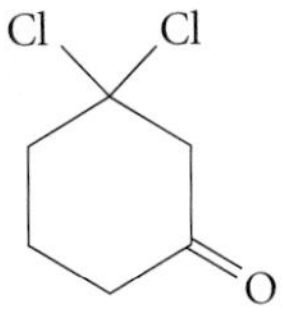

d)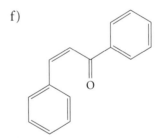

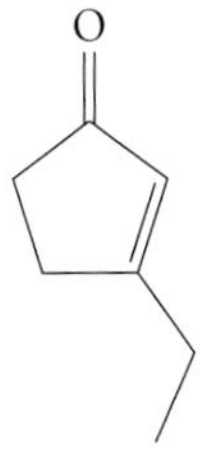

e)

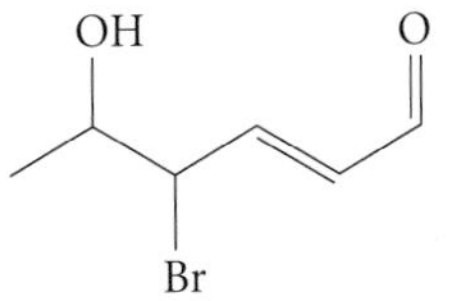

f)

g)

h)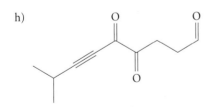

i)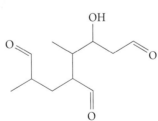

2.57 Dessinez la formule simplifiée des composés suivants.

a) 3-phénylpropanal

b) 4-méthoxybenzaldéhyde

c) 3-bromo-4-isopropylcyclopentanone

d) 2,6,11-trichlorododécane-3,5,8,10-tétrone

e) 3,5-diméthylcyclohexa-2,5-diénone

f) 2-hydroxy-1,2-diphényléthanone

g) 4,5,6-trioxodéca-2,7-dién-9-ynal

3 Isomérie

Éléments de compétence

- Représenter la structure tridimensionnelle de composés organiques à partir de leur formule développée plane.

- Distinguer les différents types d'isoméries : de structure, géométrique et optique.

cheneliere.ca/chimieorganique (www)

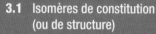

› Mots clés

L'acide 3-méthylbutanoïque est un marqueur chimique contenu dans l'urine des chats. Pour sa part, l'éthanoate de propyle est une molécule associée à l'odeur et à la saveur des pommes. Ces deux molécules sont des isomères de constitution possédant la même formule moléculaire, mais un arrangement différent entre les atomes.

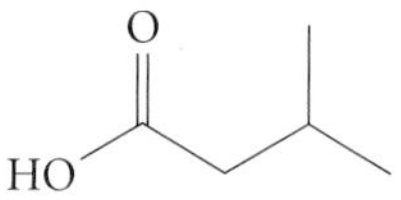

acide 3-méthylbutanoïque

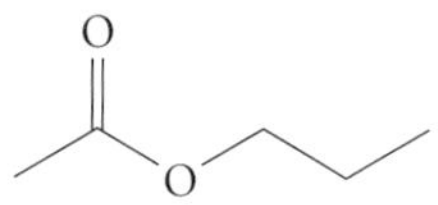

éthanoate de propyle

L a formule moléculaire, contrairement aux formules développée ou semi-développée, ne donne aucune information sur la disposition des atomes dans une molécule. En effet, elle permet uniquement de déterminer la nature et le nombre exact d'atomes que contient un composé.

À partir d'une même formule moléculaire, plusieurs structures peuvent être construites, ayant le même nombre et le même type d'atomes, mais possédant des arrangements distincts. Ces différentes structures portent le nom d'**isomères** (du grec *isos* signifiant « égal », et de *meros* signifiant « partie »). Le tableau 3.1 démontre que le nombre d'isomères possibles associés à une formule moléculaire croît exponentiellement en fonction du nombre de carbones.

Tableau 3.1	Nombre d'isomères possibles à partir de formules moléculaires d'alcanes
Formule moléculaire d'alcanes	**Nombre d'isomères possibles**
CH_4	1
C_5H_{12}	3
$C_{10}H_{22}$	75
$C_{15}H_{32}$	4347
$C_{20}H_{42}$	366 319
$C_{25}H_{52}$	36 797 588
$C_{40}H_{82}$	62 491 178 805 831

Si deux structures chimiques ne possèdent pas la même formule moléculaire, ce sont deux molécules différentes, même si elles sont semblables d'un point de vue structural. Aucune isomérie n'est possible.

Dans le cadre de ce chapitre, l'isomérie sera détaillée en deux grandes catégories, soit les **isomères de constitution** (aussi appelés **isomères de structure**) et les **stéréoisomères**.

3.1 Isomères de constitution (ou de structure)

Des molécules qui possèdent la même formule moléculaire, mais un arrangement différent des atomes, c'est-à-dire, plus concrètement, des formules développées distinctes, sont des **isomères de constitution** (ou **de structure**).

Les isomères de constitution se subdivisent en deux catégories, soit les isomères de position et les isomères de fonction. Deux ou plusieurs structures sont des **isomères de position** lorsque leurs groupements fonctionnels sont les mêmes, bien que leur formule développée soit différente. Par opposition, deux ou plusieurs composés sont des **isomères de fonction** lorsqu'ils possèdent des groupements fonctionnels différents (*voir la figure 3.1*).

Figure 3.1 Différents isomères de constitution et leurs caractéristiques

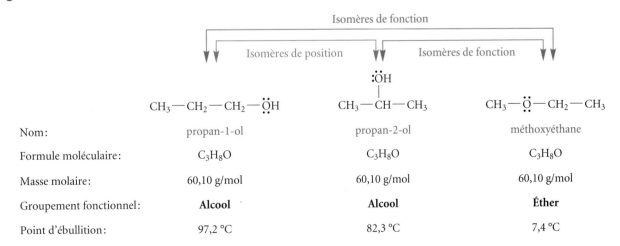

	propan-1-ol	propan-2-ol	méthoxyéthane
Nom :	propan-1-ol	propan-2-ol	méthoxyéthane
Formule moléculaire :	C_3H_8O	C_3H_8O	C_3H_8O
Masse molaire :	60,10 g/mol	60,10 g/mol	60,10 g/mol
Groupement fonctionnel :	**Alcool**	**Alcool**	**Éther**
Point d'ébullition :	97,2 °C	82,3 °C	7,4 °C

Comme illustré dans la figure 3.1 (*voir page précédente*), il existe trois isomères possibles pour les molécules ayant une formule moléculaire C_3H_8O : le propan-1-ol, le propan-2-ol et le méthoxyéthane. Leurs propriétés physiques différentes, notamment le point d'ébullition, confirment qu'il s'agit de molécules distinctes, même si la masse molaire est identique. Puisque les deux premières molécules (propan-1-ol et propan-2-ol) ont le même groupement fonctionnel alcool, mais que celui-ci est positionné à un endroit différent dans la molécule, il s'agit d'isomères de position. Par contre, des isomères de fonction sont observés en comparant les deux premières molécules d'alcool et le méthoxyéthane, car les groupements fonctionnels qu'elles renferment sont différents. Les isomères de fonction auront toujours des propriétés chimiques différentes.

Exercice 3.1 Dessinez la formule développée pour les deux isomères possibles de C_2H_6O.

Exercice 3.2 Dessinez la formule simplifiée pour les trois isomères possibles de C_5H_{12}.

Exercice 3.3 Pour chacune des paires suivantes, quelle relation existe-t-il entre les molécules ? (Choix possibles : isomères de position, isomères de fonction, molécules identiques, aucune relation.)

a) $CH_3{-}CH_2{-}\underset{\underset{OH}{|}}{CH}{-}CH_3$ et $CH_3{-}CH_2{-}O{-}CH_2{-}CH_3$

b) $CH_3{-}CH_2{-}\underset{\underset{O}{\|}}{C}{-}CH_3$ et $CH_3{-}CH_2{-}\underset{\underset{OH}{|}}{CH}{-}CH_3$

c) $CH_3{-}\underset{\underset{O}{\|}}{C}{-}CH_2{-}CH_3$ et $\underset{\underset{O}{\|}}{CH}{-}CH_2{-}CH_2{-}CH_3$

d)   et

3.2 Détermination du degré d'insaturation (ou du nombre d'insaturations)

Les formules moléculaires servent à déterminer la masse molaire d'un composé en plus d'être utiles comme point de départ dans la détermination de la relation entre deux molécules (molécules identiques, isomères de constitution, etc.). Lorsque la formule moléculaire d'une structure est connue, dessiner les différents isomères de constitution possibles se réalise par tâtonnement. Toutefois, chercher, sans point de repère, les différents isomères de constitution correspondant à une formule moléculaire donnée peut s'avérer laborieux. Afin de faciliter et d'accélérer la détermination des divers isomères de constitution, il peut être fort utile d'établir le **degré d'insaturation** (ou **nombre d'insaturations**) associé à une formule moléculaire. Celui-ci correspond à la sommation du nombre de liaisons π et de cycles présents dans la structure. Dans l'exemple 3.4 (*voir p. 104*), il est démontré que la formule moléculaire C_3H_6O renferme une seule insaturation ou un cycle. Cela signifie que les neuf isomères de constitution possibles doivent contenir soit une liaison double, soit un cycle. Cette information permet de gagner beaucoup de temps !

Le calcul du degré d'insaturation se fait en comparant la formule moléculaire de la structure à l'étude par rapport à celle d'un composé avec le même nombre de carbones, mais ne présentant aucune insaturation ou aucun cycle. La première étape de ce calcul consiste donc à trouver le nombre maximal d'hydrogènes associés à un nombre fixe de carbones que contient un composé organique dépourvu d'insaturations et de cycles. Pour ce faire, il faut se référer à la formule moléculaire générale C_nH_{2n+2} des alcanes acycliques (*voir la figure 3.2*). Ainsi, un alcane acyclique comportant 22 atomes de carbone aura obligatoirement 46 atomes d'hydrogène, soit (2 × 22) + 2.

Figure 3.2
Différents alcanes et leur formule moléculaire de type C_nH_{2n+2}

CH_4 soit C_nH_{2n+2} où $n = 1$ — C_3H_8 soit C_nH_{2n+2} où $n = 3$ — C_6H_{14} soit C_nH_{2n+2} où $n = 6$

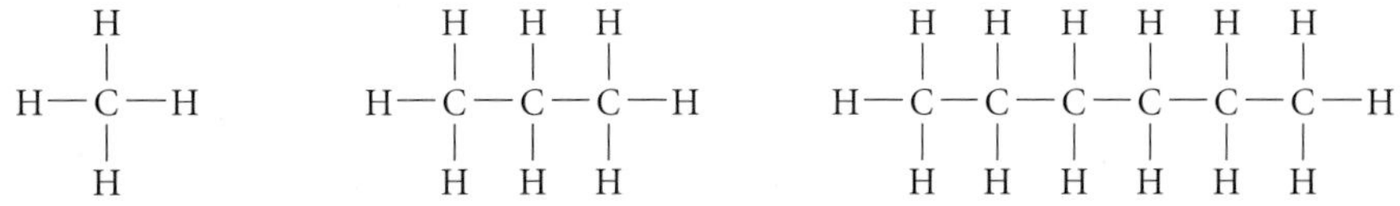

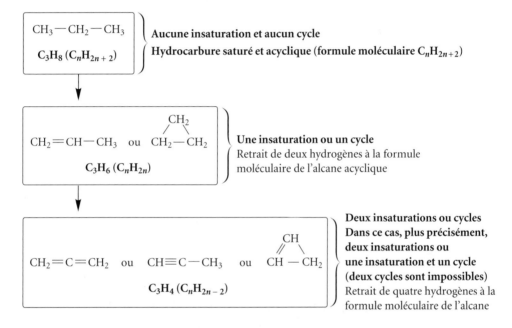

Toutefois, l'introduction de liaisons π et de cycles change ce rapport, comme cela est illustré dans la figure 3.3.

Figure 3.3 Modification de la formule moléculaire d'un hydrocarbure saturé et acyclique par l'ajout de liaisons π et de cycles

Les quelques règles suivantes doivent donc être appliquées pour parvenir à déterminer le degré d'insaturation d'une molécule.

Règle 1

Compter le nombre de carbones contenus dans la molécule à l'étude et déterminer le nombre d'hydrogènes éventuellement présents s'il n'y avait aucune insaturation ni aucun cycle, selon la formule moléculaire générale d'un hydrocarbure saturé et acyclique : C_nH_{2n+2}.

Règle 2

Soustraire le nombre d'hydrogènes figurant dans la formule moléculaire étudiée de celui calculé à la règle 1 et, finalement, diviser ce nombre par deux (puisque chaque insaturation [liaison π] ou cycle provoque la perte de deux hydrogènes sur la structure de l'hydrocarbure saturé et acyclique correspondant).

Exemple 3.1

Déterminez le degré d'insaturation des molécules suivantes.

a) C_6H_{12}

b)

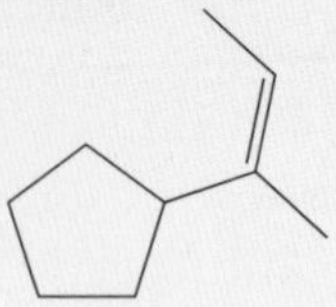

Solution

a) C_6H_{12}

Règle 1 : $C_nH_{2n+2} = C_6H_{2 \times 6+2} = C_6H_{14}$

Règle 2 : $\dfrac{14\,H - 12\,H}{2\,H} = 1$ insaturation ou cycle

b)

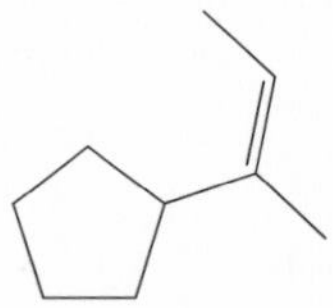

C_9H_{16}

Il convient de noter que la structure dessinée contient un cycle et une liaison double, soit deux insaturations.

Confirmation par calcul :

Règle 1 : $C_nH_{2n+2} = C_9H_{2 \times 9+2} = C_9H_{20}$

Règle 2 : $\dfrac{20\,H - 16\,H}{2\,H} = 2$ insaturations ou cycles

Exemple 3.2

Que faut-il prédire quant aux structures possibles pour :

a) C_4H_{10} ?   b) C_4H_8 ?   c) C_4H_6 ?

Solution

a) Le degré d'insaturation de la molécule = 0.
   Il n'y a donc aucune liaison π ni cycle ; la molécule est un alcane acyclique.

   Voici un exemple :

b) Le degré d'insaturation de la molécule = 1.
   Il y a soit une liaison π, soit un cycle. La molécule est donc un alcène ou un cycloalcane. Voici quelques isomères possibles :

c) Le degré d'insaturation de la molécule = 2.
   Il y a soit deux liaisons π, une liaison π et un cycle, ou deux cycles.
   La molécule est donc soit un alcyne, soit un diène, soit un alcène cyclique ou un alcane bicyclique. Voici quelques isomères possibles :

$CH_2{=}C{=}CH{-}CH_3$

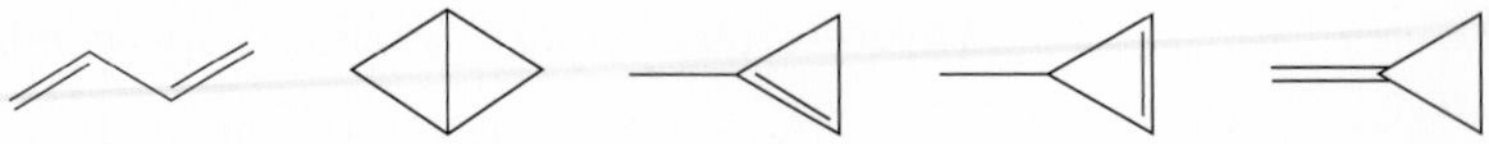

Règle 3

Si la molécule contient des hétéroatomes (atomes autres que le carbone et l'hydrogène), le nombre réel d'hydrogènes de la formule moléculaire étudiée doit être modifié avant d'appliquer la règle 2. La formule moléculaire donnée doit être transformée en une formule moléculaire de type C_xH_y.

- La présence d'hétéroatomes monovalents (famille 17, soit F, Cl, Br et I) nécessite l'ajout d'un hydrogène, pour chaque hétéroatome, au nombre réel d'hydrogènes.
- La présence d'hétéroatomes divalents (famille 16, soit O, S, Se, etc.) n'influe pas sur le degré d'insaturation.
- La présence d'hétéroatomes trivalents (famille 15, soit N, P, As, etc.) demande le retrait d'un hydrogène, pour chaque hétéroatome, du nombre réel d'hydrogènes.

Exemple 3.3

La nicotine est un composé présent dans les feuilles de tabac et elle est impliquée dans la dépendance au tabagisme. Sa formule moléculaire est le $C_{10}H_{14}N_2$. Déterminez le degré d'insaturation de la nicotine.

Solution

$C_{10}H_{14}N_2$

Règle 1 : $C_nH_{2n+2} = C_{10}H_{2 \times 10 + 2} = C_{10}H_{22}$

Règle 2 et Règle 3 : $\dfrac{[22\,H - (14-2)\,H]}{2\,H} = 5$ insaturations ou cycles

Voici la structure de la nicotine ; il est possible d'y voir trois liaisons π et deux cycles pour un total de cinq insaturations ou cycles :

Méthode proposée pour déterminer les isomères de constitution associés à une formule moléculaire donnée

1. Déterminer le degré d'insaturation (ou nombre d'insaturations).
2. À partir du degré d'insaturation trouvé en 1, déterminer le nombre de liaisons π ou de cycles présents dans les structures moléculaires (*voir l'exemple 3.3*).
3. Déterminer toutes les possibilités de groupements fonctionnels à partir des éléments trouvés en 1 et 2 (*voir l'exemple 3.4, page suivante*).
4. Dessiner une chaîne principale (acyclique et cyclique) aussi longue que le permet le nombre de carbones de la formule moléculaire. Positionner la ou les fonctions trouvées en 3 à tous les endroits possibles.
5. Si le nombre de carbones le permet, refaire le même exercice qu'en 4, mais retrancher un carbone de la chaîne principale. Une ramification méthyle sera donc à positionner sur la chaîne principale.
6. Selon le nombre de carbones dans la formule moléculaire, si cela est possible, retrancher deux, trois, quatre carbones, etc., à la chaîne principale. Ce seront des ramifications à repositionner sur les chaînes principales plus courtes. Par exemple, deux carbones retranchés peuvent donner deux ramifications méthyles ou une ramification éthyle.
7. Vérifier que chaque isomère trouvé représente une structure distincte. Pour ce faire, il s'agit de nommer chacun des isomères selon les règles de l'Union internationale de chimie pure et appliquée (UICPA) et d'éliminer, si tel est le cas, les structures qui se répètent, soit celles possédant le même nom.

> **REMARQUE**
>
> Certains groupements fonctionnels, notamment les aldéhydes et les acides carboxyliques, sont des fonctions terminales et ne peuvent être placés qu'en bout de chaîne.

Exemple 3.4

Quels sont tous les isomères possibles d'une molécule ayant la formule moléculaire C_3H_6O?

Solution

La solution de cet exemple sera développée avec la méthode décrite dans l'encadré à la page précédente, d'où les points suivants :

- Calcul du degré d'insaturation :

  Règle 1 : $C_nH_{2n+2} = C_3H_{2\times3+2} = C_3H_8$

  Règle 2 et Règle 3 : $\frac{[8\ H - (6 + 0)\ H]}{2\ H} = 1$ insaturation ou cycle
- Les isomères peuvent donc contenir une liaison double ou un cycle.
- Détermination des groupements fonctionnels possibles :
  - alcène et alcool acyclique ;
  - alcène et éther acyclique ;
  - aldéhyde acyclique ;
  - cétone acyclique ;
  - alcool cyclique ;
  - éther cyclique.
- Détermination des isomères de constitution :

Composés acycliques

Alcène et alcool

Alcène et éther

Cétone

Aldéhyde

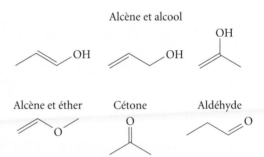

Composés cycliques

Alcool

Éther

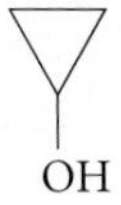

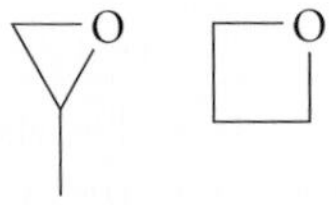

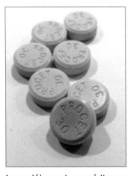

La codéine est un médicament de la famille des opioïdes, dont fait partie la morphine, reconnu pour ses propriétés analgésiques et antitussives. Elle entre notamment dans la composition du Procet 30, un médicament contenant un mélange d'acétaminophène et de codéine utilisé comme antidouleur.

Exercice 3.4 Déterminez le degré d'insaturation des molécules suivantes.

a) C_6H_6 b) $C_{17}H_{15}Br$ c) C_4H_4S
d) $C_8H_{14}ClN$ e) $C_6H_9BrO_2$ f) $C_{18}H_{21}NO_3$ (codéine)

Exercice 3.5 Dessinez la formule semi-développée de tous les isomères ayant la formule moléculaire suivante.

a) C_3H_9N b) C_5H_{10} c) C_2H_5N
d) C_4H_8O (Trouvez-en au moins 12.)

Exercice 3.6 Dessinez la formule semi-développée des isomères ayant la formule moléculaire C_4H_4O. Trouvez-en six acycliques qui comportent une liaison C=O.

3.3 Représentation tridimensionnelle des hydrocarbures saturés

Plusieurs formules (développées, semi-développées et simplifiées) permettent de représenter rapidement et schématiquement l'arrangement entre les atomes. Cependant, il faut être en mesure de dessiner les molécules sous leur forme réelle dans la nature, en trois dimensions. Pour indiquer les liaisons dans le plan, vers l'avant et vers l'arrière, un symbolisme particulier, décrit dans la section 1.8 (*voir p. 19*), est employé dans les représentations des molécules selon la géométrie moléculaire (ou modèle de Gillespie).

REMARQUE

⟍ symbolise une liaison dans le plan de la feuille.

◥ symbolise une liaison vers l'avant (qui sort du plan).

⟋ symbolise une liaison vers l'arrière (qui entre dans le plan).

3.3.1 Conformations

Lorsque des rotations libres autour des liaisons simples (liaisons σ) sont possibles, plusieurs représentations tridimensionnelles pour une même molécule existent. En fait, par ces rotations autour des axes des liaisons σ, les atomes d'une molécule peuvent alors occuper, dans l'espace, différentes positions. Ces représentations tridimensionnelles de la même molécule, superposables à la suite d'une rotation libre autour d'une liaison simple, portent le nom de **conformations**. Ce terme a été introduit par **Walter Norman Haworth** (1883-1950), dans les années 1930, lorsqu'il procédait à l'étude des sucres. Ainsi, une molécule simple, telle que le 1-chloropropane, peut comprendre une infinité de conformations découlant des différentes rotations permises autour des liaisons C—C (*voir la figure 3.4*). Contrairement aux isomères de constitution, les conformations possèdent des formules développées identiques.

Figure 3.4
Illustration de deux conformations du 1-chloropropane

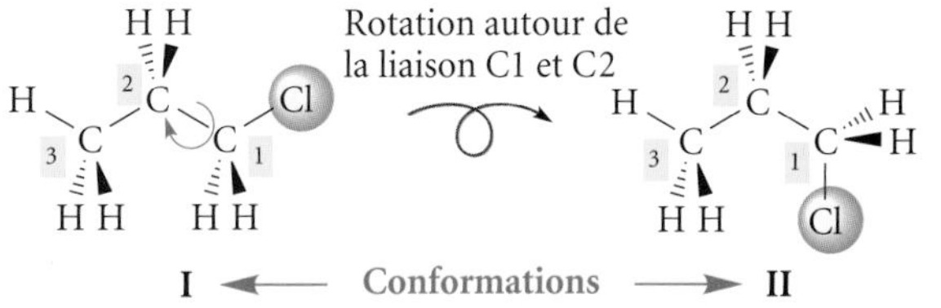

Formule moléculaire identique :	C_3H_7Cl	C_3H_7Cl
Formule semi-développée ou développée identique (molécules identiques) :	$CH_3 — CH_2 — CH_2Cl$	$CH_3 — CH_2 — CH_2Cl$

L'étude des différentes conformations porte le nom d'**analyse conformationnelle**. Elle s'avère particulièrement importante, puisqu'elle permet d'établir une stabilité relative entre chacune des conformations et, par le fait même, de cibler les conformations prédominantes.

Afin d'illustrer les différentes conformations possibles d'une même molécule, plusieurs représentations peuvent être utilisées, telles que les **formules en perspective**, les **formules en perspective cavalière** (ou **forme chevalet**) et les **projections de Newman**.

3.3.2 Formules en perspective, en perspective cavalière et projections de Newman

En effectuant une rotation libre autour de la liaison C—C de l'éthane, il est possible de créer une infinité de conformations. Cependant, il existe deux conformations limites appelées **conformations décalée et éclipsée**, montrées dans la figure 3.5 (*voir page suivante*). Elles peuvent être représentées de trois manières distinctes : par la formule en perspective, par la formule en perspective cavalière et par la projection de Newman.

Figure 3.5
Conformations décalée
et éclipsée de l'éthane

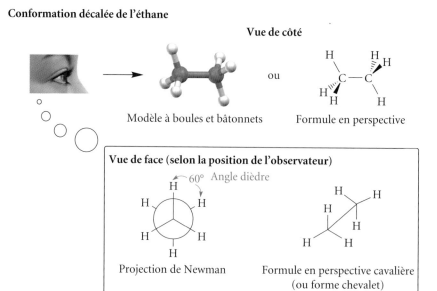

Conformation décalée de l'éthane

Vue de côté

Modèle à boules et bâtonnets   ou   Formule en perspective

Vue de face (selon la position de l'observateur)

60° Angle dièdre

Projection de Newman   Formule en perspective cavalière
(ou forme chevalet)

Dans la projection de
Newman d'une confor-
mation éclipsée, l'angle
dièdre est de 0°. Les liaisons
du carbone postérieur sont
donc directement derrière
celles du carbone antérieur.
Pour être en mesure de voir
les atomes ou les groupes
d'atomes à leurs extrémités,
les liaisons entre les carbones
voisins sont très légèrement
décalées (dans le sens horaire
ou antihoraire).

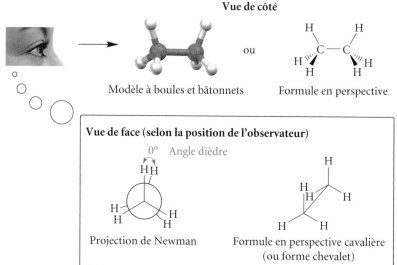

Conformation éclipsée de l'éthane

Vue de côté

Modèle à boules et bâtonnets   ou   Formule en perspective

Vue de face (selon la position de l'observateur)

0° Angle dièdre

Projection de Newman   Formule en perspective cavalière
(ou forme chevalet)

La **formule en perspective cavalière** (ou **forme chevalet**) illustrée dans la figure 3.5 représente la formule en perspective qui a subi une rotation de 45° (plus précisément, le carbone de gauche subit une rotation vers la droite de 45°). La liaison entre les deux carbones est illustrée par une diagonale. Le carbone du bas est celui vu en premier, le plus près de l'observateur, alors que le carbone du haut est celui le plus loin de l'observateur.

La **projection de Newman**, quant à elle, est une représentation de la molécule vue de face, dans l'axe de la liaison C—C choisie. Il s'agit de la formule en perspective qui a subi une rotation de 90°. Ce mode d'écriture est fréquemment utilisé pour représenter des carbones hybridés sp^3. Toutefois, la projection de Newman se limite à la visualisation de deux atomes de carbone consécutifs. Dans cette projection, le carbone antérieur (carbone à l'avant) est représenté par l'intersection des trois liaisons (sous la forme d'un point), tandis que le carbone postérieur (carbone à l'arrière) est symbolisé par un cercle duquel les trois liaisons émergent sous la forme de petits segments (*voir la figure 3.6*). Pour bien visualiser la projection de Newman, il faut considérer que le carbone postérieur est également représenté sous la forme d'un point, mais que celui-ci est démesurément agrandi afin de le visualiser (étant caché par le carbone antérieur). Ce point gigantesque est donc perçu comme un cercle dans la projection de Newman.

Figure 3.6
Passage de la formule en perspective à la projection de Newman

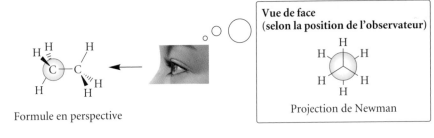

Formule en perspective

Vue de face
(selon la position de l'observateur)

Projection de Newman

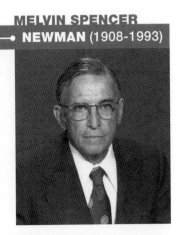

MELVIN SPENCER NEWMAN (1908-1993)

Chimiste américain, Newman, né le 3 octobre 1908 à New York, obtint un baccalauréat en chimie en 1929, puis un Ph. D. de l'Université de Yale en 1932 pour ses études sur la chimie des lipides. Par la suite, il fit trois stages post-doctoraux successifs, soit aux Universités de Yale, de Columbia et de Harvard. Devenu professeur à l'Université de l'Ohio en 1936, il y poursuivit ses recherches, entre autres sur les esters, les pseudo-esters et les carbènes insaturés (méthodologie pour leur synthèse et leur isolation), jusqu'à sa mort, le 30 mai 1993. C'est en 1952 que le professeur Newman, frustré de voir ses étudiants ne rien comprendre à la stéréochimie, conçut les projections de Newman.

En observant attentivement les projections de Newman de l'éthane, dans la figure 3.5, il est possible de remarquer que la conformation décalée est la conformation la plus stable pouvant être adoptée par la molécule. En effet, c'est dans cette conformation que les atomes d'hydrogène sont les plus éloignés les uns des autres. Dans cette conformation, les angles entre les liaisons C—H du carbone antérieur et les liaisons C—H du carbone postérieur sont de 60°. Cet angle est appelé **angle dièdre**, soit l'angle de rotation formé entre une liaison antérieure et une liaison postérieure. La conformation éclipsée, pour sa part, est la conformation la moins stable, car c'est dans cette conformation que les atomes d'hydrogène sont les plus rapprochés les uns des autres. Elle porte son nom du fait que les trois liaisons situées sur le carbone antérieur cachent les trois liaisons du carbone postérieur. Ainsi, les liaisons sont positionnées selon un angle dièdre de 0°. Si, à partir d'une conformation décalée, une rotation de 60° est effectuée entre deux substituants sur les deux carbones de la liaison C—C, la conformation éclipsée sera obtenue (et vice versa).

Les conformations décalées et éclipsées sont très souvent les seules qui sont considérées, bien qu'une infinité de conformations intermédiaires soient envisageables, chaque angle de rotation étant possible. Les conformations décalées et éclipsées tirent leur importance du fait qu'elles représentent les maximums et les minimums d'énergie conformationnelle des molécules. Les conformations décalées sont les plus stables, car elles présentent une répulsion électronique minimale, les substituants étant les plus éloignés les uns des autres, avec un angle dièdre maximal de 60°. Par opposition, pour une conformation éclipsée, l'angle dièdre de 0° favorise une plus grande répulsion électronique, les substituants étant situés directement les uns vis-à-vis des autres. Les répulsions électroniques créées entre deux groupements sur les carbones de l'axe de liaison, selon leur disposition dans l'espace, portent le nom d'**encombrement stérique**. Les conformations correspondant à un minimum significatif d'énergie potentielle, soit les conformations décalées, portent le nom de **conformères** ou **rotamères**.

REMARQUE

Il ne faut pas oublier que les liaisons sont constituées d'électrons, et qu'à la périphérie des atomes ou des groupements d'atomes se trouvent des nuages électroniques. Étant des charges négatives, les électrons se repoussent, d'où les répulsions possibles entre des nuages électroniques à proximité les uns des autres.

À la température ambiante, la rotation autour de la liaison C—C est à peu près complètement libre, car la différence d'énergie entre les conformations éclipsées et décalées n'est que très faible. Pour l'éthane, elle est de l'ordre de 12,5 kJ/mol (*voir la figure 3.7, page suivante*). Bien que la molécule ne se rigidifie pas pour adopter exclusivement la conformation la plus stable, elle y demeurera toutefois préférentiellement. En effet, la plupart du temps, les molécules sont sous leurs conformations décalées, mais elles possèdent l'énergie suffisante pour passer d'un puits d'énergie à un autre, en passant par la conformation éclipsée. Les études expérimentales ont démontré que la conformation décalée et la conformation éclipsée coexistent dans un rapport de 100:1. À la température ambiante, ces deux conformations ne sont toutefois pas isolables.

En tenant compte de ces diverses données expérimentales, il est possible de dresser le profil énergétique des conformations de l'éthane. Un diagramme de l'énergie potentielle

Figure 3.7 Diagramme énergétique des conformations de l'éthane

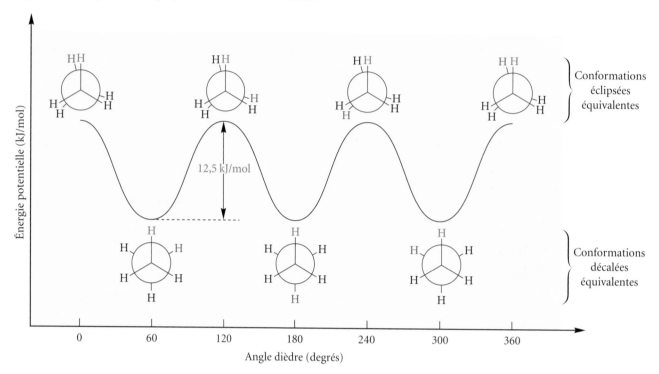

des divers états conformationnels peut être conçu en fonction de l'angle dièdre entre deux groupements présélectionnés, H et H (*voir la figure 3.7*).

Toutes les conformations décalées (ou éclipsées) de l'éthane sont équivalentes entre elles. Toutefois, dans le cas du butane, où l'un des hydrogènes de chacun des carbones antérieur et postérieur de l'éthane est remplacé par un groupement méthyle ($-CH_3$), la situation est différente.

Pour le butane, ce sont les carbones 2 et 3 de la chaîne principale (deux carbones voisins) qui sont généralement choisis pour l'axe de liaison dans la projection de Newman. Les groupements en périphérie de l'axe C—C examiné sont représentés en formule semi-développée. Bien qu'il soit possible d'observer des similitudes avec le diagramme énergétique de l'éthane, c'est-à-dire une alternance entre les conformations décalées et éclipsées, toutes les conformations décalées (ou éclipsées) du butane ne sont pas équivalentes. En effet, l'encombrement stérique est plus important pour certaines conformations, puisque les groupements méthyles sont nettement plus volumineux que les hydrogènes. Ainsi, en dressant le diagramme énergétique de la molécule de butane, les valeurs énergétiques des conformations sont, tout d'abord, plus élevées que celles de l'éthane, et des fluctuations importantes d'énergie sont observées. La différence entre certaines conformations décalées s'explique par une répulsion électronique particulière qui se produit entre des atomes ou des groupes d'atomes dont l'angle dièdre est de 60°. Cette tension stérique porte le nom d'**interaction gauche** ou **effet gauche** (du terme français «gauche» qui veut dire «embarrassé») (*voir la figure 3.8*).

Les conformations **B**, **D** et **F** sont, par défaut, plus stables que les conformations **A**, **C** et **E**, car ce sont des conformations décalées. Les conformères **B** et **F** sont équivalents et présentent une **interaction gauche** principale de type $CH_3 \leftrightarrow CH_3$ (ainsi que deux interactions gauches de type $CH_3 \leftrightarrow H$). Par contre, le conformère **D** possède deux groupements $-CH_3$ positionnés de manière antipériplanaire (opposée), avec un angle dièdre de 180°. Il n'y a donc pas d'interaction gauche principale de type $CH_3 \leftrightarrow CH_3$ (malgré la présence de quatre interactions gauches de type $CH_3 \leftrightarrow H$). Le conformère **D** est, par conséquent, plus stable que les conformères **B** et **F**. Le conformère **D** porte le nom de **conformation décalée *anti***. Les conformères **B** et **F**, pour leur part, sont des **conformations décalées gauches**.

> **REMARQUE**
>
> Dans la conformation décalée de l'éthane, les interactions gauches entre les hydrogènes sont négligeables.

Figure 3.8 a) Différentes conformations du butane ;
b) Diagramme énergétique des conformations du butane

a)

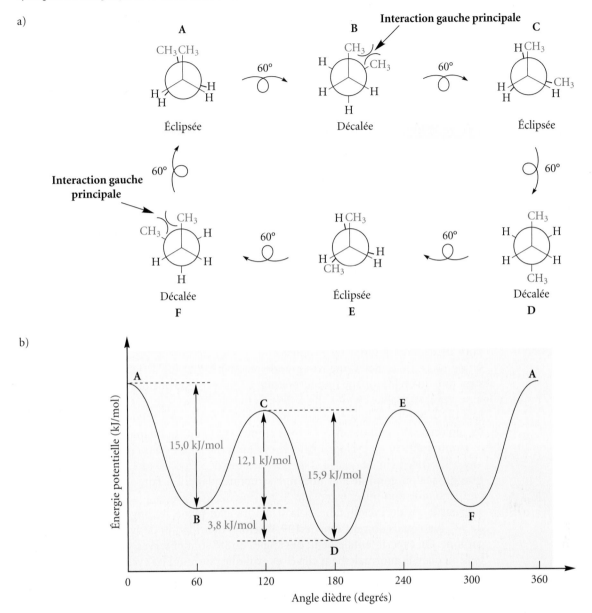

b)

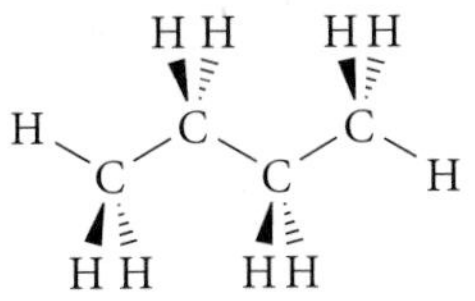

Les conformations **A**, **C**, et **E** sont moins stables, puisqu'elles sont éclipsées. En ce qui concerne les conformations **C** et **E**, elles présentent, en plus de l'encombrement stérique H ↔ H, deux tensions stériques H ↔ CH₃. Par contre, la conformation **A** présente un encombrement stérique beaucoup plus imposant entre les deux groupements plus volumineux CH₃ ↔ CH₃. Elle sera donc la moins stable de toutes les conformations éclipsées.

À la lumière de ce diagramme énergétique, il devient évident que les conformations éclipsées sont très peu abondantes et que, parmi les conformations décalées, le conformère **D** est plus abondant que les conformères **B** et **F**. Les études expérimentales ont démontré qu'à la température ambiante, il est possible de trouver environ 80 % de conformère *anti* (**D**) et 20 % de conformères gauches (**B** et **F**). Ce pourcentage s'explique par le fait que les conformères **B** et **F** possèdent 3,8 kJ/mol de plus (moins stables) par rapport au conformère **D**.

REMARQUE

Dans une chaîne de carbones, tous les atomes de carbone adjacents adoptent une conformation décalée *anti* (angle dièdre de 180°) les uns par rapport aux autres pour minimiser les répulsions électroniques, ce qui donne naturellement une chaîne en forme de zigzag.

Exercice 3.7 Pour le 1,2-dichloroéthane, donnez :
a) sa formule moléculaire ;
b) ses formules développée et semi-développée ;
c) sa formule simplifiée ;
d) la formule en perspective de son conformère le plus stable et expliquez votre choix ;
e) la formule en perspective cavalière de son conformère le plus stable ;
f) la projection de Newman de son conformère le plus stable.

Exercice 3.8 Dessinez toutes les projections de Newman du propane en prenant comme axe de liaison le lien entre C1 et C2 de la chaîne principale. Dessinez ensuite le diagramme énergétique des conformations de cette molécule.

3.4   Cycloalcanes et leurs conformations

Les cycloalcanes, tout comme les alcanes acycliques, peuvent adopter différentes conformations. L'exception à cette règle est le **cyclopropane**, un cycle formé de trois atomes de carbone qui est plan et qui ne présente aucune liberté de mouvement. Celui-ci prend alors la forme d'un triangle équilatéral dont les angles de liaison sont de 60°. Puisque les carbones du cyclopropane sont hybridés sp^3, l'angle associé à cette hybridation devrait être de 109,5°. Ainsi, le cyclopropane présente une compression d'angle qui porte le nom de **tension angulaire** (ou **tension de cycle**), ce qui cause une grande déstabilisation de la molécule et une très grande réactivité. En plus de la tension angulaire, la structure du cyclopropane (*voir le tableau 3.2*) ne possède que des liaisons C—H éclipsées, ce qui contribue encore plus à l'instabilité de la molécule. Cette deuxième déstabilisation se nomme **tension de torsion** (ou **tension d'éclipse**). Pour toutes ces raisons, les molécules portant des cycles à trois atomes sont peu abondantes dans la nature.

Contrairement au cyclopropane, le **cyclobutane** et le **cyclopentane**, des cycles formés respectivement de quatre et de cinq atomes de carbone, adoptent une **conformation plissée** ou **gondolée**, et non une structure plane. En fait, ces formes gondolées permettent de minimiser la tension de torsion dans les cycles.

Dans le cas du cyclobutane, si la structure était plane, les angles observés seraient de 90°, bien qu'ils doivent être de 109,5° selon l'hybridation de type sp^3 des atomes de carbone. Or, expérimentalement, des angles de 88° sont observés, ce qui démontre une tension d'angle anormalement élevée et explique pourquoi les cycles à quatre carbones sont peu abondants dans la nature. Même si le plissage a pour effet d'accroître la tension angulaire de la structure, cela minimise la tension de torsion, ce qui est favorable, puisque la tension de torsion est plus déstabilisante que la tension angulaire.

Le cyclopentane, quant à lui, plutôt que de présenter des angles de 108° (si la structure était plane), adopte une conformation particulière, la **conformation enveloppe**, pour minimiser la tension de torsion. Ainsi, l'angle interne observé expérimentalement est de 105°, ce qui se rapproche significativement de la valeur de 109,5° naturellement observée pour un carbone hybridé sp^3. Il faut donc en déduire que les cycles à cinq membres sont stables et, par conséquent, qu'ils sont très abondants dans la nature.

Le tableau 3.2 présente les différents modes d'écriture des cycloalcanes formés de trois, quatre et cinq atomes de carbone, ainsi que leurs conformations possibles. Contrairement aux alcanes acycliques, les rotations autour des liaisons C—C des cycloalcanes sont restreintes par le cycle[1].

Le **cyclohexane** est une molécule particulièrement stable, puisqu'il peut adopter une structure tridimensionnelle qui minimise à la fois la tension angulaire et la tension de torsion. Cette conformation porte le nom de **conformation chaise** (*voir la figure 3.9, p. 112*). La conformation chaise est la forme cyclique la plus abondamment trouvée dans la nature, car elle présente des angles de liaison très près de 109,5° (si la structure était plane, les angles de liaison seraient de 120°) ainsi que des carbones dont les

La conformation enveloppe du cyclopentane ressemble à une enveloppe ouverte (*voir le tableau 3.2*).

Tableau 3.2	Différentes représentations du cyclopropane, du cyclobutane et du cyclopentane

Formule simplifiée

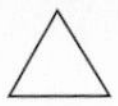

cyclopropane   cyclobutane   cyclopentane

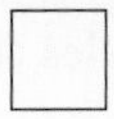

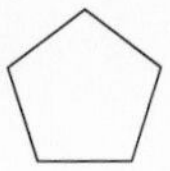

Structure tridimensionnelle

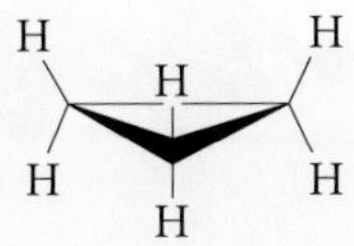

Aucune rotation des liaisons C—C n'est possible.

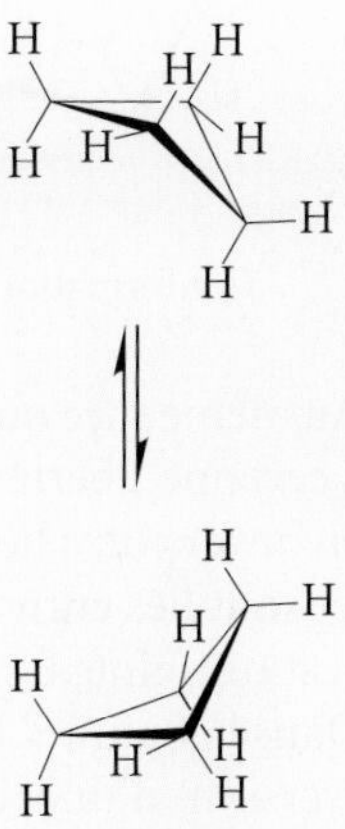

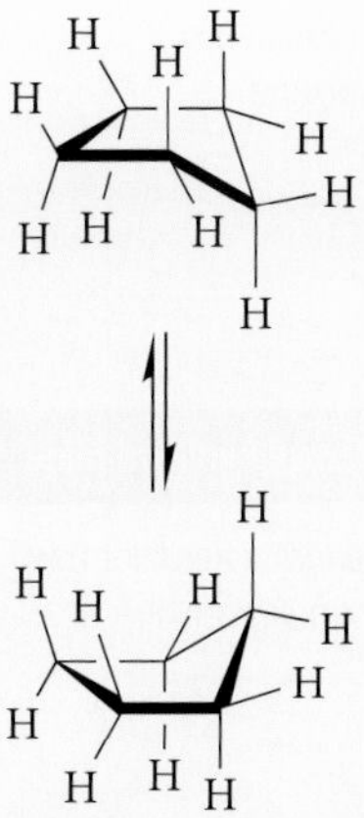

Conformation enveloppe

Modèle à boules et bâtonnets

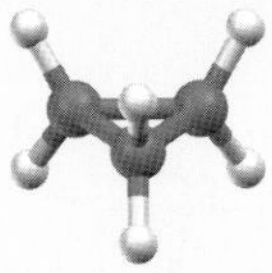

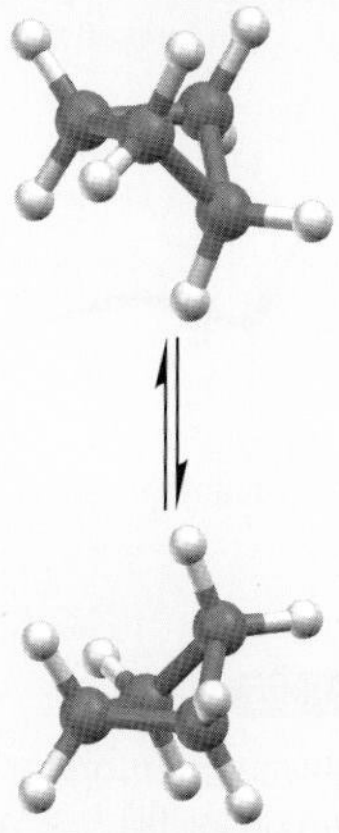

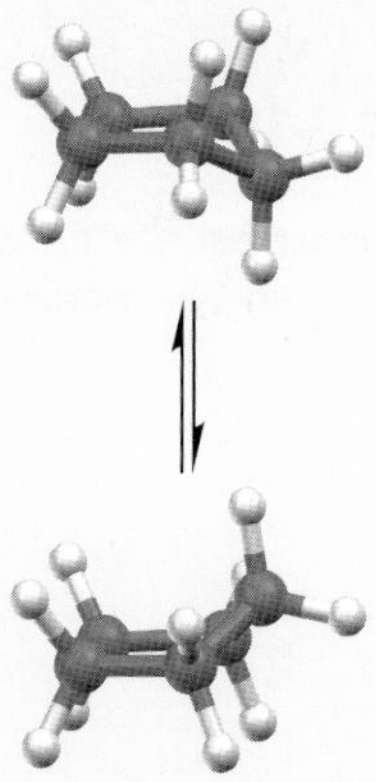

Représentation schématique (cycle dans le plan de la feuille)

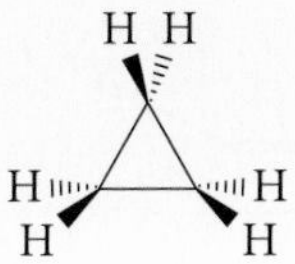

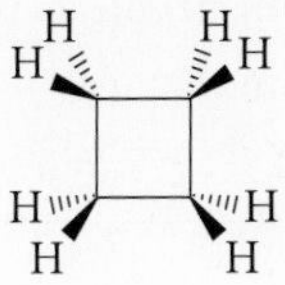

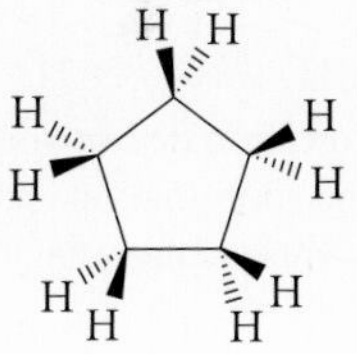

Représentation schématique (cycle en projection vers l'avant[a])

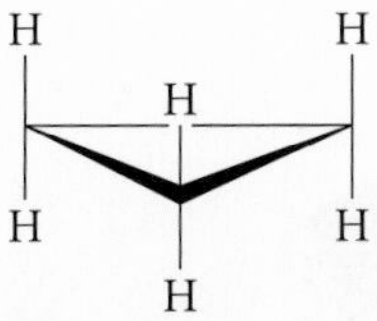

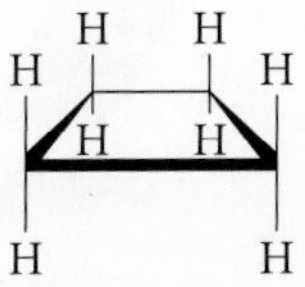

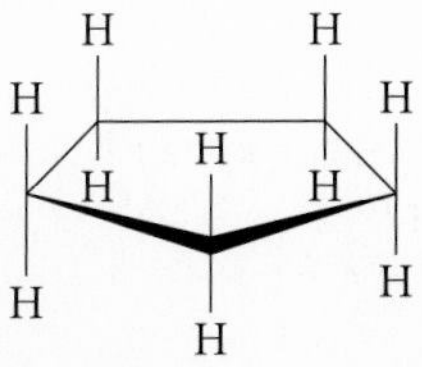

a. Cette dernière représentation schématique est largement utilisée dans les sciences biologiques, telles que la biochimie, dans lesquelles la conformation réelle n'est pas nécessaire.

liaisons sont parfaitement décalées les unes par rapport aux autres (*voir la projection de Newman en marge à la page suivante*). Cette structure se trouve notamment dans de nombreux alcaloïdes (*voir la rubrique «Chroniques d'une molécule – Les animaux les plus toxiques de la planète et les alcaloïdes», p. 116*), les glucides, le cholestérol, les hormones stéroïdes, etc.

Deux types distincts de liaisons C—H sont observés dans la conformation chaise du cyclohexane. Celles qui pointent à la verticale sont dites **axiales** (hydrogène en rouge) et celles qui sont horizontales, dans le prolongement du plan moyen du cycle, sont dites **équatoriales** (hydrogène en bleu).

Figure 3.9
Représentation d'une conformation chaise du cyclohexane

Conformation chaise   Modèle à boules et bâtonnets   Modèle compact

cheneliere.ca/chimieorganique www

› Apprendre à dessiner une conformation chaise

Au même titre que les cycles à quatre ou à cinq membres, les cyclohexanes possèdent une certaine liberté de mouvement, d'où l'existence de diverses conformations. Cette interconversion a lieu, puisque les atomes de carbone constituant le cycle sont hybridés sp^3 et sont liés entre eux par des liaisons simples σ. La rotation est alors possible, mais elle est restreinte en raison de la structure cyclique.

Dans la figure 3.10, deux conformations chaises (**I** et **II**) sont représentées. L'interconversion d'une conformation chaise à une autre se nomme **interconversion chaise-chaise**, et elle passe par une conformation intermédiaire, la **conformation bateau** (**III**).

Figure 3.10
Représentation des conformations chaises et bateau du cyclohexane – Interconversion chaise-chaise

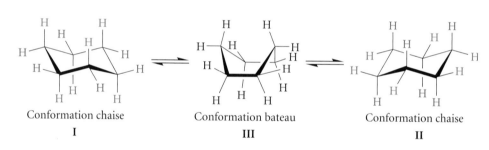

Conformation chaise   Conformation bateau   Conformation chaise
I   III   II

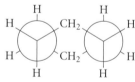

Projection de Newman d'une conformation chaise du cyclohexane

REMARQUE

Dans une conformation chaise, les carbones 1 et 4 sont de part et d'autre des carbones formant le plan du cycle (2, 3, 5, 6). Toutefois, dans une conformation bateau, les carbones 1 et 4 sont situés du même côté du plan du cycle.

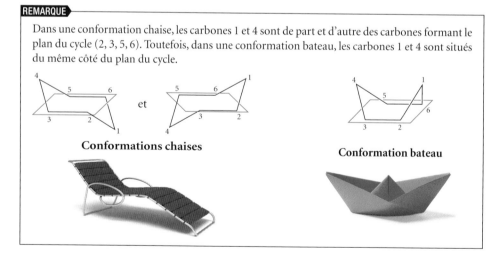

Conformations chaises   **Conformation bateau**

Chaque conformation chaise (**I** et **II**) est formée à ses extrémités de deux pointes, l'une orientée vers le bas et l'autre, vers le haut. Au cours d'une interconversion chaise-chaise, la pointe dirigée vers le haut bascule vers le bas, alors que la pointe dirigée vers le bas bascule vers le haut. Si une seule des pointes est basculée, la conformation bateau est obtenue. Le passage d'une forme chaise à une autre se fait sans contrainte à la température ambiante et nécessite une énergie d'activation de l'ordre de 45,2 kJ/mol (*voir la figure 3.11*).

La conformation bateau est beaucoup moins stable que les conformations chaises. En effet, cette conformation présente des tensions de torsion (les liaisons sur

Figure 3.11
a) Diagramme énergétique du passage d'une conformation chaise à une conformation bateau ; b) Encombrement stérique dans une conformation bateau

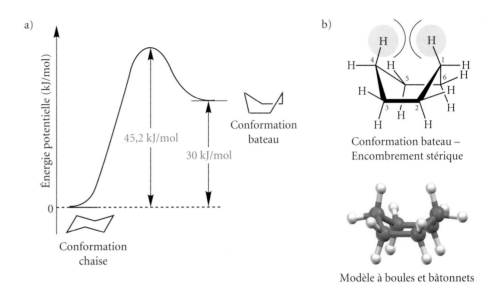

a)

45,2 kJ/mol

30 kJ/mol

Conformation bateau

Conformation chaise

b)

Conformation bateau – Encombrement stérique

Modèle à boules et bâtonnets

les carbones 2, 3, 5 et 6 sont en conformations éclipsées) en plus de posséder deux hydrogènes (dans un cercle jaune) pointant l'un vers l'autre, ce qui crée un fort encombrement stérique (*voir la figure 3.11 b*). À la température de la pièce, 99,99 % des conformations du cyclohexane existent sous la forme chaise. L'interconversion chaise-chaise est rapide, mais elle est considérablement ralentie à basse température, et les hydrogènes de ces conformations deviennent distinguables par spectroscopie de résonance magnétique nucléaire proton (RMN ^{1}H) (*voir la ressource numérique « Spectroscopie par résonance magnétique nucléaire (RMN ^{1}H et RMN ^{13}C) » dans le chapitre 5*).

Au cours d'une interconversion chaise-chaise, comme celle illustrée dans la figure 3.10, les liaisons orientées vers le bas dans une conformation chaise sont toujours dirigées vers le bas dans la seconde conformation. Il en va de même pour les liaisons orientées vers le haut. Par contre, toutes les liaisons équatoriales dans une conformation chaise deviennent des liaisons axiales dans l'autre conformation, et vice versa. Cela n'a que peu d'importance pour le cyclohexane, puisqu'il ne présente que des hydrogènes en positions axiale et équatoriale. Or, il en est autrement si des substituants sont présents sur la molécule. En effet, un substituant en position axiale dans une conformation chaise se retrouve en position équatoriale à la suite d'une interconversion chaise-chaise.

Dans le modèle compact du cyclohexane présenté dans la figure 3.9, il est possible d'observer que les trois atomes d'hydrogène en position axiale, situés du même côté du cycle, sont très près les uns des autres, ce qui n'est pas le cas pour les atomes d'hydrogène en position équatoriale. Ainsi, un encombrement stérique existe au sein même des conformations chaises. Cette interaction défavorable porte le nom d'**interaction 1,3-diaxiale**, puisqu'elle est causée exclusivement par des liaisons axiales sur les carbones 1 et 3 (ou 3') du cycle.

Que se passe-t-il si un hydrogène en position axiale est remplacé par un substituant tel qu'un groupement méthyle ? L'interaction 1,3-diaxiale sera plus importante, plus déstabilisante, car le groupement méthyle est plus volumineux qu'un atome d'hydrogène. Il y aura répulsion électronique entre le groupement méthyle (position 1) et les hydrogènes en position axiale (positions 3 et 3'). Une interconversion chaise-chaise aura lieu pour que le substituant se retrouve en position équatoriale, où il ne sera pas impliqué dans des interactions 1,3-diaxiales (*voir la figure 3.12 a, page suivante*). De plus, si le substituant est en position équatoriale, il sera positionné selon une conformation décalée *anti* par rapport au groupement méthylène (—CH$_2$—) du cycle, ce qui contribue également à minimiser l'encombrement stérique. Si, par contre, il est placé en position axiale, une interaction gauche aura lieu avec le groupement méthylène du cycle, ce qui accentuera la répulsion et créera une déstabilisation (*voir la figure 3.12 b*). La position équatoriale du groupement le plus volumineux étant ainsi favorisée, un équilibre conformationnel inégal – illustré grâce aux flèches inégales d'équilibre (*voir la figure 3.12*) –, déplacé vers la conformation chaise la plus stable, sera observé.

REMARQUE

Les numéros 3 et 3' représentent les carbones du cycle dont les groupements axiaux peuvent effectuer des interactions 1,3-diaxiales avec celui du carbone en position 1.

Figure 3.12
a) Interconversion chaise-
chaise du méthylcyclohexane ;
b) Projections de Newman des
conformations chaises

a)

Groupement méthyle en position axiale
Interactions 1,3-diaxiales entre le
groupement méthyle en position 1 et
les hydrogènes sur les carbones 3 et 3′

Groupement méthyle en position équatoriale
Le groupement méthyle n'est pas impliqué
dans des interactions 1,3-diaxiales.

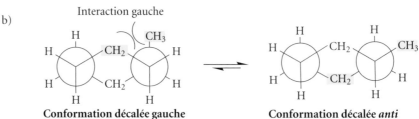

Conformation chaise moins stable
L'abondance relative de cette
conformation, à température
ambiante, est de 5 %.

Conformation chaise plus stable
L'abondance relative de cette
conformation, à température
ambiante, est de 95 %.

b)

Conformation décalée gauche
Groupement méthyle en position
axiale dans la conformation chaise

Conformation décalée *anti*
Groupement méthyle en position
équatoriale dans la conformation chaise

En prenant le cas, par exemple, du 1,4-diméthylcyclohexane, dans lequel l'un des
groupements méthyles est en position axiale et l'autre en position équatoriale, les deux
conformations chaises de l'équilibre conformationnel sont équivalentes (identiques),
ayant le même nombre d'interactions 1,3-diaxiales au sein de la molécule entre un
groupement méthyle et les hydrogènes axiaux (*voir la figure 3.13*).

Figure 3.13
Interconversion chaise-chaise
du 1,4-diméthylcyclohexane

Groupement méthyle en position axiale
Groupement méthyle en position équatoriale
Interactions 1,3-diaxiales entre le
groupement méthyle en position 1 et
les hydrogènes sur les carbones 3 et 3′

Groupement méthyle en position axiale
Groupement méthyle en position équatoriale
Interactions 1,3-diaxiales entre le
groupement méthyle en position 4 et
les hydrogènes sur les carbones 2 et 2′

L'interconversion chaise-chaise mène à une conformation chaise équivalente (identique) à
la première. L'équilibre conformationnel ne favorise pas une conformation en particulier.

Exercice 3.9   Complétez l'équilibre conformationnel suivant pour le 1,4-diméthylcyclohexane. Déterminez s'il y a une conformation plus stable et expliquez votre choix.

Par contre, si l'un des groupements méthyles de l'exemple de la figure 3.13 est remplacé par un groupement éthyle pour obtenir le 1-éthyl-4-méthylcyclohexane, l'équilibre favorise plutôt la conformation qui présente le plus gros groupement en position équatoriale afin de minimiser les interactions 1,3-diaxiales (*voir la figure 3.14*). Le nombre d'interactions 1,3-diaxiales est le même dans chacune des conformations, mais plus le substituant est volumineux, plus les interactions 1,3-diaxiales sont importantes.

Figure 3.14
Interconversion chaise-chaise du 1-éthyl-4-méthylcyclohexane

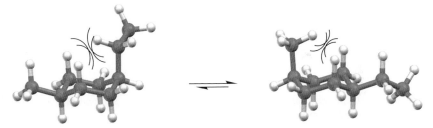

Groupement éthyle en position axiale
Groupement méthyle en position équatoriale
Interactions 1,3-diaxiales entre le groupement éthyle en position 1 et les hydrogènes sur les carbones 3 et 3′

Groupement méthyle en position axiale
Groupement éthyle en position équatoriale
Interactions 1,3-diaxiales entre le groupement méthyle en position 4 et les hydrogènes sur les carbones 2 et 2′

Conformation chaise moins stable

Conformation chaise plus stable

Les interactions 1,3-diaxiales sont plus importantes lorsque le groupement le plus volumineux est en position axiale. Dans cet exemple, le groupement éthyle est plus volumineux que le groupement méthyle.

Exercice 3.10   Représentez l'équilibre conformationnel des composés suivants et indiquez de quel côté l'équilibre est déplacé en utilisant des flèches de longueurs inégales. Expliquez vos choix.

a) *tert*-butylcyclohexane

b) 1-isopropyl-1-méthylcyclohexane

c)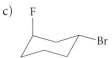

CHRONIQUES D'UNE MOLÉCULE

Les animaux les plus toxiques de la planète et les alcaloïdes

Pour classer les animaux selon leur degré de toxicité, quelques paramètres doivent être considérés. Les dix animaux les plus toxiques sur Terre, inscrits dans les tableaux suivants, ont été répertoriés en fonction du nombre de personnes que peut tuer l'animal et en fonction de la rapidité avec laquelle une personne succombe à la toxine.

La très grande majorité des animaux mortels fabrique des toxines qui sont d'origine protéique.

puissant poison isolé des noix du vomiquier. Cet alcaloïde végétal est, avec l'arsenic, le plus important poison dont les propriétés ont été largement décrites et exploitées dans plusieurs œuvres littéraires et cinématographiques. Par exemple, au théâtre, dans la comédie policière anglo-saxonne *Le noir te va si bien* de Saul O'Hara, un des personnages chante la formule moléculaire de cet alcaloïde : « $C_{21}H_{22}N_2O_2$, c'est la formule de la strychnine,

Toxines protéiques

Animal	Pays d'origine	Caractéristiques
Chironex fleckeri (méduse-boîte)[a]	Eaux tropicales, surtout en Australie et aux Philippines	Cause la mort en quelques secondes.
Oxyuranus microlepidotus (serpent Taïpan du désert)	Australie et sud de la Papouasie–Nouvelle-Guinée	La toxine est 25 fois plus toxique que celle de la piqûre du cobra.
Naja haje[b] (serpent cobra)	Asie et Afrique	Cause la mort dans un délai de 2 à 10 heures.
Conus marmoreus (escargot marin cône)	Région indo-pacifique	Cause la mort en moins de deux heures.
Leiurus quinquestriatus (scorpion rôdeur mortel)	Afrique du Nord et Moyen-Orient	Sa piqûre n'est mortelle que pour les enfants ou les personnes âgées.
Synanceia verrucosa (poisson-pierre)	Île de La Réunion, île Maurice, Australie-Occidentale, Polynésie et Nouvelle-Calédonie	Peut causer la mort en quelques heures.
Phoneutria nigriventer (araignée errante brésilienne)	Brésil	À forte dose, la toxine de cette araignée est létale, mais des études lui sont vouées, car, à faible dose, elle pourrait s'avérer utile pour combattre les problèmes érectiles.

a. La méduse-boîte a été popularisée dans le film américain *Seven Pounds* (*Sept vies*), de Gabriele Muccino (2008), mettant en vedette Will Smith.
b. Selon la légende, Cléopâtre s'enleva la vie en se faisant volontairement mordre par ce cobra égyptien.

Seule une faible minorité d'animaux sécrètent une toxine alcaloïde. Les alcaloïdes sont des molécules organiques naturelles renfermant des hétérocycles azotés dont les cycles à six membres présentent souvent une **conformation chaise**. Le terme « alcaloïde » vient de l'arabe *al kali* (« alcali ») et du grec *eídô* (« forme »). Il réfère au caractère alcalin (basique) de ces composés.

Bien que quelques alcaloïdes soient présents chez certains animaux terrestres et marins, ils sont principalement produits par les plantes. Malgré leur toxicité, plusieurs alcaloïdes d'origine végétale ont des structures qui présentent, en faible concentration, des propriétés pharmacologiques ayant des effets bénéfiques sur l'organisme. Certains alcaloïdes peuvent agir à titre de puissants analgésiques, notamment la morphine et la codéine. D'autres, comme la quinine, sont efficaces pour combattre le paludisme (malaria). Enfin, la strychnine est un

$C_{21}H_{22}N_2O_2$, cela vous tuerait un troupeau de bœufs. » L'écrivaine Agatha Christie, dans *The Mysterious Affair at Styles*, et le réalisateur et scénariste Alfred Hitchcock, dans *Psycho*, emploient également la strychnine pour que certains de leurs personnages commettent leurs meurtres.

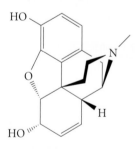

morphine

Le mode d'action des alcaloïdes est aujourd'hui très bien connu. Ils agissent de telle sorte qu'ils perturbent le bon fonctionnement du système nerveux central. En effet, les alcaloïdes possèdent la propriété de pouvoir se lier avec une très grande efficacité aux canaux ioniques des neurones. Une fois la liaison réalisée, celle-ci bloque la capacité de polarisation du neurone et

Toxines alcaloïdes

Animal	Pays d'origine	Alcaloïdes particuliers	Caractéristiques
Dendrobates azureus (grenouille bleue à dard de poison) 	Costa Rica, Panama, Équateur et Colombie	batrachotoxine, histrionicotoxine, calycanthine, tétrodotoxine et plusieurs autres	Les toxines ne sont pas synthétisées dans son corps : elles proviennent des insectes qu'elle ingère. La dose létale est de 2 μg.
Hapalochlaena maculosa (pieuvre ou poulpe à anneaux bleus) 	Océans Indien et Pacifique	tétrodotoxine	Cause la mort en quelques minutes.
Diodon holocanthus (diodon[a] ou poisson-hérisson) 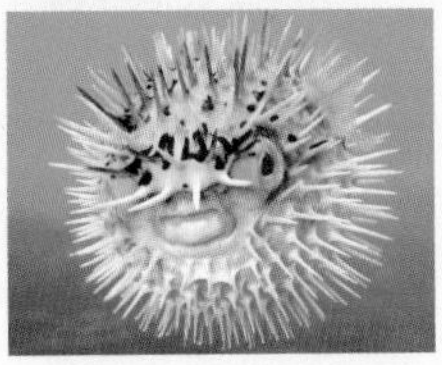	Eaux tropicales	tétrodotoxine	Cause la mort dans un délai de 4 à 24 heures.

a. Le diodon est un mets très recherché au Japon. Pour le cuisinier qui l'apprête, il faut être détenteur d'un permis spécial, car des zones bien précises de cet animal renferment la toxine (le foie, les gonades, les reins et les intestins), et seul un chef expérimenté peut le manipuler sans que le consommateur y risque sa vie. Aussi, ce poisson possède la particularité de se gonfler lorsqu'il est en danger. Il hérisse alors ses aiguilles et peut atteindre un mètre de diamètre.

empêche le potentiel d'action de s'effectuer. En d'autres mots, l'influx nerveux devient impossible. Une paralysie musculaire survient, causant la mort par asphyxie[2].

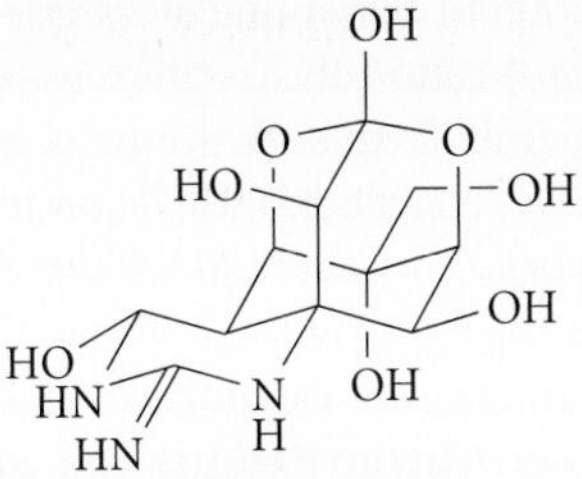

L'étude des alcaloïdes d'origine animale permettra d'explorer de nouveaux horizons. En effet, tout comme les alcaloïdes d'origine végétale, certaines toxines animales s'avèrent potentiellement utiles. Par exemple, la compagnie pharmaceutique canadienne Wex Pharmaceuticals Inc., établie à Vancouver, exploite actuellement la tétrodotoxine pour concevoir une nouvelle classe d'analgésiques non opioïdes. Il a été révélé que cet alcaloïde est en fait 2000 fois plus puissant que la morphine[3]. Les animaux les plus toxiques pourront-ils un jour soulager les douleurs et même sauver des vies ?

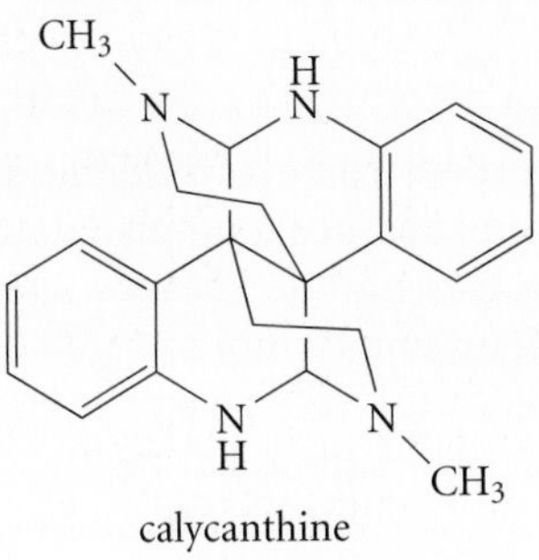

tétrodotoxine

calycanthine

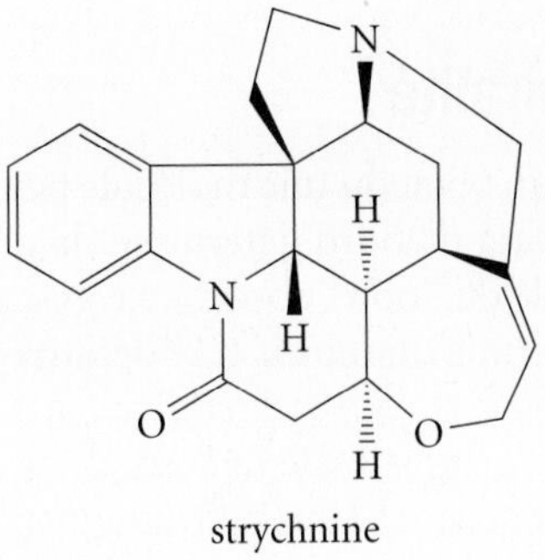

strychnine

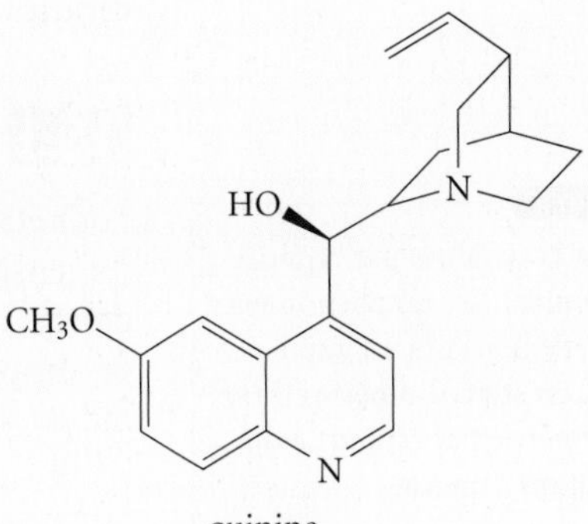

quinine

3.5 Stéréoisomérie

Le monde qui nous entoure est un monde tridimensionnel. Tous les objets ainsi que les constituants des plantes, des animaux et de l'être humain sont formés de composés en trois dimensions. La **stéréochimie** est le domaine de la chimie qui étudie les représentations tridimensionnelles des molécules ainsi que les mécanismes de réaction en trois dimensions. Lorsque deux molécules possèdent la même séquence d'atomes en deux dimensions, c'est-à-dire qu'elles possèdent les mêmes formules développée et semi-développée, mais que leur arrangement dans l'espace en trois dimensions est différent, ce sont des **stéréoisomères**. Le champ d'études consacré aux stéréoisomères porte le nom de **stéréoisomérie** ou **isomérie stérique**. Il ne faut pas confondre les stéréoisomères avec les conformations, car la conversion d'un stéréoisomère à un autre implique la rupture d'une liaison covalente, contrairement aux conformations qui peuvent se superposer à la suite d'une rotation libre ou restreinte d'une liaison σ à l'intérieur de la molécule.

Au premier abord, les stéréoisomères se distinguent les uns des autres par de subtiles différences structurales, en trois dimensions, pouvant paraître négligeables. Or, ces différences peuvent entraîner des distinctions quant aux propriétés chimiques, biologiques et physiques des molécules.

Par exemple, le limonène est une molécule qui, selon sa structure tridimensionnelle (voir la liaison avec le carbone marqué d'un astérisque, C*), est perçue par les récepteurs olfactifs (eux-mêmes en trois dimensions) comme étant responsable de l'odeur de l'orange ou de l'odeur du citron (*voir la figure 3.15*).

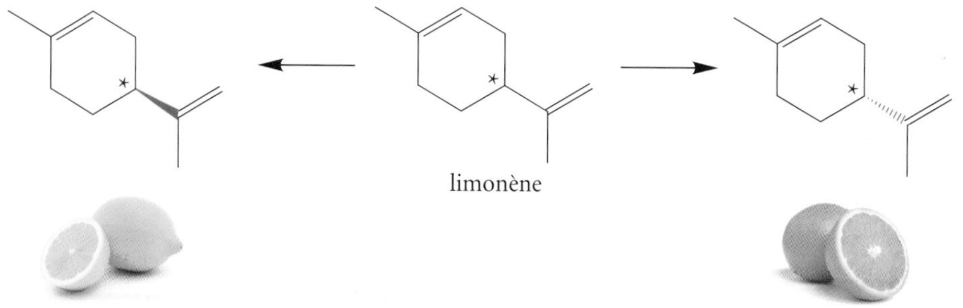

Figure 3.15
Odeurs perçues par les récepteurs olfactifs des différents stéréoisomères du limonène

limonène

Cet aspect de la chimie est particulièrement important dans le domaine médical. Il suffit d'imaginer les répercussions que pourrait entraîner un médicament formé d'un mélange de stéréoisomères dont l'une des molécules serait bénéfique alors que l'autre serait dangereuse, voire mortelle! Malencontreusement, cette catastrophe s'est déjà produite dans les années 1960, alors que le laboratoire Chemie Grünenthal, une compagnie allemande de chimie pharmaceutique, a commercialisé, à l'échelle mondiale, un médicament révolutionnaire nommé «thalidomide» (*voir la rubrique «Chroniques d'une molécule – La thalidomide, une catastrophe énantiomérique», p. 152*).

Les stéréoisomères se regroupent en deux grandes catégories: les **énantiomères/diastéréoisomères/composés *méso*** et les **isomères géométriques** (ou **isomères *cis-trans***). Ces deux ensembles seront traités dans cette section en décrivant la façon de les repérer et de les représenter en trois dimensions, ainsi que les caractéristiques qui les distinguent.

3.5.1 Chiralité

Pour établir si un objet ou une molécule peut adopter des structures différentes en trois dimensions, il faut d'abord déterminer la présence ou l'absence d'un plan de symétrie dans la molécule ou l'objet observé. Le **plan de symétrie** (aussi appelé **plan spéculaire**) se comporte comme un miroir et se définit comme étant un plan qui coupe l'objet ou la molécule de telle sorte que la première partie de l'objet, d'un côté du plan, corresponde à l'image dans un miroir de la seconde partie, de l'autre côté du plan. Un objet ou une molécule renfermant au moins un plan de symétrie est dit **achiral** ou **symétrique**.

> **REMARQUE**
> C'est la symétrie par rapport à un plan (liée au phénomène de réflexion) qui est appliquée en stéréoisomérie et non la symétrie par rapport à un point ou à un axe.

Les molécules achirales n'offrent pas de possibilités de stéréoisomérie. Par contre, un objet ou une molécule ne possédant aucun plan de symétrie est dit **chiral** ou **asymétrique**. La **chiralité** est ainsi la propriété intrinsèque d'un objet ou d'une molécule liée à une absence de symétrie. Les molécules chirales peuvent se présenter sous différentes formes en trois dimensions (stéréoisomères).

Tout objet, quel qu'il soit, possède une **image spéculaire**, soit une image dans un miroir. Cependant, la relation qui existe entre l'objet lui-même et son image spéculaire peut varier. À titre d'exemple, un ballon (dépourvu de motifs) et son image spéculaire sont identiques, car ils sont superposables. Cet objet est dit symétrique ou achiral. Le ballon possède d'ailleurs une infinité de plans de symétrie. Par opposition, une main droite placée devant une surface réfléchissante projettera l'image d'une main gauche, et non celle d'une main droite ; il s'agit donc de structures différentes l'une de l'autre (*voir la figure 3.16*). Puisque son image spéculaire lui est différente, une main droite est un objet asymétrique ou chiral. En effet, une main droite n'a pas de plan de symétrie. Tout objet asymétrique ou chiral n'ayant aucun plan de symétrie aura une image spéculaire non superposable. Le terme « chiral » vient du mot d'origine grecque *kheir* signifiant « main ». Ainsi, les mains gauche et droite sont chirales, et elles sont les images spéculaires l'une de l'autre, sans être identiques ni superposables. Cette distinction explique pourquoi une même main ne peut accueillir à la fois un gant droit et un gant gauche ; chaque main porte le gant qui lui est destiné !

Figure 3.16
Relation spéculaire entre différents objets symétriques et asymétriques

L'image spéculaire (ou image miroir) de la balle est identique à l'objet lui-même. Les deux balles sont superposables.

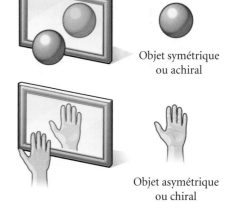

Objet symétrique ou achiral

L'image spéculaire (ou image miroir) de la main droite n'est pas une main droite, mais une main gauche. Les deux mains ne sont pas superposables.

Objet asymétrique ou chiral

Un joueur des Canadiens de Montréal

Exercice 3.11 Les objets suivants sont-ils symétriques (achiraux) ou asymétriques (chiraux) ?

a) Un gant de baseball

b) Un verre d'eau

c) Un chandail des Canadiens de Montréal

d) Un stylo

e) Une calculatrice

f) Une raquette de badminton

g) Un patin

h) Une balle de tennis

Les molécules possèdent également des relations spéculaires. Une molécule achirale ou symétrique sera superposable à son image spéculaire. À l'inverse, une molécule chirale ou asymétrique ne sera pas superposable à son image spéculaire (*voir le tableau 3.3, page suivante*). Dans ce dernier cas, les stéréoisomères devront alors être repérés et identifiés.

Tableau 3.3   Comparaison des caractéristiques des molécules achirales et chirales

Molécule achirale ou symétrique	**Molécule chirale ou asymétrique**
La molécule et son image spéculaire sont superposables et donc identiques.	La molécule et son image spéculaire ne sont pas superposables et donc différentes.

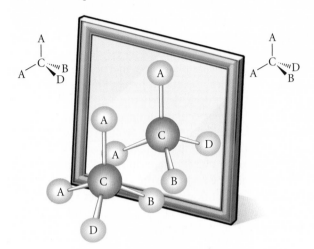

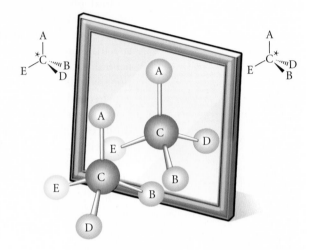

Les deux molécules sont superposables.	Les deux molécules ne sont pas superposables.

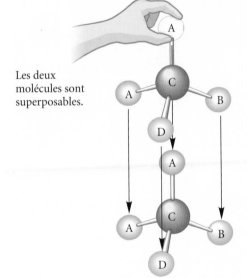

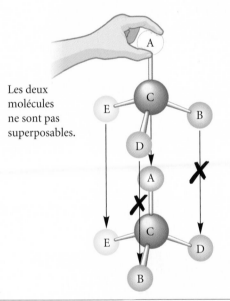

La molécule possède un plan de symétrie.	La molécule ne possède aucun plan de symétrie.

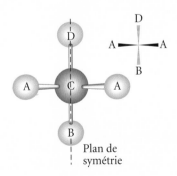

Plan de symétrie

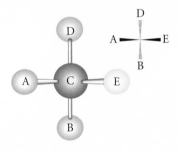

Exercice 3.12 Parmi les molécules suivantes, lesquelles sont chirales?

a) 1-chloropropane

b) 1-bromo-2-méthylbutane

c) 2-iodopentane

d) méthylcyclohexane

3.5.2 Carbones stéréogéniques

3.5.2.1 Détermination des carbones stéréogéniques

Rechercher un plan de symétrie dans une molécule est une méthode rapide pour déterminer si une molécule est achirale ou chirale. Toutefois, cette approche est délicate, car un plan pourrait exister tout en échappant à l'œil de l'observateur. Ainsi, le repérage d'une molécule chirale se réalise, en général, par la recherche d'un **carbone stéréogénique** (aussi appelé **carbone chiral**, **carbone asymétrique**, **centre stéréogénique** ou **stéréocentre**). L'expression «carbone stéréogénique» provient du fait que ce type de carbone génère une stéréochimie. Un carbone stéréogénique est un atome de carbone hybridé sp^3 et porteur de quatre atomes (ou groupes d'atomes) différents. Il est mis en évidence dans une structure par un astérisque (C^*), comme le démontre le tableau 3.3. Cette notion de carbone tétraédrique porteur de quatre groupes différents a été introduite en 1874, en même temps, mais indépendamment, par le chimiste et physicien néerlandais **Jacobus Henricus Van't Hoff** (1852-1911) et par le chimiste français **Joseph Achille Le Bel** (1847-1930 (*voir p. 123*)).

Deux exemples concrets de molécules, soit le 2-chloropropane et le 2-chlorobutane, sont illustrés dans le tableau 3.4 (*voir page suivante*). Le 2-chloropropane possède un plan de symétrie qui traverse la molécule entre les atomes Cl—C—H et sépare en deux l'angle formé par les liaisons CH_3—C—CH_3. Dans cette molécule, aucun carbone stéréogénique n'est présent. Les carbones aux extrémités (carbones 1 et 3) portent trois hydrogènes, et le carbone central porte deux groupements méthyles (—CH_3); parmi ces trois carbones hybridés sp^3, aucun ne possède quatre groupements différents. Le 2-chloropropane est donc une molécule achirale. Cette molécule et son image spéculaire sont superposables. Ce sont deux structures identiques.

En ce qui concerne le 2-chlorobutane, aucun plan de symétrie n'est présent dans la structure. Un des carbones porte quatre groupements différents (Cl, H, CH_3 et CH_2CH_3). Le 2-chlorobutane possède un carbone stéréogénique responsable de l'asymétrie de la molécule; il est chiral. Par conséquent, les deux structures tridimensionnelles du 2-chlorobutane sont des images spéculaires, non superposables, non identiques. Lorsque deux molécules sont l'image miroir l'une de l'autre et qu'elles ne sont pas superposables, elles portent le nom d'**énantiomères** (ou **énantiomorphes** ou **antipodes optiques**) (du grec ancien *enantios* signifiant «opposé», et de *meros* signifiant «partie»).

À la lumière de ces observations, il faut en conclure qu'une molécule possédant un carbone stéréogénique, et donc aucun plan de symétrie, est chirale. Les deux structures tridimensionnelles possibles forment une paire d'énantiomères. Cependant, un composé peut être pourvu de plus d'un carbone stéréogénique. De façon générale, il est chiral, mais sa chiralité n'est pas systématique (*voir la section 3.5.7, p. 144*).

JACOBUS HENRICUS VAN'T HOFF
• (1852-1911)

Chimiste et physicien néerlandais né à Rotterdam le 30 août 1852, Van't Hoff fut attiré dès son plus jeune âge par les sciences. Son père, considérant la chimie comme un domaine de recherche trop peu lucratif, l'incita à entreprendre des études d'ingénieur à l'Institut polytechnique de Delft. Toutefois, Van't Hoff eut tôt fait de revenir à la chimie en 1871. Il travailla dans les laboratoires des chercheurs les plus réputés de l'époque, soit ceux de Friedrich August Kekulé, Charles Adolphe Wurtz et Joseph Achille Le Bel. Il obtient son doctorat en chimie à l'Université d'Utrecht en 1874. Il publia, entre autres, ses travaux de recherche sur la stéréochimie des molécules. Il reçut le tout premier prix Nobel de chimie en 1901. Van't Hoff s'éteignit le 1er mars 1911 à Steglitz, en Allemagne.

> **REMARQUE**
>
> La construction des molécules en trois dimensions permet de bien visualiser les notions abordées. De façon générale, l'utilisation de modèles moléculaires ou de logiciels de modélisation moléculaire (p. ex.: ChemSketch, offert gratuitement sur le Web) améliore grandement la compréhension de ce chapitre.

Tableau 3.4 **Analyse stéréochimique des molécules de 2-chloropropane et de 2-chlorobutane**

Molécule de 2-chloropropane et son image spéculaire

L'image spéculaire est superposable à la molécule.
Ce sont deux structures identiques.

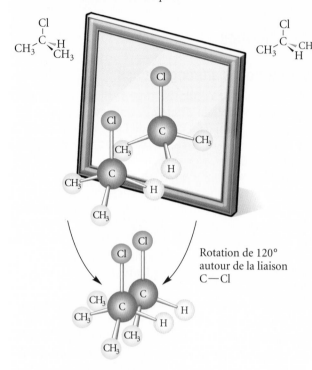

Molécule de 2-chlorobutane et son image spéculaire

L'image spéculaire n'est pas superposable à la molécule. Les deux structures du 2-chlorobutane constituent une paire d'**énantiomères**.

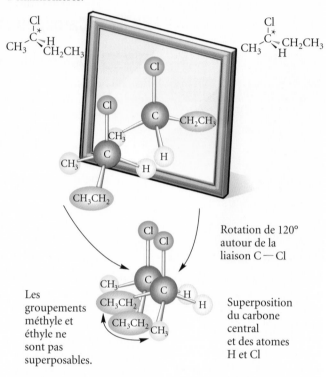

Rotation de 120° autour de la liaison C—Cl

Les groupements méthyle et éthyle ne sont pas superposables.

Rotation de 120° autour de la liaison C—Cl

Superposition du carbone central et des atomes H et Cl

La molécule possède un plan de symétrie.

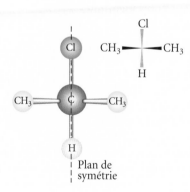

Plan de symétrie

La molécule ne possède aucun plan de symétrie.

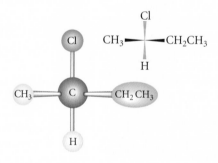

ENRICHISSEMENT

Molécules chirales sans carbone stéréogénique

Certaines molécules, peu nombreuses, peuvent être chirales, n'ayant pas de plan de symétrie, malgré l'absence de carbones stéréogéniques (C*). Parmi celles-ci se trouvent le 1,3-diméthylallène et le 1,1′-binaphtyle. Ces dernières ne seront pas à l'étude dans cet ouvrage.

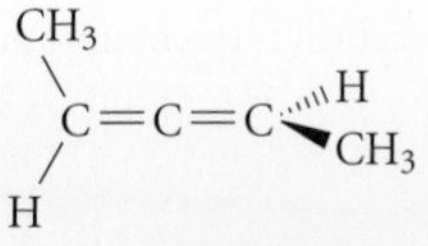

1,3-diméthylallène 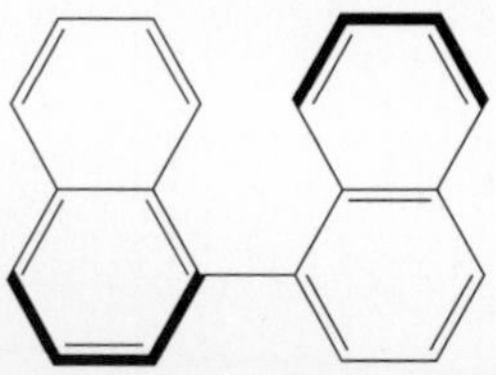   1,1′-binaphtyle

Exemple 3.5

Localisez le carbone stéréogénique du 5-bromo-2-méthylheptane.

Solution

Il faut dessiner la structure de cette molécule et repérer le carbone hybridé sp^3 lié à quatre groupements différents. L'utilisation d'une formule semi-développée est suffisante.

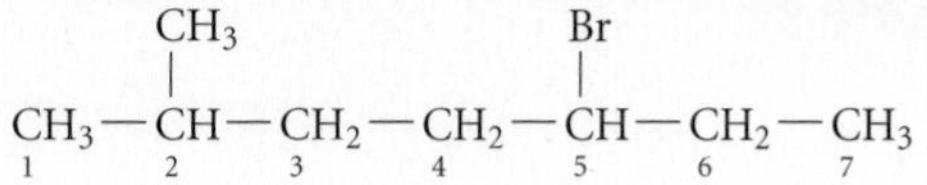

$$CH_3-\underset{1}{CH}-\underset{2}{CH_2}-\underset{3}{CH_2}-\underset{4}{CH}-\underset{5}{CH_2}-\underset{6}{CH_3}$$

avec CH$_3$ sur le carbone 2 et Br sur le carbone 5.

Seul le carbone 5 est porteur de quatre groupements différents, soit :

—H   —Br   —CH$_2$CH$_3$ —CH$_2$CH$_2$CH(CH$_3$)$_2$

Ainsi, le carbone 5 est un carbone stéréogénique, et il est mis en évidence par un astérisque.

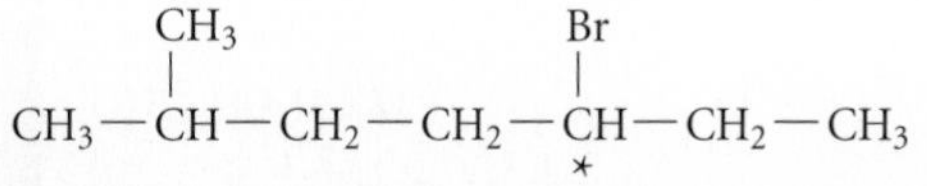

$$CH_3-CH-CH_2-CH_2-\overset{*}{CH}-CH_2-CH_3$$

avec CH$_3$ et Br.

Exercice 3.13 À l'aide d'un astérisque, indiquez, s'il y a lieu, les carbones stéréogéniques des molécules suivantes.

a)
$$CH_3-CH_2-CH-CH_2-CH_2-CH_3$$
avec CH$_3$ sur le carbone central

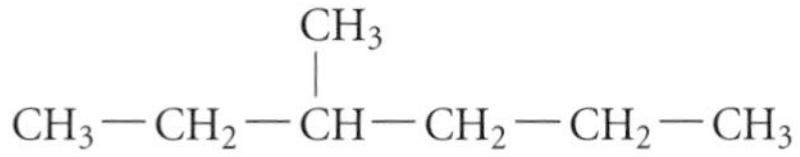

b) $CH_3-CH_2-CH_2-CH_2-CH-CH_2-CH_2-CH_2-CH_2-CH_3$ avec Cl

c) 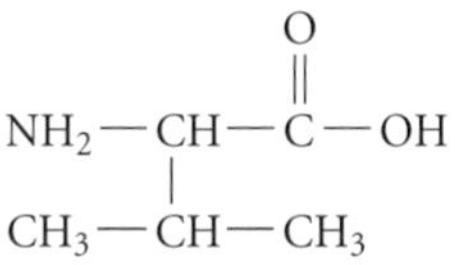
$$NH_2-CH-\overset{O}{\underset{\|}{C}}-OH$$
$$CH_3-CH-CH_3$$
valine (acide aminé)

d)
Br
⎯OH

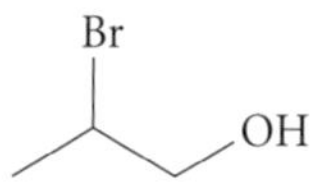

e)
Cl
Cl
(cycle benzénique)

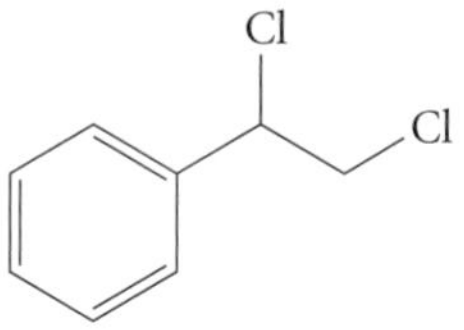

f)
théobromine (principal alcaloïde du cacao)

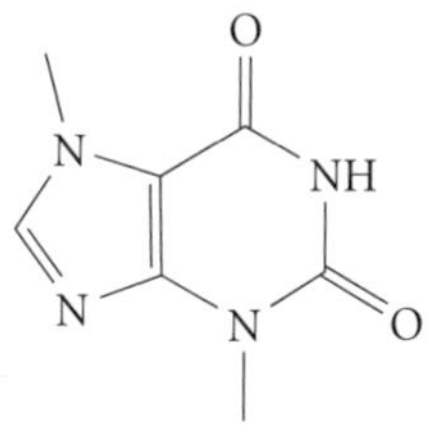

Exemple 3.6

Dessinez les deux énantiomères du 5-bromo-2-méthylheptane de l'exemple 3.5 (*voir page précédente*).

Solution

En premier, il faut dessiner la molécule en formule semi-développée pour localiser le carbone stéréogénique.

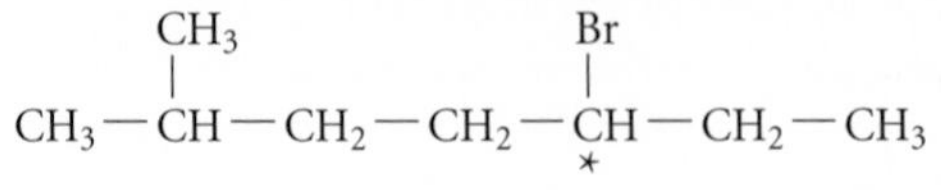
CH3
Br
CH3—CH—CH2—CH2—CH—CH2—CH3
*

À ce stade, il est important de se rappeler que les énantiomères sont des stéréoisomères et qu'il faut automatiquement dessiner ces isomères en trois dimensions. Donc, représentez le carbone stéréogénique (carbone 5) avec quatre liaisons disposées selon une géométrie tétraédrique.

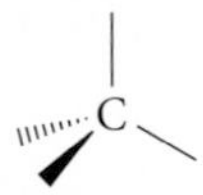
C

Ensuite, ajoutez les quatre groupements différents dans un ordre arbitraire.

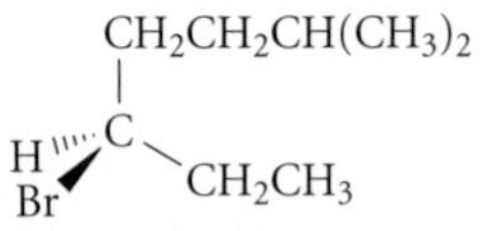
CH2CH2CH(CH3)2
C
H
Br
CH2CH3

Enfin, il existe plusieurs façons pour dessiner l'autre énantiomère. En voici deux : appliquez le concept de l'image spéculaire ou permutez deux des groupements fixés au C*, peu importe lesquels.

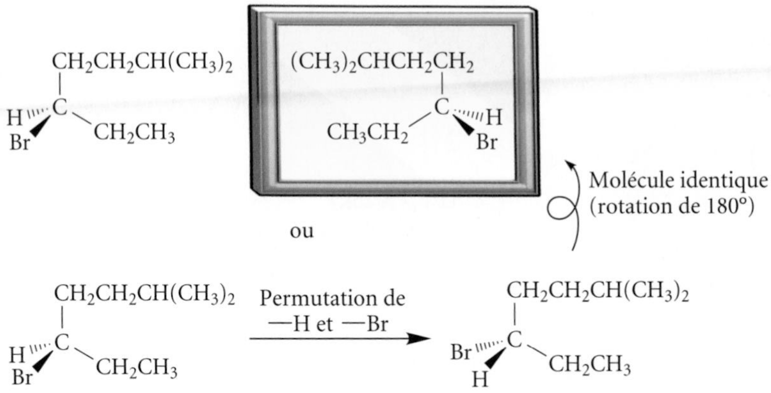
CH2CH2CH(CH3)2
H
Br
CH2CH3
(CH3)2CHCH2CH2
CH3CH2
H
Br
Molécule identique
(rotation de 180°)
ou
Permutation de
—H et —Br
Br
H

REMARQUE

Pour effectuer une inversion de configuration et obtenir ainsi une paire d'énantiomères, il est possible de permuter deux groupements fixés au carbone stéréogénique (C*) de l'un des stéréoisomères.

Exercice 3.14 Dessinez les deux énantiomères pour les molécules chirales de l'exercice 3.13 (*voir page précédente*).

3.5.2.2 Détermination des carbones stéréogéniques dans les molécules cycliques

Les molécules cycliques peuvent également renfermer des carbones stéréogéniques. Dans ce cas, pour déterminer si un carbone est stéréogénique, il faut garder en tête que chaque groupe d'atomes fixé au carbone analysé doit être traité jusqu'à ce qu'une différence soit observée ou jusqu'à ce qu'un demi-tour du cycle soit réalisé. Le tableau 3.5 présente quelques exemples.

L'atropine est extrait de la belladone (*Atropa belladonna*), une plante de la famille des Solanacées. L'atropine possède la propriété de dilater les pupilles. Au cours du XVIIᵉ siècle, elle était employée par les femmes italiennes pour que leur regard paraisse d'une plus grande profondeur. L'expression italienne *bella donna*, signifiant «jolie femme», provient d'ailleurs de la belladone. L'atropine s'hydrolyse en acide tropique et en tropanol.

Tableau 3.5	**Détermination des carbones stéréogéniques dans des chaînes acycliques et cycliques**

Molécules ne possédant aucun carbone chiral : aucun carbone hybridé *sp³* n'est entouré de quatre groupements différents	Molécules possédant au moins un carbone chiral : un des carbones hybridés *sp³* est entouré de quatre groupements différents

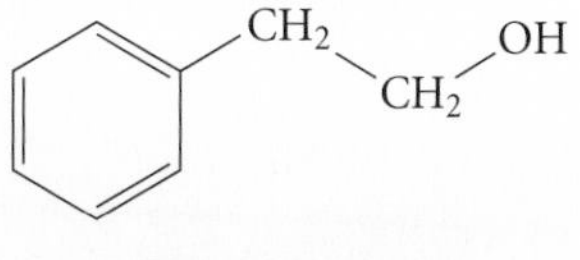

2-phényléthanol
(molécule à l'odeur de rose)

Le C* est dans la chaîne acyclique.

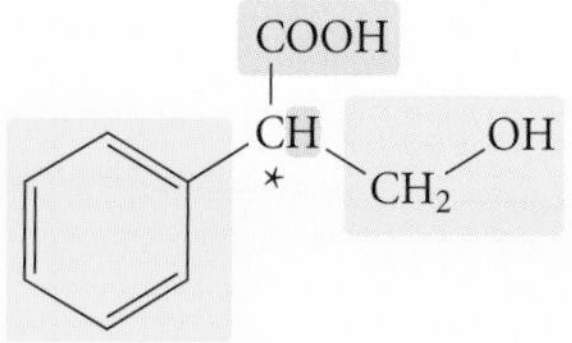

acide tropique

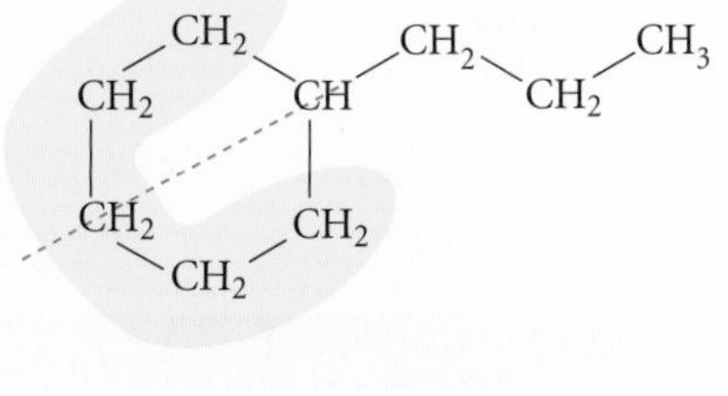

propylcyclohexane
(molécule contenue dans le diesel)

Le —CH voit deux portions identiques du cycle, en jaune.

Le C* est dans le cycle.

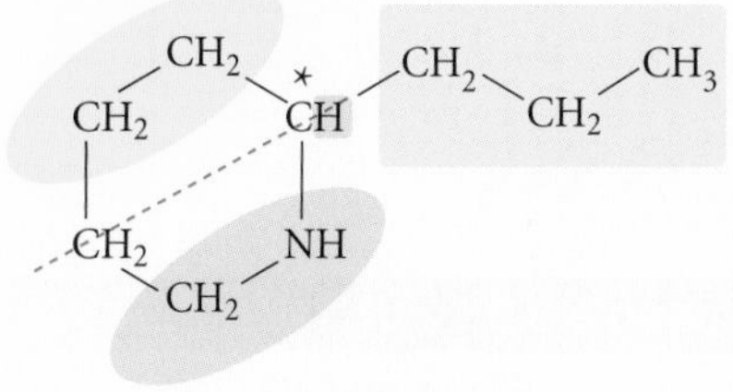

coniine

Le groupement en jaune est traité en tant que :

—CH₂—CH₂—CH₂—…

Le groupement en bleu est traité en tant que :

—NH—CH₂—CH₂—…

La coniine est un alcaloïde présent dans la ciguë, une plante de la famille des Apiacées. La coniine est un puissant poison qui était autrefois utilisé par les Athéniens pour exécuter les condamnés à mort.

Exemple 3.7

Déterminez le carbone stéréogénique du 1,1,3-triméthylcyclohexane.

Solution

Il faut dessiner la structure de cette molécule et repérer le carbone hybridé *sp³* lié à quatre groupements différents. L'utilisation d'une formule semi-développée est suffisante.

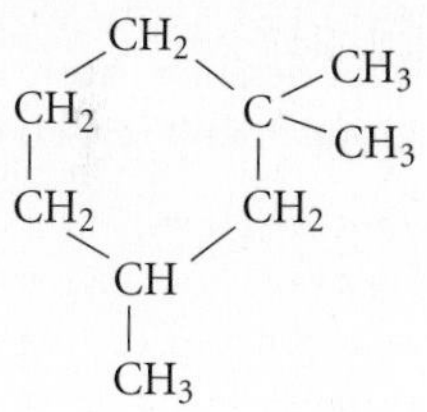

Pour déterminer si, dans un cycle, un carbone est stéréogénique, il faut se rappeler que chaque groupe d'atomes fixé au carbone analysé doit être traité jusqu'à ce qu'une différence soit observable ou jusqu'à ce qu'un demi-tour du cycle soit réalisé.

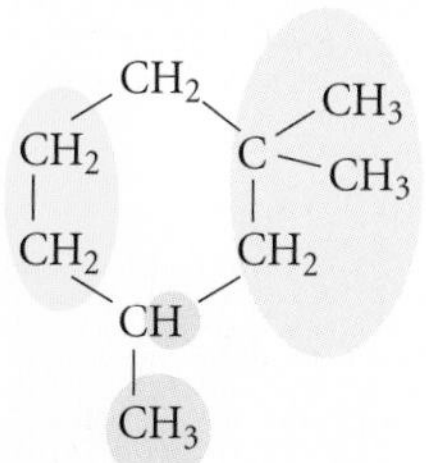

Seul le carbone 3 est porteur de quatre groupements différents. Ainsi, le carbone 3 est un carbone stéréogénique dans le cycle et il est mis en évidence par un astérisque.

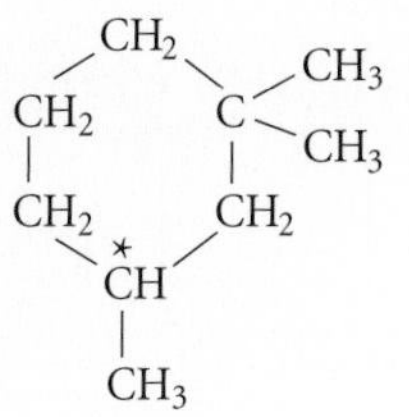

Exercice 3.15   À l'aide d'un astérisque, indiquez, s'il y a lieu, les carbones stéréogéniques des molécules suivantes.

a)

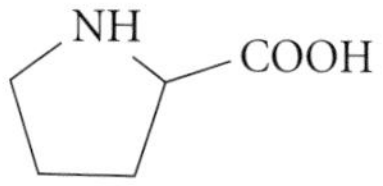

proline
(acide aminé)

b)

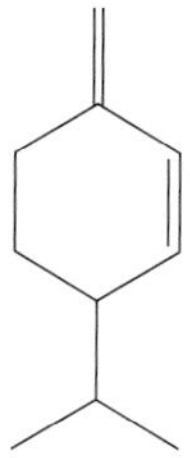

β-phellandrène
(présent dans les essences de fenouil)

c)

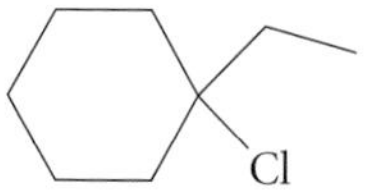

1-chloro-1-éthylcyclohexane

d)

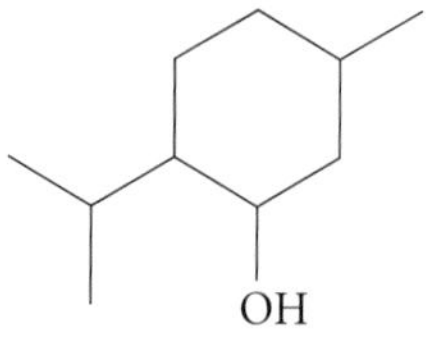

menthol

Exemple 3.8

Dessinez les deux énantiomères du 1,1,3-triméthylcyclohexane de l'exemple 3.7 (*voir page précédente*).

Solution

Représentez le carbone stéréogénique (carbone 3) avec quatre liaisons disposées selon une géométrie tétraédrique. Dans une molécule cyclique comme dans cet exemple, dessinez la molécule en mettant toutes les liaisons du cycle dans le plan de la feuille.

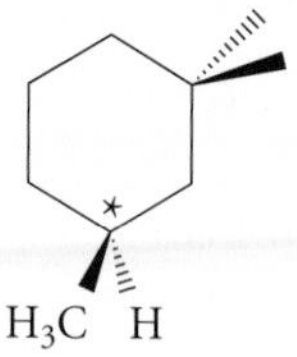

H_3C H

Pour dessiner l'autre énantiomère, appliquez le concept de l'image spéculaire ou permutez simplement les groupements —CH_3 et —H.

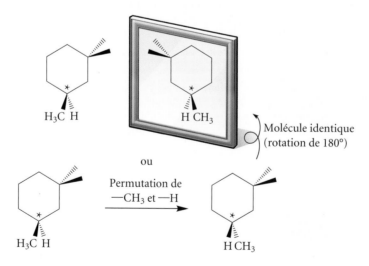

Exercice 3.16   Dessinez les deux énantiomères pour les molécules de l'exercice 3.15 a) et b).

3.5.2.3 Configuration absolue des carbones stéréogéniques et notation *R-S*

Au même titre qu'il est possible de discerner les deux mains l'une de l'autre en spécifiant « main droite » ou « main gauche », il existe une convention d'écriture, avec des règles strictes et systématiques, afin de différencier les stéréoisomères ayant des carbones stéréogéniques. À titre d'exemple, il est possible de prendre le 2-bromobutane. Puisque la structure possède un carbone stéréogénique, deux énantiomères peuvent être représentés, soit deux images spéculaires non superposables. La disposition spatiale des quatre groupements différents autour du C* porte le nom de **configuration** du carbone stéréogénique ou de **configuration absolue**. Bien qu'il soit possible de distinguer chacun des énantiomères grâce aux structures tridimensionnelles (*voir la figure 3.17*), il est utile, par souci de simplicité, de pouvoir préciser l'arrangement spatial des groupements autour du C* sans avoir à dessiner systématiquement les structures en trois dimensions.

La configuration absolue du carbone stéréogénique doit être précisée par l'utilisation d'un **descripteur stéréochimique**, *R* ou *S*, qui est ajouté au nom de la molécule. Le système de notation *R-S*, approuvé par l'UICPA, a été mis au point par les chimistes organiciens **Robert S. Cahn** (1899-1981), **Christopher K. Ingold** (1893-1970) et **Vladimir Prelog** (1906-1998). Il permet de caractériser l'arrangement spatial du carbone stéréogénique. Les règles établies afin d'attribuer la notation *R* ou *S* aux deux configurations possibles pour un carbone stéréogénique sont expliquées ci-après.

Robert S. Cahn, Christopher K. Ingold et Vladimir Prelog en 1966

Figure 3.17
Représentation des deux énantiomères du 2-bromobutane

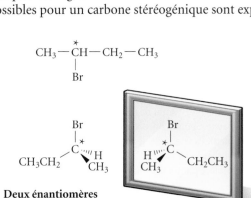

Deux énantiomères
Chaque arrangement spatial représente une configuration absolue différente.

Règle 1

- Indiquer les carbones stéréogéniques à l'aide d'un astérisque (*).

- Pour chaque carbone stéréogénique, repérer les quatre atomes ou groupes d'atomes différents.

- Déterminer le numéro atomique (*Z*) de chaque atome directement lié au carbone stéréogénique.

- Numéroter les atomes directement fixés au C*, par ordre décroissant de priorité, en attribuant le numéro 1 (la plus grande priorité) à l'atome portant le plus grand numéro atomique.

    Dans l'exemple de la figure 3.18, le chlore porte le numéro 1, et l'hydrogène, le numéro 4.

Figure 3.18
Ordre de priorité pour les quatre groupements entourant le C*

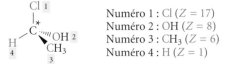

Numéro 1 : Cl ($Z = 17$)
Numéro 2 : OH ($Z = 8$)
Numéro 3 : CH_3 ($Z = 6$)
Numéro 4 : H ($Z = 1$)

Règle 2

- Si le carbone stéréogénique possède deux ou plusieurs groupements dont les atomes directement attachés au C* ont le même numéro atomique, poursuivre la lecture au deuxième, troisième, quatrième atome, etc., jusqu'à l'obtention d'une différence. Le groupe d'atomes prioritaire est celui ayant l'atome dont le numéro atomique est le plus élevé.

Dans la figure 3.19, les quatre groupements liés au C* sont différents (Cl, H, CH_3 et CH_2CH_3), mais deux de ces groupements possèdent un atome de carbone directement attaché au C*. Ils portent donc le même numéro atomique. Le carbone (en rouge) du groupement méthyle —CH_3 porte trois hydrogènes (en bleu). Le numéro atomique de chacun des hydrogènes est 1. Le carbone (en rouge) de l'éthyle —CH_2CH_3, quant à lui, porte un carbone (en bleu), de numéro atomique 6, et deux hydrogènes (en bleu), de numéro atomique 1. Puisque le C de l'éthyle est lié à un atome dont le numéro atomique est 6, alors que le C du méthyle est lié à des atomes d'hydrogène dont le $Z = 1$, la priorité sera donnée à l'éthyle.

Figure 3.19

Ordre de priorité pour les groupements d'atomes dont l'atome directement attaché au C* est identique

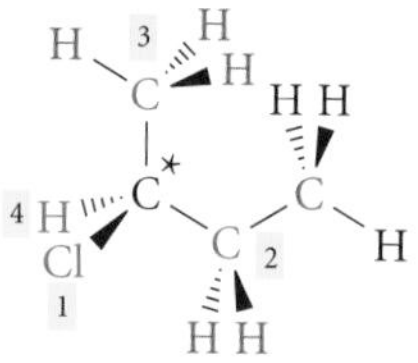

Numéro 1 : Cl ($Z = 17$)
Numéro 2 : CH_2CH_3 ($Z = 6$, puis $Z = 6$)
Numéro 3 : CH_3 ($Z = 6$, puis $Z = 1$)
Numéro 4 : H ($Z = 1$)

> **REMARQUE**
>
> S'il est difficile de bien visualiser ce type d'exemples, une solution consiste à développer les substituants. Ensuite, il suffit de remarquer tous les atomes identiques (dans une trame jaune), puis l'endroit où la différence entre les atomes apparaît (atome en bleu). Par exemple, le substituant —CH_2CH_3 est moins prioritaire que le substituant —$CH_2CH_2CH_3$ dont l'un des H du substituant précédent est remplacé par un carbone (CH_3). 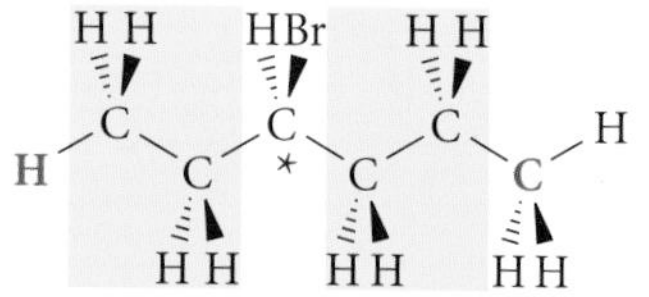
>
> Ordre de priorité :
> —Br > —$CH_2CH_2CH_3$ > —CH_2CH_3 > —H
>
> Groupement propyle prioritaire à l'éthyle

Règle 3

- Si la comparaison de deux ou de plusieurs groupements implique des éléments identiques, mais en quantité différente, le groupement prioritaire est celui doté du plus grand nombre d'atomes de numéro atomique prioritaire. Ainsi, comme cela est démontré dans la figure 3.20, un groupement —CH_2Br est moins prioritaire qu'un groupement —$CHBr_2$, puisque le —CH_2Br présente un carbone C relié à deux atomes d'hydrogène ($Z = 1$) et à un seul atome de brome ($Z = 35$), alors que le carbone C du —$CHBr_2$ est relié à un atome d'hydrogène ($Z = 1$) et à deux atomes de brome ($Z = 35$). Puisque les éléments constituant les groupements sont les mêmes, mais que le groupement —$CHBr_2$ renferme un plus grand nombre d'atomes de brome, ce dernier sera prioritaire.

Figure 3.20

Ordre de priorité pour des groupements ayant des éléments identiques, mais en quantité différente

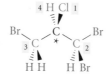

Numéro 1 : Cl ($Z = 17$)
Numéro 2 : $CHBr_2$ ($Z = 6$, puis deux fois $Z = 35$)
Numéro 3 : CH_2Br ($Z = 6$, puis une seule fois $Z = 35$)
Numéro 4 : H ($Z = 1$)

Règle 4

- La liaison multiple doit être traitée comme autant de liaisons simples, et ce, de chaque côté de la liaison multiple (*voir le tableau 3.6*).

Tableau 3.6	Analyse des substituants ayant des liaisons multiples pour l'attribution d'un ordre de priorité	

Nature du substituant	Interprétation	
$-C=C-H$ avec H, H Groupement vinyle	$-C-C-H$ avec C, C en haut et H, H en bas	Chaque carbone de la liaison double voit deux carbones qui lui sont directement rattachés.
$-C\equiv C-H$ Groupement éthynyle	$-C-C-H$ avec C, C en haut et C, C en bas	Chaque carbone de la liaison triple voit trois carbones qui lui sont directement rattachés.
$-C\equiv N$ Groupement nitrile	$-C-N$ avec N, C en haut et N, C en bas	Le carbone de la liaison triple voit trois azotes, et l'azote voit trois carbones.
O avec double liaison $-C-$ Groupement carbonyle	$O-C$ $-C-$ O	Le carbone de la liaison double voit deux oxygènes, et l'oxygène du groupement carbonyle voit deux carbones.
O avec double liaison $-C-O-H$ Groupement acide carboxylique	$O-C$ $-C-O-H$ O	Le carbone de la liaison double voit trois oxygènes, et l'oxygène du groupement carbonyle voit deux carbones.

Au moment de l'attribution des ordres de priorité, les numéros atomiques ne doivent jamais être additionnés. Cela mène souvent à des erreurs. Par exemple, la figure 3.21 présente une molécule pour laquelle la règle 2 doit être appliquée, car il y a deux atomes de carbone (en rouge) de deux groupements différents directement liés au même carbone stéréogénique. Le carbone du haut porte un brome et deux hydrogènes ($Z = 35$ et $Z = 1$), alors que celui du bas porte trois chlores ($Z = 17$). Pour obtenir la bonne priorité, il suffit de considérer que le brome ($Z = 35$) possède le plus grand numéro atomique ($35 > 17 > 1$), ce qui est un facteur déterminant ; le groupement renfermant le Br est donc prioritaire. En faisant l'erreur d'additionner les numéros atomiques selon les équations ($35 + 1 + 1 = 37$) et ($17 \times 3 = 51$), le groupement renfermant les atomes de Cl serait choisi. La priorité ne serait donc pas attribuée au bon groupement.

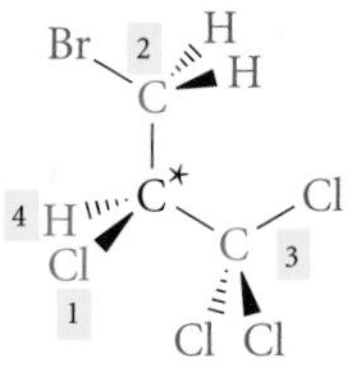

Figure 3.21

Mise en garde quant à l'attribution des ordres de priorité

Numéro 1 : Cl ($Z = 17$)
Numéro 2 : CH$_2$Br ($Z = 6$, puis $Z = 35$)
Numéro 3 : CCl$_3$ ($Z = 6$, puis $Z = 17$)
Numéro 4 : H ($Z = 1$)

Exemple 3.9

Classez les groupements suivants par ordre décroissant de priorité selon les règles de Cahn-Ingold-Prelog.

a) $-CH_3$, $-CH(CH_3)_2$, $-H$, $-Br$

b) $-C{\equiv}CH$, $-CH{=}CH_2$, $-CH{=}O$, $-CH_2OH$

Solution

a) Il faut attribuer le numéro atomique de chaque atome directement lié à un carbone stéréogénique :

$$C\ (Z = 6),\ H\ (Z = 1),\ Br\ (Z = 35)$$

Lorsqu'un carbone stéréogénique possède deux ou plusieurs groupements dont les atomes directement attachés au C* ont le même numéro atomique, il faut poursuivre la lecture au deuxième, troisième, quatrième atome, etc., jusqu'à ce qu'une différence soit rencontrée. Le groupement d'atomes prioritaire sera celui ayant l'atome dont le numéro atomique est le plus élevé.

$$-CH(CH_3)_2 > -CH_3$$

Numérotez les atomes ou les groupements d'atomes fixés au C*, par ordre décroissant de priorité, en attribuant la priorité 1 à l'atome ayant le plus grand numéro atomique, d'où :

$$-Br > -CH(CH_3)_2 > -CH_3 > -H$$

b) La liaison multiple doit être traitée comme autant de liaisons simples, et ce, de chaque côté de la liaison multiple.

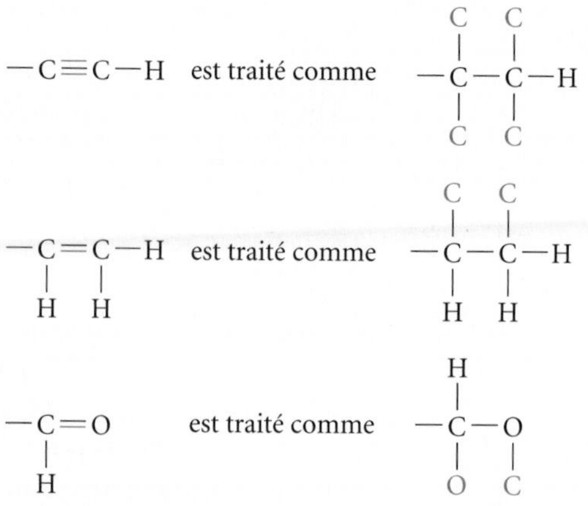

Comme précédemment, lorsqu'un carbone stéréogénique possède deux ou plusieurs groupements dont les atomes directement attachés au C* ont le même numéro atomique, il est nécessaire de poursuivre la lecture aux atomes subséquents jusqu'à l'obtention d'une différence. Il faut remarquer ici que le C=O du groupement aldéhyde $-CH{=}O$ est prioritaire sur le C—O du groupement alcool $-CH_2OH$, car le lien C=O est considéré comme deux liens C—O (règle 4), le numéro atomique est le même, mais le nombre l'emporte (règle 3), d'où l'ordre décroissant de priorité :

$$-CH{=}O > -CH_2OH > -C{\equiv}CH > -CH{=}CH_2$$

Exercice 3.17 Classez les groupements suivants par ordre décroissant de priorité selon les règles de Cahn-Ingold-Prelog.

a) —Cl, —H, —OCH$_3$, —CH$_3$

b) —CH$_3$, —H, —CH$_2$CH$_3$, —CH$_2$CH$_2$CH$_3$

c) —CH$_3$, —H, —C(CH$_3$)$_3$, —CH=CH$_2$

d) —CH$_3$, —F, —NH$_2$, —⬡

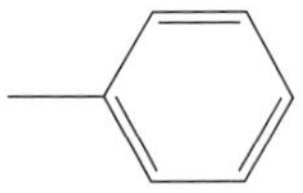

e) —H, —OH, —C(CH$_3$)$_3$, —CH=O

Une fois les ordres de priorité attribués, la configuration absolue du carbone stéréogénique peut être déterminée. L'œil de l'observateur doit être situé du côté opposé au groupement ayant la plus petite priorité (le numéro 4). Par conséquent, en considérant que l'observateur est situé devant le plan de la feuille, le groupement ayant la plus petite priorité se situe derrière le plan. Une fois le groupement 4 positionné, seuls les trois autres groupements sont considérés. Si, en joignant les numéros 1 → 2 → 3 selon la numérotation établie, la rotation se fait dans le sens horaire, il s'agit de la configuration *R* (du latin *rectus*, qui signifie « droit »). Au contraire, si la rotation se fait dans le sens antihoraire en joignant les numéros 1 → 2 → 3, il s'agit de la configuration *S* (du latin *sinister*, qui signifie « gauche ») (*voir la figure 3.22*).

Figure 3.22
Détermination des configurations absolues *R* et *S*

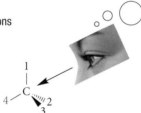
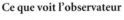

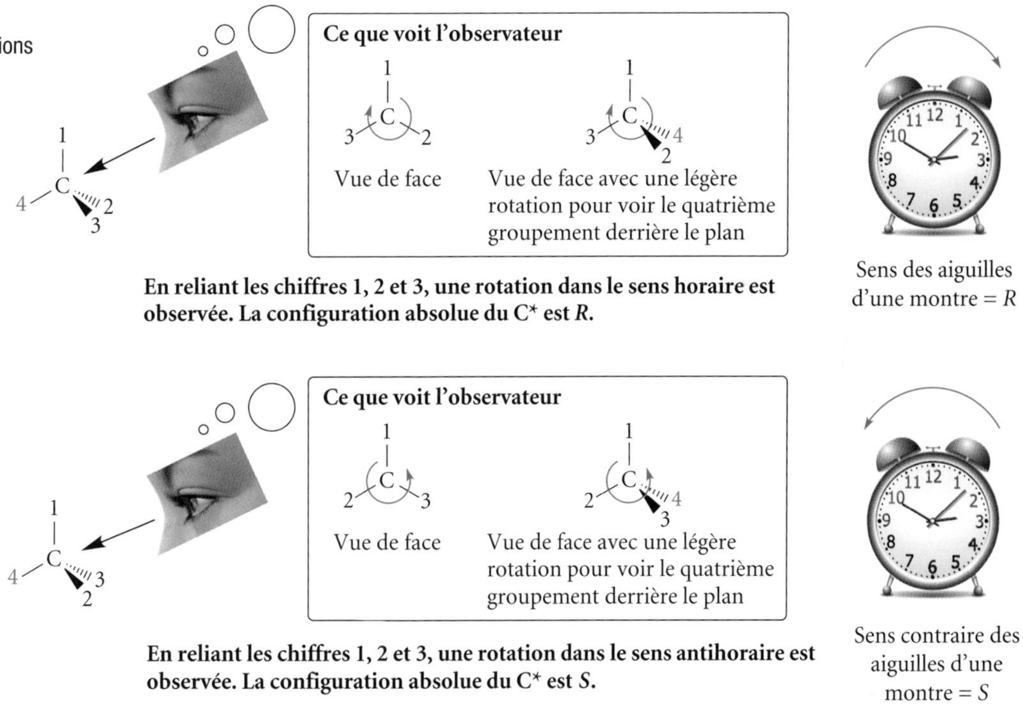

Ce que voit l'observateur

Vue de face

Vue de face avec une légère rotation pour voir le quatrième groupement derrière le plan

En reliant les chiffres 1, 2 et 3, une rotation dans le sens horaire est observée. La configuration absolue du C* est *R*.

Sens des aiguilles d'une montre = *R*

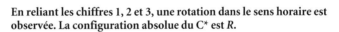
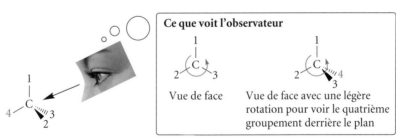

Ce que voit l'observateur

Vue de face

Vue de face avec une légère rotation pour voir le quatrième groupement derrière le plan

En reliant les chiffres 1, 2 et 3, une rotation dans le sens antihoraire est observée. La configuration absolue du C* est *S*.

Sens contraire des aiguilles d'une montre = *S*

Puisque les énantiomères sont des images spéculaires, les configurations absolues respectives de leurs carbones stéréogéniques sont toujours l'inverse l'une de l'autre (*voir la figure 3.23*). Dans la nomenclature des molécules organiques, les descripteurs stéréochimiques *R* et *S* doivent s'écrire au début du nom de la molécule, entre parenthèses, et être séparés du premier substituant par un trait d'union.

Figure 3.23
Deux énantiomères du 2-bromobutane et leur configuration absolue

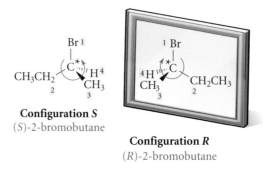

Configuration *S*
(*S*)-2-bromobutane

Configuration *R*
(*R*)-2-bromobutane

Deux énantiomères
Chaque arrangement spatial représente une configuration absolue différente.

Dans le cas où plusieurs carbones stéréogéniques sont présents dans la même molécule, chaque C* est traité indépendamment lorsque leur configuration absolue est attribuée. Les descripteurs stéréochimiques doivent encore être mis entre parenthèses, mais les indices de position correspondant aux différents carbones stéréogéniques de la chaîne principale doivent être inscrits devant chacune des configurations *R* ou *S*. Les configurations absolues sont placées dans l'ordre croissant de position et séparées par des virgules (*voir la figure 3.24*).

Figure 3.24
Molécule renfermant plusieurs carbones stéréogéniques et attribution de leur configuration absolue

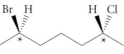

2-bromo-6-chloroheptane

Analyse du premier carbone stéréogénique   **Analyse du second carbone stéréogénique**

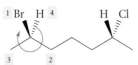

Configuration absolue observée et réelle *R*

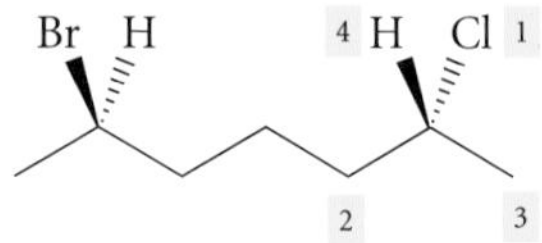

Configuration absolue observée *S*
La configuration absolue *S* est fausse. Le groupement de plus faible priorité (H) est situé en avant du plan. L'observateur devrait être derrière le plan.

> [!NOTE]
> **REMARQUE**
>
> Si le groupement qui a la priorité la plus faible est projeté vers l'avant, l'observateur, devant la feuille, se situe alors du même côté, tandis qu'il devrait y être opposé (c'est-à-dire situé derrière le plan). Par conséquent, à défaut de positionner le groupement 4 derrière le plan, il peut être plus simple de considérer que la véritable configuration absolue du C* est l'inverse de ce qui est observé.

Nom de la molécule
(2*R*,6*R*)-2-bromo-6-chloroheptane

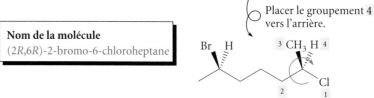

Placer le groupement 4 vers l'arrière.

Configuration absolue observée et réelle *R*

Exemple 3.10

Déterminez la configuration absolue (R ou S) de cet énantiomère du 3-méthylpent-1-ène.

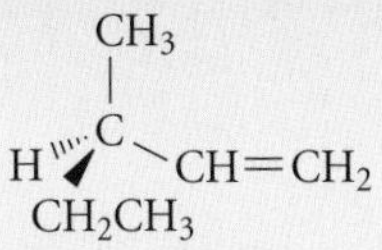

$$\begin{array}{c} CH_3 \\ | \\ H\cdots C \\ \diagdown CH=CH_2 \\ CH_2CH_3 \end{array}$$

Solution

Il faut tout d'abord attribuer un ordre de priorité aux quatre différents groupements liés au carbone stéréogénique.

$$-CH=CH_2 > -CH_2CH_3 > -CH_3 > -H$$

Ensuite, il est important de se rappeler que la molécule doit être observée du côté opposé au groupement ayant la plus petite priorité. En d'autres mots, le groupement ayant la priorité 4 doit se situer derrière le plan de la feuille, alors que l'œil de l'observateur se situe devant. Il reste à déterminer si, en joignant les trois autres groupements selon l'ordre de priorité, la rotation se fait dans le sens horaire (R) ou antihoraire (S).

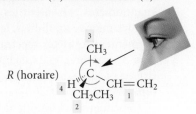

R (horaire)

Le nom de la molécule est donc (R)-3-méthylpent-1-ène.

Exercice 3.18   Déterminez la configuration absolue (R ou S) des carbones stéréogéniques dans les molécules suivantes.

a) 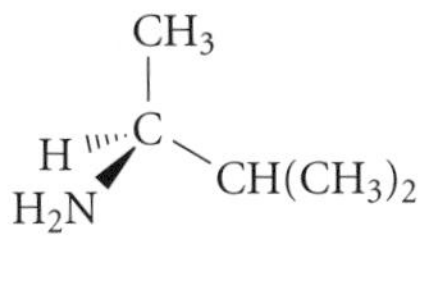
$$\begin{array}{c} CH_3 \\ | \\ H\cdots C \\ H_2N \diagup \diagdown CH(CH_3)_2 \end{array}$$

b)
$$\begin{array}{c} (CH_3)_3C \quad H \\ \diagdown C \diagup \\ CH_3CH_2CH_2 \diagup \diagdown CH(CH_3)_2 \end{array}$$

c)
$$\begin{array}{c} CH \\ ||| \\ C \\ CH_3\cdots C \diagdown \\ H \quad CH \\ || \\ O \end{array}$$

d) 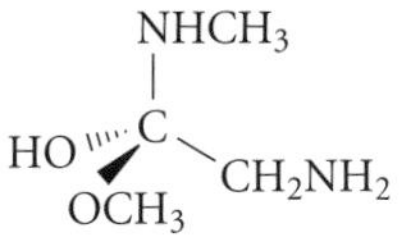
$$\begin{array}{c} NHCH_3 \\ | \\ HO\cdots C \\ \diagdown CH_2NH_2 \\ OCH_3 \end{array}$$

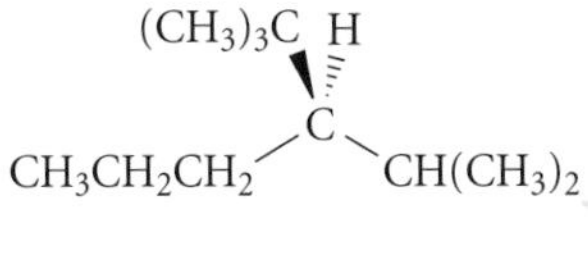

e) 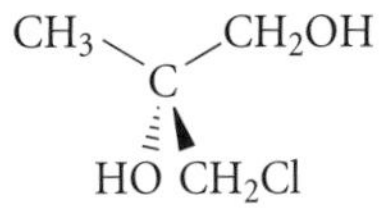
$$\begin{array}{c} CH_3 \diagdown \quad \diagup CH_2OH \\ C \\ HO \quad CH_2Cl \end{array}$$

Exercice 3.19   Dessinez la structure tridimensionnelle des molécules suivantes.

a)   CHBrClF
   (S)-bromochlorofluorométhane

b) CH_3—$CHCl$—CH_2Cl
   (R)-1,2-dichloropropane

c) CH_3—$CHBr$—CH_2—$CHCl$—CH_3
   (2R,4S)-2-bromo-4-chloropentane

d)
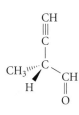

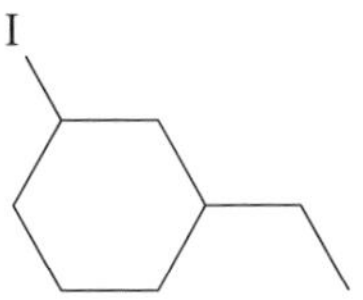

   (1R,3R)-1-éthyl-3-iodocyclohexane

e)

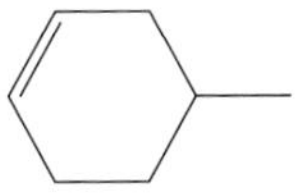

   (S)-4-méthylcyclohexène

Exercice 3.20   Dessinez la structure du 4-éthyl-4-méthylheptan-2-ol dans les configurations absolues suivantes.

$$
\begin{array}{ccc}
\text{OH} & & \text{CH}_2\text{CH}_3 \\
| & & | \\
\text{CH}_3\text{CHCH}_2\text{CCH}_2\text{CH}_2\text{CH}_3 \\
& & | \\
& & \text{CH}_3
\end{array}
$$

a) (2R,4R)-4-éthyl-4-méthylheptan-2-ol

b) (2S,4S)-4-éthyl-4-méthylheptan-2-ol

c) (2R,4S)-4-éthyl-4-méthylheptan-2-ol

d) (2S,4R)-4-éthyl-4-méthylheptan-2-ol

3.5.3   Propriétés physiques des énantiomères

La plupart des propriétés physiques des énantiomères sont identiques. En effet, deux énantiomères présentent les mêmes points de fusion et d'ébullition, la même viscosité, les mêmes solubilités, le même indice de réfraction, la même masse volumique, les mêmes propriétés spectrales au cours d'analyses IR, RMN, UV-visible (*voir le chapitre 5*), etc. Bref, deux énantiomères ont des propriétés physiques identiques découlant de phénomènes symétriques. Par conséquent, les énantiomères ne peuvent pas être séparés grâce à des techniques physiques de base telle que la distillation.

Cependant, la chiralité des énantiomères étant différente, ils se distinguent sur le plan des propriétés qui sont elles-mêmes chirales. Par exemple, les énantiomères présentent une **activité optique** différente, c'est-à-dire que chaque énantiomère possède la propriété de faire dévier le plan de la lumière polarisée, du même angle, mais dans des directions opposées. Ce concept sera abordé dans la prochaine section.

3.5.4   Lumière polarisée, activité optique et pouvoir rotatoire spécifique

Quelle différence y a-t-il entre la lumière polarisée et celle qui ne l'est pas ? La lumière blanche ordinaire est constituée d'ondes électromagnétiques oscillant dans tous les plans possibles de l'espace, perpendiculaires à la direction de propagation de la lumière. Or, il existe des matériaux polarisants qui ont la propriété de filtrer les ondes lumineuses de telle sorte que seules les ondes oscillant dans un seul plan, soit le plan de polarisation, traversent le matériau polarisant (*voir la figure 3.25*). La **lumière** devient alors **polarisée**, c'est-à-dire une lumière composée uniquement d'ondes oscillant dans des plans parallèles au plan de polarisation.

Figure 3.25
Polarisation de la lumière

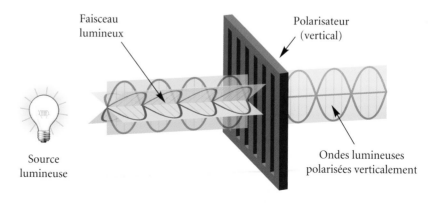

Faisceau lumineux

Polarisateur (vertical)

Source lumineuse

Ondes lumineuses polarisées verticalement

La figure 3.26 présente deux cas de superposition de feuilles formées de matériau polarisant transparent. Si les plans de polarisation de chaque carré sont parallèles, le faisceau de lumière traversera les deux feuilles. Par contre, si les plans de polarisation sont perpendiculaires, la lumière ne passera plus à travers les deux feuilles de matériau polarisant, et la région sera opaque. Le fonctionnement du polarimètre, décrit en détail un peu plus loin dans cette section, est basé sur ce phénomène.

Figure 3.26
a) Superposition de deux feuilles de matériau polarisant dont les plans de polarisation sont parallèles ;
b) Superposition de deux feuilles de matériau polarisant dont les plans de polarisation sont perpendiculaires

a)

b)

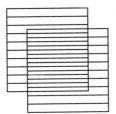

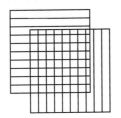

Ce n'est qu'au début du XVIIIᵉ siècle que la lumière polarisée a été découverte et que des expériences utilisant ce type de lumière ont été effectuées sur des composés chimiques. En 1828, le physicien britannique **William Nicol** (1768-1851) a mis au point un cristal de carbonate de calcium ($CaCO_3$), appelé **prisme de Nicol**, qui permet de polariser efficacement la lumière. De nos jours, une substance polarisante, le **polaroïd**, inventée par l'Américain **Edwin Herbert Land** (1909-1991), est largement employée pour polariser la lumière[4]. Le polaroïd se trouve, entre autres, dans plusieurs lunettes de soleil.

Lorsque la lumière polarisée entre en contact avec un échantillon de molécules chirales, une rotation du plan de polarisation de la lumière, nommée **rotation optique**, est observée. Une molécule chirale est dite « optiquement active ». Par opposition, si un échantillon de molécules achirales est traversé par la lumière polarisée, aucune rotation du plan de polarisation ne sera observée. Une molécule achirale est dite « optiquement inactive ».

L'appareil qui permet de mesurer la rotation du plan de la lumière polarisée porte le nom de **polarimètre** (*voir la figure 3.27, page suivante*). Son utilisation est simple. Lorsque le tube à échantillon est vide et que la source lumineuse est allumée, l'observateur ajuste le prisme analyseur afin de trouver la position qui offre un maximum de luminosité par rapport au faisceau de lumière polarisée par le prisme polarisant. Cet ajustement positionne les axes des prismes polarisant et analyseur parallèlement, ce qui constitue un angle de rotation de 0°. Lorsqu'une substance à analyser est placée dans le tube à échantillon, s'il renferme des molécules achirales, aucune rotation du plan de polarisation de la lumière ne sera observée ; l'intensité maximale sera toujours perçue, à un angle de 0°. À l'inverse, si l'échantillon contient des molécules ayant une chiralité, l'observateur percevra une moins grande luminosité que précédemment. Cela est dû au fait que le plan de la lumière polarisée n'est plus aligné avec l'axe du prisme analyseur, les molécules chirales ayant provoqué une rotation du plan de polarisation. En tournant l'axe du prisme analyseur de manière à retrouver l'intensité lumineuse maximale, il sera possible de déterminer la **rotation optique observée (α)** causée par les molécules chirales de l'échantillon.

REMARQUE

De nos jours, il existe plusieurs modèles de polarimètres, dont certains sont automatiques (polarimètre automatique) et d'autres s'ajustent manuellement (polarimètre manuel).

Polarimètre manuel

Polarimètre automatique (marque PerkinElmer, modèle 343)

Figure 3.27
Schéma d'un polarimètre

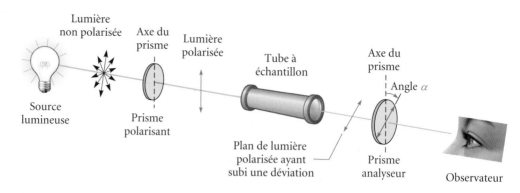

Une molécule chirale est dite **dextrogyre** (de *dexter*, un nom latin signifiant « droit », et de *gyros*, un nom grec signifiant « tourner ») si l'axe du prisme analyseur doit être tourné vers la droite (dans le sens horaire) afin de retrouver l'intensité maximale de lumière. Une valeur positive (+) est attribuée arbitrairement à la rotation optique observée (α). Par opposition, une molécule chirale est dite **lévogyre** (de *laevus*, un nom latin signifiant « gauche ») si l'axe du prisme analyseur est tourné vers la gauche (dans le sens antihoraire). La rotation optique (α) possède alors un signe négatif (−).

Puisque chaque molécule chirale est capable d'induire une rotation du plan de polarisation et que cet effet est cumulatif, il va de soi que la rotation optique observée (α) dépend de la concentration de l'échantillon. La rotation du plan dépend également de la nature de la molécule, de la longueur du tube à échantillon que doit traverser la lumière polarisée, de la température ainsi que de la longueur d'onde de la lumière polarisée incidente. Afin d'être en mesure de comparer l'activité optique de différentes molécules chirales, la rotation optique observée (α) doit être standardisée. Le **pouvoir rotatoire spécifique** ($[\alpha]_\lambda^t$), reliant tous les paramètres variables, est obtenu selon le calcul présenté dans l'équation 3.1. Le pouvoir rotatoire spécifique est une propriété physique au même titre que les points d'ébullition et de fusion, la masse volumique, etc. Toutefois, cette propriété est caractéristique d'une molécule chirale. Un chercheur qui synthétise une molécule chirale doit toujours tenir compte de ce paramètre au moment de la caractérisation.

$$[\alpha]_\lambda^t = \frac{\alpha}{l \times c} \text{ (solvant)} \qquad \textbf{(équation 3.1)}$$

$[\alpha]_\lambda^t$ = pouvoir rotatoire spécifique (en degrés $\cdot$ dm^{-1} $\cdot$ g^{-1} $\cdot$ mL ; très souvent exprimé en degrés) ;
t = température (°C) ;
λ = longueur d'onde de la lumière polarisée incidente ;
α = rotation optique observée (en degrés) ;
c = concentration (g/mL) ;
l = longueur de la cellule contenant l'échantillon (dm).

Dans la formule du pouvoir rotatoire spécifique, la température est généralement celle de la pièce, et la longueur d'onde correspond le plus souvent à celle de l'émission de la raie D des lampes à vapeur de sodium, soit 589,3 nm. Dans de pareils cas, le symbole $[\alpha]_D$ (alpha D) est utilisé pour représenter le pouvoir rotatoire spécifique d'un composé. Il convient également de noter que le solvant devrait toujours être indiqué entre parenthèses, et que ce dernier ne doit surtout pas être chiral.

Exercice 3.21   Quel est le pouvoir rotatoire spécifique de l'éthanol, l'alcool qui se trouve dans les boissons alcoolisées ?

CH$_3$—CH$_2$—OH
éthanol

Le glutamate monosodique (GMS) est un additif alimentaire qui rehausse le goût des aliments. Il est trouvé notamment dans le jus de tomates. L'utilisation de ce sel de sodium de l'acide glutamique (un acide aminé) suscite la controverse, car le GMS est accusé d'avoir des effets néfastes sur la santé des consommateurs.

Exercice 3.22 Soit le composé suivant.

glutamate monosodique (GMS)

a) Repérez le carbone stéréogénique du GMS et déterminez sa configuration absolue.

b) Un échantillon de 1,00 g de GMS est dissous dans 10,0 mL d'eau et est placé dans le tube d'un polarimètre de 5,00 cm de longueur. La rotation optique observée avec la raie D du sodium est +1,28° à 20 °C. Calculez le pouvoir rotatoire spécifique du glutamate monosodique.

Dans le cas d'une paire d'énantiomères, si chaque stéréoisomère est pris séparément et placé, aux fins d'analyse, dans le tube à échantillon d'un polarimètre, il sera possible d'observer, pour chacun des énantiomères, des valeurs identiques, mais de sens opposé, pour les angles de rotation du plan de la lumière polarisée. L'une des molécules est dextrogyre, alors que son énantiomère est systématiquement lévogyre. Il n'y a aucune corrélation entre la configuration absolue R-S des énantiomères et le sens de rotation du plan de la lumière polarisée. Seule l'expérimentation peut confirmer la valeur et le sens de rotation du plan de polarisation. La figure 3.28 présente l'exemple de la (S)-$(+)$-sérine qui est dextrogyre et de la (R)-$(-)$-sérine qui est lévogyre. En effectuant une réaction d'estérification sur la fonction acide carboxylique de chacun des énantiomères, l'ester de la (S)-sérine devient lévogyre, tandis que l'ester de la (R)-sérine est maintenant dextrogyre.

REMARQUE

Les acides aminés et les glucides sont généralement caractérisés par les configurations relatives D et L.

Figure 3.28
Absence de corrélation entre la configuration absolue R-S et le pouvoir rotatoire spécifique des énantiomères

S-sérine (a. a. naturel)
$[\alpha]_D^{20\,°C} = +14,7°$ (H_2O)

R-sérine (a. a. non naturel ou artificiel)
$[\alpha]_D^{20\,°C} = -14,7°$ (H_2O)

Énantiomères

Miroir

Estérification

Estérification

(S)-2-amino-3-hydroxypropanoate d'éthyle (ester éthylique de la S-sérine)
$[\alpha]_D^{20\,°C} = -4,4°$ (H_2O)

(R)-2-amino-3-hydroxypropanoate d'éthyle (ester éthylique de la R-sérine)
$[\alpha]_D^{20\,°C} = +4,4°$ (H_2O)

Miroir

Énantiomères

Le blé est une bonne source de sérine. Le corps humain est toutefois capable de la fabriquer advenant une carence. Il existe un trouble pathologique chez le poupon, le rendant incapable de synthétiser efficacement cet acide aminé et entraînant un lourd retard mental et des anomalies neurologiques. La sérine joue un rôle important dans la reconnaissance enzymatique.

Comme mentionné précédemment, une molécule achirale et son image spéculaire sont identiques. Les molécules achirales sont optiquement inactives. Cela s'explique par le fait que si l'une des conformations (qui n'a pas de plan de symétrie) dévie la lumière polarisée dans une direction donnée, une autre molécule, possédant une conformation étant l'image spéculaire de la première, peut dévier le faisceau en sens opposé, et de même amplitude. Ainsi, puisqu'un échantillon de molécules achirales contient un très grand nombre de molécules, la sommation statistique des différentes conformations donne globalement une déviation nulle.

3.5.5 Mélange racémique et excès énantiomérique (ee)

Un mélange équimolaire (50:50) de deux énantiomères se nomme **mélange racémique**. Le terme « racémique » (du latin *racemus*, qui signifie « grappe de raisin ») provient de l'acide racémique, un composé analysé par **Louis Pasteur** (1822-1895) au XIXᵉ siècle et trouvé dans les fûts au moment de la fermentation du vin. Puisque chacun des énantiomères possède la capacité de dévier la lumière polarisée du même angle, mais en sens opposé, le pouvoir rotatoire spécifique d'un tel mélange est de zéro, car la sommation des pouvoirs rotatoires spécifiques donne globalement une déviation nulle. Un mélange racémique est donc optiquement inactif.

> **REMARQUE**
>
> Les symboles pour représenter un mélange racémique sont (*RS*) et (±). Ils sont inscrits devant le nom du composé. Dans la structure chimique, la liaison en avant ou en arrière du substituant lié au C* est remplacée par le symbole suivant : ∿∿∿. 
>
>
> (*R*)-2-chlorobutane   (*S*)-2-chlorobutane   } Mélange racémique
> 50 %   50 %
>
> ou simplement 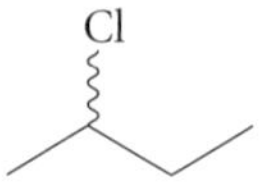
>
> (*RS*)-2-chlorobutane   } Mélange racémique

Dans le cas où deux énantiomères ne se trouvent pas dans les mêmes proportions dans un mélange, un pouvoir rotatoire spécifique non nul est observé. Ce dernier est de valeur moindre que celui d'un échantillon ne contenant qu'un seul énantiomère. Cette valeur est importante pour le chimiste, car elle permet d'évaluer l'abondance de chaque énantiomère dans un échantillon donné. La surabondance d'un énantiomère (exprimée en pourcentage) par rapport à un autre dans un même mélange porte le nom d'**excès énantiomérique (ee)**. Cet excès se mesure par l'équation mathématique 3.2 présentée ci-dessous.

$$ ee = \frac{[\alpha]_\lambda \text{ du mélange}}{[\alpha]_\lambda \text{ de l'énantiomère pur}} \times 100\% \qquad \text{(équation 3.2)} $$

Exercice 3.23 Un échantillon contenant un mélange d'énantiomères du 2-bromobutane possède un pouvoir rotatoire spécifique de −14,45°. La rotation spécifique du (−)-2-bromobutane, avec la raie D du sodium à 22 °C, est de −23,1°. Calculez l'excès énantiomérique en (−)-2-bromobutane dans cet échantillon.

$$ CH_3-CHBr-CH_2-CH_3 $$
2-bromobutane

CHRONIQUES D'UNE MOLÉCULE

Louis Pasteur: du génie, de la patience et beaucoup de vin…
Par Julie Gauthier, professeure au Collège de Valleyfield
et Christian Gravel, professeur au Collège de Bois-de-Boulogne

Ce chimiste de formation est reconnu comme étant le pionnier de la stéréochimie. Au cours de ses études à l'École nationale de Paris, **Louis Pasteur** (1822-1895) s'intéressa d'abord aux travaux de cristallographie de son directeur, le professeur Gabriel Delafosse, ce qui l'amena à faire des percées importantes dans ce domaine. À cette époque, l'industrie vinicole avait des difficultés, et Pasteur fut embauché, en 1857, par un groupe de distillateurs pour raffiner le processus de fermentation. L'existence de certains cristaux se déposant au fond des barils de vin était déjà connue, mais personne jusqu'alors ne s'y était intéressé. Pasteur, par hasard ou par génie, se pencha alors sur la structure cristalline de ces sels. Il observa d'abord deux sels connus à l'époque comme étant le sel de sodium et d'ammonium d'acide tartrique, ainsi que le sel de sodium et d'ammonium d'acide racémique. En observant les cristaux de près, Pasteur remarqua que tous les cristaux d'acide tartrique présentaient une même forme asymétrique, alors que les cristaux d'acide racémique, également asymétriques, étaient plutôt de deux types, reliés entre eux par un effet miroir, comme celui existant entre la main gauche et la main droite. Pasteur observa ensuite que les cristaux d'acide tartrique présentaient un effet rotatoire, mesuré à l'aide d'un polarimètre, en observant l'angle de rotation d'un plan de lumière polarisée, pour une concentration connue du sel étudié. Les cristaux d'acide racémique, quant à eux, ne semblaient pas dévier le plan de polarisation de ce même faisceau de lumière polarisée.

Louis Pasteur est un chercheur français ayant innové de façon majeure dans les domaines de la chimie et de la biologie.

Armé de patience et d'une petite pince, Pasteur entreprit alors de séparer les deux types de cristaux d'acide racémique. Finalement, il constata que la dissolution de chacun de ces deux types de cristaux, séparément, menait à une solution déviant le plan de lumière polarisée vers la droite (dextrogyre) pour le premier type de cristal, et vers la gauche (lévogyre) pour le second. De plus, pour une même concentration de chacun des sels, la déviation était d'un angle identique à celui observé pour l'acide tartrique. Pasteur conclut donc, avec raison, que l'acide racémique n'était pas une substance pure, mais plutôt un mélange d'acide tartrique et de son image spéculaire. Aujourd'hui, le terme «racémique» est utilisé de façon plus générale pour qualifier un mélange dans lequel se trouvent deux molécules, images spéculaires l'une de l'autre, présentes dans un ratio de 50 : 50.

Pasteur conclut également que cet effet rotatoire devait logiquement provenir de l'arrangement des atomes des molécules impliquées. À cette époque, il était connu que le carbone était tétravalent, mais la façon dont les liens formés par l'atome de carbone se disposaient dans l'espace était encore inconnue. Ce n'est qu'en 1874, plus de deux décennies après les travaux de Pasteur, que deux chimistes, J. H. Van't Hoff et J. A. Le Bel, un néerlandais et un français respectivement, proposèrent, indépendamment l'un de l'autre, une structure tétraédrique pour l'atome de carbone. En effet, il existe deux façons de disposer quatre objets différents sur les pointes d'un tétraèdre régulier. De plus, la relation existant alors entre ces deux dispositions est une relation miroir, rejoignant ainsi l'hypothèse de Pasteur.

À l'époque où Le Bel et Van't Hoff émirent cette hypothèse sur la géométrie du carbone tétravalent, la chimie en était toujours à ses balbutiements. En effet, l'électron et le noyau atomique n'avaient toujours pas été découverts, et le concept de liaisons chimiques était encore à l'état d'ébauche. Pour cette raison, les idées de ces deux chimistes, méconnus à l'époque, furent critiquées et bafouées. Toutefois, leur théorie résista à toutes

Cristaux d'acide tartrique

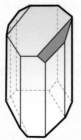

Schématisation de la forme asymétrique des cristaux d'acide tartrique et de son image spéculaire

les objections et expérimentations, et elle devint bientôt acceptée par la communauté scientifique.

Les travaux de Pasteur ont aussi mené à différentes méthodes de séparation des molécules optiquement actives, comme la cristallisation, permettant de solidifier de façon séparée les deux molécules, et la fermentation par certaines levures, permettant de détruire sélectivement une des molécules du mélange racémique en laissant l'autre intacte. Les recherches de Pasteur dans le domaine de la fermentation l'ont d'ailleurs mené au développement du procédé de stérilisation portant maintenant son nom : la pasteurisation. Ce type de pont entre les différentes disciplines de la science est encore primordial de nos jours.

En conclusion, le succès de Pasteur est avant tout dû à deux talents dont il a fait preuve tout au long de sa carrière et qu'il a lui-même bien reconnus lors d'une conférence à l'Académie de médecine. Ce jour-là, à la stupéfaction de deux de ses interlocuteurs, il dit, avec le ton intransigeant et brutalement honnête qui lui était propre : « Savez-vous ce qu'il vous manque à chacun ? À vous, l'art d'observer ; à vous, l'art de raisonner ! »

HERMANN EMIL FISCHER (1852-1919)

Chimiste allemand né dans la ville d'Euskirchen le 9 octobre 1852 et fils d'un homme d'affaires, Fischer fut d'abord contraint par son père de travailler dans l'entreprise familiale. Ce dernier réalisa toutefois rapidement que son fils ne s'y trouvait pas à sa place. Fischer entreprit alors des études en chimie à l'Université de Bonn où il y suivit les cours de Friedrich August Kekulé. L'année suivante, il changea d'institution pour se rendre à l'Université de Strasbourg où il obtint son doctorat en chimie en 1874. Fischer réalisa, entre autres, des travaux majeurs sur la structure des glucides et des protéines. À cet effet, il reçut le prix Nobel de chimie en 1902 pour ses travaux sur les hydrates de carbone et les purines alors qu'il était à la tête de l'Institut de chimie de l'Université de Berlin. Malheureusement, le 15 juillet 1919, le chagrin eut raison de lui ; il s'enleva la vie après avoir perdu deux de ses fils lors de la Première Guerre mondiale.

3.5.6 Projections de Fischer

Il peut s'avérer fort complexe de travailler avec les formules en perspective de molécules possédant plusieurs carbones stéréogéniques. C'est dans cette optique que le chimiste allemand **Hermann Emil Fischer** (1852-1919) mit au point, lors de ses recherches sur les glucides, des représentations schématisées portant le nom de **projections de Fischer**.

Dans cette section, les règles d'écriture des projections de Fischer seront tout d'abord décrites. Ensuite, une méthode sera détaillée pour convertir une formule en perspective en projection de Fischer (et vice versa). Enfin, il sera question de la façon de déterminer la configuration absolue d'un carbone stéréogénique à partir de la projection de Fischer.

3.5.6.1 Transformation d'une formule en perspective en projection de Fischer

Contrairement aux formules en perspective, la **projection de Fischer** n'utilise que des traits pleins, soit des lignes verticales et horizontales. Dans ce mode de représentation, les intersections des lignes horizontales et verticales symbolisent les carbones stéréogéniques, et la lettre « C » n'est plus écrite. Les lignes verticales représentent des liens qui s'éloignent de l'œil de l'observateur et qui entrent dans le plan de la feuille. Pour leur part, les lignes horizontales illustrent des liens orientés vers l'avant, qui sortent du plan. Tous les atomes des groupements reliés aux carbones stéréogéniques sont, quant à eux, indiqués. Par convention, la chaîne la plus longue de carbones doit être mise à la verticale en prenant soin de placer le carbone prioritaire en nomenclature (en général, le carbone le plus oxydé) au sommet de cette ligne verticale.

Ainsi, afin de représenter l'acide (*R*)-lactique en projection de Fischer (*voir la figure 3.29*), il suffit de tourner la molécule initiale, en formule en perspective, de telle sorte que la chaîne principale de trois carbones soit placée à la verticale et que la fonction acide carboxylique (le carbone le plus oxydé) soit située en haut. De plus, il faut positionner les deux groupements à la verticale (—COOH et —CH₃) vers l'arrière. Les deux groupements vers l'avant (—H et —OH) sont ainsi à l'horizontale. Par la suite, il faut « aplatir » la représentation dans le plan de la feuille pour obtenir une projection de Fischer dans laquelle tous les liens sont illustrés par des traits pleins.

Les mêmes règles sont employées dans le cas des molécules portant plusieurs carbones stéréogéniques[5] notamment dans le D-(−)-érythrose (*voir la figure 3.30*). Il faut toutefois prendre soin de positionner tous les groupements de la chaîne principale à la verticale et vers l'arrière, le plus loin de l'observateur. Il convient de noter que la représentation **II** est en fait une formule en perspective de la conformation éclipsée que l'observateur regarde du dessus. Dans cette représentation (**II**), tous les groupements liés par des traits biseautés se trouvent à droite dans la projection de Fischer (**IV**), et tous ceux qui sont liés par des traits hachurés se trouvent à gauche, tous positionnés à l'horizontale.

Figure 3.29

Passage d'une formule en perspective en une projection de Fischer pour une molécule ayant un carbone stéréogénique

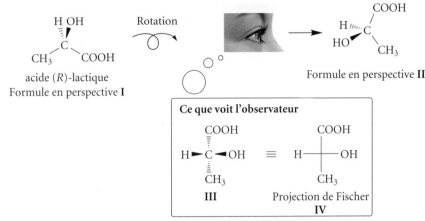

acide (R)-lactique
Formule en perspective **I**

Rotation

Formule en perspective **II**

Ce que voit l'observateur

III

Projection de Fischer
IV

Caractéristiques de la projection de Fischer
- Chaîne principale à la verticale
- Groupement dont le carbone est le plus oxydé situé en haut
- Lignes verticales = liens orientés vers l'arrière
- Lignes horizontales = liens orientés vers l'avant

Figure 3.30

Passage de la formule en perspective à la projection de Fischer pour une molécule ayant deux C*

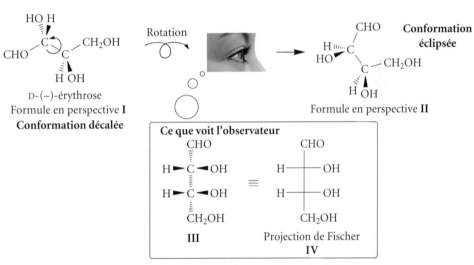

D-(−)-érythrose
Formule en perspective **I**
Conformation décalée

Rotation

Conformation éclipsée

Formule en perspective **II**

Ce que voit l'observateur

III

Projection de Fischer
IV

Caractéristiques de la projection de Fischer
- Chaîne principale à la verticale
- Groupement dont le carbone est le plus oxydé situé en haut
- Lignes verticales = liens orientés vers l'arrière
- Lignes horizontales = liens orientés vers l'avant

Exercice 3.24 Le glycéraldéhyde, appelé également 2,3-dihydroxypropanal, est un monosaccharide simple ayant la formule semi-développée suivante :

$$CHO$$
$$HO-CH-CH_2OH$$

a) Repérez le carbone stéréogénique et dessinez la structure tridimensionnelle avec la formule en perspective du (R)-glycéraldéhyde.

b) Convertissez la structure tridimensionnelle du (R)-glycéraldéhyde en projection de Fischer.

c) Dessinez la structure tridimensionnelle du (S)-glycéraldéhyde, puis sa projection de Fischer.

Exercice 3.25 Convertissez les structures tridimensionnelles suivantes en projection de Fischer.

a)
$$CH_2OH$$
H — C — CH$_3$
HO

b)
Br
H — C — CH$_2$CH$_3$
CH$_3$

c)
CH$_3$ — I H
H — C — C
Cl — CH$_3$

d)
COOH H CH$_3$
C — C
H CH$_3$ COOH

e)
H OH
HOOC — C — C — CH$_3$
H NH$_2$ H OH

3.5.6.2 Transformation d'une projection de Fischer en formule en perspective

Le passage d'une projection de Fischer à une formule en perspective suit exactement les mêmes étapes que celles vues précédemment, mais elles doivent évidemment être appliquées à l'inverse. Ainsi, la projection de Fischer est redessinée en trois dimensions en gardant à l'esprit que l'intersection des lignes est un C*, que les lignes horizontales représentent des liens fixés au C* et situés vers l'avant de la feuille, et que les traits verticaux représentent des liens situés vers l'arrière de la feuille. Une rotation est effectuée vers la droite ou vers la gauche afin de placer la chaîne principale dans le plan de la feuille, et ainsi obtenir une formule en perspective de la molécule (*voir la figure 3.31*).

Figure 3.31
Passage d'une projection de Fischer à une formule en perspective

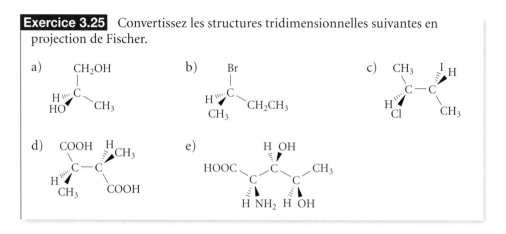

Exercice 3.26 Convertissez les projections de Fischer suivantes en une structure tridimensionnelle avec la formule en perspective.

a)
CH$_2$CH$_3$
H — OH
CH$_3$

b)
CH$_3$
Br — H
H — Cl
CH$_3$

c)
CHO
HO — H
H — OH
CH$_2$OH

d)
COOH
H — OH
HO — H
H — OH
CH$_3$

3.5.6.3 Détermination de la configuration absolue d'un carbone stéréogénique à partir de la projection de Fischer

Bien que cela demeure toujours une possibilité, il n'est pas nécessaire de convertir une projection de Fischer en structure tridimensionnelle pour obtenir la configuration absolue d'un carbone stéréogénique. Dans la figure 3.32, la marche à suivre pour déterminer la configuration absolue d'un C* dans une projection de Fischer est expliquée. Les règles d'attribution des ordres de priorité et les conventions pour la notation *R-S* sont les mêmes que celles décrites dans la section 3.5.2.3 (*voir p. 127*) dans le cas des structures tridimensionnelles. Dans une projection de Fischer, il faut toutefois garder en mémoire que les lignes horizontales et verticales représentent respectivement des liaisons qui sortent du plan et entrent dans le plan de la feuille. Si l'atome ou le groupe d'atomes le moins prioritaire est attaché à une ligne verticale, il pointe vers l'arrière du plan de la feuille. L'œil de l'observateur est alors bien placé pour déterminer la configuration absolue du C*. Par contre, si le groupement avec la plus faible priorité est situé sur un lien horizontal, il pointe donc vers l'avant du plan de la feuille. Il faut alors prendre soin d'inverser la configuration absolue observée pour obtenir la configuration réelle, l'observateur n'étant pas positionné derrière le plan de la feuille de manière à être du côté opposé au groupement le moins prioritaire.

Figure 3.32
Démarche à suivre pour déterminer la configuration absolue d'un carbone stéréogénique dans une projection de Fischer

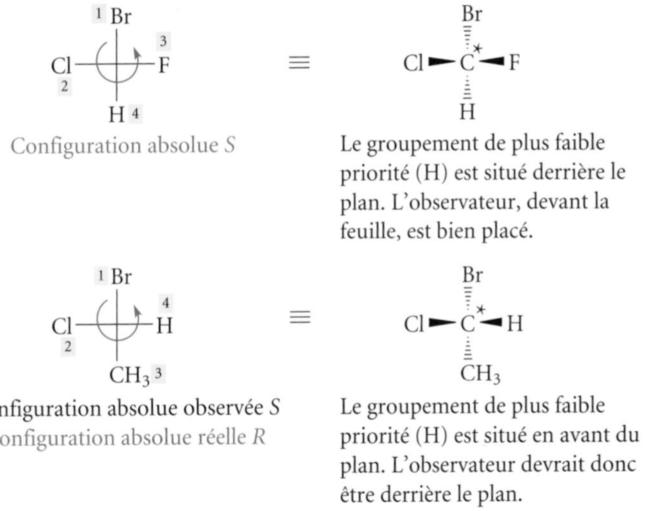

$$^1 Br$$
$$Cl \underset{2}{-} \overset{3}{-} F$$
$$H ^4$$
Configuration absolue *S*

$$\equiv$$

$$Br$$
$$Cl \blacktriangleright C^* \blacktriangleleft F$$
$$H$$

Le groupement de plus faible priorité (H) est situé derrière le plan. L'observateur, devant la feuille, est bien placé.

$$^1 Br$$
$$Cl \underset{2}{-} \overset{4}{-} H$$
$$CH_3 ^3$$
Configuration absolue observée *S*
Configuration absolue réelle *R*

$$\equiv$$

$$Br$$
$$Cl \blacktriangleright C^* \blacktriangleleft H$$
$$CH_3$$

Le groupement de plus faible priorité (H) est situé en avant du plan. L'observateur devrait donc être derrière le plan.

Dans une projection de Fisher, tout comme dans une formule en perspective, il suffit de permuter deux groupements (peu importe lesquels) liés à un carbone stéréogénique pour inverser la configuration absolue du carbone, et donc obtenir l'autre énantiomère. Il convient de noter que si deux permutations successives des groupements sur un C* sont effectuées, la configuration absolue du carbone stéréogénique est conservée (*voir la figure 3.33*).

Figure 3.33
Permutation de groupements dans une projection de Fischer et répercussions sur la configuration absolue

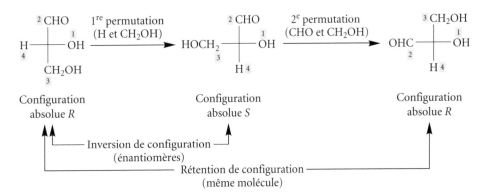

Exercice 3.27 Déterminez la configuration absolue des carbones stéréogéniques dans les projections de Fischer suivantes.

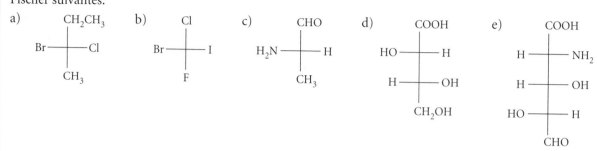

3.5.7 Molécules acycliques possédant deux ou plusieurs carbones stéréogéniques : énantiomères, diastéréoisomères et composés *méso*

Figure 3.34
Détermination des deux carbones stéréogéniques dans la structure du 2,3-dihydroxybutanal

$$\underset{}{O} \quad \underset{}{OH} \quad \underset{}{OH}$$
$$HC-\underset{*}{CH}-\underset{*}{CH}-CH_3$$

REMARQUE

En considérant les isomères géométriques (*voir la section 3.6.2, p. 156*), pour déterminer le nombre maximum de stéréoisomères différents possibles, la formule devient 2^{m+n}, où m est le nombre de liaisons doubles (et de cycles), et n est le nombre de carbones stéréogéniques.

Dans la nature, il n'est pas rare d'observer des molécules portant plus d'un carbone stéréogénique. Comment faire maintenant pour illustrer les différents stéréoisomères possibles à partir d'une même formule développée (ou semi-développée) et pour déterminer les relations qui les unissent ? Le 2,3-dihydroxybutanal peut être utilisé comme exemple (*voir la figure 3.34*).

Cette molécule possède deux carbones stéréogéniques, mis en évidence par les astérisques. Puisque chaque carbone stéréogénique peut adopter la configuration absolue R ou S, il faut en conclure que quatre stéréoisomères sont possibles, soit $(2R,3R)$, $(2S,3R)$, $(2R,3S)$ et $(2S,3S)$, dans lesquels les chiffres 2 et 3 correspondent à l'indice de position des carbones stéréogéniques. La figure 3.35 présente les différentes possibilités de stéréoisomères.

Dans les faits, pour une molécule donnée en deux dimensions, il y aura toujours un maximum de 2^n stéréoisomères différents possibles[6], où n représente le nombre de carbones stéréogéniques.

Exercice 3.28 Pour les composés suivants, donnez le nombre maximal de stéréoisomères.

a)
$$H_2N-CH-COOH$$
$$\underset{|}{CH_2}$$
$$\underset{|}{CH_2}$$
$$COOH$$
acide glutamique
(acide aminé)

b) chloramphénicol (antibiotique)

c) glucose

$$\begin{array}{c} CHO \\ H-\!\!\!\!\!-\!\!\!\!\!-OH \\ HO-\!\!\!\!\!-\!\!\!\!\!-H \\ H-\!\!\!\!\!-\!\!\!\!\!-OH \\ H-\!\!\!\!\!-\!\!\!\!\!-OH \\ CH_2OH \end{array}$$

d) pénicilline

Figure 3.35 a) Formules en perspective et projections de Newman des quatre stéréoisomères possibles du 2,3-dihydroxybutanal ; b) Projections de Fischer des quatre stéréoisomères possibles du 2,3-dihydroxybutanal

a)

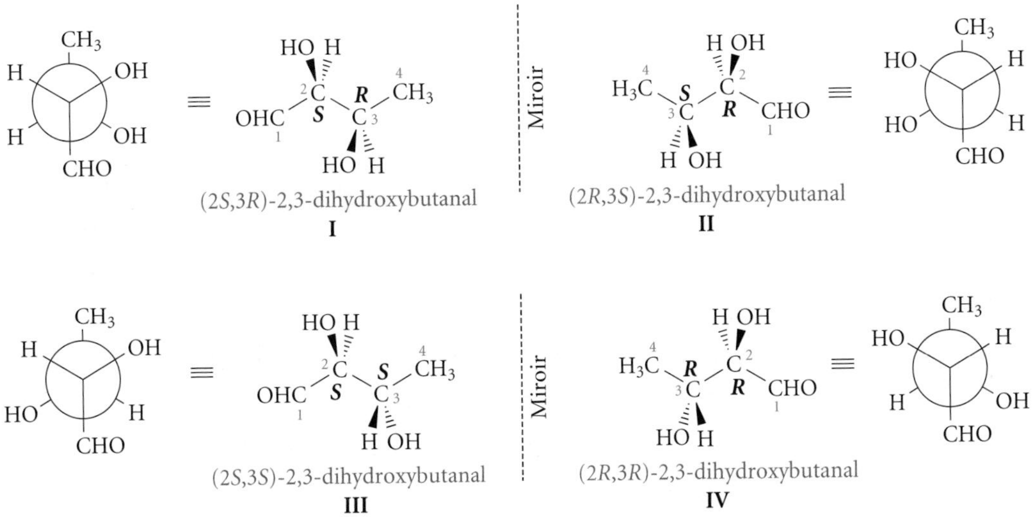

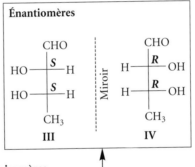

(2S,3R)-2,3-dihydroxybutanal
I

(2R,3S)-2,3-dihydroxybutanal
II

(2S,3S)-2,3-dihydroxybutanal
III

(2R,3R)-2,3-dihydroxybutanal
IV

Relations entre les différents stéréoisomères		
I et **II** :	Énantiomères
III et **IV** :	Énantiomères
I et **III** :	Diastéréoisomères
I et **IV** :	Diastéréoisomères
II et **III** :	Diastéréoisomères
II et **IV** :	Diastéréoisomères

b)

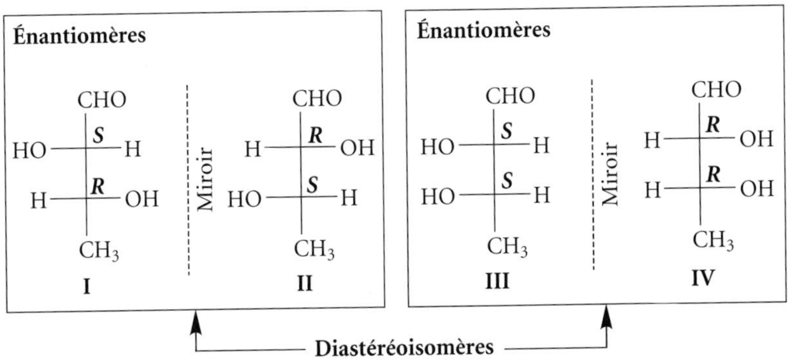

Énantiomères

I — **II**

Énantiomères

III — **IV**

Diastéréoisomères

Méthode systématique pour dessiner tous les stéréoisomères possibles associés à une molécule donnée

1. Écrire un stéréoisomère possible en plaçant de façon aléatoire les différents groupements sur les C*. Un des quatre stéréoisomères possibles est obtenu, soit le stéréoisomère **I**.

2. Dessiner l'image spéculaire du stéréoisomère **I**. Le stéréoisomère **II** est ainsi obtenu.

3. Modifier un des C* du stéréoisomère **I** en intervertissant seulement deux groupements sur le C* (dans la figure 3.35, les groupements H et OH du troisième carbone ont été intervertis). Le stéréoisomère **III** est ainsi obtenu.

4. Finalement, dessiner l'image spéculaire du stéréoisomère **III** afin d'obtenir le stéréoisomère **IV**.

L'image spéculaire d'une molécule portant plusieurs carbones stéréogéniques présente toutes les configurations absolues inversées des carbones asymétriques. Cela

Le L-menthol est obtenu grâce à l'extraction de l'huile essentielle de la menthe poivrée. En plus de rafraîchir l'haleine, ce dernier possède des propriétés anti-inflammatoires. Pour cette raison, il est utilisé dans les pastilles pour soulager les irritations mineures de la gorge.

génère l'énantiomère. Dans la figure 3.35 (*voir page précédente*), parmi les quatre possibilités, il existe deux paires d'énantiomères, soit le (2R,3R)-2,3-dihydroxybutanal et le (2S,3S)-2,3-dihydroxybutanal, ainsi que le (2R,3S)-2,3-dihydroxybutanal et le (2S,3R)-2,3-dihydroxybutanal. Ce raisonnement ne peut toutefois pas être appliqué si la molécule possède un plan de symétrie (*voir la notion de composés* méso, *page suivante*).

De nouvelles relations stéréochimiques sont également observées dans la figure 3.35. En effet, les paires de stéréoisomères (**I** et **III**, **I** et **IV**, **II** et **III** ainsi que **II** et **IV**) ne sont pas des énantiomères. Les stéréoisomères de ces paires ne sont ni superposables ni des images spéculaires. Ce sont des **diastéréoisomères** (du grec ancien *dia* signifiant « séparation », « distinction »). Pour des paires de diastéréoisomères, au moins un des C* de chaque molécule présente la même configuration absolue, alors que pour une paire d'énantiomères, toutes les configurations absolues des C* ont été inversées. Évidemment, si toutes les configurations absolues sont les mêmes, les deux molécules analysées sont identiques.

Contrairement aux énantiomères, qui présentent des propriétés physiques identiques, mises à part les propriétés chirales (optiques) telles que le pouvoir rotatoire spécifique, les diastéréoisomères sont des molécules distinctes ayant, en général, des propriétés physiques différentes (*voir le tableau 3.7*). Ainsi, deux diastéréoisomères peuvent avoir des solubilités, des masses volumiques, des points de fusion et d'ébullition différents, etc. Ils ont également une activité optique différente, et ce, tant pour ce qui est du sens de la rotation du plan de polarisation que de la valeur de l'angle.

Tableau 3.7   **Propriétés physiques de différents stéréoisomères du menthol et du néomenthol**

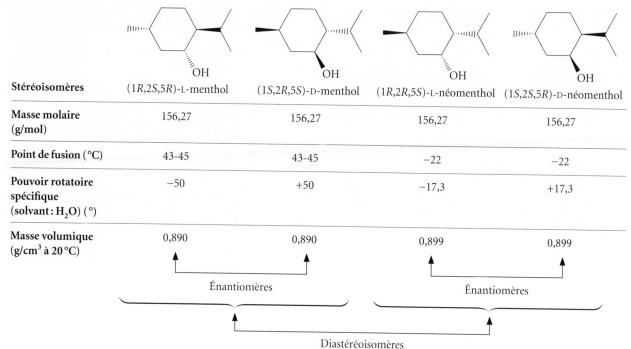

Stéréoisomères	(1R,2S,5R)-L-menthol	(1S,2R,5S)-D-menthol	(1R,2R,5S)-L-néomenthol	(1S,2S,5R)-D-néomenthol
Masse molaire (g/mol)	156,27	156,27	156,27	156,27
Point de fusion (°C)	43-45	43-45	−22	−22
Pouvoir rotatoire spécifique (solvant : H_2O) (°)	−50	+50	−17,3	+17,3
Masse volumique (g/cm³ à 20 °C)	0,890	0,890	0,899	0,899

Énantiomères   Énantiomères

Diastéréoisomères

Exercice 3.29   Dans la figure 3.31 (*voir p. 142, structure IV*), une structure en formule en perspective de l'alloisoleucine est présentée.

a) combien de stéréoisomères sont possibles au total ?

b) représentez la structure tridimensionnelle en formule en perspective pour chacun des stéréoisomères de l'alloisoleucine et indiquez les relations stéréochimiques entre eux ;

c) à quelle relation faut-il s'attendre concernant les propriétés physiques (pouvoir rotatoire spécifique, point de fusion et solubilité dans l'eau) entre les différents stéréoisomères ?

Il serait maintenant intéressant d'étudier les différents stéréoisomères possibles de l'acide tartrique (acide 2,3-dihydroxybutanedioïque), une molécule possédant deux carbones stéréogéniques et portant les quatre mêmes groupements différents (*voir la figure 3.36*). D'après la formule mathématique 2^n, quatre stéréoisomères doivent être représentés (*voir la figure 3.37*).

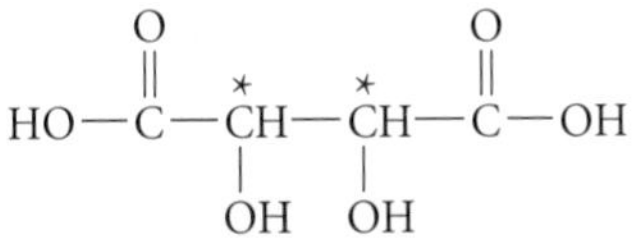

Figure 3.36
Formule semi-développée de l'acide tartrique et détermination des deux carbones stéréogéniques

acide tartrique

> **REMARQUE**
>
> Pour être en présence d'un composé *méso*, la molécule doit avoir des carbones stéréogéniques et posséder un plan de symétrie. Une molécule ayant un plan de symétrie mais dépourvue de carbones stéréogéniques ne pourra jamais être un composé *méso*.

A priori, cet exemple semble identique à celui du 2,3-dihydroxybutanal étudié précédemment. Or, il faut faire preuve de prudence, car, parmi les quatre stéréoisomères dessinés dans la figure 3.37, il existe une paire de molécules identiques, ce qui n'était pas le cas dans la figure 3.35 (*voir p. 145*). En effet, les molécules **III** et **IV** sont des images spéculaires superposables en raison de la présence d'un plan de symétrie dans la molécule. Elles sont donc identiques. Ce type de molécules porte le nom de **composé *méso*** (du grec ancien *mesos* pour « médian »), c'est-à-dire une structure qui, bien que renfermant des carbones stéréogéniques, possède un plan de symétrie. Les composés *méso* sont des molécules achirales, et donc optiquement inactives (*voir le tableau 3.8, page suivante*). Le composé *méso* est un diastéréoisomère achiral par rapport aux autres stéréoisomères possibles.

Figure 3.37 a) Formules en perspective et projections de Newman des quatre stéréoisomères possibles de l'acide tartrique – Les molécules **III** et **IV** ayant un plan de symétrie sont des molécules identiques. La molécule **III** ou **IV** est un composé *méso*; b) Projections de Fischer des stéréoisomères possibles de l'acide tartrique

a)

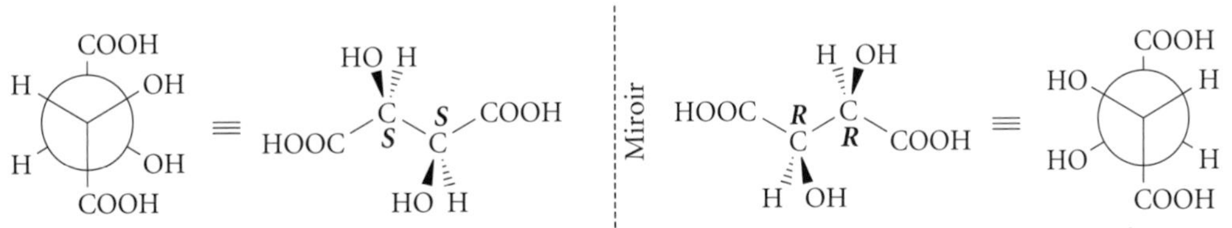

acide (2S,3S)-2,3-dihydroxybutanedioïque

I

acide (2R,3R)-2,3-dihydroxybutanedioïque

II

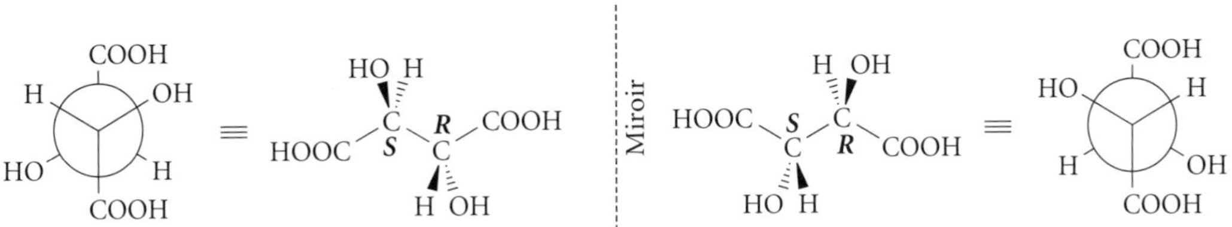

acide (2S,3R)-2,3-dihydroxybutanedioïque

III

acide (2R,3S)-2,3-dihydroxybutanedioïque

IV

Relations entre les différents stéréoisomères		
I et **II**:	Énantiomères	
III et **IV**:	Composé *méso* (même molécule)	
I et **III**:	Diastéréoisomères	
I et **IV**:	Diastéréoisomères	
II et **III**:	Diastéréoisomères	
II et **IV**:	Diastéréoisomères	

Illustration du composé *méso*

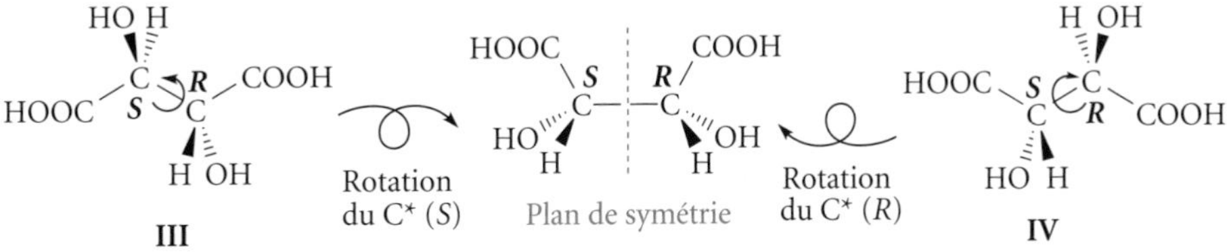

III   Rotation du C* (S)   Plan de symétrie   Rotation du C* (R)   **IV**

b)

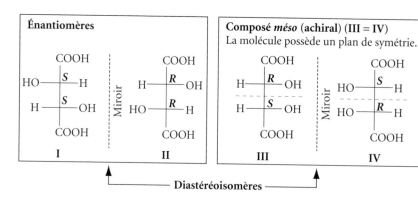

Énantiomères	Composé *méso* (achiral) (III = IV)
	La molécule possède un plan de symétrie.

Diastéréoisomères

Tableau 3.8 **Propriétés physiques des différents stéréoisomères de l'acide tartrique**

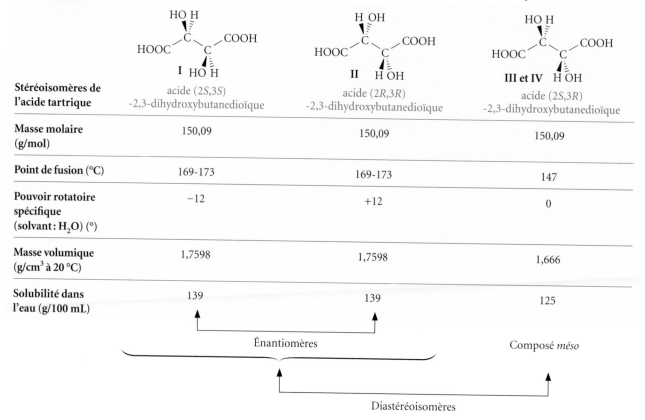

Stéréoisomères de l'acide tartrique	acide (2*S*,3*S*)-2,3-dihydroxybutanedioïque (I)	acide (2*R*,3*R*)-2,3-dihydroxybutanedioïque (II)	acide (2*S*,3*R*)-2,3-dihydroxybutanedioïque (III et IV)
Masse molaire (g/mol)	150,09	150,09	150,09
Point de fusion (°C)	169-173	169-173	147
Pouvoir rotatoire spécifique (solvant : H_2O) (°)	−12	+12	0
Masse volumique (g/cm³ à 20 °C)	1,7598	1,7598	1,666
Solubilité dans l'eau (g/100 mL)	139	139	125

Énantiomères   Composé *méso*

Diastéréoisomères

Exercice 3.30 Représentez les différents stéréoisomères possibles en formule en perspective pour les molécules suivantes et indiquez les relations stéréochimiques entre eux.

a) $CH_3-CH-CH_2-CH-CH_3$
$\qquad\quad\; |\qquad\qquad\; |$
$\qquad\quad\; Cl\qquad\qquad OH$

b) $CH_3CH_2-CH-CH-CH_2CH_3$
$\qquad\qquad\qquad\; |\quad\;\; |$
$\qquad\qquad\quad HOOC\;\; COOH$

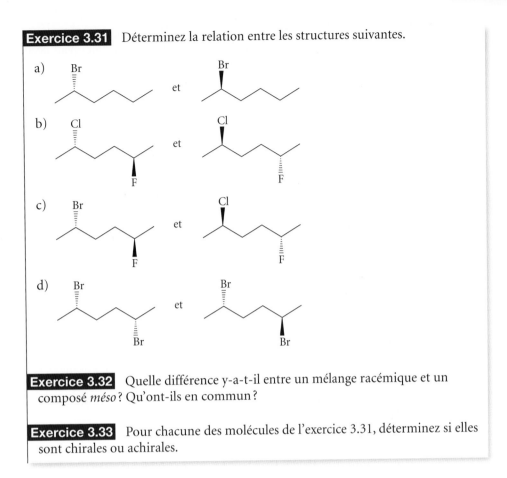

Exercice 3.31 Déterminez la relation entre les structures suivantes.

a)   et

b)   et

c)   et

d)   et

Exercice 3.32 Quelle différence y-a-t-il entre un mélange racémique et un composé *méso* ? Qu'ont-ils en commun ?

Exercice 3.33 Pour chacune des molécules de l'exercice 3.31, déterminez si elles sont chirales ou achirales.

3.5.8 Propriétés chimiques des stéréoisomères

Les énantiomères sont des molécules qui possèdent des dispositions spatiales inversées, mais qui offrent les mêmes encombrements stériques. Ainsi, il est fréquent d'obtenir les mêmes comportements réactionnels pour chacun d'eux s'ils réagissent avec des réactifs achiraux (*voir la figure 3.38*).

Figure 3.38 Réaction chimique non sélective de deux énantiomères avec un réactif achiral

L-menthol   D-menthol   anhydride acétique   L-menthol acétylé   D-menthol acétylé

Mélange racémique   **Mélange racémique**

Alors, comment expliquer que les énantiomères de molécules telles que le limonène et la thalidomide peuvent entraîner différentes réponses biologiques ? Les énantiomères sont des molécules semblables, certes, mais ils sont pourtant bien distincts les uns des autres en ce qui concerne leur arrangement tridimensionnel. Leurs propriétés chimiques divergent dans la mesure où ils réagissent avec une structure elle-même chirale, ce qui n'était pas le cas de la réaction présentée dans la figure 3.38.

Afin de mieux visualiser le phénomène, il est possible de prendre un objet chiral du quotidien : la serrure d'une porte. Celle-ci peut accueillir une clé, mais cette clé doit posséder une taille et une forme bien précises, bref, une chiralité adéquate pour être compatible avec la serrure. Dans le cas où deux clés, images spéculaires l'une de l'autre, feraient partie d'un même trousseau, une seule pourrait être adéquatement insérée et permettrait de déverrouiller la porte. La seconde en serait incapable.

Dans le domaine du vivant, un nombre incalculable d'interactions intermoléculaires se réalisent chaque seconde. Certaines permettent à l'eau de demeurer liquide ou encore aux ions de se solubiliser. Les interactions intermoléculaires sont également à l'origine des perceptions sensorielles telles que l'odeur et le goût. En effet, les perceptions sensorielles proviennent de l'interaction entre une molécule et un récepteur biologique (une protéine). Pour que l'interaction puisse se réaliser, la disposition spatiale des atomes de la molécule doit être parfaitement compatible avec celle du récepteur biologique. Lorsque l'interaction molécule-récepteur se réalise, il se produit une cascade de réactions chimiques menant à la transmission d'un influx nerveux jusqu'au cerveau. Ce dernier est responsable de l'odeur ou du goût caractéristique de la substance.

Bien que certains récepteurs biologiques ne soient pas dotés d'une grande sélectivité par rapport à la stéréochimie d'une molécule, il en existe plusieurs qui, au contraire, le sont. À titre d'exemple, le limonène (*voir la structure à la page 118*) peut être perçu en tant qu'odeur d'orange ou de citron parce que les voies nasales sont dotées de deux types de récepteurs, l'un spécifique au (*R*)-limonène, qui transmet un influx nerveux détecté par le cerveau comme une odeur d'orange, et l'autre spécifique au (*S*)-limonène, qui transmet une information détectée en tant qu'odeur de citron. Si seulement un des récepteurs chiraux était existant, l'un des énantiomères ne serait tout simplement pas détectée.

Alors que certains récepteurs permettent de créer des interactions intermoléculaires avec des molécules donnant ainsi naissance à un stimulus, d'autres types de protéines, les enzymes, sont capables d'accueillir dans leur site actif (cavité de l'enzyme qui interagit avec le substrat) des molécules chirales qui subiront des transformations chimiques. Les enzymes peuvent être spécifiques d'un stéréoisomère donné ayant les contraintes tridimensionnelles du site actif (*voir la figure 3.39*).

Figure 3.39 Réaction enzymatique spécifique d'un seul des deux énantiomères d'un mélange racémique

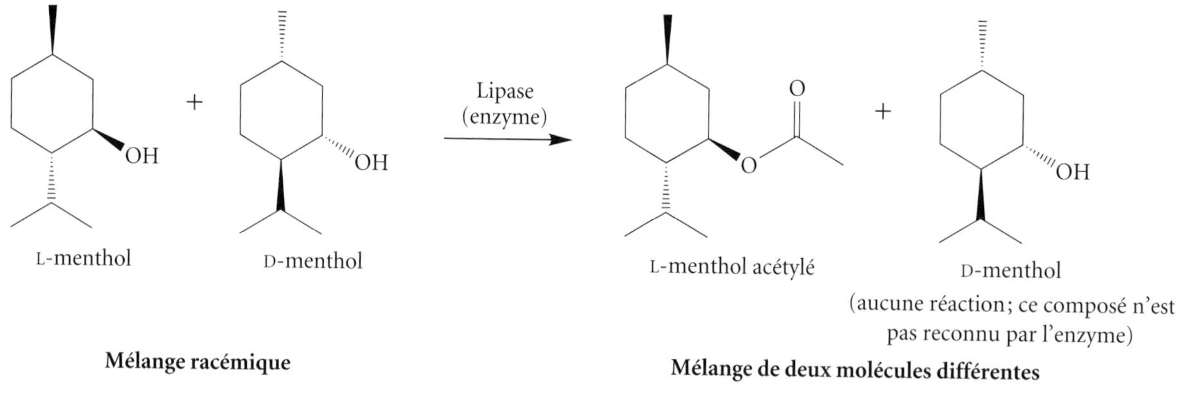

L-menthol   D-menthol   Lipase (enzyme)   L-menthol acétylé   D-menthol (aucune réaction ; ce composé n'est pas reconnu par l'enzyme)

Mélange racémique   **Mélange de deux molécules différentes**

En faisant un parallèle avec le concept de clé-serrure, il est possible de dire que les récepteurs biologiques et les enzymes jouent le rôle de la serrure, alors que la molécule qui se lie au récepteur ou au site actif de l'enzyme (le ligand) joue le rôle de la clé.

Un très grand éventail de molécules possède des stéréoisomères (énantiomères, particulièrement) dont le goût, l'odeur ou les propriétés chimiques varient en raison de l'environnement chiral dans le corps humain. Le tableau 3.9 présente quelques exemples.

Tableau 3.9	Effets biologiques de quelques molécules chirales	
	Effets biologiques	
Molécule	Configuration absolue *R*	Configuration absolue *S*
adrénaline	Stimulant cardiaque	Inactif
asparagine	Saveur sucrée	Saveur amère
carvone	Odeur de menthe	Odeur des graines de carvi
cétamine	Hallucinogène	Anesthésique
estrone	Inactif	Hormone sexuelle
éthambutol	Provoque la cécité	Tuberculostatique
ibuprofène	Inactif	Anti-inflammatoire
L-dopa	Toxique	Anti-Parkinson
limonène	Odeur d'orange	Odeur de citron
métolachlore	Fongicide	Herbicide
naproxène	Hépatotoxique	Anti-inflammatoire
paclobutrazol	Fongicide	Hormone de croissance végétale
pénicillamine	Mutagène	Antiarthritique
thalidomide	Sédatif	Tératogène

cheneliere.ca/chimieorganique www

› Résolution d'un mélange racémique

À la lumière des informations présentées dans le tableau 3.9, et en tenant compte des effets nocifs de certains énantiomères, il est évident que les produits chiraux pharmaceutiques ou agroalimentaires commercialisés se doivent d'être énantiomériquement purs. Sachant que la plupart des réactions chimiques mènent à des mélanges racémiques, il s'avère essentiel de développer des méthodes rigoureuses de séparation d'énantiomères. Ce procédé porte le nom de **résolution**. Il convient de préciser que dans le cas de médicaments dans lesquels l'un des énantiomères est actif (et donc bénéfique pour le consommateur), alors que l'autre énantiomère est inactif, il est fréquent de commercialiser le mélange racémique, car la séparation des deux énantiomères est coûteuse. Par exemple, l'ibuprofène (*voir la structure à la page 166*), dont l'énantiomère *S* soulage la douleur et la fièvre, et dont l'énantiomère *R* est inactif, est commercialisé sous forme de mélange racémique dans les comprimés vendus en pharmacie. L'énantiomère *R* de l'ibuprofène peut même se convertir lentement en sa forme active dans l'organisme.

Des nouvelles techniques de synthèse chimique menant à un seul énantiomère ont également été conçues et sont encore aujourd'hui au cœur de la recherche fondamentale. Ce domaine très récent de la chimie, grâce auquel l'énantiomère désiré est créé spécifiquement, se nomme **synthèse asymétrique**. En 2001, le prix Nobel de chimie a d'ailleurs été attribué aux chimistes **William S. Knowles** (1917-2012), **Ryoji Noyori** (1938-…) et **K. Barry Sharpless** (1941-…) pour leurs travaux sur des réactions énantiosélectives impliquant des catalyseurs chiraux. Les groupes de recherche de Knowles et de Noyori ont travaillé plus particulièrement sur la synthèse de catalyseurs chiraux impliquant des métaux de transition et utilisés pour la réaction d'hydrogénation. Une application industrielle de ces recherches a été la synthèse de la L-dopa, un médicament employé dans le traitement de la maladie de Parkinson. De son côté, Sharpless a conçu des catalyseurs chiraux pour la réaction d'oxydation.

Les diastéréoisomères, quant à eux, ayant en général des propriétés physiques distinctes, sont séparés par des techniques de base plus simples telles que la distillation, la recristallisation, la chromatographie, etc.

CHRONIQUES D'UNE MOLÉCULE

La thalidomide, une catastrophe énantiomérique

En 1954, les laboratoires de la compagnie allemande Chemie Grünenthal synthétisèrent le 2-(2,6-dioxopi-péridin-3-yl)isoindole-1,3-dione, mieux connu sous le nom de « thalidomide », une substance sédative et anti-émétique (qui empêche les vomissements). Dès 1957, la thalidomide fut commercialisée en Allemagne de l'Ouest et en Grande-Bretagne, et elle obtint une popularité immédiate auprès des femmes enceintes atteintes de nausées matinales. Ce succès provint, en grande partie, d'une publicité optimiste qui vantait l'innocuité et la non-toxicité du médicament. Plusieurs pays (environ 46) mirent subséquemment sur le marché ce produit révolutionnaire. Au Canada, vers la fin de 1959, des échantillons furent distribués, mais le médicament ne fut reconnu officiellement qu'à partir du 1ᵉʳ avril 1961. La thalidomide a été commercialisée au Canada par la compagnie pharmaceutique Merell sous le nom Kevadon. À cette époque, quelques pays n'ont toutefois pas autorisé sa commercialisation, notamment les États-Unis, l'URSS, la Chine et la France.

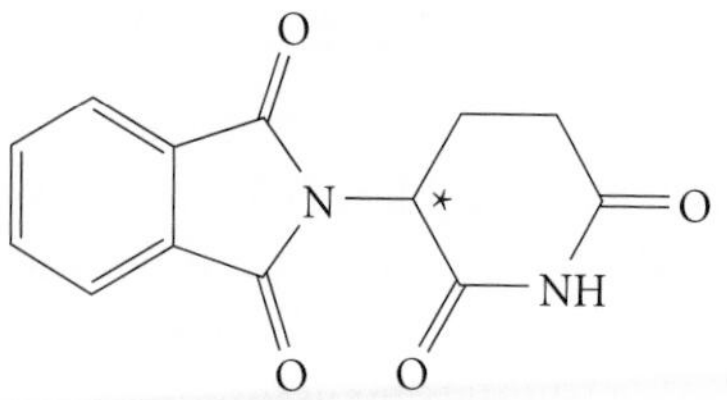

thalidomide

L'analyse de la structure de la thalidomide, illustrée ci-dessus, révèle la présence d'un carbone stéréogénique (C*). Par conséquent, en trois dimensions, la thalidomide existe sous la forme de deux énantiomères, soit deux images spéculaires non superposables. Sachant que chaque énantiomère peut avoir des effets très différents sur l'organisme humain en raison de molécules biologiques (récepteurs, enzymes, etc.) elles-mêmes chirales (*voir le tableau 3.9, page précédente*), il suffit d'imaginer alors la catastrophe que peut entraîner un médicament qui renferme un mélange d'énantiomères dont l'un d'eux est bénéfique alors que l'autre est dommageable ! Ce fut malencontreusement ce qui se produisit avec la thalidomide… En effet, quelques années après la mise en marché de la thalidomide, les études démontrèrent qu'une différence d'activité existe entre les deux énantiomères. L'énantiomère *R* est responsable des effets sédatif et antiémétique dans le corps humain,

tandis que l'énantiomère *S* est tératogène, c'est-à-dire qu'il provoque des mutations sur le fœtus.

Les chercheurs de la compagnie allemande commercialisèrent la thalidomide sous forme de mélange racémique, n'ayant pas fait les études cliniques adéquates. En effet, ils ne testèrent le médicament que sur des animaux et des hommes adultes. Ainsi, inconscients des effets tératogènes de l'énantiomère *S*, le problème fut de taille, puisqu'il était prescrit principalement chez les femmes enceintes ! Toutefois, il est connu de nos jours que cette catastrophe n'aurait pas pu être évitée si les deux énantiomères avaient été séparés et que seul l'énantiomère *R* avait été administré. En fait, *in vivo*, le centre chiral n'est pas stable, et une interconversion entre les deux énantiomères est donc possible. Ceci conduit alors à un mélange racémique en deux heures environ[7].

Il a été démontré que la thalidomide est néfaste, car en trois dimensions, sa géométrie lui permet de s'intercaler entre les sous-unités d'ADN. Cela a pour effet d'entraver l'angiogenèse (formation de nouveaux vaisseaux sanguins). Ainsi, si les membres en formation dans le fœtus sont privés de vaisseaux sanguins, il en résulte un développement inefficace, les cellules étant dépourvues d'apport en nutriments. Des malformations congénitales s'ensuivent, dont la plus répandue est la phocomélie (terme dérivé du mot grec *phoke*, signifiant « phoque », et de *melos*, signifiant « membres »), caractérisée par des mains et des pieds ayant l'aspect des palmes d'un phoque et fixés directement au tronc.

L'épidémie de malformations affligea environ de 10 000 à 20 000 enfants à travers le monde. La période critique de l'utilisation du médicament se situait entre le 20ᵉ et le 50ᵉ jour de grossesse. Si la prise du médicament avait eu lieu durant cette période, le nouveauné avait de forts risques de naître sans oreilles, sans bras, ou avec des difformités variables. Environ 40 % des fœtus n'ont jamais vu le jour en raison de malformations internes trop importantes. Les scientifiques de l'époque cherchèrent les causes du fléau sans pouvoir faire le lien avec le médicament. Ils suggérèrent tout d'abord qu'il puisse s'agir des retombées nocives des essais nucléaires, mais cette théorie fut rapidement rejetée, car ni la Suisse ni la Belgique ne présentaient cette vague de malformations. Ce n'est que quatre ans après la naissance du premier enfant victime de la thalidomide que quelques médecins de divers coins de la planète établirent la corrélation entre les malformations et ce médicament. C'est toutefois le Dr Widukind Lenz, pédiatre et généticien, qui fut le premier, le 15 novembre 1961, à contacter les laboratoires de la compagnie Chemie Grünenthal pour exiger le retrait immédiat de la thalidomide. Incapable d'obtenir ce qu'il demandait, il publia un article intitulé « Les alarmantes suspicions d'un chercheur contre un médicament distribué » sur les méfaits de la thalidomide dans l'hebdomadaire allemand *Welt am Sonntag* (*Le Monde du dimanche*) du 26 novembre. Le médicament, commercialisé en Allemagne sous le nom de Contergan, était retiré du marché le lendemain. Le retrait officiel n'eut lieu cependant que le 2 décembre 1961. Au Canada, la thalidomide a été disponible jusqu'en mars 1962…

À la lumière de ce fait historique, il faut comprendre les dangers qui nous entourent lorsqu'il y a une mauvaise conception d'un médicament qui ne tient pas compte de ses propriétés stéréochimiques. Cependant, il ne faut pas craindre la prise de médicaments, car depuis cette énorme bévue scientifique, une sévère réglementation quant à la mise en marché d'un médicament a été instaurée.

Dr Widukind Lenz (1919-1995)

Aujourd'hui, la thalidomide est encore commercialisée. Après avoir été associée à l'une des pires catastrophes médicales, la thalidomide a été reconnue, dès 1965, pour sa très grande efficacité dans l'érythème noueux lépreux (ENL), une complication de la maladie de la lèpre[8]. Les États-Unis n'autorisent toutefois l'usage de la thalidomide (commercialisée sous le nom « Thalomid ») dans le traitement de l'ENL que depuis le mois de juillet 1998. De plus, la thalidomide est au cœur d'études portant sur le myélome multiple réfractaire, une variété de tumeurs solides et autres cancers hématologiques[9]. Dans ce cas précis, son utilisation n'est approuvée que depuis le mois d'octobre 2006 aux États-Unis, et sa distribution est régie par un programme, le S.T.E.P.S. (System for Thalidomide Education and Prescribing Safety). Au Canada, la thalidomide n'étant toujours pas permise, ce n'est que dans le cadre du Programme d'accès spécial (PAS) que Santé Canada examine les demandes d'accès à ce médicament par les médecins traitants. Enfin, une étude française récente, publiée en 2010 dans le prestigieux magazine *Nature Medicine*, dévoile que la thalidomide s'avère être bénéfique pour contrecarrer des malformations vasculaires héréditaires[10]. Ironie du sort, il faut croire[11] !

3.6 Isomères géométriques

L'**isomérie géométrique** est un type de stéréoisomérie qui ne peut être observé que dans les molécules dont la rotation autour des liaisons C—C est bloquée (alcènes) ou restreinte (cycloalcanes). De plus, les deux carbones de la liaison double (ou deux carbones du cycle) doivent être porteurs de deux groupements différents (*voir la figure 3.40*).

Figure 3.40
Conditions pour observer de l'isomérie géométrique dans une molécule donnée

Pour les alcènes

$$R_1 \quad R_3$$
$$C = C$$
$$R_2 \quad R_4$$

Pour les cycloalcanes
(les carbones considérés ne sont pas nécessairement voisins)

$$R_1 \quad R_3$$
$$R_2 \quad R_4$$

Conditions pour qu'il y ait de l'isomérie géométrique :
1) Liaison double ou cycle
2) $R_1 \neq R_2$ et $R_3 \neq R_4$

Dans ces conditions, pour une même formule développée, deux représentations tridimensionnelles sont possibles. Ces deux représentations portent le nom d'**isomères géométriques** (ou **isomères *cis-trans***). Ces isomères figurent également dans la grande famille des stéréoisomères (*voir la figure 3.41, page suivante*). Deux types de notation sont employés pour les différencier : la notation *cis-trans* et la notation *E-Z*.

Figure 3.41
Détermination de l'isomérie géométrique

Formules semi-développées (en deux dimensions)

Cl — CH = CH — Br

1-bromo-2-chloroéthène

$R_1 \neq R_2$
$R_3 \neq R_4$

$CH_2 = C - Br$
|
Cl

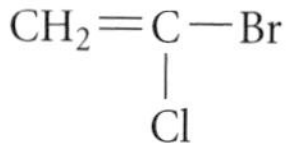

1-bromo-1-chloroéthène

$R_1 = R_2$
$R_3 \neq R_4$

Structures en trois dimensions

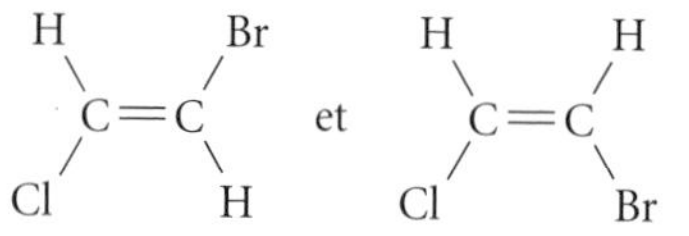

Deux molécules différentes, non superposables. Ce sont des isomères géométriques.

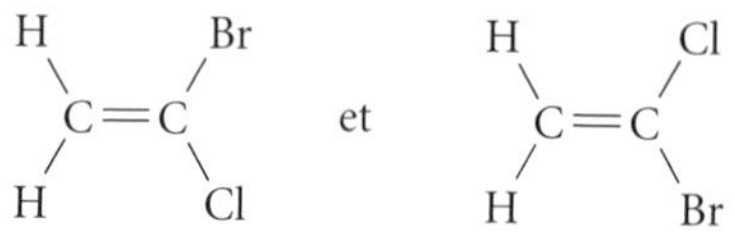

Deux molécules identiques, superposables. Aucune isomérie géométrique n'est possible.

3.6.1 Isomères géométriques et notation *cis-trans*

La notation *cis-trans* des isomères géométriques est utilisée particulièrement dans les domaines biologiques (p. ex.: les gras *trans*), mais est appelée à disparaître en raison de son manque de précision et à être remplacée par la notation *E-Z* (*voir la section 3.6.2, p. 156*) dans la nomenclature systématique, selon les règles de l'UICPA). Toutefois, il est essentiel de connaître cette notation usuelle.

Dans cette notation, la liaison double (pour les alcènes) ou le cycle (pour les cyclo-alcanes) constitue le plan de référence. D'abord, il convient de préciser que la notation *cis-trans* ne peut être employée que si deux substituants (atomes ou groupes d'atomes autres que l'hydrogène) sont présents dans la molécule. Chacun des substituants doit être positionné sur des carbones différents de l'alcène ou du cycle. L'isomère géométrique *cis* (du latin, signifiant « en deçà », « du même côté ») est obtenu lorsque les deux substituants sont situés du même côté du plan de référence. Si, au contraire, les deux substituants s'orientent de part et d'autre du plan de référence, la configuration du stéréoisomère est dite *trans* (du latin, « au-delà de », « opposé »). Dans la figure 3.42, différents isomères géométriques possibles du 1,2-dichloroéthène et du 1-chloro-4-méthylcyclohexane sont illustrés.

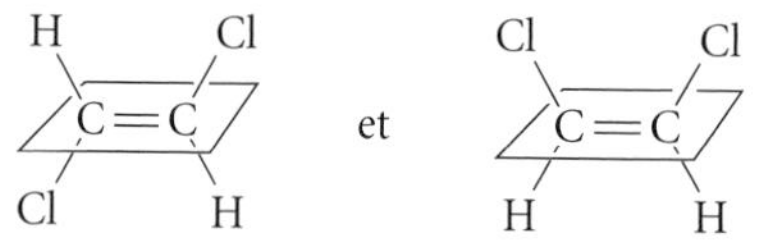

trans-1,2-dichloroéthène   *cis*-1,2-dichloroéthène 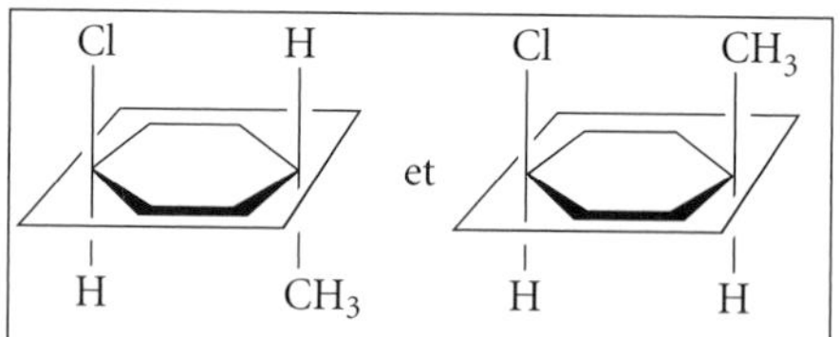   *trans*-1-chloro-4-méthylcyclohexane   *cis*-1-chloro-4-méthylcyclohexane

Pour nommer un alcène ou un cycloalcane en tenant compte de l'isomérie géométrique, il suffit d'inscrire au début du nom le préfixe « *cis* » ou « *trans* », suivi d'un trait d'union et du nom complet de la molécule. Contrairement aux configurations absolues *R* et *S*, cette information ne doit pas être placée entre parenthèses. S'il y a plusieurs liaisons doubles, les termes « *cis* » et « *trans* » sont nommés successivement selon le nombre et l'ordre des liaisons doubles. Ils sont alors séparés par une virgule.

La notation *cis-trans* est limitée. En effet, elle n'est pas adéquate lorsque le cycle ou la liaison double possède trois substituants et plus. Ainsi, puisque la notation *cis-trans* ne permet pas de nommer tous les isomères géométriques possibles, l'UICPA vise à instaurer l'utilisation exclusive de la **notation systématique *E-Z*** (*voir la section 3.6.2, p. 156*) applicable à tous les types d'isomères géométriques.

Les isomères géométriques ont des propriétés physiques et chimiques distinctes[12]. Ainsi, leur arrangement spatial est une caractéristique suffisante pour leur conférer des propriétés différentes. En général, ces isomères sont facilement isolables les uns des autres. Dans le tableau 3.10, quelques propriétés des isomères du 1,2-dichloroéthène sont indiquées.

Tableau 3.10 **Propriétés physiques des isomères géométriques du 1,2-dichloroéthène**

Nom	Masse molaire (g/mol)	Masse volumique (g/cm^3)	Point de fusion (°C)	Point d'ébullition (°C)	Moment dipolaire (D)
cis-1,2-dichloroéthène	96,95	1,2837	−80,0	60,1	1,9
trans-1,2-dichloroéthène	96,95	1,2565	−49,8	48,7	0

Les isomères géométriques sont des stéréoisomères non superposables. Pour y parvenir, il faudrait rompre le lien π de la liaison double, ce qui permettrait la rotation autour du lien σ. Ceci est impossible à la température ambiante, l'énergie d'activation étant trop élevée.

Exercice 3.34 Parmi les molécules suivantes, lesquelles peuvent présenter de l'isomérie géométrique ? Lorsque c'est le cas, dessinez la structure des isomères *cis* et *trans*.

a) $CH_2 = CHCl$

b) $CH_3 — CH = CH — CH_3$

c) $CH_3 — CH = CH_2$

d) $CH_3 — \underset{\underset{CH_3}{|}}{C} = CH — CH_2CH_3$

e)

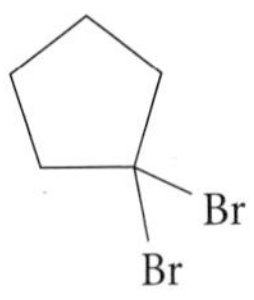

f)

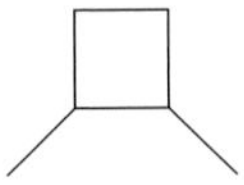

Exercice 3.35 Déterminez si les molécules suivantes ont une isomérie géométrique de type *cis* ou *trans*.

a)

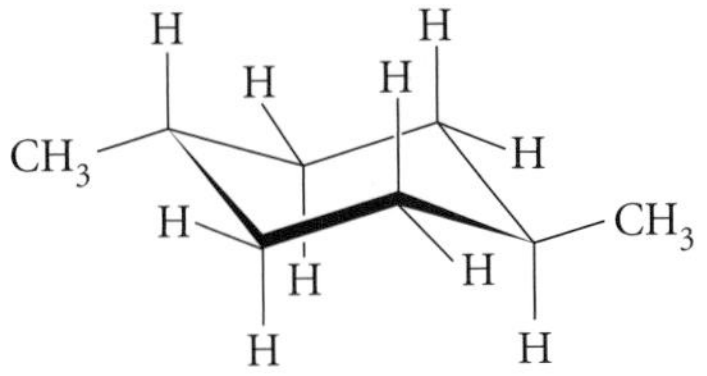

b)

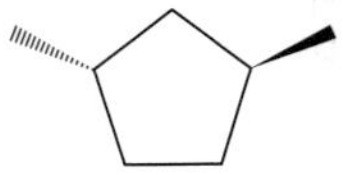

c)

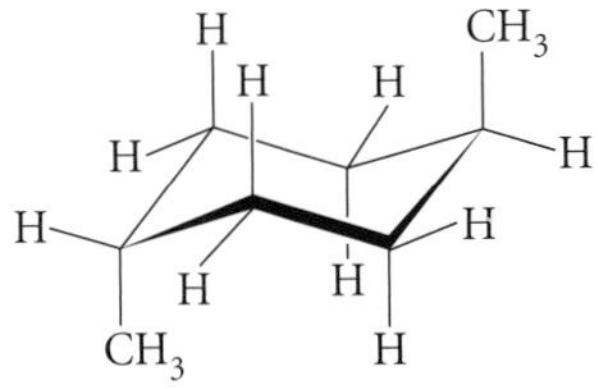

d)

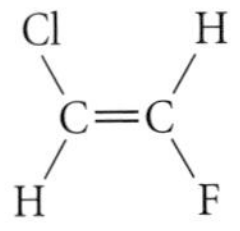

e)

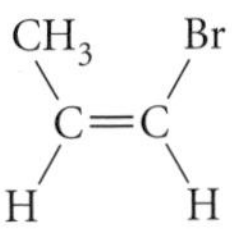

f)

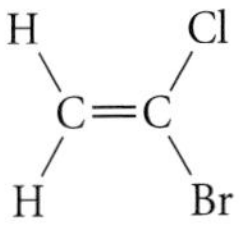

3.6.2 Isomères géométriques et notation *E-Z*

Bien qu'il soit permis d'employer la notation *cis-trans* dans le cas des alcènes (ou cycles) disubstitués comme celui de la figure 3.42 (*voir p. 154*), ce système n'est pas adéquat pour des alcènes ou des cycles plus complexes (trisubstitués ou tétrasubstitués) (*voir la figure 3.43*). Par exemple, pour les isomères géométriques du 2-bromo-1-chloro-1-fluoroéthène, il n'est plus possible de parler d'isomères *cis* ou *trans*, car plus de deux substituants différents sont présents.

Figure 3.43
Isomères géométriques du 2-bromo-1-chloro-1-fluoroéthène et du 1-bromo-1-chloro-4-fluoro-4-méthylcyclohexane

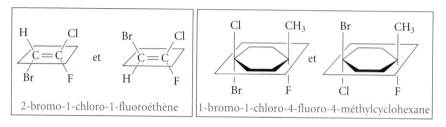

La **notation *E-Z***, mise au point par Cahn, Ingold et Prelog, est un système de notation systématique basé sur la priorité des numéros atomiques des atomes, soit une convention très similaire à celle utilisée pour les configurations absolues R-S des carbones stéréogéniques. Cette nouvelle notation est valide dans tous les cas d'isomères géométriques (contrairement à la notation *cis-trans*) et elle est recommandée par l'UICPA.

Pour déterminer l'isomérie géométrique en utilisant la notation *E-Z*, il suffit de considérer les différents groupements liés sur chacun des carbones de la liaison double ou sur chacun des carbones du cycle. Ainsi, les numéros atomiques des deux groupements liés au même carbone de la liaison double (ou du cycle) doivent être comparés pour déterminer lequel est prioritaire. La priorité est attribuée à l'atome directement attaché au carbone de la liaison double (ou du cycle) qui possède le numéro atomique le plus élevé. Tout comme pour l'attribution des configurations absolues *R-S*, dans le cas où ces atomes sont identiques, il faut comparer les atomes suivants jusqu'à la rencontre d'une différence. Afin de mieux saisir l'application de la notation *E-Z*, des molécules sont présentées dans la figure 3.44.

Le descripteur stéréochimique *Z* (du mot allemand *zusammen*, qui signifie « ensemble ») est employé lorsque les deux groupements prioritaires s'orientent du même côté de la liaison double (ou du cycle). **Par contre**, lorsque les deux groupements prioritaires se situent de part et d'autre de la liaison double (ou du cycle), le descripteur stéréochimique *E* est utilisé (du mot allemand *entgegen*, qui signifie « opposé »).

Figure 3.44
Marche à suivre pour appliquer la notation *E-Z* aux isomères géométriques

Attribution de la configuration *E* ou *Z* à la molécule de 2-bromo-1-chloro-1-fluoroéthène

$Z = 1$ H   Cl $Z = 17$ Le chlore a un numéro atomique plus grand que le fluor; il est donc prioritaire.

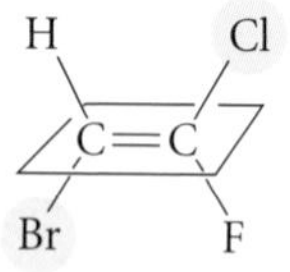

Le brome a un numéro atomique plus grand que l'hydrogène; il est donc prioritaire. $Z = 35$ Br   F $Z = 9$

Les deux groupements prioritaires sur les deux carbones de la liaison double sont situés de part et d'autre de la liaison double. La configuration est donc *E*, et le nom de la molécule est :

(*E*)-2-bromo-1-chloro-1-fluoroéthène

▶ **Attribution de la configuration *E* ou *Z* à la molécule
de 1-bromo-1-chloro-4-fluoro-4-méthylcyclohexane**

$Z=17$ Cl CH_3 $Z=6$

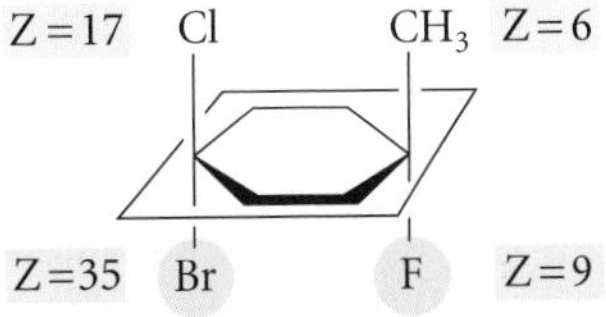

Le brome a un numéro atomique $Z=35$ Br   F $Z=9$ Le fluor a un numéro atomique
plus grand que le chlore ; il est
donc prioritaire.   plus grand que le carbone ; il
est donc prioritaire.

Les deux groupements prioritaires sur les deux carbones du cycle sont situés du même côté du
cycle. La configuration est donc *Z*, et le nom de la molécule est :

(Z)-1-bromo-1-chloro-4-fluoro-4-méthylcyclohexane

Exemple 3.11

Pour la molécule de 1-chloro-1-fluoro-2-méthylbut-1-ène illustrée ci-dessous,
déterminez s'il s'agit de l'isomère géométrique *E* ou *Z*.

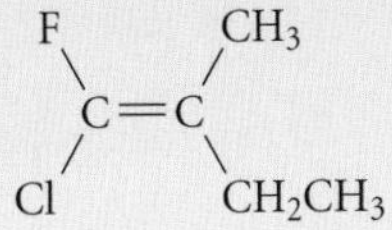

F CH_3
C=C
Cl CH_2CH_3

Solution

Établissez l'ordre de priorité des groupements sur les deux carbones de la liaison double en
appliquant les règles de Cahn-Ingold-Prelog :

F CH_3
C=C
Cl CH_2CH_3

Le chlore a un numéro
atomique plus grand que
le fluor ; il est donc
prioritaire.   L'éthyle est prioritaire sur le
méthyle, car le deuxième
carbone de l'éthyle possède
un numéro atomique plus
élevé que celui de l'un des
hydrogènes du méthyle.

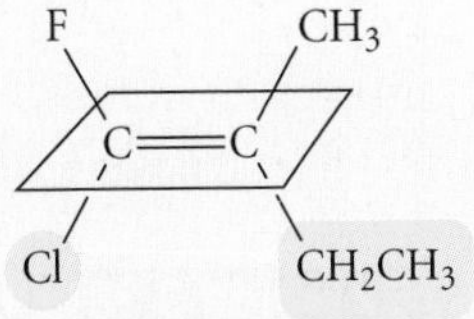

Les deux groupements prioritaires sur les deux carbones de la liaison double sont situés du même
côté de la liaison double. La notation est donc *Z*, et le nom de la molécule est :

(Z)-1-chloro-1-fluoro-2-méthylbut-1-ène

La notation systématique *E-Z*, comme la convention *R-S* des configurations absolues, est écrite en italique, mise entre parenthèses devant le nom de la molécule et séparée du nom par un trait d'union. Pour les molécules portant plusieurs liaisons doubles,
un chiffre (celui où commence la liaison double) est précisé devant la notation *E* ou *Z*
pour chaque liaison double (*voir la figure 3.45*).

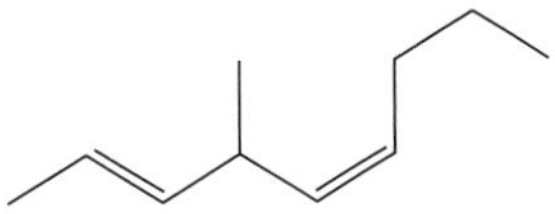

Figure 3.45
Nomenclature d'un composé
portant plus d'une liaison double
en tenant compte de l'isomérie
géométrique

(2E,5Z)-4-méthylnona-2,5-diène

Exercice 3.36 Pour chacun des composés suivants:

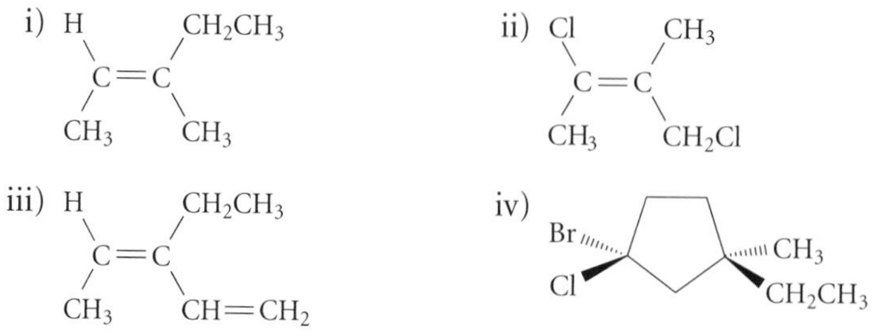

i)
$$\begin{array}{cc} H & CH_2CH_3 \\ \diagdown & \diagup \\ C = C \\ \diagup & \diagdown \\ CH_3 & CH_3 \end{array}$$

ii)
$$\begin{array}{cc} Cl & CH_3 \\ \diagdown & \diagup \\ C = C \\ \diagup & \diagdown \\ CH_3 & CH_2Cl \end{array}$$

iii)
$$\begin{array}{cc} H & CH_2CH_3 \\ \diagdown & \diagup \\ C = C \\ \diagup & \diagdown \\ CH_3 & CH = CH_2 \end{array}$$

iv)
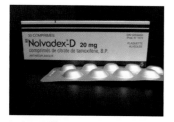

$$\begin{array}{c} Br\cdots \quad \cdots CH_3 \\ Cl \quad CH_2CH_3 \end{array}$$

a) attribuez les configurations selon la notation *E-Z*;

b) nommez chacun des composés selon les règles de l'UICPA.

Exercice 3.37 Dessinez la structure des composés suivants.

a) $CH_3 - C = CH - CH_2CH_3$
　　　　$|$
　　　　Cl

(*E*)-2-chloropent-2-ène

b) 　　$ClFC = CBrI$

(*Z*)-1-bromo-2-chloro-2-fluoro-
1-iodoéthène

c) 　　　CH_2CH_2Br
　　　　$|$
$CH_3CH_2 - C = CH - CH_2CH_2CH_3$

(*Z*)-1-bromo-3-éthylhept-3-ène

d) $CH_3 - CH = CH - CH = CH - CH_3$

(2*E*,4*E*)-hexa-2,4-diène

e) $CH_3CH_2 - CH = CH - C = C - CH_2CH_2CH_3$
　　　　　　　　　　$|$　$|$
　　　　　　　　CH_3 CH_2CH_3

(3*E*,5*Z*)-6-éthyl-5-méthylnona-3,5-diène

Exercice 3.38 Quelle est la configuration (*E* ou *Z*) du tamoxifène?

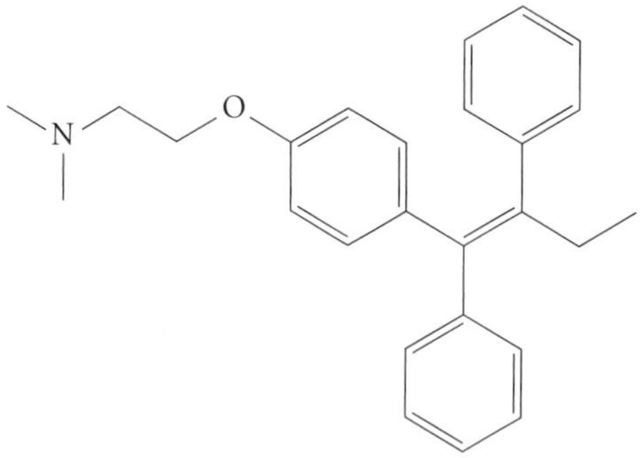

tamoxifène

Le tamoxifène est un composé utilisé pour combattre les tumeurs cancéreuses dans le traitement du cancer du sein. Il est commercialisé sous le nom de Nolvadex, un médicament administré par voie orale.

3.7 Molécules cycliques possédant deux ou plusieurs carbones stéréogéniques

Comme cela a été mentionné dans la section 3.6 (*voir p. 153*), étant donné que les molécules cycliques ont une rotation restreinte, des isomères géométriques sont possibles. Par contre, si ces mêmes molécules possèdent des carbones stéréogéniques, plusieurs stéréoisomères peuvent être représentés. Ainsi, en plus de les caractériser par la notation *E-Z* (ou la notation *cis-trans*), des relations d'énantiomérie et de diastéréoisomérie peuvent avoir lieu (*voir la figure 3.46*).

Figure 3.46
Relations entre les stéréoisomères du 1,2-dibromocyclopentane

Soit la molécule suivante.

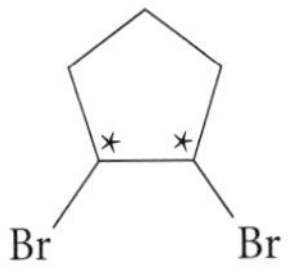

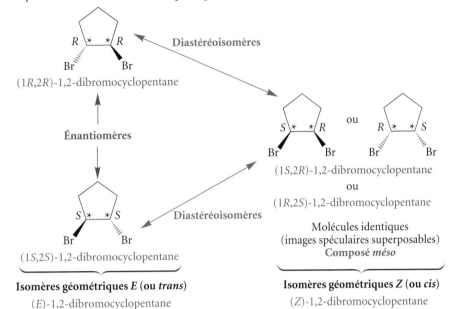

1,2-dibromocyclopentane

Analyse des relations stéréoisomériques à partir des carbones stéréogéniques

(1R,2R)-1,2-dibromocyclopentane

Diastéréoisomères

Énantiomères

(1S,2R)-1,2-dibromocyclopentane
ou
(1R,2S)-1,2-dibromocyclopentane

Diastéréoisomères

(1S,2S)-1,2-dibromocyclopentane

Molécules identiques
(images spéculaires superposables)
Composé *méso*

Isomères géométriques *E* (ou *trans*)
(*E*)-1,2-dibromocyclopentane

Isomères géométriques *Z* (ou *cis*)
(*Z*)-1,2-dibromocyclopentane

REMARQUE

Dans cet exemple, les isomères géométriques *E-Z* ont également une relation de diastéréoisomérie.

Même si l'information est moins précise que l'attribution des carbones stéréogéniques, il est fréquent d'utiliser la notation *E-Z* (ou la notation *cis-trans*) pour caractériser les cycles représentés en trois dimensions. Toutefois, contrairement à ce qui a été étudié pour les liaisons doubles, il est interdit d'avoir recours à l'isomérie géométrique lorsque le cycle porte plus de deux carbones ayant des substituants. Dans de pareils cas, il faut avoir recours exclusivement à la notation *R-S* des carbones stéréogéniques (*voir la figure 3.47*).

Figure 3.47
Nomenclature de molécules dont le cycle porte plus de deux carbones ayant des substituants

Lorsque les cycles renferment plus de deux carbones portant des substituants, ce sont uniquement les descripteurs stéréochimiques *R* et *S* qui sont utilisés.

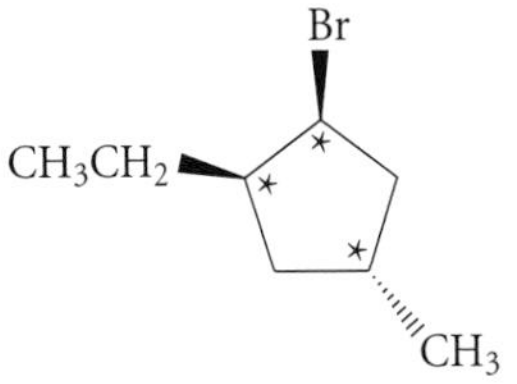

(1S,2R,4R)-1-bromo-2-éthyl-4-méthylcyclopentane

RÉSUMÉ

Détermination du degré d'insaturation (ou du nombre d'insaturations) (section 3.2)

Le degré d'insaturation correspond à la sommation du nombre de liaisons π et de cycles présents dans la structure d'une formule moléculaire donnée.

1. Déterminer le nombre de H d'un hydrocarbure saturé acyclique : C_nH_{2n+2}.
2. Résoudre l'équation suivante :

$$\text{Degré d'insaturation} = \frac{\text{n}^{\text{bre}}\,\text{H}\,(C_nH_{2n+2}) - \text{n}^{\text{bre}}\,\text{H}\,(\text{formule moléculaire étudiée})}{2\,\text{H / insaturation ou cycle}}$$

Remarque : Si la molécule contient des hétéroatomes, la formule moléculaire étudiée doit être transformée en une formule moléculaire de type C_xH_y (*voir la règle 3, p. 103*).

Divers modes d'écriture possibles pour représenter en trois dimensions une molécule donnée (section 3.3)

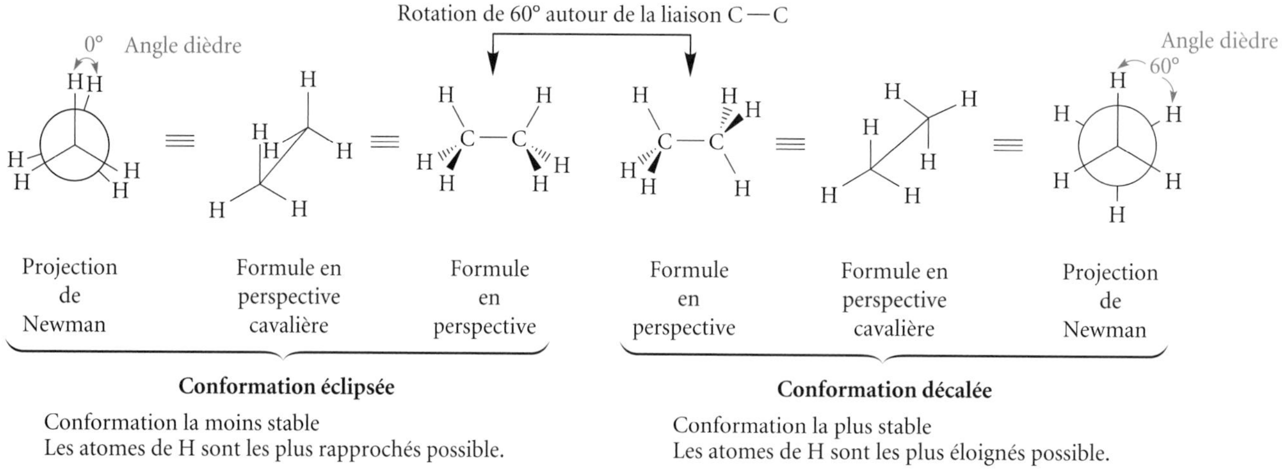

Conformation éclipsée
Conformation la moins stable
Les atomes de H sont les plus rapprochés possible.

Conformation décalée
Conformation la plus stable
Les atomes de H sont les plus éloignés possible.

Conformations	Formule en perspective	Formule en perspective cavalière (ou forme chevalet)	Projection de Newman
• Représentations tridimensionnelles de la même molécule (même formule développée ou semi-développée), superposables à la suite d'une rotation libre autour d'une liaison simple	• Représentation tridimensionnelle selon la géométrie moléculaire	• Formule en perspective ayant subi une rotation de 45° • Diagonale = liaison entre les deux carbones • Carbone du bas = carbone le plus près de l'observateur	• Formule en perspective ayant subi une rotation de 90° – Vue de face • Carbone antérieur (carbone à l'avant) représenté par l'intersection des trois liaisons (sous la forme d'un point) • Carbone postérieur (carbone à l'arrière) symbolisé par un cercle duquel les trois liaisons émergent sous la forme de petits segments • Angle dièdre = angle de rotation formé entre une liaison antérieure et une liaison postérieure • Visualisation plus facile des encombrements stériques

Stabilité des conformations (section 3.3.2)

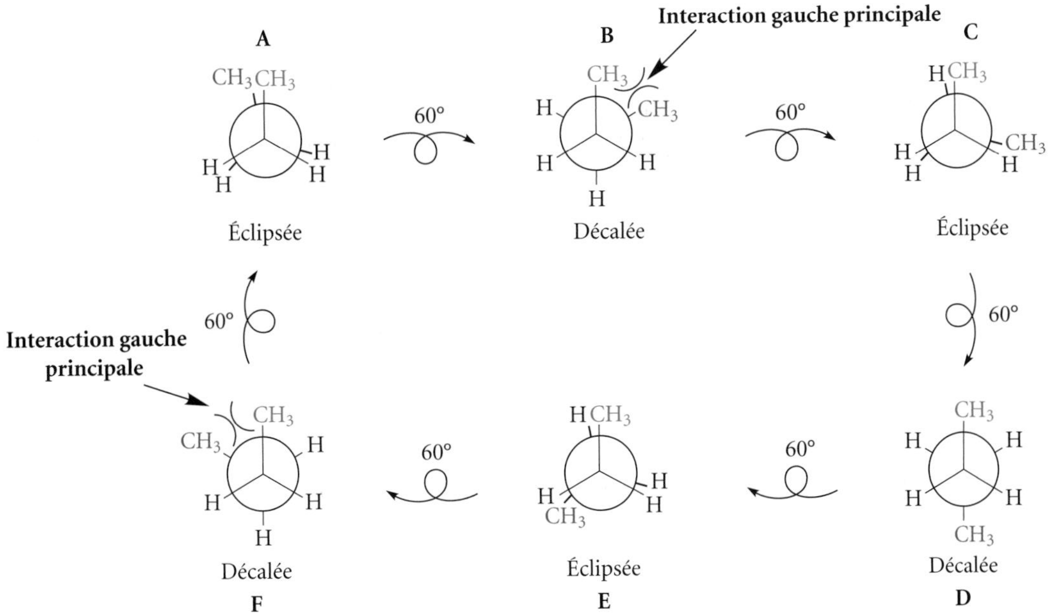

- Les conformations décalées sont toujours plus stables que les conformations éclipsées.
- La conformation D est la plus stable (groupements volumineux en position opposée). Il s'agit de la conformation décalée *anti*.
- Les conformations B et F sont équivalentes et présentent des interactions gauches. Ce sont des conformations décalées gauches.
- La conformation A est la moins stable (encombrement stérique maximal).

Projections de Fischer (section 3.5.6)

Représentations schématisées planes de molécules en trois dimensions renfermant un ou des carbones stéréogéniques (p. ex. : les glucides).

Par convention :

- Chaîne la plus longue de carbones à la verticale.
- Carbone prioritaire en nomenclature (en général, le carbone le plus oxydé) au sommet de la ligne verticale.
- Intersections des lignes horizontales et verticales = carbones stéréogéniques (la lettre « C » n'est plus écrite).
- Lignes verticales = liens orientés vers l'arrière.
- Lignes horizontales = liens orientés vers l'avant.

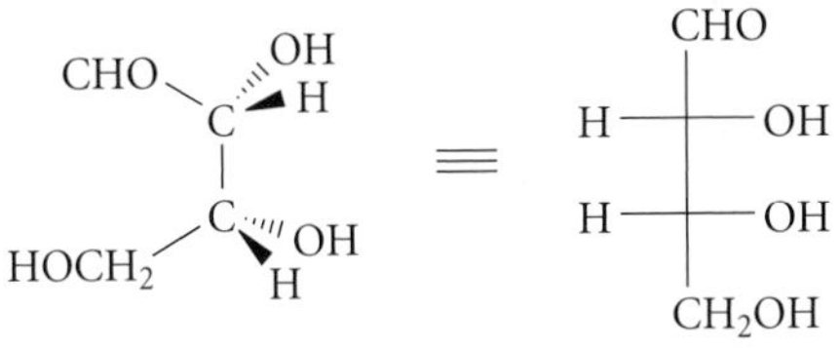

Formule en perspective (conformation éclipsée)   Projection de Fischer

Interconversion chaise-chaise (section 3.4)

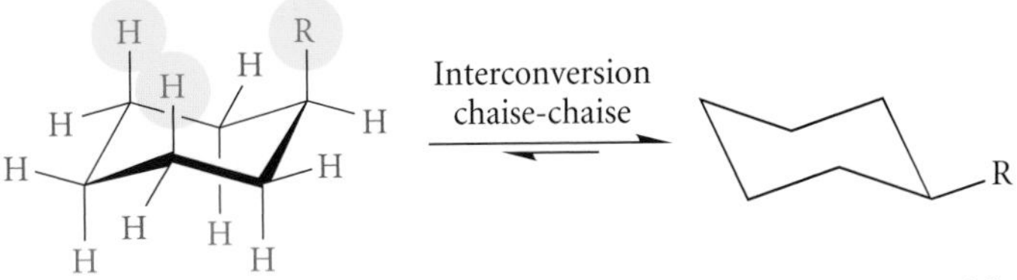

- L'interconversion chaise-chaise est un équilibre conformationnel, à la température ambiante, des deux conformations chaises possibles d'un cyclohexane donné.
- L'interconversion chaise-chaise passe par une conformation intermédiaire, la conformation bateau (*voir les figures 3.10 et 3.11, p. 112 et 113*).
- Lorsqu'un substituant R est présent sur le cyclohexane en position axiale (R et H en rouge),

Interconversion chaise-chaise

R en position axiale
Deux interactions 1,3-diaxiales principales de type H ↔ R

R en position équatoriale

l'interconversion est favorisée afin que ce dernier soit en position équatoriale (H en bleu). La conformation chaise dans laquelle le substituant R est en position équatoriale est favorisée, car les interactions 1,3-diaxiales (encombrement stérique) sont minimisées.

Représentations et caractéristiques de différents cycloalcanes (section 3.4)

Formule simplifiée

cyclopropane   cyclobutane   cyclopentane   cyclohexane

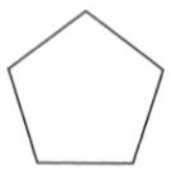

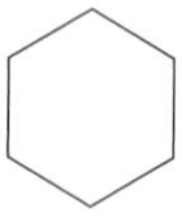

Structure tridimensionnelle

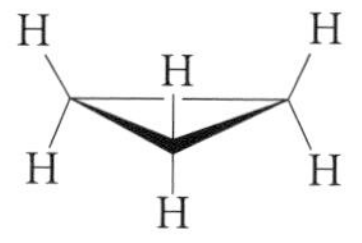

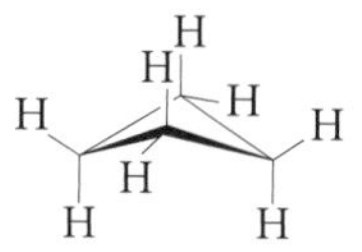

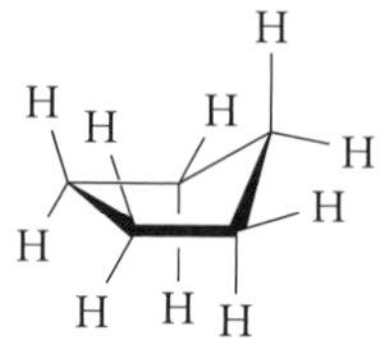

Conformation enveloppe   Conformation chaise

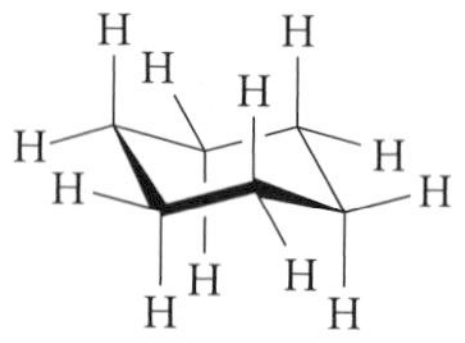

Caractéristiques

- Structure plane
- Forte tension angulaire
- Forte tension de torsion
- **Très instable**

- Conformation plissée ou gondolée pour minimiser la tension de torsion
- Tension angulaire élevée
- **Peu stable**

- Conformation enveloppe pour minimiser la tension de torsion
- Tension angulaire quasi nulle
- **Stable**

- Conformation chaise pour minimiser à la fois la tension de torsion et la tension angulaire
- **Stable**

Descripteurs stéréochimiques – Système de notation conçu par Cahn, Ingold et Prelog

Les règles établies sont décrites dans les sections 3.5.2.3 et 3.6.2 (*voir p. 127 et 156*).

a) Configuration absolue *R-S* (section 3.5.2.3)

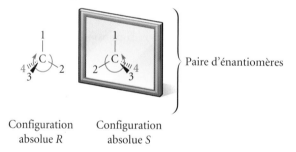

Configuration absolue *R*   Configuration absolue *S*   } Paire d'énantiomères

Particularités :

- L'œil de l'observateur se trouve du côté opposé au groupement ayant la plus petite priorité (n°4).
- Si, en joignant les numéros 1 → 2 → 3 selon la numérotation établie, il y a présence d'une :
    - rotation dans le sens horaire = configuration absolue *R* ;
    - rotation dans le sens antihoraire = configuration absolue *S*.

b) Isomères géométriques et notation *E-Z* (section 3.6.2)

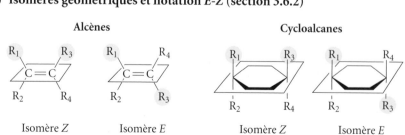

Alcènes   Cycloalcanes

Isomère *Z*   Isomère *E*   Isomère *Z*   Isomère *E*

Particularités :

- Il y a isomérie géométrique dans le cas où :
  - la rotation autour des liaisons C—C est bloquée (alcènes) ou restreinte (cycloalcanes) ;
  - les deux carbones de la liaison double (ou deux carbones du cycle) sont porteurs de deux groupements différents ($R_1 \neq R_2$ et $R_3 \neq R_4$).
- La priorité des groupements est déterminée selon les règles établies par Cahn, Ingold et Prelog (section 3.5.2.3), et la notation *E-Z* s'établit comme suit :
  - si les deux groupements prioritaires (marqués par un cercle rose) sont situés du même côté du plan = isomère *Z* ;
  - si les deux groupements prioritaires (marqués par un cercle rose) sont situés de part et d'autre du plan = isomère *E*.

Schéma des diverses relations possibles entre les structures chimiques

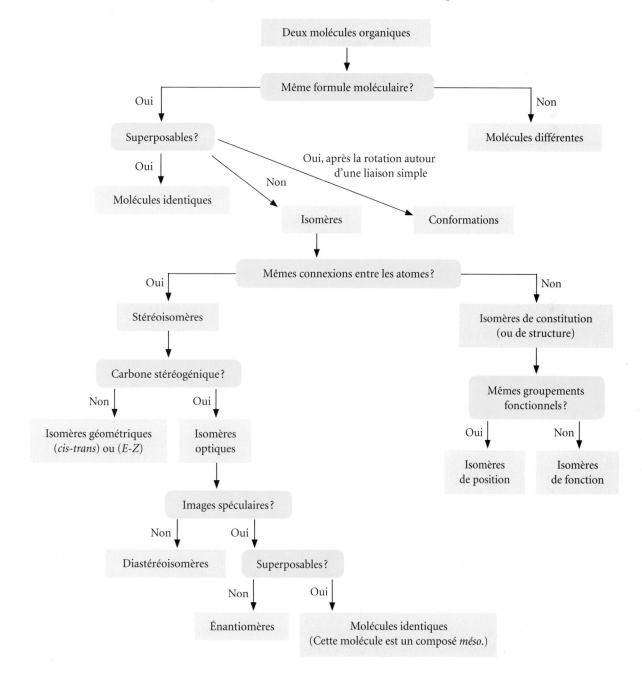

VÉRIFICATION DES CONNAISSANCES

Après l'étude de ce chapitre, je devrais être en mesure :
- ○ de déterminer le nombre d'insaturations ou de cycles présents dans un composé organique à partir de sa structure ou de sa formule moléculaire ;
- ○ de déterminer tous les isomères de constitution (ou de structure) d'une formule moléculaire donnée et de distinguer parmi eux les isomères de position et de fonction ;
- ○ de représenter les hydrocarbures saturés en trois dimensions en utilisant les formules en perspective et en perspective cavalière, ainsi que les projections de Newman et de Fischer ;
- ○ de représenter et de différencier les conformations décalées et éclipsées des hydrocarbures saturés ;
- ○ de représenter les structures tridimensionnelles des cycloalcanes, particulièrement les conformations chaises des cyclohexanes ;

- ○ de distinguer les molécules achirales (symétriques) des molécules chirales (asymétriques) ;
- ○ de repérer les carbones stéréogéniques (C*) des composés organiques et de déterminer leur configuration absolue selon la notation *R-S* ;
- ○ de déterminer tous les stéréoisomères d'une formule moléculaire donnée ;
- ○ d'établir les relations (molécules identiques, énantiomères et diastéréoisomères) entre les composés organiques munis d'un ou de plusieurs carbones stéréogéniques, et de repérer les composés *méso* ;
- ○ de reconnaître les descripteurs stéréochimiques *cis*, *trans*, *Z* et *E* des isomères géométriques des alcènes et des cycloalcanes substitués.

EXERCICES SUPPLÉMENTAIRES

Isomères de constitution (ou de structure)

3.39 Dessinez la formule simplifiée des cinq isomères du C_6H_{14}.

3.40 Pour chacune des paires suivantes, quelle relation existe-t-il entre les différentes molécules ? (Choix possibles : isomères de position, isomères de fonction, molécules identiques, aucune relation.)

a) 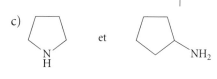 et

b) $Cl-CH_2-CH-CH_3$ et $CH_3-CH-CH_3$
    ... CH_3 ... CH_2-Cl

c) [pyrrolidine NH] et [cyclopentylamine NH₂]

d) [Br, O] et [Br, O]

3.41 Dessinez la formule semi-développée de tous les isomères ayant la formule moléculaire suivante.
a) $C_3H_6F_2$
b) C_4H_9Br
c) C_2H_3N
d) $C_5H_{12}O$ (Trouvez-en 5.)
e) $C_5H_{10}O$ (Trouvez-en 10.)
f) C_5H_8O (Trouvez-en 15.)

3.42 Dessinez la formule simplifiée de tous les isomères cycliques à cinq et à six membres de la formule moléculaire C_5H_6O. (**Indice :** il y en a 12, sans les bicycles.)

Représentation tridimensionnelle des hydrocarbures saturés et conformations

3.43 Représentez les molécules suivantes en formule en perspective dans leur conformation la plus stable. (**Conseil :** utilisez le zigzag dans vos représentations des chaînes principales.)
a) C_7H_{16} (alcane linéaire non ramifié)
b) $CH_3-CCl_2-CBr_2-CH_3$

3.44 Représentez les molécules suivantes avec la projection de Newman dans leur conformation la plus stable.
a) CH_3-CH_2-CHO (**Conseil :** prenez pour axe de liaison le lien entre les deux carbones hybridés sp^3 de la chaîne principale.)
b) (2*S*,3*R*)-2,3-dibromo-2,3-dichlorobutane (**Conseil :** prenez pour axe de liaison le lien entre C2 et C3 de la chaîne principale.)

3.45 a) Pour chacune des représentations suivantes de la molécule de 1,2-dibromoéthane, déterminez le type de conformation.

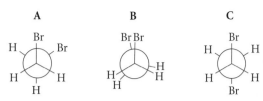

A   B   C

b) Sur le graphique ci-dessous, indiquez, avec la bonne lettre (A, B et C), l'énergie relative de chaque conformation.

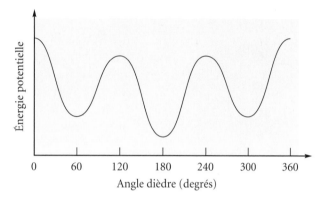

c) En plus des conformations présentées (A, B et C), dessinez les conformations manquantes et indiquez-les sur le graphique avec une lettre (D, E, etc.).

3.46 Dessinez les projections de Newman des conformations décalées et éclipsées du 1-chloropropane en prenant pour axe de liaison le lien entre C1 et C2 de la chaîne principale. Dessinez ensuite le diagramme énergétique de cette molécule.

3.47 L'éthane-1,2-diol, appelé aussi « éthylèneglycol » (HO—CH$_2$—CH$_2$—OH), est ajouté aux radiateurs d'automobiles sous la forme d'une solution aqueuse communément appelée « antigel ». Son rôle principal est d'être un liquide de refroidissement et de protéger le moteur et ses composantes contre le gel lorsque les températures sont inférieures à 0 °C.

a) Représentez les formules en perspective et les projections de Newman pour les conformations décalées gauches et *anti* de l'éthane-1,2-diol.

b) Les conformations décalées gauches de l'éthane-1,2-diol, contrairement à ce qui a été démontré jusqu'à maintenant, sont plus stables que la conformation décalée *anti*. Expliquez cette particularité favorisant les conformations décalées gauches.

3.48 Dessinez la conformation la plus stable du :

a) 1,1-dibromocyclohexane   b) *cis*-1-isobutyl-4-méthylcyclohexane

c) *cis*-1,2-diméthylcyclohexane   d) *trans*-1,4-di-*tert*-butylcyclohexane

3.49 Pour les molécules suivantes, représentez l'équilibre conformationnel et indiquez de quel côté l'équilibre est déplacé en utilisant des flèches d'équilibre de longueurs inégales. Expliquez votre choix.

a) *trans*-1-*tert*-butyl-3-éthylcyclohexane   b) *trans*-1-*sec*-butyl-2-méthylcyclohexane

3.50 Dans le *cis*-cyclohexane-1,3-diol, la conformation avec les deux fonctions alcools en position axiale est prédominante, puisqu'elle montre une stabilité inhabituelle pour des conformations chaises. Expliquez.

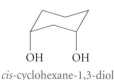

cis-cyclohexane-1,3-diol

3.51 Pour chacune des paires suivantes, quelle relation existe-t-il entre les différentes molécules? (Choix possibles: isomères de position, isomères de fonction, conformations, isomères géométriques, molécules identiques, aucune relation.)

a)

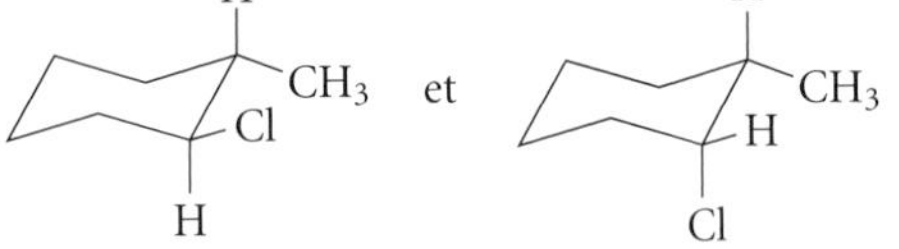

et

b)

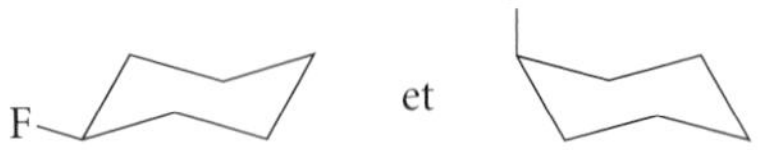

et

c)

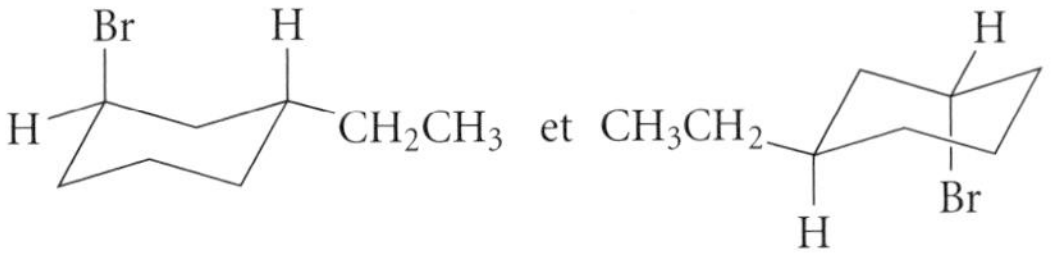

et

d)

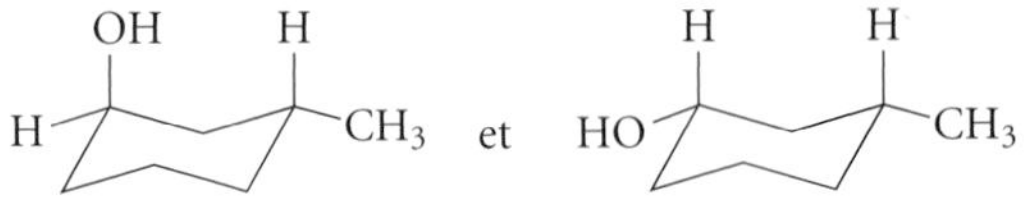

et

e)

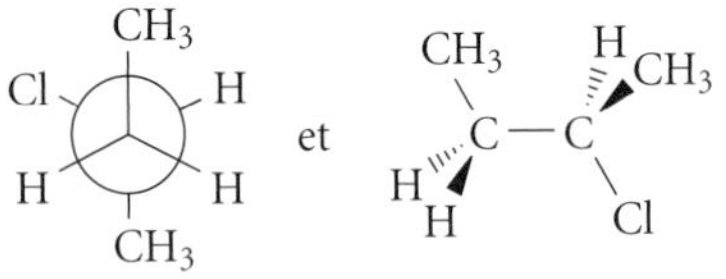

et

f)

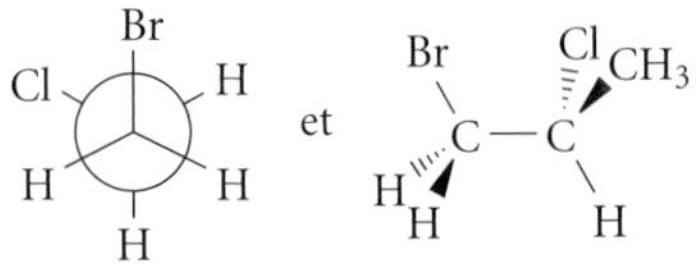

et

g)

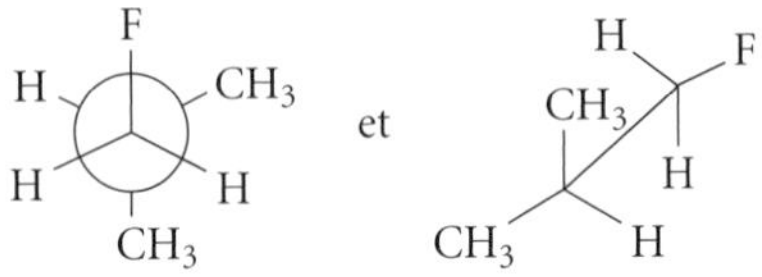

et

h)

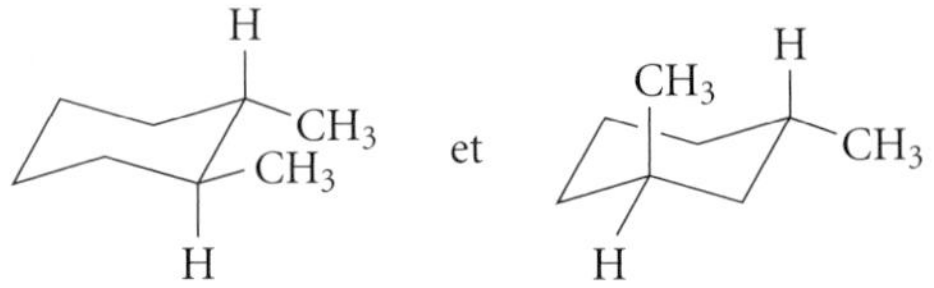

et

i)

et

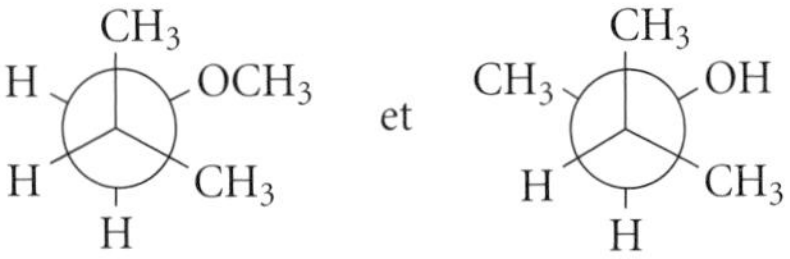

3.52 L'oxaliplatine est un composé dans lequel le 1,2-cyclohexanediamine se lie au platine pour former un complexe qui possède des propriétés antitumorales, notamment dans le cas des cancers colorectaux.

Dessinez la formule simplifiée de tous les isomères de position possibles du cyclohexanediamine, ainsi que les isomères géométriques de type *cis-trans*.

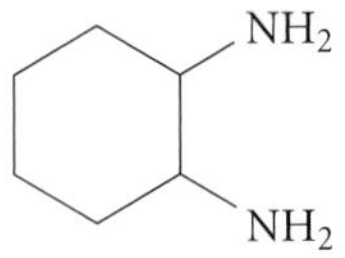

1,2-cyclohexanediamine
(1,2-diaminocyclohexane)

Stéréoisomérie: chiralité et carbones stéréogéniques

3.53 Parmi les molécules suivantes, lesquelles sont chirales? Pour vous aider à répondre à cette question, dessinez les structures.
   a) 2,2-dibromopropane
   b) 2-méthylhexane
   c) *sec*-butylcyclohexane
   d) 3-iodocyclopentène
   e) 4-iodocyclopentène
   f) 1,2,4-trichlorobutane

3.54 Indiquez, à l'aide d'un astérisque, les carbones stéréogéniques des molécules suivantes.

a)

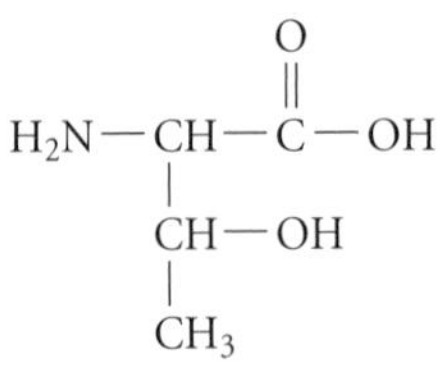

thréonine
(acide aminé)

b)

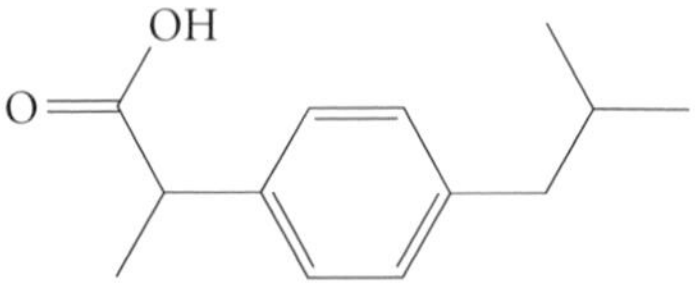

ibuprofène
(molécule contenue dans le
médicament Advil)

c)

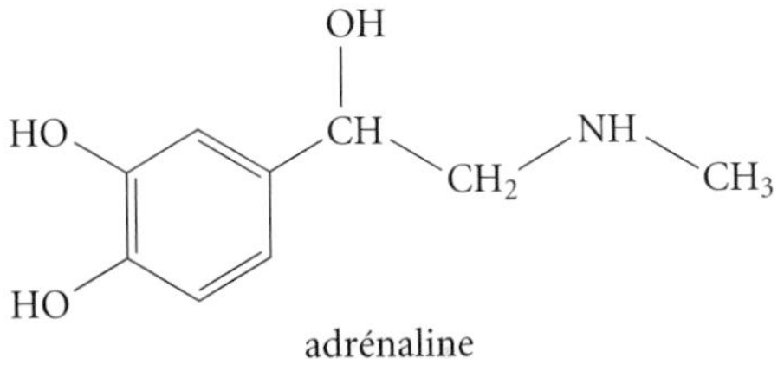

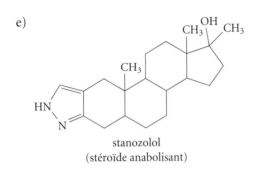

adrénaline
(hormone stimulante appelée aussi «épinéphrine»,
sécrétée par le système nerveux central)

d)

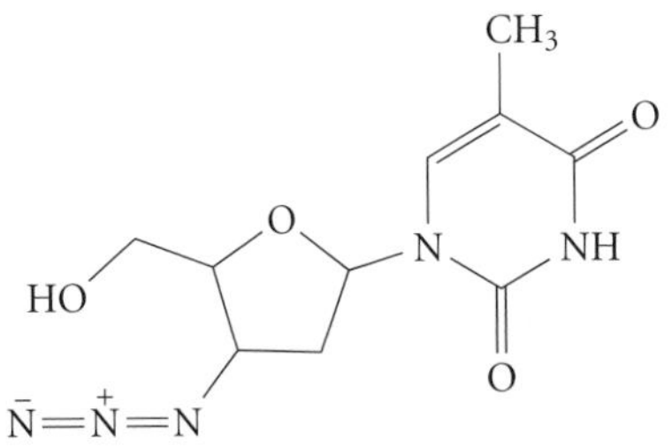

azidothymidine (AZT)
(utilisé en association avec d'autres médicaments
dans le traitement du sida)

e)

stanozolol
(stéroïde anabolisant)

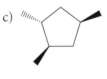
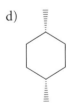

L'athlète canadien Ben Johnson est devenu champion olympique du 100 m masculin en 1988 lors des Jeux olympiques de Séoul. Ce record a toutefois été invalidé après qu'il a été reconnu coupable de dopage au stanozolol.

3.55 Pour la formule moléculaire C_3H_6ClBr :

  a) dessinez la formule semi-développée de tous les isomères ayant cette formule. Combien y a-t-il d'isomères de constitution ?

  b) déterminez les isomères dans lesquels des carbones stéréogéniques sont présents et dessinez les énantiomères correspondants.

  c) combien y a-t-il de structures différentes en trois dimensions ?

Configuration absolue des carbones stéréogéniques et notation *R-S*

3.56 Indiquez, à l'aide d'un astérisque, les carbones stéréogéniques des molécules suivantes et déterminez leur configuration absolue (*R* ou *S*).

a)
$$CH_2CH_2Br$$
$$H \cdots C \cdots CH_3$$
$$CH_2OH$$

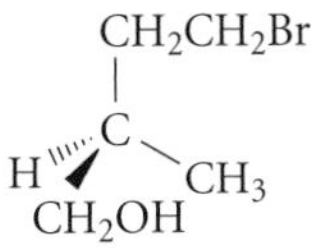

b)
$$N$$
$$|||$$
$$C$$
$$H \cdots C \cdots CH_2CH_2NH_2$$
$$CH_3$$

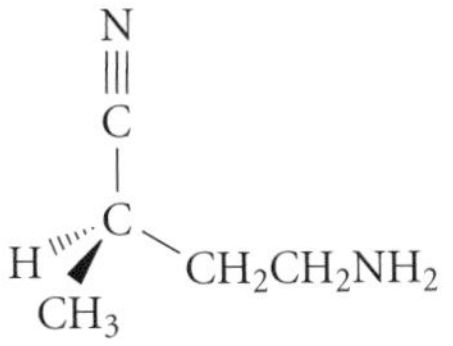

c)

d)

e)

Cl

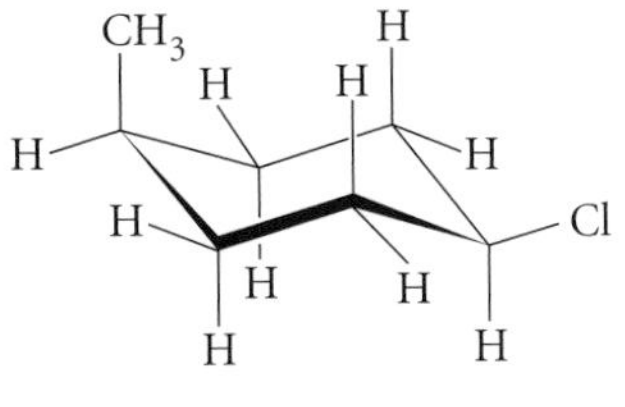

f)

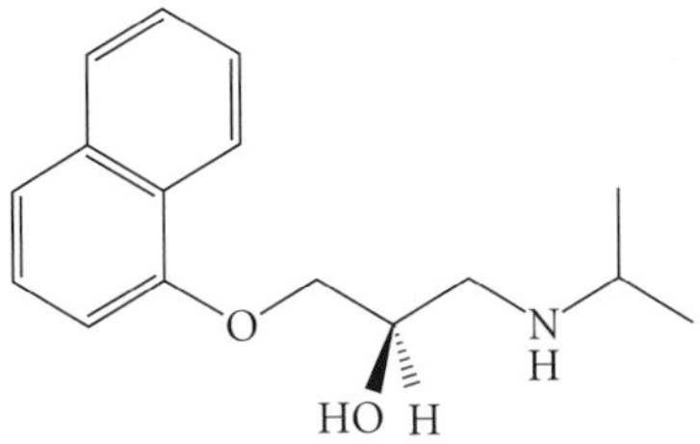

propranolol
(bêta-bloquant, anti-hypertenseur)

HO H

g)

O

OH

HS

H NH₂

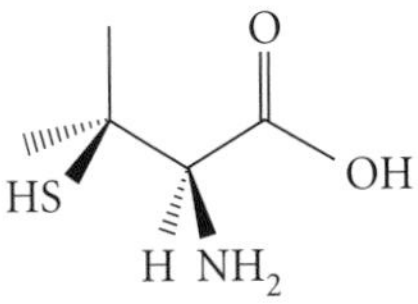

pénicillamine
(anti-arthritique)

3.57 Dessinez la formule simplifiée des molécules suivantes. (**Conseil :** utilisez le zigzag dans vos représentations des chaînes principales acycliques.)

a)

$$CH_3-\overset{\overset{\displaystyle Br}{|}}{CH}-CH_2-CH_2-CH_3$$

(*S*)-2-bromopentane

b)

$$CH_3-CH_2-\overset{\overset{\displaystyle I}{|}}{\underset{\underset{\displaystyle CH_3}{|}}{C}}-CH_2-CH_2-CH_3$$

(*R*)-3-iodo-3-méthylhexane

c)

$$ClCH_2-CH_2-\overset{\overset{\displaystyle}{|}}{\underset{\underset{\displaystyle CH_3}{|}}{CH}}-CH_2-OH$$

(*R*)-4-chloro-2-méthylbutan-1-ol

d)

$$CH_3-\overset{\overset{\displaystyle Br}{|}}{CH}-CH_2-\overset{\overset{\displaystyle CH_3}{|}}{CH}-CH_2-CH_3$$

(2*S*,4*S*)-2-bromo-4-méthylhexane

e)

$$CH_3-\overset{\overset{\displaystyle Cl}{|}}{CH}-\overset{\overset{\displaystyle CH_3}{|}}{CH}-CH_2-CH_2-CH_2-CH_3$$

(2*R*,3*S*)-2-chloro-3-méthylheptane

f)

(1*R*,3*R*)-1,3-diméthylcyclohexane

(Représentez les configurations absolues sur un cyclohexane en formule simplifiée, puis dessinez ensuite la conformation chaise correspondante.)

Propriétés physiques des énantiomères, mélange racémique et excès énantiomérique

3.58 L'une des sources importantes de production de sucre provient de la canne à sucre qui contient dans ses tiges une solution aqueuse de saccharose (sucre de table).

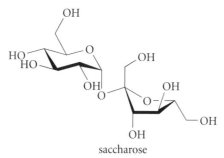

saccharose

a) Déterminez les carbones stéréogéniques dans le saccharose.
b) Pour mesurer la concentration du sucre contenu en solution, il est possible, entre autres, de se servir du pouvoir rotatoire spécifique des sucres. Si une solution aqueuse de saccharose est placée dans un polarimètre avec un tube de 400 mm de longueur et que la rotation observée, avec la raie D du sodium, est de +53,2°, quelle est la concentration (en g/mL) en saccharose dans cette solution, sachant que le pouvoir rotatoire spécifique du saccharose est de +66,5° à 20 °C ?

3.59 Le camphre est un composé organique bicyclique extrait à partir du bois du camphrier, un arbre de la famille des Lauracées. En médecine, le camphre est utilisé essentiellement par voie externe pour ses propriétés antiseptiques et anesthésiques.

camphre

a) Déterminez les carbones stéréogéniques dans le camphre.
b) Un échantillon de camphre est trouvé et il possède un $[\alpha]_D^{20\,°C}$ de +18,13°. Sachant que le (+)-camphre possède un $[\alpha]_D^{20\,°C}$ de +44,26°, calculez l'excès énantiomérique de l'échantillon trouvé et la composition du mélange d'énantiomères.

Projections de Fischer

3.60 Convertissez les structures tridimensionnelles suivantes en projection de Fischer.

a)

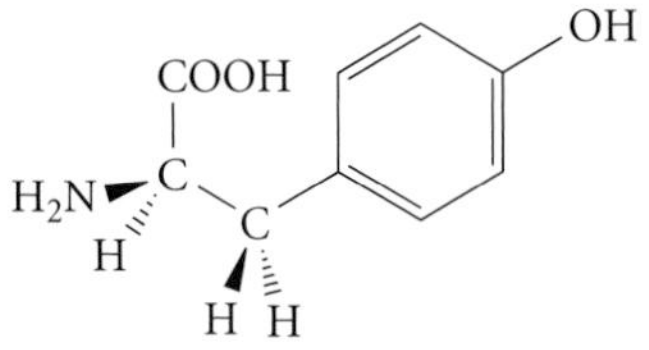

tyrosine
(acide aminé)

b)

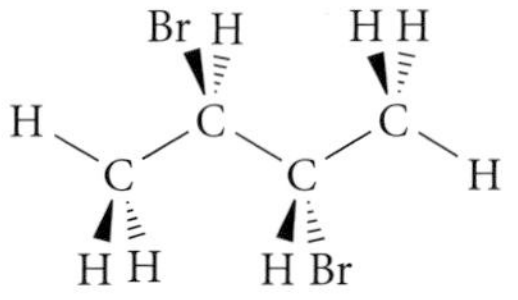

c)

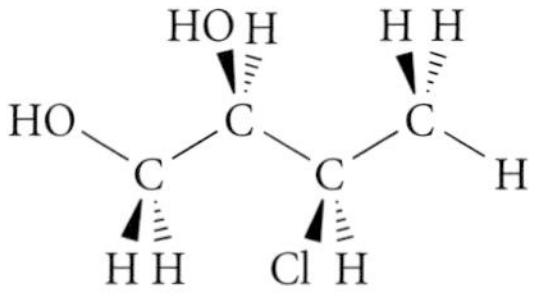

d)

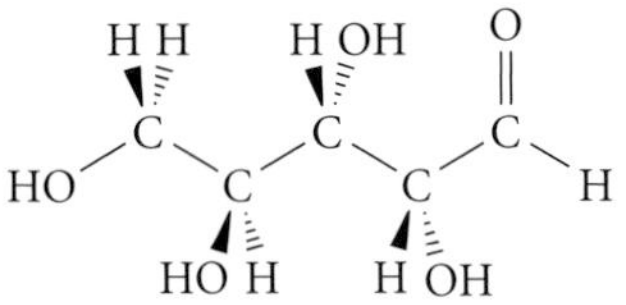

arabinose
(monosaccharide)

e)

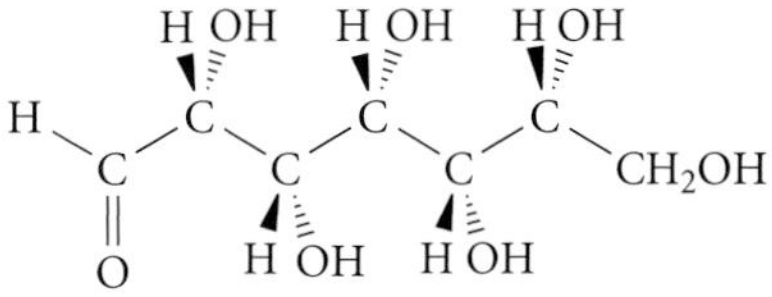

3.61 L'acide ascorbique, également connu sous le nom de « vitamine C », est reconnu pour ses bienfaits sur la santé en raison de sa propriété antioxydante (réductrice). Il réagit avec l'oxygène (O_2) de l'air, empêchant ainsi ce dernier d'oxyder d'autres molécules organiques. Il est également utilisé dans l'industrie agroalimentaire pour prévenir l'oxydation des aliments.

L'acide ascorbique est une molécule comportant entre autres une fonction lactone (ester cyclique) et une fonction ènediol.

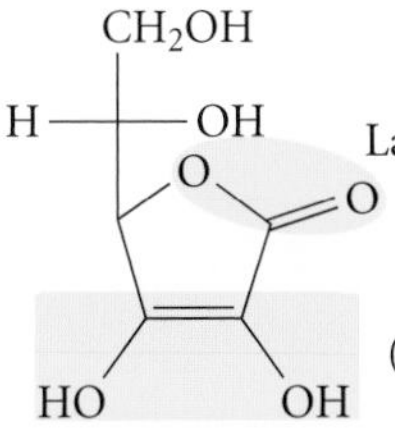

Lactone (ester cyclique)

Ènediol
(une fonction alcène et deux fonctions alcools adjacentes,
d'où la contraction alcène et (di)alcool)

acide ascorbique

En présence d'oxygène, l'acide ascorbique s'oxyde de manière réversible en acide déhydroascorbique, encore actif en tant que vitamine. Cette activité devient nulle lorsque l'acide déhydroascorbique se fait hydrolyser, provoquant ainsi la rupture de la lactone et l'ouverture du cycle. L'acide dicétogulonique est obtenu.

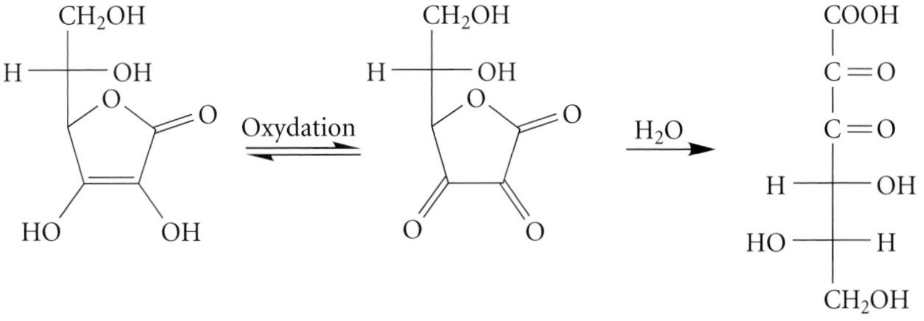

acide ascorbique
(vitamine C)

acide déhydroascorbique
(actif en tant que vitamine C)

acide dicétogulonique
(inactif en tant que vitamine C)

a) Indiquez, à l'aide d'un astérisque, les carbones stéréogéniques de l'acide dicétogulonique et déterminez leur configuration absolue (R ou S).

b) Convertissez la projection de Fischer de l'acide dicétogulonique en structure tridimensionnelle avec la formule en perspective.

Molécules possédant deux ou plusieurs carbones stéréogéniques

3.62 Soit le cholestérol représenté ci-dessous.

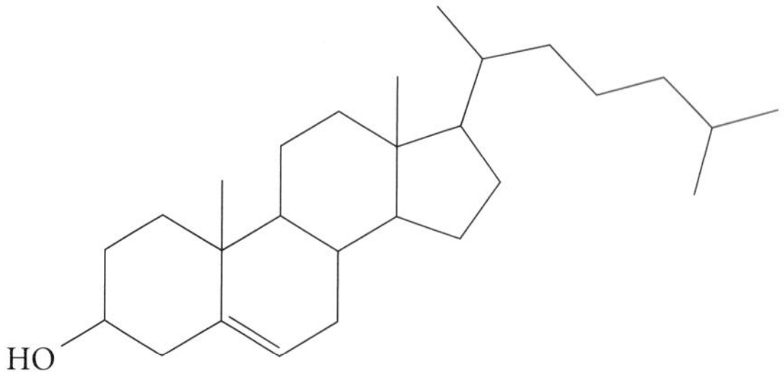

cholestérol

a) Combien de carbones stéréogéniques cette molécule renferme-t-elle ? Indiquez-les à l'aide d'un astérisque (C*).
b) Combien de stéréoisomères sont possibles pour la molécule de cholestérol ?

3.63 Soit le 2-bromo-3-chlorobutane.

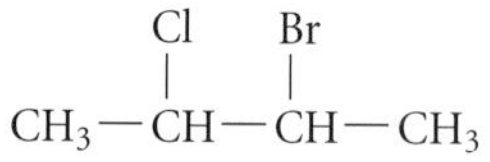

2-bromo-3-chlorobutane

a) Combien de stéréoisomères sont possibles ?
b) Représentez la structure tridimensionnelle en formule en perspective et avec la projection de Newman pour chacun des stéréoisomères et indiquez les relations stéréochimiques entre eux.
c) Représentez chacun des stéréoisomères trouvés en b) avec la projection de Fischer.

3.64 Soit le 2,3-dichlorobutane.

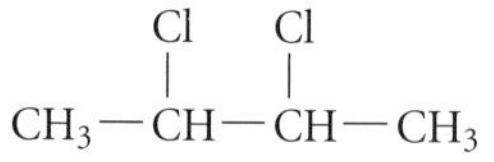

2,3-dichlorobutane

a) Représentez la structure tridimensionnelle en formule en perspective et avec la projection de Newman pour chacun des stéréoisomères et indiquez les relations stéréochimiques entre eux.
b) Représentez chacun des stéréoisomères trouvés en a) avec la projection de Fischer.
c) Lesquels des stéréoisomères sont chiraux ?

3.65 Combien y a-t-il de représentations différentes en trois dimensions pour la formule moléculaire $C_6H_{13}Cl$? (**Conseil :** représentez tous les isomères de constitution pour cette formule et évaluez les possibilités de chiralité dans chacun des cas.)

3.66 a) Représentez la structure tridimensionnelle en formule en perspective pour chacun des stéréoisomères du pentane-2,3,4-triol et indiquez les relations stéréochimiques entre eux.

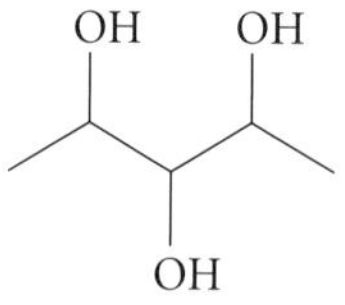

pentane-2,3,4-triol

b) Est-ce qu'une solution contenant un mélange équimolaire des stéréoisomères du pentane-2,3,4-triol aura une activité optique ? Expliquez votre réponse.

Isomères géométriques

3.67 Les acides maléique et fumarique sont deux isomères géométriques reconnus pour leurs propriétés physiques et chimiques différentes, d'où leurs noms historiquement différents.

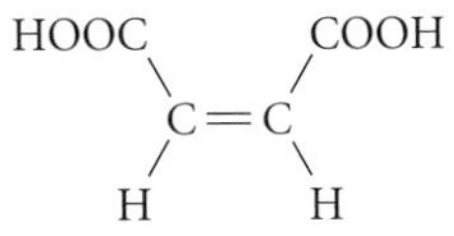

acide maléique

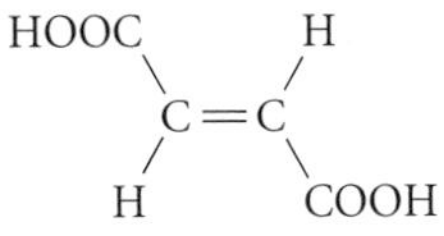

acide fumarique

a) Attribuez la configuration *cis-trans* à ces deux acides. Est-il permis d'employer la notation *cis-trans* dans le cas de ces alcènes ? Expliquez votre réponse.

b) Attribuez la configuration selon la notation *E-Z* à ces deux acides.

c) Lorsque ces deux molécules sont chauffées aux alentours de 140 °C, seul l'acide maléique réagit par l'entremise d'une réaction intramoléculaire impliquant ses deux groupements fonctionnels acides (—COOH).

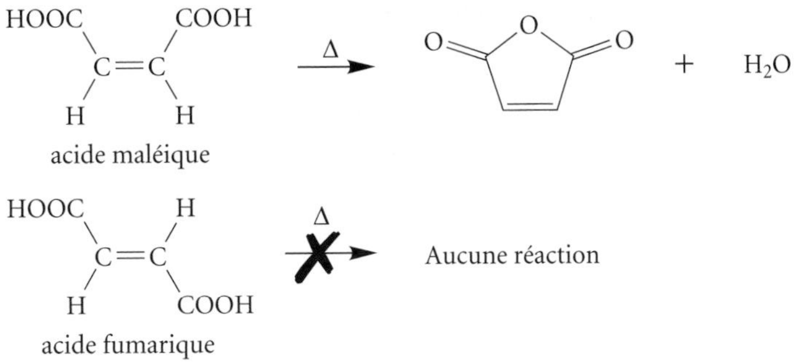

acide maléique

acide fumarique

Expliquez cette différence de réactivité en vous servant de leurs arrangements spatiaux respectifs.

3.68 Pour chacun des composés suivants :

i) 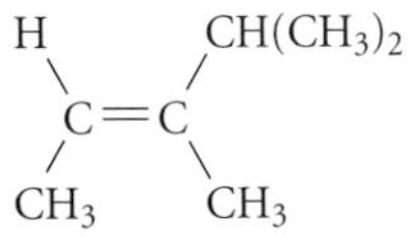   ii) 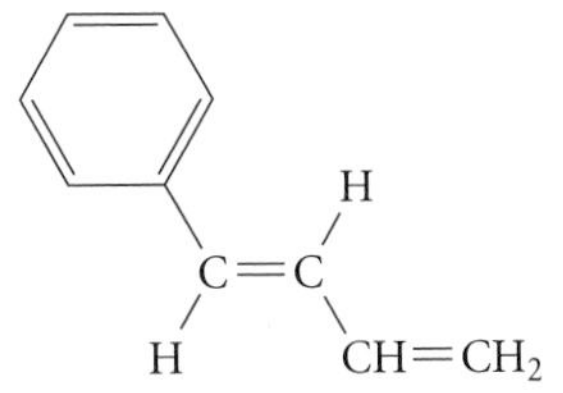   iii) 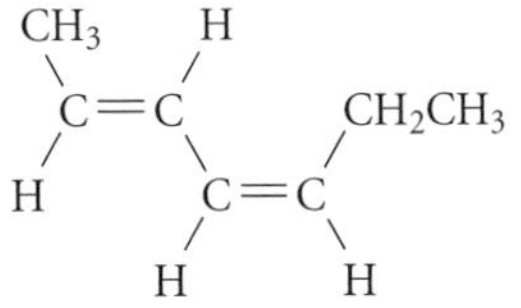   iv)

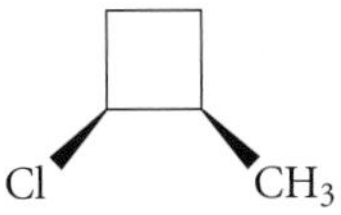

a) attribuez les configurations selon la notation *E-Z* ;

b) nommez-les selon les règles de l'UICPA.

3.69 Écrivez la structure des composés suivants.

a)

(2E,4Z,7Z)-7-bromo-4-éthyl-8-méthyldéca-2,4,7-triène

b) CH_2=CH—CH=CH—CH=CH—CH=CH—CH_3

(3Z,5E,7Z)-nona-1,3,5,7-tétraène

3.70 Le carotène est un pigment orange présent dans la carotte et d'autres végétaux. Il existe principalement sous la forme de β-carotène qui est bien connu, entre autres, pour être un précurseur de la vitamine A et pour ses propriétés antioxydantes.

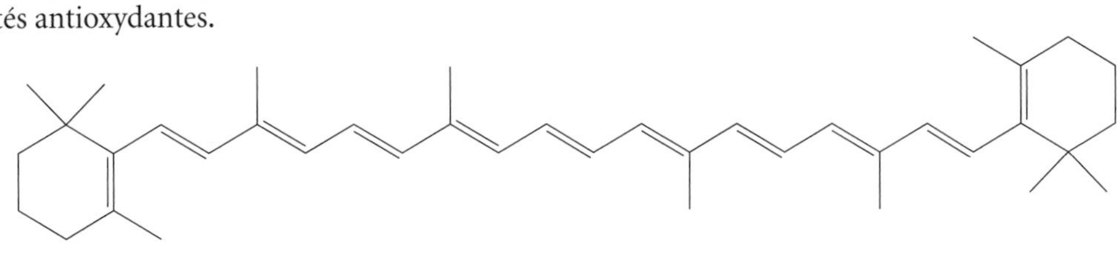

β-carotène

Déterminez la configuration selon la notation *E-Z* pour chacune des liaisons doubles du β-carotène.

3.71 Pour chacun des composés suivants :

i) $CH_3—CH(Cl)—CH{=}CH—CH_3$

ii) 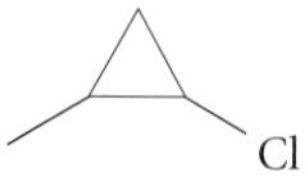

a) représentez tous les stéréoisomères possibles en formule en perspective ;
b) nommez chacun des stéréoisomères selon les règles de l'UICPA.

Relations stéréoisomériques entre structures chimiques

3.72 Pour chaque paire de composés, précisez s'il s'agit d'énantiomères, de diastéréoisomères, d'isomères géométriques ou de structures identiques.

a) 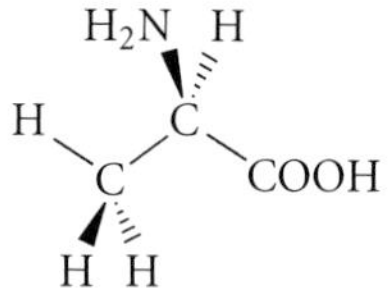 et 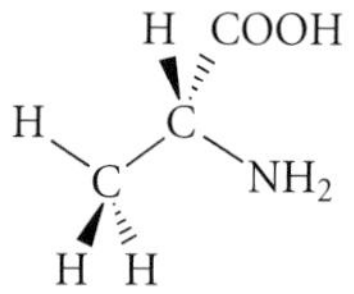

b) 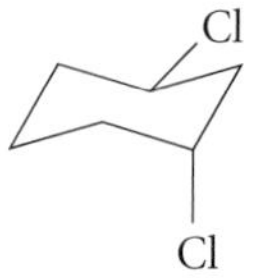 et 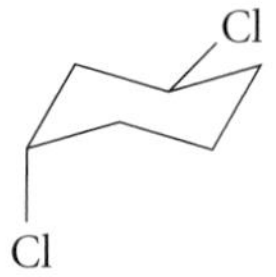

c) 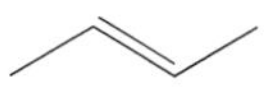 et 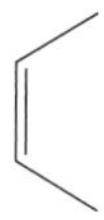

d) 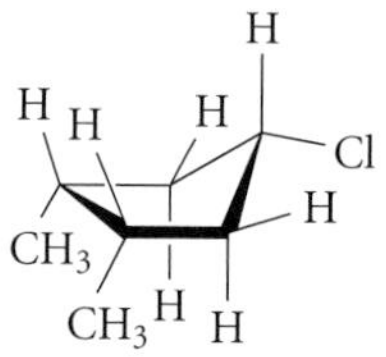 et 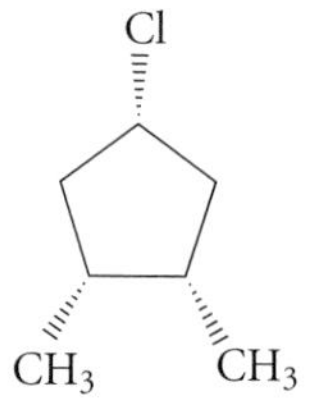

e) 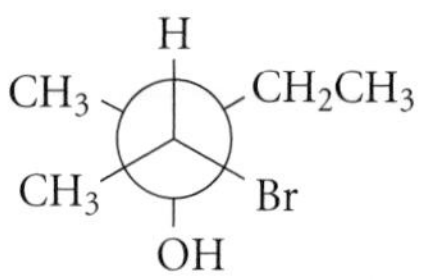 et 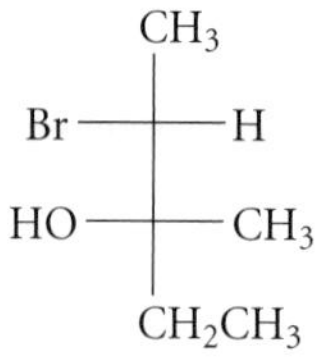

f) 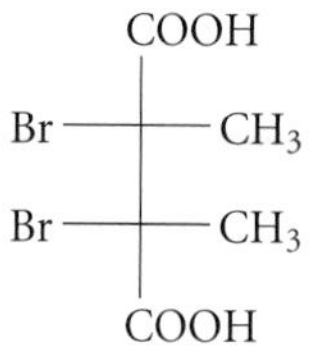 et 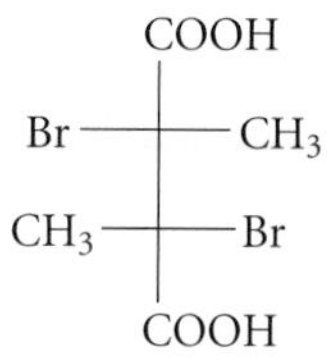

g) 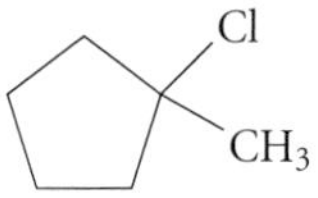 et 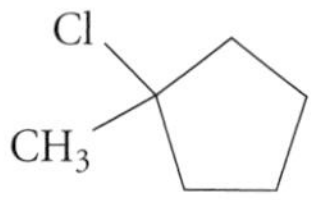

h) 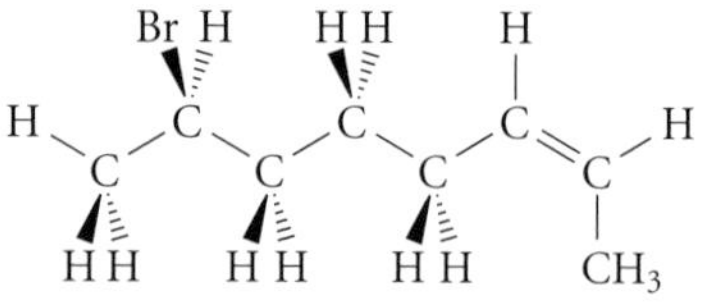 et 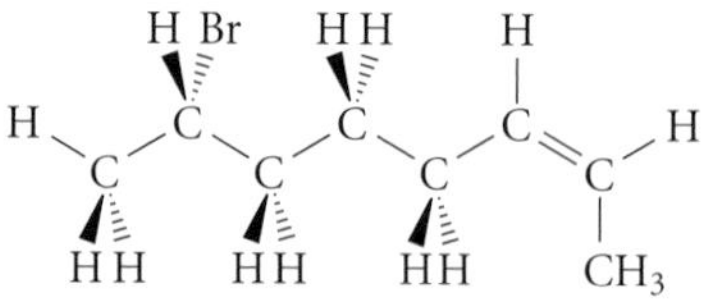

i) Les deux formes de rétinal, deux molécules impliquées dans la chimie de la vision.

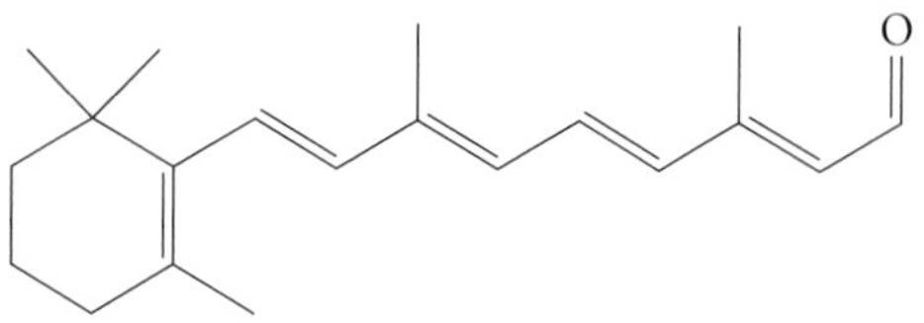 et 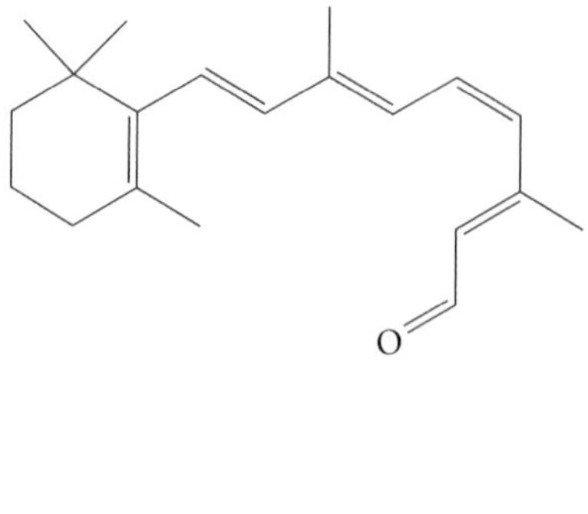

4

Réactivité chimique

Élément de compétence

- Reconnaître les différents types de réactifs : nucléophiles, électrophiles, radicalaires, acides et bases de Lewis.

cheneliere.ca/chimieorganique www

› Mots clés

Étudiante réalisant une réaction de déshydratation du 2-méthylpropan-2-ol à l'aide d'acide sulfurique à chaud. Cette réaction entre dans la catégorie des réactions d'élimination.

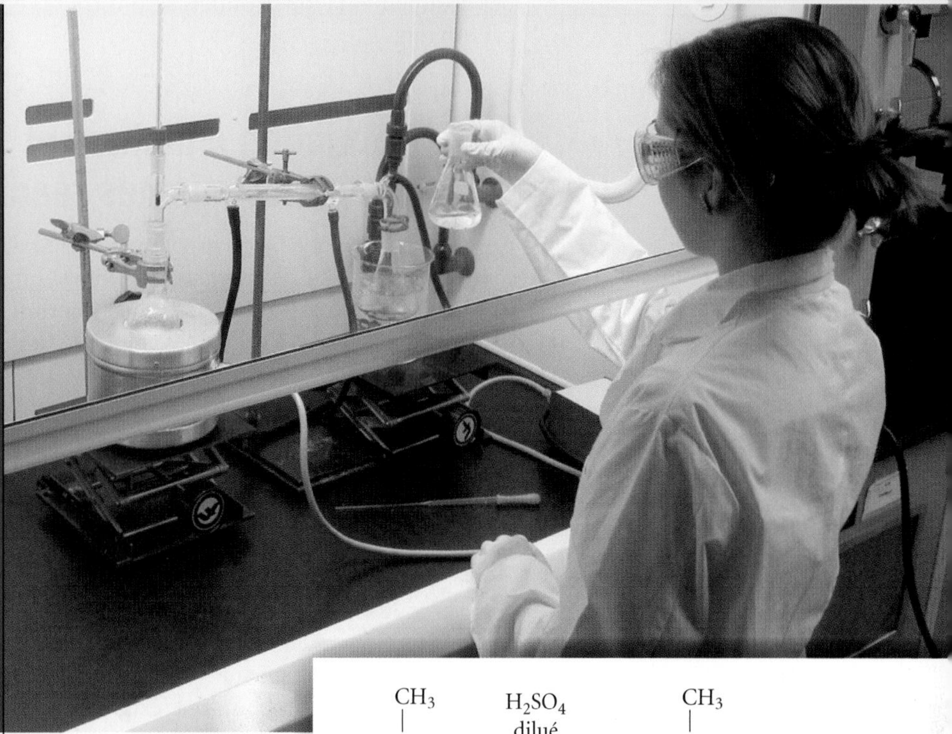

$$CH_3-\underset{\underset{OH}{|}}{\overset{\overset{CH_3}{|}}{C}}-CH_3 \xrightarrow[\Delta]{\underset{\text{dilué}}{H_2SO_4}} CH_3-\overset{\overset{CH_3}{|}}{C}=CH_2 + H_2O$$

En 1777, le chimiste et philosophe français **Antoine Laurent de Lavoisier** (1743-1794) énonça pour la toute première fois, devant l'Académie des sciences, sa célèbre phrase : « Rien ne se perd, rien ne se crée, tout se transforme[1] ». En effet, les **réactions chimiques** sont des transformations au cours desquelles il se produit une réorganisation des liaisons chimiques entre les atomes (liaisons intramoléculaires). Le nombre et la nature des atomes ne sont jamais modifiés. Contrairement aux réactions chimiques, les changements physiques d'état ne comportent que des ruptures d'attractions intermoléculaires.

Dans ce chapitre, les divers facteurs qui influent sur la réactivité des molécules organiques seront précisés. Les quatre grandes catégories de réactions organiques, soit les réactions d'addition, de substitution, d'élimination et de réarrangement, seront examinées. Puis, les diagrammes énergétiques permettant de visualiser les aspects énergétiques des diverses étapes d'un mécanisme réactionnel seront traités. Les intermédiaires réactionnels, soit les carbocations, les carbanions ainsi que les radicaux, ces espèces instables rencontrées au cœur de certains mécanismes, seront ensuite représentés et classés selon leur stabilité relative. Enfin, les caractères nucléophile et électrophile des différents réactifs seront étudiés, et leur réactivité, qui est en lien direct avec les effets électroniques tels que l'effet inductif et l'effet mésomère (ou résonance), sera abordée.

Tous ces concepts serviront à comprendre et à prédire les mécanismes d'une multitude de réactions chimiques. Dans ce chapitre, une attention particulière sera accordée aux notions mécanistiques de base. Les mécanismes des diverses réactions des groupements fonctionnels seront traités en détail dans les prochains chapitres de cet ouvrage.

4.1 Équation chimique et introduction aux mécanismes réactionnels

Cette section fait un bref rappel quant à l'écriture des équations chimiques; elle présente les rudiments permettant de comprendre un mécanisme réactionnel. Toutefois, à ce stade, il ne sera pas possible d'élaborer un mécanisme pour une réaction donnée. Ces habiletés seront développées et étoffées à la section 4.6 (*voir p. 193*) et au cours des chapitres à venir.

4.1.1 Équation chimique

Une réaction chimique est généralement décrite par une **équation chimique** dans laquelle les **réactifs** (A et B, situés à gauche de l'équation) subissent une transformation chimique et donnent naissance aux **produits** (C et D, situés à droite de l'équation). Les réactifs sont séparés des produits par une flèche. Dans le cas des réactifs A et B, pour certaines réactions, il est possible de faire la distinction entre le **substrat** (A), soit le composé organique qui subit la transformation, et le **réactif** (B), souvent inorganique. De plus, une réaction chimique doit être équilibrée selon la loi de la conservation de la matière et, pour ce faire, il convient de recourir aux coefficients stœchiométriques représentés par les lettres minuscules a, b, c et d (*voir la figure 4.1*).

Figure 4.1
Équation chimique générale et exemple d'une réaction concrète en chimie organique

Équation chimique générale

$$a\,A \;+\; b\,B \xrightarrow{\text{Conditions expérimentales}} c\,C \;+\; d\,D$$

Exemple

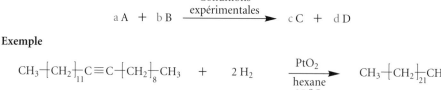

$$CH_3\text{---}\!\!\underbrace{CH_2}_{11}\!\!\text{---}C\equiv C\text{---}\!\!\underbrace{CH_2}_{8}\!\!\text{---}CH_3 \;+\; 2\,H_2 \xrightarrow[\text{25 °C}]{\substack{PtO_2\\ \text{hexane}}} CH_3\text{---}\!\!\underbrace{CH_2}_{21}\!\!\text{---}CH_3$$

tricos-10-yne   dihydrogène   tricosane
Substrat   Réactif   Produit

La convention d'écriture d'une équation chimique demande de noter les conditions expérimentales (température, pression, irradiation lumineuse, etc.) et les solvants au-dessus et en dessous de la flèche de réaction. Dans le cas où un solvant serait également un réactif participant à la réaction, il doit être noté à gauche de la flèche, avec les réactifs.

Le tricosane est une phéromone que le papillon *Idea leuconoe* (ou Grand Planeur), originaire des Philippines, sécrète à des fins de communication, notamment pour l'attraction sexuelle (la voie biologique qu'emprunte ce papillon pour fabriquer le tricosane n'implique pas les conditions expérimentales présentées dans la figure 4.1).

REMARQUE

Il arrive fréquemment de modifier la convention d'écriture de l'équation chimique et d'inscrire le réactif au-dessus et les conditions expérimentales en dessous de la flèche de réaction.

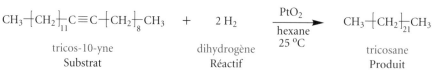

$$CH_3\text{---}\!\!\underbrace{CH_2}_{11}\!\!\text{---}C\equiv C\text{---}\!\!\underbrace{CH_2}_{8}\!\!\text{---}CH_3 \xrightarrow[\substack{PtO_2\\ \text{hexane}\\ \text{25 °C}}]{2\,H_2} CH_3\text{---}\!\!\underbrace{CH_2}_{21}\!\!\text{---}CH_3$$

tricos-10-yne   tricosane

4.1.2 Différentes flèches utilisées en chimie organique et mécanismes réactionnels

Dans les équations chimiques et les mécanismes réactionnels, deux types de flèches bien distincts sont usuellement employés : les **flèches de réaction** et les **flèches de mécanisme**.

Les **flèches de réaction** sont utilisées pour illustrer la transformation chimique ayant lieu entre les substances impliquées (*voir le tableau 4.1*). Elles se situent entre les réactifs et les produits. La **flèche rectiligne pointant vers la droite** (⟶) informe que seule la réaction directe a lieu et que la réaction inverse (indirecte) est impossible ou négligeable. Pour sa part, la **flèche d'équilibre** (⇌) montre l'existence d'une réaction réversible, c'est-à-dire que les réactifs se transforment en produits, mais que les produits peuvent également réagir pour reformer les réactifs de départ.

Tableau 4.1 Types de flèches de réaction dans les équations chimiques

Type de réaction	Type de flèche	Exemple
Réaction complète, irréversible, directe	Flèche rectiligne vers la droite	$aA + bB \longrightarrow cC + dD$
Réaction incomplète, réversible	Flèche d'équilibre, deux flèches rectilignes opposées, à demi-pointe	$aA + bB \rightleftharpoons cC + dD$

L'équation chimique montre les espèces impliquées dans la réaction, mais n'offre aucun renseignement sur le mode de rupture des liaisons. De plus, elle ne fournit pas d'informations telles que les vitesses relatives, les énergies impliquées ou la présence d'intermédiaires réactionnels quant aux étapes par lesquelles les réactifs doivent passer pour se transformer en produits. Ces renseignements se trouvent plutôt dans les mécanismes réactionnels et dans les diagrammes énergétiques.

Un **mécanisme réactionnel** est une représentation des transformations qui surviennent au cours d'une réaction chimique. Il permet de visualiser les intermédiaires réactionnels formés (*voir la section 4.4, p. 184*). Ce sont les **flèches de mécanisme**, représentant le mouvement des électrons, qui permettent de suivre chacune des étapes de la transformation des réactifs en produits. Par convention, ces flèches courbes commencent à l'endroit où les électrons entament leur mouvement, soit de l'atome riche en électrons responsable de l'attaque, et aboutissent (la pointe de la flèche) à l'endroit où arrivent les électrons, soit sur l'atome le plus pauvre en électrons. Il convient de dire de ce dernier atome qu'il se fait attaquer. Ainsi, au moment de l'écriture des mécanismes réactionnels, il est nécessaire de représenter les doublets d'électrons libres des atomes impliqués dans les réactions chimiques.

Il existe deux types de flèches de mécanisme : les **flèches courbes à une pointe** et les **flèches courbes à demi-pointe** (*voir le tableau 4.2, page suivante*). Bien que semblables, ces flèches ne doivent pas être confondues, puisqu'elles indiquent le nombre d'électrons impliqués au cours d'une attaque. La flèche courbe à une pointe représente le mouvement de deux électrons, alors que la flèche courbe à demi-pointe représente le mouvement d'un seul électron.

Dans l'exemple de la flèche courbe à une pointe du tableau 4.2, un des doublets d'électrons libres (deux électrons) de l'ion hydroxyde (OH^-) attaque le carbone du CH_3—Cl. À la suite de cette attaque, le chlore accepte les deux électrons de la liaison covalente CH_3—Cl pour devenir un ion négatif, l'anion chlorure. L'exemple avec la flèche courbe à demi-pointe, pour sa part, montre que, soumise à une irradiation lumineuse ($h\nu$), la liaison covalente Cl—Cl est rompue de façon à ce que chaque chlore accepte un seul électron.

Tableau 4.2 **Types de flèches de mécanisme**

Nombre d'électrons impliqués	Type de flèche	Exemple
Deux	Flèche courbe à une pointe 	 $H—\ddot{O}:^-$ + $CH_3—\ddot{C}l:$ ⟶ $H—\ddot{O}—CH_3$ + $:\ddot{C}l:^-$
Un	Flèche courbe à demi-pointe 	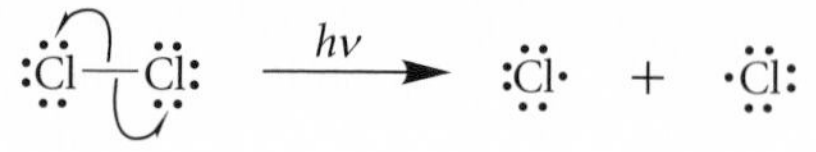 $:\ddot{C}l—\ddot{C}l:$ $\xrightarrow{h\nu}$ $:\ddot{C}l\cdot$ + $\cdot\ddot{C}l:$

Exercice 4.1 Décrivez les étapes des mécanismes suivants à la manière du paragraphe précédent. Déterminez également le substrat pour les réactions a) et b).

a)

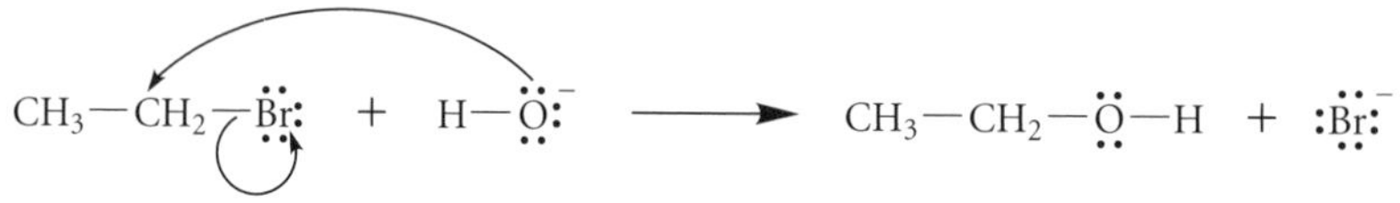

$$CH_3—CH_2—\ddot{B}r: + H—\ddot{O}:^- \longrightarrow CH_3—CH_2—\ddot{O}—H + :\ddot{B}r:^-$$

b)

$$CH_3—CH—CH—\ddot{B}r: + H—\dot{N}: \longrightarrow CH_3—CH=CH—CH_3 + H—\ddot{N}—H + :\ddot{B}r:^-$$

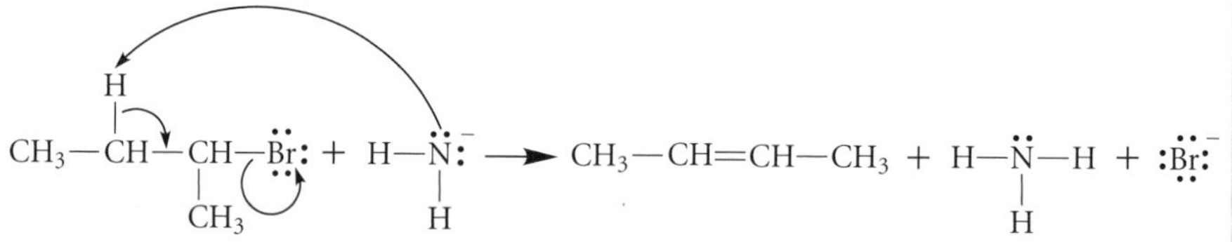

c)

$$:\ddot{C}l\cdot + \cdot C—CH_3 \longrightarrow :\ddot{C}l—C—CH_3$$

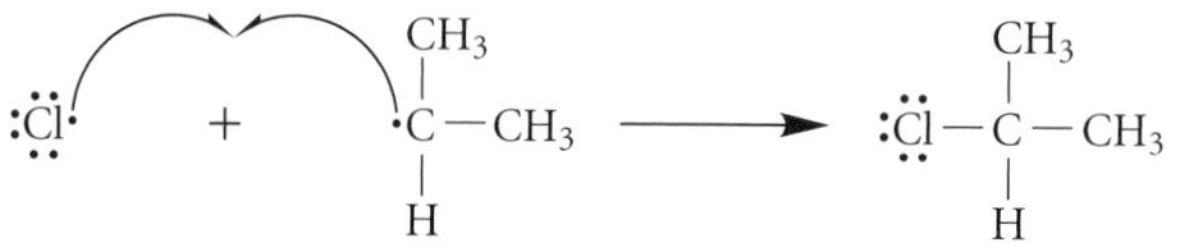

Les réactions organiques étant relativement lentes, contrairement aux réactions inorganiques, elles ont été largement étudiées, et les résultats obtenus ont permis de préciser les mécanismes réactionnels connus aujourd'hui. En chimie organique, il s'avère essentiel de bien comprendre le fonctionnement des réactions chimiques, puisqu'elles permettent d'anticiper la formation des produits et leur abondance relative, de même que la formation de sous-produits (produits secondaires découlant de réactions en compétition avec la réaction principale). Il devient donc possible d'optimiser les rendements d'une réaction.

Au cours de ce chapitre et de ceux à venir, l'accent sera mis sur la schématisation des déplacements d'électrons par des flèches de mécanisme et sur la reconnaissance des atomes dont les électrons sont impliqués dans les mécanismes réactionnels. Pour ce faire, quelques concepts de base devront être bien maîtrisés, notamment la polarité des liaisons (*voir la section 1.6, p. 11*), les intermédiaires réactionnels et les ruptures de liaisons (*voir la section 4.4, p. 184*), la nature des réactifs (*voir la section 4.5, p. 187*) ainsi que les effets électroniques inductif et mésomère (*voir la section 4.7, p. 194*).

4.2 Quatre grandes catégories de réactions en chimie organique

À la lumière des connaissances acquises à la suite de diverses études mécanistiques, thermodynamiques et cinétiques, les réactions en chimie organique ont été subdivisées en quatre grandes catégories. Elles sont basées sur la manière dont les substrats sont transformés en produits. Ce classement est fondé sur le bilan global entre les réactifs et les produits. Il est possible d'observer des réactions :

1. d'addition ;
2. d'élimination ;
3. de substitution ;
4. de réarrangement.

Dans les prochains chapitres, une multitude de réactions chimiques transformant et générant divers groupements fonctionnels seront décrites. La grande majorité de ces réactions peut être classée selon ces quatre catégories.

4.2.1 Réactions d'addition

Comme son nom l'indique, une **réaction d'addition** suppose qu'un ou plusieurs réactifs s'additionnent sur le substrat pour donner un produit final. Les substrats sont insaturés (présence de liaisons π), c'est-à-dire qu'ils contiennent une ou plusieurs liaisons multiples doubles ou triples. Ces réactions engendrent donc des produits finaux ayant perdu la ou les liaisons π présentes dans le substrat à la suite de l'ajout d'un ou de plusieurs réactifs. L'addition du dichlore sur l'éthène pour former le 1,2-dichloroéthane est un exemple de réaction d'addition (*voir la figure 4.2*).

Figure 4.2
Réaction d'addition

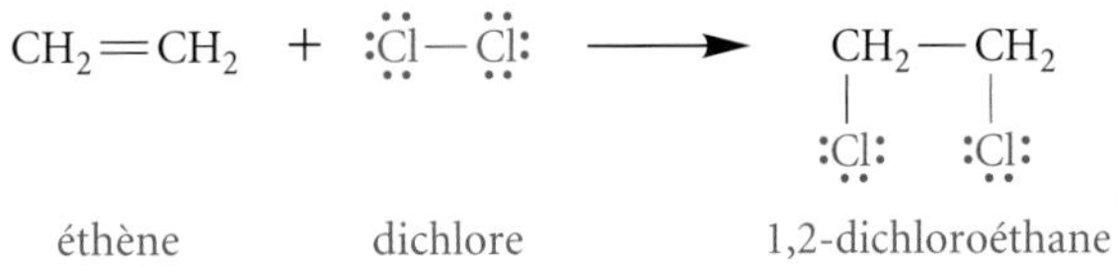

$$CH_2{=}CH_2 \; + \; :\!\ddot{C}l{-}\ddot{C}l\!: \longrightarrow \begin{array}{c} CH_2{-}CH_2 \\ | \qquad | \\ :\!\ddot{C}l\!: \quad :\!\ddot{C}l\!: \end{array}$$

éthène · · · · · · · · dichlore · · · · · · · · 1,2-dichloroéthane

REMARQUE

Pour savoir s'il s'agit d'une réaction d'addition, il faut prêter attention aux formules structurales et moléculaires des réactifs. Le produit final doit en être la sommation.

Il existe deux types de réactions d'addition, classées selon la nature du réactif, soit les additions électrophile et nucléophile. Les réactions d'addition électrophile seront traitées principalement dans le chapitre 7, et celles d'addition nucléophile, dans le chapitre 9.

4.2.2 Réactions d'élimination

Une **réaction d'élimination** est l'inverse de la réaction d'addition. En effet, le substrat subit une perte d'atomes sur une portion de sa structure moléculaire. Il s'ensuit la formation d'une ou de plusieurs liaisons π. Dans la figure 4.3, un exemple de réaction d'élimination est présenté : l'ion hydroxyde (OH^-), une base forte, capte l'hydrogène (représenté en bleu) du 1-chloropropane. Cela entraîne la formation du propène et de l'eau, et le départ de l'ion chlorure. Les réactions d'élimination sont favorisées en présence de chaleur (Δ).

Figure 4.3
Réaction d'élimination

$$\begin{array}{c} H \\ | \\ CH_3{-}CH{-}CH_2{-}\ddot{C}l\!: \end{array} + \; H{-}\ddot{O}\!:^- \xrightarrow{\;\Delta\;} CH_3{-}CH{=}CH_2 \; + \; H{-}\ddot{O}{-}H \; + \; :\!\ddot{C}l\!:^-$$

1-chloropropane · · · · · · ion · · · · · · propène · · · · · · eau · · · · · · ion
· · · · · · · · · · · · · · hydroxyde · chlorure

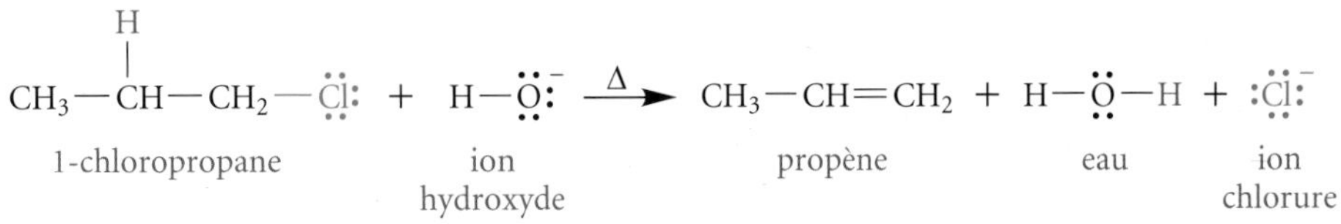

Les réactions d'élimination peuvent se produire selon deux mécanismes distincts, soit les réactions d'élimination d'ordre 1 (E1) et celles d'ordre 2 (E2). Ces mécanismes réactionnels seront décrits en détail dans le chapitre 9 portant sur les composés halogénés.

4.2.3 Réactions de substitution

Dans une **réaction de substitution**, un atome ou un groupe d'atomes sur le substrat est remplacé par un autre atome ou groupe d'atomes. Dans la figure 4.4, l'ion hydroxyde remplace l'atome de chlore dans le 1-chloropropane (un composé halogéné) pour ainsi générer le propan-1-ol (un alcool) et l'ion chlorure. Grâce à ce type de réaction, il est possible de produire une grande variété de groupements fonctionnels à partir d'un même substrat : il suffit de modifier le réactif (dans ce cas, il s'agit de remplacer l'ion hydroxyde par des réactifs tels que l'ammoniac pour former une fonction amine, ou l'ion cyanure pour former une fonction nitrile).

Figure 4.4
Réaction de substitution

$$CH_3-CH_2-CH_2-\ddot{\underset{..}{Cl}}\colon \; + \; H-\ddot{\underset{..}{O}}\colon^- \longrightarrow CH_3-CH_2-CH_2-\ddot{\underset{..}{O}}-H \; + \; \colon\ddot{\underset{..}{Cl}}\colon^-$$

1-chloropropane   ion hydroxyde   propan-1-ol   ion chlorure

Les réactions de substitution sont classées selon la nature du réactif qui agit sur le substrat. Il existe plusieurs types de réactions de substitution, notamment les réactions de substitution radicalaire, de substitution électrophile et de substitution nucléophile.

Les mécanismes des réactions de substitution radicalaire seront expliqués en détail dans le chapitre 6, ceux des réactions de substitution électrophile, dans le chapitre 8 et, finalement, ceux des réactions de substitution nucléophile (S_N1 et S_N2), dans le chapitre 9.

Puisque les réactions de substitution et d'élimination peuvent comporter les mêmes composés de départ, une compétition peut exister entre ces deux types de réaction. Toutefois, en modifiant certaines conditions expérimentales, l'une ou l'autre de ces réactions pourra être favorisée. Cette notion sera abordée dans le chapitre 9.

4.2.4 Réactions de réarrangement

Un **réarrangement** est la restructuration d'une molécule ; le substrat réorganise ses atomes. Il n'y a ni gain ni perte d'atomes. Cette réorganisation peut être spontanée ou occasionnée par un apport énergétique tel que la chaleur. Au cours d'un réarrangement, les atomes peuvent migrer afin d'optimiser la stabilité d'une molécule. Ainsi, le substrat et le produit final sont des isomères de constitution. La transformation de la fonction énol en une fonction cétone renfermant un groupement carbonyle (C=O), appelée « tautomérie » ou « équilibre céto-énolique » (*voir la figure 4.5*), est un bon exemple.

Figure 4.5
Réaction de réarrangement

Énol
C_3H_6O

Cétone
C_3H_6O

REMARQUE

Le terme « énol » provient de la contraction du suffixe « -ène » des alcènes et du suffixe « -ol » des alcools. Par euphonie, le suffixe « -ène » devient « -én » lorsqu'il est devant une voyelle. Ce type de réarrangement ne peut être obtenu que lorsque la fonction alcool et la fonction alcène sont unies par le même carbone.

ENRICHISSEMENT

Oxydation et réduction

Même si les quatre grandes catégories des réactions décrites dans la section 4.2 englobent bon nombre de transformations chimiques, dont des réactions d'oxydation et de réduction, certaines réactions ne peuvent être catégorisées que par le gain ou la perte d'électrons. Ainsi, les réactions d'oxydation et de réduction peuvent être ajoutées aux réactions d'addition, d'élimination, de substitution et de réarrangement.

L'éthanol contenu dans le vin s'oxyde et se transforme en acide acétique, principal constituant du vinaigre, grâce à une bactérie, *Mycoderma aceti* (nommée par Louis Pasteur [1822-1895]), en présence d'oxygène.

Une **réaction d'oxydation** se caractérise par la perte d'électrons par le substrat, ce qui mène à une augmentation du nombre d'oxydation d'un des atomes de la structure. Cependant, en chimie organique, cela se traduit en général par la perte d'atomes d'hydrogène ou le gain d'atomes d'oxygène sur le substrat donné. Pour indiquer qu'une réaction d'oxydation a eu lieu, le symbole [O] est souvent inscrit au-dessus de la flèche de réaction.

Par opposition, une **réaction de réduction** se caractérise par un gain d'électrons par le substrat, ce qui mène à une diminution du nombre d'oxydation d'un des atomes de la structure. Cependant, en chimie organique, cela se traduit en général par une réaction qui engendre la perte d'atomes d'oxygène ou le gain d'atomes d'hydrogène sur le substrat donné.

Ainsi, il est possible de passer d'une fonction à une autre par des réactions d'oxydation ou de réduction. Le cas des réactions d'oxydation des alcools en est un très bon exemple. Il est intéressant de remarquer, dans les exemples simplifiés suivants, la perte d'atomes d'hydrogène ou le gain d'atomes d'oxygène au cours des réactions d'oxydation des alcools primaires en aldéhydes et des aldéhydes en acides carboxyliques. Ces réactions seront décrites dans le chapitre 10 portant sur les alcools.

$$
\underset{\substack{\text{Alcool}\\\text{primaire}}}{R-\overset{\overset{\textstyle OH}{|}}{\underset{\underset{\textstyle H}{|}}{C}}-H} \underset{\text{Réduction}}{\overset{[O]}{\rightleftharpoons}} \underset{\text{Aldéhyde}}{R-\overset{\overset{\textstyle O}{\|}}{C}-H} \underset{\text{Réduction}}{\overset{[O]}{\rightleftharpoons}} \underset{\substack{\text{Acide}\\\text{carboxylique}}}{R-\overset{\overset{\textstyle O}{\|}}{C}-OH}
$$

Remarque: La réaction de réduction transformant l'aldéhyde en alcool primaire peut également être classée dans la catégorie des réactions d'addition.

éthanol (vin) $\xrightarrow{[O]}$ acide acétique (vinaigre)

Exercice 4.2 Déterminez à quelle grande catégorie de réactions chimiques correspondent les réactions suivantes.

a) $CH_2=CH_2 + H_2 \xrightarrow{\text{Pd/C}} CH_3-CH_3$

b) $CH_3-CH_2 \quad \overset{..}{\overset{..}{O}}:^- \atop \underset{CH_3 \quad H}{C=C} \rightleftharpoons CH_3-CH_2-\overset{..}{\underset{CH_3}{C}}{}^-\overset{\overset{:O:}{\|}}{CH}$

c) cyclopentène–OH $\xrightarrow[\Delta]{\text{H}_2\text{SO}_4}$ cyclopentadiène $+ H_2O$

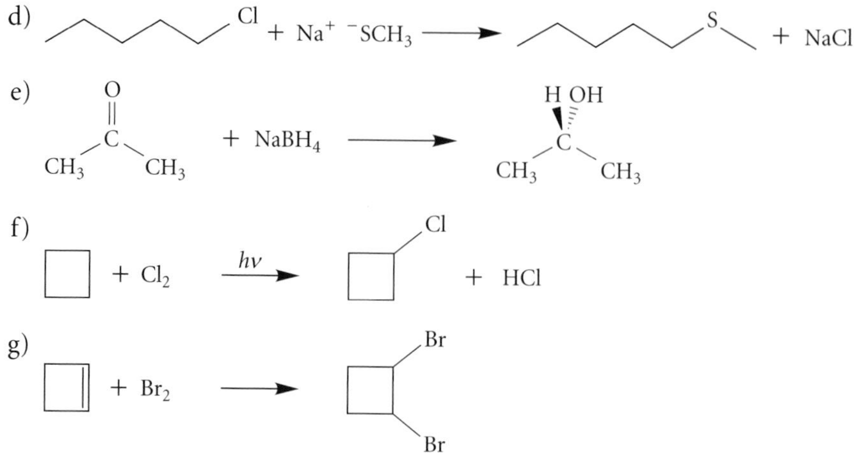

d)

e)

f)

g)

h) **Enrichissement** $CH_3 - CH_2 - OH + K_2Cr_2O_7 \xrightarrow{H_3O^+} CH_3 - \underset{\underset{O}{\|}}{C} - OH$

4.3 Diagrammes énergétiques

Les **diagrammes énergétiques** sont des représentations schématiques de la fluctuation de l'énergie potentielle (souvent exprimée en kJ/mol) des divers constituants au cours d'une réaction chimique. Dans cette section, les déroulements de réactions simples se produisant en une étape ainsi que ceux de réactions plus complexes, qui ont lieu en deux ou plusieurs étapes, seront illustrés de façon générale grâce aux diagrammes énergétiques. Des diagrammes énergétiques associés à des réactions chimiques spécifiques seront illustrés dans les chapitres 7, 8 et 9.

4.3.1 Réactions simples effectuées en une seule étape

La figure 4.6 présente l'exemple général d'une réaction qui implique uniquement l'attaque d'un réactif (A) sur le substrat (B—C) pour former directement les produits finaux (A—B + C). L'**enthalpie** est l'énergie potentielle emmagasinée dans les liaisons chimiques. Si les produits sont plus stables que les réactifs de départ, la réaction sera dite **exothermique**, ayant une variation d'**enthalpie de réaction** négative ($\Delta H < 0$). Par opposition, si l'énergie des produits obtenus est plus élevée que celle des réactifs, la réaction présentera une variation d'enthalpie positive et sera dite **endothermique** ($\Delta H > 0$). La variation d'enthalpie (ΔH) de réaction est déterminée mathématiquement par la relation : $H_{\text{produits}} - H_{\text{réactifs}}$.

Au cours d'une réaction chimique, des collisions dites « efficaces » doivent se produire entre les molécules du substrat et du réactif. En effet, les substances (et les atomes) impliquées dans une réaction doivent être suffisamment près et orientées de façon spécifique pour permettre à la réaction d'avoir lieu. Pendant le processus, une déstabilisation de l'ensemble substrat/réactif survient, causée par la répulsion électronique entre les atomes impliqués dans la réaction et par le bris et la formation des liaisons chimiques. Par conséquent, chaque réaction engendre un moment de niveau d'énergie maximale (de grande déstabilisation) appelé **état de transition**. Il s'agit en fait du sommet de la courbe. À cet instant précis, il y a des liaisons qui se brisent et de nouvelles liaisons qui se forment. Le schéma représentant cet état temporaire doit illustrer les transformations (formation et bris des liaisons) à l'aide de traits en pointillé. De plus, puisqu'il s'agit d'une structure théorique qui n'existe pas en réalité et qui ne peut pas être isolée, elle est mise entre crochets avec, en exposant, la double croix ‡. Cette représentation porte le nom de **complexe activé**.

Figure 4.6
Diagramme énergétique d'une réaction exothermique se réalisant en une seule étape

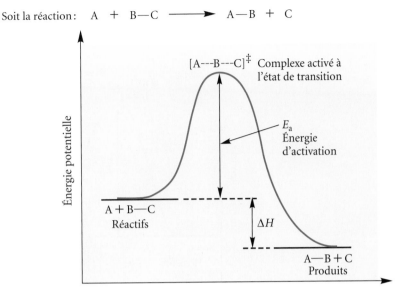

L'**énergie d'activation**, symbolisée par E_a, est l'énergie minimale que les molécules entrant en collision doivent posséder pour qu'il y ait transformation des réactifs en produits. C'est la différence d'énergie entre les réactifs et le complexe activé pour une réaction s'effectuant en une étape. Plus l'énergie d'activation est élevée, plus la réaction est difficile et s'effectue lentement. Si un accroissement de la vitesse de la réaction est souhaité, il faudra donc augmenter la température ou modifier les conditions expérimentales pour tenter d'augmenter le nombre de particules possédant une énergie potentielle égale ou supérieure à l'énergie d'activation. Des catalyseurs chimiques ou biologiques (enzymes) sont souvent utilisés pour diminuer cette barrière énergétique en modifiant le mécanisme réactionnel.

4.3.2 Réactions plus complexes effectuées en deux ou plusieurs étapes

Tout comme les réactions se déroulant en une seule étape, les réactions plus complexes peuvent être globalement endothermiques ou exothermiques. Quant aux diagrammes énergétiques qui leur sont associés, leur différence majeure réside dans la formation d'un ou de plusieurs **intermédiaires réactionnels**. En effet, il y a d'abord des collisions efficaces entre les molécules du substrat et du réactif, qui permettent de franchir la première barrière énergétique, la première énergie d'activation (E_{a1}), ce qui mène à la formation d'une espèce chimique temporaire, soit un intermédiaire réactionnel. Comme son nom l'indique, la résultante de cette réaction n'est pas un produit final, mais bien un intermédiaire de la réaction. Un **intermédiaire réactionnel** est peu stable, possède une énergie élevée et est très réactif. Sa durée de vie est très courte. Cette espèce chimique temporaire existe néanmoins et elle peut même être isolée, bien que difficilement dans la plupart des cas. En chimie organique, trois types d'intermédiaires sont rencontrés, soit les carbocations, les carbanions et les radicaux. Dans la majorité des réactions effectuées en deux étapes, l'intermédiaire réactionnel réagit avec un réactif présent dans le milieu, ce qui engendre un second état de transition qui est atteint grâce à une deuxième énergie d'activation (E_{a2}). L'énergie d'activation de la deuxième étape est obtenue en effectuant la différence d'énergie entre le complexe activé de cette étape et l'intermédiaire réactionnel. Le produit final attendu est alors formé. Dans l'exemple général présenté dans la figure 4.7 (*voir page suivante*), l'étape la plus lente, soit l'**étape limitante** (ou **déterminante**), est la première, car elle correspond à celle dont l'état de transition est le plus haut en énergie. L'étape limitante caractérise la vitesse globale de la réaction.

Figure 4.7
Diagramme énergétique d'une
réaction exothermique se réalisant
en deux étapes

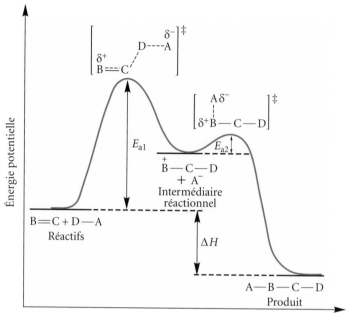

Soit la réaction : B=C + D—A ⟶ A—B—C—D

Exercice 4.3 À l'aide des diagrammes énergétiques fictifs ci-dessous, répondez aux questions suivantes.

a) En combien d'étapes s'effectue la réaction ?

b) Combien y a-t-il d'intermédiaires réactionnels ?

c) Est-ce une réaction endothermique ou exothermique ?

d) Quelle est l'étape limitante ? Pourquoi ?

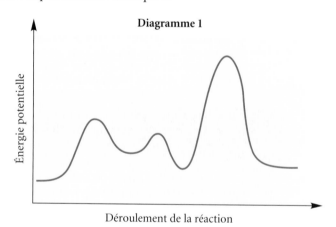

Diagramme 1

Diagramme 2

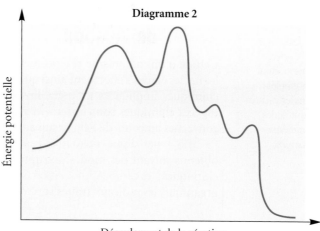

Déroulement de la réaction

Diagramme 3

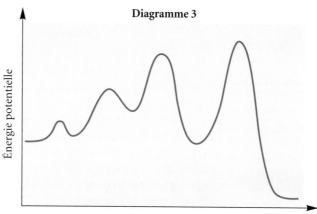

Déroulement de la réaction

Exercice 4.4   Pour les réactions suivantes :

Réaction 1

$$CH_3-\underset{\underset{H}{|}}{C}=CH_2 + H-\overset{..}{\underset{..}{Cl}}: \longrightarrow CH_3-\overset{+}{\underset{\underset{H}{|}}{C}}-CH_3 + :\overset{..}{\underset{..}{Cl}}:^- \longrightarrow CH_3-\overset{\overset{\overset{..}{Cl}:}{|}}{\underset{\underset{H}{|}}{C}}-CH_3$$

Réaction 2

$$CH_3-\overset{..}{\underset{..}{O}}:^- + :\overset{..}{\underset{..}{Br}}-\overset{\overset{H}{|}}{\underset{\underset{H}{|}}{C}}-H \longrightarrow CH_3-\overset{..}{\underset{..}{O}}-\overset{\overset{H}{|}}{\underset{\underset{H}{|}}{C}}-H + :\overset{..}{\underset{..}{Br}}:^-$$

a) Déterminez, s'il y a lieu, l'intermédiaire réactionnel.

b) Dessinez le diagramme énergétique correspondant au mécanisme en prenant bien soin de nommer les axes, les complexes activés, les réactifs, les produits, les intermédiaires réactionnels, la variation d'enthalpie (ΔH) et l'énergie d'activation (E_a).

   Remarque : Dans les deux cas, la réaction est exothermique.

REMARQUE

Le terme « radical » est employé en chimie pour désigner tout composé porteur d'électrons célibataires. Le terme « radical libre », quant à lui, s'emploie principalement dans les sciences biologiques et biochimiques pour désigner des radicaux oxygénés (*reactive oxygen species*: ROS).

4.4 Intermédiaires réactionnels et ruptures de liaisons

L'étude d'un mécanisme réactionnel consiste principalement à examiner l'ordre dans lequel les étapes s'effectuent ainsi que les modes de rupture et de formation des liaisons chimiques impliquées, et à établir la structure des intermédiaires réactionnels. Ces espèces chimiques sont fortement réactives (très instables) et sont donc rapidement converties au cours de l'étape suivante de la réaction.

Trois types d'**intermédiaires réactionnels** sont fréquemment rencontrés. Ils sont obtenus suivant des modes de rupture de liaisons spécifiques au cours des réactions chimiques: les carbocations, les carbanions et les radicaux (*voir la figure 4.8*). En chimie organique, les radicaux traités sont des radicaux carbonés ou alkyles.

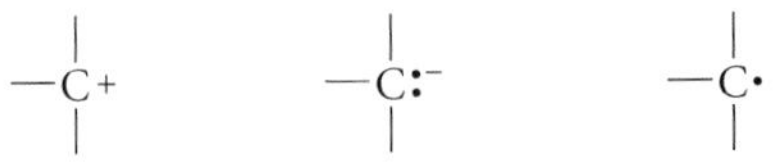

Carbocation **Carbanion** **Radical**

Figure 4.8
Trois types d'intermédiaires réactionnels rencontrés en chimie organique

Chacun de ces intermédiaires réactionnels peut être caractérisé comme étant tertiaire, secondaire, primaire ou nullaire (*voir la figure 4.9*). Cette appellation dépend du nombre de carbones directement liés à l'atome de carbone portant la charge (positive ou négative) ou le radical. Ainsi, un carbone primaire est un carbone lié à un seul autre atome de carbone, un carbone secondaire est lié à deux atomes de carbone et, finalement, un carbone tertiaire, à trois atomes de carbone. Pour sa part, un carbone nullaire n'est lié à aucun atome de carbone. Pour généraliser les différentes possibilités de groupements carbonés attachés au carbone considéré, ils sont très souvent désignés en tant que groupement R.

Si A est un C+, c'est un **carbocation**...

Si A est un C:⁻, c'est un **carbanion**...

Si A est un C•, c'est un **radical**...

R = groupement alkyle

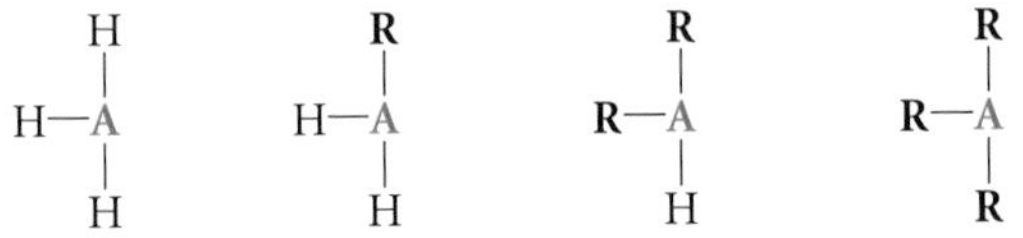

nullaire (0°) **primaire** (1°) **secondaire** (2°) **tertiaire** (3°)

Figure 4.9
Intermédiaires réactionnels nullaire (0°), primaire (1°), secondaire (2°) et tertiaire (3°)

4.4.1 Carbocations

Les **carbocations** sont des intermédiaires réactionnels dans lesquels un carbone porte une charge positive, ayant subi la perte d'un de ses électrons de valence. Ne respectant pas la règle de l'octet (le carbone chargé positivement est entouré au total de six électrons), ils sont très réactifs. Lorsqu'ils sont générés au cours d'une réaction, ils réagissent aussitôt avec des espèces chimiques riches en électrons pour compléter l'octet du carbone chargé positivement; ce sont des accepteurs d'électrons, et donc des acides de Lewis.

Le carbone positif d'un carbocation est hybridé ***sp*²**. Les trois groupements autour de ce carbone trivalent (formant trois liens) sont donc répartis à **120°** les uns des autres, dans le même plan, ce qui lui confère une **géométrie triangulaire plane**. Le carbone positif du carbocation possède aussi une orbitale *p* vide non hybridée, perpendiculaire au plan décrit par les trois orbitales sp^2.

Les carbocations sont le résultat d'une **rupture hétérolytique** (bris asymétrique) d'une liaison chimique. Ce type de rupture consiste à rompre la liaison chimique de manière telle que l'un des atomes impliqués dans cette liaison conserve les deux électrons de cette liaison; il y a alors formation d'un cation et d'un anion. Par conséquent, pour mener à la formation d'un carbocation, il faut que l'atome de carbone soit lié à un atome plus électronégatif que lui (*voir le tableau 4.3*).

cheneliere.ca/chimieorganique www
› Acides et bases

4.4.2 Carbanions

Les **carbanions** sont des intermédiaires réactionnels dans lesquels un carbone est chargé négativement, ayant reçu un électron supplémentaire dans sa couche de valence. Cet atome de carbone possède un octet complet, étant entouré de trois doublets d'électrons liants (carbone trivalent ayant trois liaisons chimiques) et d'un doublet d'électrons libre. Il est hybridé **sp³**. Les quatre paires d'électrons de valence autour de ce dernier présentent une géométrie de répulsion tétraédrique. Le carbanion, dont l'angle de liaison est **plus petit que 109,5°**, a plus particulièrement une **géométrie pyramidale à base triangulaire** similaire à celle de la molécule d'ammoniac NH_3 (*voir le tableau 4.3*). Même si le carbone possède son octet, le carbanion est une espèce hautement réactive. En effet, le carbone est un atome moyennement électronégatif et il possède, dans ce cas-ci, un électron de plus que s'il était électriquement neutre. Par conséquent, en vue d'acquérir une plus grande stabilité, en redevenant neutre, il voudra partager cette paire d'électrons avec un atome pauvre en électrons. Les carbanions, étant des donneurs d'électrons, sont ainsi des bases de Lewis.

Tout comme pour les carbocations, les carbanions sont le résultat de la **rupture hétérolytique** (bris asymétrique) d'une liaison chimique. Par contre, pour obtenir un carbanion, il faut plutôt que le carbone soit l'atome le plus électronégatif des deux atomes constituant la liaison. Le second atome est fréquemment un métal tel que le magnésium, le sodium, le cuivre, le lithium, etc. (*voir le tableau 4.3*).

cheneliere.ca/chimieorganique **www**

› Acides et bases

Tableau 4.3	**Résumé des caractéristiques des intermédiaires réactionnels**		
	Carbocation	**Carbanion**	**Radical**
Formule développée	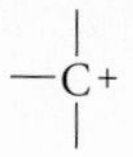 $-\overset{\vert}{\underset{\vert}{C}}+$	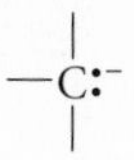 $-\overset{\vert}{\underset{\vert}{C}}:^-$	 $-\overset{\vert}{\underset{\vert}{C}}\cdot$
Formation de l'intermédiaire	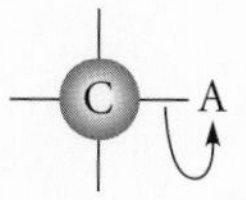 Én A > Én C	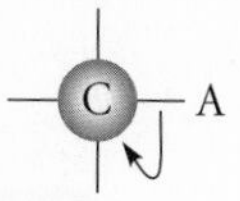 Én A < Én C	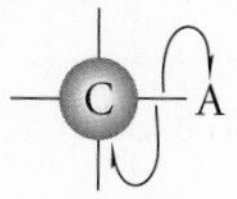 Én A ≈ Én C
Type de rupture	Hétérolytique	Hétérolytique	Homolytique
Représentation tridimensionnelle	Orbitale *p* vide 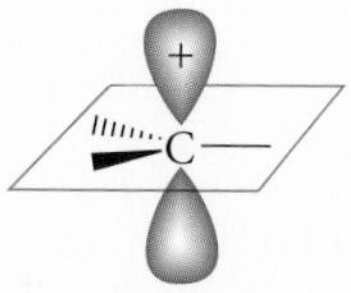	Doublet d'électrons 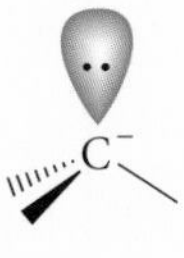	Électron célibataire 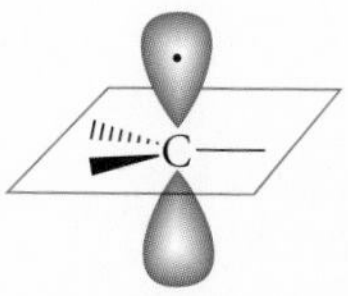
Hybridation du carbone	sp^2	sp^3	sp^2
Géométrie	Triangulaire plane	Pyramidale à base triangulaire	Triangulaire plane

4.4.3 Radicaux

Les **radicaux** sont des espèces chimiques électriquement neutres dans lesquelles un atome de carbone possède un électron célibataire. Ils sont très réactifs, car l'atome de carbone ne possède pas un octet complet, étant entouré de sept électrons sur sa couche de valence.

La structure d'un tel intermédiaire réactionnel ressemblerait plutôt à celle du carbocation. En effet, l'atome de carbone est entouré de trois paquets d'électrons. Ceux-ci sont donc répartis à **120°** les uns des autres, adoptant ainsi une **géométrie triangulaire plane**. L'électron célibataire, quant à lui, se trouve dans l'orbitale *p* non hybridée. L'atome de carbone d'un radical est hydridé *sp²* (*voir le tableau 4.3, page précédente*).

Les radicaux, contrairement aux carbocations et aux carbanions, sont le résultat d'une **rupture homolytique** (bris symétrique) d'une liaison chimique. Ce type de rupture peut avoir lieu dans le cas où des liaisons covalentes non polaires ou très faiblement polaires (p. ex.: Cl—Cl et C—H) sont placées dans des conditions expérimentales spécifiques telles qu'une irradiation lumineuse (*hν*) ou encore une température élevée (Δ). La rupture ainsi obtenue mène à deux espèces radicalaires. Chacun des atomes a pris un électron de la liaison, c'est-à-dire qu'il y a eu un partage égal des électrons de la liaison. La flèche courbe à demi-pointe est utilisée pour illustrer le déplacement d'un seul électron et ainsi représenter ce type de rupture.

Exercice 4.5 À quel type d'intermédiaire réactionnel correspondent les composés illustrés ci-dessous? Dites s'ils sont tertiaires, secondaires, primaires ou nullaires.

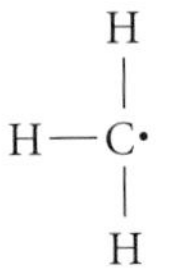

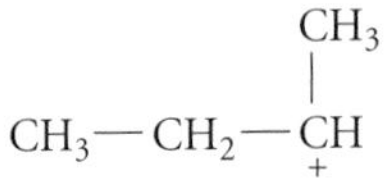

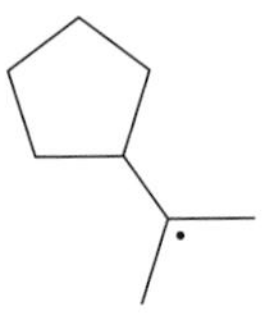

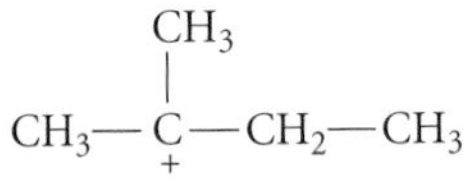

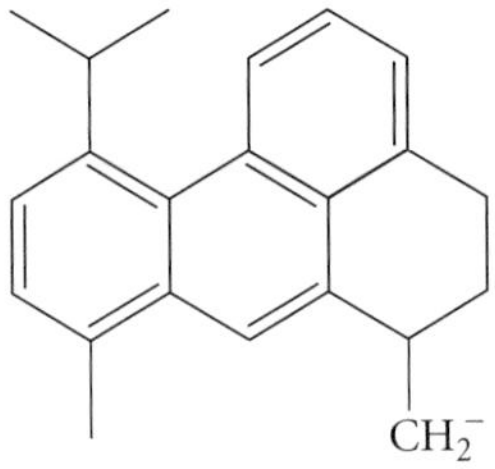

Exercice 4.6 Dessinez les intermédiaires obtenus à la suite des ruptures des liaisons suivantes et dites de quel type d'intermédiaire il s'agit. Pour les intermédiaires carbonés, précisez s'il s'agit d'un intermédiaire tertiaire, secondaire, primaire ou nullaire.

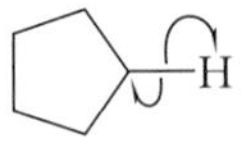

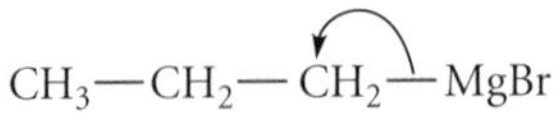

Exercice 4.7 À l'aide de flèches courbes, illustrez les ruptures demandées pour chacune des liaisons suivantes et déterminez le type d'intermédiaire obtenu. Pour les intermédiaires carbonés, précisez s'il s'agit d'un intermédiaire tertiaire, secondaire, primaire ou nullaire.

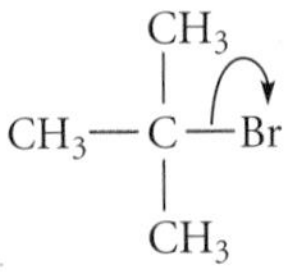

a) Rupture hétérolytique de la liaison C—Cl dans:

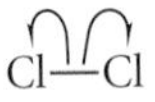

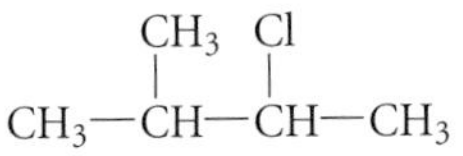

b) Rupture homolytique d'une liaison C—H dans :

$$CH_3—CH_3$$

c) Rupture hétérolytique de la liaison C—Li dans :

$$CH_3—CH_2—CH_2—Li$$

4.5 Catégories de réactifs

Les réactifs, des espèces chimiques organiques ou inorganiques, peuvent être classés selon leur capacité à donner ou à recevoir des électrons. En général, ce type de classement est basé sur la polarité de leurs liaisons, selon qu'elles sont ioniques, covalentes polaires ou non polaires. Enfin, certains réactifs peuvent aussi être classés selon leur pouvoir oxydant ou réducteur, et selon leur nature métallique.

4.5.1 Électrophiles

Un **électrophile** (du mot « électron » et du suffixe *-phile* signifiant « qui aime ») est une espèce chimique pauvre en électrons qui cherche à attirer et à recevoir des doublets d'électrons au cours d'une réaction chimique. Les électrophiles sont des espèces portant une charge positive complète ou partielle, ou encore des composés ayant un octet incomplet. Selon la théorie de Lewis, ce sont donc des acides, puisqu'ils cherchent à acquérir un doublet d'électrons.

Il est possible de classifier les divers électrophiles selon les trois catégories présentées dans le tableau 4.4.

Tableau 4.4 **Catégories d'électrophiles**

Catégorie 1	Catégorie 2	Catégorie 3
Espèce ayant un **octet incomplet**	Espèce ayant une **charge positive** et un **octet complet**	Espèce ayant une **charge partielle positive** et un **octet complet**
$AlCl_3$	H_3O^+	$H—X$ (X=F, Cl, Br, I)
BF_3	NH_4^+	$CH_3—Cl$
$FeBr_3$	$CH_3NH_3^+$	$RCOR$
$ZnCl_2$	NO_2^+	$R—O—H$
R^+, Cl^+, $R—\overset{+}{C}=O$	HSO_3^+	$R—C\equiv N$

Les espèces dont l'atome central possède un octet incomplet sont de puissants électrophiles, puisqu'elles sont déficientes en électrons. En effet, elles possèdent une orbitale vide qui peut aisément recevoir des électrons, permettant ainsi de compléter l'octet.

La deuxième catégorie d'électrophiles comprend les espèces chimiques chargées positivement, mais qui possèdent leur octet complet. Dans le cas où l'atome portant la charge positive est l'atome le moins électronégatif de la liaison covalente polaire, il recevra directement les électrons d'un autre réactif (p. ex. : NO_2^+ et HSO_3^+). Toutefois, si l'atome portant la charge positive est l'atome le plus électronégatif de la liaison covalente polaire, il cherchera alors à recevoir des électrons d'une de ses liaisons pour ainsi retrouver sa neutralité et sa stabilité. Dans le tableau 4.4, les hydrogènes des électrophiles de la catégorie 2 (p. ex. : H_3O^+, NH_4^+, $CH_3NH_3^+$) sont mis en bleu pour démontrer le caractère électrophile de ces espèces. Lorsque ceux-ci sont arrachés, ils donnent leur électron à l'hétéroatome possédant la charge positive. Dans tous ces exemples, plus un élément est électronégatif, plus il est déstabilisé lorsqu'il porte une charge positive. Son caractère électrophile est donc d'autant plus grand.

La troisième catégorie regroupe les molécules polaires portant des charges partielles. Dans de pareils cas, les charges partielles positives de ces structures attirent les électrons avec une force dépendant de la grandeur de la charge partielle. Les réactions menées par ce type d'électrophiles sont généralement moins rapides et moins exothermiques.

En chimie organique, le terme «électrophile» est utilisé pour décrire les espèces chimiques qui reçoivent des électrons au cours d'une réaction. Cependant, lorsque l'atome qui reçoit les électrons est un atome d'hydrogène, le terme «acide» peut également être employé pour référer aux acides de Brønsted-Lowry, qui sont des donneurs de proton H^+.

Plusieurs facteurs influent sur le caractère électrophile, notamment les effets électroniques inductif et mésomère qui seront discutés dans la section 4.7 (*voir p. 194*).

> **REMARQUE**
>
> S'il est clair que les carbocations sont des électrophiles et que les carbanions sont des nucléophiles, les radicaux, quant à eux, ont une nature un peu plus ambivalente.
>
> Il existe en effet des radicaux ayant un caractère électrophile (p. ex.: les radicaux halogénés) et des radicaux ayant un caractère nucléophile (p. ex.: le radical *tert*-butyle).

4.5.2 Nucléophiles

Les **nucléophiles** (de *nucléo*- signifiant «noyau», et de *-phile* signifiant «qui aime») sont des réactifs qui aiment les sites positifs d'un composé. Ce sont donc des espèces riches en électrons. Les nucléophiles peuvent porter une charge négative ou être neutres en possédant des doublets d'électrons libres ou des électrons π (*voir le tableau 4.5*). Selon la théorie de Lewis, ce sont donc des bases puisqu'ils cherchent à donner des électrons.

CHRONIQUES D'UNE MOLÉCULE

Jacques Cartier et les radicaux libres

Afin de découvrir la route de l'Asie et de nouveaux territoires regorgeant de richesses, le roi de France, François 1er, mandata Jacques Cartier pour partir en expédition vers le Nouveau Monde. Ce dernier quitta ainsi le port de Saint-Malo en 1534. Après une traversée rapide d'à peine 20 jours, il rejoignit les côtes du Labrador. En explorant le littoral, il aperçut pour la toute première fois des autochtones. Des échanges amicaux s'ensuivirent, et Cartier s'empressa de regagner la France pour faire part de sa découverte. Deux des fils du chef iroquois Donnacona, soit Domagaya et Taignoagny, prirent part au voyage.

Le roi de France, enthousiasmé, ordonna, en 1535, une seconde traversée de plus grande envergure. Cartier allait disposer de trois navires et de quelque 110 hommes. Les deux fils de Donnacona étaient également du voyage. Ils avaient, pendant leur séjour en France, appris à parler français et ils servirent d'interprètes. Bien que ce deuxième voyage fût nettement plus profitable que le premier en découvertes de territoires, de ressources naturelles et d'habitants, le malheur frappa l'équipage à Stadaconé (Québec) au cours de l'hiver très rigoureux de 1535. En effet, entre la mi-novembre et la mi-avril, les glaces emprisonnèrent les navires, les empêchant de repartir.

Jacques Cartier (1491-1557)

Plus terrible que les conditions climatiques de l'hiver, le scorbut fit des ravages. Des 110 hommes de l'équipage, 10 seulement étaient encore en santé au mois de février et 25 moururent. Les survivants furent secourus par Domagaya, qui leur révéla la recette d'une mixture faite à base de branches de l'annedda (cèdre blanc).

Jacques Cartier écrivit:

«Et à tous venait la bouche si infecte et pourrie par les gencives que toute la chair en tombait, jusqu'à la racine des dents, lesquelles tombaient presque toutes. Et tellement, se répandit ladite maladie en nos trois navires, qu'à la mi-février, des cent-dix hommes que nous étions, il n'y en avait à peine dix de sains […][2]».

De nos jours, il est connu que le scorbut est causé par une carence importante en vitamine C. C'est d'ailleurs cette vitamine qui fut extraite de la mixture à base d'annedda préparée par Domagaya. Aujourd'hui, le scorbut est une maladie quasi disparue en raison de l'apport quotidien en vitamine C dans notre alimentation. Cette vitamine assure plusieurs rôles biologiques distincts, mais sa fonction première est d'agir à titre d'antioxydant pour ainsi combattre la production indésirable de radicaux libres au sein de l'organisme.

Tableau 4.5 **Catégories de nucléophiles**

	Molécules (espèces neutres)	
Catégorie 1 Anions (charge négative)	**Catégorie 2** Doublets d'électrons libres	**Catégorie 3** Électrons π
$:\!\ddot{O}H^-, R\ddot{O}:^-$ $:\!NH_2^-$ $:\!H^-$ $:\!R^-$ $:\!\ddot{X}:^-$ $:\!CN^-$	$H\!-\!\ddot{O}\!-\!H$ $CH_3\!-\!\ddot{O}\!-\!H$ $H\!-\!\ddot{N}\!-\!H \quad H\!-\!\ddot{N}\!-\!R$ $\quad\quad\mid \quad\quad\quad\quad \mid$ $\quad\quad H \quad\quad\quad\quad H$	$\diagdown C\!=\!C\diagdown$ $\diagdown C\!=\!\ddot{O}:$ $-\!C\!\equiv\!C\!-$

REMARQUE

Catégorie 1 : nucléophiles très puissants ;
Catégories 2 et 3 : nucléophiles modérés à faibles (variables en fonction des effets électroniques et des valeurs d'électronégativité).

Le terme « nucléophile » est également employé pour décrire les espèces chimiques qui donnent des électrons au cours d'une réaction. Toutefois, lorsque ces espèces chimiques donnent spécifiquement des électrons à un proton H^+, le terme « base » peut également être employé pour référer aux bases de Brønsted-Lowry, qui sont des accepteurs de proton H^+.

Une carence en vitamine C provoque les symptômes décrits par Cartier, soit une coloration jaunâtre de la peau, un déchaussement des dents, la purulence des gencives, des hémorragies, l'anémie et, éventuellement, la mort.

Cependant, les radicaux libres présents dans le corps humain ne sont pas toujours nocifs et sont même nécessaires à sa survie. En effet, ils font partie du processus de transformation alimentaire et servent de première ligne de défense contre les invasions bactériennes. Tout est une question d'équilibre !

La concentration de radicaux libres varie en fonction de plusieurs facteurs tels que la fatigue, le stress, le tabagisme, la consommation d'alcool, la pollution, etc. Si leur concentration devient trop importante, l'organisme ne parvient plus à les éliminer. Le corps est alors attaqué par ses propres radicaux libres, un phénomène nommé **stress oxydatif**.

Dans de pareils cas, les radicaux libres peuvent attaquer l'ADN et en perturber la réplication, ce qui peut mener, à long terme, à la formation de tumeurs cancéreuses. Les radicaux libres peuvent également s'en prendre aux membranes cellulaires et ainsi causer un durcissement et un épaississement des artères, provoquant une crise cardiaque. En fait, la presque totalité du corps peut être affectée par les radicaux libres en excès, et les problèmes qui en découlent sont fort

L'huile de tournesol constitue une importante source de vitamine E (tocophérol), une vitamine liposoluble ayant des propriétés antioxydantes.

nombreux (cataracte, maladie de Parkinson, etc.).

Pour maintenir des concentrations non nocives de radicaux libres dans l'organisme, le corps doit détruire au fur et à mesure ceux qu'il produit. Pour ce faire, il mettra à profit un large éventail d'enzymes telles que la glutathion-peroxydase et la superoxyde dismutase (SOD). À cela s'ajoutent les antioxydants, comme les vitamines C et E, qui préviennent la formation des radicaux libres en excès.

Le rôle des enzymes est complémentaire. En premier lieu, la superoxyde dismutase transforme les radicaux superoxydes, nocifs pour l'organisme, en oxygène et en peroxyde d'hydrogène[3] :

$$2O_2^- \cdot \; + \; 2H^+ \; \xrightarrow{\text{SOD}} \; H_2O_2 \; + \; O_2$$

Par la suite, la glutathion-peroxydase transforme le peroxyde obtenu par la SOD en eau et en oxygène moléculaire, deux structures inoffensives pour l'organisme.

Les premières études sur les radicaux libres remontent à 1969. Ce sont les Américains **Joe M. McCord** (1945-...) et **Irwin Fridovich** (1929-...) qui furent les premiers à isoler la superoxyde dismutase des globules rouges bovins[4]. Les radicaux libres sont un sujet de recherche d'actualité et ils ont encore beaucoup d'information à nous révéler[5].

La **nucléophilie** (ou **caractère nucléophile**) est le terme employé pour caractériser, de manière relative, l'effet des nucléophiles sur les vitesses des réactions chimiques de substitution nucléophile[6]. Elle dépend de plusieurs facteurs, dont les plus importants sont :

1. l'électronégativité de l'atome portant le doublet d'électrons libre du nucléophile ;
2. la concentration de la charge négative du nucléophile ;
3. la taille du nucléophile ;
4. les effets électroniques inductif et mésomère au sein du nucléophile (*voir la section 4.7, p. 194*).

Tous ces facteurs sont interdépendants. Ils doivent être analysés selon le contexte de la réaction chimique dans le but d'évaluer le caractère nucléophile des différents réactifs. Quelques facteurs supplémentaires, plus complexes, sont abordés dans le chapitre 9 ainsi que dans les ressources numériques disponibles au <www.cheneliere.ca/chimieorganique>.

cheneliere.ca/chimieorganique www

Facteurs supplémentaires influençant la nucléophilie :
> la polarisabilité du nucléophile ;
> l'énergie de solvatation du nucléophile ;
> la force de la liaison formée à la suite de la réaction.

4.5.2.1   Force du nucléophile en fonction de l'électronégativité

Au cours d'une réaction chimique, les électrons du nucléophile attaquent un second réactif, soit l'électrophile. Par conséquent, plus les électrons du nucléophile sont retenus par un atome électronégatif, plus ils auront de la difficulté à effectuer l'attaque sur l'électrophile. Le nucléophile devient ainsi plus faible (*voir la figure 4.10*).

Figure 4.10
Comparaison entre quelques nucléophiles selon l'électronégativité de l'atome portant le doublet d'électrons libre

Nucléophile plus fort ⟶ Nucléophile plus faible

Exemple 1 $:CH_3^- > :\ddot{N}H_2^- > :\ddot{O}H^- > :\ddot{F}:^-$

Exemple 2 $:NH_3 > H_2\ddot{O}: > H\ddot{F}:$

REMARQUE
- Dans l'exemple 2, le CH_4 n'est pas inscrit, car il ne peut pas être considéré comme un nucléophile, puisqu'il n'a aucun doublet d'électrons libre !
- Pour des éléments chimiques différents, ce n'est pas le nombre de doublets d'électrons libres autour de l'atome qu'il faut regarder pour déterminer quel sera le nucléophile le plus fort, mais bien l'électronégativité de l'élément chimique.

Tel qu'elles sont illustrées dans les exemples 1 et 2 de la figure 4.10, les comparaisons entre les nucléophiles, selon le facteur de l'électronégativité de l'atome porteur du doublet d'électrons libre, doivent s'effectuer entre des nucléophiles du même type, c'est-à-dire des nucléophiles ayant une charge négative ou des nucléophiles neutres. Cette dernière constatation sera expliquée en détail dans la section suivante.

4.5.2.2   Force du nucléophile en fonction de la concentration de sa charge

Un ion portant une charge négative sur un atome donné sera plus réactif par rapport à une molécule de structure similaire renfermant le même élément. Il est possible de citer l'exemple de l'ion hydroxyde ($H—\ddot{O}:^-$) par rapport à la molécule d'eau ($H—\ddot{O}—H$). La molécule d'eau possède deux doublets d'électrons libres sur l'atome d'oxygène, tandis que l'ion hydroxyde en possède trois. Dans ce dernier cas, l'atome d'oxygène retient moins bien les électrons, puisqu'il possède un électron supplémentaire (charge formelle de −1). Par conséquent, le doublet d'électrons libre de l'ion négatif a plus de facilité à attaquer un électrophile, et l'ion hydroxyde est alors un meilleur nucléophile que la molécule d'eau.

$$CH_3 - CH_2 - O^-$$

ion éthanolate

$$CH_3 - \overset{\overset{\displaystyle CH_3}{|}}{\underset{\underset{\displaystyle CH_3}{|}}{C}} - O^-$$

ion 2-méthylpropanolate
(ion *tert*-butanolate)

4.5.2.3 Force du nucléophile en fonction de sa taille

Pour qu'une réaction ait lieu, il faut que le substrat et le réactif entrent efficacement en collision avec la bonne orientation et avec une énergie suffisante. L'électrophile et le nucléophile doivent donc se rapprocher jusqu'à ce qu'il y ait un contact puis, finalement, une réaction. Ils occupent un volume qui leur est propre en raison des nuages électroniques des liaisons et des électrons libres. Un encombrement stérique occasionné par la répulsion des nuages électroniques situés à proximité l'un de l'autre influe sur la vitesse de réaction. Ainsi, un nucléophile encombré réagira moins rapidement qu'un petit nucléophile, puisqu'il y aura plus de tension stérique à l'état de transition. Ce dernier est alors moins stable, plus élevé en énergie. Une réaction moins rapide est le résultat d'un nucléophile moins efficace. Par exemple, l'ion éthanolate, moins stériquement encombré que l'ion *tert*-butanolate, effectue une réaction de substitution nucléophile plus rapidement et plus efficacement.

4.5.2.4 Force du nucléophile en fonction des effets électroniques

Plus un nucléophile est instable, plus il est réactif. Des phénomènes électroniques intrinsèques influencent la disponibilité de la charge négative (ou du doublet d'électrons libre) des réactifs, faisant alors varier leur caractère nucléophile. L'effet mésomère, entre autres, permet de stabiliser les nucléophiles pour ainsi diminuer leur réactivité. L'effet inductif, quant à lui, peut diminuer ou augmenter le caractère nucléophile de certaines structures. Ces effets seront vus en détail dans la section 4.7 (*voir p. 194*).

Exercice 4.8   Pour les paires de composés suivants, repérez le nucléophile le plus fort. Expliquez votre choix.

a) $CH_3 - S^-$ et $CH_3 - O^-$ b) CH_3COOH et CH_3COO^-

c) $CH_3 - CH_2^-$ et $CH_3 - NH^-$ d) $CH_3 - NH_2$ et $CH_3 - NH_3^+$

e) $H - S^-$ et Cl^- f) $Al(CH_3)_3$ et $N(CH_3)_3$

Exercice 4.9   Classez les ions halogénure (F^-, Cl^-, Br^-, I^-) dans l'ordre décroissant de leur caractère nucléophile en solution aqueuse. Justifiez votre classement.

Exercice 4.10   La vitesse d'une réaction de substitution peut dépendre de la nature du nucléophile impliqué. Classez les réactions de substitution suivantes dans l'ordre croissant de leur vitesse en solution aqueuse. Justifiez votre classement.

a) $CH_3 - Br$ + ^-OH $\longrightarrow$ $CH_3 - OH$ + Br^-

b) $CH_3 - Br$ + H_2O $\longrightarrow$ $CH_3 - OH_2^+$ + Br^-

c) $CH_3 - Br$ + $^-C \equiv N$ $\longrightarrow$ $CH_3 - CN$ + Br^-

---

4.5.3 Autres catégories : molécules non polaires, oxydants, réducteurs et métaux

En raison de la grande variété des réactifs en chimie organique, il est très difficile de tous les regrouper en tant qu'électrophiles ou nucléophiles. Certains ne présentent pas les caractéristiques propres à ces deux dernières catégories.

Ces réactifs figurent dans une multitude de réactions chimiques qu'il sera possible de découvrir dans les prochains chapitres. Il existe des molécules diatomiques non polaires, des métaux très réactifs, des réducteurs riches en atomes d'hydrogène et des oxydants riches en atomes d'oxygène. Des exemples sont donnés dans le tableau 4.6 (*voir page suivante*).

Tableau 4.6	Autres types de réactifs	
Type de réactif	**Exemples**	**Utilité et caractéristiques**
Molécules diatomiques non polaires	Cl_2 Br_2 I_2	Réactifs impliqués au cours des réactions avec des hydrocarbures saturés ou insaturés Exemple: $CH_3-CH_3 \xrightarrow{\;Cl_2\;}_{h\nu} CH_3-CH_2-Cl \;+\; H-Cl$
Métaux	Li et Mg	Formation des organolithiens et des organomagnésiens Exemple: $CH_3-Br \xrightarrow[\text{Et}_2\text{O anhydre}]{\;Mg\;} CH_3-MgBr$
	Ni Pt Pd	Catalyseurs Exemple: $CH_2=CH_2 \xrightarrow[\text{Pd/C}]{\;H_2\;} CH_3-CH_3$
Réducteurs (riches en atomes de H)	$LiAlH_4$ $NaBH_4$ H_2	Réactions de réduction (augmentation du nombre de liaisons C—H) Exemple: $\underset{CH_3}{\overset{O}{\underset{\|}{\overset{\|}{C}}}}H \xrightarrow[\text{2) H}_3\text{O}^+, \text{H}_2\text{O}]{\;\text{1) LiAlH}_4\;} CH_3-CH_2-OH$
Oxydants (riches en atomes de O)	$KMnO_4$ CrO_3 O_2, O_3 $K_2Cr_2O_7$ Peroxydes	Réactions d'oxydation (diminution du nombre de liaisons C—H) Exemple: $\underset{CH_3}{\overset{OH}{\underset{\|}{\overset{\|}{CH}}}}CH_3 \xrightarrow[\text{H}_3\text{O}^+]{\;\text{K}_2\text{Cr}_2\text{O}_7\;} \overset{O}{\underset{CH_3 \quad CH_3}{\overset{\|}{C}}}$

Exercice 4.11 Classez les réactifs suivants selon les trois catégories de réactifs : nucléophiles, électrophiles et autres.

a) BCl_3 b) $CH_2=CH_2$ c) $FeBr_3$ d) CH_3O^- e) NO_2^+ f) OH^-

g) CH_3-NH_2 h) H_3O^+ i) 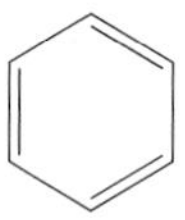 ⬡   j) H_2O_2 k) H^-

---

Exercice 4.12 Pour les molécules suivantes, déterminez les principaux sites (atomes) ayant des charges partielles positives ou négatives. Dans chacun des composés, indiquez si l'atome de carbone portant la charge partielle joue le rôle d'électrophile ou de nucléophile.

a) $CH_3-CH_2-CH_2-CH_2-OH$

b) $CH_3-CH_2-CH_2-\underset{\underset{Br}{|}}{CH}-CH_3$

c) CH_3-CH_2MgCl

d) $CH_3-\underset{\underset{O}{\diagdown\diagup}}{HC-CH}-CH_2-CH_2-CH_3$

e) CH_3-CH_2Li

f) $CH_3-\overset{O}{\overset{\|}{C}}-NH_2$

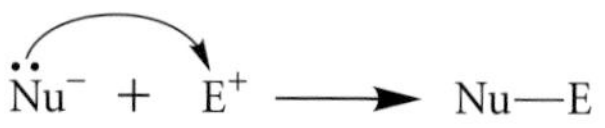

4.6   Premiers pas mécanistiques

Figure 4.11

Représentation schématique de l'attaque d'un nucléophile (Nu⁻) sur un électrophile (E⁺) menant à la formation d'une liaison chimique

$$\overset{\frown}{\ddot{Nu}^-} \; + \; E^+ \longrightarrow Nu—E$$

Pour qu'une réaction organique ait lieu, il faut, en général, la présence d'un électrophile et d'un nucléophile. Le nucléophile donnera ses électrons à l'électrophile, et une liaison chimique se formera entre les deux espèces (*voir la figure 4.11*). Si deux nucléophiles ou deux électrophiles sont placés en présence l'un de l'autre, aucune réaction ne sera observée.

Pour établir un **mécanisme réactionnel**, il suffira, dans un premier temps, de déterminer laquelle des espèces est un électrophile et laquelle est un nucléophile, selon les définitions et les indications fournies dans la section 4.5 (*voir p. 187*). L'atome le plus riche en électrons du nucléophile attaque toujours l'atome le plus pauvre en électrons de l'électrophile; ils devront être identifiés dans les structures. Les flèches courbes de mécanisme à dessiner partent du doublet d'électrons libre (ou de la liaison π) de l'atome le plus riche en électrons du nucléophile et se terminent sur l'atome le plus pauvre en électrons de l'électrophile, avec une pointe ou une demi-pointe, selon le nombre d'électrons déplacés.

Exemple 4.1

Déterminez le mécanisme réactionnel de l'attaque de l'ion méthanolate (CH_3O^-) sur le 1-bromopropane ($Br—CH_2—CH_2—CH_3$) ainsi que les produits obtenus.

Réaction

$$CH_3O^- \; + \; Br—CH_2—CH_2—CH_3 \longrightarrow$$

Solution

Première étape: Déterminez, parmi les réactifs, le nucléophile et l'électrophile, et mettez en évidence l'atome le plus riche en électrons du nucléophile et l'atome le plus pauvre en électrons de l'électrophile.

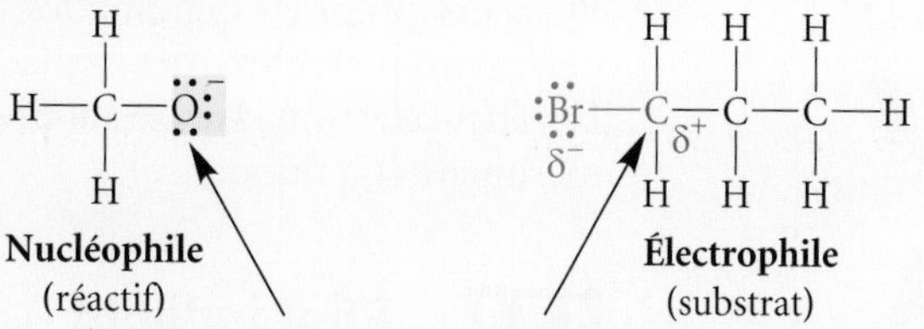

Nucléophile
(réactif)

L'oxygène chargé négativement est l'atome le plus riche en électrons.

Électrophile
(substrat)

Le carbone de la liaison covalente polaire est δ^+.

Deuxième étape: Tracez la flèche courbe de mécanisme en la partant du doublet d'électrons libre du nucléophile vers l'atome le plus pauvre en électrons de l'électrophile. Remarquez bien qu'une flèche courbe à une pointe doit être tracée (et non pas une flèche courbe à demi-pointe), puisqu'un doublet d'électrons libre (deux électrons) est impliqué dans cette étape de la réaction.

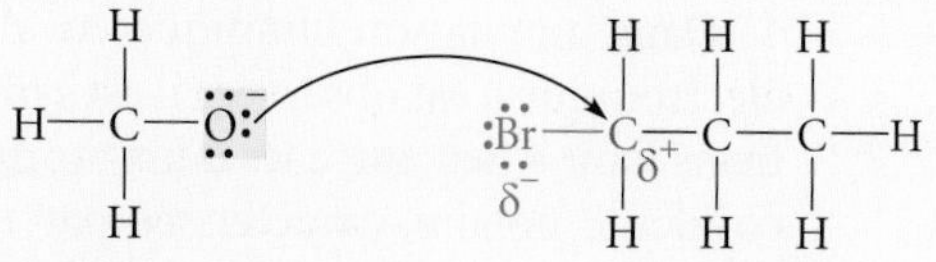

Nucléophile

La flèche courbe à une pointe part du doublet d'électrons libre du nucléophile.

Électrophile

La pointe de la flèche courbe aboutit sur l'atome de l'électrophile le plus pauvre en électrons (avec le δ^+ le plus grand).

Si le mécanisme prenait fin à ce stade, le carbone C de l'électrophile posséderait un trop grand nombre d'électrons et ne respecterait donc pas la règle de l'octet; cette notion sera abordée dans les mécanismes réactionnels des prochains chapitres. Ainsi, pour conserver son octet tout en acceptant les électrons de l'oxygène du nucléophile, le carbone devra céder une paire d'électrons.

C'est le brome, l'atome le plus électronégatif de la liaison covalente polaire identifiée dans l'électrophile, qui acceptera les électrons de la liaison C—Br, et l'ion bromure sera alors formé. La réaction complète devient :

Nucléophile   **Électrophile**   **Produits**

De façon générale, l'atome ou le groupe d'atomes qui est expulsé du substrat porte le nom de **groupe partant**. Dans cet exemple, il s'agit de l'ion bromure Br^-.

Exercice 4.13 À l'aide des flèches courbes, déterminez le mécanisme pour chacune des réactions suivantes ainsi que les produits obtenus.

a) $CH_3—CH—CH_3 \; + \; SH^- \longrightarrow$
    avec Cl sous le CH central

b) $CH_3—CH—CH_2—I \; + \; OH^- \longrightarrow$
    avec CH_3 sous le CH

c) $CH_3—Li \; + \; H—\overset{\overset{\textstyle O}{\|}}{C}—H \longrightarrow$

4.7 Effets électroniques

Plusieurs propriétés chimiques sont expliquées grâce aux **effets électroniques**. Ces derniers représentent des déplacements d'électrons au sein de composés chimiques. Les effets électroniques se subdivisent en deux catégories, soit l'effet inductif et l'effet mésomère (ou résonance).

4.7.1 Effet inductif

En pensant à l'expérience qui vise à attirer, à l'aide d'un aimant, le plus grand nombre possible de trombones les uns à la suite des autres, comment expliquer que les trombones sans aucun contact avec l'aimant demeurent retenus ? La réponse est simple : l'aimant crée un champ magnétique qui force les électrons (les moments magnétiques) du premier trombone à s'aligner dans la même direction. Celui-ci crée à son tour un dipôle attirant le trombone voisin, et ainsi de suite.

Dans une liaison chimique covalente non polaire, aucune déformation du nuage électronique n'est observée ; il est symétrique, puisqu'un partage égal du doublet d'électrons liant a lieu entre les deux atomes formant la liaison. Par contre, dans une liaison covalente polaire, caractérisée par un partage inégal du doublet d'électrons liant, il y a une déformation du nuage électronique vers l'élément le plus électronégatif. Des charges partielles positives et négatives sont alors présentes sur chacun des atomes de la liaison (*voir la figure 4.12*).

Schématisation de l'effet inductif avec un aimant et des trombones

Figure 4.12
Liaisons covalentes non polaire et polaire (charges partielles δ^+ et δ^-)

$CH_3—CH_3$ Liaison C—C non polaire   (C   C)

$CH_3—\ddot{F}:$ Liaison C—F polaire   ($\overset{\delta^+}{C}$ $\overset{\delta^-}{F}$)

L'**effet inductif**, un effet électronique électroattracteur ou électrodonneur occasionné par une déformation du nuage électronique d'une liaison, est transmis à travers les autres liaisons covalentes adjacentes au sein d'un composé chimique. Le 1-bromopentane dans la figure 4.13 peut être utilisé comme exemple. Dans la liaison C—Br, il y a apparition d'une charge partielle négative sur le Br et d'une charge partielle positive sur le carbone (C1) directement attaché au brome. Pour compenser le déficit en électrons, le carbone C1 attire les électrons de la liaison C1—C2, engendrant à son tour une déformation du nuage électronique de la liaison initialement non polaire. Ainsi, le deuxième carbone (C2) devient à son tour chargé partiellement positivement (δ^+), mais de manière moindre que le C1. Tout comme un effet domino, ce phénomène électronique, portant le nom d'effet inductif, est ressenti sur une longue séquence d'atomes (sur trois ou quatre liaisons), à partir du groupement inducteur. L'effet s'estompe en s'éloignant de la source.

Figure 4.13
Effet inductif à l'intérieur des liaisons σ du 1-bromopentane

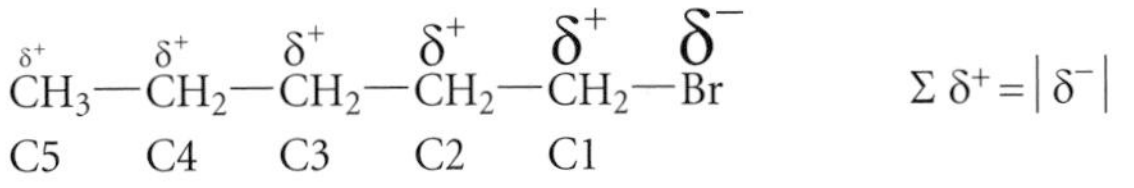

$$\overset{\delta^+}{CH_3}-\overset{\delta^+}{CH_2}-\overset{\delta^+}{CH_2}-\overset{\delta^+}{CH_2}-\overset{\delta^+}{CH_2}-\overset{\delta^-}{Br} \qquad \Sigma\,\delta^+ = \left|\,\delta^-\,\right|$$
C5   C4   C3   C2   C1

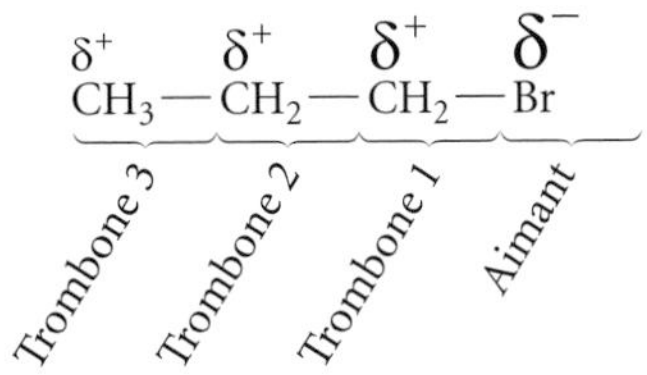

Au même titre qu'un aimant ayant un effet de répulsion ou d'attraction, l'effet inductif peut être attractif ou répulsif. L'**effet inductif attractif** est dû à la présence d'un élément fortement électronégatif qui attire les électrons de la liaison et des liaisons voisines vers lui. Ces éléments sont généralement les atomes d'azote, d'oxygène, ou d'halogènes. L'**effet inductif répulsif**, quant à lui, est causé par un élément faiblement électronégatif. Une charge partielle positive sera créée sur cet élément, puisque celui-ci retient peu les électrons du doublet liant. Le qualificatif « répulsif » est donné à ce type d'effet inductif, puisque cet élément « repousse » les électrons vers l'élément le plus électronégatif de la liaison. En chimie organique, les éléments responsables de l'effet inductif répulsif sont, en général, les atomes d'hydrogène des groupements alkyles et quelques métaux (Mg, Li, etc.) (*voir la figure 4.14*). La force des effets inductifs attractif et répulsif est dépendante de la différence d'électronégativité de la liaison impliquant l'élément inducteur.

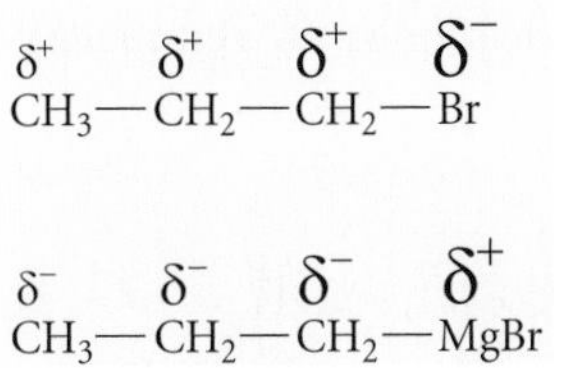

$$\overset{\delta^+}{CH_3}-\overset{\delta^+}{CH_2}-\overset{\delta^+}{CH_2}-\overset{\delta^-}{Br}$$

$$\overset{\delta^+}{CH_3}-\overset{\delta^+}{CH_2}-\overset{\delta^+}{CH_2}-\overset{\delta^-}{Br}$$
Trombone 3   Trombone 2   Trombone 1   Aimant

Analogie de l'aimant et des trombones pour illustrer l'effet inductif attractif

Figure 4.14
Effets inductifs attractif et répulsif

$$\overset{\delta^+}{CH_3}-\overset{\delta^+}{CH_2}-\overset{\delta^+}{CH_2}-\overset{\delta^-}{Br}$$
Effet inductif attractif : effet occasionné par un atome plus électronégatif que le carbone.

$$\overset{\delta^-}{CH_3}-\overset{\delta^-}{CH_2}-\overset{\delta^-}{CH_2}-\overset{\delta^+}{MgBr}$$
Effet inductif répulsif : effet occasionné par un atome moins électronégatif que le carbone.

4.7.2 Répercussions concrètes de l'effet inductif

4.7.2.1 Acidité des composés

cheneliere.ca/chimieorganique (www)

› Acides et bases

REMARQUE

Le pK_a est une expression logarithmique de la constante d'acidité (K_a), soit $pK_a = -\log K_a$. Plus la valeur de pK_a est petite, plus le composé est acide. L'acidité relative n'est donc pas simplement donnée par le rapport des valeurs de pK_a, mais bien par celui des valeurs de K_a.

Cette section mettra en lumière la façon dont les atomes ou les groupes d'atomes constituant la molécule peuvent, par effet inductif, avoir un effet sur son caractère acide[7]. À titre d'exemple, dans la figure 4.15 (*voir page suivante*), deux structures analogues d'acide sont comparées, soit l'acide acétique et l'acide chloroacétique. Les structures moléculaires sont très similaires, si ce n'est qu'un atome d'hydrogène du groupement méthyle de l'acide acétique est remplacé par un atome de chlore dans la molécule d'acide chloroacétique.

Dans la liaison covalente polaire O—H de ces deux acides organiques (fonction —COOH), les électrons de la liaison σ sont beaucoup plus près de l'oxygène (atome le plus électronégatif) que de l'hydrogène, attribuant à ce dernier une forte charge partielle positive. C'est ce qui explique, en partie, le caractère acide de ces deux molécules, favorisant ainsi le transfert d'un proton H^+ à un composé basique. Toutefois, dans le cas de l'acide chloroacétique, la présence du chlore augmente considérablement l'acidité de la structure. En effet, le pK_a de l'acide acétique est de 4,74, et celui de l'acide chloroacétique est de 2,86, ce qui est 76 fois plus acide.

Figure 4.15
Constante d'acidité de l'acide acétique et de l'acide chloroacétique

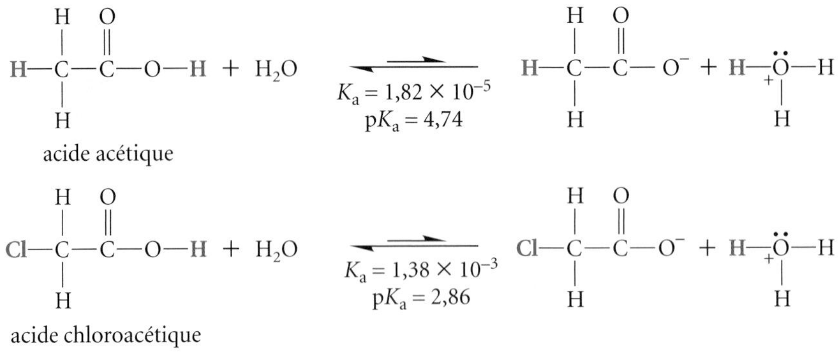

acide acétique

acide chloroacétique

Puisque l'effet inductif attractif polarise la liaison O—H dans le même sens que le dipôle de cette liaison covalente polaire, l'acide chloroacétique aura un caractère plus acide que l'acide acétique.

Comment expliquer que la présence du chlore augmente à ce point l'acidité de la molécule? Le chlore polarise la liaison C—Cl en attirant le doublet d'électrons liant vers lui. Le carbone devient alors δ^+, et le chlore, δ^-. Par effet inductif attractif, le chlore engendre un déplacement des électrons des liaisons σ voisines vers lui. Cet effet est de plus en plus faible en s'éloignant de l'atome de chlore. Il affecte toutefois le doublet d'électrons liant de la liaison O—H en déformant le nuage électronique vers l'atome d'oxygène, ce qui augmente la charge partielle positive sur l'atome d'hydrogène. La rupture de la liaison O—H, libérant le H^+, est alors plus facile, et la molécule est ainsi plus acide (*voir la figure 4.16*).

Figure 4.16
Représentation de deux facteurs expliquant le caractère acide de l'acide chloroacétique

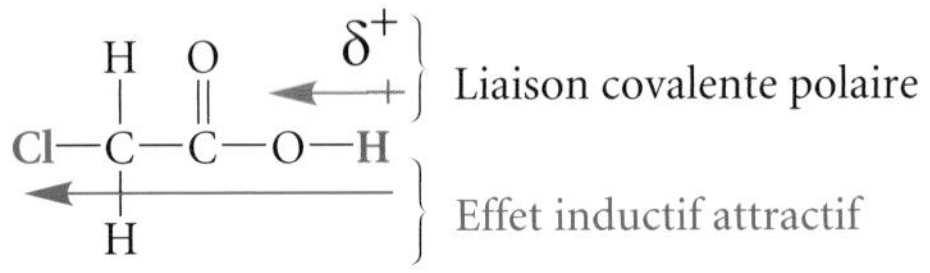

Il est également possible de comparer l'acidité des deux composés présentés dans la figure 4.17. Ces deux molécules renferment d'abord une fonction acide —COOH. La seule différence structurale entre ces deux acides est qu'un des atomes d'hydrogène de l'acide acétique a été remplacé par un groupement méthyle —CH_3 dans l'acide propanoïque.

Figure 4.17
Constante d'acidité de l'acide acétique et de l'acide propanoïque

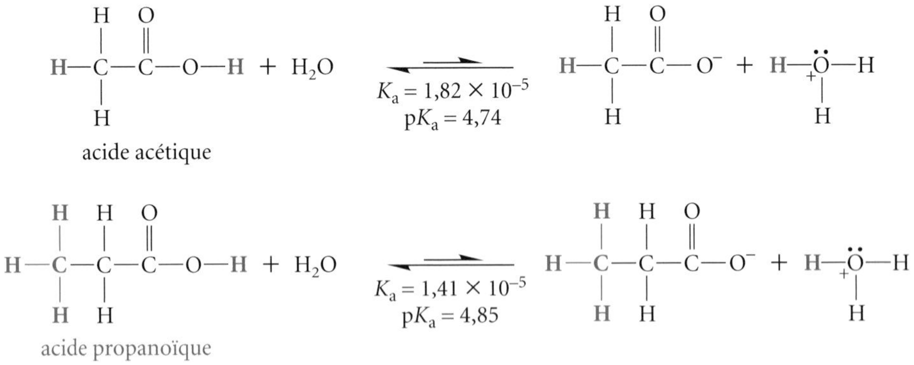

acide acétique

acide propanoïque

La différence entre les deux valeurs des pK_a est très faible, soit 0,11, contrairement à celle entre les valeurs du pK_a de l'acide acétique et de l'acide chloroacétique, qui est de 1,88. Pour bien comprendre le phénomène, il faut considérer la très faible différence d'électronégativité entre les atomes de carbone et d'hydrogène. Théoriquement, ce type de liaison chimique est considéré comme une liaison covalente non polaire, car la différence d'électronégativité est de 0,35, une valeur légèrement inférieure à 0,40. Puisque la liaison C—H se situe à la frontière de la liaison covalente polaire, elle possède en réalité un très faible caractère polaire qui sera considéré dans de rares cas comme celui de l'effet inductif répulsif. La figure 4.18 montre la façon dont l'effet cumulé des trois faibles dipôles des liaisons C—H offre au carbone une charge partielle négative non négligeable, occasionnant une déformation des nuages électroniques des liaisons voisines. Le carbone suivant, qui se voit attribuer une trop grande densité électronique, repousse alors son « excédent électronique » chez son voisin, et ainsi de suite. La densité électronique de l'oxygène devient alors plus élevée, attirant avec moins d'efficacité le doublet d'électrons liant de la liaison O—H. La polarité du lien O—H est plus faible, la charge partielle sur l'atome d'hydrogène est donc plus petite, ce qui ne favorise pas la rupture de cette liaison. Le départ du proton H^+ est plus difficile, et la molécule est moins acide. Il s'agit d'un bon exemple de l'effet inductif répulsif. La faible différence entre la valeur du pK_a de l'acide propanoïque et celle de l'acide acétique démontre que l'effet inductif répulsif occasionné par les groupements alkyles est généralement plus faible que l'effet inductif attractif.

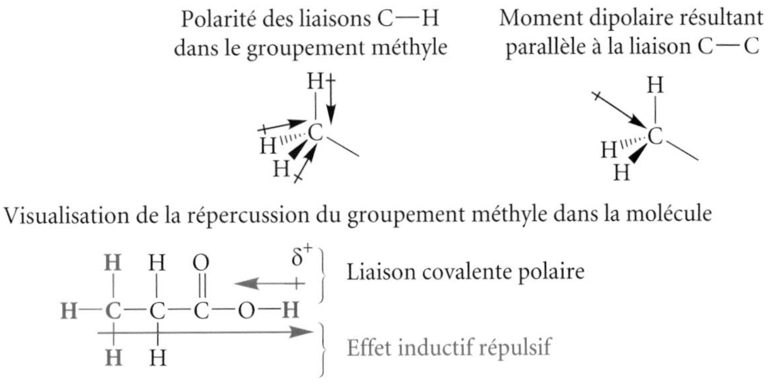

Figure 4.18
Représentation du groupement méthyle de l'acide propanoïque diminuant son caractère acide

Polarité des liaisons C—H dans le groupement méthyle

Moment dipolaire résultant parallèle à la liaison C—C

Visualisation de la répercussion du groupement méthyle dans la molécule

Liaison covalente polaire

Effet inductif répulsif

REMARQUE

Puisque l'effet inductif répulsif polarise la liaison O—H dans le sens contraire au dipôle de cette liaison covalente polaire, l'acide propanoïque aura un caractère acide plus faible que l'acide acétique.

Si une molécule voit son acidité augmenter, cela signifie qu'elle sera plus réactive et donc plus susceptible de recevoir les électrons d'une base. Par opposition, si elle est moins acide, cela signifie qu'elle est plus stable et donc moins propice à se faire attaquer par une base.

cheneliere.ca/chimieorganique www

› Acides et bases

4.7.2.2 Basicité des composés

La basicité est également influencée par l'effet inductif. Une base de Brønsted-Lowry est un accepteur de protons H^+, mais une base est, plus généralement, selon Lewis, un donneur de doublets d'électrons. Ainsi, plus le ou les doublets d'électrons sont disponibles, plus la molécule sera basique[8].

L'effet inductif répulsif peut augmenter la densité électronique d'un atome portant un doublet d'électrons libre, favorisant la disponibilité de ce doublet et accroissant donc le caractère basique du composé. Par contre, si un atome fortement électronégatif est lié ou est près d'un atome portant un doublet d'électrons libre, l'effet inductif attractif diminuera le caractère basique du composé.

Les amines, par exemple, sont des molécules basiques. C'est l'atome d'azote, possédant un doublet d'électrons libre, qui confère le caractère basique à ce groupement fonctionnel. Le tableau 4.7 (*voir page suivante*) permet de comparer le caractère basique de différentes amines.

Comparativement à la molécule d'ammoniac, les molécules de méthylamine, d'éthylamine et de diméthylamine possèdent des valeurs de pK_b inférieures, ce qui démontre un meilleur caractère basique. Ceci est dû à la présence de groupements alkyles, donneurs d'électrons par effet inductif répulsif. Le groupement éthyle est un meilleur donneur d'électrons que le groupement méthyle, car il possède un plus grand nombre de liaisons C—H. L'effet inductif répulsif s'accroît donc généralement lorsque le substituant alkyle est massique et ramifié. La diméthylamine, quant à elle, est une meilleure base que la méthylamine et même que l'éthylamine, puisqu'elle possède, tout d'abord, plus de liaisons C—H que la méthylamine. De plus, chacun des groupements méthyles est directement lié à l'atome d'azote, contrairement à l'éthylamine, ce qui crée une plus grande incidence de l'effet inductif répulsif, car les groupements alkyles sont plus près de l'élément porteur du doublet d'électrons libre.

REMARQUE

Plus la valeur de pK_b est petite, plus le composé est basique.

Tableau 4.7 **Quelques amines et leur pK_b respectif**

Structure	Nom de la molécule	K_b	pK_b
H—N̈—H | H	ammoniac	$1,8 \times 10^{-5}$	4,74
CH$_3$—N̈—H | H	méthylamine	$4,4 \times 10^{-4}$	3,36
CH$_3$—CH$_2$—N̈—H | H	éthylamine	$5,6 \times 10^{-4}$	3,25
CH$_3$—N̈—H | CH$_3$	diméthylamine	$3,2 \times 10^{-3}$	2,50
HO—CH$_2$—CH$_2$—N̈—H | H	2-aminoéthanol (éthanolamine)	$3,2 \times 10^{-5}$	4,50

Le caractère basique de l'ammoniac, de la méthylamine et de la diméthylamine augmente en fonction du nombre de groupements méthyles liés à l'atome d'azote. Ces groupements alkyles sont donneurs d'électrons par effet inductif répulsif et rendent alors le doublet d'électrons libre sur l'azote plus disponible pour une éventuelle attaque.

Dans le cas de la molécule d'éthanolamine, la valeur du pK_b est plus élevée que celle de l'éthylamine en raison de l'atome d'oxygène très électronégatif qui occasionne un effet inductif attractif au sein de la molécule. En fait, l'atome d'oxygène attire les électrons des liaisons, ce qui a pour effet global de retenir davantage le doublet d'électrons libre sur l'atome d'azote, diminuant ainsi le caractère basique de la molécule.

4.7.2.3 Stabilisation des intermédiaires réactionnels

Bien que les **intermédiaires réactionnels** (carbocations, carbanions et radicaux) soient toujours hautement énergétiques, leur stabilité relative varie en fonction des groupements attachés au carbone positif, négatif ou portant le radical.

Le carbocation le plus stable est le carbocation tertiaire, puisque trois groupements alkyles électrodonneurs, en raison de l'effet inductif répulsif, stabilisent davantage une charge positive que deux, un ou aucun groupement R (*voir la figure 4.19*).

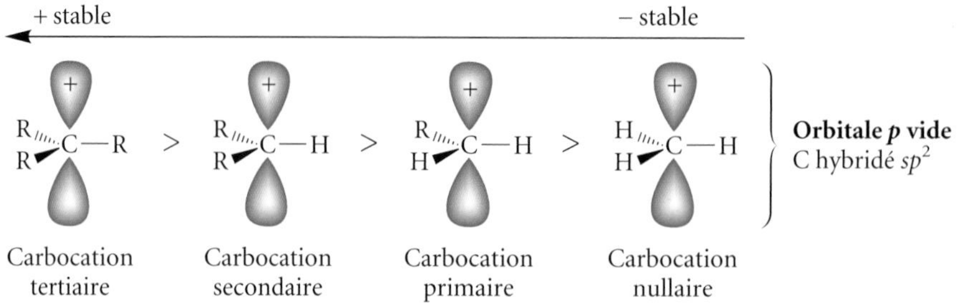

Figure 4.19
Stabilité relative des carbocations

Pour leur part, les carbanions sont plus stables lorsqu'ils sont faiblement substitués par les groupements alkyles R, puisque les groupements R, qui sont des donneurs d'électrons par effet inductif répulsif, augmentent davantage la densité électronique sur le carbone porteur de la charge négative, ce qui déstabilise l'ion et accroît sa réactivité. Le carbanion nullaire est ainsi le plus stable (*voir la figure 4.20*).

Figure 4.20
Stabilité relative des carbanions

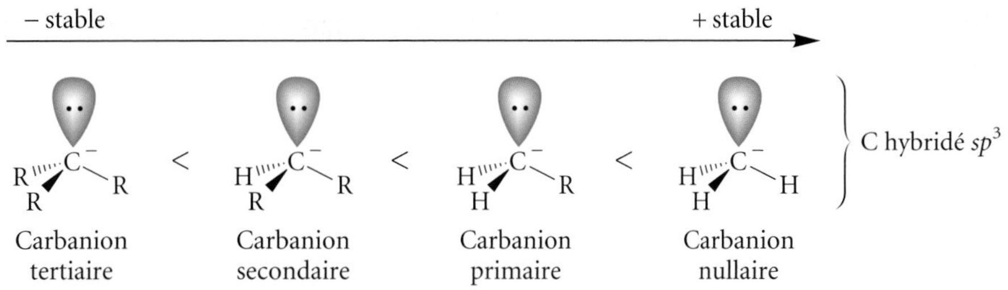

Figure 4.21
Stabilité relative des radicaux

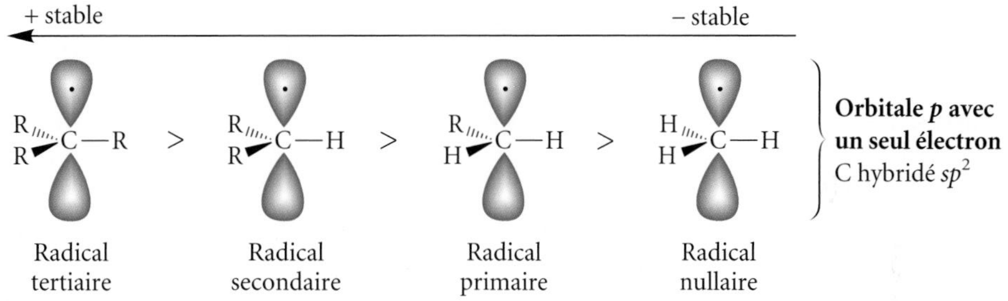

Les radicaux ne respectent pas l'octet, tout comme les carbocations. Il leur manque un seul électron dans l'orbitale *p*. Ils sont stabilisés lorsqu'ils sont entourés de plusieurs groupements alkyles R, donneurs d'électrons par effet inductif répulsif. Le radical tertiaire est ainsi le radical le plus stable (*voir la figure 4.21*).

ENRICHISSEMENT

Hyperconjugaison

L'effet inductif est une des méthodes pour comprendre la stabilité des intermédiaires réactionnels (carbocations, carbanions et radicaux). Toutefois, pour expliquer leur stabilité relative, il existe une autre théorie complémentaire.

Lorsque, au sein d'un composé, un atome hybridé sp^3 est voisin d'un carbone positif, négatif ou radicalaire, une interaction peut se produire entre un doublet d'électrons liant et l'orbitale *p* du carbocation ou du radical (ou le doublet d'électrons libre du carbanion). Cette interaction porte le nom d'**hyperconjugaison**.

L'hyperconjugaison due à une liaison C—H est efficace, mais dans le cas où l'atome hybridé sp^3 porte un groupement alkyle, le recouvrement de la liaison C—R est meilleur. De plus, les interactions augmentent avec le nombre de groupements liés à l'intermédiaire réactionnel (primaire, secondaire et tertiaire). En effet, puisque l'hyperconjugaison représente un don d'électrons selon un recouvrement partiel des orbitales atomiques, ce phénomène stabilise ainsi les carbocations et les radicaux, mais il déstabilise les carbanions.

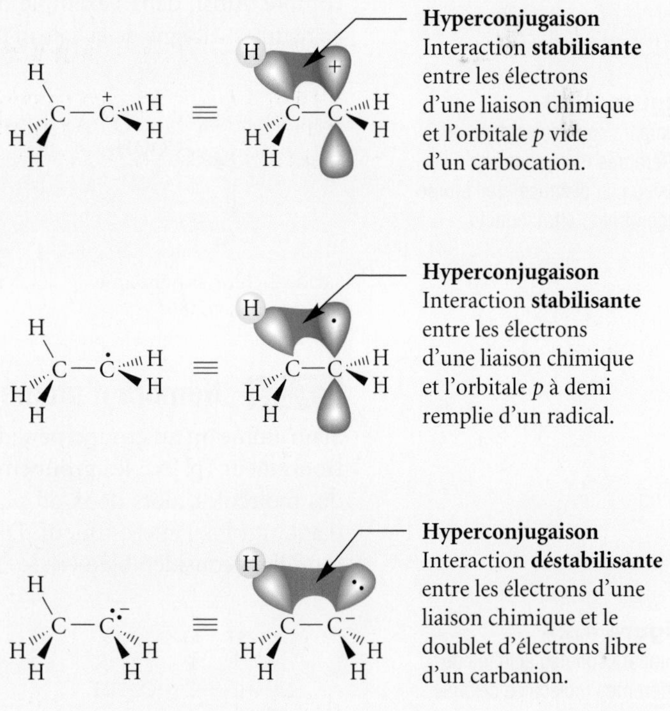

Hyperconjugaison
Interaction **stabilisante** entre les électrons d'une liaison chimique et l'orbitale *p* vide d'un carbocation.

Hyperconjugaison
Interaction **stabilisante** entre les électrons d'une liaison chimique et l'orbitale *p* à demi remplie d'un radical.

Hyperconjugaison
Interaction **déstabilisante** entre les électrons d'une liaison chimique et le doublet d'électrons libre d'un carbanion.

4.7.3 Facteurs influant sur l'effet inductif

Trois facteurs distincts doivent être considérés au cours de l'étude comparative de l'effet inductif au sein de divers composés : a) l'électronégativité de l'atome générant l'effet inductif ; b) la distance de l'élément créant l'effet inductif par rapport au site analysé ; c) le nombre d'atomes ou de groupements d'atomes impliqués. Il convient de noter que ces facteurs ne sont pas exclusifs aux molécules acycliques. Le même phénomène peut être observé avec les molécules cycliques.

4.7.3.1 Électronégativité

Plus un aimant est puissant, plus il peut retenir un grand nombre de trombones. Par analogie, la force de l'effet inductif est relative à l'électronégativité de l'atome engendrant cet effet. Dans la figure 4.22, le fluor, l'élément le plus électronégatif, accroît davantage le caractère acide de la molécule qu'un atome de chlore. Le chlore, pour sa part, rend la molécule plus acide que le brome. Cela s'explique par une électronégativité décroissante du F au Br, engendrant un effet inductif attractif de moins en moins important.

Figure 4.22
Comparaison des acidités de différentes molécules selon la nature de l'atome engendrant l'effet inductif

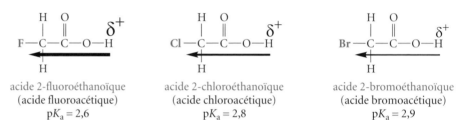

acide 2-fluoroéthanoïque (acide fluoroacétique) $pK_a = 2,6$

acide 2-chloroéthanoïque (acide chloroacétique) $pK_a = 2,8$

acide 2-bromoéthanoïque (acide bromoacétique) $pK_a = 2,9$

4.7.3.2 Distance

L'effet inductif s'atténue avec la distance (négligeable après trois ou quatre liaisons environ). Le nombre de liaisons subissant l'effet inductif est donc un facteur dont il faut tenir compte. Ainsi, dans l'exemple de la figure 4.23, plus l'atome générant l'effet inductif attractif est éloigné de la liaison O—H de la fonction acide, moins le composé sera acide.

Figure 4.23
Comparaison des acidités de différentes molécules selon la position (la distance) de l'atome engendrant l'effet inductif

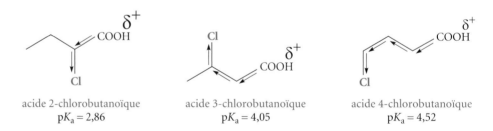

acide 2-chlorobutanoïque $pK_a = 2,86$

acide 3-chlorobutanoïque $pK_a = 4,05$

acide 4-chlorobutanoïque $pK_a = 4,52$

4.7.3.3 Nombre d'atomes ou de groupements d'atomes

Si un atome ou un groupement d'atomes électroattracteur (p. ex. : les halogènes) ou électrodonneur (p. ex. : les groupements alkyles R) influence le caractère acide ou basique des molécules, alors deux ou plusieurs atomes ou groupements d'atomes amplifieront d'autant plus l'effet inductif. Dans la figure 4.24, un, deux ou trois atomes de chlore modifient considérablement le caractère acide des molécules.

Figure 4.24
Comparaison des acidités de différentes molécules selon le nombre d'atomes engendrant l'effet inductif attractif

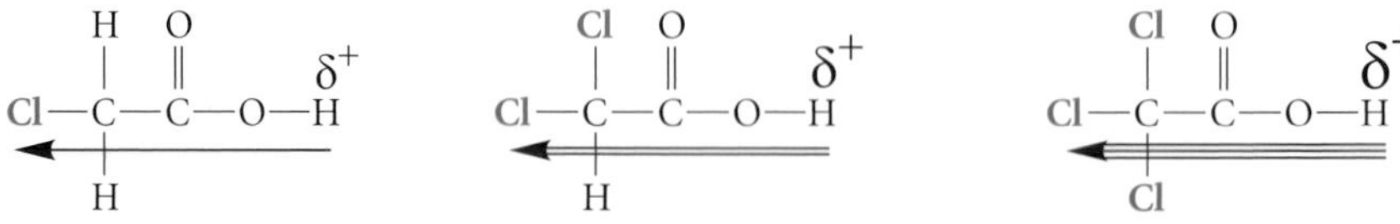

acide 2-chloroéthanoïque (acide chloroacétique) $pK_a = 2,82$

acide 2,2-dichloroéthanoïque (acide dichloroacétique) $pK_a = 1,30$

acide 2,2,2-trichloroéthanoïque (acide trichloroacétique) $pK_a = 0,70$

Exercice 4.14 Classez les intermédiaires suivants par ordre décroissant de stabilité. Expliquez votre choix.

a) $CH_3-CH_2-\overset{+}{C}H-CH_3$ $CH_3-\overset{+}{\underset{|}{C}}-CH_3$ $CH_3-\underset{|}{CH}-\overset{+}{C}H_2$
$\qquad\qquad\qquad\qquad\qquad\quad CH_3 \qquad\qquad CH_3$

b)

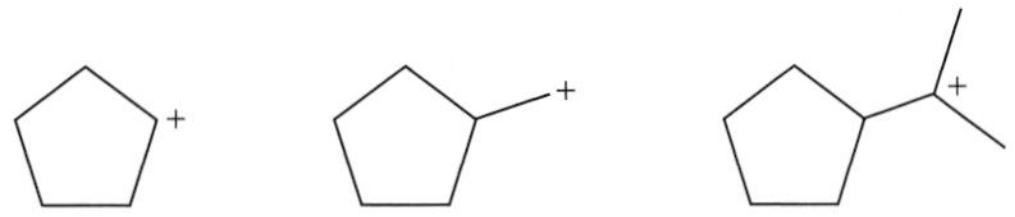

c) $CH_3-\overset{+}{C}H-CH_2-Cl$ $CH_2-\overset{+}{C}H-CH_2-Cl$ $CH_3-\overset{+}{C}H-CH_2-CH_2-Br$
$\qquad\qquad\qquad\qquad\quad\quad |$
$\qquad\qquad\qquad\qquad\quad\quad F$

d)

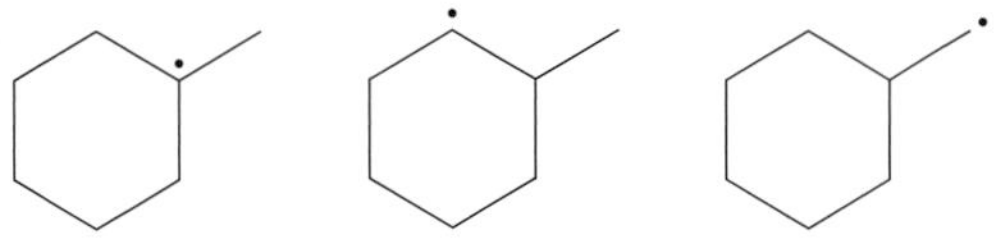

e)

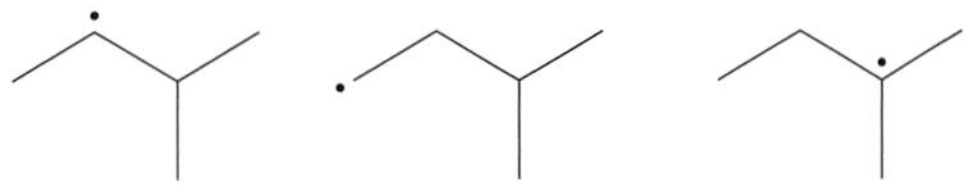

f) $CH_3-O-CH_2-\overset{-}{C}H_2$ $CH_3-CH_2-CH_2-\overset{-}{C}H_2$ $CH_3-\overset{-}{\underset{|}{C}}$
$\qquad\qquad\qquad\qquad\qquad\qquad\qquad\qquad\qquad\qquad\qquad CH_3$
$\qquad\qquad\qquad\qquad\qquad\qquad\qquad\qquad\qquad\qquad\qquad |$
$\qquad\qquad\qquad\qquad\qquad\qquad\qquad\qquad\qquad\qquad\qquad CH_3$

Exercice 4.15 Quel est l'acide le plus fort dans chacune des paires suivantes? Expliquez brièvement.

a) $CF_3-\underset{\underset{O}{\|}}{C}-OH$ et $CH_3-\underset{\underset{O}{\|}}{C}-OH$ b) CH_3-CH_2-OH et HF

c) $CF_3-\underset{\underset{O}{\|}}{C}-OH$ et $CCl_3-\underset{\underset{O}{\|}}{C}-OH$

d) $CH_3-CH_2-\underset{\underset{CH_3}{|}}{\overset{\overset{CH_3}{|}}{C}}-\underset{\underset{O}{\|}}{C}-OH$ et $CH_3-CH_2-CH_2-\underset{\underset{O}{\|}}{C}-OH$

e) $Br-CH_2-\underset{\underset{O}{\|}}{C}-OH$ et $Br-CH_2-CH_2-\underset{\underset{O}{\|}}{C}-OH$

Exercice 4.16 Quelle est la base la plus forte dans chacune des paires suivantes? Expliquez brièvement.

a) CH_3-NH_2 et $CH_3-CH_2-NH-CH_2-CH_3$

b) NH_3 et $^-NH_2$

c) 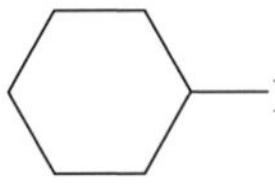 $-NH_2$ et $NH_2-CH_2-CH_2-CH_2-CH_2-CH_3$

d) $Cl-CH_2-CH_2-CH_2-O^-$ et $CH_3-CH_2-CH_2-O^-$

e) $CH_3-CH_2-O^-$ et $CH_3-CH_2-NH^-$

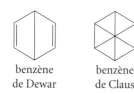

benzène   benzène
de Dewar   de Claus

Physicien et chimiste britannique, Faraday naquit le 22 septembre 1791 à Newington (Londres). Non seulement Faraday découvrit la molécule de benzène, mais il inventa également le concept théorique des nombres d'oxydation. Toutefois, il est surtout connu pour ses travaux en électricité. En effet, il découvrit l'induction électromagnétique et inventa la génératrice de courant continu. Il introduisit aussi les notions d'anode et de cathode. Faraday fut élu à la Royal Society de Londres en 1824 et refusa, quelques années plus tard, d'en devenir le président. Il s'éteignit le 25 août 1867.

4.7.4 Effet mésomère (ou résonance)

L'effet électronique mésomère découle d'une étude empirique des propriétés particulières de la molécule du benzène. Après avoir procédé à la pyrolyse (procédé chimique par lequel une molécule est décomposée par la chaleur en l'absence d'oxygène) de l'huile de baleine en 1825, le physicien et chimiste britannique **Michael Faraday** (1791-1867) isola pour la toute première fois une nouvelle molécule respectant la formule empirique CH. Une grande controverse sur la structure de cette dernière s'ensuivit.

Plusieurs modèles, dont le benzène de Dewar ou de Claus, furent proposés afin d'élucider la disposition des atomes de cette intrigante molécule, mais aucun d'eux ne fut concluant. Chaque proposition présentait des structures ayant de grandes tensions de cycle et une grande instabilité, ce qui ne correspondait en rien à la structure isolée de Faraday. Celle-ci possédait plutôt une stabilité inexplicablement élevée. Des modèles concurrents proposèrent de minimiser la tension de cycle de la structure en ayant recours à des liaisons doubles ou triples.

Il fallut attendre jusqu'en 1865 pour que le chimiste allemand **Friedrich August Kekulé** (1829-1896) suggère une structure du benzène ayant une forme hexagonale, dont les sommets sont des atomes de carbone, et renfermant trois liaisons doubles alternées. Chaque atome de carbone porte ainsi un atome d'hydrogène. Kekulé émit également l'hypothèse que les liaisons doubles et les liaisons simples pouvaient permuter les unes avec les autres de manière si rapide qu'il devenait dès lors impossible de considérer les liaisons doubles comme des alcènes typiques (*voir la figure 4.25*).

Figure 4.25 Structures du benzène de Kekulé

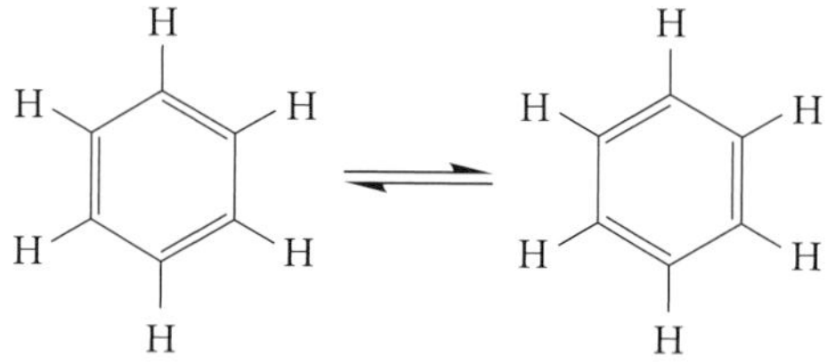

Ceci permettait d'expliquer pourquoi le benzène, malgré son grand nombre d'insaturations, ne réagit pas au cours de réactions particulières aux alcènes telles que la bromation, un test d'insaturation (*voir la figure 4.26*).

L'hypothèse de Kekulé était cependant erronée, puisqu'il affirmait que les structures proposées existaient et qu'elles étaient en équilibre. Or, si tel avait été le cas, même si l'interconversion d'une forme à l'autre était très rapide, les structures de Kekulé ne permettaient toujours pas d'expliquer la très grande stabilité du benzène. En effet, les énergies de stabilisation obtenues expérimentalement pour le benzène ne correspondaient pas à celles calculées à partir des structures de Kekulé.

Il est possible de quantifier, entre autres, l'énergie de stabilisation du benzène en comparant l'énergie libérée au cours d'une réaction d'hydrogénation catalytique (addition de H_2) de différentes molécules analogues au benzène. Cette réaction chimique transforme les liaisons multiples (alcènes et alcynes) en liaisons simples (alcanes); elle sature les molécules en atomes d'hydrogène. La figure 4.27 présente quelques réactions d'hydrogénation catalytique réalisées sur le cyclohexène, sur le cyclohexa-1,4-diène et sur le benzène.

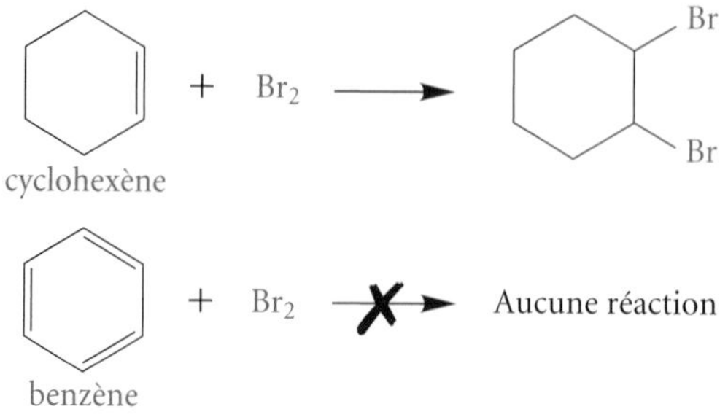

Figure 4.26
Réactivité différente du benzène (malgré un grand nombre d'insaturations) par rapport à un alcène simple

cyclohexène + Br$_2$ ⟶

benzène + Br$_2$ ✗ Aucune réaction

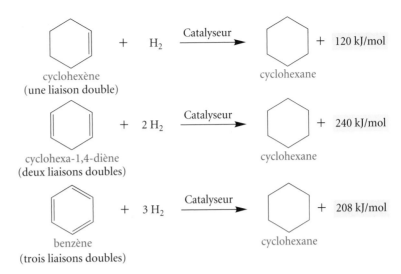

L'hydrogénation catalytique du cyclohexène est exothermique. L'énergie libérée, déterminée expérimentalement, correspond à 120 kJ/mol. L'hydrogénation catalytique du cyclohexa-1,4-diène est également exothermique, et l'énergie libérée est égale à 240 kJ/mol. Ces résultats n'ont rien d'étonnant, car l'hydrogénation catalytique de deux liaisons doubles devrait théoriquement libérer deux fois plus d'énergie que celle d'une structure analogue n'ayant qu'une seule liaison double (2×120 kJ/mol = 240 kJ/mol). Par conséquent, en théorie, il est possible de s'attendre à obtenir, dans le cas de l'hydrogénation catalytique du benzène, une valeur d'énergie libérée de 3×120 kJ/mol, soit 360 kJ/mol. Or, l'énergie libérée, déterminée expérimentalement, est évaluée à 208 kJ/mol. Cela constitue une preuve que la molécule du benzène est nettement plus stable, soit environ 152 kJ/mol (360 kJ/mol − 208 kJ/mol = 152 kJ/mol), que la structure de Kekulé schématisant le benzène. Le phénomène électronique qui est la cause de cette stabilité porte le nom d'**effet mésomère** (ou **résonance**). Cette valeur de 152 kJ/mol obtenue pour le benzène correspond donc à une **énergie de stabilisation** (ou **énergie de résonance**)(*voir la figure 4.28, page suivante*). Pour cette raison, la réactivité chimique du benzène est très différente de celle des alcènes isolés.

Le phénomène de résonance dans le benzène est observé en raison d'électrons très mobiles, les électrons π, puisque ces derniers se trouvent dans les orbitales p dont le recouvrement latéral n'est pas confiné (localisé) entre les deux noyaux des atomes formant la liaison. Ces électrons subissent alors une moins grande attraction nucléaire. Une délocalisation de ces électrons est observée au sein de la structure lorsqu'il y a résonance. Dans les faits, aucune des deux structures de Kekulé n'existe, car elles ne tiennent pas compte de la délocalisation possible des électrons π. La structure réelle du benzène est plutôt un mélange des deux structures de Kekulé.

Les structures de Kekulé, bien qu'inexistantes, correspondent en fait à des **formes limites de résonance**. Par convention d'écriture, elles sont mises entre crochets pour spécifier qu'elles n'existent pas. De plus, plutôt que d'écrire une flèche d'équilibre ($\rightleftharpoons$) comme le faisait Kekulé, une **flèche rectiligne à deux pointes** ($\longleftrightarrow$) est utilisée entre les formes limites de résonance. La délocalisation des électrons impliqués dans la résonance est indiquée à l'aide de flèches courbes, ce qui permet de générer les formes limites de résonance. La structure réelle, beaucoup plus stable que les structures de Kekulé, qui décrit avec exactitude la molécule de benzène, se nomme **hybride de résonance** (*voir la figure 4.29, page suivante*). L'hybride de résonance est dessiné en se basant sur les formes limites de résonance. Lorsqu'une liaison se trouve dans toutes les formes limites, elle est tracée en trait plein dans l'hybride. Par contre, si une liaison se trouve dans une seule des formes limites sans être présente dans les autres, une liaison partielle sera dessinée en pointillé dans l'hybride de résonance. Le cycle carboné du benzène est donc constitué de six liaisons identiques qui sont des intermédiaires entre une liaison simple et une liaison double. Cette structure vient appuyer la différence de réactivité entre le benzène et les alcènes, car le benzène ne possède pas de véritables liaisons doubles.

Figure 4.28

Diagramme énergétique comparant la chaleur libérée au cours de l'hydrogénation catalytique de structures analogues

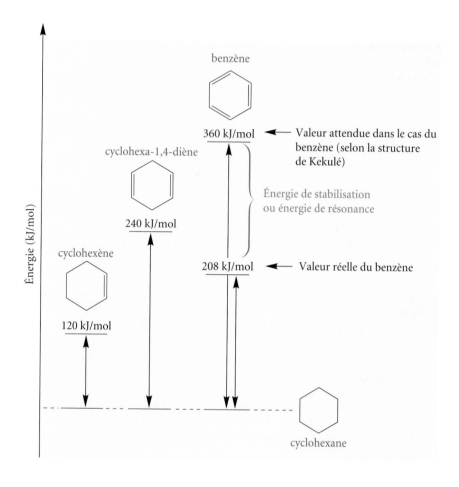

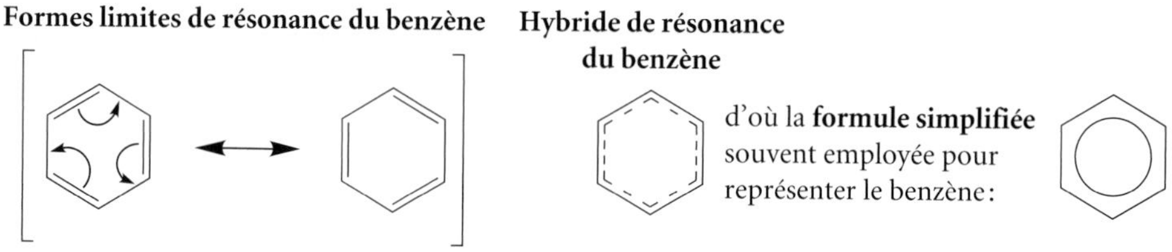

Figure 4.29

Formes limites de résonance et hybride de résonance du benzène

Formes limites de résonance du benzène   **Hybride de résonance du benzène**

d'où la **formule simplifiée** souvent employée pour représenter le benzène :

> **REMARQUE**
>
> Il ne faut pas confondre la flèche de résonance (⟷) avec la flèche d'équilibre (⇌) d'une réaction chimique. La résonance est un effet électronique permettant d'illustrer la délocalisation des électrons π, des doublets d'électrons libres ou des charges à l'intérieur d'un système conjugué. Les atomes de la structure du composé n'ont été déplacés à aucun moment. Par opposition, une réaction chimique entraîne le bris et la formation de liaisons chimiques.

Les résultats expérimentaux actuels confirment ce modèle. La longueur des six liaisons C—C du benzène est de 139 pm, soit une valeur intermédiaire entre celle de la liaison double, 134 pm, et celle de la liaison simple, 154 pm. Tous les atomes de carbone du benzène sont hybridés sp^2 (chacun étant entouré de trois paquets d'électrons de valence) et ils ont une géométrie triangulaire plane. La molécule de benzène a donc une structure plane. Chaque carbone de la molécule possède une orbitale atomique p perpendiculaire au plan des orbitales hybrides sp^2. Les orbitales p se recouvrent latéralement, créant un nuage d'électrons π de part et d'autre du plan formé par les liaisons σ du squelette carboné (*voir la figure 4.30*). Bien que la représentation la plus juste du benzène soit l'hybride de résonance, les chimistes illustrent généralement le benzène et ses dérivés en employant la structure de Kekulé.

Figure 4.30
Représentation de la délocalisation des électrons π dans la structure du benzène

Figure 4.30
Représentation de la délocalisation des électrons π dans la structure du benzène

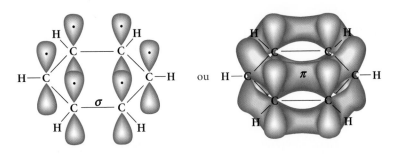

L'effet mésomère, tout comme l'effet inductif, peut procurer une très grande stabilisation à la structure. Cependant, la résonance est généralement un phénomène beaucoup plus stabilisant que l'effet inductif.

Bien évidemment, le benzène n'est pas la seule molécule pourvue d'une stabilisation par résonance. En effet, il existe un très grand nombre de structures qui jouissent de ce type de stabilisation.

4.7.4.1 Caractéristiques des composés stabilisés par l'effet mésomère

Pour que le phénomène de stabilisation par résonance soit observé, le composé doit respecter deux conditions particulières. Premièrement, il doit renfermer quelques éléments spécifiques, soit des électrons π, des doublets d'électrons libres (sur un atome ou un ion négatif) ou une charge positive. Ces types d'électrons peuvent être délocalisés et engendrer un effet mésomère, car ils sont mobiles. Deuxièmement, cette délocalisation est possible dans la mesure où il y a une certaine organisation de ces éléments au sein du composé. Si ces éléments sont situés de manière à avoir une alternance avec des liaisons simples, c'est-à-dire s'il y a présence d'un **système conjugué**, l'effet de résonance aura lieu (*voir le tableau 4.8*).

Par opposition, si un composé possède des liaisons multiples (liaisons doubles ou triples) espacées de plus d'une liaison simple, elles sont alors dites **isolées**, et aucune résonance ne peut être observée. De plus, si un composé possède des liaisons doubles unies par le même carbone, elles sont dites **cumulées** et elles ne peuvent faire de résonance (*voir le tableau 4.8*).

Tableau 4.8	**Différentes dispositions de liaisons π**	
Liaisons π conjuguées (système conjugué)	$\underset{\pi}{CH_2=CH}\underset{\sigma}{-CH}\underset{\pi}{=CH}\underset{\sigma}{-CH_3}$	**Résonance possible** (alternance de liaisons π et σ)
Liaisons π isolées	$\underset{\pi}{CH_2=CH}\underset{\sigma}{-CH_2}\underset{\sigma}{-CH}\underset{\pi}{=CH_2}$	**Résonance impossible** (aucune alternance de liaisons π et σ)
Liaisons π cumulées	$\underset{\pi}{CH_2=C}\underset{\pi}{=CH}\underset{\sigma}{-CH_2}\underset{\sigma}{-CH_3}$	**Résonance impossible** (aucune alternance de liaisons π et σ)

Dans le cas du système conjugué à l'intérieur d'une molécule, l'alternance avec les liaisons σ peut avoir lieu avec des liaisons π, mais également avec des doublets d'électrons libres et des charges positives, ce qui donne naissance à trois **profils** distincts **de résonance** (*voir le tableau 4.9, page suivante*). Chacun de ces profils sera traité séparément dans les sections à venir.

Bien que le composé en entier jouisse d'une stabilisation causée par le phénomène de résonance, ce n'est pas nécessairement la totalité des atomes du composé qui sont impliqués dans le système conjugué à l'intérieur duquel la résonance peut avoir lieu. Dans les faits, le système conjugué commence et se termine toujours par un des éléments spécifiques suivants : électrons π, doublets d'électrons libres (sur un atome ou un ion négatif) ou charge positive. Dans les composés du tableau 4.9 et de la figure 4.31, le système conjugué est encadré en rouge.

Tableau 4.9 — Différents profils de résonance

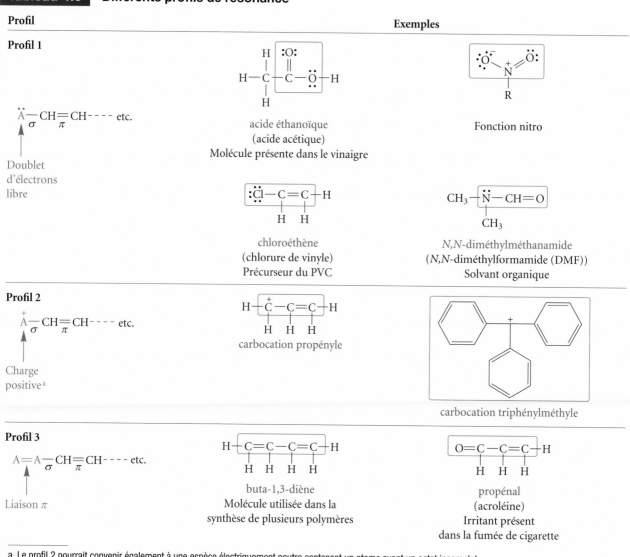

Profil	Exemples

Profil 1

Doublet d'électrons libre

acide éthanoïque
(acide acétique)
Molécule présente dans le vinaigre

Fonction nitro

chloroéthène
(chlorure de vinyle)
Précurseur du PVC

N,N-diméthylméthanamide
(*N,N*-diméthylformamide (DMF))
Solvant organique

Profil 2

Charge positive[a]

carbocation propényle

carbocation triphénylméthyle

Profil 3

Liaison π

buta-1,3-diène
Molécule utilisée dans la synthèse de plusieurs polymères

propénal
(acroléine)
Irritant présent dans la fumée de cigarette

a. Le profil 2 pourrait convenir également à une espèce électriquement neutre contenant un atome ayant un octet incomplet.

Figure 4.31
Divers systèmes conjugués au sein de composés organiques

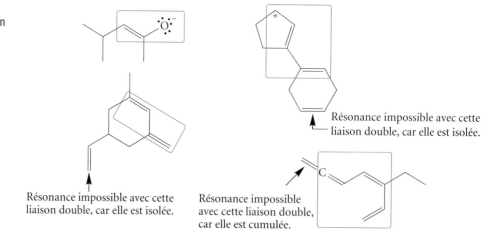

Résonance impossible avec cette liaison double, car elle est isolée.

Résonance impossible avec cette liaison double, car elle est isolée.

Résonance impossible avec cette liaison double, car elle est cumulée.

Ainsi, pour que la résonance puisse avoir lieu, la structure des composés doit contenir au moins un système conjugué spécifique qui correspond à l'un des trois profils de résonance.

Exercice 4.17 L'hydrogénation catalytique complète du cyclohexa-1,4-diène libère une quantité de chaleur de 240 kJ/mol (*voir la figure 4.28, p. 204*). Faut-il s'attendre à ce que la même quantité d'énergie soit libérée par l'hydrogénation catalytique complète du cyclohexa-1,3-diène ? Justifiez votre réponse.

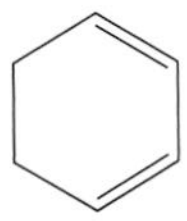

cyclohexa-1,3-diène

Exercice 4.18 Encadrez, s'il y a lieu, le système conjugué des composés suivants et déterminez le profil de résonance correspondant.

a)

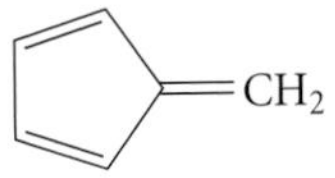

b)

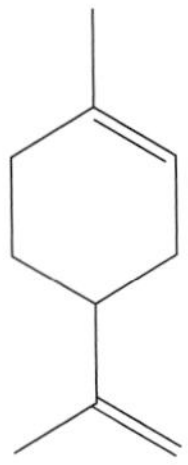

c) $CH_3-CH=CH-\overset{+}{C}H-CH_3$

d) $CH_3-CH=CH-\overset{\overset{\displaystyle O}{\|}}{C}H$

e)

f) $CH_3-\overset{\overset{\displaystyle O}{\|}}{C}-CH_2^-$

g)

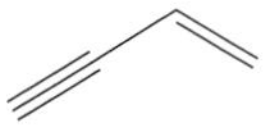

h) 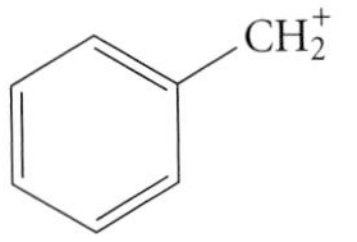 CH_2^+

i) 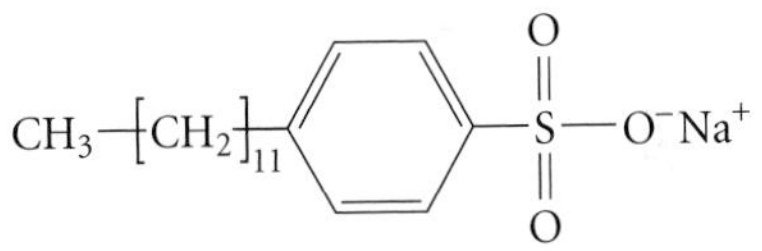 $CH_3-[CH_2]_{11}-$〈benzène〉$-\overset{\overset{\displaystyle O}{\|}}{\underset{\underset{\displaystyle O}{\|}}{S}}-O^-Na^+$

Famille des alkylbenzènesulfonates de sodium
(détergent synthétique)

Profil 1 : doublet d'électrons libre, liaison simple, liaison multiple

Pour repérer le système conjugué et reconnaître le bon profil de résonance, il est essentiel de mettre en évidence les doublets d'électrons libres.

Dans le cas du profil 1, la délocalisation des électrons commence toujours par le doublet d'électrons libre, puisque ces électrons sont plus mobiles, n'étant retenus que par un seul noyau (au lieu de deux, comme dans le cas des liaisons multiples) ; il s'agit de l'endroit le plus riche en électrons. Les deux électrons du doublet libre se délocalisent pour former une liaison π entre l'atome portant initialement le doublet d'électrons libre et l'atome suivant. Puis, la répulsion électronique et le respect de la règle de l'octet favorisent le déplacement des électrons π de la liaison multiple vers l'atome marquant la fin du système conjugué. C'est pour cela que la délocalisation des électrons respectant le profil 1 demande généralement deux flèches courbes (*voir la figure 4.32*).

Figure 4.32
Délocalisation des électrons respectant le profil 1

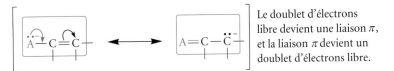

Le doublet d'électrons libre devient une liaison π, et la liaison π devient un doublet d'électrons libre.

La figure 4.33 illustre la structure de Lewis de l'ion carbonate (CO_3^{2-}). Une fois les doublets d'électrons libres mis en évidence, il devient aisé de trouver le système conjugué représentant un profil 1 de résonance.

Figure 4.33
Structure de Lewis de l'ion carbonate

ion carbonate   ou   ion carbonate

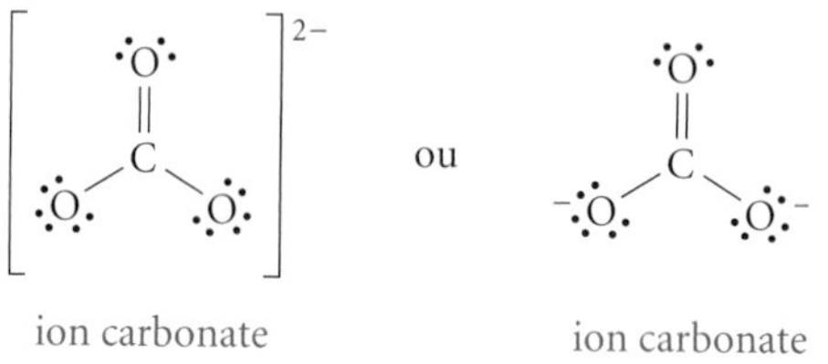

La structure de Lewis de l'ion carbonate renferme deux liaisons C—O et une liaison C=O. Selon les calculs des charges formelles, celles de l'atome de carbone et de l'atome d'oxygène, qui forme une liaison double avec le carbone, sont égales à zéro, tandis que chacun des atomes d'oxygène formant une liaison simple possède une charge formelle de −1. Lorsque la structure de Lewis de l'ion carbonate est dessinée, l'un des trois atomes d'oxygène est choisi arbitrairement pour créer la liaison double avec l'atome de carbone central. Ainsi, trois structures de Lewis équivalentes peuvent être représentées. Elles sont obtenues par la délocalisation des électrons selon les flèches courbes (deux flèches courbes pour un profil de résonance 1) illustrées dans la figure 4.34. Ce sont les trois formes limites de résonance de l'ion carbonate. Chacune d'elle possède le même squelette d'atomes. Seuls les électrons π et les doublets d'électrons libres, qui sont mobiles, peuvent être délocalisés.

Figure 4.34
Formes limites de résonance de l'ion carbonate

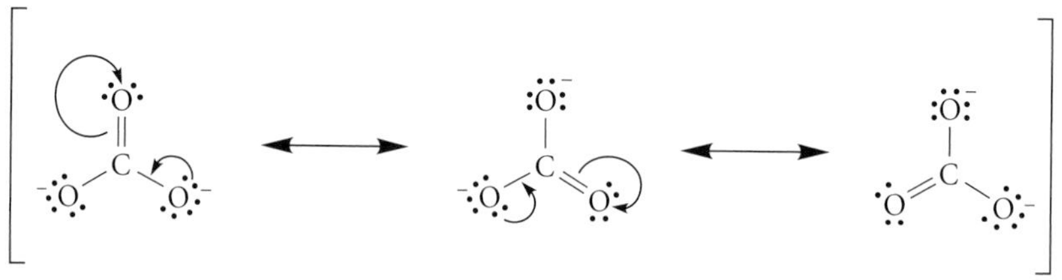

En tenant compte de toutes les formes limites de résonance, il est possible de tracer l'hybride de résonance, qui est la structure réelle du composé et une moyenne des formes limites de résonance (*voir la figure 4.35*). Il faut bien saisir que l'ion carbonate n'existe pas en tant que trois formes limites qui se transforment d'une structure à l'autre constamment, mais plutôt en tant qu'un mélange, un hybride de ces formes. L'hybride de résonance est dessiné en représentant d'abord le squelette des atomes qui n'a subi aucune transformation et les doublets d'électrons libres qui ne se sont pas délocalisés. Chaque liaison σ prend la forme d'un trait plein, et chaque liaison π délocalisée, d'un trait en pointillé. Si un atome porte une charge entière (+ ou −) dans une forme limite de résonance et s'il est électriquement neutre dans une autre, cet atome sera partiellement chargé (δ^+ ou δ^-) dans l'hybride de résonance. Par contre, si l'atome porte une charge dans toutes les formes limites de résonance, il possèdera également une charge entière dans l'hybride de résonance.

Figure 4.35
Hybride de résonance de l'ion carbonate

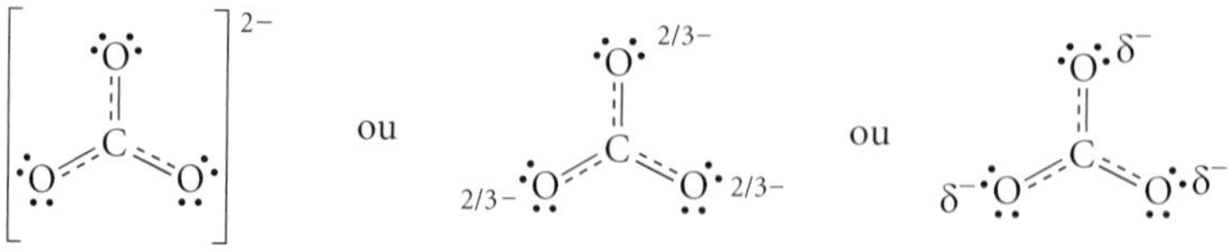

Dans l'hybride de résonance de l'ion carbonate, il n'existe ni liaison double C=O (longueur : 121 pm) ni liaison simple C—O (longueur : 143 pm), mais bien trois liaisons équivalentes à mi-chemin entre la liaison double et la liaison simple (longueur : 131 pm). De plus, ce ne sont pas deux atomes d'oxygène qui portent les deux charges négatives. Ces dernières se répartissent plutôt également sur les trois oxygènes, chacun portant alors deux tiers de charge négative. Ainsi, la résonance offre un très grand facteur de stabilisation, car les charges ne sont plus localisées sur des atomes précis, mais uniformément réparties sur l'ensemble du système conjugué du composé.

L'exemple d'une molécule organique simple, l'éthénamine, est présenté dans la figure 4.36. Cet exemple comporte un système conjugué (encadré rouge) dans lequel le doublet d'électrons libre est séparé de la liaison double par une liaison simple ; il s'agit donc d'un profil 1 de résonance. La flèche courbe part du doublet d'électrons libre et se rend jusqu'à sur la liaison simple voisine, ce qui complète la première des deux flèches à tracer pour un profil 1. La délocalisation des électrons ne peut être arrêtée à ce stade, puisque la structure qui en résulterait serait impossible (*voir la figure 4.36 b*). En effet, le carbone central aurait alors cinq liaisons et ne respecterait pas l'octet. En conséquence, la deuxième flèche courbe doit être tracée simultanément pour que le carbone central cède des électrons en même temps qu'il en reçoit. La figure 4.36 a) montre que la résultante des deux flèches offre une deuxième structure qui respecte la règle de l'octet et qui confère au dernier carbone, soit le carbone marquant la fin du système conjugué, une charge négative. L'hybride de résonance est illustré dans la figure 4.36 c).

Figure 4.36
Formes limites de résonance et hybride de résonance de l'éthénamine, molécule renfermant un profil 1

a)

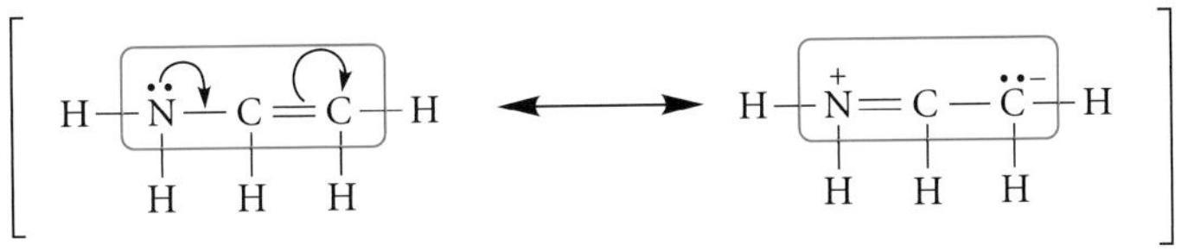

b) ET NON PAS :

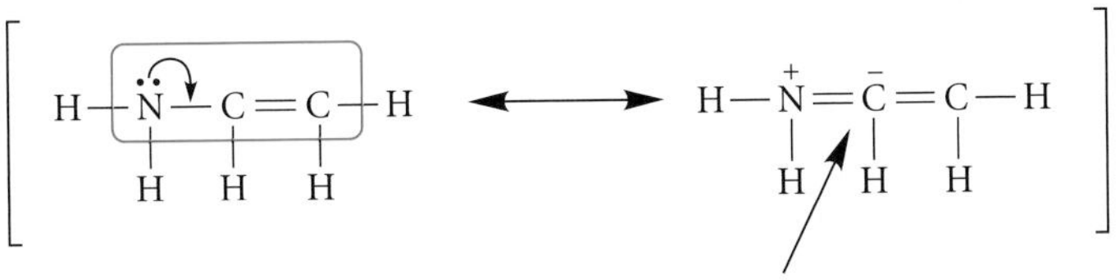

Impossible, le carbone ne respecte pas l'octet (10 e⁻) et fait cinq liaisons !

c) **Hybride de résonance**

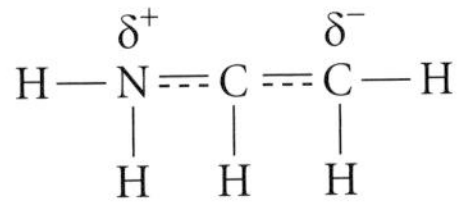

REMARQUE

Dans le cas où les formes limites de résonance ne sont pas équivalentes, celles qui sont les plus stables contribuent majoritairement à l'hybride de résonance. La structure réelle de la molécule s'approche donc toujours de la forme limite de résonance la plus stable, soit la forme limite majoritaire (p. ex. : une forme limite n'ayant pas de charge formelle).

cheneliere.ca/chimieorganique www

> Formes limites majoritaires et minoritaires de résonance

Le profil 1 peut se trouver dans une multitude de cas, entre autres dans certains composés aromatiques tels que l'aniline (*voir la figure 4.37, page suivante*). Pour générer toutes les formes limites de résonance, les profils de résonance doivent toujours être traités par bloc de trois atomes du début jusqu'à la fin du système conjugué, peu importe sa longueur dans le composé. Cette tendance s'applique également aux autres profils de résonance.

Figure 4.37

Formes limites de résonance et hybride de résonance de l'aniline, un composé aromatique renfermant un profil 1

Formes limites de résonance

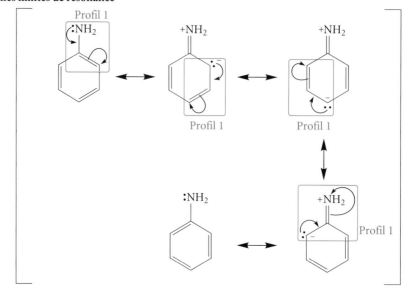

Hybride de résonance

$$|\Sigma \delta^-| = \delta^+$$

Exercice 4.19 Sur l'aniline présentée dans la figure 4.37, déterminez les sites susceptibles d'interagir avec un électrophile.

Exercice 4.20 Déterminez les formes limites de résonance ainsi que l'hybride de résonance des structures organiques suivantes.

a)

$$CH_3 - CH_2 - \overset{\overset{\displaystyle O}{\|}}{C} - O^-$$

b)

$$CH_3 - CH_2 - \overset{\overset{\displaystyle O}{\|}}{C} - NH_2$$

Profil 2 : charge positive, liaison simple, liaison multiple

Les intermédiaires réactionnels de type carbocation sont toujours très réactifs, puisque leur octet est incomplet. Cependant, ils peuvent être stabilisés par effet inductif répulsif (*voir la section 4.7.2.3, p. 198*) ainsi que par la résonance. En effet, il est possible de délocaliser la charge attribuée initialement à un atome particulier sur un plus grand nombre d'atomes et ainsi diminuer considérablement sa réactivité en le stabilisant.

Lorsque le profil 2 est présent dans la structure du composé, une seule flèche courbe doit être tracée. Elle débute à l'endroit le plus riche en électrons, soit la liaison double, et se termine sur la liaison simple voisine de la charge positive. En fait, cette charge positive attire les électrons et, par la création d'une liaison π, l'atome initialement chargé respecte la règle de l'octet. La forme limite de résonance ainsi obtenue offre une deuxième structure qui porte, elle aussi, une charge positive, comme cela est illustré dans la figure 4.38.

Figure 4.38
Délocalisation des électrons
respectant le profil 2

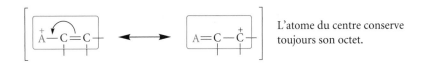

L'atome du centre conserve
toujours son octet.

Dans la figure 4.39, les formes limites de résonance et l'hybride de résonance d'un intermédiaire réactionnel simple présentant un profil 2 sont illustrés.

Figure 4.39
Formes limites de résonance
et hybride de résonance d'un
composé renfermant un profil 2

Formes limites de résonance

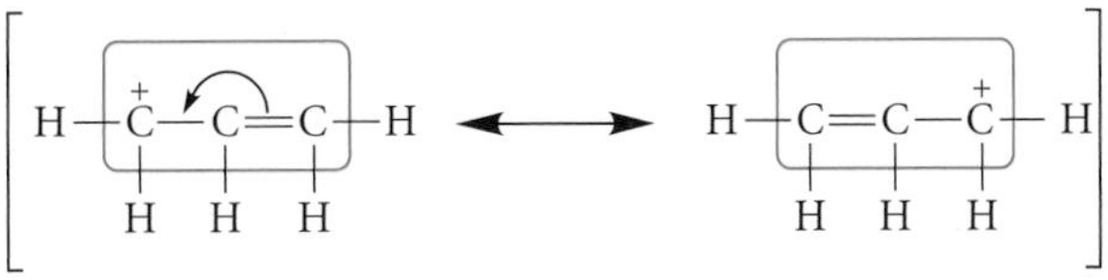

$$H-\overset{+}{\underset{H}{C}}-\overset{}{\underset{H}{C}}=\overset{}{\underset{H}{C}}-H \longleftrightarrow H-\overset{}{\underset{H}{C}}=\overset{}{\underset{H}{C}}-\overset{+}{\underset{H}{C}}-H$$

Hybride de résonance

$$\overset{1/2+}{\underset{\delta^+}{\text{ou}}} \quad \overset{1/2+}{\underset{\delta^+}{\text{ou}}}$$
$$H-\overset{}{\underset{H}{C}}\cdots\overset{}{\underset{H}{C}}\cdots\overset{}{\underset{H}{C}}-H \quad \Sigma\,\delta^+ = 1+$$

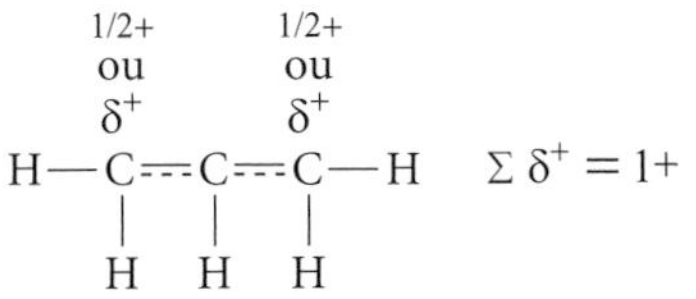

REMARQUE

Dans toutes les formes limites de résonance, la structure du composé est toujours conservée; seuls les électrons π ou les doublets d'électrons libres sont délocalisés. Ainsi, entre les deux formes limites de résonance dans la figure 4.39, ce n'est pas une rotation hors plan du composé qui est observée, mais bien un phénomène de résonance.

Exercice 4.21   Déterminez les formes limites de résonance ainsi que l'hybride de résonance du composé organique suivant.

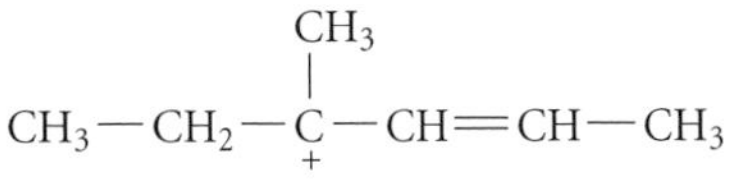

$$CH_3-CH_2-\overset{\overset{\displaystyle CH_3}{\displaystyle |}}{\underset{+}{C}}-CH=CH-CH_3$$

Profil 3 : conjugaison avec seulement des électrons π

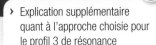
Pour présenter le profil 3, il existe quelques approches distinctes variant d'un chimiste à l'autre. Dans cet ouvrage, à l'instar de plusieurs manuels de référence[9], la méthode mettant en évidence les possibilités de séparation de charges conduisant à toutes les formes limites de résonance sera adoptée, bien qu'une telle séparation mène à des formes limites de résonance minoritaires. Grâce à cette approche, il sera plus aisé de comprendre le concept de régiosélectivité dans certaines réactions chimiques, notamment dans les réactions d'addition-1,2 et 1,4 qui seront traitées dans le chapitre 7.

Dans le cas du profil 3 ne renfermant que des liaisons π, une liaison multiple (double ou triple) doit d'abord subir une rupture, ce qui crée alors un des deux profils décrits précédemment. Comment est-il possible de rompre une liaison π? Les électrons peuvent engendrer des ruptures spontanées de liaisons polarisables ayant des électrons mobiles, ce qui n'est toutefois pas avantageux sur le plan énergétique pour la molécule, puisqu'il y a création de charges formelles. Cependant, cette rupture peut s'avérer possible si le carbocation ainsi formé fait partie d'un système conjugué dans lequel la résonance a lieu. Plus la liaison π est substituée par des groupements R, plus elle sera facile à rompre, car les électrons π seront plus mobiles. Enfin, plus la liaison est polarisée, plus la rupture sera facile à réaliser.

Le profil 3 ne sera pris en considération que si aucun autre profil n'existe déjà dans le système conjugué étudié.

REMARQUE

Si aucun des profils 1 et 2 n'est présent dans un composé étudié, mais qu'un système conjugué y figure, il s'agit alors du profil 3. Il suffit de rompre une liaison multiple (séparation de charges) pour engendrer un des profils 1 et 2.

Profil 3A : conjugaison des électrons π avec une liaison covalente polaire Pour déterminer les formes limites de résonance du profil 3A (en présence d'une liaison covalente polaire), il suffit de mettre le système conjugué en évidence, puis de cibler précisément la liaison la plus susceptible de se rompre, soit la liaison la plus polaire. La figure 4.40 présente un exemple typique de ce profil. En comparant la liaison double C=C avec celle du C=O, la première est une liaison covalente non polaire (le nuage électronique est symétrique), alors que la liaison double C=O est une liaison covalente polaire. L'oxygène étant plus électronégatif, il y a déformation du nuage électronique, car les électrons sont plus près de l'oxygène que du carbone. Ainsi, la liaison double C=O est la plus propice à se rompre. C'est l'oxygène qui recevra les électrons, étant plus électronégatif. La première étape n'est pas réellement une étape de résonance, puisqu'elle ne fait que séparer les charges et créer, par le fait même, un profil de résonance (profil 1 ou 2) qui devra être traité comme précédemment.

Figure 4.40
Formes limites de résonance et hybride de résonance d'un composé renfermant un profil 3A

La seule rupture à considérer, car la liaison est covalente polaire.

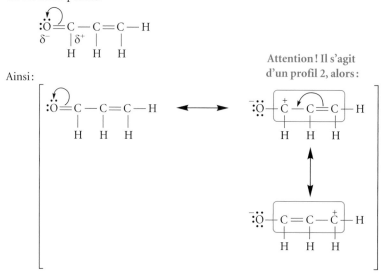

Profil 3B : conjugaison des électrons π avec seulement des liaisons covalentes non polaires Si le système conjugué n'est qu'un hydrocarbure ne renfermant que des liaisons multiples non polaires, les formes limites de résonance sont tout d'abord déterminées en procédant à la rupture systématique de chaque liaison π et en comparant la stabilité des formes limites de résonance obtenues. Dans un profil 3B, il n'est pas nécessaire de déterminer les formes limites de résonance associées à toutes les formes obtenues à la suite des diverses possibilités de rupture. Seul le carbocation le plus stable formé à la suite de la rupture d'une des liaisons multiples sera considéré. Bien que les autres formes puissent également avoir lieu, elles sont relativement moins abondantes (*voir la figure 4.41*). La stabilité des carbocations est analysée en premier lieu, car les carbocations, contrairement aux carbanions, ne respectent pas la règle de l'octet et sont donc plus instables. Advenant le cas de carbocations substitués avec le même nombre de groupements R, la stabilité des carbanions sera prise en compte.

Figure 4.41
Formes limites principales de résonance et hybride de résonance d'un composé renfermant un profil 3B

Ruptures possibles

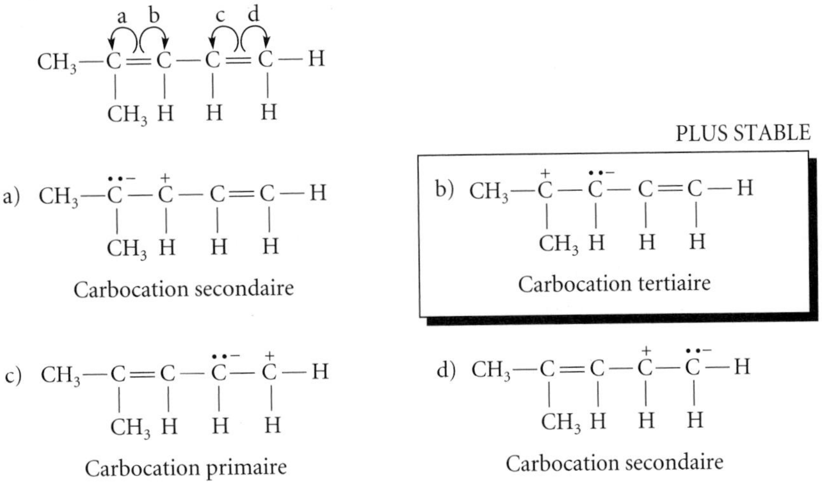

a)

Carbocation secondaire

PLUS STABLE

b)

Carbocation tertiaire

c)

Carbocation primaire

d)

Carbocation secondaire

La rupture favorisée énergétiquement est la b). Les formes limites de résonance principales sont donc:

Attention! Il s'agit d'un profil 1, alors:

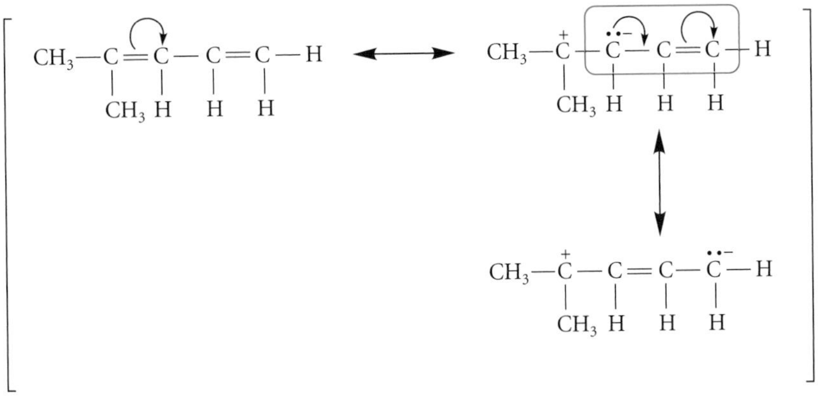

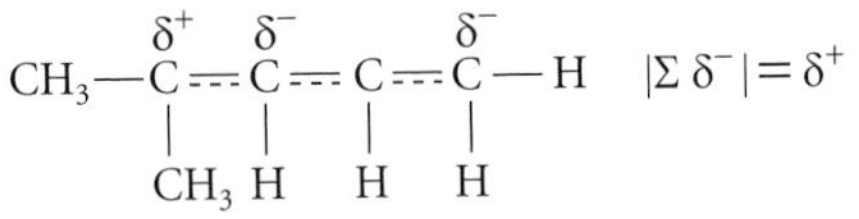

cheneliere.ca/chimieorganique **www**

> Illustration complète des formes limites de résonance de l'exemple donné dans la figure 4.41 et hybride de résonance

Hybride de résonance du composé selon la rupture b) choisie

$$CH_3 - \overset{\delta^+}{\underset{CH_3}{C}} \cdots \overset{\delta^-}{\underset{H}{C}} - C \cdots \overset{\delta^-}{\underset{H}{C}} - H \quad |\Sigma\, \delta^-| = \delta^+$$

Exercice 4.22 Déterminez les formes limites de résonance ainsi que l'hybride de résonance du composé organique suivant.

$$CH_2 = CH - CH = CH_2$$

4.7.4.2 Systèmes conjugués multiples

Il arrive fréquemment que plusieurs systèmes conjugués indépendants existent au sein d'un même composé. De plus, un même atome peut être impliqué dans des systèmes conjugués différents. Dans de pareils cas, il faut simplement traiter les profils de résonance l'un après l'autre ou en parallèle, et non simultanément, comme le montre la figure 4.42 (*voir page suivante*), afin de représenter les différentes formes limites de résonance. La procédure pour déterminer les formes limites de résonance sera la même que celle décrite pour les différents profils.

Figure 4.42
Détermination des formes limites de résonance d'un composé renfermant plusieurs systèmes conjugués

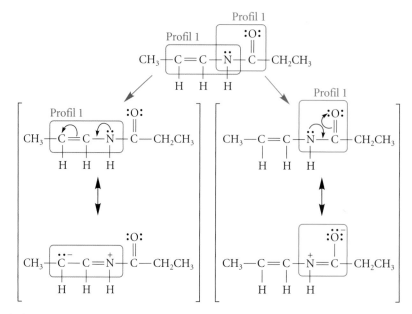

Hybride de résonance

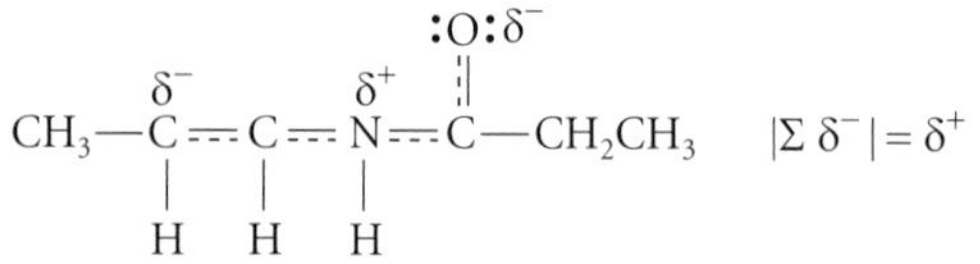

La figure 4.43 présente une forme limite de résonance peu probable, voire impossible, car elle possède un trop grand nombre de charges. Elle serait obtenue en traitant simultanément les deux profils de résonance, ce qui ne doit jamais être fait !

Figure 4.43
Forme limite de résonance peu probable, voire impossible, en raison d'un trop grand nombre de charges

Forme limite de résonance peu probable ; présence de quatre charges

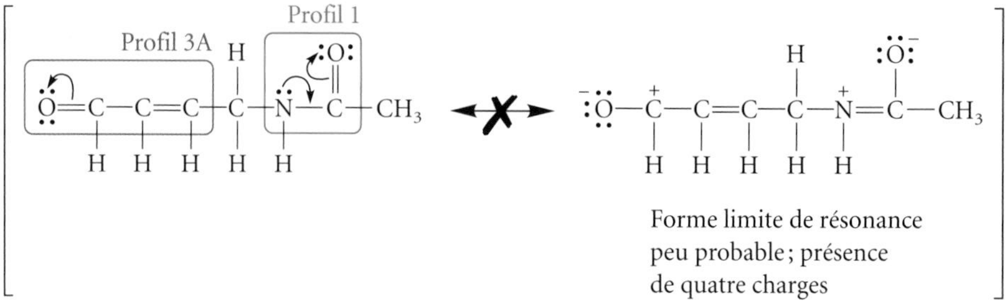

Exercice 4.23 Déterminez les formes limites de résonance ainsi que l'hybride de résonance du composé organique suivant.

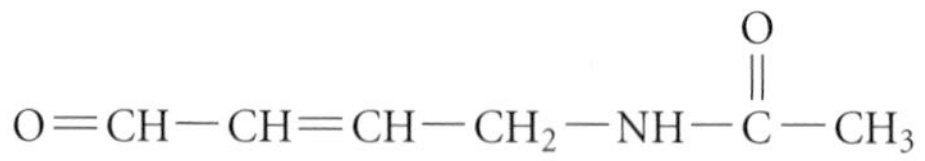

$$O{=}CH{-}CH{=}CH{-}CH_2{-}NH{-}\overset{\overset{\displaystyle O}{\|}}{C}{-}CH_3$$

Exercice 4.24 Déterminez les formes limites de résonance ainsi que l'hybride de résonance des composés organiques suivants et indiquez le profil de résonance correspondant.

a)

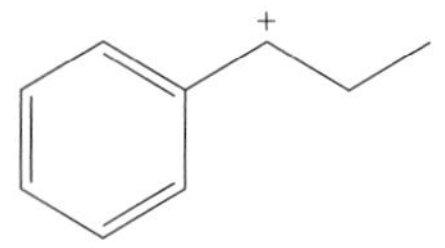

b) 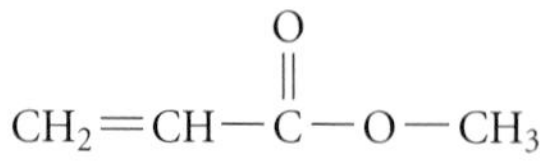
$$CH_2{=}CH{-}\overset{\overset{\displaystyle O}{\|}}{C}{-}O{-}CH_3$$

c)

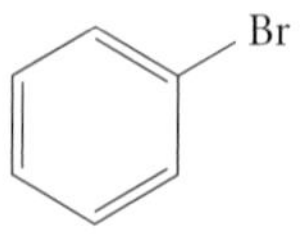

d)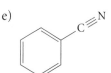

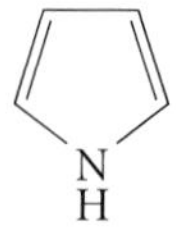

Molécule qui entre dans la composition de plusieurs biomolécules complexes telles que les porphyrines.

pyrolle

e)

f) 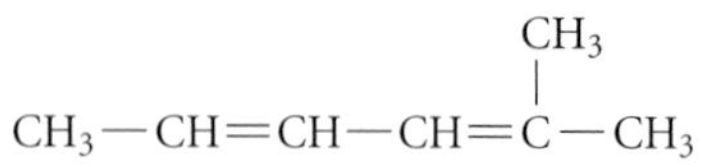
$$CH_3{-}CH{=}CH{-}CH{=}\overset{\overset{\displaystyle CH_3}{|}}{C}{-}CH_3$$

RÉSUMÉ

Équation chimique (section 4.1.1)

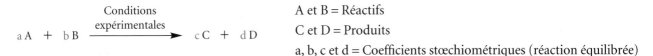

$$a\,A \;+\; b\,B \quad \xrightarrow[\text{expérimentales}]{\text{Conditions}} \quad c\,C \;+\; d\,D$$

A et B = Réactifs
C et D = Produits
a, b, c et d = Coefficients stœchiométriques (réaction équilibrée)

Remarque : Pour certaines réactions en chimie organique, il est possible de faire la distinction entre le substrat (A), c'est-à-dire le composé organique qui subit la transformation, et le réactif (B), qui est souvent inorganique.

Flèches de réaction, flèches de mécanisme et flèches de résonance (sections 4.1.2 et 4.7.4)

Flèches de réaction (pour illustrer la transformation chimique ayant lieu entre les substances impliquées)	**Flèche rectiligne pointant vers la droite (———▶)** Informe que seule la réaction directe a lieu.
	Flèche d'équilibre (⇌) Montre l'existence d'une réaction réversible.
Flèches de mécanisme (pour représenter le mouvement des électrons au cours des différentes étapes de la transformation des réactifs en produits)	**Flèche courbe à une pointe (⌒▶)** Représente le mouvement de deux électrons.
	Flèche courbe à demi-pointe (⌒) Représente le mouvement d'un seul électron.
Flèches de résonance (situées entre deux formes limites de résonance)	**Flèche rectiligne à deux pointes (◀———▶)**

Quatre grandes catégories de réactions en chimie organique (section 4.2)

Addition	Un ou plusieurs réactifs s'additionnent sur le substrat pour donner le produit final.
Élimination	Le substrat subit une perte d'atomes.
Substitution	Un atome ou un groupe d'atomes sur le substrat est remplacé par un autre atome ou groupe d'atomes.
Réarrangement	Le substrat réorganise ses atomes. Il n'y a ni gain ni perte d'atomes.

Diagrammes énergétiques (section 4.3)

Réaction à une seule étape

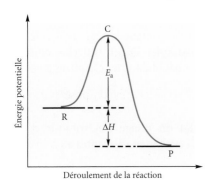

Réaction à deux étapes

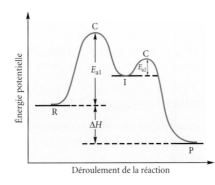

R = Réactifs
E_a = Énergie d'activation
C = Complexe activé à l'état de transition
P = Produits
ΔH = Variation d'enthalpie $(H_{\text{produits}} - H_{\text{réactifs}})$
I = Intermédiaire réactionnel

Intermédiaires réactionnels (section 4.4)

Si **A** est un C$^+$, c'est un **carbocation**...

Si **A** est un C$\colon^-$, c'est un **carbanion**...

Si **A** est un C$\cdot$, c'est un **radical**...

R = groupement alkyle

| nullaire (0°) | primaire (1°) | secondaire (2°) | tertiaire (3°) |

Pour une représentation tridimensionnelle des intermédiaires réactionnels, voir le tableau 4.3 (*p. 185*).

Catégories de réactifs (section 4.5)

Électrophiles	• Espèces chimiques pauvres en électrons
	• Possèdent une charge positive complète ou partielle
	• Cherchent à attirer et à recevoir des doublets d'électrons au cours d'une réaction chimique
Nucléophiles[a]	• Espèces chimiques riches en électrons
	• Possèdent une charge négative ou sont électriquement neutres en possédant des doublets d'électrons libres ou des électrons π
Autres réactifs	• Molécules non polaires
	• Oxydants
	• Réducteurs
	• Métaux

a. La force du nucléophile dépend de plusieurs facteurs dont les plus importants sont :
   1. l'électronégativité de l'atome du nucléophile portant le doublet d'électrons libre (section 4.5.2.1) ;
   2. la concentration de la charge négative du nucléophile (section 4.5.2.2) ;
   3. la taille du nucléophile (section 4.5.2.3) ;
   4. les effets électroniques inductif et mésomère au sein du nucléophile (sections 4.5.2.4 et 4.7) ;
   5. la polarisabilité du nucléophile (ressources numériques) ;
   6. l'énergie de solvatation du nucléophile (ressources numériques) ;
   7. la force de la liaison formée à la suite de la réaction (ressources numériques).

Premiers pas mécanistiques (section 4.6)

1. Repérer l'électrophile (plus précisément, l'atome le plus pauvre en électrons de l'électrophile).

2. Repérer le nucléophile (plus précisément, l'atome le plus riche en électrons du nucléophile).

3. Tracer une flèche courbe de l'atome le plus riche en électrons (nucléophile) vers l'atome le plus pauvre en électrons (électrophile).

4. Vérifier que tous les atomes dans le produit final respectent la règle de l'octet. Si ce n'est pas le cas, le mécanisme est erroné ou incomplet. D'autres flèches courbes devront être représentées. Ce point sera discuté en détail dans les chapitres à venir.

Effet inductif (section 4.7.1)

Effet électronique occasionné par une déformation du nuage électronique d'une liaison et qui est transmis à travers les autres liaisons covalentes adjacentes au sein d'un composé chimique.

$$\overset{\delta^+}{CH_3}-\overset{\delta^+}{CH_2}-\overset{\delta^+}{CH_2}-\overset{\delta^-}{Br}$$

Effet inductif attractif : effet occasionné par un atome plus électronégatif que le carbone.

$$\overset{\delta^-}{CH_3}-\overset{\delta^-}{CH_2}-\overset{\delta^-}{CH_2}-\overset{\delta^+}{MgBr}$$

Effet inductif répulsif : effet occasionné par un atome moins électronégatif que le carbone.

Répercussions concrètes de l'effet inductif (section 4.7.2)

Acidité des composés

- L'effet inductif attractif augmente le caractère acide.
- L'effet inductif répulsif diminue le caractère acide.

Basicité des composés

- L'effet inductif attractif diminue le caractère basique.
- L'effet inductif répulsif augmente le caractère basique.

Stabilité des intermédiaires réactionnels

- Les carbocations et les radicaux sont stabilisés par effet inductif répulsif et déstabilisés par effet inductif attractif.
- Les carbanions sont stabilisés par effet inductif attractif et déstabilisés par effet inductif répulsif.

Facteurs influant sur l'effet inductif (section 4.7.3)

Les facteurs influençant l'effet inductif sont:

- l'électronégativité de l'atome générant l'effet inductif (section 4.7.3.1);
- la distance de l'élément créant un effet inductif par rapport au site analysé (section 4.7.3.2);
- le nombre d'atomes ou de groupements d'atomes générant l'effet inductif (section 4.7.3.3).

Effet mésomère (ou résonance) (section 4.7.4)

Pour que le phénomène de stabilisation par résonance soit observé au sein d'un composé, deux conditions particulières doivent être respectées:

1. Présence d'électrons π, de doublets d'électrons libres (sur un atome neutre ou un ion négatif) ou d'une charge positive;
2. Présence d'un système conjugué (alternance de liaisons simples et des éléments énumérés au point précédent).

Chaque structure obtenue à la suite de la délocalisation des électrons (flèches courbes) correspond à une **forme limite de résonance.** Les formes limites de résonance sont hypothétiques et ne représentent pas parfaitement le composé (par convention, elles sont mises entre crochets). La structure électronique réelle de la molécule est plutôt représentée par l'**hybride de résonance** qui correspond à la moyenne des formes limites de résonance.

Profils de résonance – Délocalisation des électrons (section 4.7.4.1)

Profil 1

Profil 2

Profil 3A

Présence de liaisons multiples polaires

Rupture de la liaison π la plus polaire

Profil 3B

Présence de liaisons multiples non polaires seulement

Rupture en vue de générer la forme limite la plus stable

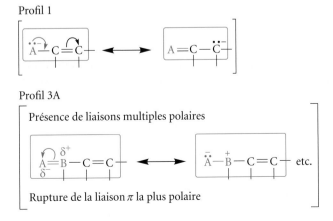

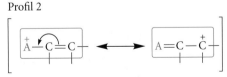

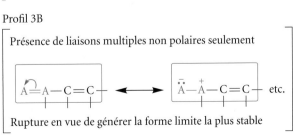

VÉRIFICATION DES CONNAISSANCES

Après l'étude de ce chapitre, je devrais être en mesure:

○ de représenter l'équation d'une réaction chimique à l'aide des formules des réactifs et des produits, et avec une flèche de réaction ou une flèche d'équilibre;

○ de définir un mécanisme réactionnel en illustrant le mouvement des électrons par des flèches courbes à une pointe ou des flèches courbes à demi-pointe;

○ de concevoir et d'annoter un diagramme énergétique correspondant au mécanisme d'une réaction chimique donnée;

○ de reconnaître la catégorie (addition, élimination, substitution et réarrangement) d'une réaction chimique organique;

○ de distinguer les différents types de réactifs: nucléophiles, électrophiles et autres (molécules non polaires, oxydants, réducteurs et métaux);

○ d'expliquer la force relative des nucléophiles;

○ de distinguer et de représenter les types d'intermédiaires réactionnels (carbocations, carbanions et radicaux);

○ de reconnaître et de représenter les deux ruptures possibles de liaisons covalentes (homolytique et hétérolytique) menant à la formation des intermédiaires réactionnels;

○ de définir les effets électroniques (effet inductif attractif ou répulsif, et effet mésomère ou résonance) permettant d'expliquer, entre autres, la réactivité;

○ de cibler et d'expliquer les répercussions de l'effet inductif attractif ou répulsif sur l'acidité et la basicité des composés organiques, ainsi que sur la stabilité relative des intermédiaires réactionnels;

○ de repérer un système conjugué dans la structure d'un composé organique;

○ d'illustrer les formes limites de résonance ainsi que l'hybride de résonance de tout composé organique renfermant des électrons π, des doublets d'électrons libres ou des charges impliqués dans un système conjugué.

EXERCICES SUPPLÉMENTAIRES

Réactivité, introduction aux mécanismes, types de réactions et diagrammes énergétiques

4.25 Pour les réactions suivantes, ajoutez les doublets d'électrons libres manquants et illustrez, avec des flèches courbes, les déplacements d'électrons qui permettent la transformation des réactifs en produits; déterminez le substrat de la réaction ainsi que le nucléophile et l'électrophile; indiquez à quelle grande catégorie de réactions chimiques appartient cette réaction.

a) $CH_3-Br + I^- \longrightarrow CH_3-I + Br^-$

b)
$$\underset{H}{\overset{H}{}}C=C\underset{CH_3}{\overset{H}{}} + H-Br \longrightarrow H-\underset{H}{\overset{H}{\underset{|}{\overset{|}{C}}}}-\underset{CH_3}{\overset{H}{\underset{|}{\overset{|}{C^+}}}} + Br^- \longrightarrow H-\underset{H}{\overset{H}{\underset{|}{\overset{|}{C}}}}-\underset{CH_3}{\overset{H}{\underset{|}{\overset{|}{C}}}}-Br$$

c)
$$H-O^- + CH_3-\underset{Cl}{\overset{CH_3}{\underset{|}{\overset{|}{C}}}}-CH_3 \longrightarrow CH_2=\underset{}{\overset{CH_3}{\overset{|}{C}}}-CH_3 + Cl^- + H_2O$$

4.26 Pour les intermédiaires réactionnels suivants:

$$CH_3-\underset{CH_3}{\overset{CH_3}{\underset{|}{\overset{|}{C}}}}\cdot \qquad H-\underset{H}{\overset{CH_3}{\underset{|}{\overset{|}{C}}}}:^-$$

a) déterminez le type de rupture à l'origine de l'intermédiaire;

b) donnez une représentation tridimensionnelle.

4.27 Déterminez à quelle grande catégorie de réactions chimiques correspond la réaction suivante.

4.28 Quel sera le produit obtenu à la suite de la réaction de substitution des nucléophiles ci-dessous sur le substrat CH_3CH_2Cl?

a) CH_3O^- b) $CH_3CH_2NH^-$ c) $CH\equiv C^-$ d) ^-OH e) 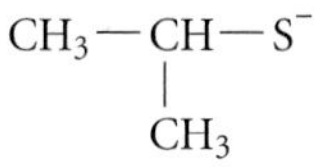 CH_3-CH-S^-
$\qquad\qquad\qquad\qquad\qquad\qquad\qquad\qquad\qquad\qquad\qquad\qquad\qquad\qquad\qquad\quad\ |$
$\qquad\qquad\qquad\qquad\qquad\qquad\qquad\qquad\qquad\qquad\qquad\qquad\qquad\qquad\qquad CH_3$

4.29 L'ion cyanure (CN^-) est un nucléophile qui cherche à attaquer des sites pauvres en électrons, c'est-à-dire des électrophiles. Au cours d'une réaction de substitution nucléophile, où attaquera-t-il les molécules suivantes?

a) 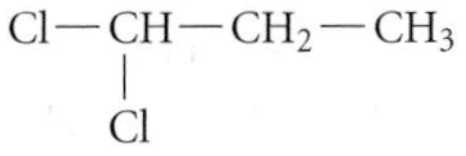 $Cl-CH-CH_2-CH_3$
$\qquad\quad\ \ |$
$\qquad\quad\ Cl$

b) $CH_3-CH_2-CH_2-Br$

c) 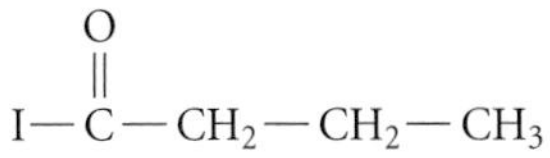 $\qquad\ O$
$\qquad\quad \|$
$I-C-CH_2-CH_2-CH_3$

d)

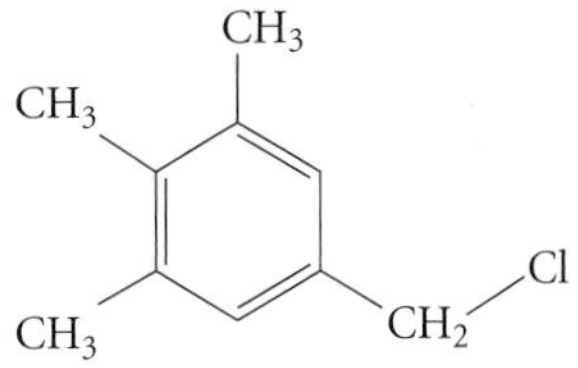

4.30 Parmi les espèces suivantes, déterminez celles qui correspondent à des électrophiles.

Br^- $KMnO_4$ $CH_3-\overset{CH_3}{\underset{CH_3}{C^+}}$ $HO-\overset{OH}{B}-OH$

acide borique
(utilisé comme insecticide
et antiseptique)

4.31 Quelle est la différence entre un complexe activé et un intermédiaire réactionnel?

4.32 a) Dessinez le diagramme énergétique pour une réaction endothermique à une étape. Prenez soin de bien indiquer les axes et de localiser le complexe activé, l'énergie d'activation (E_a), les réactifs, les produits et la variation d'enthalpie (ΔH).
   b) Est-ce que cette réaction possède un intermédiaire réactionnel? Justifiez brièvement votre réponse.

4.33 Dessinez le diagramme énergétique pour chacune des réactions suivantes à deux étapes. Prenez soin de bien indiquer les axes et de localiser les complexes activés, l'intermédiaire réactionnel, les énergies d'activation (E_a), les réactifs, les produits et la variation d'enthalpie (ΔH).
   a) Réaction très exothermique qui passe par l'intermédiaire d'un radical tertiaire et dans laquelle la première étape est endothermique et limitante.
   b) Réaction légèrement exothermique qui passe par l'intermédiaire d'un radical primaire et dans laquelle la première étape est endothermique et limitante.
   c) Nommez deux différences entre les diagrammes représentés en a) et b). Expliquez votre réponse.

4.34 Soit la réaction suivante, qui se déroule en solution aqueuse.

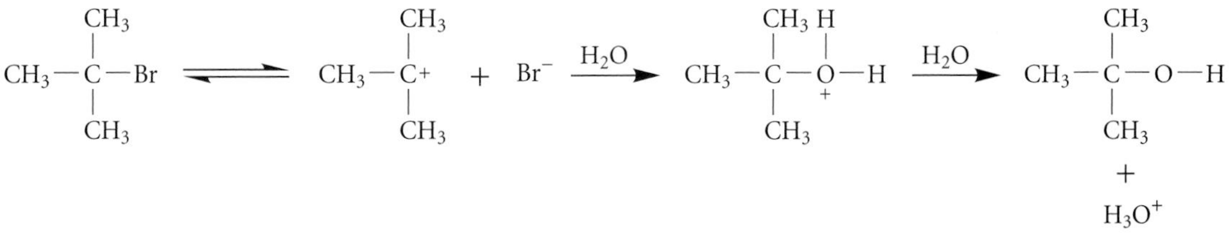

   a) À quelle grande catégorie appartient cette réaction?
   b) En combien d'étapes s'effectue-t-elle?
   c) Déterminez le type d'intermédiaire produit après la première étape et évaluez sa stabilité. Expliquez votre réponse.
   d) Comparez la stabilité de l'intermédiaire produit après la première étape avec celle de l'intermédiaire produit à la deuxième étape.

e) Comparez la stabilité de l'intermédiaire produit après la première étape avec celle de l'intermédiaire produit à l'exercice 4.25 b) (*voir p. 218*).

f) Dessinez le diagramme énergétique de cette réaction, sachant que la première étape est endothermique et limitante, alors que les étapes suivantes sont exothermiques. La réaction globale est, pour sa part, légèrement exothermique. Prenez soin de bien indiquer les axes sur le diagramme énergétique ainsi que les complexes activés, les réactifs, les produits et les intermédiaires réactionnels.

Effets électroniques (effet inductif et effet mésomère)

4.35 Quelles sont les deux conditions pour que le phénomène de résonance puisse être observé au sein d'un composé organique?

4.36 Dessinez le mécanisme réactionnel de substitution de l'attaque de l'ion hydroxyde sur les substrats suivants et indiquez les produits obtenus. Justifiez votre site d'attaque dans chacun des cas.

a) $H—O^-$ + $CH_3—CH_2—CH_2—Cl$ $\longrightarrow$

b) $H—O^-$ + $F—CH_2—CH_2—O—CH_2—CH_2—CH_2—F$ $\longrightarrow$

4.37 Placez les composés suivants par ordre croissant de basicité. Expliquez votre choix.

$$CH_3—CH_2—\overset{\overset{\displaystyle O}{\|}}{C}—O^- \qquad F—CH_2—CH_2—\overset{\overset{\displaystyle O}{\|}}{C}—O^- \qquad Br—CH_2—CH_2—\overset{\overset{\displaystyle O}{\|}}{C}—O^-$$

$$Cl—CH_2—CH_2—\overset{\overset{\displaystyle O}{\|}}{C}—O^- \qquad CH_3—\underset{\underset{\displaystyle F}{|}}{CH}—\overset{\overset{\displaystyle O}{\|}}{C}—O^-$$

4.38 Associez les pK_a aux composés correspondants. Expliquez votre réponse.
Valeurs de pK_a : 4,83 ; 25 ; −2,4 ; 49 ; 1,68.

$$NO_2—CH_2—\overset{\overset{\displaystyle O}{\|}}{C}—OH \qquad CH_3—CH_2—\underset{\underset{\displaystyle H}{|}}{\overset{\displaystyle +}{O}}—H$$

$$CH_4$$

$$CHCl_3 \qquad CH_3—\underset{3}{[CH_2]}—\overset{\overset{\displaystyle O}{\|}}{C}—OH$$

acide pentanoïque
(acide valérique)
(molécule provenant de la racine
de la valériane, une plante connue
pour ses propriétés calmantes)

4.39 Placez les composés suivants par ordre décroissant d'acidité. Expliquez votre choix.

4.40 Pour chacune des paires de composés suivants, déterminez le nucléophile le plus fort. Expliquez votre choix.

a) $CH_3-CH_2-O^-$ et $CH_3-C(=O)-O^-$

b) $CH_3-N^--CH_3$ et $CH_3-C^-(CH_3)-H$

c) CH_3-NH_2 et

d) et

e) et

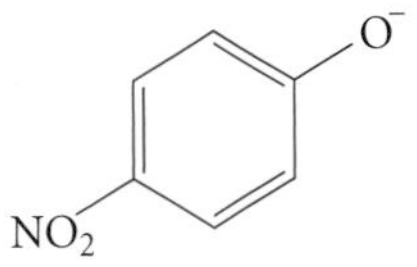

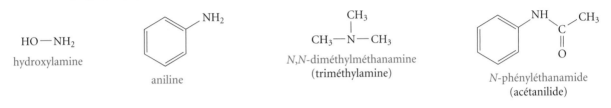

4.41 Associez les pK_b aux composés correspondants. Expliquez votre réponse.
Valeurs de pK_b : 8,04 ; 4,20 ; 13,0 ; 9,40.

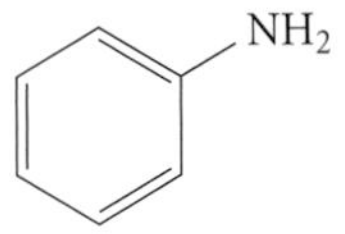

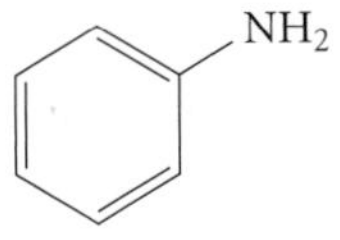

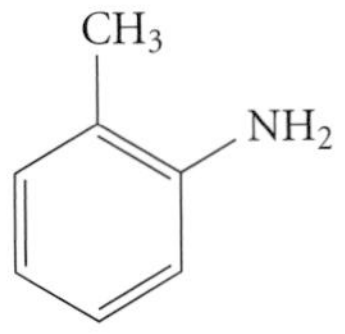

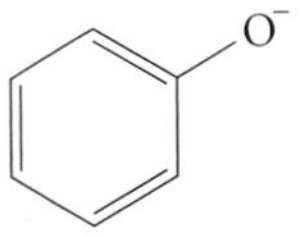

$HO-NH_2$
hydroxylamine

aniline

$CH_3-N(CH_3)-CH_3$
N,*N*-diméthylméthanamine
(triméthylamine)

N-phényléthanamide
(acétanilide)

4.42 Classez les carbocations suivants par ordre croissant de stabilité. Expliquez votre choix.

$CH_3-C^+(CH_3)-CH_3$ $\qquad$ $CH_3-C^+(CH_3)-CH_2Cl$ $\qquad$ $CH_2{=}CH-C^+(CH_3)-CH_3$

4.43 Classez les carbanions suivants par ordre croissant de stabilité. Expliquez votre choix.

$CH_3-CH_2-\bar{C}H-C{\equiv}N$ $\qquad$ $CH_3-\bar{C}H-CH_2-C{\equiv}N$ $\qquad$ $\bar{C}H_2-CH_2-CH_2-C{\equiv}N$

4.44 Lequel des composés suivants est le plus acide ? Expliquez brièvement votre réponse.

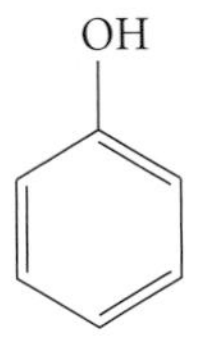

phénol

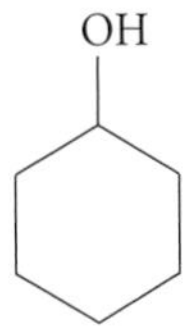

cyclohexanol

4.45 Le propofol, un anesthésique général utilisé en milieu hospitalier, peut agir sur une courte période de temps. Il est responsable de la mort du chanteur américain Michael Jackson survenue en 2009, puisque ce dernier avait recours abusivement au propofol à titre de somnifère.

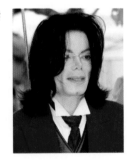

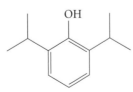

2,6-diisopropylphénol
(propofol)

Comparez le caractère acide du propofol avec celui du phénol (*voir l'exercice 4.44*).

4.46 Les indicateurs acidobasiques suivants sont des acides faibles qui adoptent des couleurs différentes selon le pH d'une solution.

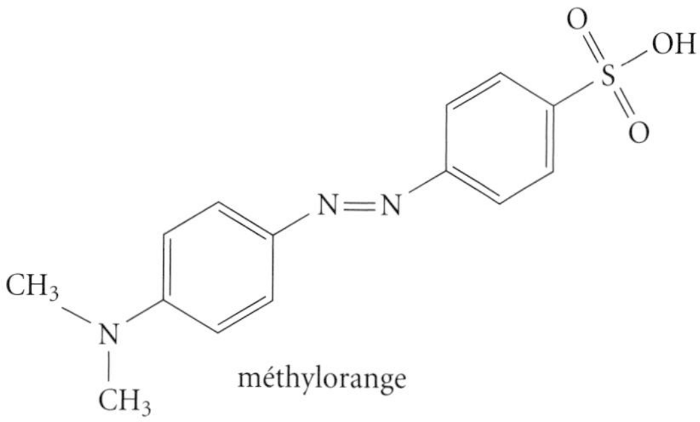

méthylorange

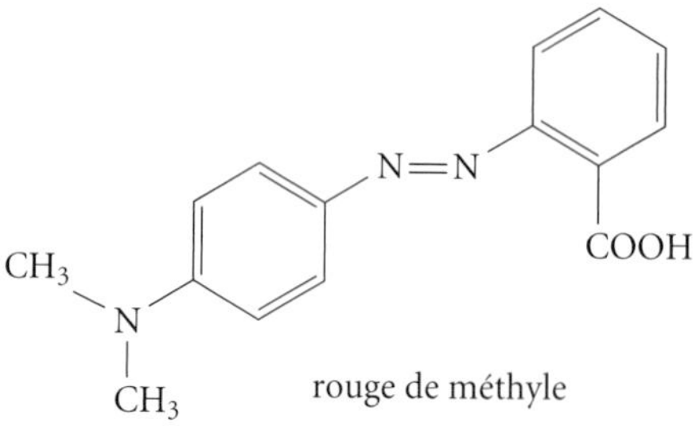

rouge de méthyle

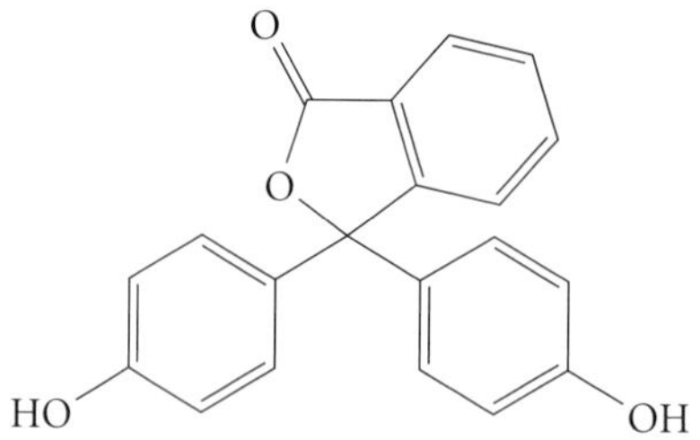

phénolphtaléine

a) Repérez l'hydrogène le plus acide sur chacun des indicateurs.

b) Classez les indicateurs par ordre croissant d'acidité. Expliquez votre réponse.

4.47 Soit la réaction suivante, qui se déroule en solution aqueuse basique.

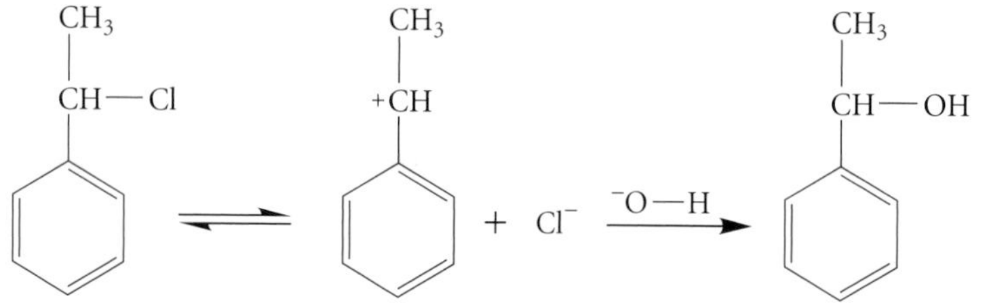

a) Ajoutez les doublets d'électrons libres manquants et illustrez, avec des flèches courbes, les déplacements d'électrons qui permettent la transformation des réactifs en produits. Déterminez également le nucléophile et l'électrophile.

b) À quelle grande catégorie appartient cette réaction ?

c) Évaluez la stabilité du carbocation de cette réaction. Expliquez votre raisonnement.

d) Comparez la stabilité du carbocation de cette réaction avec celui de l'exercice 4.34 (voir p. 219).

4.48 Le nitrométhane est un composé organique utilisé en tant qu'additif au carburant dans les véhicules de course à démarrage rapide. Son rôle consiste à être un comburant, c'est-à-dire une substance qui permet la combustion, et il améliore la puissance du moteur grâce à sa structure fortement oxygénée.

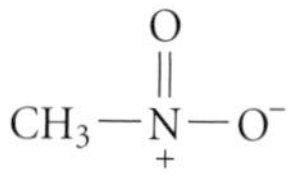

$$CH_3 - \overset{O}{\underset{+}{\overset{\|}{N}}} - O^-$$

nitrométhane

a) Le pK_a du nitrométhane est de 10,2, alors que celui du méthane est de 49. Donnez deux raisons pour expliquer cette différence.

b) En présence d'une base forte, le nitrométhane réagit selon la réaction suivante.

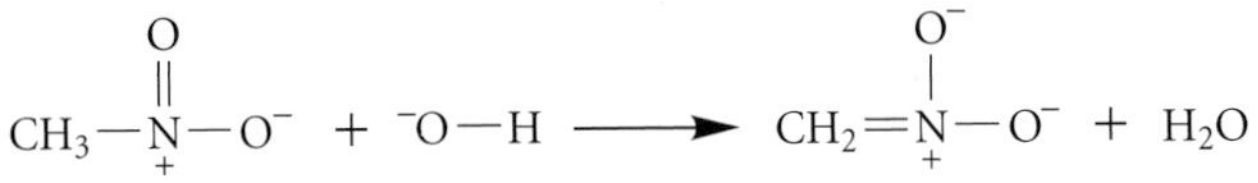

$$CH_3-\overset{\overset{\displaystyle O}{\|}}{\underset{+}{N}}-O^- \ + \ ^-O-H \ \longrightarrow \ CH_2=\overset{\overset{\displaystyle O^-}{|}}{\underset{+}{N}}-O^- \ + \ H_2O$$

Ajoutez les doublets d'électrons libres manquants et illustrez, avec des flèches courbes, les déplacements d'électrons.

c) Des expériences ont démontré que le produit de la réaction obtenu en b) présente une liaison carbone-azote ayant une longueur intermédiaire entre la liaison simple C—N et la liaison double C=N. Expliquez cette observation.

4.49 Encadrez les systèmes conjugués dans les composés organiques suivants et déterminez les profils de résonance correspondants.

a) $CH_3-CH=CH-CH=CH_2$

b) 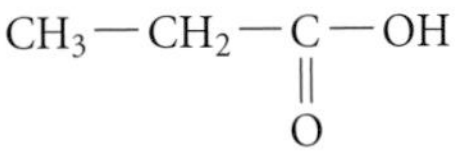 $CH_3-CH_2-\overset{\overset{\displaystyle}{\underset{\displaystyle \|}{}}}{C}-OH$
   avec O sous le C (double liaison)

c)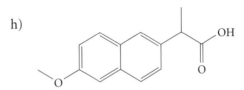
$CH_3-CH=CH-$ (cycle benzénique) $-NH_2$

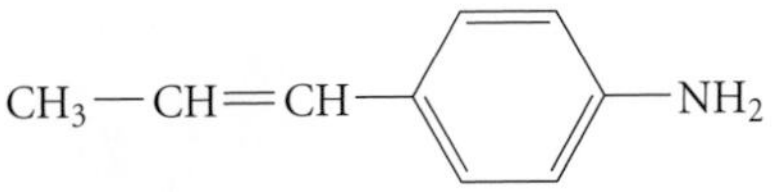

d) 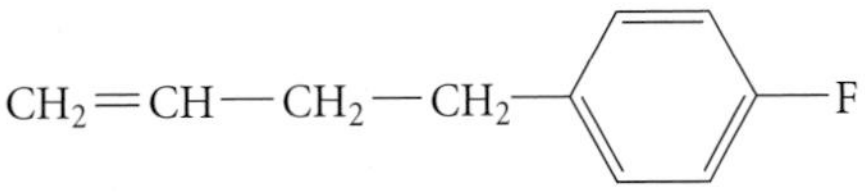 $CH_2=CH-CH_2-CH_2-$ (cycle benzénique) $-F$

e) $CH_2=CH-$ (cyclohexène)

f) (cycle benzénique)$-\overset{\overset{\displaystyle O}{\|}}{C}-NH-CH_2-CH_3$

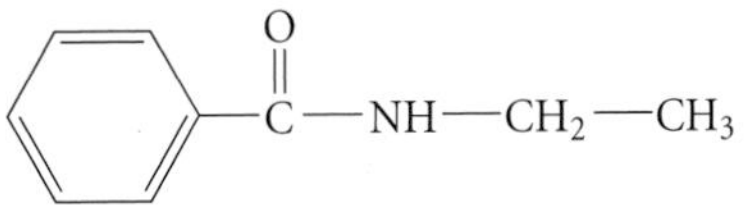

g) $CH_2=CH-CH_2-CH_2-CH=CH_2$

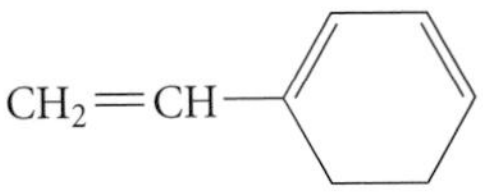

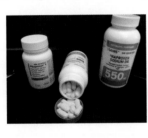

h)

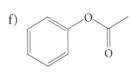

Naproxen
(anti-inflammatoire utilisé dans le traitement de l'arthrite, de l'arthrose et pour soulager les douleurs musculaires, osseuses et articulaires)

4.50 Dessinez les formes limites de résonance ainsi que l'hybride de résonance des composés suivants et déterminez les profils de résonance correspondants.

a)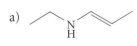

b)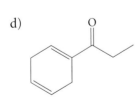
CH_2

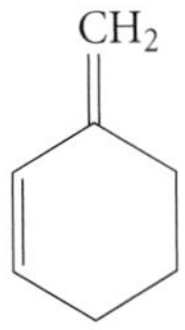

c)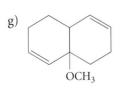

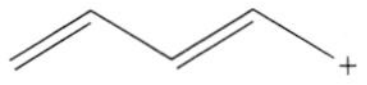

d) (structure avec O)

e) 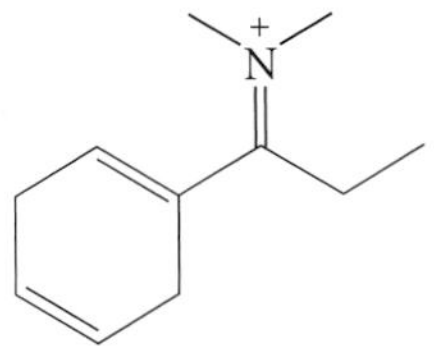 (structure avec N+)

f) (structure avec O et O)

g) (structure bicyclique avec OCH₃)
OCH_3

h) 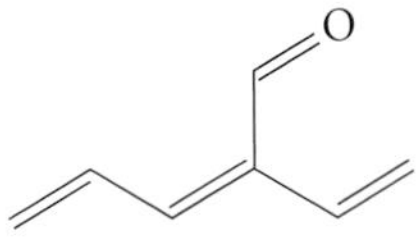 (structure avec O)

i) 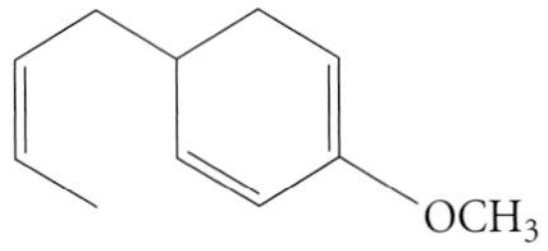 (structure avec OCH₃)
OCH_3

5

Spectroscopie

Élément de compétence

- Préparer, séparer et caractériser des composés organiques simples.

Le *Portrait de Jean Dessaulles*, datant d'environ 1825 et attribué à l'artiste québécois Louis Dulongpré (1754-1843), appartient à la collection du Séminaire de Saint-Hyacinthe. En 1814, Jean Dessaulles devint seigneur de Saint-Hyacinthe, puis député de cette circonscription de 1830 à 1832. L'analyse par spectroscopie infrarouge de ce tableau à l'Institut canadien de conservation à Ottawa a révélé qu'il a été peint sur une préparation renfermant de l'amidon. Cette composition particulière explique les craquelures qui se sont formées au fil du temps (*voir le tableau de gauche, avant traitement*). Le tableau de droite présente l'état après restauration (*JCAC*, vol. 24, 1999, p. 23-28).

En chimie organique, les techniques modernes de spectroscopie sont utilisées essentiellement pour caractériser des produits obtenus au cours de synthèses en laboratoire. Toutefois, la spectroscopie s'avère fort utile dans de nombreuses sphères d'activité. La **spectroscopie infrarouge (IR)**, entre autres, constitue un outil d'analyse de prédilection pour déjouer les faussaires de tableaux de renom (*pour plus de détails, voir la rubrique « Chroniques d'une molécule – Au-delà de l'image », p. 232*). Elle trouve également une utilité dans la restauration d'œuvres d'art. De plus, la spectroscopie infrarouge est une méthode d'analyse très importante pour l'industrie agroalimentaire servant, par exemple, à la détection de microorganismes pour s'assurer de la salubrité des aliments. En médecine légale, elle permet d'apporter des preuves dans l'élucidation de crimes en caractérisant la dégradation de divers polymères. La **résonance magnétique nucléaire (RMN)**, quant à elle, trouve de nombreuses applications en médecine, plus particulièrement en imagerie médicale (imagerie par résonance magnétique [IRM]), pour visualiser, avec une grande résolution, les tissus mous internes du corps humain. Plusieurs analyses médicales reposent sur la **spectroscopie ultraviolette et visible (UV-visible)**, puisque de nombreuses espèces

cheneliere.ca/chimieorganique **www**

› Mots clés

chimiques organiques et biologiques absorbent ce type de rayonnement. Enfin, la spectroscopie optique et celle utilisant les rayons X sont employées en astronomie dans la détermination de la composition chimique de la matière intergalactique.

Ce chapitre est présenté à ce stade de l'ouvrage afin de comprendre, dans un premier temps, les principes de base de la spectroscopie, plus particulièrement ceux de la spectroscopie infrarouge. Une fois ces notions assimilées, au fur et à mesure de l'étude des groupements fonctionnels dans les chapitres à venir, les caractéristiques spécifiques propres à chacune des fonctions seront approfondies, et des exemples concrets de différents spectres seront présentés dans les ressources numériques au <www.cheneliere.ca/chimieorganique>.

Enfin, dans les ressources numériques associées à ce chapitre, il y aura une description détaillée de la spectroscopie dans l'ultraviolet et le visible (UV-visible), de la spectroscopie par résonance magnétique nucléaire de proton et de carbone (RMN ^{1}H et RMN ^{13}C) et de la **spectrométrie de masse**.

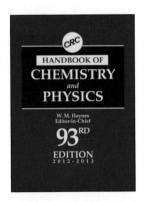

cheneliere.ca/chimieorganique www

> Spectroscopie dans l'ultraviolet et le visible (UV-visible)
> Spectroscopie par résonance magnétique nucléaire (RMN ^{1}H et RMN ^{13}C)
> Spectrométrie de masse

cheneliere.ca/chimieorganique www

> Principales banques de données disponibles sur le Web offrant la caractérisation de composés chimiques

5.1   Caractérisation

Lorsqu'un chimiste travaille à la synthèse d'une molécule, il doit être en mesure de la caractériser. La **caractérisation** consiste en la prise d'une série de données expérimentales qui permettent aux scientifiques de confirmer l'identité d'un produit étudié. Si le composé est synthétisé pour la première fois, la caractérisation effectuée apparaît tout d'abord dans un article scientifique, et les mesures sont classifiées par la suite dans des manuels de référence tels que le *Handbook of Chemistry and Physics* et le *Merck Index*. Il y a également de plus en plus des banques de données sur le Web qui contiennent une foule d'informations sur plusieurs composés chimiques connus. Dans le cas de la synthèse d'un composé déjà connu et répertorié, la caractérisation doit toujours être réalisée à des fins comparatives avec les données de référence pour valider l'identité du produit.

Il existe trois types de caractérisation : chimique, physique et spectroscopique. La **caractérisation chimique** consiste à réaliser une série de réactions chimiques (ou tests d'identification) afin de confirmer la présence ou l'absence de groupements fonctionnels. À titre d'exemple, une solution orangée de brome[1] (Br_2) se décolore presque instantanément dès qu'elle entre en contact avec un alcène ou un alcyne. La réaction du brome avec les alcènes et les alcynes sera expliquée en détail dans le chapitre 7. Ainsi, si une substance étudiée est placée en présence de la solution de brome et qu'aucune décoloration n'est observée, il est possible de conclure que la structure à l'étude est dépourvue des fonctions alcènes et alcynes. Une grande variété de tests d'identification des groupements fonctionnels sont aujourd'hui connus.

La **caractérisation physique**, quant à elle, consiste à relever les propriétés physiques des composés, c'est-à-dire l'aspect, la couleur, l'odeur, la viscosité (η), la solubilité (s), le pouvoir rotatoire spécifique ($[\alpha]_D$), la masse volumique (ρ), l'indice de réfraction (n_D), le point de fusion (p. f.), le point d'ébullition (p. éb.) et, il y a de cela plusieurs années, avant la conscientisation des dangers encourus par cette pratique, le goût ! Toutes les propriétés physiques énumérées ci-dessus ayant des symboles entre parenthèses sont des propriétés quantifiables et sont appelées **constantes physiques**.

Avant l'arrivée des technologies plus avancées permettant la **caractérisation spectroscopique**, les scientifiques ne disposaient que des caractérisations chimiques et physiques pour déterminer la structure d'un composé. La caractérisation était donc longue et fastidieuse, et elle demandait une importante quantité de produits. En effet, après avoir déterminé les groupements fonctionnels que contenait le composé par des tests chimiques d'identification et avoir établi les quelques propriétés physiques connues à l'époque (la couleur, l'odeur, les points de fusion et d'ébullition), un échantillon du composé à l'étude était transformé, suivant une série de réactions chimiques, en un produit connu et répertorié. Si les caractéristiques physiques et chimiques du composé modifié correspondaient à celles du produit connu, la

cheneliere.ca/chimieorganique (www)

> Version intégrale (en anglais)
> des articles scientifiques
> présentés à la figure 5.1

structure exacte du composé initial (avant transformation) était alors élucidée. Si les données ne concordaient pas, une nouvelle hypothèse quant à la nature du composé inconnu devait être formulée, et il fallait recommencer toutes les étapes du processus. Ces manipulations en laboratoire pouvaient prendre plusieurs mois, voire des années ! La figure 5.1 a) présente une caractérisation typique d'un composé trouvé dans un article scientifique avant l'arrivée de la spectroscopie.

Figure 5.1   Sections d'articles scientifiques présentant la caractérisation d'un composé organique – a) Avant 1940 ; b) Après 1940

a) **Article scientifique datant de 1912[a]**

Hydantoïnes : Synthèse du 3-bromotyrosine

Référence : *J. Am. Chem. Soc.*, **1912**, *34*(8), 1061-1066.

Molécule synthétisée :

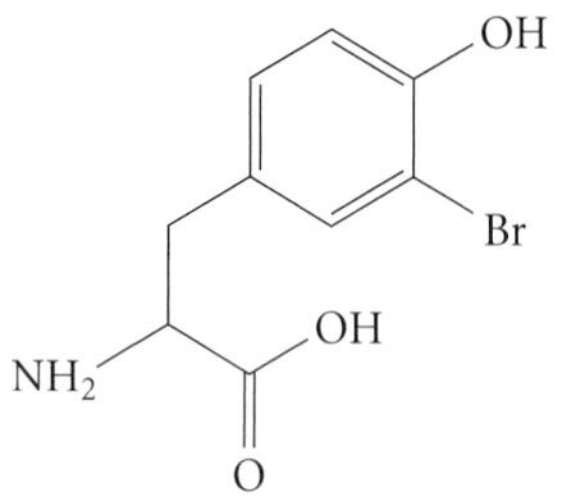

3-bromotyrosine

Caractérisations trouvées dans l'article (surlignées en jaune) :

- Point de fusion
- Analyse élémentaire
- Goût

« Pour obtenir la 3-bromotyrosine, 3,4 grammes de 3-bromo-hydrate de bromotyrosine sont dissous dans 150 cc d'eau. L'acide bromhydrique est neutralisé en ajoutant 2,8 grammes de carbonate d'argent. Le bromure d'argent est filtré et le filtrat est saturé avec du sulfure d'hydrogène afin de faire précipiter toute trace d'argent dissous. La solution claire est ensuite concentrée jusqu'à un volume de 50 cc et refroidie. La bromotyrosine est recueillie sous la forme de cristaux tétraédriques quasi parfaits. Le point de fusion est de 247-248° avec effervescence. Cela donne lieu à une forte réaction de Millon. La bromotyrosine cristallise dans l'eau avec une molécule d'eau de cristallisation. Analyses :

Calculée pour $C_9H_{10}O_3NBr \cdot H_2O$: H_2O 6,47. Trouvée : H_2O 6,57.

Déterminations d'azote et de brome dans l'acide anhydre :

Calculée pour $C_9H_{10}O_3NBr$: N 5,38 ; Br 30,77.

Trouvée : N 5,33 ; Br 30,45.

Aucun précipité de bromure d'argent n'est obtenu lorsque le nitrate d'argent est ajouté à la solution froide de bromotyrosine dans l'acide nitrique. Cependant, lorsque la solution est réchauffée, elle devient trouble et le bromure d'argent se sépare. L'addition d'acide phosphotungstique ne cause pas la précipitation de l'acide aminé dans une solution diluée d'acide sulfurique. Aucun précipité n'est obtenu avec une solution de chlorure de mercure ; le picrate et le platichlorure sont très solubles dans l'eau. Alors que la tyrosine est sans goût, la 3-bromotyrosine présente une intense saveur sucrée. »

b) **Article scientifique datant de 2007**

Racémisation au cours de couplages de Suzuki : une étude quantitative utilisant la 4-hydroxyphénylglycine et des dérivés de la tyrosine comme molécules cibles

Référence : *J. Org. Chem.*, **2007**, *72*(3), 1047-1050.

Molécule synthétisée :

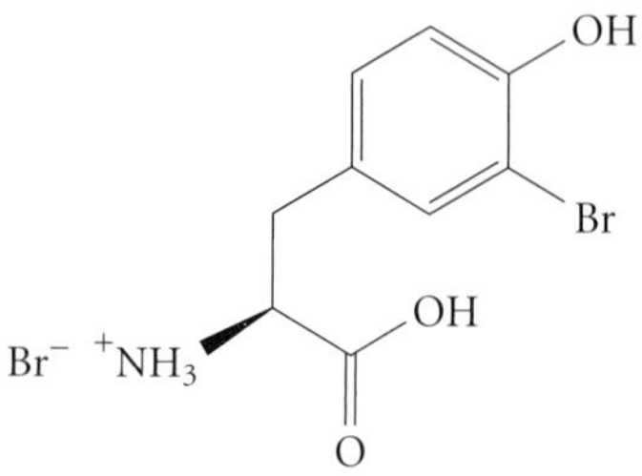

hydrobromure de (S)-3-bromotyrosine

Caractérisations trouvées dans l'article (surlignées en jaune) :

- Point de fusion (p. f.)
- Infrarouge (IR)
- Résonance magnétique nucléaire des hydrogènes ^1H (RMN ^1H)
- Résonance magnétique nucléaire des ^{13}C (RMN ^{13}C)
- Spectrométrie de masse (SM)
- Spectrométrie de masse, haute résolution (SMHR)
- Pouvoir rotatoire spécifique ($[\alpha]_D$)

« **(S)-3-bromhydrate de bromotyrosine (20)**

Une solution de HBr dans de l'acide acétique glacial (33 % m/V) (15 mL, 61 mmol) est ajoutée à une suspension vigoureusement agitée de (S)-tyrosine (5,54 g, 30,6 mmol) dans l'acide acétique glacial (25 mL). Une solution de brome moléculaire (1,7 mL, 33,2 mmol) dans l'acide acétique glacial (11,3 mL) est ensuite ajoutée, goutte à goutte, sur une période de 3 h. Le mélange obtenu est ensuite agité à température ambiante pendant 24 h. Le précipité est filtré et lavé avec l'acide acétique glacial (3 × 5 mL) et Et_2O (5 × 5 mL), produisant un solide blanc **(20)** (10,03 g, 96 %) ; p. f. 210-215 °C (décomposition) ; IR (pastille de NaCl) 3500-2700, 1739, 1505, 1420, 1214 cm^{-1} ; RMN ^1H (300 MHz, CD_3OD) δ 3,07 (1H, dd, J_1 14,7 J_2 7,5), 3,21 (1H, dd, J_1 14,5 J_2 5,4), 4,22 (1H, dd, J_1 7,5 J_2 5,4), 6,90 (1H, d, J 8,4), 7,11 (1H, dd, J_1 8,4 J_2 2,1), 7,43 (1H, d, J 2,1) ; RMN ^{13}C (50 MHz, CD_3OD) δ 36,0 (CH_2), 55,1 (CH), 111,1 (C), 117,6 (CH), 127,7 (C), 130,7 (CH), 135,0 (CH), 155,1 (C), 171,0 (C) ; SM [CI(NH$_3$)] *m/z* 262 [(M+H)$^+$, 92 %], 260 [(M+H)$^+$, 100 %] ; SMHR calculée pour $C_9H_{11}BrNO_3$ (M+H)$^+$ 261,990183 : trouvée 261,990639 ; $[\alpha]_D$ +1,27 (MeOH, c 1,03). »

a. Ce journal (*JACS*) est très respecté du milieu scientifique, et la faiblesse quant aux caractérisations ne provient en rien d'un manque de professionnalisme des auteurs ou du journal, mais bien de l'époque à laquelle la synthèse a été effectuée.

Les chimistes et les physiciens ont depuis lors conçu de nouvelles méthodes d'analyse plus efficaces pour caractériser les molécules. Depuis l'arrivée de la spectroscopie, dans les années 1940 et 1950, les techniques d'identification de composés ont permis aux chimistes d'alléger considérablement leur tâche. En effet, de nos jours, les différentes techniques spectroscopiques sont très rapides et elles n'utilisent que de très faibles quantités de produits pour fournir des résultats fiables et reproductibles. La **spectroscopie** est une technique analytique basée sur l'absorption énergétique d'un composé.

L'**analyse élémentaire**, quant à elle, est une technique qui remonte au début du XIXᵉ siècle[2]. L'analyse indirecte par combustion est une méthode fréquemment employée en chimie organique. Elle permet de déterminer la formule empirique d'un composé d'après les pourcentages massiques de chaque élément constituant le composé. Les éléments présents dans le composé sont ainsi connus, de même que leurs proportions relatives. Historiquement, il s'agissait d'une analyse gravimétrique, mais les instruments plus modernes emploient de nos jours des détecteurs à conductivité thermique ou des détecteurs utilisant les techniques de spectroscopie atomique optique (p. ex. : les détecteurs à ionisation de flamme, thermoioniques et à capture d'électrons).

Le tableau 5.1, à la page suivante, présente les techniques modernes de caractérisation les plus fréquemment employées.

La réalisation d'une seule de ces caractérisations ne peut être suffisante pour connaître l'identité d'une molécule. À titre d'exemple, l'analyse élémentaire détermine la formule empirique d'une molécule, et donc la nature des éléments présents au sein du composé ainsi que l'abondance relative de chacun, mais elle ne donne aucune information sur sa structure. La spectroscopie infrarouge, quant à elle, permet de déterminer les groupements fonctionnels présents dans le composé, mais elle ne précise pas leur position dans la structure. Par conséquent, pour déterminer avec précision la structure d'un composé, il faut toujours procéder à un maximum de caractérisations. La figure 5.1 b) présente un article scientifique récent qui illustre l'exemple d'un composé organique ayant subi une multitude de caractérisations dans le but de confirmer son identité.

5.2 Onde électromagnétique

L'énergie lumineuse est caractérisée par une double nature : ondulatoire et particulaire. Une **onde électromagnétique** est, en fait, un rayonnement qui possède deux composantes de champ, perpendiculaires l'une à l'autre, soit la composante de champ électrique et la composante de champ magnétique. Ces composantes se propagent dans l'espace, dans la même direction (*voir la figure 5.2*). Au début du XXᵉ siècle, basé sur la théorie des quanta de Max Planck, Albert Einstein stipula qu'une radiation électromagnétique était également constituée d'un flux de particules énergétiques, les **photons**.

Figure 5.2
Onde électromagnétique et sa propagation

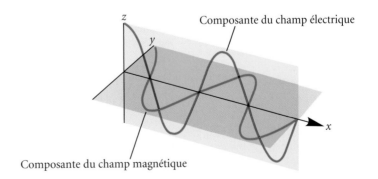

Tableau 5.1 **Quelques techniques modernes de caractérisation et leurs particularités**

Technique moderne de caractérisation	Support pour l'échantillon au cours de l'analyse	Principe	Utilité (information structurale)
Analyse élémentaire	• Dépôt direct • Dissolution de l'échantillon dans du verre fondu • Broyé en poudre	Combustion d'un échantillon suivie d'une analyse gravimétrique ou spectroscopique.	Détermination de la formule empirique d'un composé
Spectroscopie infrarouge (IR)	• Pastille de NaCl (si l'échantillon est liquide) • Pastille de KBr (si l'échantillon est solide) • Dépôt direct (technique *attenuated total reflectance* [ATR])	L'énergie absorbée de la lumière infrarouge correspond aux vibrations des liaisons à l'intérieur du composé.	Détermination des groupements fonctionnels d'un composé
Spectroscopie ultraviolette et visible (UV-visible)	Cuvette de quartz ou de plastique	L'énergie absorbée de la lumière ultraviolette-visible correspond à la structure distincte de certains systèmes conjugués.	Détermination de la présence d'un système conjugué (résonance) particulier au sein d'un composé
Fluorescence	Cuvette de quartz	Absorption d'une énergie (souvent dans l'UV) par un composé lui permettant d'atteindre un état excité pour ensuite retourner rapidement à l'état fondamental en libérant son énergie sous forme de radiation lumineuse (fluorescence).	Caractéristique physico-chimique propre à certains matériaux
Résonance magnétique nucléaire (RMN)	Tube RMN (tube de verre) Image d'une tête obtenue par IRM	• **Première étape:** Application d'un champ magnétique externe permettant aux noyaux des ^1H ou des ^{13}C de s'orienter parallèlement (état de spin de même sens) ou antiparallèlement (état de spin de sens opposé) au champ[a]. • **Deuxième étape:** Irradiation des noyaux avec des ondes radio. Si l'énergie est absorbée par les noyaux, il y aura basculement de spins (transition de spin nucléaire), et les noyaux entrent alors en résonance avec la radiation fournie. L'énergie des transitions est affectée par l'environnement chimique (autres atomes).	• Détermination de la position des protons (^1H) ou des carbones (^{13}C) dans le squelette carboné d'un composé • L'imagerie par résonance magnétique (IRM) est une technique employée en médecine exploitant ce même principe.
Spectrométrie de masse	Dépôt direct	• **Première étape:** Bombardement d'électrons sur l'échantillon pour générer des molécules et des fragments ionisés. • **Deuxième étape:** Séparation par déviation et détection des molécules et des fragments ionisés à la suite de leur passage à travers un champ magnétique.	Détermination de la masse molaire et de la formule moléculaire d'un composé
Cristallographie	Dépôt direct d'un solide cristallin	Les rayons X, d'énergie élevée, traversent le réseau cristallin d'un composé et sont diffractés. Une carte de densité électronique est obtenue et interprétée.	Détermination de l'arrangement tridimensionnel des atomes et des longueurs des liaisons d'un composé

a. Plusieurs noyaux (atomes) peuvent être étudiés. En chimie organique, ce sont principalement les noyaux de ^1H et de ^{13}C qui sont analysés.

Les quatre paramètres suivants caractérisent une onde électromagnétique.

1. La **fréquence** (ν) (en Hz ou s^{-1}) est le nombre d'oscillations de l'onde franchissant un point donné par seconde.

2. La **longueur d'onde** (λ) (en mètres ou sous-unités) est la distance qui sépare deux crêtes successives ou deux creux successifs.

3. L'**amplitude** (A) représente la distance entre la crête (ou le creux) et la médiane. Pour une onde électromagnétique, l'amplitude est exprimée en fonction de la force des champs magnétique et électrique. Concrètement, l'amplitude est liée à l'intensité lumineuse (nombre de photons).

4. La **vitesse de propagation** (c pour la vitesse de la lumière) d'une onde électromagnétique est de $2{,}998 \times 10^8$ m/s dans le vide.

Dans la figure 5.3, deux ondes de même amplitude sont représentées. Elles possèdent cependant des longueurs d'onde ainsi que des fréquences différentes.

Figure 5.3
Caractéristiques d'une onde –
a) Onde de basse fréquence
(longueur d'onde plus grande);
b) Onde de haute fréquence
(longueur d'onde plus petite)

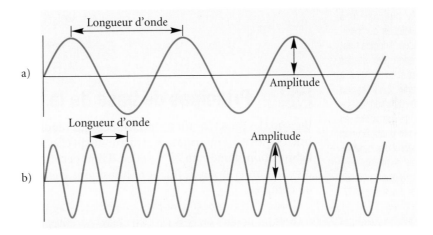

L'ensemble des ondes électromagnétiques forme un spectre continu d'énergie appelé **spectre électromagnétique**, divisé en plusieurs régions (*voir la figure 5.4*).

Figure 5.4 Spectre électromagnétique

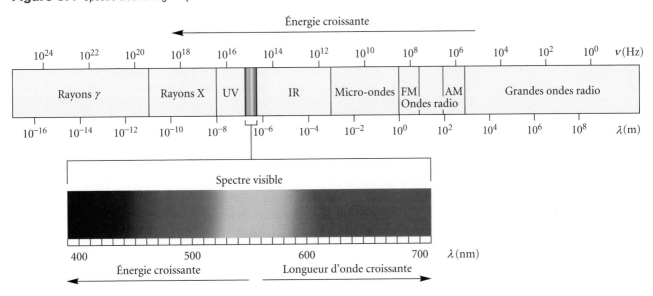

Selon les théories de Planck et d'Einstein, l'énergie de la lumière est quantifiable. L'équation 5.1, soit l'équation de Planck, démontre que l'énergie lumineuse (E) est proportionnelle à sa fréquence (v). Ainsi, plus la fréquence d'une onde est élevée, plus son énergie est grande. La constante de proportionnalité (h) est la **constante de Planck**, et elle est égale à $6{,}626 \times 10^{-34}$ J•s.

$$E_{\text{photon}} = hv \qquad \text{(équation 5.1)}$$

Sachant que la vitesse de propagation d'une onde est le produit de sa fréquence par sa longueur d'onde (*voir l'équation 5.2*), et que le **nombre d'onde** ($\bar{v}$) (en m^{-1} ou sous-unités; en cm^{-1} dans la région de l'infrarouge), un autre paramètre pouvant caractériser une onde, est défini comme étant le nombre d'oscillations de l'onde par centimètre (soit l'inverse de la longueur d'onde), l'équation de Planck peut se réécrire sous la forme de l'équation 5.3. La longueur d'onde étant inversement proportionnelle à la fréquence, et donc à l'énergie, plus sa valeur est élevée, plus l'énergie est faible.

$$c = \lambda v \qquad \text{(équation 5.2)}$$

$$E = \frac{hc}{\lambda} = hc\bar{v} \qquad \text{(équation 5.3)}$$

5.3 Principes de base de la spectroscopie

Bien que les caractérisations spectroscopiques abordées dans ce chapitre soient très distinctes quant à l'information structurale qu'elles fournissent, elles comportent toutes l'absorption d'une radiation suivie d'une perturbation propre à la longueur d'onde d'excitation (vibration, rotation, transitions électroniques particulières, etc.) au sein du composé.

Lorsqu'un composé absorbe de l'énergie, il se trouve dans un **état excité**. Cette perturbation, perçue grâce à un détecteur, est enregistrée par un spectromètre. Un graphique, appelé « spectre », peut ensuite être tracé grâce aux informations recueillies.

La quantité d'énergie fournie par l'irradiation et absorbée par le composé doit être exactement concordante avec l'énergie nécessaire (nhv, où $n = 1, 2, 3$, etc.) pour provoquer la perturbation. Une demi-énergie ne provoquera jamais une demi-excitation! Ainsi, chaque type de perturbation est associé à une énergie quantifiée qui lui est propre.

La figure 5.5 démontre le principe général de la spectroscopie, particulièrement celui des spectroscopies infrarouge et UV-visible. Lorsqu'une source lumineuse traverse un échantillon, deux phénomènes peuvent se produire. Dans un premier temps, si l'échantillon n'absorbe pas la radiation (*voir la figure 5.5 a*), les molécules de l'échantillon demeurent à leur état fondamental d'énergie. La quantité maximale du rayonnement est alors perçue par le détecteur. Ainsi, un maximum de lumière incidente (I_0) est transmis au détecteur ($I = I_0$). Dans un deuxième temps, si l'échantillon absorbe une certaine quantité de la lumière incidente, cela signifie que les molécules de l'échantillon subissent une perturbation. Le détecteur perçoit alors une diminution significative de l'intensité du rayonnement ($I < I_0$). L'énergie absorbée correspond à l'énergie nécessaire pour que les molécules puissent passer de leur état fondamental d'énergie à un état excité (*voir la figure 5.5 b*). Le spectre enregistré par le spectromètre est, en général, un graphique de la quantité d'énergie (liée au nombre de photons absorbés par l'échantillon) captée par le détecteur en fonction de l'énergie émise par la source lumineuse.

Figure 5.5
Principe général de la spectroscopie (plus particulièrement pour les spectroscopies UV-visible et infrarouge)

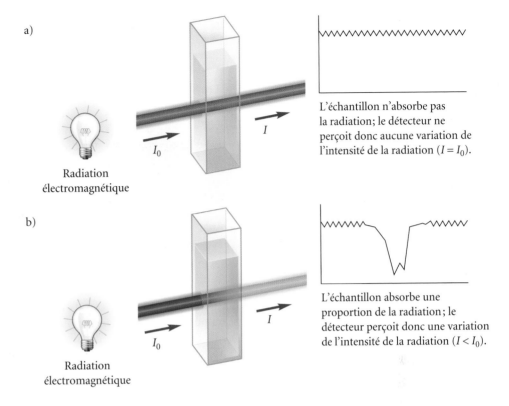

a)

Radiation électromagnétique

L'échantillon n'absorbe pas la radiation ; le détecteur ne perçoit donc aucune variation de l'intensité de la radiation ($I = I_0$).

b)

Radiation électromagnétique

L'échantillon absorbe une proportion de la radiation ; le détecteur perçoit donc une variation de l'intensité de la radiation ($I < I_0$).

Les divers types de perturbations détectés et analysés présentent des rayonnements d'énergie différente. Le tableau 5.2 décrit les sources de radiation des régions du spectre électromagnétique caractéristiques des techniques de spectroscopie qui seront étudiées dans le cadre de ce chapitre.

Tableau 5.2 Radiations électromagnétiques associées aux différents types de spectroscopie

Type de spectroscopie	Type de radiation électromagnétique		Perturbation
	Ondes radio		
Résonance magnétique nucléaire	Fréquence (Hz) $< 10^9$	Longueur d'onde > 30 cm	Transitions des états de spin nucléaire
	Radiation infrarouge		
Infrarouge (moyen)	Fréquence (Hz) $1{,}3 \times 10^{13}$ à $1{,}2 \times 10^{14}$	Longueur d'onde $(2{,}5$ à $25) \times 10^3$ nm	Transitions vibrationnelles
	Radiation visible ou ultraviolette		
Ultraviolette et visible (UV-vis.)	Fréquence (Hz) $4{,}3 \times 10^{14}$ à 3×10^{16}	Longueur d'onde 10 à 700 nm	Transitions des électrons de valence
	Rayons X		
Cristallographie[a]	Fréquence (Hz) 3×10^{16} à 3×10^{19}	Longueur d'onde $0{,}01$ à 10 nm	Diffraction des rayons X à travers un cristal sans perte d'énergie

a. La **cristallographie** est une technique d'analyse très importante qui emploie un domaine du spectre électromagnétique, mais elle n'est pas, à proprement parler, une technique de spectroscopie.

CHRONIQUES D'UNE MOLÉCULE

Au-delà de l'image[3]
Par Alain Lachapelle, Collège André-Grasset

Le 29 mai 1945, deux officiers alliés frappent à la porte du marchand d'art hollandais Han van Meegeren afin de connaître le réel propriétaire d'une toile de Vermeer, *Le Christ et la femme adultère*, retrouvée dans la collection privée du maréchal nazi Hermann Goering. Ils étaient loin de se douter que non seulement la toile était un faux, mais que son auteur, l'un des plus célèbres faussaires d'œuvres d'art de tous les temps, était justement ce gentil aristocrate qui les accueillait !

Le Christ et la femme adultère

Cependant, bien que Meegeren avoua sans hésiter son crime (il dut même peindre un faux en prison pour convaincre les experts !), les enquêteurs peinaient souvent dans des cas similaires à distinguer le vrai du faux, l'original de la réplique ou de l'invention pure et simple, faute de moyens techniques efficaces.

Heureusement, pour effectuer ces analyses, les experts disposent maintenant d'une arme redoutable, la spectroscopie, c'est-à-dire l'étude de l'interaction des ondes électromagnétiques avec la matière.

Ainsi, bien que le vernis, un mélange complexe de divers terpénoïdes insaturés (composés organiques formés en liant, de diverses façons, des unités d'isoprène ou 2-méthylbutadiène) trouvé sur les peintures, soit transparent à la lumière visible, il ne l'est souvent pas à la lumière ultraviolette. L'absorption des photons par les molécules de vernis donne lieu à un phénomène de **fluorescence**, soit une émission de photons moins énergétiques que les photons initiaux absorbés et qui est perceptible dans le domaine des longueurs d'onde du visible. Cette fluorescence est relativement faible pour des vernis fraîchement appliqués étant constitués de composés insaturés. Elle devient cependant plus importante pour les vieux vernis à cause du contact prolongé avec l'oxygène de l'air, créant ainsi de vastes réseaux de liaisons π conjuguées. L'exposition d'une toile à la lumière ultraviolette permet ainsi de déceler les retouches faites sur l'original.

Par ailleurs, contrairement à la lumière visible, le rayonnement infrarouge (du moins dans un certain domaine de longueurs d'onde) n'est pas absorbé par les pigments de la toile. Cependant, il est absorbé de façon appréciable par les liaisons chimiques comportant du carbone, un élément trouvé en très grande quantité dans les dessins préliminaires au fusain que l'artiste recouvre par la suite. Cette technique dévoile souvent les repentirs du peintre.

Enfin, les rayons X, constitués de photons de très grande énergie, ne sont absorbés que par les atomes de grande densité électronique (comme le plomb ou le mercure) ou par les grandes concentrations de pigments. Or, ces atomes lourds ne sont présents que dans quelques pigments particuliers comme le vermillon (HgS) de couleur rouge, le minium (Pb_3O_4) de couleur orangée ou la céruse (($PbCO_3)_2 \cdot Pb(OH)_2$) de couleur blanche. Puisque les peintres travaillent habituellement avec leur palette préférée de pigments, la reconnaissance de pigments particuliers sert souvent à révéler le travail successif de plusieurs de ces peintres sur la même toile. Par exemple, le célèbre *Festin des Dieux* fut peint en couches successives au XVIe siècle par Bellini, Dossi et, finalement, Le Titien !

Le Festin des Dieux

Le vermillon (HgS) est un pigment minéral de couleur rouge.

Plus près de nous, à Ottawa, les scientifiques rattachés à l'Institut canadien de conservation, comme la chimiste **Marie-Claude Corbeil**, traquent également les faussaires en utilisant quotidiennement ces techniques de spectroscopie, de concert avec une analyse poussée des pigments inorganiques présents. Car dès lors qu'il est connu qu'un Riopelle ou un Lemieux s'est vendu aux enchères à plus de deux millions de dollars ces dernières années, tous les Meegeren de ce monde ont le pinceau fébrile !

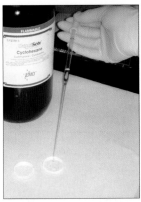

Pour effectuer un spectre IR, les échantillons liquides sont placés entre deux pastilles polies de NaCl (qui n'absorbe pas dans la région infrarouge).

Les échantillons solides sont généralement broyés avec du KBr (qui n'absorbe pas dans la région infrarouge), puis transformés en pastilles translucides en appliquant une forte pression.

Spectrophotomètre infrarouge moderne à transformée de Fourier (FTIR)

Spectrophotomètre infrarouge moderne à dépôt direct (ATR-FTIR)

5.4 Spectroscopie infrarouge

Lorsqu'un produit synthétisé doit être caractérisé et que celui-ci possède un groupement fonctionnel différent des réactifs, la **spectroscopie infrarouge** est une des techniques d'analyse qui s'avère très utile.

Il existe trois types de spectrophotomètres infrarouges. En premier lieu, les **spectrophotomètres classiques de dispersion** (*dispersive spectrophotometer*) emploient un prisme monochromateur pour séparer les différentes longueurs d'onde de la lumière infrarouge par dispersion. La lumière monochromatique se divise ensuite en deux faisceaux grâce à un dispositif de miroirs. Le premier passe à travers l'échantillon, et le second passe à travers une référence telle que le solvant qui est utilisé pour dissoudre l'échantillon ou simplement à travers l'air. Pour chaque longueur d'onde, la différence d'intensité lumineuse entre les deux faisceaux est perçue par un détecteur, puis amplifiée. Cette différence est due à l'absorption de la lumière infrarouge par l'échantillon à certaines longueurs d'onde caractéristiques.

En deuxième lieu, les **spectrophotomètres infrarouges à transformée de Fourier** (*Fourier transform infrared spectrophotometer* [FTIR]) sont des spectrophotomètres plus modernes dans lesquels les différentes longueurs d'onde de la lumière infrarouge incidente passent au travers d'un interféromètre. Ces dernières interagissent avec les molécules de l'échantillon (placé dans le faisceau avant ou après l'interféromètre) pour produire un interférogramme analysé grâce aux équations mathématiques de transformée de Fourier et converti en un spectre.

Finalement, il existe des appareils nommés **ATR-FTIR**. Les lettres « ATR » signifient *attenuated total reflectance*. Ce type d'appareil se caractérise par la façon dont le rayonnement infrarouge incident interagit avec l'échantillon analysé. Un échantillon solide ou liquide est placé directement sur la surface lisse d'un cristal de séléniure de zinc (ZnSe), de germanium (Ge) ou de diamant. L'échantillon est ensuite emprisonné dans la cavité d'analyse en vissant un couvercle sur celui-ci. Le rayonnement incident est réfracté dans le cristal et frappe l'échantillon à plusieurs reprises avant d'atteindre le détecteur. Ce type d'appareil permet donc d'acquérir des données sans avoir à préparer des matrices (p. ex.: les pastilles de NaCl et de KBr) servant de support aux échantillons à analyser. Cela permet d'améliorer grandement la vitesse d'échantillonnage de même que la reproductibilité des mesures.

Ces appareils (FTIR et ATR-FTIR) sont les plus fréquemment employés de nos jours dans les laboratoires. En effet, ils ont une meilleure sensibilité grâce à la prise de nombreuses mesures. Ils permettent également une mesure beaucoup plus rapide du spectre, puisque toutes les longueurs d'onde de la lumière infrarouge sont employées et traitées simultanément.

Ainsi, pour les trois types d'appareils, le même **spectre infrarouge (spectre IR)** est finalement tracé à l'intérieur duquel les vibrations des liaisons typiques de groupements fonctionnels (perturbations) sont représentées par des **bandes d'absorption**, soit des courbes orientées vers le bas (*voir un exemple de spectre IR dans la figure 5.8, p. 236*).

Le spectre IR obtenu est plus précisément un spectre de la transmittance en fonction des nombres d'onde des radiations. La **transmittance (T)** représente la quantité de lumière transmise (non absorbée) par l'échantillon. Elle correspond au ratio de la lumière sortante, I, sur la lumière incidente, I_0, soit $T = I/I_0$. Elle s'exprime souvent en pourcentage et n'a pas d'unité. Le nombre d'onde, plutôt que la fréquence ou la longueur d'onde, est le paramètre utilisé pour caractériser l'énergie des radiations infrarouges émises afin de faciliter l'analyse et l'interprétation du spectre IR. En effet, dans cette région du spectre électromagnétique, les valeurs des nombres d'onde sont des nombres simples. Les spectrophotomètres infrarouges balaient habituellement les nombres d'onde dans un intervalle variant entre 4000 cm^{-1} et 400 cm^{-1} (longueurs d'onde correspondantes: $[2,5$ à $25] \times 10^3$ nm). Cette région du spectre électromagnétique s'appelle l'infrarouge moyen, contrairement à l'infrarouge lointain ou le proche infrarouge qui varient respectivement de 400 cm^{-1} à 200 cm^{-1}, et de 14 000 cm^{-1} à 4000 cm^{-1}.

Les groupements fonctionnels sont constitués de diverses liaisons covalentes ayant des forces différentes. Par conséquent, les énergies nécessaires pour avoir un effet sur les vibrations de ces liaisons sont distinctes selon la nature des groupements fonctionnels. Ainsi, lorsque le spectrophotomètre infrarouge irradie les molécules avec une radiation électromagnétique dans l'infrarouge, les liaisons spécifiques des groupements fonctionnels présents dans les molécules de l'échantillon passent d'un état fondamental de vibration à un état excité en absorbant cette lumière. Essentiellement, deux modes de vibrations peuvent avoir lieu : un mode d'**élongation** et un mode de **déformation angulaire** des liaisons. L'énergie de la région de l'infrarouge absorbée par les molécules n'est toutefois pas suffisamment forte pour rompre une liaison covalente. La spectroscopie infrarouge s'avère donc fort utile pour déterminer la présence des liaisons des différents groupements fonctionnels au sein d'un composé chimique.

Dans la figure 5.6, les divers modes de vibration du groupement méthylène —CH₂— sont représentés.

Figure 5.6
Différentes vibrations d'élongation et de déformation angulaire du groupement —CH₂—

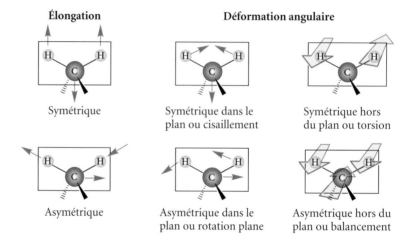

Élongation — Déformation angulaire

Symétrique — Symétrique dans le plan ou cisaillement — Symétrique hors du plan ou torsion

Asymétrique — Asymétrique dans le plan ou rotation plane — Asymétrique hors du plan ou balancement

> **REMARQUE**
>
> Dans le cas des molécules ayant une géométrie linéaire, l'équation des degrés de liberté devient $3n - 5$.

Le nombre maximal de vibrations possibles dans une molécule est appelé le **degré de liberté**. L'équation 5.4 indique le degré de liberté pour une molécule dont la géométrie n'est pas linéaire, où n représente le nombre d'atomes que contient la molécule à l'étude.

$$\text{Degré de liberté} = 3n - 6 \qquad \textbf{(équation 5.4)}$$

Exercice 5.1 Calculez le nombre maximal de vibrations possibles pour les molécules suivantes.

a) méthane

b) éthane

5.4.1 Bandes d'absorption et spectres infrarouges

Chaque liaison d'un groupement fonctionnel vibre de manière indépendante. Ainsi, au moment de l'analyse d'un spectre IR, une fonction aldéhyde (—CHO), par exemple, ne sera pas caractérisée par une seule bande d'absorption, mais bien par deux bandes distinctes, car la fonction aldéhyde est formée d'une liaison C═O et d'une liaison C—H. De plus, peu importe la structure du composé, les bandes d'absorption particulières à chaque liaison d'un type de groupement fonctionnel sont toujours localisées dans un même intervalle de nombres d'onde dans un spectre IR. La figure 5.7 présente la localisation approximative, selon les nombres d'onde, de quelques bandes d'absorption spécifiques de liaisons typiques de groupements fonctionnels dans un spectre infrarouge. Le tableau 5.3, quant à lui, indique les plages de nombres d'onde de vibration pour les liaisons des groupements fonctionnels couramment rencontrés dans les composés organiques.

Figure 5.7

Localisation de quelques bandes d'absorption spécifiques pour des liaisons typiques des groupements fonctionnels dans un spectre infrarouge

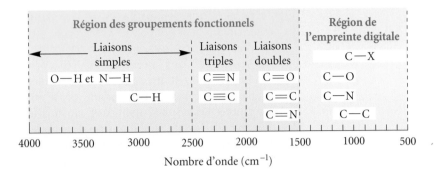

Tableau 5.3   **Nombres d'onde de vibration des différentes liaisons chimiques de groupements fonctionnels spécifiques[a]**

Structure générale	Groupement fonctionnel	Types de liaisons	Nombres d'onde (cm⁻¹)	Intensité
Portion de la molécule dépourvue de groupement fonctionnel	**Alcane**	C—H	2960-2850	Forte
Groupements fonctionnels renfermant des liaisons multiples entre deux carbones	**Alcène**	=C—H	3140-3020	Variable
		C=C	1680-1620	Variable
	Alcyne	≡C—H	3300-3260	Variable
		C≡C	2260-2100	Faible
	Composé aromatique	=C—H	3100-3000	Variable
		C=C	≈1600 et ≈1450	Variable
Groupements fonctionnels halogénés	**Composé halogéné**	C—F	1400-1000	Forte
		C—Cl	800-650	Forte
		C—Br	650-500	Forte
		C—I	550-450	Forte
Groupements fonctionnels oxygénés	**Acide carboxylique**	O—H	3300-2500	Forte et large
		C=O	1725-1700	Forte
	Alcool	O—H (sans pont H)	3650-3590	Variable
		O—H (avec ponts H)	3550-3200	Forte et large
		C—O	1300-1000	Forte
	Aldéhyde	C—H	≈2900 et ≈2700	Moyenne
		C=O	1740-1720	Forte
	Cétone	C=O	1725-1705	Forte
	Ester	C=O	1750-1735	Forte
		C—O	1300-1000	Forte
	Éther	C—O	1300-1000	Forte
Groupements fonctionnels azotés	**Amine**	N—H	3500-3300	Moyenne
		C—N	1220-1020	Faible
	Nitrile	C≡N	2260-2220	Variable
Groupements fonctionnels azotés et oxygénés	**Amide**	N—H	3500-3350	Moyenne
		C=O	1690-1650	Forte
	Nitro	NO₂	1560-1515	Forte
Groupement fonctionnel sulfuré	**Thiol**	S—H	2600-2550	Faible

a. Les caractéristiques IR spécifiques, propres à chacun des groupements fonctionnels, et des exemples concrets de spectres IR figurent dans les ressources numériques des chapitres 6 à 11 au <www.cheneliere.ca/chimieorganique>.

Deux régions bien distinctes figurent dans un spectre infrarouge, soit la région des groupements fonctionnels et la région de l'empreinte digitale (*voir la figure 5.7, page précédente*). La **région des groupements fonctionnels** se localise entre 4000 cm⁻¹ et 1500 cm⁻¹, soit dans la partie gauche du spectre IR. Dans cette zone, les bandes d'absorption caractéristiques des différents groupements fonctionnels sont observées, particulièrement celles correspondant aux vibrations d'élongation des liaisons. Ainsi, si deux molécules ne présentent pas les mêmes fonctions, des différences marquées seront observées dans cette région. À titre d'exemple, l'éthoxyéthane (un éther) et l'éthanoate d'éthyle (un ester) présentent des bandes d'absorption différentes dans la région des groupements fonctionnels (*voir les bandes en rouge dans la figure 5.8 a et b*).

La **région de l'empreinte digitale**, pour sa part, se situe entre 1500 cm⁻¹ et 400 cm⁻¹, soit dans la partie droite du spectre IR. Cette région est plus complexe à interpréter. Les bandes d'absorption des liaisons apparaissant dans cette région particulière résultent d'une combinaison des vibrations d'élongation et de déformation angulaire, et elles sont uniques à chaque composé. Cette région, étant une caractéristique propre d'un composé, sert donc à identifier une substance en comparant son spectre IR obtenu avec ceux tirés d'une banque de données[4]. Elle s'avère également utile dans le cas où deux molécules différentes portent les mêmes groupements fonctionnels. Puisque les bandes d'absorption dans la région des groupements fonctionnels sont identiques (ayant les mêmes fonctions), la comparaison de l'empreinte digitale devient la seule méthode efficace pour confirmer ou infirmer qu'il s'agit bien de molécules différentes. À titre d'exemple, l'éthanoate d'éthyle et le propanoate de méthyle (deux esters) présentent des bandes identiques dans la région des groupements fonctionnels, mais des différences marquées dans la région de l'empreinte digitale (*voir les figures 5.8 b et c dans lesquelles les bandes en rouge sont identiques, mais les bandes de l'empreinte digitale, en bleu, sont distinctes*).

Figure 5.8 Spectres infrarouges – a) Éthoxyéthane ; b) Éthanoate d'éthyle ; c) Propanoate de méthyle

> **REMARQUE**
>
> Dans l'analyse des spectres infrarouges, contrairement à ce qui est habituellement observé dans les graphiques, la valeur numérique de l'axe des *x* décroît de gauche à droite.

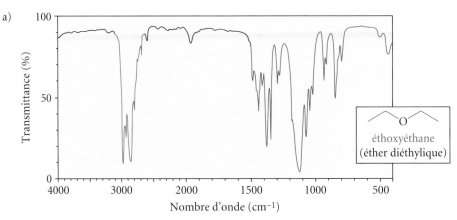

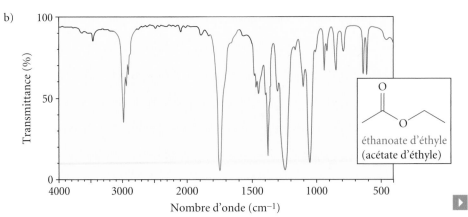

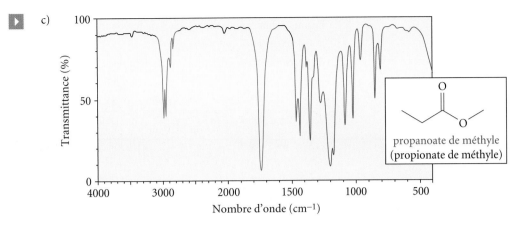

c)

▶

Exercice 5.2 Comment la spectroscopie infrarouge pourrait-elle différencier les isomères de constitution suivants ?

a) CH_3-CH_2-OH et CH_3-O-CH_3
     éthanol   méthoxyméthane

b)  et

penta-1,4-diène   pent-1-yne

5.4.2 Facteurs influant sur le nombre d'onde d'absorption

La **loi de Hooke**, présentée dans l'équation 5.5, démontre que plusieurs facteurs influent sur le nombre d'onde d'absorption des liaisons des différents groupements fonctionnels, notamment la force de la liaison (**influencée, entre autres, par les attractions intermoléculaires et la résonance**) et la masse des atomes.

$$\bar{v} = \frac{1}{2\pi c} \sqrt{\frac{f(m_x + m_y)}{m_x m_y}}$$ **(équation 5.5)**

où
$\bar{v}$ = nombre d'onde de la vibration (m^{-1}) ;
c = vitesse de la lumière dans le vide (m/s) ;
f = constante de force de liaison (N/m ou 10^3 g/s^2) ;
m_x et m_y = masse (g) des atomes x et y formant la liaison.

Selon la loi de Hooke, plus la liaison est forte et plus la masse des atomes est petite, plus le nombre d'onde de la vibration est élevé. Par conséquent, une liaison triple, plus forte qu'une liaison double, présente un nombre d'onde d'absorption plus élevé ($C\equiv C$: 2260-2100 cm^{-1}) qu'une liaison double ($C=C$: 1680-1620 cm^{-1}), qui elle-même a un nombre d'onde supérieur à celui d'une liaison simple ($C-C$: environ 1200 cm^{-1}).

Exemple 5.1

Calculez la valeur approximative du nombre d'onde de vibration $\bar{v}$, en cm^{-1}, pour une liaison C—H d'un composé aromatique. Pour cette liaison, considérez une constante de force f de 500 N/m.

Solution

Le calcul se fait en appliquant la loi de Hooke présentée dans l'équation 5.5.

Il faut d'abord commencer par le calcul de la masse de chaque atome impliqué :

masse d'un atome = masse molaire de l'atome ÷ nombre d'Avogadro

masse d'un atome de C = 12,011 g/mol ÷ 6,022 × 10^{23} atomes/mol = 1,995 × 10^{-23} g/atome

masse d'un atome de H = 1,008 g/mol ÷ 6,022 × 10^{23} atomes/mol = 1,674 × 10^{-24} g/atome

▶

Ensuite, il faut convertir les unités de force sachant que $1\ N = 10^3\ g \cdot m \cdot s^{-2}$:

$$f = 500\ N/m = 5,00 \times 10^5\ g/s^2$$

En appliquant la loi de Hooke, il devient possible de calculer la valeur approximative du nombre d'onde de vibration $\bar{v}$ pour la liaison C—H :

$$\bar{v} = \frac{1}{2\pi(2{,}998 \times 10^8\ m \cdot s^{-1})} \sqrt{\frac{(5{,}00 \times 10^5\ g \cdot s^{-2})(1{,}995 \times 10^{-23}\ g + 1{,}674 \times 10^{-24}\ g)}{(1{,}995 \times 10^{-23}\ g)(1{,}674 \times 10^{-24}\ g)}}$$

$$\bar{v} = 3{,}02 \times 10^5\ m^{-1}$$

$$\bar{v} = 3020\ cm^{-1}$$

Exercice 5.3 Calculez la valeur approximative du nombre d'onde de vibration $\bar{v}$, en cm⁻¹, pour la liaison H—Br. Considérez une constante de force f pour cette liaison de 410 N/m.

Exercice 5.4 Sans avoir recours au tableau 5.3 et à la figure 5.7 (*voir p. 235*), classez par ordre croissant le nombre d'onde d'absorption des liaisons C≡N, C=N et C—N ? Expliquez votre réponse.

Les attractions intermoléculaires ont également un effet direct sur la force de la liaison, et donc sur le nombre d'onde de vibration. Par exemple, si des molécules possédant un ou des groupements fonctionnels alcools effectuent des ponts hydrogène, la polarité de la liaison O—H s'en trouve augmentée en raison des attractions intermoléculaires. Cette liaison devient légèrement plus faible, et le nombre d'onde d'absorption est alors plus petit. C'est ce qui explique que, dans un échantillon concentré à l'intérieur duquel les alcools font des ponts H, le nombre d'onde de la liaison O—H se situe entre 3550 et 3200 cm⁻¹, tandis que pour un échantillon du même alcool, mais dilué dans un solvant incapable de faire des ponts H avec les molécules d'alcool, le nombre d'onde de la liaison O—H se situe entre 3650 et 3590 cm⁻¹.

Pour sa part, la résonance, impliquant une délocalisation d'électrons mobiles, a aussi un effet sur la force de la liaison. À titre d'exemple, dans la figure 5.9, la fonction alcène impliquée dans le système conjugué possède un nombre d'onde d'absorption plus petit qu'un alcène isolé non impliqué dans un phénomène de résonance, car la force de la liaison réelle dans l'hybride de résonance est située entre celle d'une liaison simple et celle d'une liaison double. Par opposition, le nombre d'onde d'absorption de la liaison C—NH₂ est supérieur à celui d'une liaison simple C—N puisque, dans l'hybride de résonance, cette liaison possède un caractère de liaison double.

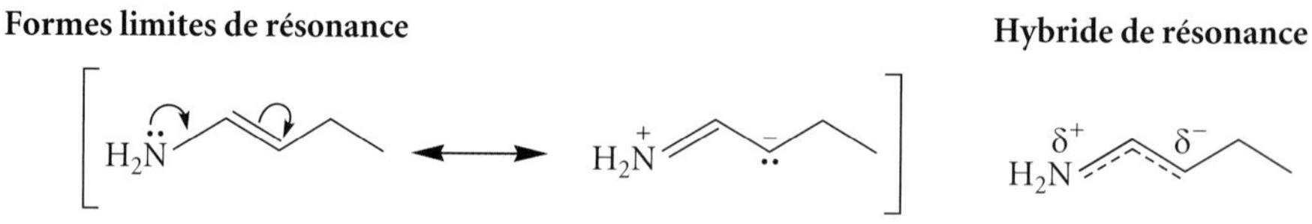

Figure 5.9
Effet de la résonance sur la force des liaisons chimiques

Formes limites de résonance   Hybride de résonance

Exercice 5.5 La vibration d'une liaison C—N d'un amide possède un nombre d'onde supérieur à la liaison C—N d'une amine. Expliquez brièvement.

Exercice 5.6 Associez les nombres d'onde suivants pour une liaison C=O aux composés organiques correspondants.

$\bar{v}$: 1680 cm^{-1} ; 1730 cm^{-1}

$$CH_3—CH_2—\overset{\overset{\textstyle O}{\|}}{C}—CH_2—CH_2—CH_3$$
hexan-3-one

cyclohex-2-énone

5.4.3 Facteurs influant sur l'intensité et la largeur d'une bande d'absorption

Le tableau 5.3 (*voir p. 235*) présente les nombres d'onde des liaisons de différents groupements fonctionnels, mais également l'intensité des bandes d'absorption sur le spectre IR. L'intensité de la bande observée est fonction de la polarité de la liaison ainsi que du nombre de fois que cette liaison se trouve dans la molécule. Toutefois, la polarité de la liaison prédomine sur l'abondance. Ainsi, plus une liaison donnée est polaire et fréquente dans la molécule, plus intense est sa bande caractéristique d'absorption dans un spectre IR.

La largeur de la bande est surtout influencée par la présence d'un atome d'oxygène dans la liaison et par sa capacité à faire des ponts hydrogène. Dans la figure 5.10, les spectres IR du propan-1-ol et de l'acide propanoïque illustrent les bandes d'absorption typiques des groupements fonctionnels des alcools et des acides carboxyliques. Pour chacun des spectres, la bande d'absorption très intense de la liaison O—H indique la forte polarité de cette liaison. La largeur des bandes est proportionnelle au nombre et à la force des ponts hydrogène effectués par les molécules de l'échantillon. Ainsi, la bande d'absorption de la liaison O—H de l'acide est beaucoup plus large que celle de l'alcool, puisque l'acide existe sous forme de dimères (*voir le chapitre 12 dans les ressources numériques au <www.cheneliere.ca/chimieorganique>*), ce qui confère aux ponts hydrogène une force particulièrement grande. La largeur des bandes d'absorption est également dictée par d'autres facteurs plus complexes qui ne seront pas traités dans cet ouvrage.

Figure 5.10 Spectres infrarouges – a) Propan-1-ol ; b) Acide propanoïque

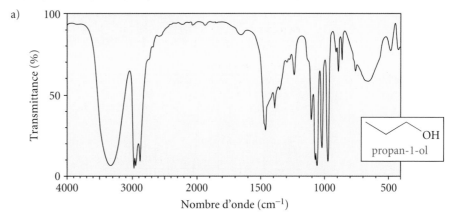

b)

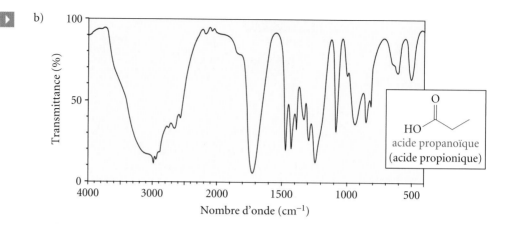

Exercice 5.7 Laquelle des liaisons encadrées possède la bande d'absorption la plus intense en spectroscopie infrarouge ? Expliquez brièvement votre réponse.

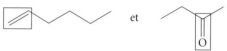

Exercice 5.8 L'élongation d'une liaison N—H d'une fonction amine correspond à une bande d'absorption en infrarouge moins large et moins intense que l'élongation d'une liaison O—H d'une fonction acide. Expliquez brièvement cette affirmation.

5.4.4 Analyse des spectres infrarouges

À l'aide de l'exemple ci-dessous, une méthode systématique d'analyse des spectres infrarouges est proposée.

Exemple 5.2

À partir du spectre infrarouge, quelles sont les bandes d'absorption caractéristiques principales permettant d'identifier la molécule suivante ?

4-hydroxy-4-méthylpentan-2-one

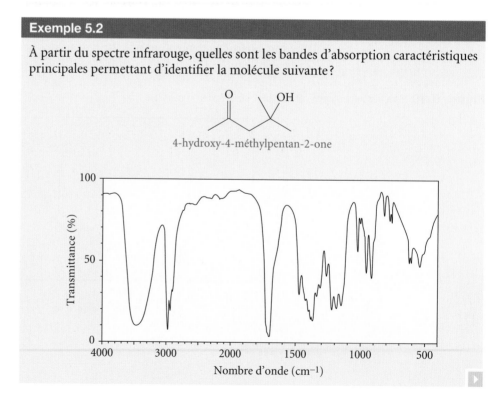

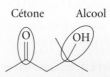
Solution

1. Déterminez tout d'abord les groupements fonctionnels présents sur la structure du 4-hydroxy-4-méthylpentan-2-one.

Cétone   Alcool

En plus des bandes d'absorption des liaisons des groupements fonctionnels encerclés, le spectre infrarouge devrait posséder une bande d'absorption caractéristique des liaisons C—H de type alcane.

2. Ensuite, sur le spectre infrarouge, localisez les bandes d'absorption de gauche à droite entre 4000 cm^{-1} et 1500 cm^{-1}. La région des groupements fonctionnels se localise dans cette zone. Déterminez les nombres d'onde $\bar{v}$ correspondant à chacune de ces bandes d'absorption.

Bandes d'absorption observées :

- $\bar{v} \approx 3500$ cm^{-1}
- $\bar{v} \approx 3000\text{-}2900$ cm^{-1}
- $\bar{v} \approx 1700$ cm^{-1}

3. À l'aide du tableau 5.3 (*voir p. 235*), associez chacune des bandes d'absorption observées aux types de liaisons des groupements fonctionnels qui se trouvent dans le 4-hydroxy-4-méthylpentan-2-one.

- $\bar{v} \approx 3500$ cm^{-1} correspond à la liaison O—H de la fonction alcool (3550-3200 cm^{-1}). L'intensité et la largeur de la bande d'absorption sont dues respectivement à la polarité de la liaison O—H et à sa capacité à faire des ponts hydrogène.

- $\bar{v} \approx 3000\text{-}2900$ cm^{-1} correspond aux liaisons C—H de type alcane (2960-2850 cm^{-1}) des composés organiques. L'abondance des liaisons C—H se traduit par une bande d'absorption avec une intensité significative lorsqu'elle est comparée aux autres bandes présentes.

- $\bar{v} \approx 1700$ cm^{-1} correspond à la liaison C=O de la fonction cétone (1725-1705 cm^{-1}). La polarité de la liaison C=O de la fonction cétone explique la forte intensité de sa bande d'absorption.

Exercice 5.9   À partir du spectre infrarouge de l'oct-1-yne, quelles sont les principales bandes d'absorption caractéristiques permettant d'identifier cette molécule ?

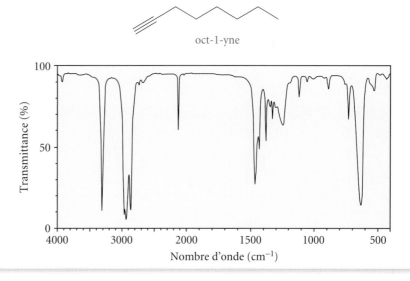

oct-1-yne

Caractérisation (section 5.1)

La caractérisation consiste en la prise d'une série de données expérimentales qui permettent aux scientifiques de confirmer l'identité d'un composé étudié.

Type de caractérisation	Caractéristiques
Caractérisation chimique	Tests d'identification (série de réactions chimiques) afin de confirmer la présence ou l'absence de groupements fonctionnels
Caractérisation physique	Propriétés physiques (aspect, couleur, viscosité, pouvoir rotatoire spécifique, solubilité, point d'ébullition, etc.)
Caractérisation spectroscopique	Techniques analytiques impliquant des interactions de la matière avec des radiations électromagnétiques

Techniques modernes de caractérisation (*voir le tableau 5.1, p. 228, pour leurs particularités*)

- Analyse élémentaire
- Spectroscopie infrarouge (IR)
- Spectroscopie ultraviolette et visible (UV-visible)
- Fluorescence
- Résonance magnétique nucléaire (RMN)
- Spectrométrie de masse
- Cristallographie

Onde électromagnétique (section 5.2)

Équation de Planck : $\boxed{E_{\text{photon}} = h\nu = \dfrac{hc}{\lambda} = hc\,\bar{\nu}}$

où

E = énergie de la lumière (J);

h = constante de Planck ($6{,}626 \times 10^{-34}$ J $\cdot$ s);

ν = fréquence (Hz ou s^{-1});

c = vitesse de propagation de la lumière dans le vide ($2{,}998 \times 10^{8}$ m/s);

λ = longueur d'onde (m ou sous-unités);

$\bar{\nu}$ = nombre d'onde (m^{-1} ou sous-unités).

Spectroscopie infrarouge (section 5.4)

Technique d'analyse utile pour l'identification de groupements fonctionnels au sein du composé étudié.

Spectre IR et analyse des bandes d'absorption

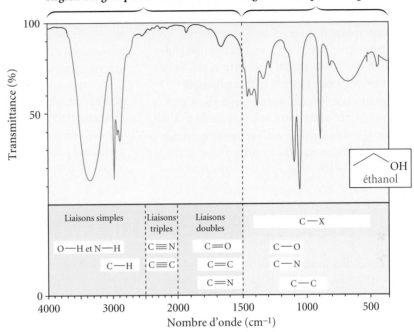

- Région la plus utile au moment de l'analyse d'un spectre IR
- Observation des bandes d'absorption (particulièrement les modes de vibration d'élongation) caractéristiques des différents groupements fonctionnels (*voir le tableau 5.3, p. 235*)

- Région propre à un composé; sert à identifier une substance en comparant son spectre IR avec ceux d'une banque de données
- Combinaison des vibrations d'élongation et de déformation angulaire; région plus complexe à analyser

Localisation et aspect des bandes d'absorption (sections 5.4.2 et 5.4.3)

$$\text{Loi de Hooke}: \boxed{\overline{v} = \frac{1}{2\pi c} \sqrt{\frac{f(m_x + m_y)}{m_x m_y}}}$$

Le nombre d'onde ($\overline{v}$ en cm^{-1}) dépend de :

- la force de la liaison influencée, entre autres, par les attractions intermoléculaires et la résonance (f est la constante de force en N/m ou 10^3 g/s²);
- la masse des atomes x et y (m_x et m_y en grammes).

L'intensité de la bande d'absorption observée sur un spectre IR est fonction de :

- la polarité de la liaison;
- son abondance dans le composé.

Remarque : La polarité de la liaison prédomine toutefois sur l'abondance.

VÉRIFICATION DES CONNAISSANCES

Après l'étude de ce chapitre, je devrais être en mesure :

○ de définir les trois types de caractérisation (chimique, physique et spectroscopique) ;

○ de nommer et de décrire sommairement les techniques modernes de caractérisation (analyse élémentaire, cristallographie, fluorescence, spectrométrie de masse, spectroscopie infrarouge, résonance magnétique nucléaire, spectroscopie ultraviolette et visible) ;

○ de définir les principes de base de la spectroscopie ;

○ d'utiliser l'équation de Planck liant l'énergie d'un photon de lumière à sa fréquence (ou à sa longueur d'onde) ;

○ de distinguer les différents types de spectroscopies (résonance magnétique nucléaire, infrarouge, ultraviolette et visible) par leur domaine de fréquences (ou

de longueurs d'onde) et par l'effet du rayonnement électromagnétique sur les molécules ;

○ de définir la spécificité de la spectroscopie infrarouge ;

○ de décrire sommairement le fonctionnement des différents spectrophotomètres infrarouges (spectrophotomètre classique de dispersion, spectrophotomètre à transformée de Fourier, ATR-FTIR) ;

○ de connaître les caractéristiques des principales bandes d'absorption associées, en spectroscopie infrarouge, à des modes de vibration d'élongation et de déformation angulaire de liaisons chimiques choisies ;

○ de déduire les types de liaisons présentes dans une molécule par l'analyse des bandes d'absorption de son spectre infrarouge.

EXERCICES SUPPLÉMENTAIRES

5.10 Certaines molécules inorganiques figurent dans une multitude de réactions en chimie organique. Parmi les molécules suivantes, lesquelles présentent des bandes d'absorption significatives dans un spectre infrarouge ? Expliquez votre réponse.

H_2 HCl NH_3 HI Cl_2 Br_2

5.11 Le cyanure d'hydrogène (H—C≡N) est un gaz incolore, extrêmement toxique, qui se dissout dans l'eau pour former l'acide cyanhydrique. Celui-ci est l'une des composantes toxiques de la fumée de cigarette.

Expliquez ce qui se passe sur le plan moléculaire lorsqu'une molécule de cyanure d'hydrogène absorbe une radiation infrarouge. Dessinez trois vibrations possibles.

5.12 Les gaz à effet de serre (GES) sont des molécules gazeuses présentes dans l'atmosphère et qui ont la propriété d'absorber les rayons infrarouges émis par la surface terrestre.

Les deux principaux GES sont le dioxyde de carbone (CO_2) et la vapeur d'eau. Cependant, les deux gaz les plus abondants dans l'atmosphère, soit l'azote (N_2) et l'oxygène (O_2), n'ont pas la propriété d'être des GES. Expliquez brièvement cette affirmation.

5.13 Pour chacune des paires de molécules suivantes, repérez la structure qui possède le nombre d'onde de vibration $\bar{v}$ le plus élevé pour les liaisons spécifiques inscrites entre parenthèses. Justifiez brièvement vos choix.

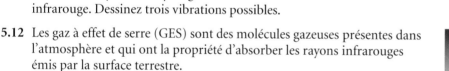

a) $CH_3—CH_2—OH$ et $CH_3—\overset{\overset{O}{\|}}{C}—OH$
(élongation de la liaison C—O)

b) $CH_3—\overset{\overset{O}{\|}}{C}—CH_3$ et $CH_3—\overset{\overset{O}{\|}}{C}—NH_2$
(élongation de la liaison C=O)

c) ⬡—NH_2 et ⬡—NH_2
(élongation de la liaison C—N)

5.14 Expliquez l'ordre décroissant suivant du nombre d'onde $\bar{v}$ des bandes d'absorption des liaisons carbone-halogène, comme cela est décrit dans le tableau 5.3 (*voir p. 235*).

$$C—F \ > \ C—Cl \ > \ C—Br \ > \ C—I$$

5.15 Placez dans l'ordre croissant du nombre d'onde $\bar{v}$ les bandes d'absorption en infrarouge des liaisons inscrites entre parenthèses des composés suivants. Expliquez votre réponse.

CH$_3$OH	CH$_2$O	HCOOH
méthanol	méthanal	acide méthanoïque
(élongation C—O)	(formaldéhyde)	(élongation C=O)
	(élongation C=O)	

5.16 Placez dans l'ordre croissant l'intensité des bandes d'absorption en infrarouge pour les liaisons suivantes. Expliquez votre choix.

$$C—N \qquad\qquad C—O \qquad\qquad C—H$$

5.17 Comment la spectroscopie infrarouge pourrait-elle différencier les paires suivantes d'isomères?

a)
$$\underset{\qquad\quad |}{\overset{CH_3}{}}$$
$$CH_3—CH—CHO \quad et \quad CH_3—CH=CH—O—CH_3$$

b)
$$\underset{\qquad\quad |}{\overset{CH_3}{}} \qquad\qquad\qquad \underset{\quad\;\; |}{\overset{CH_3}{}}$$
$$CH_3—CH—CH_2—CH_2—NH_2 \quad et \quad CH_3—N—CH_2—CH_2—CH_3$$

c)

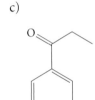

et

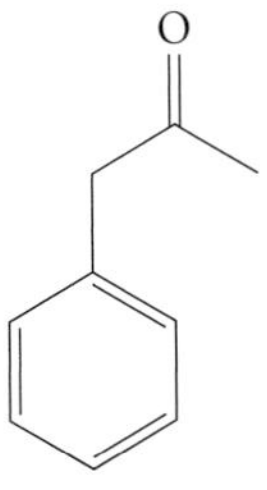

5.18 En spectroscopie infrarouge, est-il possible de distinguer des énantiomères? Des diastéréoisomères?

5.19 Quelles sont les bandes d'absorption caractéristiques observées en spectroscopie infrarouge pour les molécules suivantes?

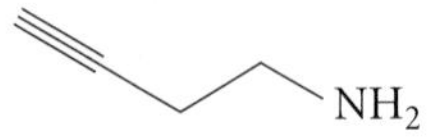

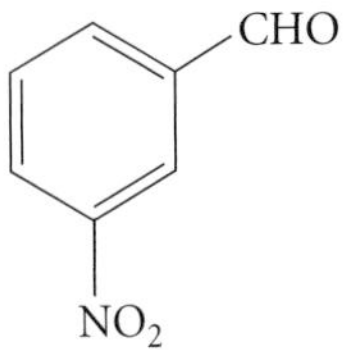

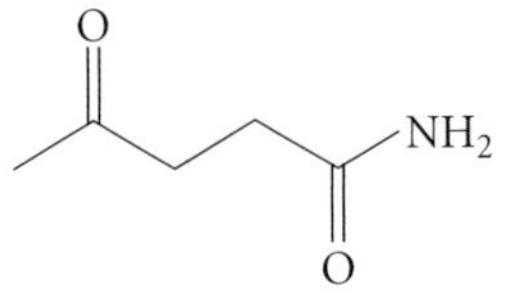

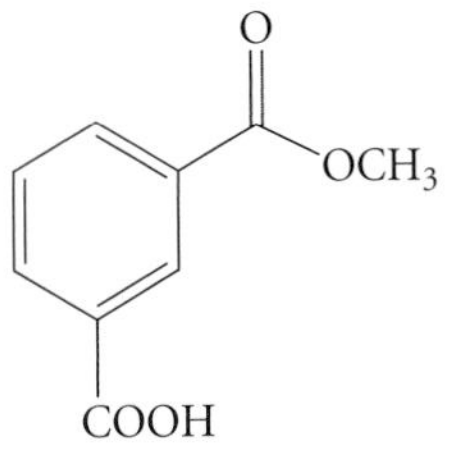

5.20 L'acétate d'isopenténYle est un composé organique responsable du goût et de l'odeur de la gomme Juicy Fruit. À partir du spectre infrarouge de l'acétate d'isopenténYle, quelles sont les principales bandes d'absorption caractéristiques permettant d'identifier cette molécule ?

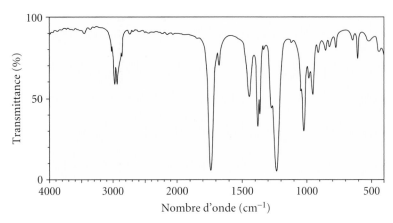

éthanoate de 3-méthylbut-2-ényle
(acétate d'isopenténYle)

5.21 Soit les isomères de constitution suivants.

A	B	C

Associez chacun de ces isomères à son spectre infrarouge correspondant et indiquez quelles bandes d'absorption vous ont permis de faire votre déduction.

Spectre 1

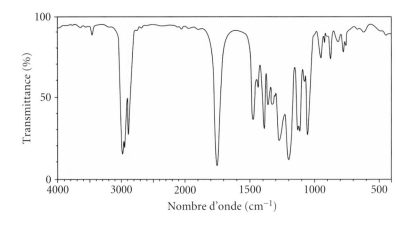

Spectre 2

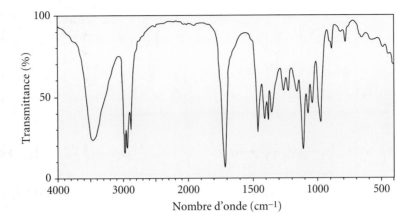

Spectre 3

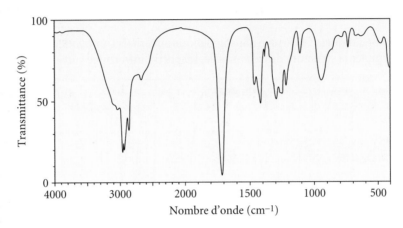

5.22 L'acide adipique est une molécule ajoutée aux boissons non alcoolisées afin d'augmenter leur acidité. Il est également une des molécules responsables du goût de la betterave. La synthèse de l'acide adipique peut être suivie avec la spectroscopie infrarouge. Pour ce faire, la prise du spectre du substrat (cyclohexène) est effectuée avant le début de la réaction, et la prise de plusieurs spectres IR est effectuée après certains intervalles de temps suivant la mise en contact de tous les réactifs.

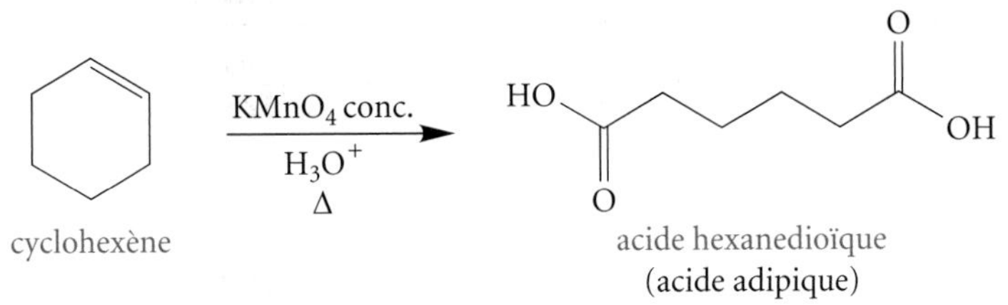

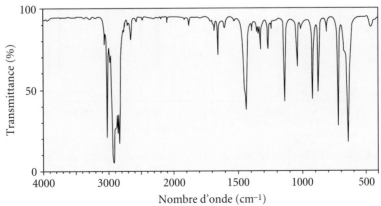

Spectre IR du substrat (cyclohexène) seulement

Spectre IR du produit obtenu après un certain laps de temps

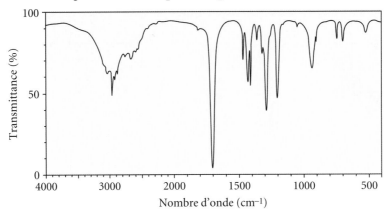

En quoi la spectroscopie infrarouge permet-elle de déterminer que la réaction est complète après le laps de temps alloué?

5.23 Un certain composé organique a été trouvé dans un laboratoire, mais son étiquette d'identification a été égarée. Dans le but de déterminer la structure de ce composé, le spectre infrarouge suivant a été effectué.

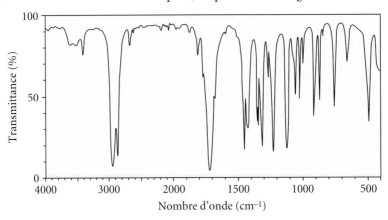

De plus, une analyse élémentaire a permis de déterminer que la formule moléculaire du composé est $C_6H_{10}O$.

a) À partir de ces deux analyses, donnez les différentes possibilités de structure (en deux dimensions) du composé. Expliquez votre raisonnement.

b) Comment faire pour trancher sur la bonne structure?

5.24 Un certain composé organique donne le spectre infrarouge suivant.

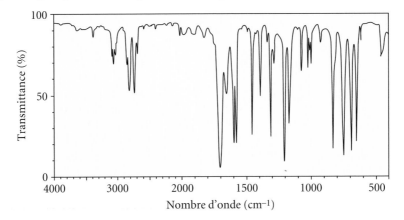

Il a été déterminé par une analyse élémentaire que la formule moléculaire du composé est C_7H_6O. Déterminez la structure de ce composé. Expliquez votre raisonnement. (**Indice:** Il n'y a qu'une possibilité de structure dans ce cas.)

6 Alcanes

Éléments de compétence

- Déterminer la réactivité de fonctions organiques simples comme alcanes, alcènes, alcynes, organomagnésiens, dérivés halogénés, alcools à l'aide des principaux types de mécanisme de réactions : S_N1, S_N2, E1, E2.

- Concevoir théoriquement des méthodes de synthèse de composés organiques simples à partir de produits donnés.

Plateforme de forage en mer du Nord. Du pétrole et du gaz naturel y sont extraits, et le CO_2 excédentaire est réinjecté dans le sous-sol marin. Le pétrole est une source naturelle importante d'alcanes.

$$CH_3[CH_2]_nCH_3$$

Alcane

cheneliere.ca/chimieorganique **www**

› Mots clés

Les alcanes font partie d'une grande classe de composés, les **hydrocarbures**. Ce terme a été introduit en 1809 par **Thomas Thomson** (1773-1852), un chimiste britannique. Il provient du préfixe *hydro-* (du grec, signifiant « eau ») et du mot *carbo* (du latin, signifiant « braise »), faisant référence à des substances qui produisent de l'eau lorsqu'elles subissent une combustion. Aujourd'hui, les hydrocarbures sont définis en tant que substance n'étant formée que d'atomes de carbone et d'hydrogène. Les hydrocarbures se subdivisent en deux catégories de composés, selon leur structure chimique. Ils sont classés en fonction de la présence ou de l'absence de liaisons π sur leur chaîne carbonée. Lorsqu'un hydrocarbure renferme une ou plusieurs liaisons π, il est **insaturé**. Les groupements fonctionnels alcènes, alcynes et composés aromatiques, qui seront étudiés respectivement dans les chapitres 7 et 8, se trouvent dans cette catégorie. Par opposition, si un hydrocarbure ne possède aucune liaison π, il est **saturé**. Les **alcanes** s'insèrent dans cette dernière catégorie. Si leur chaîne de carbones est linéaire ou ramifiée, sans cycle, ce sont des **alcanes acycliques**, ou tout simplement des alcanes. Par contre, ce sont des **cycloalcanes** si leur structure renferme un cycle (*voir la figure 6.1, page suivante*).

Figure 6.1
Classification des hydrocarbures selon leur structure chimique. (Le chapitre 6 traite des notions indiquées par une trame bleue.)

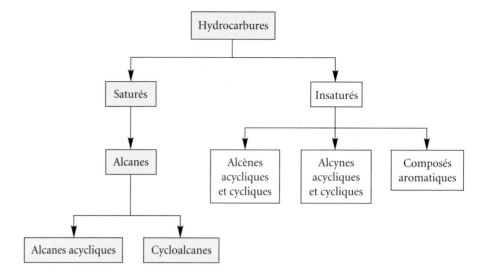

Au cours de ce chapitre, les propriétés chimiques et physiques des alcanes et des cycloalcanes seront étudiées.

6.1 Sources d'alcanes

Les alcanes sont des substances incolores et inflammables. Dans la nature, ils sont les constituants prédominants du gaz naturel et du pétrole. Ils proviennent de la décomposition d'espèces marines animales et végétales accumulées au fond des océans. Ces dernières, mélangées à de la boue et du limon, subissent un long processus de transformations bactériennes anaérobies pour donner naissance à un composé organique solide appelé **kérogène**. Le kérogène disséminé dans la masse minérale porte le nom de **roche mère**. Le mouvement des plaques tectoniques entraîne ensuite les sédiments dans les profondeurs du sol marin. La compression et la chaleur intense transforment enfin la matière organique en gaz naturel ou en pétrole. Cette transformation s'effectue sur une période de plusieurs millions d'années. Le pétrole est principalement obtenu par une transformation thermogénique à des profondeurs situées entre 2000 et 3000 mètres. Pour sa part, le gaz naturel est principalement obtenu à des profondeurs supérieures à 3000 mètres. Les hydrocarbures ainsi formés, possédant de faibles masses volumiques, auront une tendance naturelle à remonter vers les couches supérieures du sol. Si leur migration les mène à une roche imperméable, une accumulation d'hydrocarbures peut survenir, donnant naissance à un gisement. Le gaz naturel, dont la masse volumique est plus petite que le pétrole, occupe la partie supérieure d'un gisement, alors que le pétrole occupe la partie inférieure.

Le **gaz naturel** est principalement formé d'alcanes acycliques, à courtes chaînes, à l'état gazeux, soit environ 80 % de méthane, 5 à 10 % d'éthane et un mélange, entre autres, de propane, de butane et de 2-méthylpropane.

Le **pétrole** (du latin *petra* signifiant « roche » et du latin *oleum* signifiant « huile ») est un liquide noir visqueux formé d'un mélange complexe d'hydrocarbures très variés. Il est, en grande majorité, constitué d'alcanes et de cycloalcanes. Le pétrole est un produit fort important dans plusieurs secteurs très variés. Il est utilisé comme sources de chaleur (combustibles) et de puissance (carburants), pour la préparation des lubrifiants (huiles, graisses, cires, paraffines) et des bitumes (asphalte), ainsi que comme matière première pour la fabrication de produits synthétiques (plastiques, peintures, fibres synthétiques, etc.). Toutes les composantes du pétrole (gaz, mazout, naphta, essence, kérosène, gazole, asphalte, huiles, cires, etc.) doivent être séparées et raffinées afin d'être propices à une utilisation commerciale.

Les brûleurs, ou becs Bunsen, brûlent du gaz naturel essentiellement formé de méthane et d'éthane.

CHRONIQUES D'UNE MOLÉCULE

Le pétrole et les sables bitumineux
Par Daniel Gareau, Collège Édouard-Montpetit

Le pétrole est actuellement au centre de plusieurs enjeux. Selon l'International Energy Agency (IEA)[1], le pétrole représentait 43 % de la consommation énergétique mondiale en 2006. En 2008, la consommation mondiale était de 5 milliards de mètres cubes (soit 31 milliards de barils), ce qui est presque quatre fois plus que 50 ans auparavant[2]. Au Canada, il s'en est consommé près de 213 millions de mètres cubes (soit 1,3 milliard de barils) en 2010[3]. Il représente donc des retombées économiques importantes, d'où son appellation d'« or noir ». Bien que le pétrole soit le liquide le plus abondant sur terre après l'eau, il est une ressource non renouvelable.

L'appauvrissement des ressources pétrolières, combiné à une augmentation de la demande mondiale, entraînera inévitablement une pénurie et une augmentation des prix dans les années à venir. Selon les principales sources d'information (Energy Watch Group), au rythme de la consommation de 2006 et en tenant compte des gisements actuellement en exploitation, il ne resterait qu'environ 32 à 42 ans de consommation. Cela étant dit, ces chiffres ne sont que des estimations, car la majorité des réserves est la propriété de compagnies qui n'ont pas l'obligation de divulguer ces renseignements.

Finalement, la combustion du pétrole dégage du dioxyde de carbone (CO_2), un des principaux gaz à effet de serre, ce qui contribue au réchauffement climatique. Les générations futures devront vivre avec les conséquences encore méconnues de notre consommation du pétrole.

Mais en fait, qu'est-ce que le pétrole ?

Le pétrole brut est un liquide plus ou moins visqueux de couleur pouvant aller du jaune au noir. Il est constitué d'une grande variété de composés organiques simples, principalement d'alcanes (et de cycloalcanes) et de composés aromatiques. Plus les molécules présentes dans le pétrole sont grosses, plus le pétrole est visqueux, car les molécules sont mieux retenues les unes aux autres en raison d'un nombre plus élevé d'attractions intermoléculaires.

Le pétrole provient de l'accumulation de matière organique, principalement végétale, non recyclée par la biosphère. Ceci peut survenir lorsque la masse de débris organiques excède la capacité de recyclage de l'environnement, comme lors des périodes de fort réchauffement climatique du jurassique ou du crétacé.

Le pétrole est connu depuis l'Antiquité. Les Égyptiens se servaient du bitume pour embaumer leurs momies. Il est même cité dans la Bible qu'à l'heure du déluge, Dieu dit à Noé : « Fais-toi une arche en bois de résineux, tu la compartimenteras et tu l'enduiras de bitume, par-dedans et par-dehors » (Gen. VI:14)[4]. Toutefois, la distillation du pétrole ne débute qu'au Moyen Âge.

La **distillation** est une méthode de séparation qui exploite la différence de volatilité des produits afin de les isoler les uns des autres. C'est l'une des étapes les plus importantes du procédé de raffinage du pétrole. De nos jours, les industries utilisent d'énormes tours à distillation (ou colonnes de fractionnement), comme il est possible d'en voir dans les raffineries.

Tours à distillation à la raffinerie Suncor de Montréal-Est

En chauffant le pétrole, les différents constituants vont s'évaporer à des vitesses différentes, selon leur volatilité. Les produits légers, dont la masse molaire est faible, sont recueillis dans la partie supérieure de la tour par condensation en passant par des échangeurs de chaleur, alors que les produits plus lourds, dont la masse molaire est grande, sont récupérés dans le bas de la tour (*voir page suivante*). L'essence utilisée dans les automobiles est essentiellement constituée des fractions légères du pétrole. Elle représente environ 25 % du pétrole brut.

Les moteurs modernes ont un fort taux de compression, ce qui a tendance à faire détoner l'essence. Par conséquent, cette dernière doit posséder le plus faible pouvoir détonant possible. L'**indice d'octane** des essences permet de mesurer le pouvoir détonant d'un carburant par comparaison avec des carburants de référence. Le composé organique utilisé, renfermant huit carbones (d'où l'origine du nom « indice d'octane »), est le 2,2,4-triméthylpentane. Ce composé est considéré comme l'un des meilleurs carburants, car il a une combustion uniforme et ne détone pas. D'ailleurs, en général, les composés ramifiés font de meilleures essences,

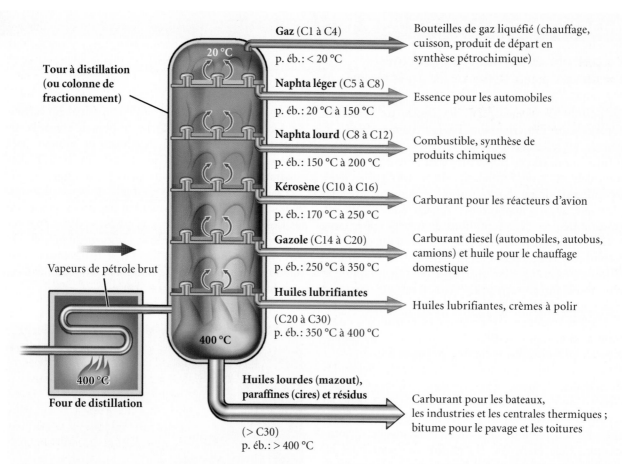

Tour à distillation (ou colonne de fractionnement)

20 °C

Gaz (C1 à C4)

Bouteilles de gaz liquéfié (chauffage, cuisson, produit de départ en synthèse pétrochimique)

p. éb. : < 20 °C

Naphta léger (C5 à C8)

Essence pour les automobiles

p. éb. : 20 °C à 150 °C

Naphta lourd (C8 à C12)

Combustible, synthèse de produits chimiques

p. éb. : 150 °C à 200 °C

Kérosène (C10 à C16)

Carburant pour les réacteurs d'avion

p. éb. : 170 °C à 250 °C

Gazole (C14 à C20)

Carburant diesel (automobiles, autobus, camions) et huile pour le chauffage domestique

p. éb. : 250 °C à 350 °C

Huiles lubrifiantes

Huiles lubrifiantes, crèmes à polir

(C20 à C30)
p. éb. : 350 °C à 400 °C

400 °C

Vapeurs de pétrole brut

400 °C

Four de distillation

Huiles lourdes (mazout), paraffines (cires) et résidus

Carburant pour les bateaux, les industries et les centrales thermiques ; bitume pour le pavage et les toitures

(> C30)
p. éb. : > 400 °C

puisqu'ils détonent et s'autoenflamment moins facilement. De plus, ils sont moins visqueux et possèdent une température de changement de phase plus basse, car ils forment un moins grand nombre d'attractions intermoléculaires que leurs analogues non ramifiés de même masse molaire. Par comparaison, l'heptane est un très mauvais carburant, car il ne fait que détoner. Son indice d'octane est de 0. Une essence ayant un indice d'octane de 95 % signifie qu'elle brûle comme un mélange constitué de 95 % de 2,2,4-triméthylpentane et de 5 % d'heptane. Anciennement, des dérivés du plomb étaient utilisés pour augmenter le pouvoir antidétonant d'une essence. Toutefois, l'utilisation de ce métal dans les essences automobiles est aujourd'hui interdite à cause de ses effets sur la santé.

Les fractions lourdes provenant de la tour de distillation sont, quant à elles, utilisées comme goudron, lubrifiant ou mazout. Certaines maisons sont d'ailleurs encore chauffées par des fournaises fonctionnant à l'huile. Toutefois, les fractions lourdes peuvent également être transformées chimiquement en essence par un procédé appelé « craquage ». Le **craquage** est la transformation de grosses molécules en plusieurs, plus petites. Cette étape permet non seulement de produire de l'essence, mais aussi d'obtenir une famille de composés peu présente dans le pétrole, les oléfines (ou alcènes, pour les chimistes). Cette famille est très importante, puisqu'elle est au centre de plusieurs réactions chimiques (*voir le chapitre 7*).

Le craquage peut se réaliser principalement de deux manières. La première fut découverte par hasard en 1861 lorsqu'un opérateur de raffinerie oublia d'arrêter à temps la distillation du pétrole. En effet, la haute température engendrée en milieu anaérobie (sans oxygène gazeux) permet de briser les grosses molécules en de plus petites. C'est ce qui est appelé un « craquage thermique ». La deuxième technique utilise des catalyseurs, ce qui permet de faire le craquage à des températures beaucoup plus basses. Ce procédé, appelé « craquage catalytique », est aujourd'hui universellement répandu.

Il est également possible de faire l'inverse du craquage en utilisant un procédé appelé **alkylation**. Cette méthode permet d'assembler de petites molécules pour en faire de plus grosses. En général, ce procédé forme des essences ramifiées à haut indice d'octane.

Craquage

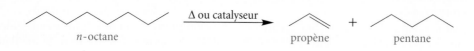

n-octane $\xrightarrow{\Delta \text{ ou catalyseur}}$ propène + pentane

Plusieurs autres procédés permettent de convertir le pétrole brut en produits commerciaux, notamment l'**isomérisation**, qui permet de transformer une molécule en une autre ayant les mêmes atomes, mais dont l'arrangement est différent (isomère). Le but de l'isomérisation est de créer des composés ramifiés qui sont moins détonants.

Isomérisation

n-octane → 2,2,4-triméthylpentane + 2,2-diméthylhexane + 2-méthylheptane + ...

Finalement, pour procéder au raffinage du pétrole, il est aussi nécessaire de dessaler et de désulfurer le pétrole brut. Le sel provient généralement d'une contamination du pétrole brut par l'eau de mer. Il est nécessaire de s'en débarrasser, puisqu'il encrasse les appareils et augmente la corrosion. La désulfuration, quant à elle, est nécessaire pour diverses raisons. Premièrement, les composés soufrés peuvent former des molécules corrosives et néfastes pour l'environnement. De plus, ces composés étant souvent des poisons pour les catalyseurs métalliques, ils peuvent nuire au procédé de raffinage.

Les sables bitumineux

À l'état brut, le pétrole peut également être présent sous forme semi-solide. Il se nomme alors **bitume**. Lorsque le bitume est mélangé à du sable et à de l'argile minérale, il devient du **sable bitumineux**. L'Alberta détient l'une des plus grandes réserves de sables bitumineux au monde. Il s'agit donc d'un enjeu économique très important pour le Canada depuis quelques années. Environ 2500 milliards de barils ont été repérés dans cette province[5], ce qui représente la deuxième réserve mondiale, devant l'Iran, l'Irak et le Koweït. En 2003, le Canada est même devenu le deuxième pays producteur de pétrole, juste derrière l'Arabie saoudite. Avec sa grande production, le Canada est l'un des principaux fournisseurs du plus grand consommateur de pétrole au monde, les États-Unis. En 2009, ce pays consommait plus du double de pétrole que la Chine, qui est le deuxième pays le plus gourmand[6]. Malheureusement, l'extraction du pétrole des sables bitumineux est une industrie très polluante. En effet, son extraction génère trois fois plus de gaz à effet de serre que celle du pétrole classique. La province albertaine est maintenant très polluée, avec un taux de cancer élevé, des pluies acides et une contamination des eaux.

Les problèmes causés par le pétrole ne sont pas simples à régler. Même en sachant que sa production et sa consommation nuisent grandement à l'environnement et même à la santé, il est actuellement impossible de s'en passer, puisqu'il constitue, avec le charbon, la principale source d'énergie mondiale. Il n'est ainsi pas étonnant de voir autant de réticence de la part des pays producteurs, comme le Canada, à diminuer leur consommation.

Bien que le Canada soit un important producteur de pétrole, le Québec, grâce à l'hydroélectricité et aux gisements éoliens, est l'une des rares régions industrialisées pour laquelle le pétrole ne constitue pas la principale source d'énergie.

Est-ce que l'humanité saura faire face à la crise qui se prépare? Est-ce que le réchauffement climatique causé par l'utilisation de ces combustibles fossiles aura des répercussions si importantes que des changements majeurs dans nos habitudes de consommation et dans notre mode de vie deviendront une nécessité? Après l'épuisement des ressources, de grands changements mondiaux sont à prévoir. En effet, les grandes puissances économiques de maintenant n'occuperont peut-être plus cette position dans quelques années sans leur allié qu'est le pétrole. Seul l'avenir le dira.

6.2 Structure des alcanes

Les alcanes sont des molécules qui ne possèdent que des liaisons simples C—C et C—H. Leur structure ne renferme donc que des tétraèdres dont les angles de liaison sont de 109,5°. Le méthane est la plus petite molécule d'alcane possible. Le tableau 6.1, à la page suivante, illustre les quatre alcanes linéaires (ou normaux, n-alcanes) les plus simples présents majoritairement dans le gaz naturel et dans le **gaz de pétrole liquéfié** (**GPL**). Le GPL est principalement composé de propane et de butane sous pression. Il est utilisé comme combustible à usage domestique, notamment dans les briquets, pour la production d'eau chaude et dans les cuisinières.

Pour passer d'une structure à une autre entre les différentes molécules du tableau 6.1, il suffit d'allonger ou de raccourcir la chaîne linéaire d'un carbone, plus particulièrement d'un **groupement méthylène** (—CH$_2$—). De telles structures, liées les unes aux autres par un groupement spécifique d'atomes, font partie de ce qui est appelé une **série homologue**. Ce concept s'applique non seulement aux alcanes, mais également à tous les groupements fonctionnels. Les propriétés chimiques des composés d'une série homologue sont très similaires, alors que leurs propriétés physiques varient en fonction du nombre d'atomes.

La formule moléculaire générale C$_n$H$_{2n+2}$ (où n est le nombre de carbones) s'applique à tous les alcanes acycliques. Dans le cas des alcanes monocycliques, ils possèdent deux hydrogènes en moins que l'alcane acyclique correspondant. Leur structure chimique respecte donc la formule moléculaire C$_n$H$_{2n}$. Il convient de noter que les alcanes cycliques sont des hydrocarbures saturés, car ils n'ont pas de liaisons π, mais possèdent une formule moléculaire semblable à celle des hydrocarbures insaturés.

Tableau 6.1 **Structure chimique des alcanes linéaires les plus simples**

Nom	Formule développée	Formule semi-développée	Modèle à boules et bâtonnets[a]	Modèle compact
méthane		CH$_4$	109,5°	
éthane		CH$_3$—CH$_3$		
propane		CH$_3$—CH$_2$—CH$_3$		
butane		CH$_3$—CH$_2$—CH$_2$—CH$_3$		

a. Tous les angles de liaison sont de 109,5° dans les structures des alcanes.

Le propane est le gaz servant à la combustion durant les barbecues.

Le GPL est le combustible présent dans le réservoir des briquets.

Exemple 6.1

Parmi les composés suivants, déterminez ceux qui font partie de la même série homologue que l'hexane C_6H_{14}.

C_5H_{12} (pentane) C_6H_{10} (hex-1-yne)

C_6H_{12} (hex-1-ène) C_7H_{16} (heptane)

Solution

La structure de l'hexane, un alcane linéaire, est :

$$CH_3—CH_2—CH_2—CH_2—CH_2—CH_3 \text{ ou } CH_3—[CH_2]_4—CH_3$$

Les membres d'une série homologue d'alcanes linéaires ne diffèrent que par le nombre de groupements méthylènes —CH_2—. Ainsi, seuls le pentane et l'heptane répondent à ce critère.

C_5H_{12} (pentane) $CH_3—CH_2—CH_2—CH_2—CH_3$ ou $CH_3—[CH_2]_3—CH_3$

C_7H_{16} (heptane) $CH_3—CH_2—CH_2—CH_2—CH_2—CH_2—CH_3$ ou $CH_3—[CH_2]_5—CH_3$

Examinons les autres composés qui ne font pas partie de la série homologue de l'hexane.

C_6H_{12} (hex-1-ène) $CH_2{=}CH—CH_2—CH_2—CH_2—CH_3$ ou $CH_2{=}CH—[CH_2]_3—CH_3$

C'est un alcène. Il ne peut faire partie de la même série homologue que l'hexane.

C_6H_{10} (hex-1-yne) $CH{\equiv}C—CH_2—CH_2—CH_2—CH_3$ ou $CH{\equiv}C—[CH_2]_3—CH_3$

C'est un alcyne. Il ne peut faire partie de la même série homologue que l'hexane.

En examinant les formules semi-développées, il faut conclure que seuls le pentane et l'heptane font partie de la même série homologue que l'hexane. Quant à l'hex-1-ène et à l'hex-1-yne, il s'agit de deux hydrocarbures insaturés, et ils n'ont donc pas le même type de chaîne principale que l'hexane, qui est un hydrocarbure saturé.

Exercice 6.1   Parmi les composés suivants, lequel fait partie de la même série homologue que le 2-méthylbutane ? Expliquez votre réponse.

Exercice 6.2   Parmi les formules moléculaires suivantes, lesquelles représentent des alcanes acycliques et lesquelles pourraient représenter des alcanes cycliques ?

a) C_9H_{20} b) $C_{12}H_{26}$ c) C_5H_{10} d) C_5H_6

6.3   Propriétés physiques des alcanes

REMARQUE

Bien qu'il existe une différence d'électronégativité entre les atomes de carbone et d'hydrogène ($\Delta \acute{E}n = 0{,}35$), la liaison C—H est considérée comme étant covalente non polaire, puisque cette valeur est plus faible que 0,40.

Les alcanes, étant constitués de liaisons covalentes non polaires (C—C et C—H), possèdent une polarité globale nulle ou négligeable. Des dipôles instantanés (déformation spontanée du nuage électronique initialement symétrique) peuvent néanmoins être créés au sein des alcanes, ce qui engendre des attractions intermoléculaires de type forces de dispersion de London (*voir la section 1.10.1.1, p. 30*). Ce type d'attractions étant faible, peu d'énergie est nécessaire pour les briser. Il en résulte, entre autres, des points de fusion et d'ébullition moins élevés pour les alcanes, comparativement à des molécules organiques de taille similaire impliquant d'autres types d'attractions intermoléculaires.

Les alcanes possèdent des propriétés physiques qui varient en fonction de leur taille. En effet, plus la chaîne de carbones est longue (donc plus la masse molaire moléculaire est grande), plus les molécules d'alcane sont polarisables et plus les attractions inter-moléculaires augmentent. Leurs points de fusion et d'ébullition sont donc plus élevés, car il faut fournir une plus grande quantité d'énergie pour briser les forces de dispersion de London plus nombreuses (*voir le tableau 6.2*).

Tableau 6.2   **Propriétés physiques d'une série homologue de quelques alcanes linéaires**

Nom systématique	Formule semi-développée	Masse molaire (g/mol)	Point de fusion normal (°C)	Point d'ébullition normal (°C)	Masse volumique (g/cm³)	État[a]
méthane	CH_4	16,04	−182,5	−161,7	−	Gaz
éthane	$CH_3\!-\!CH_3$	30,07	−183,3	−88,6	−	Gaz
propane	$CH_3\!-\!CH_2\!-\!CH_3$	44,10	−189,7	−42,1	−	Gaz
butane	$CH_3\!-\!\!\left[CH_2\right]_2\!\!-\!CH_3$	58,12	−138,3	−0,5	−	Gaz
pentane	$CH_3\!-\!\!\left[CH_2\right]_3\!\!-\!CH_3$	72,15	−129,8	36,1	0,6262	Liquide
hexane	$CH_3\!-\!\!\left[CH_2\right]_4\!\!-\!CH_3$	86,18	−95,3	68,7	0,6603	Liquide
heptane	$CH_3\!-\!\!\left[CH_2\right]_5\!\!-\!CH_3$	100,20	−90,6	98,4	0,6837	Liquide
octane	$CH_3\!-\!\!\left[CH_2\right]_6\!\!-\!CH_3$	114,23	−56,8	125,7	0,7025	Liquide
nonane	$CH_3\!-\!\!\left[CH_2\right]_7\!\!-\!CH_3$	128,26	−53,5	150,8	0,7176	Liquide
décane	$CH_3\!-\!\!\left[CH_2\right]_8\!\!-\!CH_3$	142,28	−29,7	174,0	0,7300	Liquide

a. État à la température ambiante et à la pression atmosphérique normale.

Le tableau 6.3 présente des isomères de position qui ne possèdent pas les mêmes propriétés physiques. En effet, pour une même masse molaire moléculaire, les alcanes linéaires possèdent, entre autres, des points d'ébullition plus élevés que les alcanes ramifiés. Cela s'explique par la présence des ramifications qui diminuent considérablement la surface de contact des molécules. Ainsi, les attractions intermoléculaires de type forces de dispersion de London s'effectuant entre les molécules d'alcanes ramifiés sont moins nombreuses. Par exemple, l'hexane et le 2,3-diméthylbutane sont deux isomères de position. Ils possèdent la même masse molaire moléculaire. Les molécules d'hexane sont linéaires, tandis que celles du 2,3-diméthylbutane sont plutôt sphériques en raison des ramifications méthyles. Par conséquent, les molécules d'hexane possèdent un point d'ébullition plus élevé, car la surface de contact est plus grande, et les forces de dispersion de London sont plus nombreuses et efficaces (*voir la figure 6.2*).

> **REMARQUE**
>
> Les alcanes linéaires, à la température ambiante et à la pression atmosphérique normale, sont dans les états suivants, selon le nombre de carbones de leur chaîne principale :
>
> | | |
> |---|---|
> | C1 à C4 | Gaz |
> | C5 à C17 | Liquide (avec une viscosité croissante) |
> | C18 et plus | Solide (de type cire) |

Figure 6.2 Propriétés physiques (p. ex. : point d'ébullition) de deux isomères de position, l'hexane et le 2,3-diméthylbutane, en fonction de leur surface de contact

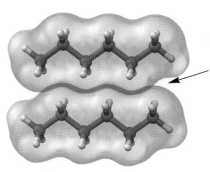

La forme linéaire offre une meilleure surface de contact entre les molécules. De nombreuses forces de dispersion de London peuvent être créées. L'alcane linéaire possède alors un point d'ébullition plus élevé.

La forme sphérique (due aux ramifications) offre une surface de contact plus petite entre les molécules. Moins de forces de dispersion de London peuvent être créées, et l'alcane ramifié possède un point d'ébullition plus faible.

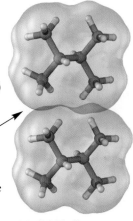

hexane
C_6H_{14}
p. éb. : 68,7 °C

2,3-diméthylbutane
C_6H_{14}
p. éb. : 58,0 °C

Tableau 6.3   Propriétés physiques de quelques alcanes linéaires et ramifiés

Nom systématique (nombre de carbones)	Formule semi-développée	Masse molaire (g/mol)	Point de fusion normal (°C)	Point d'ébullition normal (°C)	Masse volumique (g/cm³)	État[a]
butane (4 C)	$CH_3-CH_2-CH_2-CH_3$	58,12	−138,2	−0,5	–	Gaz
2-méthylpropane (4 C)	$CH_3-\underset{\underset{CH_3}{\|}}{CH}-CH_3$	58,12	−138,3	−11,7	–	Gaz
pentane (5 C)	$CH_3-CH_2-CH_2-CH_2-CH_3$	72,15	−129,8	36,1	0,6262	Liquide
2-méthylbutane (5 C)	$CH_3-\underset{\underset{CH_3}{\|}}{CH}-CH_2-CH_3$	72,15	−159,9	27,8	0,6201	Liquide
2,2-diméthylpropane (5 C)	$CH_3-\overset{\overset{CH_3}{\|}}{\underset{\underset{CH_3}{\|}}{C}}-CH_3$	72,15	−16,6	9,4	–	Gaz
hexane (6 C)	$CH_3-CH_2-CH_2-CH_2-CH_2-CH_3$	86,18	−95,3	68,7	0,6603	Liquide
2-méthylpentane (6 C)	$CH_3-\underset{\underset{CH_3}{\|}}{CH}-CH_2-CH_2-CH_3$	86,18	−153,7	60,3	0,6532	Liquide
3-méthylpentane (6 C)	$CH_3-CH_2-\underset{\underset{CH_3}{\|}}{CH}-CH_2-CH_3$	86,18	−118,0	63,3	0,6645	Liquide
2,2-diméthylbutane (6 C)	$CH_3-\overset{\overset{CH_3}{\|}}{\underset{\underset{CH_3}{\|}}{C}}-CH_2-CH_3$	86,18	−99,9	49,7	0,6485	Liquide
2,3-diméthylbutane (6 C)	$CH_3-\underset{\underset{CH_3}{\|}}{CH}-\underset{\underset{CH_3}{\|}}{CH}-CH_3$	86,18	−128,5	58,0	0,6616	Liquide

a. État à la température ambiante et à la pression atmosphérique normale.

La masse volumique des alcanes étant plus petite que celle de l'eau ($\rho_{eau} = 0,997$ g/cm³ à la température ambiante), cela explique pourquoi le pétrole flotte à la surface de l'eau lorsqu'il y a un déversement.

cheneliere.ca/chimieorganique

> Caractéristiques spectrales des alcanes

Pour que la flamme olympique soit visible dans le plus grand éventail possible de conditions météorologiques, le combustible employé contient un mélange de propane, de 2-méthylpropane (isobutane) et d'autres hydrocarbures.

La vapeur d'eau condensée est responsable de la fumée blanche observée à la sortie des tuyaux d'échappement des voitures lorsque la température est fraîche.

Les alcanes, des molécules non polaires, sont solubles dans plusieurs solvants organiques, eux-mêmes non polaires, tels que le benzène et le toluène. Par contre, ils sont insolubles dans l'eau, puisque les molécules d'eau sont polaires et qu'elles effectuent des attractions intermoléculaires de type pont hydrogène. Ainsi, les alcanes sont hydrophobes, car leurs attractions intermoléculaires sont trop différentes par rapport à celles de l'eau. En effet, il serait énergétiquement beaucoup trop désavantageux pour les molécules d'eau de rompre leurs ponts hydrogène afin de réaliser des forces de dispersion de London avec des molécules d'alcane.

Les plantes mettent à profit cette insolubilité en recouvrant leurs fruits et leurs feuilles de diverses cires, soit de longues chaînes d'alcanes, qui jouent le rôle de membranes protectrices. À titre d'exemple, la pomme renferme des alcanes linéaires de formule moléculaire $n\text{-}C_{27}H_{56}$ et $n\text{-}C_{29}H_{60}$, les feuilles de chou contiennent du $n\text{-}C_{29}H_{60}$ et les feuilles de tabac, du $n\text{-}C_{31}H_{64}$. Cette couche hydrophobe permet à la plante ou au fruit de ne pas se déshydrater trop rapidement, surtout en période de grande chaleur.

6.4 Réactions des alcanes

Les alcanes sont des molécules très stables. En effet, ils ne réagissent généralement ni avec les bases, ni avec les acides, ni même avec les agents oxydants ou réducteurs. Pour cette raison, ils sont très souvent utilisés comme solvants, car ils permettent de solubiliser divers réactifs organiques ou inorganiques sans pour autant interférer dans la réaction. Ce sont également de bons solvants employés dans diverses méthodes de purification telles que la cristallisation, l'extraction et la chromatographie. Les alcanes doivent leur très faible réactivité chimique au fait que les liaisons qui les composent sont covalentes non polaires, de type sigma et très fortes.

Malgré leur inertie et l'absence de groupements fonctionnels dans leur structure, ils réagissent cependant avec l'oxygène (combustion) ou avec certains halogènes, sous de rigoureuses conditions expérimentales. Les prochaines sections de ce chapitre traitent de ces réactions.

6.4.1 Combustion (oxydation)

Les alcanes sont principalement utilisés à titre de combustibles. Lorsque les alcanes sont mis en présence d'une étincelle ou d'une flamme, ils réagissent avec l'oxygène, ce qui donne lieu à une réaction vive et très exothermique ($\Delta H < 0$) : la **combustion**. Une fois amorcée, elle se réalise spontanément. Cette réaction, aussi simple soit-elle, vaut son pesant d'or, car elle est exploitée comme source de puissance de propulsion dans les moteurs à essence ou comme source de chaleur (gaz naturel et mazout). Il existe deux types de combustion, soit la combustion complète et la combustion incomplète, selon l'abondance d'oxygène consommé au cours de la réaction.

La **combustion complète** ne peut se réaliser que lorsque l'oxygène est en quantité suffisante dans le milieu réactionnel. En pareil cas, l'alcane est entièrement transformé en dioxyde de carbone (CO_2) et en eau (*voir la figure 6.3*). Ce type de transformation chimique entre dans la catégorie des réactions d'**oxydation**, car toutes les liaisons C—C et C—H des alcanes, dont les nombres d'oxydation des atomes de carbone sont respectivement de 0 et −4, se convertissent en liaisons C—O dans la molécule de dioxyde de carbone, dont le nombre d'oxydation du carbone est à son niveau le plus oxydé, soit +4.

Figure 6.3
Combustion complète de
quelques alcanes linéaires
simples

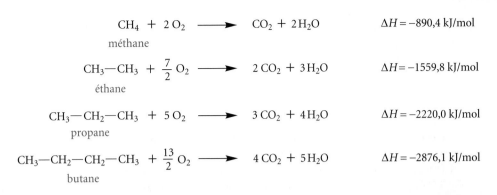

$$CH_4 + 2\,O_2 \longrightarrow CO_2 + 2\,H_2O \qquad \Delta H = -890,4 \text{ kJ/mol}$$
méthane

$$CH_3{-}CH_3 + \frac{7}{2}\,O_2 \longrightarrow 2\,CO_2 + 3\,H_2O \qquad \Delta H = -1559,8 \text{ kJ/mol}$$
éthane

$$CH_3{-}CH_2{-}CH_3 + 5\,O_2 \longrightarrow 3\,CO_2 + 4\,H_2O \qquad \Delta H = -2220,0 \text{ kJ/mol}$$
propane

$$CH_3{-}CH_2{-}CH_2{-}CH_3 + \frac{13}{2}\,O_2 \longrightarrow 4\,CO_2 + 5\,H_2O \qquad \Delta H = -2876,1 \text{ kJ/mol}$$
butane

La **combustion incomplète**, pour sa part, entre également dans la catégorie des réactions d'oxydation. Toutefois, l'oxydation ne sera pas complète, puisque l'oxygène est en quantité insuffisante pour oxyder la totalité des alcanes. Il est le réactif limitant. En pareil cas, la formation de monoxyde de carbone et de carbone est principalement observée. Le tableau 6.4 présente quelques oxydations partielles du méthane obtenues au cours d'une combustion incomplète menant à la formation de monoxyde de carbone, de carbone ou de formaldéhyde.

En raison de leur faible réactivité chimique, les alcanes ont autrefois été appelés «paraffines», un nom qui provient du latin *parum* signifiant «faible» et de *affinis* signifiant «affinité». Bien qu'en chimie le terme «paraffine» ne soit plus employé pour représenter les alcanes, il est encore utilisé dans certains domaines où il représente un mélange d'alcanes. Les cracheurs de feu utilisent la paraffine liquide (chaînes de 8 à 19 carbones), puisqu'elle ne peut s'enflammer que lorsqu'elle est vaporisée. La coloration orangée de la flamme observée provient de la formation de carbone au cours d'une combustion incomplète (*voir le tableau 6.4*). Le carbone, excité par une chaleur intense, émet dans le visible; il émet plus précisément une couleur orangé vif.

Tableau 6.4 Réactions de combustion incomplète du méthane

Réaction de combustion incomplète	Nombre d'oxydation du carbone (avant la combustion)	Nombre d'oxydation du carbone (après la combustion)	Source
$CH_4 + \frac{3}{2}\,O_2 \longrightarrow CO + 2\,H_2O$ méthane — monoxyde de carbone	−4	+2	Produit très toxique libéré par les tuyaux d'échappement des voitures. Une exposition de 1600 ppm entraîne la mort dans un délai de moins de une heure.
$CH_4 + O_2 \longrightarrow C + 2\,H_2O$ méthane — carbone	−4	0	Suie libérée par les camions à moteur diesel.
$CH_4 + O_2 \longrightarrow CH_2O + H_2O$ méthane — méthanal (formaldéhyde)	−4	0	Composé formé principalement par la production de matières plastiques qui s'accumule dans l'atmosphère; il est l'un des constituants responsables du smog.

Le noir de carbone (autrefois nommé « noir de fumée ») produit par la combustion incomplète sert, entre autres, de pigment dans la conception de l'encre de Chine.

Exercice 6.3 Écrivez les équations équilibrées des réactions de combustion complète des alcanes suivants.

a) hexane

b)

4-éthyl-1,1-diméthylcyclohexane

c)

2,2,4-triméthylpentane
(appelé aussi « isooctane », combustible de référence pour la détermination de l'indice d'octane des essences)

Exercice 6.4 En vous référant au tableau 6.4 (*voir page précédente*), écrivez les trois équations équilibrées des réactions de combustion incomplète du propane.

CHRONIQUES D'UNE MOLÉCULE

L'avenir énergétique… des dinosaures aux restes de table ?

Par Natalhie Campos Reales, sous-directrice de l'innovation et du développement scientifique et technologique à la CIBIOGEM (Mexico, Mexique)

Le 20 avril 2010, la plateforme de forage Deepwater Horizon, louée par l'entreprise British Petroleum (BP) pour forer des puits dans le golfe du Mexique, explose. Un grave incendie se déclare, faisant 17 blessés et 11 morts. Une fuite permet au pétrole de s'échapper de son réservoir, occasionnant l'une des plus grandes catastrophes écologiques de l'histoire[7]. Au cours des 87 jours qui suivent, le comburant (diesel marin) crée une marée noire dont le volume est estimé à cinq millions de barils. La pollution menace plus de 400 espèces marines et perturbe tout l'écosystème avoisinant.

Ce qui est aujourd'hui connu comme la « catastrophe BP » n'est pas un cas isolé. En effet, de 1970 à 2011, environ 5,7 millions de tonnes de pétrole ont été perdues en raison d'incidents pétroliers, ce qui représente 0,25 % de la production mondiale. Les faits parlent d'eux-mêmes : il existe des risques tangibles à exploiter les ressources pétrolières.

La hausse constante du prix de l'essence conscientise également la population mondiale au fait que les ressources pétrolières s'épuiseront inévitablement tôt ou tard. Il semble donc nécessaire que les pays adoptent des stratégies permettant de surmonter leur dépendance

Explosion dans le golfe du Mexique, le 20 avril 2010, de la plateforme pétrolière Deepwater Horizon appartenant à la compagnie britannique British Petroleum (BP).

Catastrophe nucléaire de Fukushima-Daiichi, survenue au Japon le 11 mars 2011, à la suite du tsunami.

aux combustibles fossiles. L'une de ces stratégies est l'exploitation de l'énergie nucléaire. Or, depuis le désastre nucléaire de Fukushima-Daiichi, survenu au Japon le 11 mars 2011 à la suite du tremblement de terre et du tsunami, la polémique sur les avantages de son exploitation a de nouveau fait les manchettes.

Une énergie alternative renouvelable, écologique et efficace

Depuis le début du XXIe siècle, de nombreuses recherches sont menées partout dans le monde dans le but de mettre au point une énergie propre, efficace et rapidement renouvelable. La voie la plus prometteuse semble l'utilisation de biocarburants. L'Agence internationale de l'énergie (AIE) définit un **biocarburant** comme étant un carburant d'origine organique non fossile. Il en existe deux catégories : les biocarburants de première génération et les biocarburants de deuxième génération[8].

Les biocarburants de première génération proviennent de l'exploitation des organes de réserve des plantes (graines, racines, fruits) à haute teneur en sucre, en amidon ou en huile (ou des graisses animales) (*voir*

▶ **Principaux biocarburants de première génération**

Bioéthanol (CH₃CH₂OH)	• Production principalement basée sur la fermentation du sucre contenu dans la canne à sucre, le blé, le maïs, la betterave, la mélasse, etc. (suivie de la distillation de l'éthanol). • Le bioéthanol peut être mélangé avec l'essence.
Biodiesel (acides gras estérifiés)	• Produit obtenu à partir de la transestérification des huiles végétales (p. ex.: huiles de colza, de tournesol, de soja, de palme, de jatropha, recyclage d'huile de friture, etc.) ou des graisses animales. • Les biodiesels peuvent être mélangés avec l'essence ou être utilisés purs dans les moteurs conventionnels.
Biométhane (CH₄: biogaz)	• Produit obtenu généralement à partir de la digestion anaérobie de composés organiques humides par des bactéries. • Le biométhane est utilisé principalement pour le chauffage.
2-éthoxy-2-méthylpropane (ETBE)	• Produit obtenu à partir de bioéthanol. • L'ETBE se mélange avec le pétrole pour accroître l'indice d'octane des essences.
Huile végétale hydrogénée	• Biocarburant de haute qualité obtenu grâce à l'hydrogénation des huiles végétales. • La production en Europe s'effectue maintenant à l'échelle commerciale.

le tableau ci-dessus). Dans la grande majorité des cas, il s'agit de molécules organiques consommables. Pour cette raison, ils ont mauvaise presse, car leur surexploitation pourrait mener à des famines dans certains coins de la planète. Il ne faudrait pas affamer les pauvres pour transporter les riches!

Il est à noter que la puissance énergétique des huiles est supérieure à celle des sucres. À cet effet, des recherches ont été menées sur un arbuste non comestible, originaire du Brésil et traditionnellement utilisé à des fins médicinales, le *Jatropha curcas* (également appelé «pignon d'Inde» ou «médicinier»). Cet arbuste résistant, capable de survivre dans des sols pauvres et secs, produit 47,25 % (p/p) d'huile dans les noyaux de ses fruits[9]. Un hectare de cet arbuste peut produire environ 2,5 tonnes de noyaux. L'huile de jatropha représente 72 % d'acides gras insaturés, principalement oléiques et linoléiques. Cette huile possède un potentiel réel en tant que biocarburant. En 2008, un des moteurs d'un Boeing 747 d'Air New Zealand a pu effectuer un vol test avec succès[10]. L'huile de jatropha porte le surnom «d'or vert du désert».

Les produits dérivés de l'huile ont aussi d'autres applications comme engrais et comme produits de base pour la formation de savons et de cosmétiques. Toutefois, l'utilisation de cette huile ne peut être d'ordre alimentaire, car ses noyaux contiennent de la curcine, de l'acide cyanique et des esters de phorbol, lesquels sont des composés chimiques toxiques.

Les biocarburants de seconde génération exploitent la cellulose, l'hémicellulose ou la lignine, des polysaccharides présents dans toutes les cellules végétales. Par conséquent,

Noix de *Jatropha curcas*

il devient possible de tirer profit de n'importe quelle espèce végétale (ou les restes d'une plante, après en avoir retiré les organes de réserve pour se nourrir) dans un objectif de production d'énergie. Les espèces végétales peuvent être d'origine très variée: résidus forestiers, résidus agricoles (paille, noyaux des fruits), résidus alimentaires et de l'industrie du papier, algues, boues d'épuration, fractions biodégradables de déchets municipaux solides, etc.

Le développement de nouvelles technologies permettant de produire ces carburants à grande échelle progresse distinctement selon la matière première utilisée. Les technologies sont basées sur des processus thermochimiques (combustion, pyrolyse et gazéification), biochimiques ou biologiques (digestion, fermentation). À ce jour, leur exploitation demeure néanmoins plus dispendieuse que l'utilisation de combustibles fossiles. Toutefois, de nombreux projets de bioraffineries voient le jour. Par exemple, le projet européen BIOCORE[11], instauré par l'Institut national de la recherche agronomique (INRA), vise à créer des biocarburants de deuxième génération.

Depuis 2010, au Canada, le Règlement sur les carburants renouvelables fixe à au moins 5 % la teneur obligatoire en carburant renouvelable (tel que l'éthanol) dans l'essence. De plus, depuis juillet 2011, le diesel et le mazout de chauffage doivent posséder une teneur d'au moins 2 % de carburant renouvelable[12]. En accord avec les objectifs du Protocole de Kyoto[13], la production mondiale de biocarburants, principalement le bioéthanol et le biodiesel, devrait connaître une croissance importante d'ici 2020. Les voitures qui fonctionnent avec nos restes de tables ne sont peut-être pas si loin…

6.4.2 Halogénation radicalaire

Alors que les réactions de combustion sont connues et très abondamment exploitées au quotidien, les réactions d'**halogénation radicalaire** ne se réalisent généralement qu'en laboratoire, le plus souvent par les industries spécialisées dans la commercialisation de produits chimiques.

Pour qu'une réaction d'halogénation radicalaire puisse se produire, trois éléments essentiels doivent être réunis : un alcane, un halogène moléculaire (tel que Cl_2 ou Br_2) et une source d'irradiation lumineuse ($h\nu$) ou de chaleur (Δ). Le dernier paramètre joue un rôle clé dans cette réaction, car en l'absence de lumière (noirceur) ou à basse température, aucune réaction n'a lieu (*voir la figure 6.4*). Il convient de noter que ce type de réaction ne peut se réaliser que sur des hydrogènes liés à des carbones hybridés sp^3. Il est donc impossible de procéder à des réactions d'halogénation radicalaire sur des hydrogènes liés à des carbones hybridés sp^2 (p. ex. : les alcènes et les composés aromatiques) et à des carbones hybridés sp (p. ex. : les alcynes).

Figure 6.4
Réaction générale de l'halogénation radicalaire d'un alcane

$$R-H \ + \ X-X \longrightarrow \text{Aucune réaction}$$

$$R-H \ + \ X-X \ \xrightarrow{h\nu \text{ ou } \Delta} \ R-X \ + \ H-X$$

Dans ce type de réaction, un halogène remplace un atome d'hydrogène de l'alcane pour donner une nouvelle liaison C—X. Il s'agit donc d'une réaction de substitution, et plus spécifiquement d'une réaction de **substitution radicalaire**, en raison des intermédiaires radicalaires formés au cours du mécanisme réactionnel (*voir la section 6.4.2.1, p. 265*). Lorsqu'un chlore remplace un atome d'hydrogène, la réaction de substitution radicalaire est appelée **chloration**. Si toutefois le brome est l'atome impliqué dans la substitution, la réaction d'halogénation radicalaire sera une **bromation** (*voir la figure 6.5*). Chacune de ces réactions est exothermique.

Figure 6.5
Exemples de réactions de chloration et de bromation

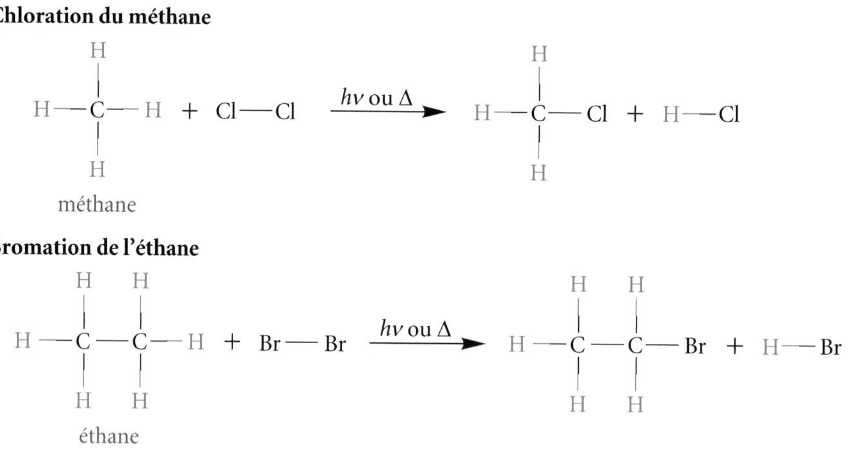

Chloration du méthane

$$H-\overset{\overset{\displaystyle H}{|}}{\underset{\underset{\displaystyle H}{|}}{C}}-H \ + \ Cl-Cl \ \xrightarrow{h\nu \text{ ou } \Delta} \ H-\overset{\overset{\displaystyle H}{|}}{\underset{\underset{\displaystyle H}{|}}{C}}-Cl \ + \ H-Cl$$

méthane

Bromation de l'éthane

$$H-\overset{\overset{\displaystyle H}{|}}{\underset{\underset{\displaystyle H}{|}}{C}}-\overset{\overset{\displaystyle H}{|}}{\underset{\underset{\displaystyle H}{|}}{C}}-H \ + \ Br-Br \ \xrightarrow{h\nu \text{ ou } \Delta} \ H-\overset{\overset{\displaystyle H}{|}}{\underset{\underset{\displaystyle H}{|}}{C}}-\overset{\overset{\displaystyle H}{|}}{\underset{\underset{\displaystyle H}{|}}{C}}-Br \ + \ H-Br$$

éthane

La réaction d'halogénation radicalaire ne se réalise pas avec le réactif I_2, puisqu'elle est endothermique, et donc énergétiquement défavorable. D'autre part, le réactif F_2 n'est que rarement employé, car la réaction est très exothermique. La chaleur produite par la réaction ne se dissipe pas aussi vite qu'elle est générée. Elle s'emmagasine donc, ce qui provoque une réaction en chaîne menant à une possible explosion. De plus, le réactif F_2 est à la fois très corrosif et très coûteux.

Pour les alcanes possédant trois carbones et plus, la réaction d'halogénation radicalaire peut mener à la formation de plusieurs produits à la suite d'une **monohalogénation**, c'est-à-dire la substitution d'un seul atome d'hydrogène par un halogène (*voir la figure 6.6*). Cela est possible si la molécule possède plus d'un type d'hydrogène équivalent. Un **hydrogène chimiquement équivalent** est défini comme tout hydrogène au sein d'une molécule qui conduit à un même produit donné à la suite d'une réaction chimique. Par exemple, dans le cas du propane de la figure 6.6, chaque hydrogène représenté en rose mène au 1-chloropropane à la suite de la monochloration. Ce sont donc des hydrogènes équivalents. Les deux hydrogènes illustrés en vert donnent, quant à eux, le 2-chloropropane. Le propane possède donc deux types d'hydrogènes équivalents.

Figure 6.6 Deux produits organiques possibles obtenus au cours de la monochloration du propane

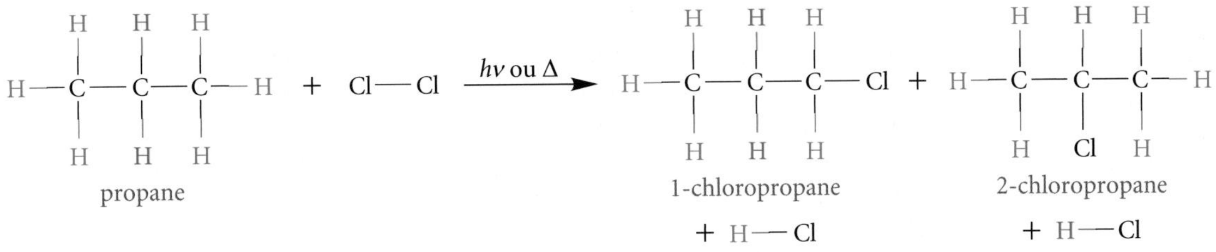

propane   1-chloropropane   2-chloropropane

$+ \; H-Cl$ $+ \; H-Cl$

Exercice 6.5 Complétez les réactions suivantes de monohalogénation.

a) $CH_4 \; + \; Br_2 \; \xrightarrow{h\nu}$

b) $CH_3-CH_3 \; + \; Cl_2 \; \xrightarrow{h\nu}$

Exercice 6.6 À l'aide des formules semi-développées, écrivez l'équation chimique de la monobromation du 2,2-diméthylpropane en présence d'une source d'irradiation lumineuse. Nommez le produit de la monobromation selon les règles de l'Union internationale de chimie pure et appliquée (UICPA).

Pour leur part, les cycloalcanes, ne possédant aucun substituant, ne donnent toujours qu'un seul produit, car tous les hydrogènes de la molécule sont équivalents (*voir la figure 6.7*).

Figure 6.7
Produit organique exclusif obtenu au cours de la monochloration du cyclopentane

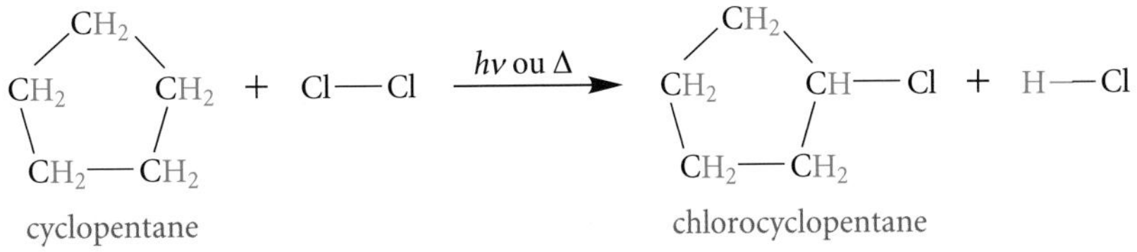

cyclopentane   chlorocyclopentane

Tous les hydrogènes sont équivalents.

Exercice 6.7 Complétez les réactions suivantes de monohalogénation.

a) $CH_3-CH_2-CH_2-CH_3 \; + \; Cl_2 \; \xrightarrow{h\nu}$

b) ☐ $+ \; Br_2 \; \xrightarrow{h\nu}$

c) ☐ $+ \; Cl_2 \; \xrightarrow{h\nu}$

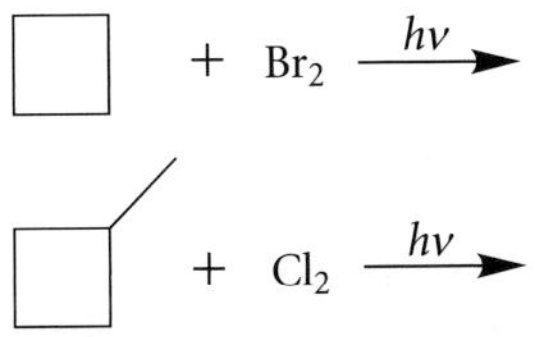

Exercice 6.8 À l'aide des formules semi-développées, écrivez l'équation chimique de la monochloration du 2-méthylpropane en présence d'une source d'irradiation lumineuse. Nommez tous les produits possibles de la chloration selon les règles de l'UICPA.

Lorsque l'halogène est en excès dans une réaction d'halogénation radicalaire, la réaction de substitution peut se poursuivre. En effet, puisque les alcanes possèdent un grand nombre de liaisons C—H, chacune d'elles peut subir une halogénation radicalaire, ce qui mène à des produits de réaction renfermant plusieurs halogènes. Il est alors question d'une **polyhalogénation**. La figure 6.8 illustre la réaction générale de monohalogénation suivie des réactions de polyhalogénation du méthane.

Figure 6.8 Réactions générales de monohalogénation et de polyhalogénation du méthane

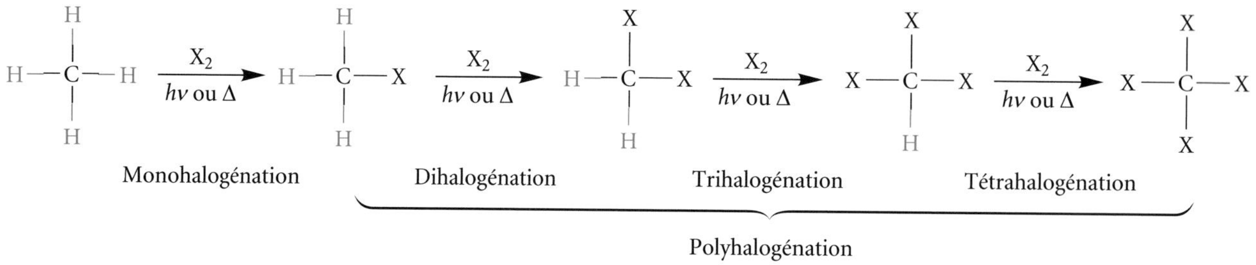

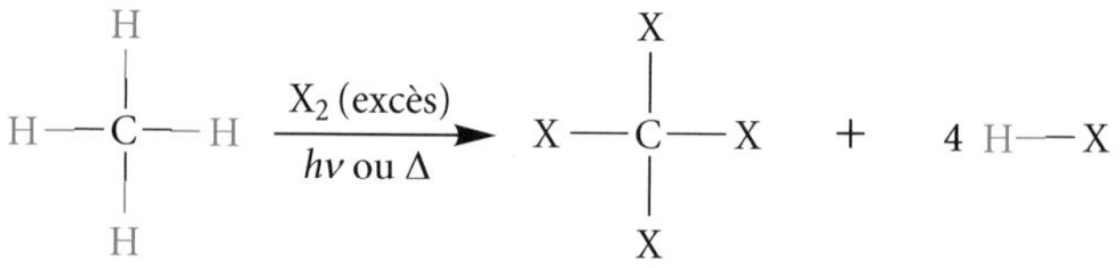

En contrôlant rigoureusement les conditions expérimentales ainsi que la quantité molaire d'halogène par rapport à celle de l'alcane, il est possible de favoriser l'un ou l'autre des produits de réaction, bien qu'il ne soit jamais exclusif. En effet, même si des quantités équimolaires de chaque réactif sont utilisées pour favoriser la monohalogénation, le résultat final sera toujours un mélange du produit majoritaire de monosubstitution (RX) avec les produits minoritaires de polysubstitution (RX$_2$, RX$_3$, etc.). Enfin, en ajoutant un large excès d'halogène au milieu réactionnel, le produit de polyhalogénation dans lequel tous les hydrogènes liés aux carbones sont remplacés par des halogènes est obtenu majoritairement.

Exercice 6.9

a) À l'aide des formules semi-développées, dessinez la structure des principaux produits possibles lorsque deux moles de brome moléculaire réagissent avec une mole d'éthane, en présence d'une source d'irradiation lumineuse.

b) Quelle relation existe-t-il entre ces produits?

Exercice 6.10 Complétez les réactions suivantes.

a)    +   Cl$_2$ (excès) $\xrightarrow{h\nu}$

b) 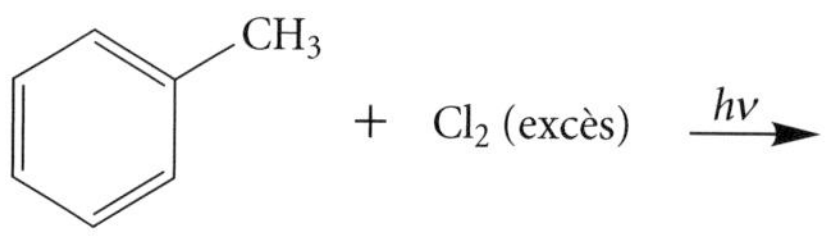   +   Cl$_2$ (excès) $\xrightarrow{h\nu}$

Pour bien comprendre la réaction d'halogénation radicalaire et les concepts de régiosélectivité et de stéréosélectivité, le mécanisme réactionnel doit être étudié. De plus, ces notions permettront d'expliquer l'abondance relative des produits obtenus au cours de l'halogénation radicalaire.

6.4.2.1 Mécanisme de l'halogénation radicalaire en chaîne

Jusqu'à présent, les différents produits obtenus au cours d'une réaction d'halogénation radicalaire ont été détaillés sans jamais démontrer le mécanisme de la réaction. L'halogénation radicalaire entraîne, comme son nom l'indique, la formation d'intermédiaires réactionnels radicalaires au cours d'une succession de réactions.

Le mécanisme pour ce type de réaction se déroule en trois phases bien distinctes :

1. l'amorçage (ou initiation) ;

2. la propagation ;

3. la terminaison.

La première phase, l'**amorçage** (ou **initiation**), est une étape indispensable, car elle permet de créer le premier intermédiaire radicalaire. C'est à ce stade précisément que la source d'irradiation lumineuse (plus particulièrement dans le domaine de l'ultraviolet) ou la chaleur intervient. Leur rôle est d'exciter les molécules d'halogènes (à la suite de l'absorption d'énergie) de telle sorte que la liaison X—X se scinde grâce à une rupture homolytique (*voir la figure 6.9*). Contrairement à la liaison X—X, les liaisons C—C ou C—H de l'alcane ne peuvent se briser, puisqu'elles sont énergétiquement beaucoup plus fortes. À titre d'exemple, les liaisons C—C et C—H sont respectivement de 347 et 414 kJ/mol, comparativement aux liaisons Cl—Cl et Br—Br qui, pour leur part, sont respectivement de 243 et 192 kJ/mol. À la suite de l'étape d'amorçage, qui n'est jamais totalement complète, des espèces halogénées sous forme radicalaire (X•) et moléculaire (X$_2$) sont présentes dans le milieu réactionnel.

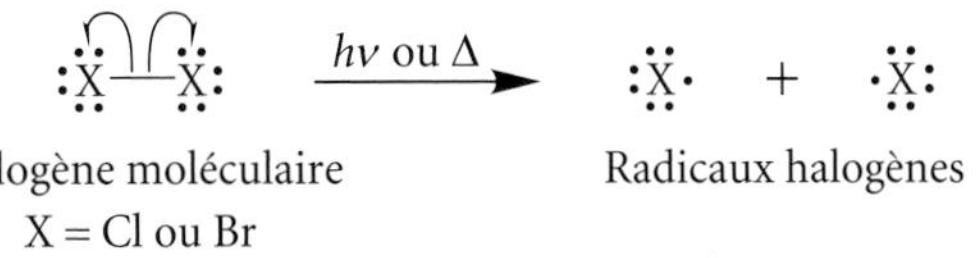

Figure 6.9
Première phase du mécanisme de l'halogénation radicalaire d'un alcane : l'amorçage (ou initiation)

Amorçage (ou initiation)

Halogène moléculaire
X = Cl ou Br

Radicaux halogènes

La seconde phase du mécanisme réactionnel est la **propagation** et elle se réalise en deux étapes distinctes. Dans un premier temps, une espèce hautement réactive, soit le radical halogène, formée au cours de l'amorçage, est disponible dans le milieu réactionnel. Ne respectant désormais plus l'octet (sa couche de valence contient sept électrons), ce radical cherche à retrouver sa stabilité en réagissant avec un atome d'hydrogène au cours d'une collision efficace avec l'alcane. Cela aboutit à la formation d'un radical alkyle (R•) et d'un halogénure d'hydrogène (*voir la figure 6.10, étape 1, page suivante*). Théoriquement, une liaison C—C est plus énergétiquement facile à rompre (347 kJ/mol) qu'une liaison C—H (414 kJ/mol). Cela ne se produit toutefois pas, car les carbones ne sont que très peu exposés dans la structure d'un alcane. En effet, ce sont les hydrogènes qui, en périphérie, sont vulnérables à une attaque du radical (*voir les modèles compacts du tableau 6.1, p. 254*).

Dans un deuxième temps, le radical alkyle (R•) formé au cours de la première étape de la phase de propagation peut, à son tour, entrer en collision avec une autre molécule d'halogène. Cette réaction donne lieu à la formation du produit, un halogénure d'alkyle (R—X), et à un radical halogène qui est ainsi régénéré (*voir la figure 6.10, étape 2*). Ce dernier peut donc être de nouveau impliqué dans la première étape de la propagation. La séquence des réactions de la phase de propagation est ainsi répétée. Il est alors question d'une **réaction en chaîne**. Dans la phase de propagation, chaque étape consomme toujours un radical et mène à la formation d'un autre radical, ce qui permet à la substitution radicalaire de se propager.

Figure 6.10
Deuxième phase du mécanisme de l'halogénation radicalaire d'un alcane : la propagation

Propagation

Étape 1:

$$R—H \; + \; \cdot\ddot{X}: \longrightarrow R\cdot \; + \; H—\ddot{X}:$$

Alcane · Radical halogène · Radical alkyle · Halogénure d'hydrogène (produit)

Étape 2:

$$R\cdot \; + \; :\ddot{X}—\ddot{X}: \longrightarrow R—\ddot{X}: \; + \; \cdot\ddot{X}:$$

Radical alkyle · Halogène moléculaire · Halogénure d'alkyle (produit) · Radical halogène

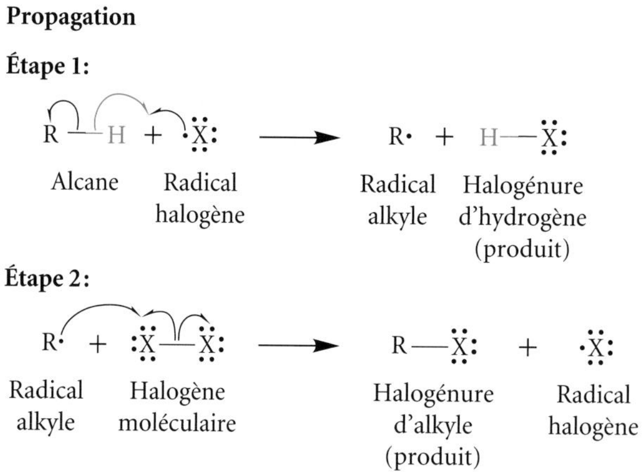

Au cours des deux étapes de la phase de propagation, les radicaux formés peuvent également attaquer d'autres types de liaisons, comme en témoigne la figure 6.11. Cependant, le mécanisme réactionnel ne présente jamais ces transformations infructueuses, puisque les produits obtenus sont identiques aux réactifs.

Figure 6.11
Réactions infructueuses de la phase de propagation

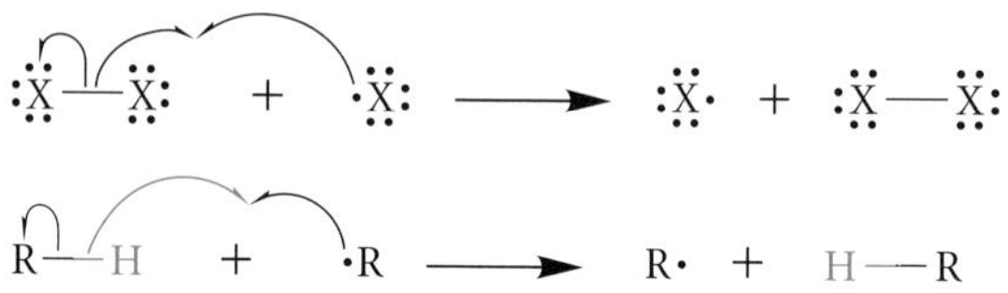

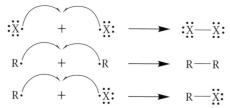

Bien que les deux premières phases suffisent pour démontrer la formation des produits finaux de l'halogénation radicalaire, la troisième et dernière phase, la **terminaison**, est nécessaire afin de comprendre qu'une réaction radicalaire en chaîne n'est pas infinie. En effet, simultanément avec la phase de propagation, deux espèces radicalaires peuvent s'unir pour former une molécule (*voir la figure 6.12*). À ce stade, la phase de terminaison épuise la réserve de radicaux jusqu'à ce que la réaction en chaîne s'arrête, puisqu'aucun nouveau radical ne se trouve dans les produits.

Figure 6.12
Troisième phase du mécanisme de l'halogénation radicalaire d'un alcane : la terminaison

Terminaison

$$:\ddot{X}\cdot \; + \; \cdot\ddot{X}: \longrightarrow :\ddot{X}—\ddot{X}:$$

$$R\cdot \; + \; \cdot R \longrightarrow R—R$$

$$R\cdot \; + \; \cdot\ddot{X}: \longrightarrow R—\ddot{X}:$$

L'halogénation radicalaire étant une réaction en chaîne, un seul radical halogène pourrait théoriquement entraîner la formation de tous les produits halogénés. Toutefois, puisque plusieurs molécules d'halogène subissent une rupture homolytique durant la phase d'amorçage, un grand nombre de réactions en chaîne débutent simultanément. De plus, il est statistiquement inévitable que deux radicaux se rencontrent dans le milieu réactionnel pour ainsi mener à une réaction dans la phase de terminaison.

Les réactions de la phase de terminaison sont peu nombreuses comparativement à celles de la phase de propagation, puisque la concentration de radicaux dans le mélange réactionnel est beaucoup plus faible que celle des espèces neutres. Ainsi, la très grande majorité des produits finaux halogénés est obtenue durant la phase de propagation.

Exercice 6.11 Pour chaque réaction présentée dans les exercices 6.5 et 6.6 (*voir p. 263*), écrivez le mécanisme de l'halogénation radicalaire. Prenez soin de bien distinguer toutes les étapes (amorçage, propagation et terminaison) et représentez également toutes les flèches courbes à demi-pointe pour illustrer chaque transformation.

Exercice 6.12 Au cours de la monohalogénation d'un alcane, de petites quantités de molécules, dont la masse molaire est environ le double de l'hydrocarbure de départ, sont observées expérimentalement. Expliquez la formation de ce sous-produit. Peut-il être halogéné à son tour ?

6.4.2.2 Régiosélectivité des réactions d'halogénation radicalaire

En ne prenant pas en compte les réactions secondaires menant à la formation de l'éthane, du 1-chloroéthane, du 1,2-dichloroéthane, etc., la monochloration du méthane conduit exclusivement à la formation d'un seul composé, soit le chlorométhane, puisque les quatre atomes d'hydrogène sont chimiquement équivalents. La monochloration d'un alcane produit toutefois plusieurs isomères lorsqu'une molécule comporte plusieurs types d'hydrogènes équivalents. En effet, si différents types de liaisons C—H peuvent se briser, cela conduit alors à la formation de divers produits, comme cela est présenté dans la figure 6.6 (*voir p. 263*) avec la monochloration du propane.

Dans la figure 6.13, à la page suivante, les pourcentages expérimentaux obtenus pour chacun des produits possibles à la suite de la monochloration du propane sont indiqués. Ainsi, 45 % de 1-chloropropane et 55 % de 2-chloropropane ont été formés. Ce résultat va à l'encontre des probabilités par rapport au nombre d'hydrogènes équivalents dans la molécule de propane. En effet, il y a six hydrogènes en rose et deux hydrogènes en vert (pour un total de huit) qui sont des groupes d'hydrogènes équivalents. Statistiquement, puisque chaque hydrogène peut être substitué par un halogène, et en se basant uniquement sur les proportions de chaque type d'hydrogènes équivalents, les pourcentages des produits de la réaction devraient être de 6/8 (75 %) pour le 1-chloropropane et de 2/8 (25 %) pour le 2-chloropropane. Comment alors interpréter les pourcentages expérimentaux ?

Pour comprendre l'abondance des produits obtenus, il faut étudier le mécanisme réactionnel de l'halogénation afin de déterminer les structures des intermédiaires radicalaires et comparer leur stabilité respective. Le mécanisme de la réaction de monochloration du propane de la figure 6.13 montre la rupture homolytique de deux types de liaisons C—H dont les hydrogènes ne sont pas équivalents. Deux types de radicaux sont formés : un radical primaire conduisant au 1-chloropropane (en raison de la rupture homolytique de C—H) et un radical secondaire conduisant au 2-chloropropane (dû à la rupture homolytique de C—H). Au cours d'un mécanisme réactionnel, puisque l'intermédiaire le plus stable est favorisé, l'abondance des produits finaux sera directement affectée par la stabilité des intermédiaires réactionnels. Sachant qu'un radical secondaire est plus stable qu'un radical primaire (*voir la section 4.7.2.3, p. 198*), le pourcentage du 2-chloropropane est environ deux fois plus élevé que celui attendu statistiquement en ne tenant compte que du nombre d'hydrogènes équivalents (55 % au lieu de 25 %).

Figure 6.13 Mécanisme réactionnel de la monochloration du propane

Amorçage (ou initiation)

Propagation

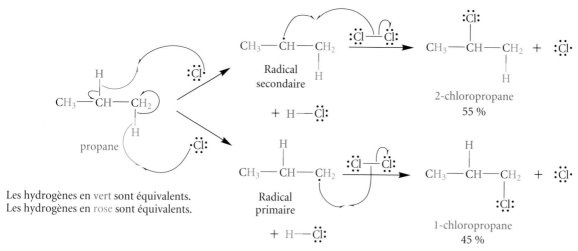

Les hydrogènes en vert sont équivalents.
Les hydrogènes en rose sont équivalents.

Terminaison

Les combinaisons de radicaux sont des réactions de terminaison.

Exemples

La monochloration du 2-méthylpropane, quant à elle, donne deux produits organiques principaux, le 1-chloro-2-méthylpropane et le 2-chloro-2-méthylpropane dans des pourcentages respectifs de 63 % et 37 % (*voir la figure 6.14*). Le pourcentage de 2-chloro-2-méthylpropane obtenu, soit 37 %, est pratiquement quatre fois plus élevé que le pourcentage attendu statistiquement, soit 10 %, en ne tenant compte que du nombre d'hydrogènes équivalents (1 hydrogène H sur 10 au total). Cette surabondance est encore plus marquée que pour l'exemple présenté dans la figure 6.13, puisque le 2-chloro-2-méthylpropane est le produit qui découle d'un radical tertiaire, un intermédiaire réactionnel très favorisé, étant plus stable que le radical primaire.

La monochloration favorise l'isomère provenant du radical le plus stable en augmentant son pourcentage par rapport à celui attendu, selon la distribution statistique qui ne tient compte que du nombre d'hydrogènes équivalents. Puisqu'elle favorise légèrement une région spécifique de la molécule au cours du mécanisme réactionnel, elle est désignée comme étant faiblement régiosélective.

Figure 6.14
Réaction globale de
la monochloration du
2-méthylpropane

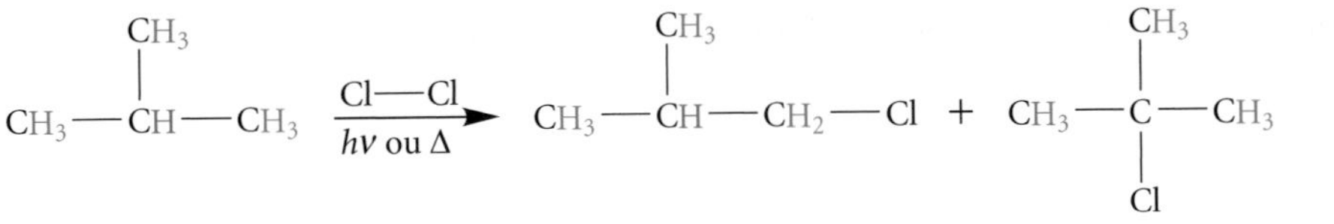

2-méthylpropane   1-chloro-2-méthylpropane   2-chloro-2-méthylpropane
                                        63 %   37 %

Les hydrogènes en rose sont équivalents.

La monobromation du 2-méthylpropane, pour sa part, mène au 2-bromo-2-méthylpropane dans un pourcentage d'environ 99 % (*voir la figure 6.15*). Ces résultats expérimentaux permettent d'affirmer tout d'abord que, au cours d'une monobromation, le produit nettement favorisé est celui découlant de l'intermédiaire le plus stable, peu importe le nombre d'hydrogènes équivalents dans le substrat. L'halogénation radicalaire impliquant la molécule de Br_2 présente donc une très grande **régiosélectivité** contrairement à la réaction de chloration. Comment expliquer cette régiosélectivité? La différence réside dans les radicaux formés: Br• pour la bromation et Cl• pour la chloration. Les explications détaillées de ce phénomène ne font pas partie des notions enseignées dans le cadre de cet ouvrage, mais il est permis de dire simplement que le radical Br•, en raison de sa plus grande taille, est plus stable, moins énergétique, et donc moins réactif que le radical Cl•. Le radical Br• attaque donc sélectivement les hydrogènes dont la rupture homolytique de leur liaison entraînera la formation des intermédiaires les plus stables. À l'opposé, étant plus réactif, le radical Cl• est peu sélectif et réagit davantage avec n'importe quel atome d'hydrogène au moment des collisions efficaces, ce qui mène à la formation de divers intermédiaires réactionnels, en considérant modérément la stabilité relative des radicaux.

Figure 6.15
Réaction globale de
la monobromation du
2-méthylpropane

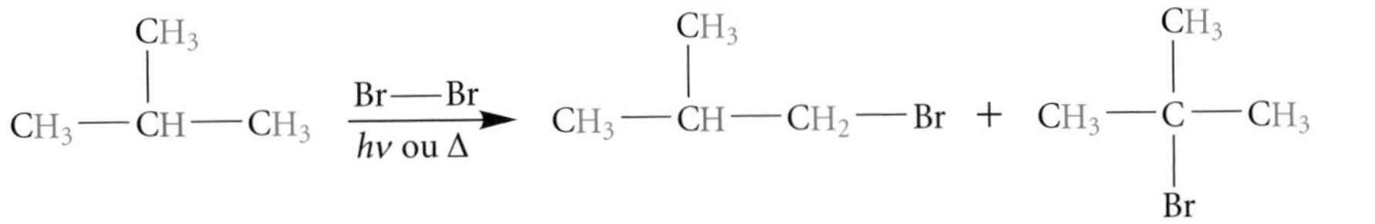

2-méthylpropane   1-bromo-2-méthylpropane   2-bromo-2-méthylpropane
                                        ≈1 %   ≈99 %

Les hydrogènes en rose sont équivalents.

En conclusion, pour la chloration, les produits finaux formés dépendent à la fois de la probabilité d'attaque selon le nombre d'hydrogènes équivalents et de la stabilité relative des radicaux qui sont deux phénomènes opposés. Par contre, pour la bromation, seule la stabilité relative des radicaux formés au cours du mécanisme réactionnel a un effet sur les produits obtenus; la bromation est très régiosélective.

Exercice 6.13 Illustrez le mécanisme de la réaction globale de la mono-chloration du 2-méthylpropane présentée dans la figure 6.14. Expliquez ensuite l'abondance relative des produits obtenus en mettant en évidence la formation des intermédiaires réactionnels.

Exercice 6.14 Illustrez le mécanisme menant à la formation du produit majoritaire de la monobromation du propane. Expliquez brièvement votre choix du produit majoritaire.

Stéréosélectivité des réactions d'halogénation radicalaire

Il arrive que le nombre de produits obtenus au moment d'une réaction de monohalogénation soit supérieur par rapport au nombre de groupes d'hydrogènes équivalents. Par exemple, au cours de la monochloration du butane, il est possible d'observer expérimentalement non pas deux produits finaux, mais bien trois.

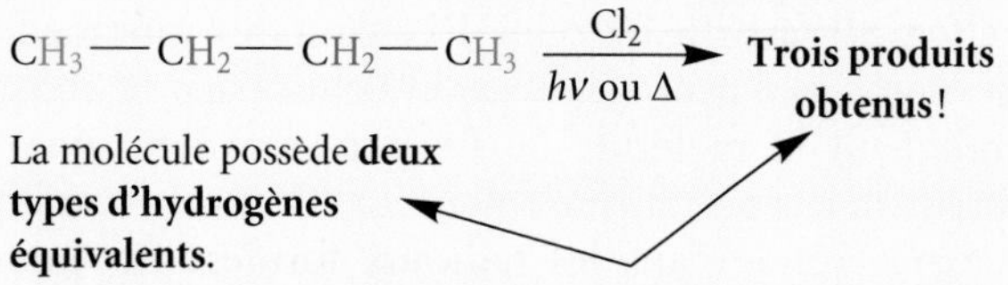

$$CH_3 \longrightarrow CH_2 \longrightarrow CH_2 \longrightarrow CH_3 \xrightarrow[hv \text{ ou } \Delta]{Cl_2} \textbf{Trois produits obtenus!}$$

La molécule possède **deux types d'hydrogènes équivalents**.

Mais comment expliquer ce troisième produit? Les réactions chimiques se déroulant en trois dimensions, il faut considérer une notion fondamentale: la possibilité de formation d'un carbone stéréogénique, C*. Il sera ainsi toujours essentiel d'analyser la structure finale pour y détecter la formation de nouveaux carbones stéréogéniques. En pareils cas, l'intermédiaire réactionnel devra être représenté en trois dimensions afin de bien visualiser la formation de tous les produits possibles (énantiomères, diastéréoisomères ou composé *méso*). Dans le mécanisme de la monochloration du butane, les radicaux alkyles sont des intermédiaires réactionnels de géométrie triangulaire plane. Le carbone radicalaire possède une orbitale *p* perpendiculaire au plan qui renferme un électron. Ainsi, lorsque la réaction a lieu entre le radical et l'halogène moléculaire, la nouvelle liaison C—X peut se former grâce à l'un ou l'autre des lobes de l'orbitale *p* contenant le radical (en haut ou en bas du plan). Dans le cas de la formation du 2-chlorobutane, la réaction mène à la formation d'un carbone stéréogénique. Deux produits différents en trois dimensions, soit deux énantiomères, sont ainsi formés. Si, par contre, aucun carbone stéréogénique n'est formé au cours de la réaction, comme dans le cas du 1-chlorobutane, les deux attaques en dessous et au-dessus du radical mènent au même produit.

Mécanisme

Amorçage (ou initiation)

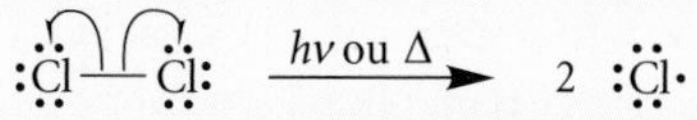

Propagation

Formation du 1-chlorobutane

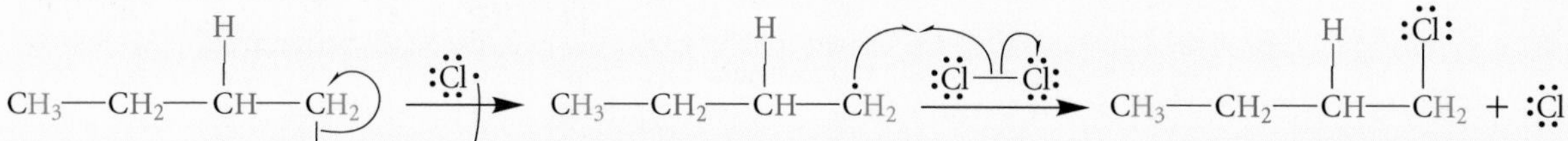

Aucun carbone stéréogénique n'est formé.

Formation du 2-chlorobutane

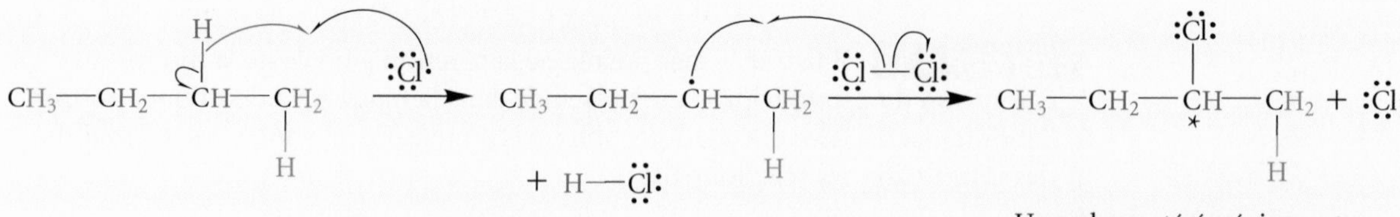

Un carbone stéréogénique est formé, et deux énantiomères sont donc possibles dans un ratio 50:50 (mélange racémique).

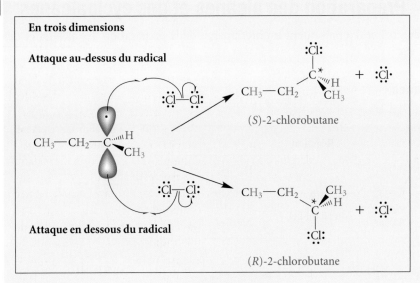

En trois dimensions

Attaque au-dessus du radical

(*S*)-2-chlorobutane

Attaque en dessous du radical

(*R*)-2-chlorobutane

Exercice 6.15

a) Combien de produits en formule semi-développée est-il possible d'obtenir après une monochloration du 2-méthylbutane? Nommez-les.

b) **Enrichissement** En tenant compte du fait qu'une réaction se déroule en trois dimensions, combien de produits au total est-il possible d'obtenir à la suite de la monochloration du 2-méthylbutane? Nommez-les.

Exercice 6.16 **Enrichissement** La monochloration du 3,3-diméthylpentane mène à la formation de quatre produits différents. Dessinez leur structure et nommez-les.

Exercice 6.17 **Problème à indices** Découvrez la structure du composé grâce aux indices fournis ci-dessous. Pour chaque indice, expliquez l'information que vous en avez tirée. Écrivez toutes les étapes du raisonnement menant à votre réponse.

1) Composé de formule moléculaire C_6H_{12}.

2) Lorsqu'il est sous l'effet des rayons lumineux, il réagit avec le Cl_2 pour former du HCl et un composé chloré unique de formule moléculaire $C_6H_{11}Cl$.

3) Le spectre IR de ce composé est le suivant:

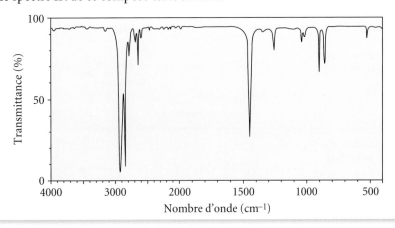

6.5 Préparation des alcanes et des cycloalcanes

Les tableaux 6.5 et 6.6 présentent un bref aperçu de la préparation des alcanes et des cycloalcanes.

Tableau 6.5 Préparation des alcanes

Nom de la réaction	Réaction	Section dans laquelle sont abordées en détail ces notions
Hydrogénation catalytique des alcènes	$\underset{\text{Alcène}}{\text{C=C}} \xrightarrow[\text{(ou Ni ou Pt)}]{\text{H}_2 \;\; \text{Pd/C}} \underset{\text{Alcane}}{-\overset{\text{H}}{\underset{\;}{\text{C}}}-\overset{\text{H}}{\underset{\;}{\text{C}}}-}$	Section 7.3.1.2 A (*voir p. 299*)
Hydrogénation catalytique complète des alcynes	$\underset{\text{Alcyne}}{-\text{C}\equiv\text{C}-} \xrightarrow[\text{(ou Ni ou Pt)}]{\text{H}_2\text{ (excès) ou 2 H}_2 \;\; \text{Pd/C}} \underset{\text{Alcane}}{-\overset{\text{H}}{\underset{\text{H}}{\text{C}}}-\overset{\text{H}}{\underset{\text{H}}{\text{C}}}-}$	Section 7.4.1.3 (*voir p. 324*)
Hydrogénation catalytique des composés halogénés	$\underset{\substack{\text{Composé}\\\text{halogéné}}}{\text{R—X}} \xrightarrow[\text{(ou Ni ou Pt)}]{\text{H}_2 \;\; \text{Pd/C}} \underset{\text{Alcane}}{\text{R—H}} + \text{H—X}$	Section 9.7 (*voir p. 418*)
Réaction de Wurtz (couplage métallique avec le sodium)	$2\,\underset{\substack{\text{Composé}\\\text{halogéné}}}{\text{R—X}} + 2\,\text{Na} \longrightarrow \underset{\text{Alcane}}{\text{R—R}} + 2\,\text{NaX}$	Section 9.7 (*voir p. 418*)
Formation d'un composé organométallique réagissant ensuite avec l'eau	$\underset{\substack{\text{Composé}\\\text{halogéné}}}{\text{R—X}} \xrightarrow[\substack{\text{Et}_2\text{O}\\\text{anhydre}}]{\text{Mg}} \underset{\substack{\text{Réactif de}\\\text{Grignard}}}{\text{R—MgX}} \xrightarrow{\text{H}_2\text{O}} \underset{\text{Alcane}}{\text{R—H}} + \text{Mg}^{2+} + \text{OH}^- + \text{X}^-$	Section 9.8 (*voir p. 418*)

Remarque: Cette réaction s'effectue également avec les organolithiens.

Tableau 6.6 Préparation des cycloalcanes

Nom de la réaction	Réaction	Section dans laquelle sont abordées en détail ces notions
Hydrogénation catalytique des composés aromatiques	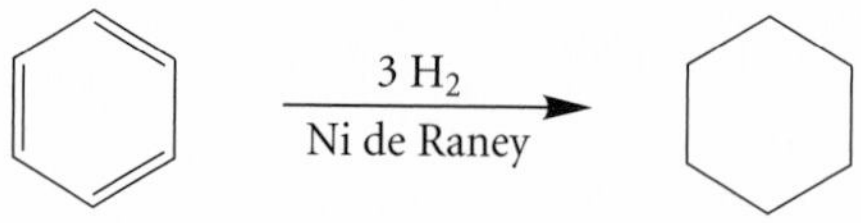 (Composé aromatique) $\xrightarrow[\text{Ni de Raney}]{3\,\text{H}_2}$ (Cycloalcane)	Section 8.3 (*voir p. 346*)
Déshalogénation (couplage métallique avec le Zn)	$\underset{\text{Composé halogéné}}{\text{X—CH}_2\text{—}[\text{CH}_2]_n\text{—CH}_2\text{—X}} + \text{Zn} \longrightarrow \underset{\text{Cycloalcane}}{\begin{bmatrix}\text{CH}_2\end{bmatrix}_n \;\; \text{CH}_2\text{—CH}_2} + \text{ZnX}_2$	Section 9.7 (*voir p. 418*)

Caractéristiques des alcanes

- Principales sources d'alcanes: gaz naturel et pétrole (section 6.1)
- Formule moléculaire générale d'un alcane acyclique: C_nH_{2n+2} (section 6.2)
- Géométrie tétraédrique (angle de 109,5°) (section 6.2)
- Molécules apolaires ne renfermant que des liaisons simples (liens σ) covalentes non polaires C—C et C—H (sections 6.2 et 6.3)
- Attractions intermoléculaires: forces de dispersion de London (section 6.3)
- Faibles points de fusion et d'ébullition, comparativement à des molécules organiques de taille similaire impliquant des hétéroatomes, et donc d'autres types d'attractions intermoléculaires (section 6.3)

Réactions des alcanes

Combustion (section 6.4.1)

- Complète

$$C_nH_{2n+2} + \left(\frac{3n+1}{2}\right)O_2 \xrightarrow{\Delta} n\, CO_2 + (n+1)\, H_2O$$

- Incomplète (exemples avec le méthane)

$$2\, CH_4 + 3\, O_2 \longrightarrow 2\, CO + 4\, H_2O$$
$$CH_4 + O_2 \longrightarrow C + 2\, H_2O$$
$$CH_4 + O_2 \longrightarrow CH_2O + H_2O$$

Halogénation radicalaire (section 6.4.2)

$$R—H + X_2 \xrightarrow{h\nu\ \text{ou}\ \Delta} R—X + H—X \quad (X = Cl\ ou\ Br)$$

Alcane   Composé halogéné

L'alcane peut subir une ou plusieurs halogénations, selon les conditions expérimentales (p. ex.: excès d'halogène).

Ex. de monohalogénation:

$$CH_4 \xrightarrow[h\nu\ \text{ou}\ \Delta]{X_2} CH_3X + HX$$

Ex. de polyhalogénation:

$$CH_4 \xrightarrow[h\nu\ \text{ou}\ \Delta]{X_2\ (\text{excès})} CX_4 + 4\, HX$$

- **Mécanisme de l'halogénation radicalaire en chaîne (section 6.4.2.1)**
  L'halogénation radicalaire s'effectue en trois phases: l'amorçage (ou initiation), la propagation et la terminaison.
- **Régiosélectivité de la chloration et de la bromation (section 6.4.2.2)**
  Favorisant presqu'exclusivement la formation de l'isomère provenant de l'intermédiaire réactionnel (le radical) le plus stable, la bromation est grandement régiosélective. La régiosélectivité de la chloration est, quant à elle, plus faible puisqu'elle ne favorise que légèrement la formation du radical le plus stable. Le pourcentage de cet isomère est alors un peu plus élevé que celui attendu selon la distribution statistique (qui ne tient compte que du nombre d'hydrogènes équivalents).

VÉRIFICATION DES CONNAISSANCES

Après l'étude de ce chapitre, je devrais être en mesure :

○ de décrire les caractéristiques structurales et les propriétés physiques des alcanes ;

○ de prévoir les produits obtenus et les conditions expérimentales nécessaires au cours des réactions suivantes sur des alcanes :
  • combustion (complète et incomplète),
  • halogénation radicalaire (Cl_2 ou Br_2 en présence de lumière, hv, ou de chaleur) ;

○ d'illustrer le mécanisme réactionnel de l'halogénation radicalaire sur les alcanes ;

○ de prévoir la stabilité des intermédiaires réactionnels, la nature des produits finaux et leur abondance relative au cours des réactions d'halogénation radicalaire sur les alcanes, selon la nature du réactif ;

○ de déterminer la structure d'un alcane à l'aide de ses propriétés physiques et chimiques caractéristiques ;

Enrichissement

○ de prévoir l'arrangement spatial des produits obtenus à la suite des réactions d'halogénation radicalaire sur les alcanes lorsqu'il y a formation d'un carbone stéréogénique.

EXERCICES SUPPLÉMENTAIRES

Structure des alcanes et propriétés physiques

6.18 Soit les cinq hydrocarbures suivants.
  i) 2-méthylheptane ii) octane iii) 3,3-diméthylhexane
  iv) décane v) 2-méthylhexane

  a) Classez-les par ordre croissant de leur point d'ébullition.
  b) Lesquels font partie de la même série homologue ? Expliquez brièvement vos réponses.

6.19 Le cétane (ou hexadécane) est un alcane acyclique de formule moléculaire $C_{16}H_{34}$. Il est l'un des constituants du gazole. L'indice de cétane est particulièrement important, spécialement pour les moteurs diesel, car il permet d'évaluer la capacité d'un carburant à s'enflammer. Cet alcane est-il à l'état solide, liquide ou gazeux à la température ambiante ? Justifiez brièvement votre réponse.

6.20 Depuis plusieurs années, les huiles et les graisses (qui sont des esters d'acides gras) présentes dans notre alimentation font souvent partie de l'actualité. Par exemple, dans divers médias, il est recommandé de modérer la consommation de gras saturés, car ces derniers sont nuisibles à la santé, puisqu'ils augmentent le taux de cholestérol.

Soit les quatre acides gras saturés suivants.

acide butanoïque
(acide butyrique)

acide myristique

acide palmitique

acide stéarique

Les acides gras saturés sont présents en grande quantité dans les matières grasses animales trouvées, entre autres, dans le lait, le beurre, les fromages et les viandes.

  a) Sont-ils des membres d'une même série homologue ?
  b) Lequel possède le point de fusion le plus élevé ?
  c) Lequel est le plus soluble dans l'eau ?

Expliquez brièvement vos réponses.

Réactions des alcanes et régiosélectivité des halogénations radicalaires

6.21 Écrivez une équation chimique équilibrée pour la combustion complète d'un hydrocarbure hypothétique ayant la formule C_xH_y.

6.22 Les phéromones sont des substances chimiques odorantes sécrétées par de nombreux animaux et insectes. Le rôle des phéromones est de permettre une communication entre les membres d'une même espèce. La nature des signaux envoyés dépend de la structure chimique des phéromones qui, dans plusieurs cas, sont des hydrocarbures. Par exemple, chez la blatte (coquerelle ou cafard), l'undécane est sécrété en tant que phéromone. Cette molécule est un signal de regroupement des membres de l'espèce.

$$CH_3[CH_2]_9CH_3$$
undécane

Combien de produits sont obtenus à la suite d'une monochloration de l'undécane si la stéréochimie n'est pas prise en compte? Expliquez votre réponse en dessinant les formules simplifiées des principaux produits possibles.

6.23 Combien de produits sont obtenus à la suite d'une monochloration de chacun des alcanes suivants si la stéréochimie n'est pas prise en compte? Pour chaque cas, expliquez votre réponse en dessinant les formules simplifiées des principaux produits possibles.

a) 　　b) 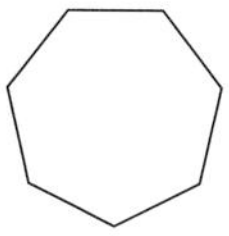 　　c)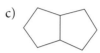

d) 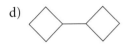　　e) 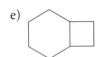　　f)

tricyclo[3.3.1.1(3,7)]décane
(adamantane)

Composé découvert dans le pétrole en 1933 et dont la structure rappelle celle du diamant.

6.24 Déterminez les produits obtenus au cours d'une:
a) monochloration du 2,4-diméthylpentane;
b) monobromation du 2,4-diméthylpentane.

6.25 Complétez les réactions suivantes en écrivant seulement les produits majoritaires. Pour les halogénations, considérez qu'il s'agit de monohalogénations, à l'exception de l'équation f). Pour les combustions, considérez qu'il s'agit de combustions complètes.

a)

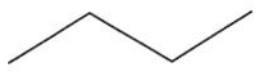

b)

c)

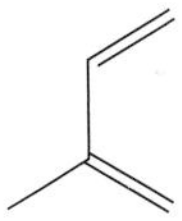

d)

e)

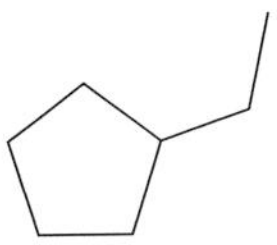

f)

g)

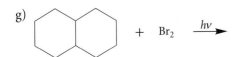
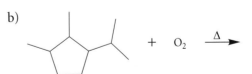
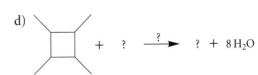

6.26 En présence d'une quantité suffisante de Cl$_2$ et d'une source d'irradiation lumineuse, vous effectuez une dichloration du butane.

    a) Sans tenir compte de la stéréochimie, combien de produits principaux sont obtenus à la suite de cette réaction ? À l'aide des formules simplifiées, dessinez la structure de tous ces produits et nommez-les selon les règles de l'UICPA.

    b) Existe-t-il une relation entre ces produits ? Si oui, précisez la nature de cette relation.

6.27 Illustrez le mécanisme menant à la formation du produit majoritaire de la monobromation des alcanes suivants. Dans chacun des cas, expliquez brièvement votre choix du produit majoritaire et nommez-le selon les règles de l'UICPA.

6.28 Au cours d'une réaction de chloration du propane, expliquez la formation de traces des produits suivants.

6.29 **Problème à indices** Découvrez la structure du composé grâce aux indices fournis ci-dessous. Pour chaque indice, expliquez l'information que vous en avez tirée. Écrivez toutes les étapes du raisonnement menant à votre réponse.

    1) La combustion complète de l'alcane mène à la formation de quatre molécules de CO$_2$ et de cinq molécules de H$_2$O.

    2) La monobromation de cet alcane conduit à la formation d'un produit nettement majoritaire, tandis que la monochloration mène à un mélange de deux produits principaux.

Stéréosélectivité des réactions d'halogénation radicalaire

6.30 **Enrichissement** En prenant en considération les carbones stéréogéniques, combien de produits sont obtenus à la suite d'une monochloration de chaque alcane suivant ? Dans chacun des cas, expliquez votre réponse en dessinant les structures des principaux produits possibles et nommez-les selon les règles de l'UICPA.

    a) pentane   b) 2-méthylhexane   c)

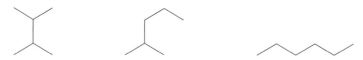

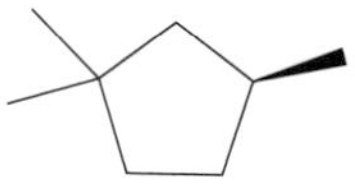

(S)-1,1,3-triméthylcyclopentane

6.31 **Enrichissement** En prenant en considération les carbones stéréogéniques, dessinez tous les principaux produits possibles pour les réactions de monohalogénation suivantes et nommez-les selon les règles de l'UICPA.

    a) 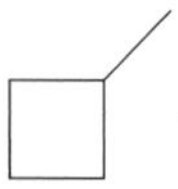   b)

    ☐ + Cl$_2$ $\xrightarrow{h\nu}$ ☐ + Br$_2$ $\xrightarrow{h\nu}$

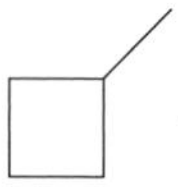

6.32 **Enrichissement** Expliquez l'affirmation suivante : « Si aucun carbone stéréogénique n'est formé, comme dans le cas de la synthèse du 1-chlorobutane, les attaques en dessous et au-dessus du radical mènent au même produit. » Démontrez cette affirmation à l'aide d'un mécanisme en trois dimensions.

6.33 **Enrichissement** En tenant compte de la stéréochimie, combien de produits principaux sont obtenus à la suite de la réaction de l'exercice 6.26 ? Dessinez la structure de tous ces produits et nommez-les selon les règles de l'UICPA.

6.34 **Enrichissement** Soit la réaction suivante.

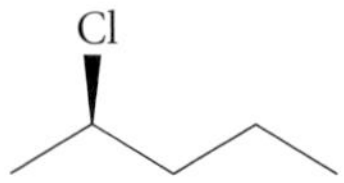

(R)-2-chloropentane   + Cl$_2$ $\xrightarrow{h\nu}$

    a) Dessinez la structure de tous les principaux produits possibles résultant de la monochloration du (R)-2-chloropentane et nommez-les selon les règles de l'UICPA.

    b) Existe-t-il des relations stéréochimiques entre ces produits ? Si oui, précisez la nature de ces relations.

    c) Sont-ils tous optiquement actifs (chiraux) ? Expliquez brièvement votre réponse.

7

Alcènes et alcynes

Éléments de compétence

- Déterminer la réactivité de fonctions organiques simples comme alcanes, alcènes, alcynes, organomagnésiens, dérivés halogénés, alcools à l'aide des principaux types de mécanisme de réactions : S_N1, S_N2, E1, E2.

- Concevoir théoriquement des méthodes de synthèse de composés organiques simples à partir de produits donnés.

cheneliere.ca/chimieorganique www

› Mots clés

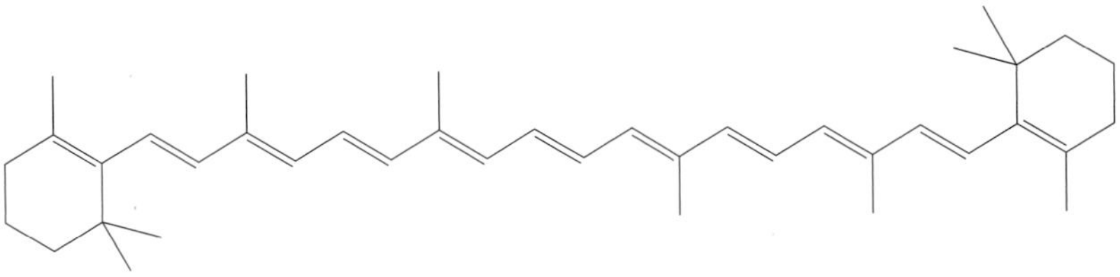

β-carotène

Le β-carotène est la plus importante des provitamines A, c'est-à-dire des caroténoïdes que l'organisme humain peut transformer en vitamine A (*voir la structure, p. 441*) selon les besoins. Il provient de fruits et de légumes tels que les carottes, les mangues, les abricots et les patates douces. Cette molécule, contenue notamment dans les crevettes ingurgitées par le flamant rose, est responsable de la coloration de cet oiseau échassier.

Au même titre que les alcanes, les alcènes et les alcynes sont des molécules qui entrent dans la grande famille des hydrocarbures. Les alcènes[1] et les alcynes sont plus particulièrement des **hydrocarbures insaturés**, puisqu'ils renferment respectivement au moins une liaison double (C=C) et une liaison triple (C≡C) (*voir la figure 7.1, page suivante*). Pour un nombre donné d'atomes de carbone, leur structure possède ainsi moins d'atomes d'hydrogène que celle d'un alcane dont la formule est C_nH_{2n+2}. En effet, la formule moléculaire générale d'un composé acyclique ayant une seule fonction alcène est C_nH_{2n}, et celle d'un composé acyclique ayant une seule fonction alcyne est C_nH_{2n-2}.

Figure 7.1
Classification des hydrocarbures
selon leur structure chimique.
(Le chapitre 7 traite des notions
indiquées par une trame bleue.)

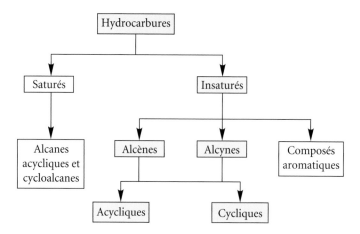

L'α-ionone est la molécule
odoriférante présente dans
l'essence de violette.

Lorsqu'une molécule compte deux liaisons doubles C=C, elle est classée en tant qu'«alcadiène», ou tout simplement «diène». Si une molécule renferme trois ou quatre liaisons doubles, elle sera classée respectivement comme «alcatriène» («triène») et comme «alcatétraène» («tétraène»)[2]. Enfin, les composés dotés de plusieurs liaisons doubles portent le nom «polyènes». Les **liaisons doubles** peuvent être **cumulées** (voisines, liées par le même carbone), **conjuguées** (espacées par une liaison simple C—C) ou **isolées** (espacées par plus d'une liaison simple C—C) (*voir le tableau 4.8, p. 205*).

Les alcènes sont abondamment présents dans la nature. Leurs sources sont très variées. Par exemple, certains fruits et légumes contiennent des alcènes tels que le limonène, un alcadiène responsable de l'odeur de l'orange et du citron (*voir la figure 3.15, p. 118*), le β-carotène (*voir l'image d'introduction de ce chapitre*) et le lycopène (*voir la figure 7.2*), un pigment présent entre autres dans la pastèque et la tomate. L'éthène (ou éthylène, CH_2=CH_2), le plus simple des alcènes, est d'ailleurs une phytohormone responsable du mûrissement des fruits. Les fleurs peuvent également renfermer des alcènes tels que la molécule α-ionone, un alcadiène responsable de l'odeur de la violette. Enfin, la fonction alcène peut se trouver dans les phéromones d'insectes (*voir la figure 7.2*).

Figure 7.2 Exemples de molécules organiques naturelles renfermant la fonction alcène

lycopène

α-ionone

éthanoate de dodéca-7,9-diényle
(phéromone de la chenille des plantes grimpantes)

Il existe également quelques alcynes naturels, bien qu'ils soient beaucoup moins abondants que les alcènes. De plus, ils sont souvent accompagnés d'autres groupements fonctionnels. La plupart des alcynes, en fait, sont des molécules artificielles. Par exemple, l'éthynylœstradiol, une molécule organique synthétique renfermant une fonction alcyne, est le composant anovulant présent dans les pilules contraceptives orales (*voir la figure 7.3*). Même l'éthyne (ou acétylène, CH≡CH), l'alcyne le plus simple, est un composé devant être synthétisé.

Figure 7.3 Exemples de molécules organiques naturelles et artificielles renfermant la fonction alcyne

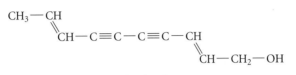

ichthyothéréol

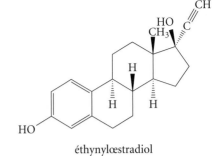

éthynylœstradiol

matricarianol

L'ichthyothéréol, un poison provenant d'une plante d'Amérique centrale et d'Amérique du Sud, est utilisé par les Indiens d'Amazonie. Ils enduisent leurs pointes de flèches de cette substance pour chasser.

La matricarianol, une molécule présente dans la camomille, offre des propriétés fongicide et insecticide.

Au cours de ce chapitre, les propriétés physiques et chimiques des alcènes et des alcynes seront approfondies.

7.1 Propriétés physiques des alcènes et des alcynes

Puisque les alcènes et les alcynes ne sont constitués que de liaisons covalentes non polaires, leurs propriétés physiques sont semblables à celles des alcanes (*voir le tableau 7.1, page suivante*). Les alcènes et les alcynes sont des molécules non polaires, et donc insolubles dans les solvants polaires. Ils flottent à la surface de l'eau, car leur masse volumique est inférieure. Ils sont cependant solubles dans les solvants organiques non polaires ou faiblement polaires.

Dans le tableau 7.1, le point d'ébullition des alcanes croît en fonction de leur masse molaire moléculaire, car les attractions intermoléculaires (forces de dispersion de London) sont plus nombreuses. Ce phénomène est également observé dans le cas des alcènes et des alcynes. Pour un même nombre de carbones, la présence de la liaison double ou de la liaison triple modifie légèrement les valeurs des masses molaires des molécules comparées. De plus, les liaisons π rigidifient la structure. Toutefois, ces facteurs influent faiblement sur les attractions intermoléculaires, de sorte que leurs propriétés physiques sont distinctes de celles des alcanes correspondants, quoique très semblables.

Les isomères géométriques d'un même alcène ne présentent pas toujours les mêmes propriétés physiques, notamment en ce qui a trait au point d'ébullition. C'est le cas des isomères *E* et *Z* du but-2-ène. Les groupements méthyles de part et d'autre de la liaison double sont des donneurs d'électrons par effet inductif répulsif (*voir la section 4.7.2, p. 195*). Par conséquent, pour le (*Z*)-but-2-ène, une déformation du nuage électronique est observée, et un dipôle résultant non nul est créé malgré l'unique présence de liaisons covalentes non polaires. Par contre, dans la molécule de (*E*)-but-2-ène, l'effet occasionné par les deux groupements méthyles s'annule (*voir la figure 7.4, page suivante*). Cette molécule est donc globalement non polaire. Des forces de Van der Waals plus fortes ont donc lieu entre les molécules de (*Z*)-but-2-ène, ce qui explique le point d'ébullition plus élevé.

Tableau 7.1	Comparaison de certaines propriétés physiques d'alcanes, d'alcènes et d'alcynes correspondants			
Nom systématique	Formule semi-développée	Masse molaire (g/mol)	p. éb.[a] (°C)	Masse volumique[b] (g/cm³)
Alcanes				
éthane	CH_3-CH_3	30,07	−88,6	–
propane	$CH_3-CH_2-CH_3$	44,10	−42,1	$0,493^{25\,c}$
butane	$CH_3-CH_2-CH_2-CH_3$	58,12	−0,5	$0,573^{25\,c}$
pentane	$CH_3\!-\!\!\left[CH_2\right]_3\!\!-\!CH_3$	72,15	36,0	$0,626^{20}$
Alcènes				
éthène	$CH_2{=}CH_2$	28,05	−103,7	–
propène	$CH_3-CH{=}CH_2$	42,08	−47,6	$0,505^{25\,c}$
but-1-ène	$CH_3-CH_2-CH{=}CH_2$	56,11	−6,2	$0,588^{25\,c}$
pent-1-ène	$CH_3\!-\!\!\left[CH_2\right]_2\!\!-\!CH{=}CH_2$	70,13	29,9	$0,641^{20}$
Alcynes				
éthyne	$CH{\equiv}CH$	26,04	−84,7	$0,377^{25\,c}$
propyne	$CH_3-C{\equiv}CH$	40,06	−23,2	$0,607^{25\,c}$
but-1-yne	$CH_3-CH_2-C{\equiv}CH$	54,09	8,0	$0,678^{0}$
pent-1-yne	$CH_3\!-\!\!\left[CH_2\right]_2\!\!-\!C{\equiv}CH$	68,12	40,1	$0,690^{20}$

a. Toutes les valeurs de points d'ébullition inscrites dans ce tableau sont celles déterminées à la pression atmosphérique normale (1 atm).
b. Le nombre en exposant représente la température à laquelle est déterminée la masse volumique.
c. Ces valeurs de masse volumique ont été déterminées sous pression (à l'état liquide).

Figure 7.4
Points d'ébullition distincts
des isomères géométriques
(Z)-but-2-ène et (E)-but-2-ène

(Z)-but-2-ène
Masse molaire: 56,11 g/mol
p. éb.: 3,7 °C
Dipôle résultant non nul

(E)-but-2-ène
Masse molaire: 56,11 g/mol
p. éb.: 0,8 °C
Dipôle résultant nul

En comparant les alcanes et les hydrocarbures insaturés (alcènes et alcynes), il est possible de constater que les liaisons multiples C=C ou C≡C exercent de subtils changements sur les propriétés physiques. Par opposition, ce chapitre permettra de voir que la présence de liaisons multiples influence considérablement les propriétés chimiques des molécules. Pour expliquer la réactivité chimique, les caractéristiques des liaisons doubles et des liaisons triples doivent d'abord être étudiées.

> **Exercice 7.1** Il existe deux composés portant le nom 1,2-dichloroéthène. Dessinez les structures tridimensionnelles possibles de ces composés et associez-les aux propriétés physiques suivantes :
>
> p. éb. : 60 °C ; p. éb. : 48 °C ; $\mu = 0$; $\mu \neq 0$
>
> Expliquez ces propriétés physiques distinctes pour les deux composés.

7.2 Caractéristiques de la liaison double et de la liaison triple

Selon la théorie des orbitales hybrides (*voir la section 1.8, p. 19*), une liaison double C=C est composée d'une liaison σ et d'une liaison π, alors qu'une liaison triple C≡C est constituée d'une liaison σ et de deux liaisons π. Les deux électrons d'une liaison σ sont localisés entre les noyaux des atomes de carbone qui forment la liaison, c'est-à-dire dans un axe internucléaire. Pour leur part, les électrons des liaisons π sont situés en périphérie des noyaux, soit de part et d'autre du plan défini par les liaisons σ. Ces électrons π sont globalement plus éloignés des noyaux des atomes, et donc moins bien retenus par ces derniers. Ils sont ainsi plus disponibles pour réaliser des réactions chimiques. La liaison π peut donner ses électrons, et donc agir à titre de nucléophile (*voir le tableau 4.5, p. 189*).

Le tableau 7.2 présente les principales caractéristiques des liaisons double et triple.

Tableau 7.2 Caractéristiques de la liaison double et de la liaison triple

Liaison double C=C	Liaison triple C≡C
Chaque carbone adopte une géométrie triangulaire plane, étant entouré de trois paquets d'électrons de valence dont les angles de liaison sont de 120°.	Chaque carbone adopte une géométrie linéaire, étant entouré de deux paquets d'électrons de valence dont les angles de liaison sont de 180°.
Chaque carbone de la liaison double possède trois orbitales hybrides sp^2 et une orbitale atomique p perpendiculaire au plan des orbitales hybrides (*voir la figure 1.23, p. 26*).	Chaque carbone de la liaison triple possède deux orbitales hybrides sp et deux orbitales atomiques p perpendiculaires entre elles ainsi qu'au plan (à la ligne) des orbitales hybrides (*voir la figure 1.25, p. 28*).
La liaison C=C est une liaison covalente non polaire. La carte de potentiel électrostatique présente toutefois un enrichissement électronique entre les noyaux de carbone, illustrant la disponibilité des électrons π et le caractère nucléophile de la liaison double.	La liaison C≡C est une liaison covalente non polaire. La carte de potentiel électrostatique présente toutefois un enrichissement électronique entre les noyaux de carbone, illustrant la disponibilité des électrons π et le caractère nucléophile de la liaison triple.

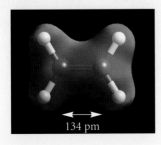

134 pm

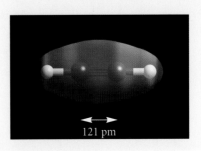

121 pm

> **REMARQUE**
>
> En raison de leur géométrie linéaire, les liaisons triples ne sont pas présentes dans les petits cycles. Un minimum de huit carbones est nécessaire pour qu'une molécule cyclique puisse être stable en contenant une liaison triple.
>
> **Exemples**
>
> Un cyclopentyne est **très instable**, car la tension angulaire est trop importante.
>
> Un cyclooctyne est **stable**, car la tension angulaire n'est pas trop élevée.

Dans le tableau 7.2 (*voir page précédente*), les longueurs moyennes des liaisons doubles et triples carbone-carbone sont indiquées. La liaison double C=C est moins longue que la liaison simple C—C, car les deux paires d'électrons partagées (une paire dans le lien σ et l'autre dans le lien π) rapprochent davantage les noyaux en minimisant la répulsion nucléaire. En effet, la longueur moyenne de la liaison double est de 134 pm, tandis que celle de la liaison simple est de 154 pm. Quant à la liaison triple, les trois paires d'électrons partagées de ce type de liaison font qu'elle est plus courte que la liaison double, avec une longueur moyenne de 121 pm.

Contrairement aux alcanes dont les liaisons simples carbone-carbone peuvent effectuer une rotation libre, la rotation autour des liaisons doubles C=C des alcènes et des liaisons triples C≡C des alcynes est bloquée dans des conditions normales de température. Ceci est expliqué par le recouvrement latéral des orbitales atomiques *p* qui rigidifie la structure. Si cette contrainte de rotation n'a aucune incidence sur la stéréochimie des alcynes en raison de leur géométrie linéaire, elle est d'une grande importance pour les alcènes. Elle peut mener à la formation d'isomères géométriques pour certains alcènes substitués (*voir la section 3.6, p. 153*).

Les isomères géométriques ne peuvent s'interconvertir à la température ambiante, la rotation autour de la liaison double étant impossible. Or, lorsqu'un alcène est soumis à une énergie élevée (thermique ou irradiation lumineuse) ou mis en présence d'un catalyseur, il est possible de rompre momentanément la liaison π et d'effectuer une **interconversion *E-Z***, c'est-à-dire d'obtenir l'autre isomère géométrique grâce à une rotation libre autour de la liaison σ restante (*voir la figure 7.5*).

Figure 7.5 Interconversion *E-Z* de deux isomères géométriques à la suite d'une rupture de la liaison π sous l'effet de la chaleur, d'un catalyseur ou de la lumière

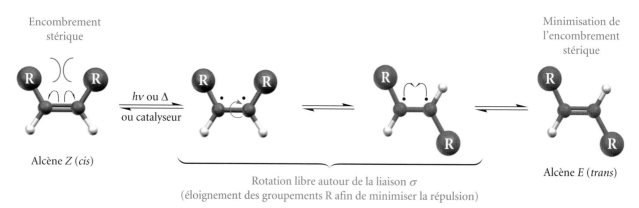

Encombrement stérique

Minimisation de l'encombrement stérique

$h\nu$ ou Δ ou catalyseur

Alcène *Z* (*cis*)

Alcène *E* (*trans*)

Rotation libre autour de la liaison σ
(éloignement des groupements R afin de minimiser la répulsion)

Exercice 7.2 Expliquez les pourcentages observés à la suite de l'interconversion des isomères géométriques du but-2-ène en milieu acide.

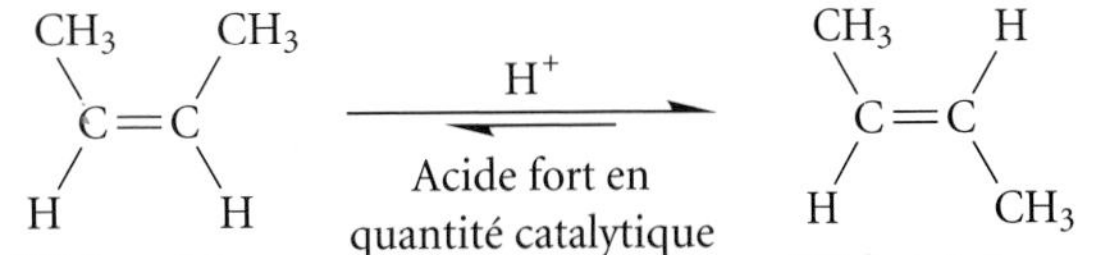

CH_3
CH_3
C=C
H
H
H^+
Acide fort en quantité catalytique
CH_3
H
C=C
H
CH_3

(Z)-but-2-ène (24 %) (E)-but-2-ène (76 %)

cheneliere.ca/chimieorganique www

- Caractéristiques spectrales des alcènes
- Caractéristiques spectrales des alcynes

7.3 Réactions des alcènes

Dans le chapitre 6, la réactivité des alcanes a été démontrée en décrivant les réactions de combustion et d'halogénation radicalaire. Comparativement aux alcanes, qui effectuent un nombre restreint de réactions chimiques, les alcènes peuvent subir une multitude de transformations en raison de la plus grande disponibilité des électrons de leur liaison π.

Il existe en fait trois catégories distinctes de réactions chimiques pour les alcènes : les réactions d'addition, de polymérisation et d'oxydation.

7.3.1 Réactions d'addition électrophile sur les alcènes

Chez les alcènes, ce sont les réactions d'addition qui sont les plus fréquentes (*voir la figure 7.6*).

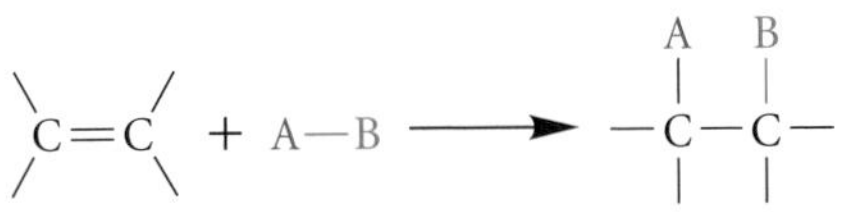

C=C
+ A—B
A
B
—C—C—

Figure 7.6
Réaction générale d'une addition sur un alcène

De façon générale, dans ce type de réaction, un réactif de type A—B s'additionne sur l'alcène pour donner un produit saturé ne possédant que des liaisons simples. Chacune des parties A et B du réactif se lie respectivement aux deux carbones de la liaison double du substrat. Le bilan de la réaction consiste donc en la rupture de la liaison π de l'alcène et de la liaison σ du réactif, et en la création de deux nouvelles liaisons σ. La réaction globale est favorisée, car les liaisons σ sont plus fortes que les liaisons π. En effet, les électrons liants d'une liaison σ sont situés directement dans l'axe reliant les deux noyaux, tandis que ceux des liaisons π sont situés de part et d'autre de cet axe, d'où le recouvrement latéral des orbitales atomiques p ; ils sont donc plus éloignés des noyaux.

Les réactions d'addition peuvent elles-mêmes se subdiviser en deux catégories, soit les réactions d'addition polaire et les réactions d'addition non polaire.

7.3.1.1 Réactions d'addition polaire

Dans une **réaction d'addition polaire**, la liaison du réactif A—B est covalente polaire. Un dipôle permanent est présent entre les deux atomes du réactif avec un pôle δ^+ et un pôle δ^-.

Ce type de réaction d'addition se réalise en deux étapes. Dans la première étape, sachant qu'un alcène est un nucléophile, les électrons de la liaison π attaquent l'atome électrophile (δ^+) du réactif A—B, ce qui entraîne la rupture hétérolytique de la liaison σ du réactif A—B. Pour que l'atome A conserve son octet ou son doublet, l'atome B reçoit les deux électrons de la liaison σ rompue et devient chargé négativement (B^-). De plus, une nouvelle liaison σ entre l'un des carbones de la liaison double de l'alcène et l'atome A du réactif est formée. Puisque cette dernière liaison implique les deux électrons π, l'autre carbone de la liaison double devient chargé positivement. Un **carbocation** est ainsi formé. Les réactions d'addition polaire entrent dans la catégorie des réactions d'**addition électrophile**, car dans la première étape du mécanisme réactionnel, le réactif qui s'additionne sur le substrat (l'alcène) est un électrophile.

Dans la deuxième étape du mécanisme, l'anion B⁻ agit à titre de nucléophile, puisqu'il est riche en électrons. Il attaque le carbocation, un très puissant électrophile, ce qui mène au produit final stable ne contenant que des liaisons simples. Lorsque l'anion B⁻ réalise son attaque, une seule flèche est requise, car le carbocation ne respecte pas l'octet (*voir la figure 7.7*).

Figure 7.7
Mécanisme général d'une réaction d'addition polaire

Pour une meilleure compréhension des couleurs…

Dans le réactif qui s'additionne sur l'alcène, l'atome A (δ⁺), pauvre en électrons, est en bleu, et l'atome B, riche en électrons (δ⁻), est en rouge, suivant les codes de couleur des cartes de potentiel électrostatique.

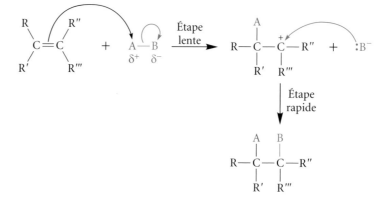

La première étape du mécanisme implique deux molécules stables dont tous les atomes respectent les règles du doublet et de l'octet. Elle mène à un intermédiaire réactionnel instable, soit le carbocation. Elle constitue donc l'étape limitante, c'est-à-dire l'étape la plus lente. La seconde étape, au contraire, est très rapide, puisque deux espèces chargées, hautement réactives, s'associent pour obtenir un produit neutre et stable.

Ce type de réaction regroupe les additions d'acides, les réactions d'hydratation ainsi que les réactions d'hydroboration-oxydation.

A) Addition d'acides

Sachant qu'un acide de Brønsted-Lowry est un donneur de H⁺, la portion A (δ⁺) dans un réactif de type général A—B est l'hydrogène. La portion B, pour sa part, dépend de la nature de l'acide employé. Les acides pouvant réagir avec les alcènes dans des réactions d'**addition d'acides** sont généralement les halogénures d'hydrogène et l'acide sulfurique concentré (H—F, H—Cl, H—Br, H—I, H—OSO₃H, etc.).

La figure 7.8 illustre un exemple de réaction d'addition d'acides dans lequel le bromure d'hydrogène (H—Br) réagit avec l'éthène (CH₂═CH₂). Dans la première étape du mécanisme, la liaison π de l'alcène attaque l'hydrogène acide du H—Br pour former une liaison σ (C—H) avec l'un des atomes de carbone de la liaison double. Dans la deuxième étape du mécanisme, le nucléophile Br⁻, généré à la première étape, attaque le carbocation. Le produit final est un composé halogéné. Ce type particulier de réaction porte le nom d'**hydrohalogénation** puisque, globalement, un hydrogène et un halogène sont additionnés respectivement sur chaque carbone de la liaison double de l'alcène (le substrat).

> **REMARQUE**
>
> Pour obtenir majoritairement les produits désirés, aucune trace d'eau ne doit être présente dans le milieu réactionnel, car l'eau est un nucléophile qui entrerait en compétition avec le nucléophile B⁻. De plus, en présence d'eau, l'acide le plus fort qui peut exister est l'ion hydronium (H₃O⁺). Dès lors, c'est le H₃O⁺ qui fait office de réactif et non pas l'acide fort initial (*voir la section 7.3.1.1 C, p. 290*).

> **REMARQUE**
>
> Au cours d'une réaction d'addition électrophile d'acides, le solvant utilisé pour effectuer la réaction ne doit pas être nucléophile, car celui-ci pourrait concurrencer le nucléophile déjà présent (Cl⁻, Br⁻, I⁻, etc.) et attaquer le carbocation selon le même mécanisme décrit dans la figure 7.8. Le CCl₄ (tétrachlorométhane, ou tétrachlorure de carbone) est donc souvent utilisé. Toutefois, en raison de sa grande toxicité et de ses effets néfastes sur l'environnement, il est de plus en plus remplacé par le CHCl₃ (trichlorométhane, ou chloroforme) ou le CH₂Cl₂ (dichlorométhane, ou chlorure de méthylène).
>
> Dans ces solvants, les acides utilisés au cours de la réaction d'addition électrophile ne sont pas dissociés.

Figure 7.8
Réaction globale, mécanisme réactionnel et diagramme énergétique de l'addition de HBr sur l'éthène (un alcène)

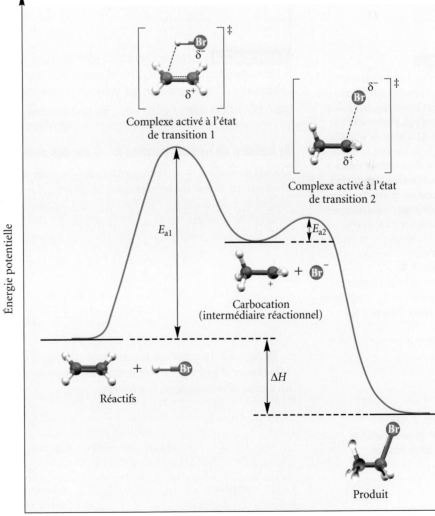

Réaction globale

éthène   +   bromoéthane

Mécanisme

Nucléophile   Électrophile   Étape lente   Carbocation (électrophile)   Nucléophile

Étape rapide

Complexe activé à l'état de transition 1

Complexe activé à l'état de transition 2

E_{a1}

E_{a2}

Carbocation (intermédiaire réactionnel)

Énergie potentielle

Réactifs

ΔH

Produit

Déroulement de la réaction

Le diagramme énergétique de la figure 7.8 (*voir page précédente*) illustre le fait que la réaction se réalise en deux étapes. En effet, deux sommets d'énergie (états de transition) sont observés. La première étape est endothermique et mène à un intermédiaire réactionnel de type carbocation, une espèce hautement énergétique qui ne respecte pas la règle de l'octet. Pour parvenir à cet intermédiaire réactionnel, une barrière énergétique (E_{a1}) très élevée doit être surmontée.

La seconde étape est exothermique. Elle débute avec le carbocation et mène au produit final, plus stable, en franchissant une barrière énergétique (E_{a2}) dont la valeur est plus petite que celle de la première étape. Le carbocation se trouve entre les deux complexes activés des états de transition. Son énergie est plus faible que celle des complexes activés, mais toujours plus élevée que celle des réactifs et des produits.

Dans cet exemple, l'état de transition le plus haut en énergie est celui de la première étape. Cette dernière est donc l'étape la plus lente, l'étape limitante. Elle détermine la vitesse de la réaction. Le bilan des deux étapes donne une réaction globale exothermique, car le produit final est plus stable que les réactifs ($\Delta H < 0$).

Exercice 7.3 Complétez les réactions suivantes en écrivant la structure des produits en deux dimensions.

a) 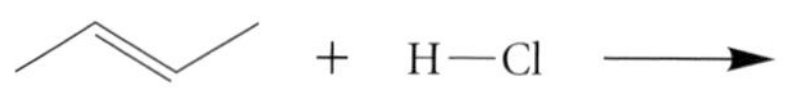 + H—Cl ⟶

b) 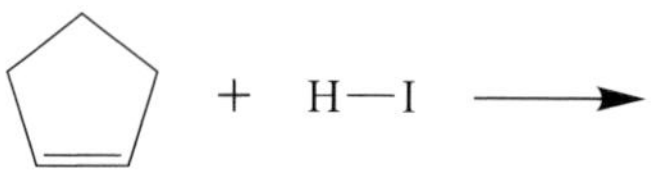 + H—I ⟶

Exercice 7.4 Écrivez l'équation globale ainsi que le mécanisme réactionnel correspondant (en deux dimensions) pour les réactions d'addition polaire de bromure d'hydrogène sur les substrats suivants.

a) (*E*)-hex-3-ène   b) cyclobutène

B) Addition de réactifs polaires A—B sur des alcènes dissymétriques

Qu'adviendrait-il si la même réaction que celle étudiée précédemment était réalisée, mais sur un alcène dissymétrique ? Si un réactif A—B dont la portion A n'est pas identique à la portion B (p. ex.: H—Br) est additionné sur un alcène symétrique, un seul produit est possible (en excluant la possibilité des stéréoisomères). Par contre, s'il s'agit d'un **alcène dissymétrique**, deux produits seront formés (*voir la figure 7.9*).

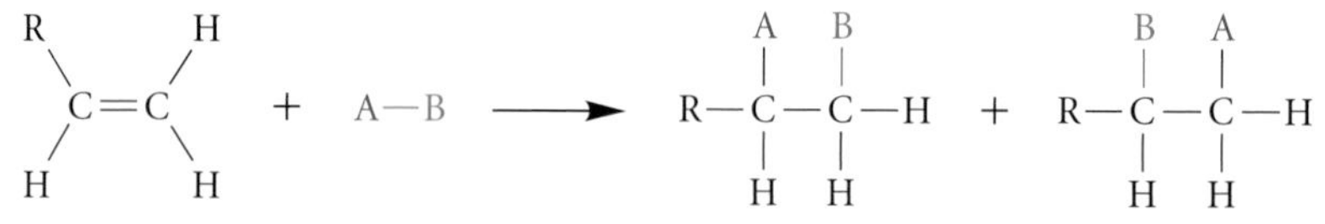

Figure 7.9
Réaction générale d'addition polaire du réactif A—B (où A ≠ B) sur un alcène dissymétrique

La figure 7.10 présente un exemple concret d'une réaction d'addition polaire d'un halogénure d'hydrogène (ou hydrohalogénation), plus particulièrement le H—Br, sur un alcène dissymétrique, le propène.

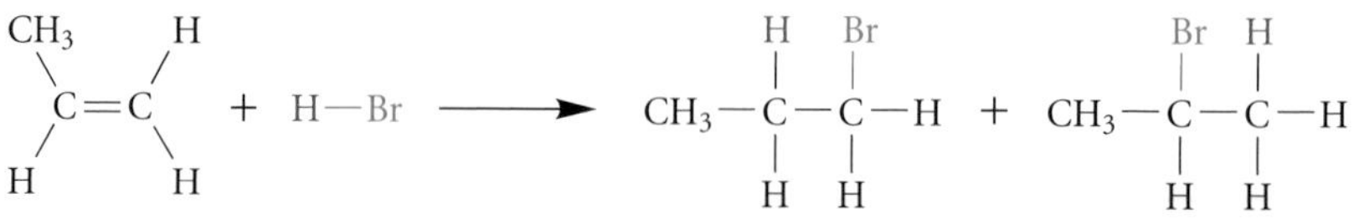

Figure 7.10
Réaction globale d'addition de HBr sur le propène

VLADIMIR MARKOVNIKOV
● (1838-1904)

Chimiste russe né le 22 décembre 1838 dans le village de Nijni-Novgorod, Markovnikov commença ses études en chimie à l'Université de Kazan, puis à l'Université de Saint-Pétersbourg. Après sa graduation en 1860, il poursuivit sa scolarité en Allemagne sous la supervision du professeur Richard August Carl Emil Erlenmeyer. Après ses études, il retourna en Russie, reçut officiellement son doctorat (en 1869) et devint professeur à l'Université de Kazan. Il changea d'institution d'enseignement pour se rendre à l'Université d'Odessa, puis à l'Université de Moscou, où il y demeura jusqu'à la fin de sa carrière. C'est en 1869 qu'il formula ce qui est aujourd'hui connu comme la règle de Markovnikov. Toutefois, il fallut attendre près de 30 ans avant que ses travaux soient traduits et reconnus dans le monde entier. Markovnikov s'éteignit le 11 février 1904.

Cette figure démontre que la réaction d'addition forme deux produits, puisque l'hydrogène H du bromure d'hydrogène H—Br peut s'additionner sur l'un ou l'autre des carbones de la liaison double. Cependant, l'abondance relative des deux produits obtenus est différente. En effet, le 2-bromopropane est le produit majoritaire observé expérimentalement.

> **REMARQUE**
>
> Au cours d'une réaction chimique comme la réaction d'addition électrophile polaire, si deux produits se forment en quantités différentes, mais que l'un d'eux est plus abondant, cette réaction est dite **régiosélective**. Les deux produits obtenus sont appelés **régioisomères**. Par contre, si une réaction ne forme qu'un seul des deux régioisomères possibles, elle est dite **régiospécifique** (soit 100 % d'un produit et 0 % de l'autre).

C'est le chimiste russe **Vladimir Vassilievitch Markovnikov** (1838-1904) qui fut le premier, il y a plus d'une centaine d'années, à constater que la dissymétrie dans les réactifs et les alcènes entraîne la formation de plusieurs produits dans les réactions d'addition. Après avoir étudié les résultats de la réaction d'addition polaire du H—Cl sur un grand nombre d'alcènes, il formula la règle empirique suivante, connue sous le nom de **règle de Markovnikov** : lorsqu'un alcène dissymétrique réagit avec un réactif de type A—B (où A ≠ B), la portion électropositive A du réactif s'additionne toujours sur le carbone de l'alcène ayant le plus grand nombre d'hydrogènes[3].

Que les réactifs ou les substrats soient symétriques ou dissymétriques, le mécanisme de la réaction demeure inchangé. Ainsi, la première étape du mécanisme mène au carbocation à la suite d'une attaque de la liaison π de l'alcène sur le réactif. La dissymétrie du réactif et celle de l'alcène occasionnent la formation de deux carbocations différents menant à des produits finaux distincts. C'est le cas de la première étape du mécanisme de l'addition du bromure d'hydrogène sur le propène, présentée dans la figure 7.11 (*voir page suivante*), qui mène à la formation de deux intermédiaires réactionnels différents : un carbocation propyle et un carbocation isopropyle. Ainsi, au cours de l'attaque de l'alcène sur le H—Br, le H peut tout d'abord s'additionner sur le C2 de l'alcène (**VOIE A**), formant un carbocation primaire (carbocation propyle). Quant à la seconde attaque possible, elle permet d'additionner le H sur le C1 de l'alcène (**VOIE B**) et de générer un carbocation secondaire (carbocation isopropyle). Les carbocations les plus stables, dont l'énergie est plus faible, sont formés plus rapidement. En effet, l'état de transition aboutissant au carbocation le plus stable est plus favorable (étant plus faible en énergie) que l'état de transition menant au carbocation le moins stable. Ainsi, dans l'exemple précédent, le carbocation isopropyle (secondaire), ayant une énergie d'activation plus petite que le carbocation propyle (primaire), se forme donc plus rapidement (*voir la figure 7.11*).

En conséquence, le produit final provenant du carbocation secondaire, c'est-à-dire le 2-bromopropane, est nettement plus abondant que celui provenant du carbocation primaire, soit le 1-bromopropane. Le 2-bromopropane est donc un produit majoritaire, et le 1-bromopropane, un produit minoritaire. Pour déterminer si un produit de réaction est majoritaire ou minoritaire, il faut analyser la stabilité de l'intermédiaire réactionnel. Généralement, le carbocation tertiaire est le plus stable à cause de l'effet inductif répulsif des groupements R, suivi du carbocation secondaire, puis du carbocation primaire. Le produit majoritaire est toujours celui qui découle de l'intermédiaire le plus stable. Dans le cas d'une réaction au cours de laquelle les deux carbocations formés sont de même stabilité, les deux produits obtenus sont présents en quantité équivalente (50 : 50).

La règle de Markovnikov peut être énoncée en des termes usuels plus généraux et plus modernes : une addition électrophile d'un réactif de type A—B (où A ≠ B) sur un alcène dissymétrique favorise la formation du carbocation le plus stable et, par conséquent, forme majoritairement le produit découlant de ce carbocation.

> **REMARQUE**
>
> Lorsqu'un phénomène de résonance implique la charge positive du carbocation formé ou lorsque des substituants électroattracteurs sont liés au carbocation, l'ordre général de stabilité des carbocations peut être modifié.

Figure 7.11 Mécanisme réactionnel d'une addition polaire de HBr sur le propène (un alcène dissymétrique) et diagramme énergétique de la formation des carbocations isopropyle et propyle

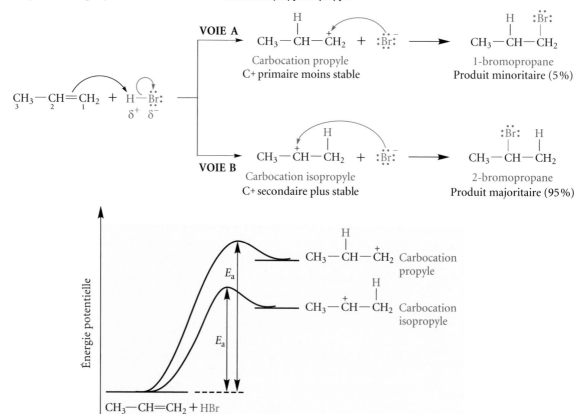

Exercice 7.5 Complétez les réactions suivantes en écrivant la structure de tous les produits possibles en deux dimensions. Dans chacun des cas, prédisez le produit majoritaire.

a) but-1-ène + HBr ⟶

b) (*E*)-pent-2-ène + HI ⟶

c) 1-éthylcyclopentène + HCl ⟶

d) 4-méthylpent-1-ène + HI ⟶

e) 2-propylhept-1-ène + HCl ⟶

f) ⬦=CH₂ + HBr ⟶

Exercice 7.6 Soit la réaction suivante.

+ HCl ⟶

a) Complétez cette réaction en écrivant la structure de tous les produits possibles en deux dimensions et déterminez le produit majoritaire.

b) Pour chacun des produits, illustrez le mécanisme réactionnel correspondant.

c) En ayant recours à un diagramme énergétique n'illustrant que l'étape lente du mécanisme, expliquez l'abondance du produit majoritaire trouvé en a).

ENRICHISSEMENT

Stéréosélectivité des réactions d'addition polaire des halogénures d'hydrogène

En plus de la régiosélectivité à considérer au cours des réactions d'addition polaire des halogénures d'hydrogène, il faut tenir compte de la configuration absolue des carbones stéréogéniques qui peuvent être générés. La réaction suivante en est un bon exemple.

Réaction globale

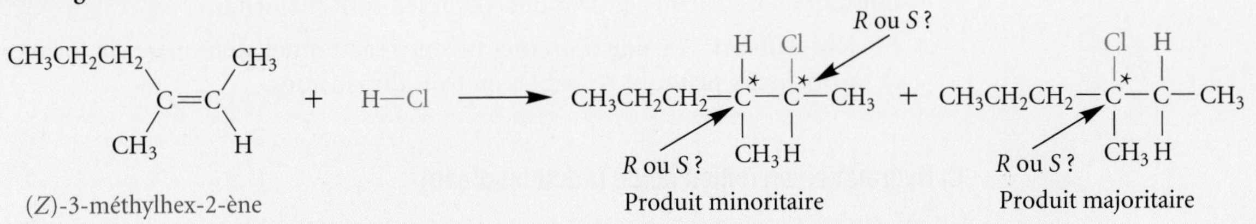

(Z)-3-méthylhex-2-ène   Produit minoritaire   Produit majoritaire

Deux produits sont possibles, l'un minoritaire et l'autre majoritaire. Comment savoir si les carbones stéréogéniques des produits majoritaires et minoritaires seront R ou S? Pour répondre à cette question, il est possible de prendre, à titre d'exemple, le produit majoritaire respectant la règle de Markovnikov et découlant du carbocation le plus stable (dans ce cas-ci, le carbocation tertiaire).

Première étape du mécanisme

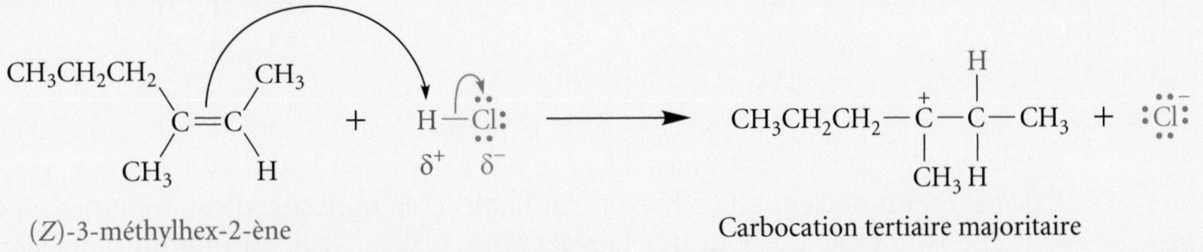

(Z)-3-méthylhex-2-ène   Carbocation tertiaire majoritaire

Le substrat et l'intermédiaire réactionnel doivent être illustrés en trois dimensions. Les produits finaux sont également représentés en trois dimensions à la suite des deux attaques possibles (**VOIES A** et **B**) du nucléophile (Cl⁻) sur le carbocation.

Deux attaques possibles sur le carbocation tertiaire menant aux produits majoritaires

(R)-3-chloro-3-méthylhexane

Deux énantiomères
(mélange racémique)

(S)-3-chloro-3-méthylhexane

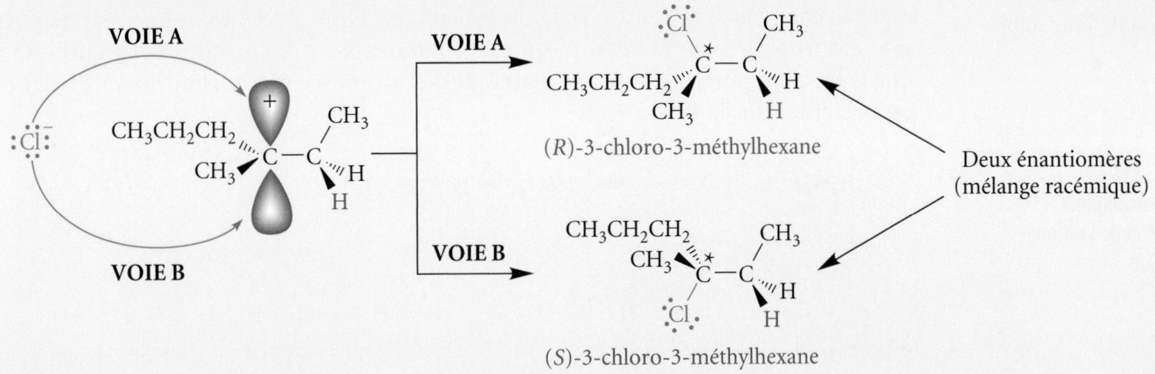

Dans cette réaction, le carbocation hybridé sp^2, de géométrie triangulaire plane, avec une orbitale p vide perpendiculaire au plan des trois orbitales hybrides, peut subir une attaque nucléophile au-dessus ou en dessous du plan de l'intermédiaire réactionnel. Ainsi, pour n'importe laquelle des réactions d'addition polaire d'acides sur des alcènes, aucune stéréosélectivité n'est observée, et toutes les configurations absolues (R et S) des carbones stéréogéniques C^* sont possibles.

Exercice 7.7 Soit la réaction suivante.

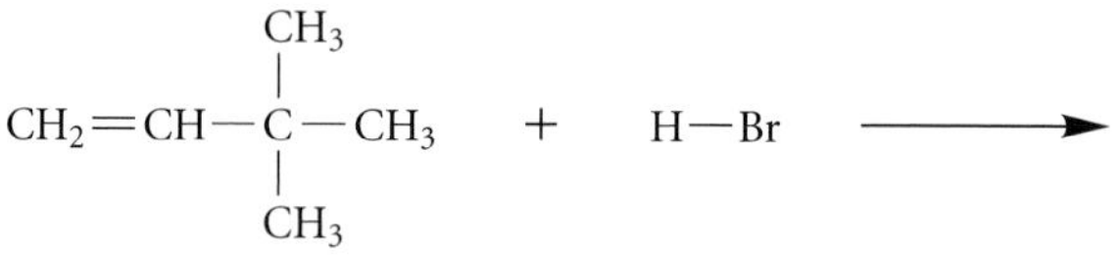

a) Complétez cette réaction en écrivant la structure de tous les produits possibles en deux dimensions.

b) **Enrichissement** En tenant compte de la stéréochimie, combien y a-t-il de produits au total ? Parmi ces produits, combien sont majoritaires ?

c) **Enrichissement** À l'aide d'un mécanisme réactionnel, démontrez la formation des principaux produits possibles en trois dimensions.

C) Hydratation en milieu acide (addition d'eau)

En présence d'un acide fort agissant à titre de catalyseur, un alcène peut réagir avec de l'eau, ce qui conduit à la formation d'un alcool (*voir la figure 7.12*). Puisque le bilan net de cette réaction est une addition d'eau (H et OH) sur le substrat, elle porte le nom d'**hydratation**.

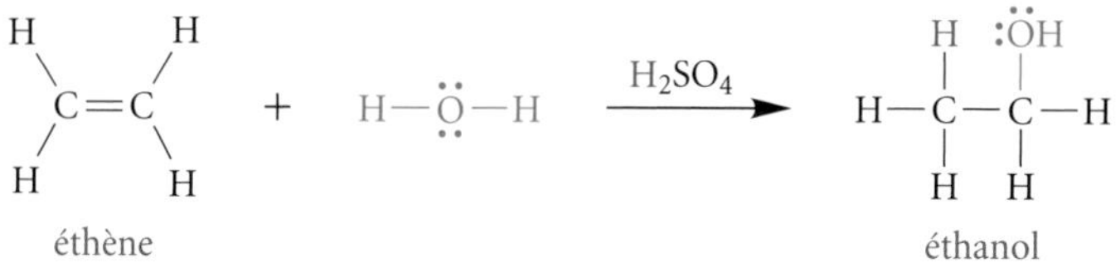

Figure 7.12
Réaction globale d'hydratation de l'éthène (un alcène)

REMARQUE

L'acide fort (ici le H_2SO_4) employé au cours de l'hydratation des alcènes agit à titre de catalyseur. Puisqu'il est régénéré sous la forme de H_3O^+ à la fin de la réaction (*voir la figure 7.13*), il n'est pas nécessaire de l'utiliser en grande quantité (quantité stœchiométrique). Une **quantité catalytique** suffit.

Dans ce type de réaction, un acide fort (très souvent l'acide sulfurique, H_2SO_4) est nécessaire, car les molécules d'eau seules ne peuvent réagir avec l'alcène. En effet, l'alcène est un nucléophile relativement faible, et la molécule d'eau n'est pas un électrophile assez puissant pour que la réaction se réalise. L'eau est plutôt un nucléophile en raison des doublets d'électrons libres sur l'atome d'oxygène (*voir le tableau 4.5, p. 189*). Puisque deux nucléophiles ne peuvent réagir ensemble, la réaction s'avère largement défavorable. Lorsqu'un acide fort est mis en présence d'un alcène et d'eau, des molécules d'eau réagissent tout d'abord avec l'acide pour donner des **ions hydronium**[4] (H_3O^+). Cela s'explique par l'abondance de l'eau qui agit non seulement à titre de réactif, mais également à titre de solvant. De plus, l'eau est un meilleur nucléophile que l'alcène (*voir le tableau 4.5*). L'ion hydronium H_3O^+ devient dès lors un très puissant électrophile (*voir le tableau 4.4, p. 187*), fournissant les protons nécessaires pour que la réaction puisse débuter par l'attaque de l'alcène. Le mécanisme de cette réaction est présenté dans la figure 7.13.

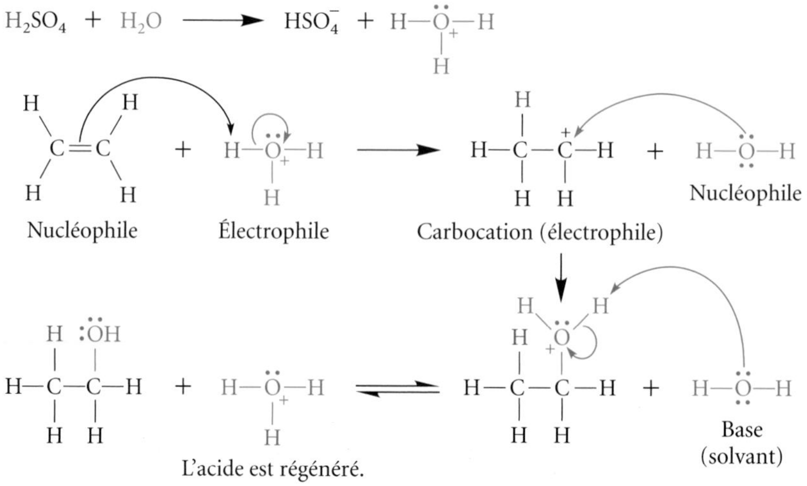

Figure 7.13
Mécanisme réactionnel de l'hydratation de l'éthène en milieu acide

REMARQUE

Dans les laboratoires de recherche et dans le milieu industriel, de nombreux alcools sont synthétisés à partir d'alcènes grâce à cette réaction d'hydratation.

REMARQUE

La charge formelle de l'atome d'oxygène dans l'ion hydronium H_3O^+ est +1. Cependant, dans la figure 7.13, il est possible de constater que l'atome d'hydrogène subit l'attaque de la base plutôt que l'atome d'oxygène. Pour expliquer ce phénomène, il faut regarder la polarité des liaisons. Il a été démontré qu'un proton H^+ n'existe pas réellement sous la forme H_3O^+, mais plutôt sous la forme d'un agrégat impliquant six molécules d'eau ($H_{13}O_6^+$) et que la charge positive est distribuée sur les six entités. De plus, la carte de potentiel électrostatique du complexe a montré que la densité électronique est plus élevée sur l'atome d'oxygène.

Hydratation des alcènes dissymétriques en milieu acide Tout comme pour une hydrohalogénation, une réaction d'hydratation en milieu acide sur un alcène dissymétrique entraîne la formation de plus d'un produit. Le produit majoritaire est toujours celui provenant du carbocation le plus stable. Selon la règle de Markovnikov, le produit majoritaire est celui qui est issu de l'addition du groupement hydroxyle (—OH) sur le carbone de l'alcène portant le moins d'atomes d'hydrogène, soit le carbone le plus substitué.

Exemple 7.1

Dessinez le mécanisme réactionnel de tous les produits possibles obtenus à la suite de la réaction d'hydratation en milieu acide illustrée ci-dessous. Quel est le produit majoritaire?

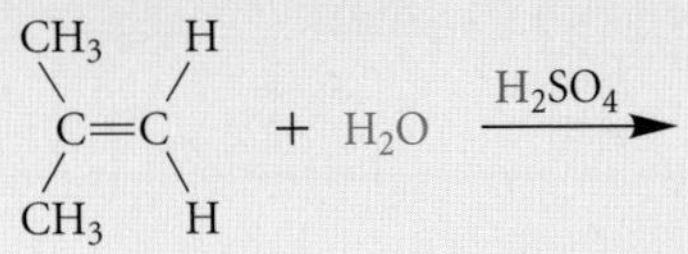

Solution

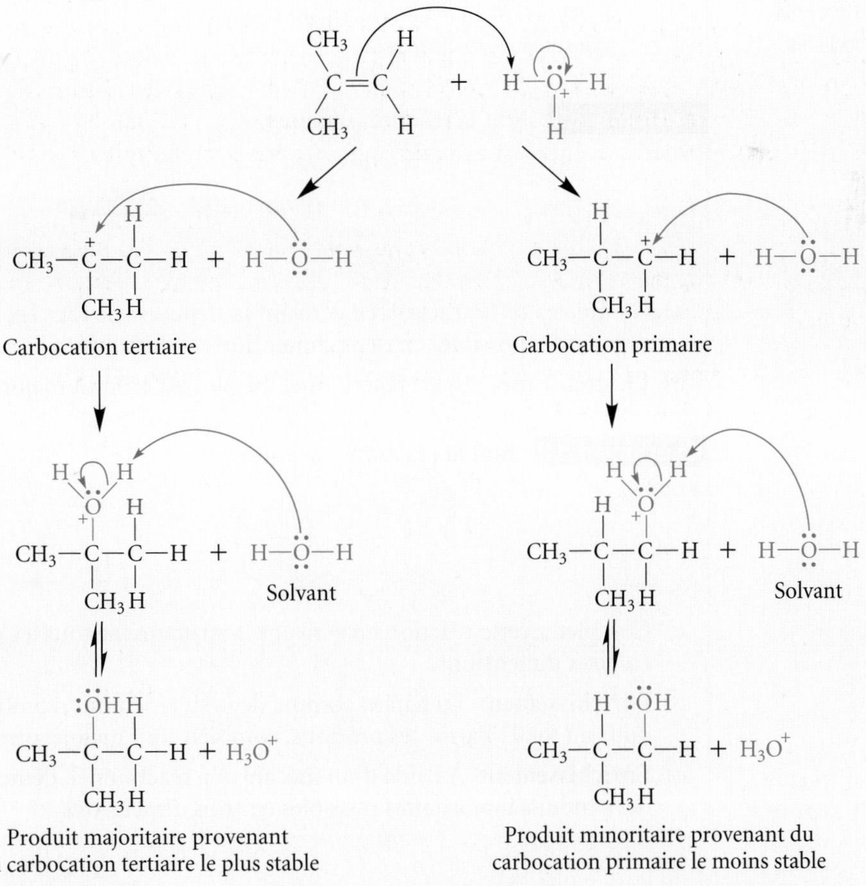

Produit majoritaire provenant du carbocation tertiaire le plus stable

Produit minoritaire provenant du carbocation primaire le moins stable

Il est également possible de déterminer les produits majoritaire et minoritaire formés sans réaliser le mécanisme complet et sans considérer la stabilité des intermédiaires réactionnels, tout simplement à l'aide de la règle de Markovnikov.

ENRICHISSEMENT

Stéréosélectivité des réactions d'hydratation en milieu acide

Aucune stéréosélectivité n'est observée au cours de la formation d'un carbone stéréogénique C* à la suite d'une réaction d'addition d'eau en milieu acide sur un alcène. Les deux configurations absolues (*R* et *S*) sont alors possibles pour les C* formés, comme ce fut le cas pour les réactions d'addition polaire des halogénures d'hydrogène (*voir la rubrique « Enrichissement – Stéréosélectivité des réactions d'addition polaire des halogénures d'hydrogène »*, p. 289).

cheneliere.ca/chimieorganique **www**

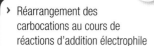

> Réarrangement des carbocations au cours de réactions d'addition électrophile

L'*α*-pinène est une molécule trouvée dans les huiles naturelles de plusieurs types de conifères, notamment le pin.

Exercice 7.8 Écrivez l'équation globale d'hydratation en milieu acide pour les substrats suivants en illustrant la structure du produit organique majoritaire en deux dimensions.

a) 2-éthylbut-1-ène

b) (*E*)-3-méthylhex-3-ène

c) $CH_3-C=C-CH_3$ avec CH_3 et CH_3

d) $CH_3-C=CH_2$ avec CH_3

e)

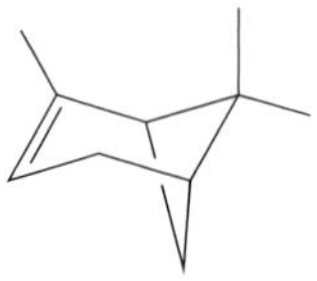

α-pinène

(molécule possédant des propriétés antiseptiques; constituant principal de la térébenthine)

Exercice 7.9 Soit la réaction suivante.

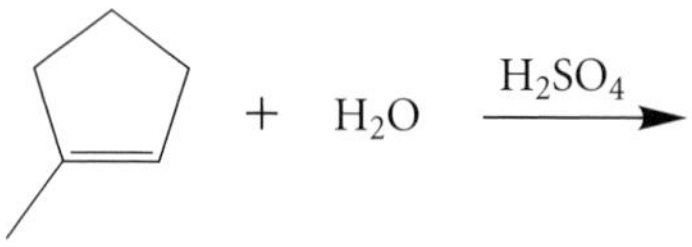

$$\text{(cyclopentène méthylé)} + H_2O \xrightarrow{H_2SO_4}$$

a) Complétez cette réaction en écrivant la structure de tous les produits organiques possibles en deux dimensions et déterminez le produit majoritaire.

b) Illustrez le mécanisme réactionnel menant au produit majoritaire.

Exercice 7.10 Soit la réaction suivante.

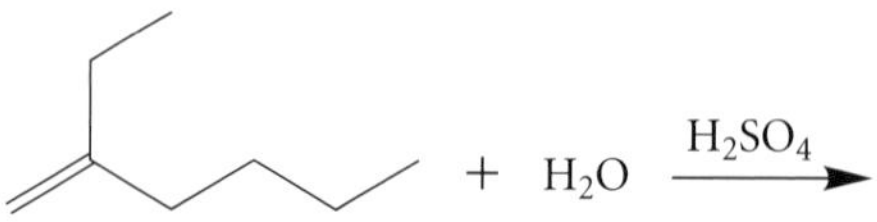

$$\text{(alcène)} + H_2O \xrightarrow{H_2SO_4}$$

a) Complétez cette réaction en écrivant la structure de tous les produits possibles en deux dimensions.

b) **Enrichissement** En tenant compte de la stéréochimie, combien y a-t-il de produits au total? Parmi ces produits, combien sont majoritaires?

c) **Enrichissement** À l'aide d'un mécanisme réactionnel, démontrez la formation des produits majoritaires possibles en trois dimensions.

HERBERT CHARLES BROWN (1912-2004)

Chimiste de nationalité américaine, Brown est né à Londres le 22 mai 1912, puis a immigré avec sa famille aux États-Unis en 1914. Il fit ses études en chimie à l'Université de Chicago et obtint son doctorat en 1938 sous la direction du chimiste organicien Julius Stieglitz. Il poursuivit ses études postdoctorales dans le laboratoire du professeur M. S. Kharasch. En 1947, après avoir été pendant quelques années assistant de recherche dans le groupe du professeur Schlesinger, il obtint un poste de professeur de chimie à l'Université Purdue, en Indiana, où il enseigna jusqu'à la fin de sa carrière. Il reçut un prix Nobel en 1979 pour ses travaux sur les boranes et les organoboranes. Brown décéda à la suite d'une crise cardiaque le 19 décembre 2004.

D) Hydroboration-oxydation

L'hydratation en milieu acide (*voir la section 7.3.1.1 C, p. 290*) permet de transformer un alcène en alcool en respectant la règle de Markovnikov, c'est-à-dire en additionnant l'atome H sur le carbone de la liaison double portant le plus grand nombre d'atomes d'hydrogène, et le groupement OH sur le carbone de la liaison double portant le plus petit nombre d'atomes d'hydrogène. Que faire s'il faut synthétiser l'alcool inverse, soit celui dont le groupement OH est fixé sur le carbone de l'alcène le moins substitué? La réaction d'hydroboration-oxydation est la solution.

C'est le professeur **Herbert Charles Brown** (1912-2004) qui découvrit la réaction d'hydroboration-oxydation en menant des travaux sur l'atome de bore. L'**hydroboration-oxydation** est une réaction d'addition électrophile menant à la formation d'un alcool, mais pour laquelle le produit majoritaire est le produit inverse de celui respectant la règle de Markovnikov, soit le **produit anti-Markovnikov** (*voir la figure 7.14*).

La réaction d'hydroboration-oxydation se réalise en deux étapes. La première étape consiste en une addition du borane (BH_3) sur l'alcène (*voir la figure 7.15, page suivante*). L'hydrogène étant plus électronégatif que le bore (Én de 2,20 pour le H, comparativement à 2,04 pour le B), c'est l'hydrogène qui porte la charge partielle négative (δ^-), et la charge partielle positive (δ^+) est portée par le bore[5]. Quant à l'alcène, la charge partielle positive (δ^+) se situe principalement sur le carbone le plus substitué (c'est-à-dire celui ayant le plus grand nombre de groupements R), puisque, si une rupture de la liaison double survenait, le carbocation résultant serait plus stable.

La liaison B—H du réactif BH_3 peut se positionner de deux façons différentes par rapport à la liaison double dans le complexe activé à l'état de transition. Le positionnement préférentiel est celui dans lequel les charges partielles du réactif et du substrat sont complémentaires et s'attirent selon une attraction électrostatique (δ^+ et δ^+ se repoussent, mais δ^+ et δ^- s'attirent).

> **REMARQUE**
>
> Lorsque les réactifs sont précédés d'un chiffre (comme observé dans la réaction d'hydroboration-oxydation : 1) BH_3 et 2) H_2O_2, OH^-), cela signifie qu'ils sont additionnés en deux étapes distinctes et successives. Si l'ordre d'ajout des réactifs est inversé ou si tous les réactifs sont placés simultanément dans le milieu réactionnel, la réaction ne fonctionnera pas.

Figure 7.14
Réaction globale de l'hydroboration-oxydation des alcènes et exemples concrets d'une réaction d'hydratation en milieu acide et d'une réaction d'hydroboration-oxydation sur le 2-méthylpropène

Pour une meilleure compréhension des couleurs…

Lorsqu'une réaction chimique se produit en plusieurs étapes, une couleur est attribuée à chaque réactif pour permettre de mieux comprendre l'origine des atomes ou des groupes d'atomes ajoutés au substrat.

Produit majoritaire — Produit anti-Markovnikov
Produit minoritaire — Produit Markovnikov

Exemples

$CH_3-C(CH_3)=CH_2$ (2-méthylpropène) → $CH_3-CH(CH_3)-CH_2-OH$ (2-méthylpropan-1-ol) + $CH_3-C(CH_3)(OH)-CH_3$ (2-méthylpropan-2-ol)

	Produit majoritaire	Produit minoritaire
Hydroboration-oxydation 1) BH_3 2) H_2O_2, OH^-	98 %	2 %
Hydratation H_2O, H_2SO_4	1 %	99 %

Figure 7.15
Première étape du mécanisme réactionnel de l'hydroboration-oxydation des alcènes; présentation des deux orientations possibles de la liaison B—H par rapport à la liaison double de l'alcène

Positionnement possible du BH$_3$ (liaison B—H) par rapport à l'alcène

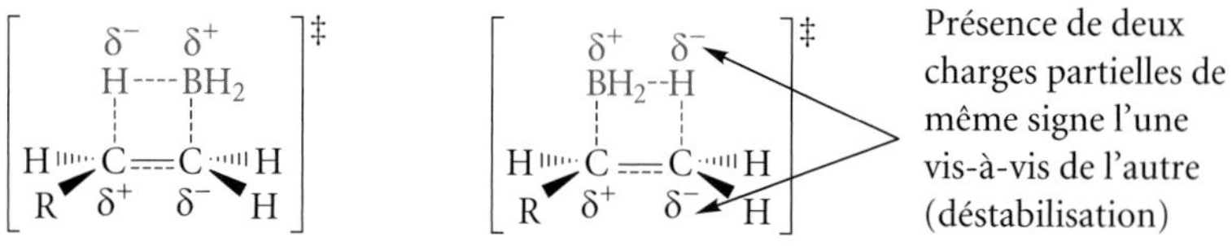

Complexe favorable   **Complexe défavorable**

Présence de deux charges partielles de même signe l'une vis-à-vis de l'autre (déstabilisation)

Les charges partielles sur la liaison double représentent la tendance naturelle des carbones à se polariser. Dans ce cas-ci, une charge partielle positive sur un carbone secondaire est plus stable que sur un carbone primaire.

Mécanisme de la première étape de l'hydroboration (en tenant compte exclusivement du complexe favorable)

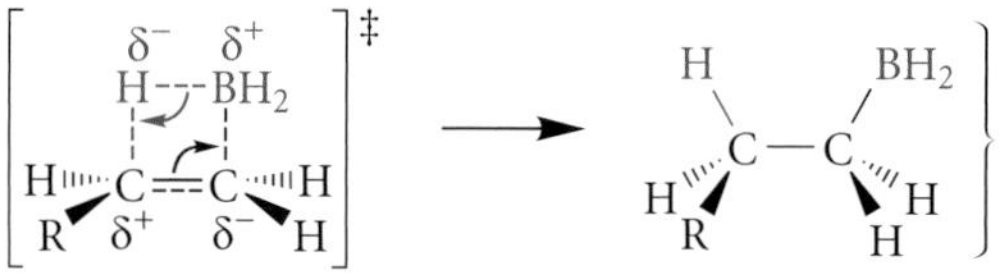

Addition concertée

Addition *syn* (du même côté de la liaison double)

L'addition du réactif BH$_3$ sur la liaison double est une **addition concertée**, c'est-à-dire que la formation et la rupture de toutes les liaisons s'effectuent simultanément. Dans ce cas-ci, la liaison π de l'alcène et une liaison B—H se brisent en même temps que les liaisons C—H et C—B se forment. De plus, contrairement aux réactions d'addition polaire des halogénures d'hydrogène et aux réactions d'hydratation en milieu acide, l'hydroboration additionne spécifiquement l'hydrogène et le bore du même côté de la liaison double du substrat. Ce type particulier d'addition porte le nom d'**addition *syn***. Cette caractéristique est d'autant plus importante s'il y a formation de carbones stéréogéniques au cours de la réaction (*voir la rubrique « Enrichissement – Stéréosélectivité des réactions d'hydroboration-oxydation »*).

Le borane (BH$_3$) possède trois liaisons B—H. Par conséquent, puisque chacune d'elles peut réagir avec un alcène, il est possible de réaliser trois réactions successives d'hydroboration, comme en témoigne la figure 7.16. Puisque trois groupements alkyles sont liés au même atome de bore, le composé résultant est appelé **trialkylborane**.

Figure 7.16
Triple addition d'alcènes sur une molécule de réactif BH$_3$ à la première étape de l'hydroboration-oxydation menant à un trialkylborane

Réactions successives d'hydroboration entre une molécule de réactif BH$_3$ et trois molécules d'alcène menant à un trialkylborane

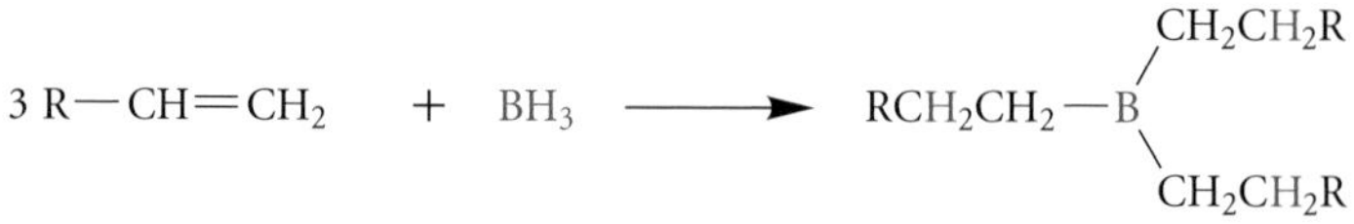

Alcène   borane   Trialkylborane

Mécanisme menant au trialkylborane

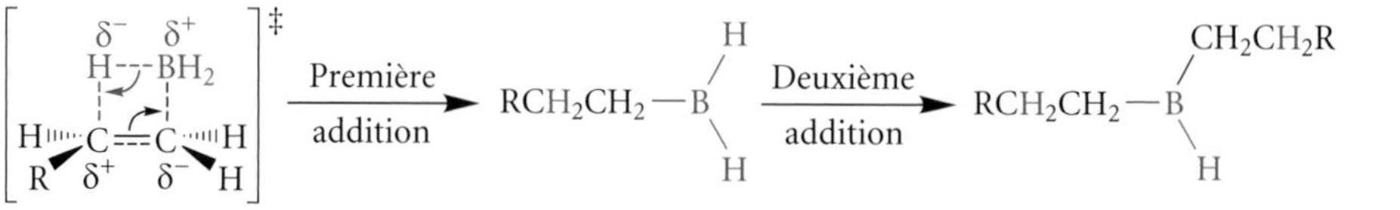

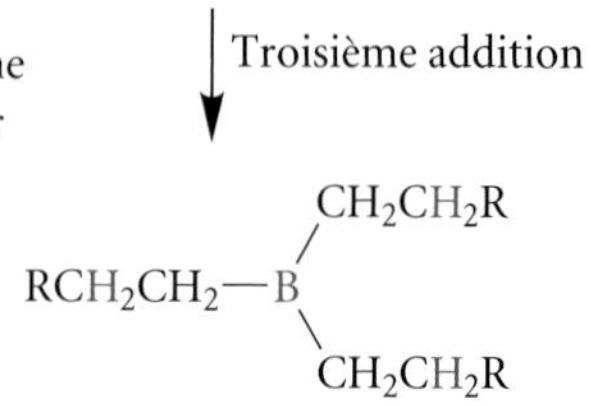

Remarque: La deuxième et la troisième addition impliquent le même type de complexe activé à l'état de transition que celui présenté pour la première addition.

› Mécanisme de l'oxydation d'un trialkylborane (deuxième étape de l'hydroboration-oxydation)

Les trialkylboranes ne sont généralement pas isolés après l'hydroboration. Ils sont plutôt placés en présence de peroxyde d'hydrogène (HOOH) en milieu basique (NaOH), ce qui constitue la deuxième étape de la réaction. Ils subissent alors une oxydation, et les trois groupements alkyles qui étaient fixés à l'atome de bore se transforment en molécules d'alcool. La figure 7.17 présente la réaction globale de la deuxième étape de la réaction d'hydroboration-oxydation.

Figure 7.17 Réaction globale de la deuxième étape de l'hydroboration-oxydation, soit l'oxydation d'un trialkylborane menant à la formation de l'alcool de type anti-Markovnikov

Réaction globale de l'oxydation dans la réaction d'hydroboration-oxydation

$$RCH_2CH_2\!-\!B\!\!\begin{array}{c} CH_2CH_2R \\ \\ CH_2CH_2R \end{array} + 3\,H_2O_2 + 3\,NaOH \longrightarrow 3\,RCH_2CH_2OH + Na_3BO_3 + 3\,H_2O$$

Trialkylborane   Alcool

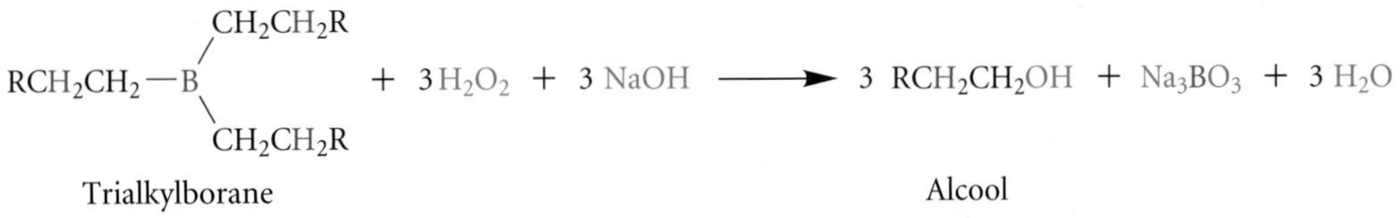

ENRICHISSEMENT

Stéréosélectivité des réactions d'hydroboration-oxydation

Lorsque l'hydroboration-oxydation peut former un carbone stéréogénique, il faut présenter les deux attaques possibles de la liaison B—H sur l'alcène (les deux faces possibles, soit les attaques au-dessus ou en dessous de la liaison double).

Première étape : Hydroboration

Attaque au-dessus de la liaison

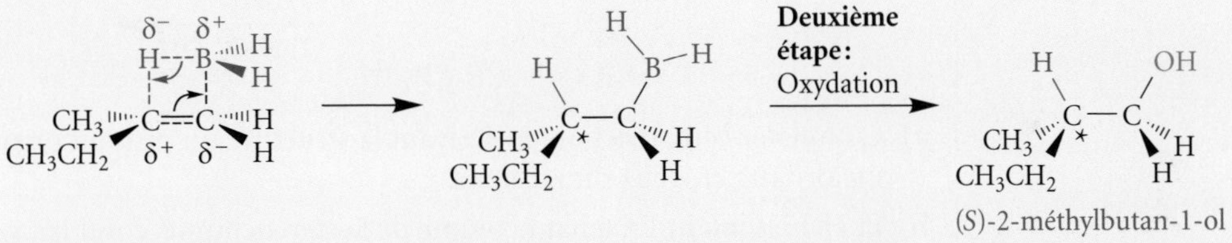

Deuxième étape : Oxydation

(*S*)-2-méthylbutan-1-ol

Attaque en dessous de la liaison

Oxydation

(*R*)-2-méthylbutan-1-ol

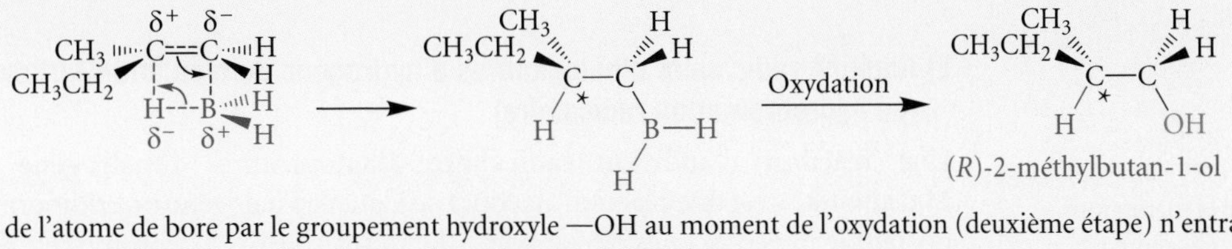

La substitution de l'atome de bore par le groupement hydroxyle —OH au moment de l'oxydation (deuxième étape) n'entraîne aucun changement sur le plan de la configuration absolue des carbones stéréogéniques.

Exercice 7.11 Complétez les réactions suivantes en écrivant la structure du produit organique majoritaire en deux dimensions.

a)
$$CH_3 \underset{\underset{CH_3}{|}}{-} C = CH - CH_3 \ + \ BH_3 \longrightarrow$$

b)
$$3 \ CH_3 - CH_2 \underset{\underset{CH_3}{|}}{-} C = CH - CH_3 \ + \ BH_3 \longrightarrow$$

c)
$$3 \ CH_2 = CH \underset{\underset{CH_3}{|}}{\overset{\overset{CH_3}{|}}{-}} C - CH_3 \ + \ BH_3 \longrightarrow \ ? \ + \ 3 \ H_2O_2 \ + \ 3 \ NaOH$$

$$\downarrow$$

$$?$$

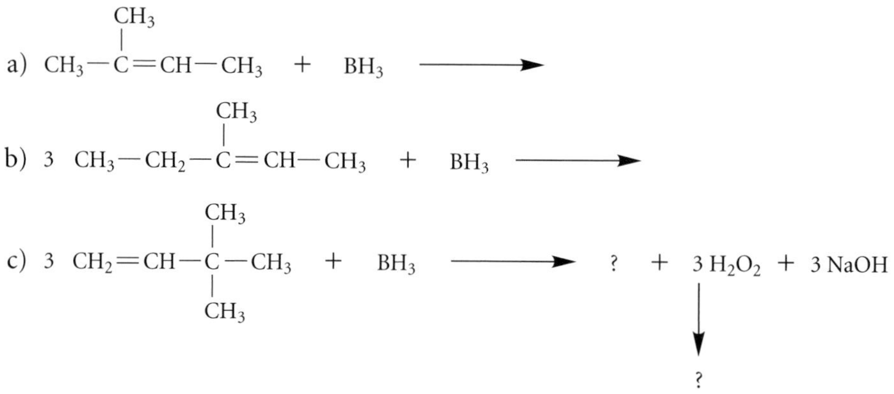

Exercice 7.12 Complétez les réactions suivantes en écrivant la structure du substrat en deux dimensions.

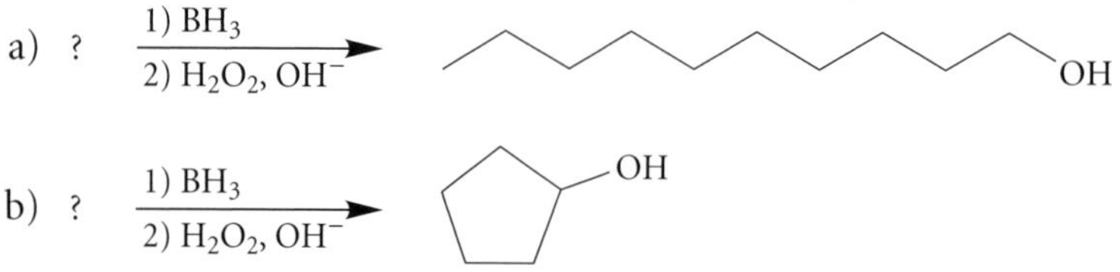

a) $? \quad \xrightarrow[\text{2) } H_2O_2, \ OH^-]{\text{1) } BH_3}$

b) $? \quad \xrightarrow[\text{2) } H_2O_2, \ OH^-]{\text{1) } BH_3}$

Exercice 7.13 Soit la réaction suivante.

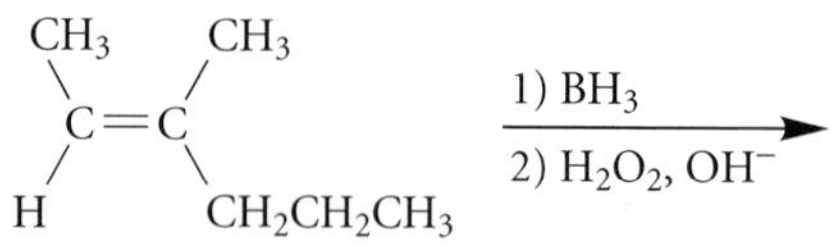

$$\underset{H}{\overset{CH_3}{\underset{|}{}}} C = C \underset{CH_2CH_2CH_3}{\overset{CH_3}{}} \xrightarrow[\text{2) } H_2O_2, \ OH^-]{\text{1) } BH_3}$$

a) Complétez cette réaction en écrivant la structure du produit organique majoritaire en deux dimensions.

b) **Enrichissement** En tenant compte de la stéréochimie, combien y a-t-il de produits majoritaires au total ? Illustrez-les.

E) Addition radicalaire d'halogénures d'hydrogène de type anti-Markovnikov (ou hydrobromation radicalaire)

Une réaction d'**addition radicalaire d'halogénures d'hydrogène de type anti-Markovnikov** est une réaction au cours de laquelle l'halogène est additionné sur le carbone portant le plus d'atomes d'hydrogène (le moins substitué), comme cela est présenté dans la figure 7.18. Les conditions expérimentales sont similaires à celles concernant l'addition d'halogénures d'hydrogène respectant la règle de Markovnikov traitée précédemment (*voir la section 7.3.1.1 A, p. 284*). Cependant, un réactif est ajouté, un peroxyde organique, en présence de lumière ou de chaleur, ce qui modifie entièrement le mécanisme réactionnel. L'addition radicalaire de type anti-Markovnikov sur les alcènes n'est cependant possible qu'avec l'halogénure d'hydrogène HBr, d'où le nom **hydrobromation radicalaire** également ment employé.

Figure 7.18
Réaction globale d'hydrobromation radicalaire des alcènes et exemples concrets d'une réaction d'hydrobromation radicalaire et d'une réaction d'hydrobromation sur le propène

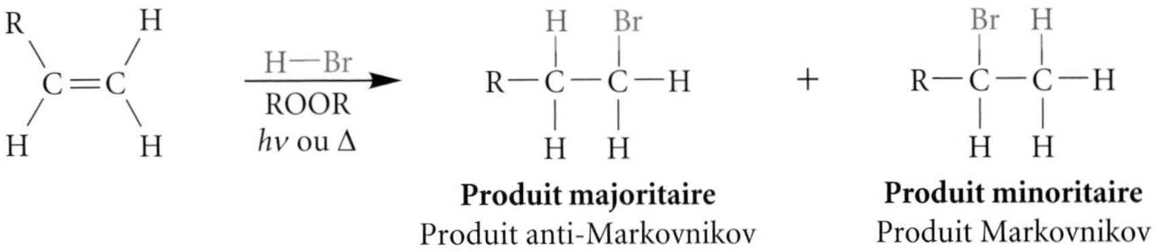

Produit majoritaire
Produit anti-Markovnikov

Produit minoritaire
Produit Markovnikov

Exemples

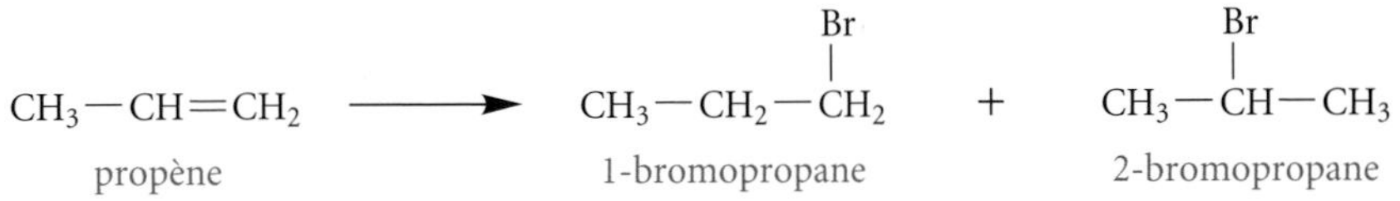

$CH_3-CH=CH_2$ → $CH_3-CH_2-CH_2$ + $CH_3-CH-CH_3$ (Br)

propène · 1-bromopropane · 2-bromopropane

Hydrobromation radicalaire HBr, ROOR, *hv* ou Δ	96 %	4 %
Hydrobromation HBr	5 %	95 %

Le mécanisme réactionnel d'hydrobromation radicalaire est tout à fait différent de celui de l'hydrohalogénation, puisque des radicaux sont générés en raison du peroxyde et de la chaleur ou de la présence de lumière. Cette réaction radicalaire implique donc les trois phases décrites en détail pour l'halogénation radicalaire des alcanes (*voir la section 6.4.2, p. 262*) : l'amorçage (ou initiation), la propagation et la terminaison. Le mécanisme réactionnel est illustré dans la figure 7.19.

Figure 7.19
Mécanisme réactionnel d'hydrobromation radicalaire

Amorçage (ou initiation)

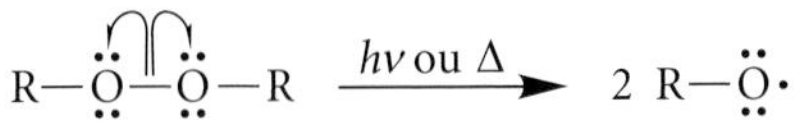

Propagation

Étape 1

Étape 2

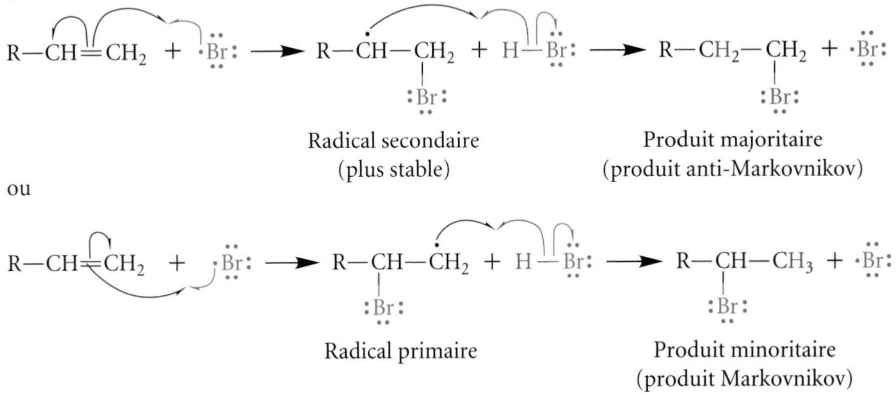

Radical secondaire
(plus stable)

Produit majoritaire
(produit anti-Markovnikov)

ou

Radical primaire

Produit minoritaire
(produit Markovnikov)

Terminaison

Toutes les combinaisons possibles de deux radicaux.

Le mécanisme entraîne tout d'abord, au moment de l'amorçage, la formation d'un radical oxygéné R—O• à partir du peroxyde organique. Durant la première étape de la propagation, ce radical réagit avec l'halogénure d'hydrogène. Au cours de la deuxième étape de la propagation, le radical :Br• formé effectue à son tour une réaction radicalaire sur la fonction alcène pour former majoritairement le radical alkyle le plus stable. Ce dernier conduit au produit majoritaire, soit le **produit anti-Markovnikov**. La différence majeure entre les deux mécanismes d'addition d'halogénures d'hydrogène est que, dans une addition de type Markovnikov, la liaison double attaque tout d'abord l'hydrogène, portant une charge partielle positive, de l'acide H—X, ce qui conduit à la formation du carbocation le plus stable (*voir la section 7.3.1.1 B, p. 286*). Par contre, dans le mécanisme réactionnel d'hydrobromation radicalaire (addition anti-Markovnikov), l'addition de l'halogène s'effectue en premier lieu sur la liaison double par voie radicalaire, favorisant le radical le plus stable.

ENRICHISSEMENT

Stéréosélectivité des réactions d'hydrobromation radicalaire (addition anti-Markovnikov)

Au cours du mécanisme réactionnel d'une hydrobromation radicalaire, puisqu'il se forme un radical, deux attaques sont possibles (**VOIES A** et **B**), de part et d'autre de l'orbitale *p*. L'hydrogène radicalaire peut donc s'additionner sur les deux faces de l'intermédiaire réactionnel, menant ainsi aux deux configurations absolues possibles pour un carbone stéréogénique C*, s'il y a lieu. En l'absence d'autres carbones stéréogéniques dans la structure, un mélange racémique est alors obtenu.

Représentation tridimensionnelle de l'étape 2 de la propagation d'une hydrobromation radicalaire

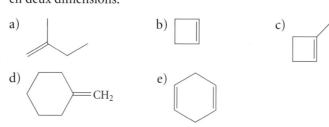

(*S*)-1-bromo-2-méthylbutane

(*R*)-1-bromo-2-méthylbutane

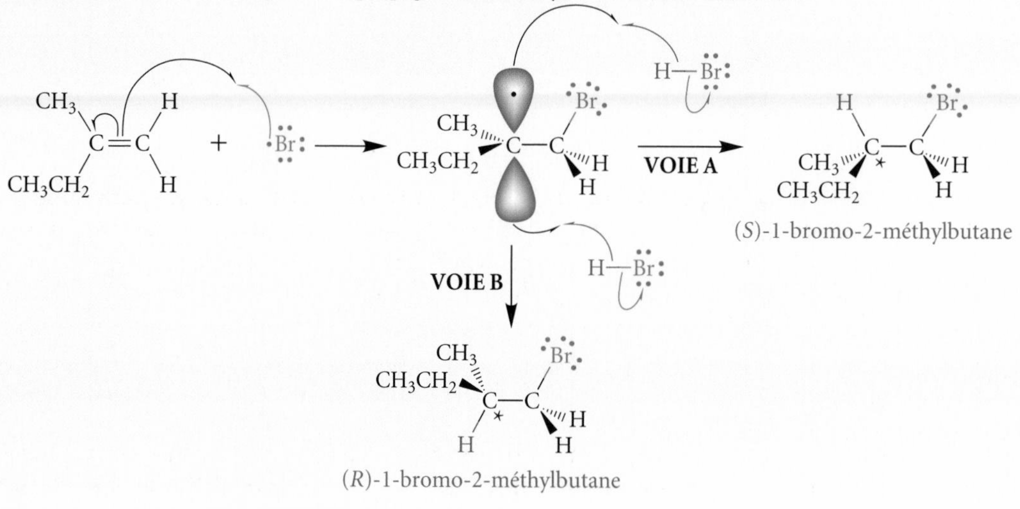

Exercice 7.14 Pour chacun des substrats suivants, écrivez l'équation globale d'addition radicalaire de bromure d'hydrogène en présence d'un peroxyde organique et de lumière. Donnez la structure du produit organique majoritaire en deux dimensions.

a)

b)

c)

d)

e)

Exercice 7.15 Soit la réaction suivante.

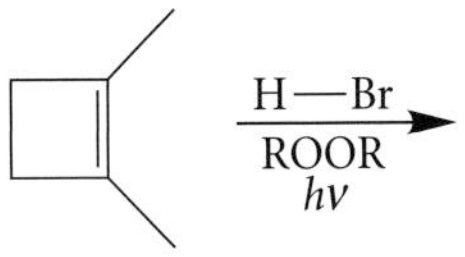

$$\text{(structure)} \xrightarrow[\substack{\text{ROOR} \\ hv}]{\text{H—Br}}$$

a) Complétez cette réaction en écrivant la structure du produit organique majoritaire en deux dimensions.

b) **Enrichissement** En tenant compte de la stéréochimie, combien y a-t-il de produits majoritaires au total ? Illustrez-les.

7.3.1.2 Réactions d'addition non polaire

Les **réactions d'addition non polaire** tirent leur nom du fait que la liaison covalente du réactif A—B, mis en présence de l'alcène, est parfaitement non polaire (ΔÉn = 0). Dans ce type de réaction, la portion A est identique à la portion B. Par conséquent, au cours de ce type de réactions d'addition, un seul produit est formé (en excluant la possibilité des stéréoisomères), et ce, même si l'alcène est dissymétrique. La règle de Markovnikov ne s'applique donc pas.

A) Hydrogénation catalytique (addition d'hydrogène, H$_2$)

L'**hydrogénation catalytique** est une réaction d'addition d'hydrogène sur un alcène. Pour que la réaction puisse se réaliser, un catalyseur doit être présent. En général, le catalyseur est un métal finement divisé tel que le nickel (**Ni**), le platine (**Pt**) ou le palladium (**Pd/C**; le carbone est utilisé pour atténuer la réactivité du palladium qui s'enflamme facilement) (*voir la figure 7.20*).

Figure 7.20
Réaction globale de l'hydrogénation catalytique des alcènes

$$\begin{array}{c} R \\ \\ H \end{array} C = C \begin{array}{c} H \\ \\ H \end{array} + \quad H - H \xrightarrow{\text{Catalyseur}} R - \underset{\underset{H}{|}}{\overset{\overset{H}{|}}{C}} - \underset{\underset{H}{|}}{\overset{\overset{H}{|}}{C}} - H$$

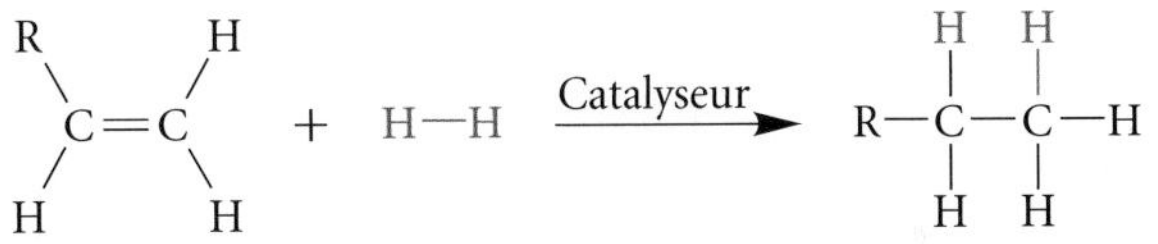

Pour une meilleure compréhension des couleurs…

Les réactifs des additions non polaires ont été mis en bleu pour démontrer leur absence de polarité et pour illustrer le fait que chaque atome peut être attaqué et agir comme électrophile.

Le mécanisme réactionnel de l'hydrogénation catalytique des alcènes est illustré dans la figure 7.21. Le catalyseur adsorbe tout d'abord l'hydrogène gazeux. L'adsorption d'hydrogène sur un métal consiste en une rétention des atomes d'hydrogène à la surface de celui-ci. Il s'agit d'une **catalyse hétérogène**, puisque les réactifs et le catalyseur ne sont pas dans le même état physique.

La réaction d'hydrogénation est une **addition *syn***, car les deux hydrogènes, étant exposés à la surface du catalyseur, s'additionnent du même côté de la liaison double de l'alcène qui s'y approche.

Une hydrogénation catalytique sur des alcènes cycliques dont la liaison double est tétrasubstituée reflète bien l'addition *syn*. La figure 7.22, à la page suivante, présente un exemple illustrant un tel cas dans lequel le produit final est l'isomère géométrique *cis*.

Figure 7.21
Mécanisme réactionnel général de l'hydrogénation catalytique des alcènes

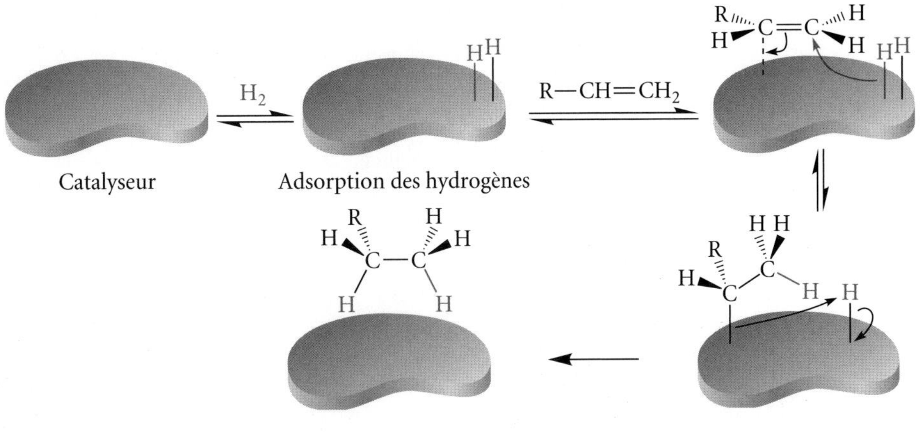

Figure 7.22
Hydrogénation catalytique
d'alcènes cycliques et addition *syn*

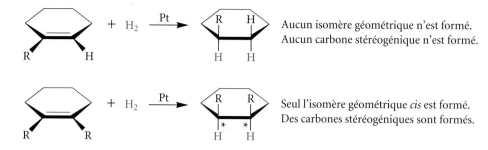

Aucun isomère géométrique n'est formé.
Aucun carbone stéréogénique n'est formé.

Seul l'isomère géométrique *cis* est formé.
Des carbones stéréogéniques sont formés.

La réaction d'hydrogénation catalytique est très utilisée en synthèse organique dans les laboratoires de recherche. De plus, jusqu'à tout récemment, elle était largement exploitée en industrie agroalimentaire pour transformer l'huile végétale en margarine (*voir la rubrique «Chroniques d'une molécule – Gras* trans : *cœur sensible s'abstenir !*»).

ENRICHISSEMENT

Stéréosélectivité des réactions d'hydrogénation catalytique

Lorsqu'une réaction d'hydrogénation catalytique entraîne la formation d'un nouveau carbone stéréogénique C*, il ne faut pas oublier que les deux faces de la liaison double peuvent s'approcher du catalyseur où

sont adsorbés les hydrogènes ; une attaque sur chaque face de la liaison double peut être possible. Ainsi, les deux configurations absolues (*R* et *S*) sont obtenues pour le carbone stéréogénique C*.

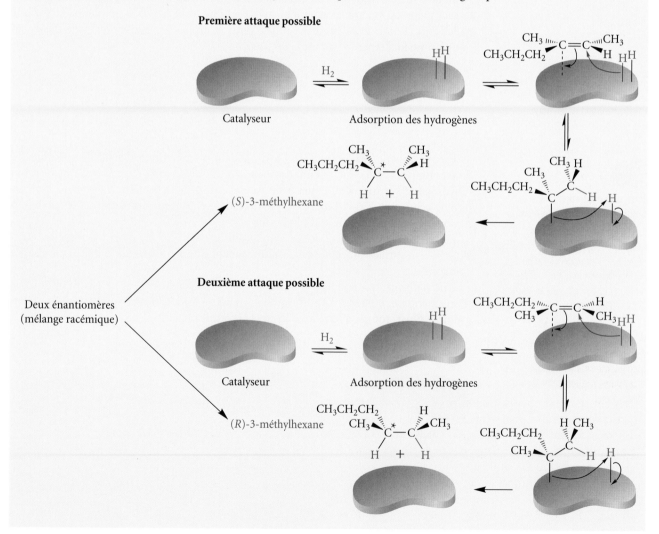

Exercice 7.16 Complétez les réactions suivantes en écrivant la structure des produits en deux dimensions. Dans le cas des molécules cycliques, l'addition *syn* doit être mise en évidence.

a) 2-méthylpent-2-ène $\xrightarrow{\text{H}_2 / \text{Pt}}$

b) hex-1-ène $\xrightarrow{\text{H}_2 / \text{Ni}}$

c) 1-éthylcyclobutène $\xrightarrow{\text{H}_2 / \text{Pd/C}}$

d) 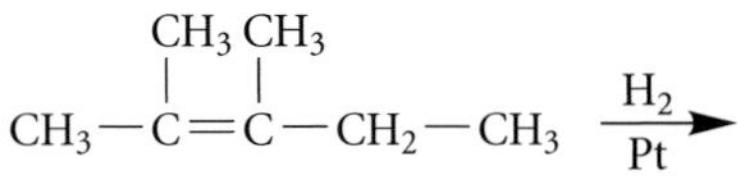
$$CH_3-\underset{\underset{CH_3}{|}}{C}=\underset{\underset{CH_3}{|}}{C}-CH_2-CH_3 \xrightarrow{\text{H}_2 / \text{Pt}}$$

e) 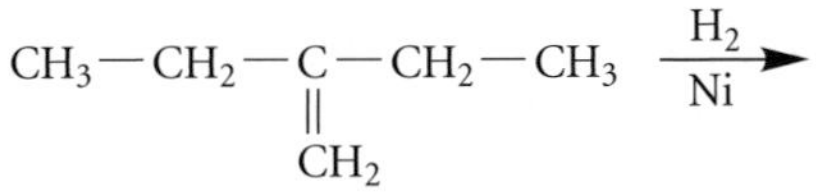 $CH_3-CH_2-\underset{\underset{\|}{CH_2}}{C}-CH_2-CH_3 \xrightarrow{\text{H}_2 / \text{Ni}}$

f) 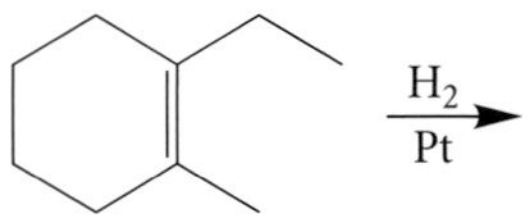 $\xrightarrow{\text{H}_2 / \text{Pt}}$

Exercice 7.17 Soit la réaction suivante.

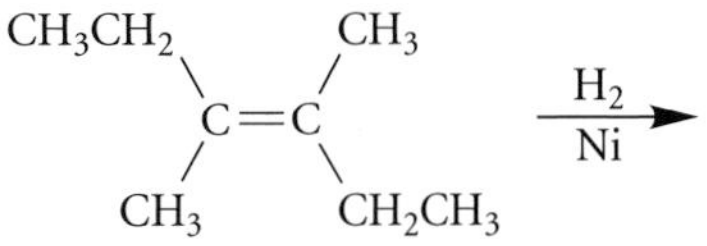

$$\underset{CH_3}{\overset{CH_3CH_2}{>}}C=C\underset{CH_2CH_3}{\overset{CH_3}{<}} \xrightarrow{\text{H}_2 / \text{Ni}}$$

a) Complétez cette réaction en écrivant la structure du produit en deux dimensions.

b) **Enrichissement** En tenant compte de la stéréochimie, combien y a-t-il de produits au total? Illustrez-les.

CHRONIQUES D'UNE MOLÉCULE

Gras *trans*: cœur sensible s'abstenir!
Par Mylène Morin, Cégep de L'Assomption

Au Canada, toutes les sept minutes, une personne succombe à une maladie du cœur ou à un accident vasculaire cérébral (AVC)[6]. Plusieurs facteurs peuvent augmenter le risque de contracter ce type de maladies. Parmi ceux-ci, l'alimentation joue un rôle important. En fait, il a été démontré qu'une alimentation riche en acides gras *trans* et en gras saturés favorise la formation du « mauvais cholestérol », lequel fait augmenter les risques d'être affecté par une maladie cardiovasculaire.

Histoire de la margarine
C'est en 1869 que la margarine fut inventée à la suite d'un concours organisé par Napoléon III. Cet empereur souhaitait, pour l'usage de la marine et des classes moins nanties, qu'un substitut du beurre, moins onéreux et qui se conserve bien, soit trouvé. C'est un jeune pharmacien français du nom d'**Hippolyte Mège-Mouriès** (1817-1880) qui remporta cet honneur. La substance créée était un mélange de graisse de bœuf, d'eau et d'une petite quantité de tributyrine, un gras du lait donnant un goût de beurre. Cette substance fut nommée « margarine », du mot grec *margaron* signifiant « blanc de perle » en raison de sa couleur et de son aspect lustré.

La graisse de bœuf se faisant rare, il fallut bientôt perfectionner ce substitut du beurre en employant un produit de consommation accessible et peu coûteux:

l'huile. C'est ainsi que la seconde étape fondamentale dans l'histoire de la margarine fut la mise au point, en 1901[7], de l'hydrogénation des corps gras par **Wilhelm Normann** (1870-1939). Ce chimiste allemand utilisa l'hydrogénation dans le but de modifier les huiles végétales (état physique liquide) en matières grasses solides à température ambiante. Cette huile modifiée devint rapidement une alternative au beurre dans le secteur agroalimentaire, d'autant plus qu'à cette époque, elle était considérée comme étant meilleure pour la santé que les gras saturés présents dans le beurre. Des années plus tard, après l'adoption et la compréhension de l'isomérie géométrique, certaines molécules issues de cette huile modifiée furent nommées « acides gras *trans* » (AGT) ou simplement « gras *trans* ».

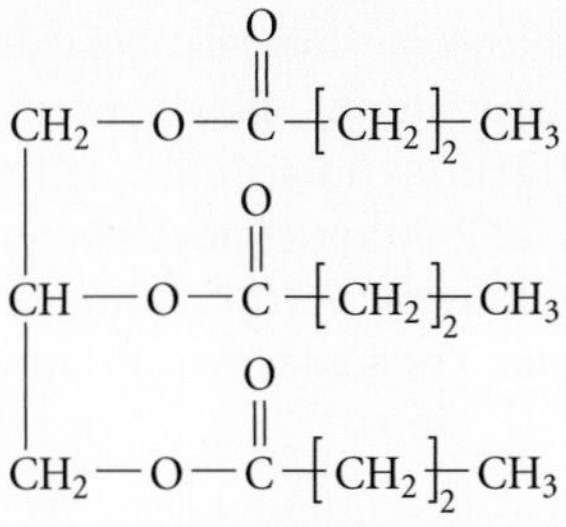

$$CH_2-O-\overset{\overset{O}{\|}}{C}\text{---}[CH_2]_2\text{---}CH_3$$
$$CH-O-\overset{\overset{O}{\|}}{C}\text{---}[CH_2]_2\text{---}CH_3$$
$$CH_2-O-\overset{\overset{O}{\|}}{C}\text{---}[CH_2]_2\text{---}CH_3$$

tributyrine

Ce n'est qu'au début des années 1990 que les effets néfastes des gras *trans* ont été officiellement reconnus. En 1997, l'École de santé publique de Harvard fit paraître un article selon lequel les gras *trans* augmentent de 132 % le risque de maladie du cœur, alors qu'à quantité égale, les gras saturés n'augmentent le risque que de 32 %[8]. À la lumière de ces faits, le Canada fut, en 2005, le premier pays au monde à exiger l'étiquetage des gras *trans* sur les produits de consommation afin de mieux informer le consommateur. Cette nouvelle réglementation a, du même coup, forcé la main de certaines entreprises afin qu'elles réduisent la quantité de gras *trans* dans leurs produits ou même qu'elles les éliminent. De plus, en 2007, le gouvernement du Canada a émis une recommandation réglementaire afin de limiter à 2 % la quantité de gras *trans* par rapport à la quantité totale de gras dans les margarines.

Formation des gras *trans*

Les huiles végétales et les graisses sont principalement constituées de triglycérides. Un triglycéride est formé par l'union de trois acides gras liés à un glycérol. Plus particulièrement, grâce à une réaction d'estérification, les fonctions acides carboxyliques (—COOH) des acides gras réagissent avec les groupements hydroxyles

eux, majoritairement présents dans les huiles végétales et assurent l'état liquide, puisque leur isomérie géométrique *cis* défavorise la compaction de ces molécules.

L'hydrogénation partielle des huiles végétales mène à l'obtention d'une substance graisseuse solide telle que la margarine. En effet, au cours du processus, certaines liaisons π des triglycérides sont réduites en liaisons simples. De plus, au cours de l'hydrogénation partielle, l'isomérie *cis* de certaines liaisons doubles des acides gras contenus dans la majorité des huiles végétales devient *trans*. Cette géométrie procure la forme zigzag à la chaîne carbonée des gras *trans*, ce qui offre un haut niveau de compaction entre les molécules, tout comme les acides gras saturés.

Le processus d'hydrogénation partielle consiste à mélanger de l'huile végétale, un catalyseur (comme le nickel de Raney) et une quantité réduite d'hydrogène afin de limiter la saturation des liaisons doubles. Ce processus s'effectue sous l'action de la chaleur, ce qui permet d'accélérer la réaction chimique. Au cours de la transformation, il se produit une isomérisation *cis-trans*. Sous l'effet de la chaleur ou par l'interaction incomplète avec le catalyseur, une rupture momentanée de la liaison π, qui peut passer de la géométrie *cis* à la géométrie *trans*, survient. Au cours de la reformation du

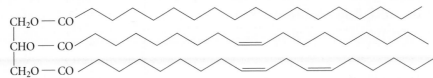

Triglycéride formé à partir d'un glycérol et de trois acides gras (respectivement, du haut vers le bas : acide stéarique, acide oléique et acide linoléique)

(—OH) du glycérol pour former trois fonctions esters. Les acides gras sont des molécules généralement linéaires qui contiennent de 12 à 20 carbones. Les trois chaînes carbonées des acides gras constituant un triglycéride ne sont pas nécessairement identiques. Leur nature et leur composition diffèrent selon l'huile ou le corps gras.

À la température ambiante, le beurre, les graisses animales et l'huile de palme sont des solides. Leurs acides gras, formant les triglycérides, sont saturés et sont responsables de leur état physique. En effet, les acides gras saturés (ne possédant aucune liaison multiple) permettent une bonne compaction des molécules. En d'autres mots, les molécules s'empilent facilement les unes sur les autres. Ce faisant, elles peuvent créer un grand nombre d'attractions intermoléculaires de type forces de dispersion de London et possèdent ainsi un point de fusion élevé, d'où leur état physique solide à la température ambiante. Les acides gras insaturés sont, quant à

lien π, l'isomère *trans* est fortement favorisé par rapport à l'isomère *cis* pour des raisons thermodynamiques et stériques, conférant ainsi une plus grande stabilité.

Effet des gras *trans* sur la santé

Les gras *trans* sont néfastes pour la santé, puisqu'ils contribuent à augmenter le « mauvais cholestérol ». Cette substance accroît les probabilités de maladies cardiovasculaires lorsque sa concentration s'élève au-delà des normes. En excès, le « mauvais cholestérol » peut provoquer l'artériosclérose, c'est-à-dire qu'il s'accumule sur les parois des artères, particulièrement celles du cœur, pour y former des plaques qui s'épaississent au fil du temps. En grossissant, ces plaques empêchent le sang de bien circuler, provoquant ainsi la formation de caillots qui bouchent les vaisseaux sanguins. Malheureusement, il n'y a aucun signe précurseur de l'hypercholestérolémie. Seul un examen médical peut la détecter.

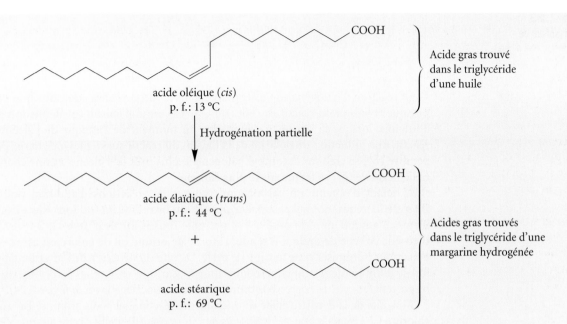

acide oléique (*cis*)
p. f.: 13 °C

} Acide gras trouvé dans le triglycéride d'une huile

Hydrogénation partielle

acide élaïdique (*trans*)
p. f.: 44 °C

+

acide stéarique
p. f.: 69 °C

} Acides gras trouvés dans le triglycéride d'une margarine hydrogénée

Transformation possible de l'acide oléique (*cis*) en acide élaïdique (*trans*) et en acide stéarique au cours de l'hydrogénation partielle des huiles végétales

Margarine non hydrogénée

Les effets néfastes des gras *trans* sur la santé cardiovasculaire ont mené les producteurs de ce substitut du beurre à mettre au point une margarine non hydrogénée. Sa fabrication est réalisée par l'utilisation d'huiles insaturées auxquelles des huiles saturées comme l'huile de palme, de palmiste ou de coprah sont incorporées[9]. Alors que le processus d'hydrogénation assure une substance solide, l'ajout d'huiles saturées, quant à lui, rend la margarine semi-molle, mais tout aussi facile à tartiner. Même s'il y a des gras saturés dans la margarine non hydrogénée, il reste que la teneur globale de ceux-ci dans la margarine est inférieure à celle du beurre. La margarine non hydrogénée est donc le meilleur choix pour la santé !

En conclusion, pour éviter la consommation de gras *trans*, il ne faut pas seulement porter une attention à la margarine, mais également à son alimentation générale, car de nombreux produits alimentaires contiennent d'importantes sources de ce type de gras. Bien que plusieurs entreprises aient réduit la quantité de gras *trans* dans les produits qu'elles fabriquent, la lutte contre ceux-ci n'est pas encore gagnée. En effet, sur le plan économique, ces aliments sont moins chers. De plus, en raison du fait que ces produits contiennent des gras *trans*, ils offrent une texture croquante. Enrayer ces gras aurait donc pour effet de changer complètement l'aspect des produits ainsi que leur stabilité, puisqu'ils seraient plus facilement oxydables.

Il revient donc au consommateur de varier son alimentation et de réduire sa quantité de gras *trans* afin d'assurer, entre autres, la santé de son cœur !

B) Halogénation (addition d'halogènes, X₂)

Au cours d'une réaction d'**halogénation** (**addition d'halogènes, X_2**), le chlore ou le brome moléculaire s'additionne sur la fonction alcène, menant à un composé dihalogéné (*voir la figure 7.23, page suivante*). La première étape consiste à dissoudre l'halogène dans un solvant inerte, par exemple dans le tétrachlorure de carbone (CCl_4) ou le dichlorométhane (CH_2Cl_2). Par la suite, la solution est ajoutée lentement à l'alcène. En général, ce type de réaction, très rapide, se réalise à la température ambiante. Cette réaction ne doit pas être confondue avec l'halogénation radicalaire des alcanes. Même si ces deux réactions nécessitent un halogène moléculaire X_2, l'halogénation des alcènes n'a besoin d'aucune source de radiation (lumière ou chaleur) et ne s'effectue pas selon un mécanisme radicalaire.

REMARQUE

Le fluor moléculaire (F_2) n'est pas utilisé dans ce type de réaction, car il réagit trop violemment avec les alcènes. De plus, l'iode moléculaire (I_2) ne s'additionne généralement pas sur les alcènes, puisque l'enthalpie de la réaction est quasi nulle.

Figure 7.23
Réaction globale de l'halogénation des alcènes

$$R\diagdown C = C \diagup H \quad + \quad X_2 \quad \longrightarrow \quad R - \overset{\overset{\displaystyle X}{|}}{\underset{\underset{\displaystyle H}{|}}{C}} - \overset{\overset{\displaystyle X}{|}}{\underset{\underset{\displaystyle H}{|}}{C}} - H \quad \text{où} \ X = Cl \ ou \ Br$$

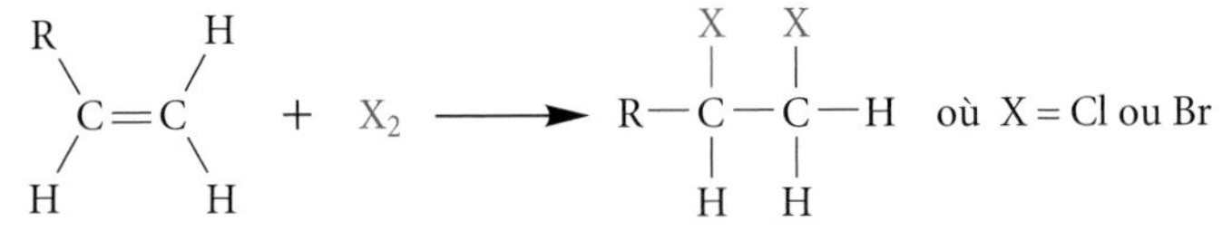

La réaction d'halogénation a été placée dans la catégorie des additions non polaires, puisque la liaison du réactif Br—Br (ou Cl—Cl) est une liaison covalente non polaire. Toutefois, lorsque la liaison π s'approche, au moment de l'attaque de l'alcène sur le réactif, une induction de polarité de la liaison du réactif survient. Une charge partielle positive (δ^+) se crée sur l'atome d'halogène le plus près de l'alcène, et une charge partielle négative (δ^-) se forme sur le plus éloigné.

À défaut d'obtenir un carbocation typique des réactions d'addition polaire, un intermédiaire réactionnel particulier, appelé **ion bromonium** (ou **ion chloronium**), est formé. Il s'agit d'un ion ponté qui se présente sous la forme d'un cycle à trois atomes. Bien que ce type de cycle soit tendu, l'atome de brome ou de chlore est assez volumineux pour minimiser cette tension de cycle. De plus, la structure de l'intermédiaire sous forme d'ion ponté se voit largement stabilisée, car tous les atomes de cet intermédiaire respectent la règle de l'octet, contrairement au carbocation (*voir la figure 7.24*).

Au cours de la dernière étape du mécanisme réactionnel, l'ion bromure Br⁻ (ou l'ion chlorure Cl⁻) attaque l'un des carbones de l'ion ponté. Toutefois, cette attaque s'effectue du côté opposé au pont, puisque ce dernier, étant volumineux, crée un encombrement stérique sur l'une des faces du composé. **Par conséquent,** les deux halogènes s'additionnent de part et d'autre de la liaison double. Ce type d'addition porte le nom d'**addition *anti*.**

Figure 7.24
Mécanisme réactionnel d'halogénation des alcènes, plus particulièrement la bromation de l'éthène

Attaque de l'alcène sur le Br₂ et formation de l'ion bromonium

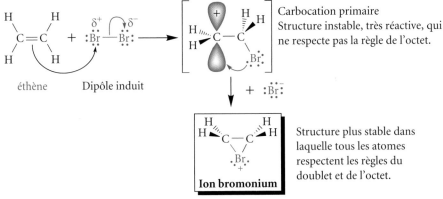

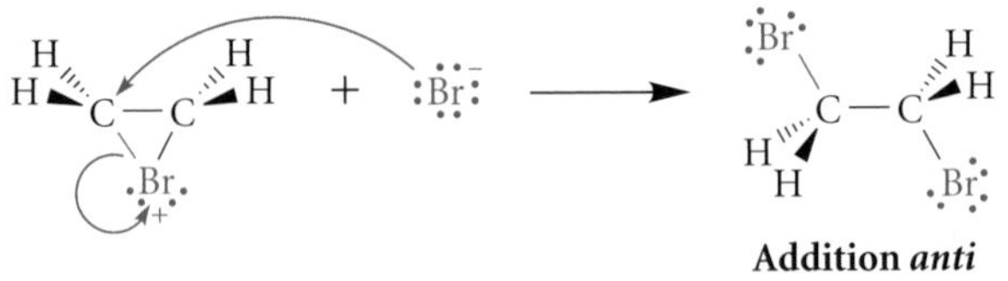

L'attaque de l'ion bromure sur l'un ou l'autre des carbones de l'ion bromonium mène au même produit.
L'attaque de l'ion bromure par le bas est impossible en raison d'un trop grand encombrement stérique.

Dans le cas où l'alcène de départ est symétrique, comme l'éthène dans la figure 7.24, l'ouverture de l'ion ponté par l'attaque de l'ion bromure (ou ion chlorure) peut se réaliser sur l'un ou l'autre des carbones. Toutefois, cela n'a guère d'importance, puisque les deux attaques possibles mènent au même produit final.

Par contre, si les carbones de l'alcène ne possèdent pas le même nombre de substituants, l'ion bromure (ou ion chlorure) attaque majoritairement le carbone de l'ion ponté le plus substitué. Cela est dû au fait que si la liaison C—Br (ou C—Cl) de l'ion ponté venait à se rompre, le carbone le plus substitué offrirait le carbocation le plus stable. Dans la figure 7.25, l'ion bromonium n'est pas illustré de manière symétrique, car la force des liaisons C—Br (ou C—Cl) formant le pont est différente. La liaison la plus faible de l'ion ponté, celle dont le carbone est le plus substitué, est la plus longue.

Figure 7.25
Mécanisme réactionnel d'halogénation du 2-méthylpropène, un alcène dont les carbones ne portent pas le même nombre de substituants

Attaque de l'alcène sur le Br₂ et formation de l'ion bromonium

2-méthylpropène

Ion bromonium

Attaque de l'ion bromure et ouverture de cycle

Attaque sur le
carbone le plus substitué

1,2-dibromo-2-méthylpropane
Produit majoritaire

Dans le cas où les deux carbones de l'alcène de départ possèdent tous les deux le même nombre de substituants, mais de nature différente, les attaques de l'ion bromure (ou ion chlorure) sur les deux carbones de l'ion ponté sont possibles et mènent à des produits différents formés dans des proportions similaires.

Exercice 7.18 Complétez les réactions suivantes en écrivant la structure des produits en deux dimensions.

a) hex-3-ène $\xrightarrow{\text{Cl}_2}$

b) cyclopentène $\xrightarrow{\text{Br}_2}$

c) 2-phénylbut-1-ène $\xrightarrow{\text{Cl}_2}$

Exercice 7.19 Soit la réaction suivante.

2,3-diméthylbut-2-ène $\xrightarrow{\text{Br}_2}$

a) Complétez cette réaction en écrivant la structure du produit en trois dimensions.

b) Illustrez le mécanisme réactionnel menant au produit.

Enfin, au cours de l'halogénation, l'ion bromonium (ou ion chloronium) peut se former de part et d'autre de la liaison double de l'alcène. Dans les exemples précédents, les ions formés à partir des deux faces de l'alcène étaient identiques. Cependant, cette notion devient particulièrement importante dans le cas où des carbones stéréogéniques sont formés (*voir la rubrique « Enrichissement – Stéréosélectivité des réactions d'halogénation »*, *page suivante*).

Puisque les réactions de bromation s'effectuent avec des molécules possédant des fonctions alcènes et alcynes (*pour les réactions d'halogénation sur les alcynes, voir la section 7.4.1.1, p. 322*), elles sont souvent employées pour déceler des structures comportant des liaisons π de type C—C. Ce **test chimique** s'avère d'une grande simplicité. En effet, le brome moléculaire (Br₂) est de couleur orangée[10] lorsqu'il est dilué dans le dichlorométhane (CH₂Cl₂). Pour sa part, le composé organique est généralement incolore. Lorsque le brome moléculaire réagit avec une liaison π de type C—C présente dans le composé analysé, la coloration du brome disparaît et la solution devient incolore. Cette observation confirme donc la présence d'insaturation. Dans le cas où la couleur orangée persiste, il est permis de conclure que le composé ne possède pas de liaisons C—C doubles ou triples, n'ayant pas réagi avec le brome moléculaire dans les conditions expérimentales données.

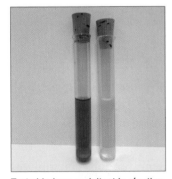

Test chimique exploitant la réaction de bromation. Dans l'éprouvette de gauche, le brome moléculaire (Br₂), dilué dans du dichlorométhane, est mis en présence d'un composé saturé. La coloration persiste ; aucune réaction n'est donc observée. Dans l'éprouvette de droite, le Br₂, dilué dans du dichlorométhane, est ajouté à un alcène, soit un composé insaturé. La solution devient incolore. Il y a donc eu réaction chimique.

ENRICHISSEMENT

Stéréosélectivité des réactions d'halogénation

Selon la nature de l'alcène de départ, il arrive que les ions bromonium ou chloronium formés à partir des deux faces de la liaison double soient différents. Bien que ces deux ions soient de même stabilité et d'abondance, ils doivent tous deux être pris en considération au moment de l'attaque de l'ion bromure (ou ion chlorure). Des carbones stéréogéniques sont alors créés.

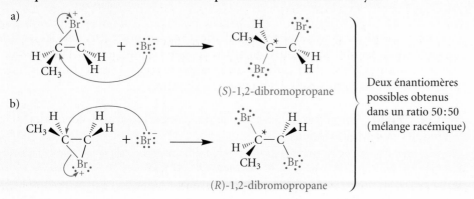

Attaque de l'alcène sur le Br₂ et formation de l'ion bromonium

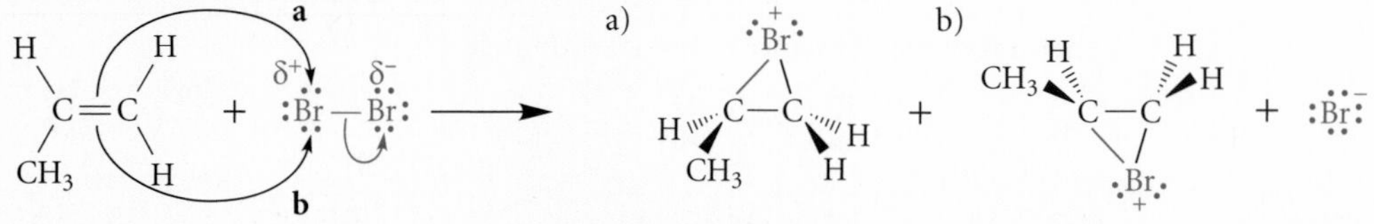

propène

Deux ions bromonium possibles, de mêmes stabilité et abondance

Attaque de l'ion bromure sur le carbone le plus substitué et ouverture de cycle

(S)-1,2-dibromopropane

(R)-1,2-dibromopropane

Deux énantiomères possibles obtenus dans un ratio 50:50 (mélange racémique)

Exercice 7.20 **Enrichissement** Soit la réaction suivante.

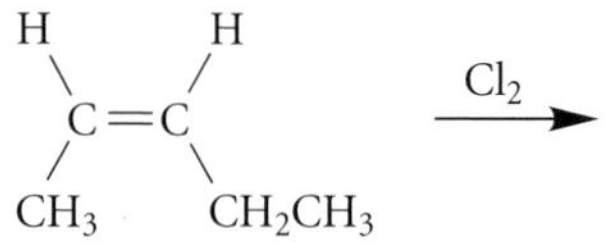

$$\underset{CH_3 \quad\quad CH_2CH_3}{\overset{H \quad\quad H}{C=C}} \xrightarrow{Cl_2}$$

a) En tenant compte de la stéréochimie, combien y a-t-il de produits au total ? Illustrez-les.

b) Dans chacun des cas, illustrez le mécanisme réactionnel menant au produit.

Au cours du mécanisme réactionnel, les ions bromonium (ou ions chloronium) peuvent également subir une attaque de la part d'un nucléophile autre que les ions bromure (ou ions chlorure) présents dans le milieu. C'est le cas des réactions qui ont lieu dans un solvant polaire et nucléophile. Par exemple, en faisant réagir une solution aqueuse de brome (Br₂ dans H₂O) avec un alcène, deux produits sont possibles, l'eau étant polaire et nucléophile. Pour ne favoriser que le produit résultant de l'attaque de l'eau, il existe d'ailleurs des réactifs tels que HO—Cl. Enfin, pour éviter la formation de divers produits, les réactions d'halogénation sont généralement réalisées dans un solvant inerte, non nucléophile, tel que le tétrachlorure de carbone (CCl_4) et le dichlorométhane (CH_2Cl_2) (*voir la figure 7.26*).

Figure 7.26
Effets de l'utilisation d'un solvant polaire et nucléophile sur l'halogénation

$$CH_2=CH_2 + Cl_2 \xrightarrow{CH_2Cl_2} ClCH_2CH_2Cl$$

$$CH_2=CH_2 + Cl_2 \xrightarrow{H_2O} ClCH_2CH_2OH + ClCH_2CH_2Cl$$

$$CH_2=CH_2 + HO-Cl \xrightarrow{CH_2Cl_2} HOCH_2CH_2Cl$$

$$CH_2=CH_2 + Br_2 \xrightarrow{CH_3CH_2OH} BrCH_2CH_2OCH_2CH_3 + BrCH_2CH_2Br$$

7.3.2 Polymérisation d'alcènes par addition (polymérisation radicalaire)

cheneliere.ca/chimieorganique (www)

> Réactions d'addition sur des systèmes conjugués (addition électrophile et cycloaddition de Diels-Alder sur les diènes conjugués)

Un **polymère** est formé de l'union, par des liaisons covalentes, d'un très grand nombre de molécules identiques appelées **monomères**. Un polymère est donc une **macromolécule**, soit une molécule très volumineuse possédant une masse molaire élevée. Il existe des polymères dits « naturels », « artificiels » et « synthétiques ». Un polymère naturel (notamment l'amidon, la cellulose, la soie, les protéines, l'ADN, etc.) est isolé à partir d'organismes vivants. Un polymère artificiel, quant à lui, a une origine naturelle, mais il a été chimiquement transformé. Par exemple, la galalithe est un polymère artificiel formé à partir de la caséine du lait et du formaldéhyde. Ce polymère sert, entre autres, de matière plastique pour la fabrication de boutons et de bijoux. Cette substance est même utilisée par certains faussaires pour imiter l'ivoire. Enfin, le polymère synthétique est entièrement conçu en laboratoire par polymérisation, et il fera l'objet de cette section.

La **polymérisation** est le processus chimique permettant de synthétiser un polymère à partir des monomères. Il existe quatre types de polymérisation, soit la polymérisation radicalaire, la polymérisation anionique, la polymérisation cationique et la polymérisation par catalyse métallique (ou organométallique). Cet ouvrage ne traitera que de la polymérisation radicalaire.

La figure 7.27 illustre les réactions globales de la polymérisation radicalaire de l'éthène (ou éthylène) et de la polymérisation radicalaire du styrène, qui donnent respectivement le polyéthylène et le polystyrène. Ces deux polymères sont les plus répandus dans le monde. Le polyéthylène est le polymère ayant la structure la plus simple. Il s'agit d'une résine thermoplastique produite à très grande échelle et qui sert, entre autres, selon la densité du polymère, dans la fabrication des sacs de plastique, des sacs-poubelles, des bouteilles d'eau, des jouets d'enfants, des contenants hermétiques servant à entreposer et à conserver les aliments, etc. Le polystyrène, quant à lui, existe sous plusieurs formes. La plus connue est le polystyrène expansé, un matériau compact à l'aspect mousseux servant d'isolant thermique et de protection contre les chocs pour les appareils électroménagers et électriques lors du transport. D'autres types de polystyrène sont également employés dans la fabrication de contenants divers tels que les pots de yogourt, les boîtiers de CD, etc.

Poissons dans un sac de polyéthylène

Figure 7.27
Réactions globales de polymérisation radicalaire –
a) De l'éthène ; b) Du styrène

a)
$$CH_2=CH_2 \xrightarrow[\substack{\text{Pression élevée} \\ \Delta}]{ROOR} -\left(CH_2-CH_2\right)_n-$$

éthène
(éthylène)

polyéthylène
n = un nombre très élevé

b)

$$\text{styrène} \xrightarrow[\Delta]{ROOR} \text{polystyrène}$$

n = un nombre très élevé

Contenants isolants en polystyrène expansé (PSE) pour transporter la nourriture

> **REMARQUE**
>
> Le peroxyde de benzoyle est un exemple particulier de peroxyde organique (ROOR) employé dans les réactions de polymérisation radicalaire.
>

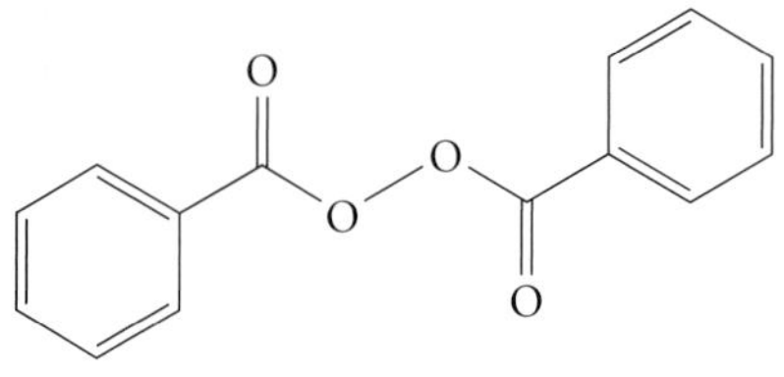

Au même titre que tous les mécanismes radicalaires, la **polymérisation radicalaire** se produit en trois phases, soit l'amorçage, la propagation et la terminaison. Cette réaction s'effectue en présence d'un catalyseur, un peroxyde organique (ROOR), et de chaleur. Il est également possible d'employer la lumière ultraviolette qui, au même titre que la chaleur, fournit l'énergie nécessaire pour rompre la liaison RO—OR du peroxyde organique et pour amorcer la réaction. Cette rupture homolytique forme des radicaux oxygénés RO• pouvant réagir avec la liaison π de la fonction alcène du monomère. Cette première étape de propagation conduit à un radical carboné qui peut, à son tour, réagir avec une seconde molécule de monomère, puis une troisième, une quatrième, et ainsi de suite (*voir la figure 7.28*). Il est à noter que la croissance de la chaîne s'effectue toujours dans le but de synthétiser la chaîne la plus stable. Si deux intermédiaires radicalaires sont possibles, le plus stable sera toujours favorisé.

Figure 7.28 Mécanisme réactionnel des deux premières phases de la polymérisation radicalaire du polystyrène

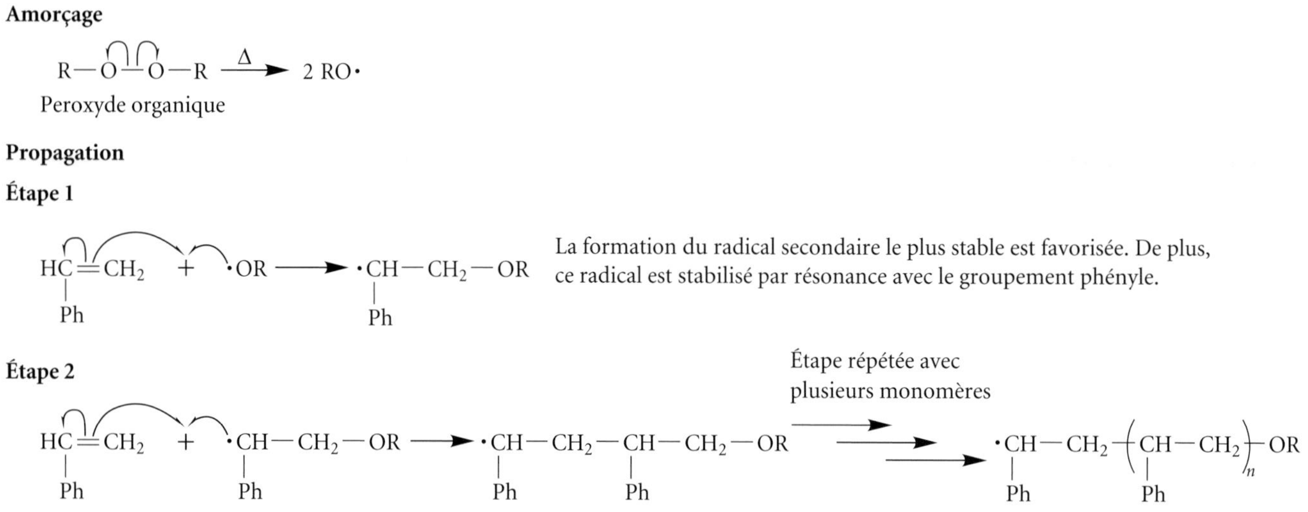

Amorçage

Propagation

Étape 1

La formation du radical secondaire le plus stable est favorisée. De plus, ce radical est stabilisé par résonance avec le groupement phényle.

Étape 2

Étape répétée avec plusieurs monomères

Les réactions de la phase de terminaison finissent par épuiser la réserve des radicaux, et la réaction de polymérisation prend alors fin. Il existe deux types de terminaison: la combinaison de deux polymères radicalaires et la dismutation (*voir la figure 7.29*).

Les polymères synthétiques, bien qu'ils soient caractérisés par la répétition de motifs monomériques, contiennent également un ou des substituants —OR en bout de chaîne provenant du peroxyde organique. Cependant, comme la masse molaire des polymères est très élevée, les substituants —OR, de faible masse, n'influencent pas les propriétés physiques ou chimiques de ces macromolécules.

Figure 7.29
Mécanisme réactionnel de la phase de terminaison de la polymérisation du polystyrène – a) Par combinaison ; b) Par dismutation

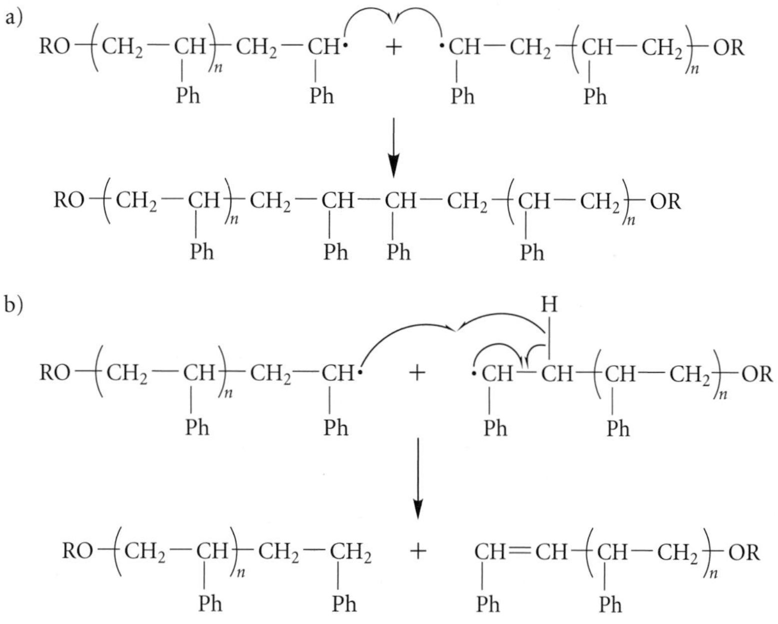

a)
RO–(CH₂–CH)n–CH₂–CH• + •CH–CH₂–(CH–CH₂)n–OR
Ph Ph Ph Ph
RO–(CH₂–CH)n–CH₂–CH–CH–CH₂–(CH–CH₂)n–OR
Ph Ph Ph Ph
b)
H
RO–(CH₂–CH)n–CH₂–CH• + •CH–CH–(CH–CH₂)n–OR
Ph Ph Ph Ph
RO–(CH₂–CH)n–CH₂–CH₂ + CH=CH–(CH–CH₂)n–OR
Ph Ph Ph Ph

Au cours de la phase de propagation, l'addition répétée des monomères aux radicaux carbonés mène globalement au polymère. Toutefois, cette molécule volumineuse ne forme pas toujours une longue chaîne continue de carbones. La chaîne en croissance peut, en effet, réagir avec elle-même en arrachant un hydrogène sur sa propre chaîne (réaction intramoléculaire) et conduire à l'apparition de **ramifications** (*voir la figure 7.30*). Le degré de ramification d'un polymère peut être contrôlé par le choix du catalyseur et par des conditions expérimentales particulières.

Figure 7.30
Mécanisme de ramification d'un polymère

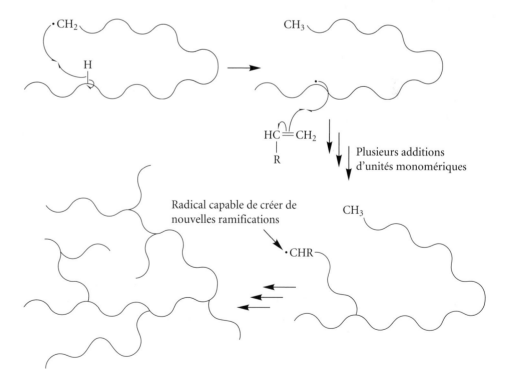

•CH₂
H
CH₃
HC=CH₂
R
Plusieurs additions
d'unités monomériques
Radical capable de créer de
nouvelles ramifications
•CHR
CH₃

Les polymères non ramifiés possèdent de longues chaînes linéaires offrant une grande surface de contact, ce qui permet de fortes attractions intermoléculaires. Par contre, les polymères ramifiés ont une plus petite surface de contact, empêchant les chaînes de se rapprocher, ce qui a pour effet de diminuer le nombre d'attractions intermoléculaires. Ainsi, les polymères non ramifiés sont des composés plus rigides, alors que les polymères ramifiés sont généralement plus souples.

Le tableau 7.3 présente quelques exemples de polymères synthétisés par polymérisation radicalaire ainsi que leurs applications.

Tableau 7.3 **Exemples de polymères synthétisés par polymérisation radicalaire**

Nom du monomère	Structure du monomère	Abréviation (nom du polymère formé)	Structure du polymère	Quelques applications
éthanoate d'éthényle (acétate de vinyle)	$CH_2=CH-O-CO-CH_3$	PVAC (acétate de polyvinyle)	$-[CH_2-CH(OCOCH_3)]_n-$	Adhésifs (colle blanche, colle à bois), peintures au latex
propénoate de méthyle (acrylate de méthyle)	$CH_2=CH-CO-O-CH_3$	PMA (acrylate de polyméthyle)	$-[CH_2-CH(CO_2CH_3)]_n-$	Constituant de copolymères[a] entrant notamment dans la fabrication de fibres acryliques
propènenitrile (acrylonitrile)	$CH_2=CH-CN$	PAN (polyacrylonitrile) Nom commun: Orlon	$-[CH_2-CH(CN)]_n-$	Précurseur pour la fabrication de la fibre de carbone, principal constituant de copolymères trouvés dans des fibres textiles; constituant du polymère ABS présent dans les tuyaux de plomberie, les pièces automobiles et les pièces de LEGO
butadiène	$CH_2=CH-CH=CH_2$	PB (polybutadiène)	$-[CH_2-CH=CH-CH_2]_n-$	Pièces automobiles (pneus, joints, durites, etc.)
chloroéthène (chlorure de vinyle)	$CH_2=CH-Cl$	PVC (chlorure de polyvinyle)	$-[CH_2-CH(Cl)]_n-$	Disques, cartes de crédit, tuyaux de canalisation, revêtements de sol
1,1-dichloroéthène (chlorure de vinylidène)	$CH_2=C(Cl)_2$	PVDC (chlorure de polyvinylidène)	$-[CH_2-C(Cl)_2]_n-$	Matériau d'emballage alimentaire (Dow Chemical commercialise ce polymère sous le nom Saran)
éthène (éthylène)	$CH_2=CH_2$	PE (polyéthylène)	$-[CH_2-CH_2]_n-$	Sacs de plastique, bouteilles d'eau, flacons laveurs, jouets d'enfants, contenants hermétiques servant à entreposer et à conserver les aliments

▶ **Tableau 7.3** (*suite*)

Nom du monomère	Structure du monomère	Abréviation (nom du polymère formé)	Structure du polymère	Quelques applications
2-méthylbutadiène (isoprène)	$\begin{array}{cc} H & CH_3 \\ \diagdown C=C \diagup \\ H \diagup & \diagdown CH=CH_2 \end{array}$	PI (polyisoprène)	$+\!\!\left(CH_2-\overset{\displaystyle CH_3}{\underset{\displaystyle \ }{C}}=CH-CH_2\right)\!\!_n$	Caoutchouc, pneumatiques (automobiles, camions, avions, etc.)
2-méthylpropénoate de méthyle (méthacrylate de méthyle)	$\begin{array}{cc} H & CH_3 \\ \diagdown C=C \diagup \\ H \diagup & \diagdown \underset{\underset{O}{\|\|}}{C}-O-CH_3 \end{array}$	PMMA (métha-crylate de polyméthyle) Nom commun: Plexiglas	$\left(\begin{array}{cc} H & CH_3 \\ \| & \| \\ C - C \\ \| & \| \\ H & CO_2CH_3 \end{array}\right)_n$	Articles moulés (casques de motocyclette), baies vitrées des patinoires, technologie médicale et implants (prothèses dentaires, lentilles intraoculaires, chirurgie esthétique), etc.
propène (propylène)	$\begin{array}{cc} H & H \\ \diagdown C=C \diagup \\ H \diagup & \diagdown CH_3 \end{array}$	PP (polypropylène)	$\left(\begin{array}{cc} H & H \\ \| & \| \\ C - C \\ \| & \| \\ H & CH_3 \end{array}\right)_n$	Pièces automobiles (pare-choc), masques chirurgicaux, tapis synthétiques
styrène	$\begin{array}{cc} H & H \\ \diagdown C=C \diagup \\ H \diagup & \diagdown \bigcirc \end{array}$	PS (polystyrène)	$\left(\begin{array}{cc} H & H \\ \| & \| \\ C - C \\ \| & \| \\ H & \bigcirc \end{array}\right)_n$	Matériaux d'emballage, contenants (pots de yogourt), isolants thermiques, bouées de sauvetage
tétrafluoroéthène (tétrafluoroéthylène)	$\begin{array}{cc} F & F \\ \diagdown C=C \diagup \\ F \diagup & \diagdown F \end{array}$	PTFE (polytétrafluoroéthylène) Nom commun: Téflon	$\left(\begin{array}{cc} F & F \\ \| & \| \\ C - C \\ \| & \| \\ F & F \end{array}\right)_n$	Tissu Gore-Tex, revêtement antiadhésif (poêles et ustensiles de cuisson), ruban Téflon en plomberie

a. Les copolymères sont des polymères synthétisés à partir de monomères différents.

Le fluorure de polyvinylidène est utilisé dans la fabrication du fil de canne à pêche.

Exercice 7.21 Le fluorure de polyvinylidène (PVDF) est utilisé en biochimie et en biotechnologie pour fabriquer des membranes. Il est également employé en tuyauterie, en isolation électrique et comme fil de canne à pêche. À partir de la structure suivante, quel monomère faut-il utiliser dans la fabrication de ce polymère?

$$\left(\begin{array}{cc} H & F \\ \| & \| \\ C - C \\ \| & \| \\ H & F \end{array}\right)_n$$

fluorure de polyvinylidène (PVDF)

Exercice 7.22 L'équation chimique suivante représente une des phases du mécanisme de la polymérisation de l'éthène.

$$RO-CH_2-\overset{\displaystyle \cdot}{C}H_2 \;+\; CH_2=CH_2 \longrightarrow RO-CH_2-CH_2-CH_2-\overset{\displaystyle \cdot}{C}H_2$$

a) Donnez le nom de cette phase du mécanisme de polymérisation.

b) Illustrez, avec des flèches courbes, les déplacements d'électrons qui se produisent au cours de cette phase.

CHRONIQUES D'UNE MOLÉCULE

Les polymères au service des superhéros!
Par Patrice Roberge, Cégep de Granby – Haute-Yamaska

Comme bien d'autres composés organiques, le Téflon est un polymère qui fut découvert un peu par hasard. En effet, vers la fin des années 1930, un employé de la compagnie américaine DuPont tentait de créer un nouveau réfrigérant. En refroidissant le tétrafluoroéthylène, un gaz, celui-ci se polymérisa pour former une substance aux propriétés antiadhésives pouvant résister à des températures élevées.

$$CF_2 = CF_2 \longrightarrow -\left(CF_2 - CF_2\right)_n$$

tétrafluoroéthène
(tétrafluoroéthylène)

polytétrafluoroéthylène (PTFE)
Téflon

Stan Lee, fondateur de Marvel Comics, et ses collaborateurs se sont inspirés des propriétés du Téflon dans le milieu des années 1980 pour créer un supervilain qui donna du fil à retordre à un célèbre tisseur de toile, Spiderman. Ce personnage, adéquatement nommé «Slyde», était un ingénieur chimiste de formation qui se fabriqua un costume recouvert d'une substance qu'il avait «inventée» et sur laquelle rien ne pouvait s'agripper. Il était ainsi insaisissable, glissant littéralement à grande vitesse sur toutes les surfaces, mais aussi entre les mains de ses poursuivants à la suite de ses larcins. Même l'étonnante toile de l'homme-araignée ne pouvait y adhérer.

L'homme-araignée lui-même est un grand concepteur de polymère. Les fanatiques de bandes dessinées savent que Peter Parker (alias Spiderman) était originalement un jeune et brillant étudiant en biochimie qui confectionna en laboratoire un polymère, probablement d'une structure avoisinant celle du nylon, qu'il introduisait sous pression dans des cartouches. Celles-ci étaient ensuite placées dans un gadget, également créé par Parker, qui, camouflé sous son costume, propulsait mécaniquement la toile afin d'emprisonner ses

adversaires ou de se balancer allègrement d'un édifice à un autre. Le contenu des cartouches ayant une quantité limitée de toile, celles-ci devaient être renouvelées périodiquement. Un certain laxisme à cette règle de base de sécurité a d'ailleurs parfois placé l'homme-araignée dans des situations embarrassantes. Imaginez-le en train de se balancer du haut d'un gratte-ciel à New York et de constater qu'il est à court de toile…

$$-\left(NH-\left(CH_2\right)_6 NH - \overset{O}{\underset{\|}{C}} - \left(CH_2\right)_4 \overset{O}{\underset{\|}{C}} - \right)_n$$

nylon 6,6

Dans les trois films de Spiderman de 2002 à 2007, tous ces détails mettant en valeur le brillant caractère scientifique du jeune Parker furent élagués. Dans ces

L'homme-araignée,
Spiderman

versions, la piqûre de l'araignée radioactive lui permettait de synthétiser sa propre toile à l'intérieur de son corps (il est possible d'imaginer un polymère de type bio-organique). Cette situation avait d'ailleurs créé un tumulte chez les admirateurs de la première heure du superhéros, car ce dernier avait été dénaturé. La nouvelle version de 2012 a cependant repris cet élément, à leur grand plaisir.

Un autre polymère conçu par la compagnie DuPont se trouve non seulement dans les bandes dessinées de Spiderman, mais également chez bien d'autres superhéros: le Spandex (anagramme du mot *expands*, commercialisé sous le nom «Lycra»). En effet, ce polyuréthane complexe présentant des propriétés élastiques est utilisé dans la plupart des costumes de héros masqués, leur permettant de bouger avec aisance durant leurs pirouettes spectaculaires sans risquer de déchirer le fond de leur pantalon.

Portion caoutchouteuse du polymère

Portion rigide du polymère

$$-\left(\left(O-CH_2-CH_2\right)_x O - \overset{O}{\underset{\|}{C}} - NH-\bigcirc-CH_2-\bigcirc- NH - \overset{O}{\underset{\|}{C}} - NH-NH- \overset{O}{\underset{\|}{C}} - NH-\bigcirc-CH_2-\bigcirc- NH - \overset{O}{\underset{\|}{C}} - O \right)_n$$

Environ 40 unités

Spandex

Originalement, Batman portait du Spandex dans la série télévisée de 1966, célèbre pour son humour bien particulier. Bien qu'extensible, ce costume n'offrait cependant aucune protection contre les projectiles d'armes à feu. Étant donné les mauvaises fréquentations de l'homme chauve-souris dans l'ère moderne, la partie supérieure de son costume a notamment été troquée contre un mélange de Kevlar et de Nomex (deux polymères commercialisés par la compagnie DuPont). Le premier composé ayant l'avantage d'être à l'épreuve des balles et le second pouvant résister à des températures très élevées, c'est ainsi qu'évolue un Batman beaucoup plus sombre dans les films à partir de 1989.

Batman (1966)

Batman (1989)

Les costumes moulants de Spandex furent bien souvent la cible de moqueries. Il est vrai que ceux-ci donnent l'impression que ces super-héros se baladent en sous-vêtements. Il ne faudrait pas se surprendre qu'un jour, cet accoutrement stimule l'imagination des créateurs de bandes dessinées et permette d'introduire un autre polymère dans leurs aventures. Le polymère prédestiné à cette fin, puisque le qualificatif « super » apparaît dans son nom, est le polyacrylate de sodium, aussi appelé « SAP » (de l'anglais *superabsorbent polymers*). Celui-ci se trouve au fond des… couches-culottes. Ce composé peut absorber jusqu'à quelques centaines de fois sa propre masse en eau distillée. Les ions carboxylate captent l'eau et l'emprisonnent physiquement au sein du polymère qui passe de l'état de poudre à celui d'un gel. Une simple cuillère à thé de ce composé peut permettre de faire figer un grand verre d'eau. L'utilisation d'eau salée ou d'urine diminue cependant de beaucoup cette proportion, puisque les ions présents dans ces solutions empêchent les ions carboxylate de capter efficacement l'eau[11]. Grâce à cette propriété, lors du prochain tsunami, un nouveau superhéros en couche verra-t-il le jour ?

Kevlar

Nomex

Le Kevlar et le Nomex se distinguent par la position de leurs groupements sur le cycle benzénique. Les groupements sont en position *para* pour le Kevlar et en position *méta* pour le Nomex.

polyprop-2-énoate de sodium
(polyacrylate de sodium)

7.3.3   Oxydation des alcènes

L'oxydation des alcènes est une réaction chimique largement utilisée en synthèse organique. Cette réaction est également employée, dans certaines conditions expérimentales, en tant que test chimique pour détecter la présence de liaisons doubles $C=C$ dans les composés organiques. Les oxydants, des réactifs fortement oxygénés, réagissent beaucoup plus aisément avec les électrons π des hydrocarbures insaturés qu'avec les hydrocarbures saturés.

7.3.3.1 Oxydation à l'aide du permanganate de potassium (KMnO₄)

A) Oxydation douce

L'**oxydation douce** consiste à faire réagir une fonction alcène avec du permanganate de potassium (KMnO₄) dilué, à froid. Cette réaction donne des **diols vicinaux** (deux fonctions alcools sur deux carbones adjacents), comme cela est présenté dans la figure 7.31.

Figure 7.31
Réaction globale de l'oxydation douce des alcènes réalisée à l'aide du permanganate de potassium (KMnO₄) dilué

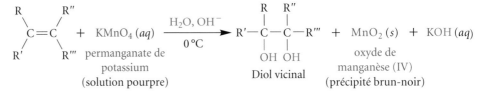

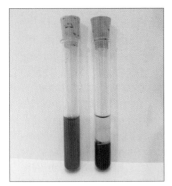

Test chimique exploitant l'oxydation douce. Dans l'éprouvette de gauche, le KMnO₄ est dissous dans l'eau et est mis en présence d'un hydrocarbure saturé. La solution demeure pourpre ; aucune réaction n'est observée. Dans l'éprouvette de droite, le KMnO₄ est dissous dans l'eau et est mis en présence d'un alcène. La solution pourpre devient incolore et il y a apparition d'un précipité brun-noir. Cette réaction chimique confirme la présence de liaisons doubles C=C.

cheneliere.ca/chimieorganique www

› Mécanisme complet de l'oxydation douce des alcènes à l'aide du KMnO₄ dilué

Au cours de cette réaction, un précipité brun-noir d'oxyde de manganèse (IV) (MnO_2) remplace la couleur pourpre de l'ion permanganate en solution aqueuse. C'est pour cette raison que l'oxydation douce peut servir de **test chimique** afin de révéler la présence d'alcènes dans un composé organique. En effet, lorsque la solution perd sa coloration et qu'un précipité brun-noir en suspension apparaît, la présence d'une liaison double C=C est confirmée.

Le mécanisme réactionnel de l'oxydation des alcènes avec le permanganate de potassium dilué consiste tout d'abord en une **addition concertée** de l'ion permanganate sur l'alcène, ce qui mène à la réduction du manganèse (Mn). Ce dernier passe d'un nombre d'oxydation de +7 à +5. Le composé organométallique obtenu se présente sous la forme d'un cycle à cinq membres. La rupture de ce cycle, grâce à l'hydrolyse impliquant une succession d'étapes, permet d'obtenir ensuite le diol vicinal attendu ainsi que l'hydroxyde de potassium et l'oxyde de manganèse (IV). Ce mécanisme partiel est illustré dans la figure 7.32.

La formation du complexe organométallique, au cours de l'étape d'addition concertée du mécanisme réactionnel, démontre que les deux oxygènes sont ajoutés du même côté de la liaison double. L'hydrolyse, quant à elle, implique le clivage des liaisons Mn—O du complexe organométallique sans modifier la disposition des liaisons C—O, et elle permet d'ajouter des atomes d'hydrogène aux deux atomes d'oxygène pour former les fonctions alcools. Par conséquent, l'addition des deux alcools sur les deux carbones de l'alcène est une **addition *syn***.

En général, l'oxydation douce avec le permanganate de potassium dilué n'est pas une réaction qui offre un très bon rendement. Une réaction similaire peut avoir lieu en ayant recours au tétroxyde d'osmium (OsO_4). La première étape de réaction est identique à celle du KMnO₄, mais plutôt que d'hydrolyser le complexe organométallique avec le manganèse, le complexe avec l'osmium est plutôt réduit à l'aide de l'acide sulfhydrique (H_2S). Cette réaction est toutefois très peu utilisée en raison du coût exorbitant du tétroxyde d'osmium et de sa très grande toxicité.

Figure 7.32 Mécanisme réactionnel de l'étape d'addition concertée (réduction du manganèse), puis hydrolyse du complexe menant aux produits de l'oxydation douce d'un alcène

ENRICHISSEMENT

Stéréosélectivité des réactions d'oxydation douce à l'aide du permanganate de potassium dilué

Tout comme les réactions d'hydrogénation catalytique des alcènes (*voir la section 7.3.1.2 A, p. 299*), l'attaque du $KMnO_4$ en milieu aqueux peut se réaliser sur les deux faces de l'alcène (vers le haut ou vers le bas). Ainsi, si un carbone stéréogénique est formé au cours de la réaction, les deux attaques sont à considérer pour écrire tous les produits possibles (*voir la figure ci-dessous*).

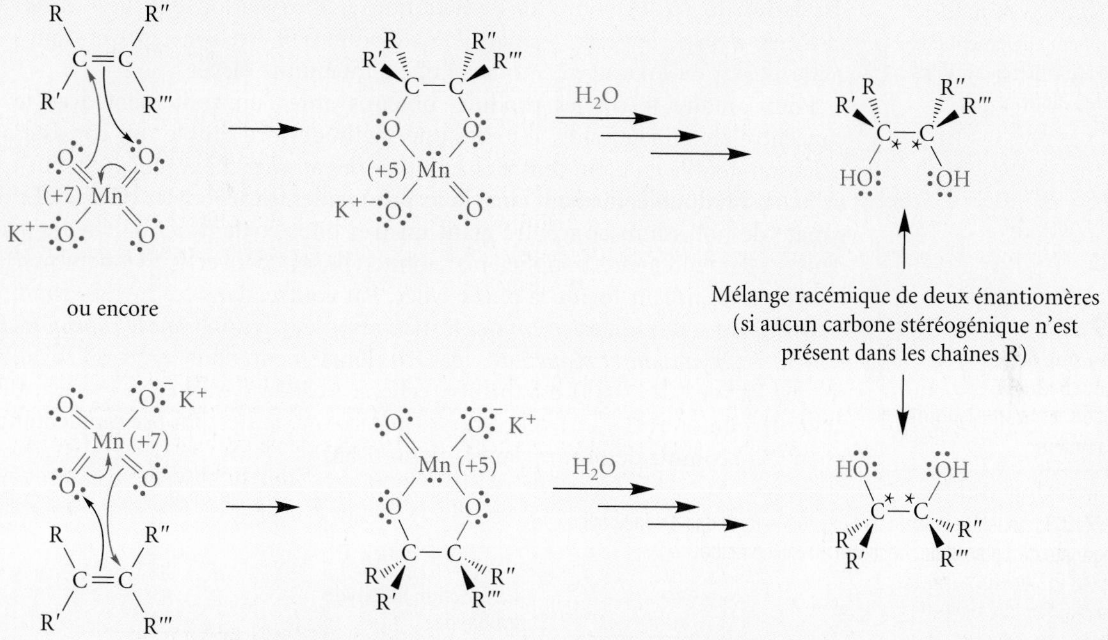
(+7) Mn
(+5) Mn
H_2O
ou encore
Mn (+7)
Mn (+5)
H_2O
Mélange racémique de deux énantiomères (si aucun carbone stéréogénique n'est présent dans les chaînes R)

Exercice 7.23 Complétez les réactions suivantes en écrivant la structure des produits organiques en deux dimensions.

a) $CH_3-CH=CH_2 \xrightarrow[H_2O,\ OH^-]{KMnO_4}$

b) $CH_3-C(CH_3)=CH-CH_3 \xrightarrow[H_2O,\ OH^-]{KMnO_4}$

c) 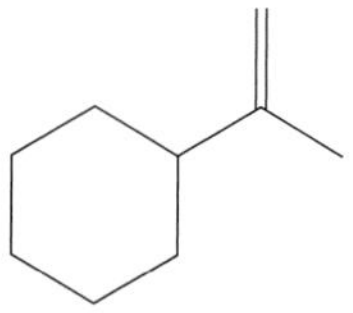 $\xrightarrow[H_2S]{OsO_4}$

Exercice 7.24 Complétez les réactions suivantes en écrivant la structure des produits organiques en trois dimensions.

a) 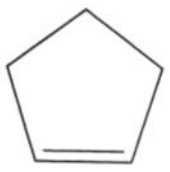 $\xrightarrow[H_2O,\ OH^-]{KMnO_4}$

b) 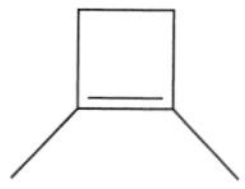 $\xrightarrow[H_2S]{OsO_4}$

Exercice 7.25 **Enrichissement** Pour la réaction suivante, illustrez tous les produits organiques finaux possibles en trois dimensions.

$$\text{2,3-diméthylpent-2-ène} \quad \xrightarrow[\text{H}_2\text{O, OH}^-]{\text{KMnO}_4}$$

B) Oxydation forte

Le permanganate de potassium peut également réagir avec les alcènes en conduisant à une coupure oxydative de la liaison double. Pour effectuer cette réaction appelée **oxydation forte**, les conditions réactionnelles d'oxydation des alcènes doivent être plus rigoureuses : le permanganate de potassium doit être concentré et traité en milieu acide, et la réaction doit se dérouler à une température élevée.

Pour prédire le ou les produits obtenus après un traitement avec le $KMnO_4$ concentré en milieu acide, il existe une méthode fort simple qui consiste à couper la liaison double en plein centre et à ajouter des atomes d'oxygène à chaque extrémité de la liaison double, formant ainsi deux groupements carbonyles (C=O). Le permanganate de potassium concentré étant un très bon oxydant, les aldéhydes générés ne peuvent demeurer dans ce milieu réactionnel ; ils sont convertis en fonctions acides carboxyliques, soit leur forme la plus oxydée. Par contre, dans ces mêmes conditions, les cétones sont stables, étant à leur degré maximal d'oxydation (*voir la rubrique « Enrichissement – Oxydation et réduction », p. 179*). Finalement, dans le cas où la molécule de formaldéhyde (CH$_2$=O) est formée, celle-ci s'oxyde davantage et se transforme en acide carbonique (H_2CO_3), un composé instable qui se décompose rapidement en H_2O et en CO_2, comme démontré dans la figure 7.33.

Figure 7.33 Réaction globale de l'oxydation forte des alcènes avec le permanganate de potassium concentré en milieu acide

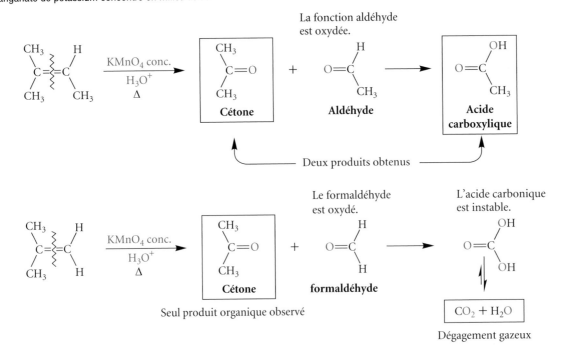

Exercice 7.26 Complétez les réactions suivantes en écrivant la structure des produits organiques en deux dimensions.

a) oct-1-ène $\xrightarrow[\substack{H_3O^+ \\ \Delta}]{KMnO_4 \text{ conc.}}$

b)

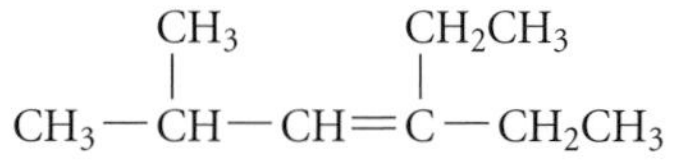

$$CH_3-\underset{\underset{CH_3}{|}}{CH}-CH=\underset{\underset{CH_2CH_3}{|}}{C}-CH_2CH_3 \qquad \xrightarrow[\substack{H_3O^+ \\ \Delta}]{KMnO_4 \text{ conc.}}$$

c)

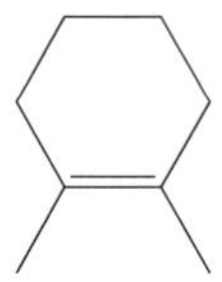

$\xrightarrow[\substack{H_3O^+ \\ \Delta}]{K_2Cr_2O_7 \text{ conc.}}$

d)

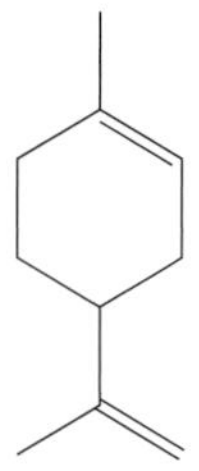

$\xrightarrow[\substack{H_3O^+ \\ \Delta}]{K_2Cr_2O_7 \text{ conc.}}$

limonène
(essence d'orange et de citron utilisée en parfumerie et en cosmétique)

Exercice 7.27 Complétez les réactions suivantes en écrivant la structure du substrat en deux dimensions.

a) ? $\xrightarrow[\substack{H_3O^+ \\ \Delta}]{KMnO_4 \text{ conc.}}$ $CH_3-\overset{\overset{O}{\|}}{C}-CH_3 \;+\; CH_3-\overset{\overset{O}{\|}}{C}-OH$

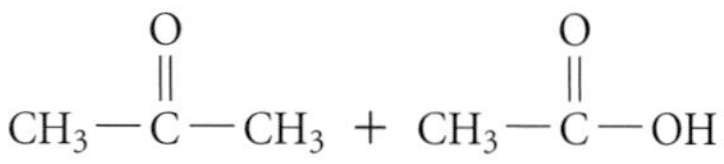

b) ? $\xrightarrow[\substack{H_3O^+ \\ \Delta}]{K_2Cr_2O_7 \text{ conc.}}$ $CH_3-\underset{\underset{CH_3}{|}}{CH}-\overset{\overset{O}{\|}}{C}-OH \;+\; CO_2 \;+\; H_2O$

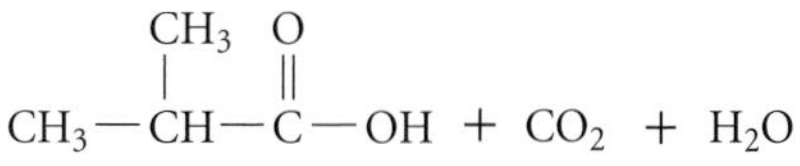

c) ? $\xrightarrow[\substack{H_3O^+ \\ \Delta}]{KMnO_4 \text{ conc.}}$

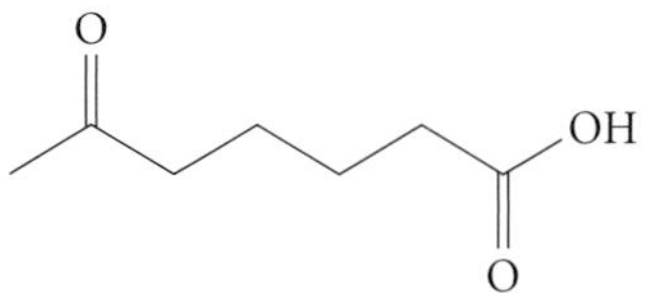

7.3.3.2 Ozonolyse

Les alcènes réagissent rapidement et quantitativement (rendements de 100 %) en présence d'ozone. Cette réaction porte le nom d'**ozonolyse**. Puisque l'ozone est un gaz, il est mis en contact, par barbotage, avec l'alcène en solution. Le solvant employé pour dissoudre l'alcène (p. ex.: CH_2Cl_2) doit être inerte pour ne pas réagir avec l'ozone. De plus, la solution est généralement refroidie afin d'accroître la solubilité de l'ozone dans le solvant.

Cette réaction se réalise en deux étapes. Il y a tout d'abord formation d'un **molozonide**, une espèce très instable à cause de la présence de deux liaisons O—O dans la structure cyclique à cinq membres. Le molozonide est créé à la suite d'une réaction de cycloaddition de la molécule d'ozone avec l'alcène. En raison de son instabilité, il subit un réarrangement qui mène à un second cycle à cinq atomes, plus stable, soit un **ozonide**. Ces produits, lorsqu'ils sont isolés, ont des propriétés explosives. Par conséquent, il faut procéder directement à la deuxième étape de la réaction en traitant l'ozonide avec un réducteur ou un oxydant. Le résultat net de la réaction d'ozonolyse est le bris de la liaison double de l'alcène et la formation de deux groupements carbonyles (C=O), un sur chaque carbone de la liaison double de l'alcène de départ.

Au cours de la deuxième étape de la réaction, si un agent réducteur est utilisé pour traiter l'ozonide, la réaction porte le nom d'**ozonolyse réductrice** (*voir la figure 7.34*). Les agents réducteurs fréquemment employés sont le zinc en milieu acide ou le sulfure de diméthyle. Au cours de cette ozonolyse, les fonctions cétones sont conservées. De plus, si une fonction aldéhyde est formée, elle n'est pas oxydée, contrairement à l'oxydation forte. Le zinc ou le soufre sont de bons trappeurs d'oxygène dans la seconde étape de la réaction, empêchant l'oxydation complète des aldéhydes.

Par contre, si un agent oxydant est employé pour traiter l'ozonide, il s'agit alors d'une **ozonolyse oxydante** (*voir la figure 7.34*). En général, le peroxyde d'hydrogène (H_2O_2) en milieu acide est l'oxydant utilisé. Les fonctions cétones formées demeurent intactes, tandis que les fonctions aldéhydes sont oxydées en fonctions acides carboxyliques. L'ozonolyse oxydante (1) O_3 et 2) H_2O_2, H_3O^+) forme les mêmes produits que l'oxydation forte des alcènes avec le $KMnO_4$ concentré ou le $K_2Cr_2O_7$ concentré. Seules les conditions réactionnelles diffèrent. Dans les deux cas, il s'agit d'une oxydation complète, contrairement à l'oxydation douce ou à l'ozonolyse réductrice.

Figure 7.34
Réactions globales des ozonolyses réductrice (1) O_3 et 2) Zn, H_3O^+ ou CH_3SCH_3) et oxydante (1) O_3 et 2) H_2O_2, H_3O^+) des alcènes

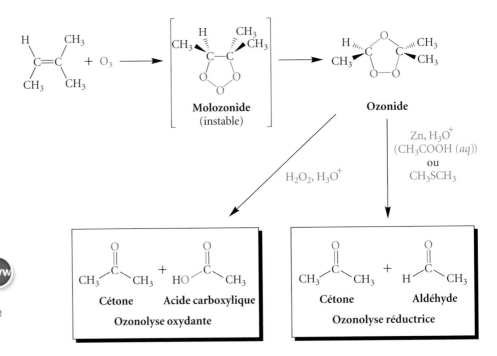

cheneliere.ca/chimieorganique **www**

› Mécanisme de la formation de l'ozonide au cours de l'ozonolyse des alcènes

REMARQUE

Si les produits finaux sont le résultat d'une ozonolyse oxydante ou d'une oxydation forte, les fonctions acides carboxyliques doivent être converties en fonctions aldéhydes avant de combiner les groupements carbonyles des fragments pour obtenir la molécule de départ (le substrat).

Puisque l'oxydation forte et l'ozonolyse créent des carbones sp^2 dans les produits finaux et ne conduisent donc jamais à la formation d'un carbone stéréogénique, il n'y a pas à se soucier de la stéréosélectivité dans ce type de réaction.

Les réactions d'ozonolyse peuvent s'avérer utiles pour déterminer la position d'une liaison double dans un composé inconnu ainsi que la nature des substituants de la fonction alcène. En effet, en analysant[12] les fragments obtenus à la suite du clivage d'un composé par ozonolyse, il est possible de reconstituer la structure initiale du composé à l'étude. Pour ce faire, il suffit de superposer les groupements carbonyles et de les transformer ensuite en une fonction alcène.

La figure 7.35 présente les réactions d'ozonolyse réductrice de deux isomères de position ayant comme formule moléculaire C_5H_{10}. Dans le premier exemple, deux produits finaux sont obtenus, soit le formaldéhyde et le cyclobutanone, alors que dans le deuxième exemple, un seul produit est observé, soit le pentanedial. Dans ce dernier cas, la seule molécule formée révèle que la liaison double se situe à l'intérieur du cycle.

Figure 7.35
Produits résultant de la réaction d'ozonolyse réductrice de deux isomères de position du C_5H_{10}

Exemple 1

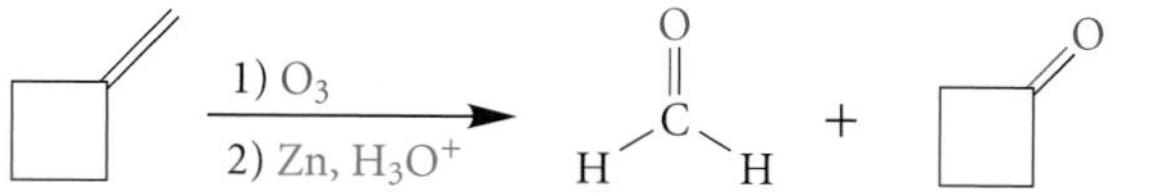

méthylidènecyclobutane   formaldéhyde   cyclobutanone

Exemple 2

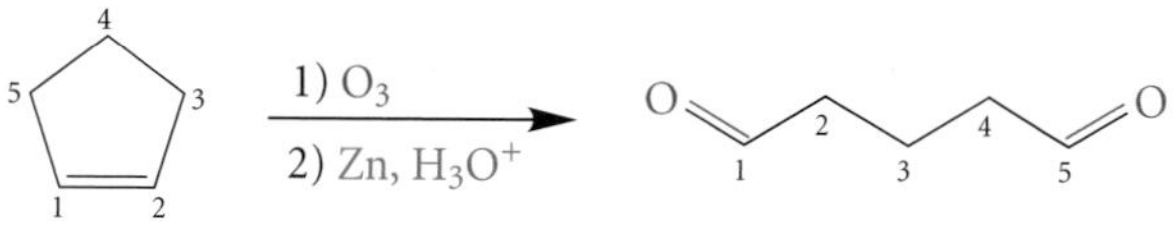

cyclopentène   pentanedial

Exemple 7.2

L'ozonolyse d'un alcène produit uniquement de l'acétone. Déterminez la structure de l'alcène.

$$(CH_3)_2C=O$$

acétone

Solution

Puisque l'ozonolyse clive un alcène pour donner deux groupements carbonyles (deux molécules d'acétone, dans cet exemple précis), il devient aisé de déduire le substrat en fusionnant les deux groupements carbonyles des produits finaux et en les convertissant en une liaison double. La structure de l'alcène est donc :

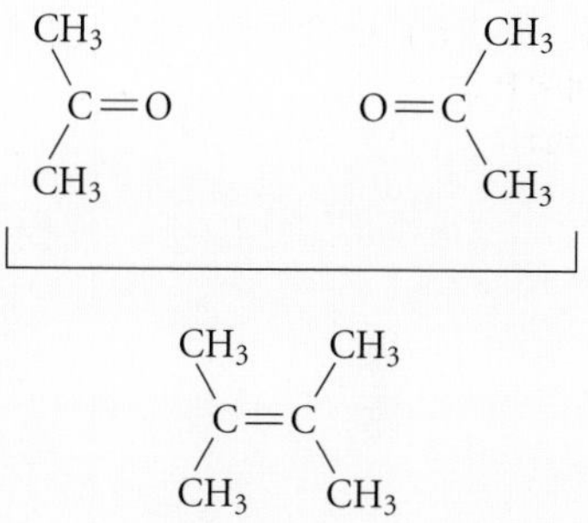

Exercice 7.28 Complétez les réactions suivantes en écrivant la structure des produits organiques en deux dimensions.

a) $CH_2\!=\!C(CH_3)_2$ $\xrightarrow[\text{2) Zn, H}_3\text{O}^+]{\text{1) O}_3}$

b)  $\xrightarrow[\text{2) H}_2\text{O}_2\text{, H}_3\text{O}^+]{\text{1) O}_3}$

c) 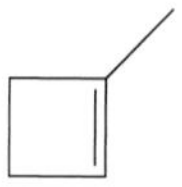 $\xrightarrow[\text{2) CH}_3\text{SCH}_3]{\text{1) O}_3}$

d) 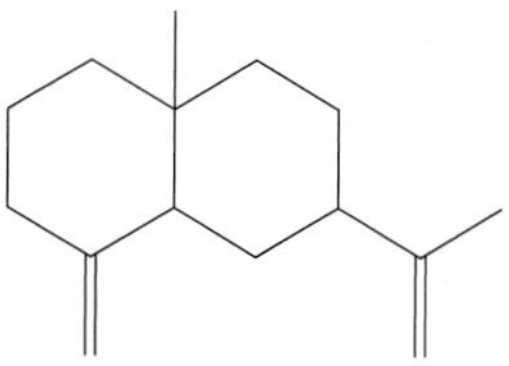 $\xrightarrow[\text{2) H}_2\text{O}_2\text{, H}_3\text{O}^+]{\text{1) O}_3\,(\text{excès})}$

β-sélinène (huile de céleri)

La fausse-arpenteuse du chou est un insecte ravageur affectant la culture des crucifères.

Exercice 7.29 Au stade adulte, la fausse-arpenteuse du chou, un papillon nocturne présent entre autres au Canada, fait des ravages importants à la culture des crucifères. Les larves provenant des œufs de la femelle se nourrissent du feuillage des plants de chou, créant ainsi des dommages considérables. La structure suivante représente la phéromone sexuelle de la fausse-arpenteuse du chou.

À partir de la structure de cette phéromone, illustrez les produits organiques obtenus en deux dimensions au cours des divers processus d'oxydation suivants.

a) Oxydation douce par le permanganate de potassium dilué.

b) Oxydation forte par le permanganate de potassium concentré.

c) Ozonolyse réductrice.

d) Ozonolyse oxydante.

Exercice 7.30 Complétez les réactions suivantes en écrivant la structure du substrat en deux dimensions.

a) ? $\xrightarrow[\text{2) H}_2\text{O}_2,\ \text{H}_3\text{O}^+]{\text{1) O}_3}$ $CH_3-CH-C-OH$ + $CH_3-CH_2-C-CH_2-CH_3$

b) ? $\xrightarrow[\text{2) Zn, H}_3\text{O}^+]{\text{1) O}_3}$ $CH_3-CH-CH$ + $CH_3-CH_2-C-CH_2-CH_3$

c) ? $\xrightarrow[\text{2) H}_2\text{O}_2,\ \text{H}_3\text{O}^+]{\text{1) O}_3}$ 2 $\quad$ HO–C(=O)–...–C(=O)–OH

d) ? $\xrightarrow[\text{2) CH}_3\text{SCH}_3]{\text{1) O}_3}$

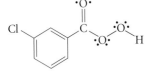

acide *méta*-chloroperoxybenzoïque (acide *méta*-chloroperbenzoïque ou MCPBA)

Pour ce peracide, le groupement R de la figure 7.36 est un benzène portant un atome de chlore en position *méta*.

Figure 7.36
Réaction globale d'une époxydation de l'éthène

7.3.3.3 Formation d'oxiranes

Les **oxiranes** (ou **époxydes**) sont des éthers cycliques de trois atomes dont l'un d'eux est un oxygène. Leur formation peut se faire par la réaction d'oxydation d'un alcène avec un peracide, c'est-à-dire par une réaction d'**époxydation**. Les **peracides** (R—C(O)OOH) tirent leur nom de la présence dans leur structure des groupements fonctionnels peroxyde et acide carboxylique combinés. Le peracide le plus souvent utilisé est l'acide *méta*-chloroperoxybenzoïque, ou MCPBA (de l'anglais «*meta*-chloro**per**benzoic **acid**»). La réaction globale d'une époxydation est présentée dans la figure 7.36.

Le mécanisme d'action des peracides sur les liaisons doubles des alcènes est un mécanisme concerté qui mène directement à la formation de l'oxirane (*voir la figure 7.37*).

éthène $\quad$ Peracide $\quad\longrightarrow\quad$ oxirane (époxyde) $\quad$ Acide carboxylique

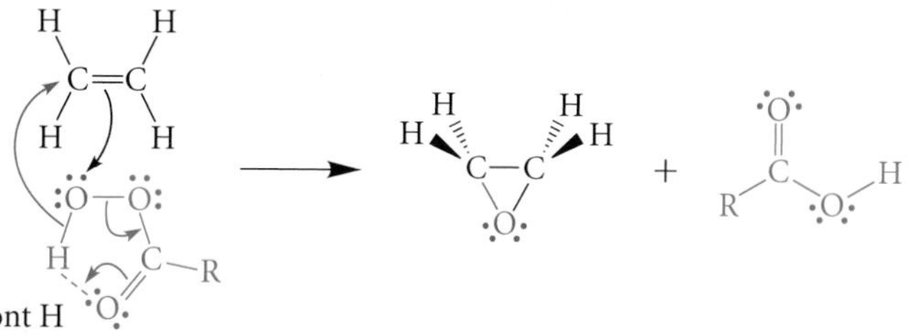

Figure 7.37
Mécanisme réactionnel de l'époxydation de l'éthène

Dans le chapitre 11 portant sur les éthers, quelques réactions à partir des oxiranes seront illustrées, notamment celle formant des diols *anti* (addition de deux fonctions alcools sur les faces opposées). Cette réaction est complémentaire à l'oxydation douce des alcènes avec le permanganate de potassium ($KMnO_4$) dilué menant à des diols *syn*.

ENRICHISSEMENT

Stéréosélectivité des réactions d'époxydation

La stéréosélectivité des réactions d'époxydation est similaire à celle de l'oxydation douce des alcènes. En effet, si un carbone stéréogénique est formé, il faut tenir compte du fait que le peroxyde peut attaquer la face du haut ou celle du bas de l'alcène (*voir la figure ci-dessous*).

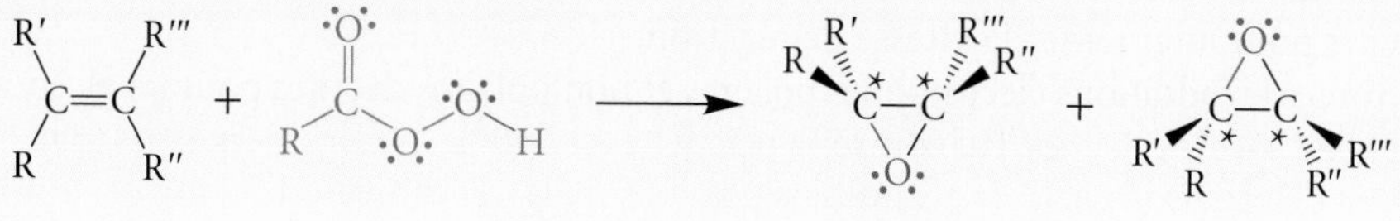

Mélange racémique de deux énantiomères (si aucun autre carbone stéréogénique n'est présent dans les chaînes R)

Exercice 7.31 Complétez les réactions suivantes en écrivant la structure des produits en deux dimensions.

a)

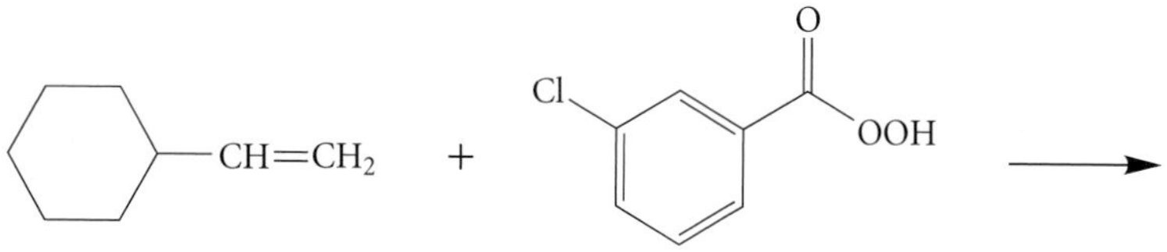

b)

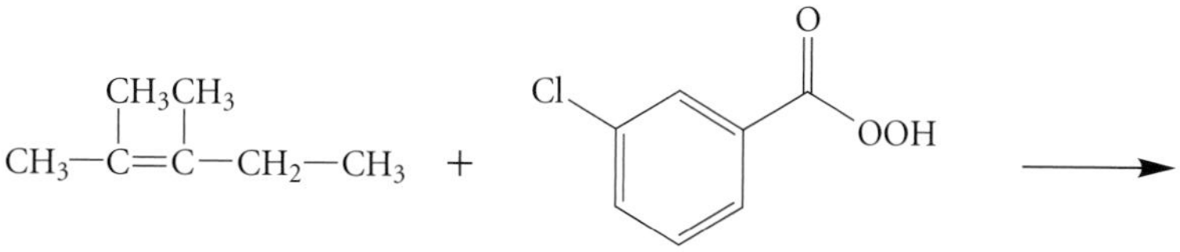

c) MCPBA

Exercice 7.32 **Enrichissement** Pour la réaction suivante, illustrez tous les produits principaux possibles en trois dimensions.

a) (*Z*)-but-2-ène $\xrightarrow{\text{MCBPA}}$

b) (*E*)-but-2-ène $\xrightarrow{\text{MCBPA}}$

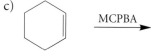

7.3.3.4 Combustion

Tout comme les alcanes, les alcènes sont des hydrocarbures pouvant être employés en tant que combustibles dans la réaction de **combustion**. La figure 7.38 illustre la combustion complète de l'éthène.

Figure 7.38
Combustion complète d'un alcène, soit celle de l'éthène

$$C_2H_4 \ + \ 3\,O_2 \ \xrightarrow{\ \Delta\ } \ 2\,CO_2 \ + \ 2\,H_2O$$

7.4 Réactions des alcynes

7.4.1 Réactions d'addition électrophile des alcynes

Sachant que les liaisons π sont des nucléophiles et qu'elles peuvent réagir avec des électrophiles, les réactions d'addition électrophile s'appliquent tout aussi bien aux alcynes qu'aux alcènes. Cependant, les réactions à partir d'alcynes se réalisent, dans la majorité des cas, plus lentement que celles avec des alcènes. Cela s'explique par le fait que la longueur de la liaison triple carbone-carbone (121 pm) est sensiblement plus courte que celle des liaisons doubles (134 pm) (*voir la section 7.2, p. 281*). Par conséquent, la liaison triple des alcynes est plus forte que celle des alcènes, ce qui la rend moins réactive. Ainsi, certaines réactions d'addition électrophile des alcynes demandent l'utilisation de catalyseurs pour augmenter la vitesse de réaction.

Toutes les additions électrophiles polaires et non polaires décrites pour les alcènes sont possibles avec les alcynes. Par contre, la réactivité est double avec les alcynes, puisqu'ils possèdent deux liaisons π. Il est néanmoins possible, mais très difficile, de contrôler le nombre d'**équivalents molaires** de réactif afin de ne faire réagir qu'une seule liaison π. Dans certains cas, une seule liaison π peut ainsi réagir avec un réactif donné en ajoutant un seul équivalent molaire, puis la seconde liaison π peut être mise en présence d'un autre réactif.

> **REMARQUE**
>
> Un **équivalent molaire** représente une quantité équimolaire (même nombre de moles) du réactif par rapport au substrat impliqué dans la réaction.

7.4.1.1 Addition d'halogénures d'hydrogène (H—X) et halogénation (X₂)

La figure 7.39 illustre des exemples d'addition double sur les alcynes en utilisant les réactions d'**hydrohalogénation** (addition d'halogénures d'hydrogène), d'**hydrobromation radicalaire** et d'**halogénation** (addition d'halogènes). La règle de Markovnikov s'applique également pour les réactions d'addition électrophile sur les alcynes.

Figure 7.39
Réactions globales d'addition double sur les alcynes

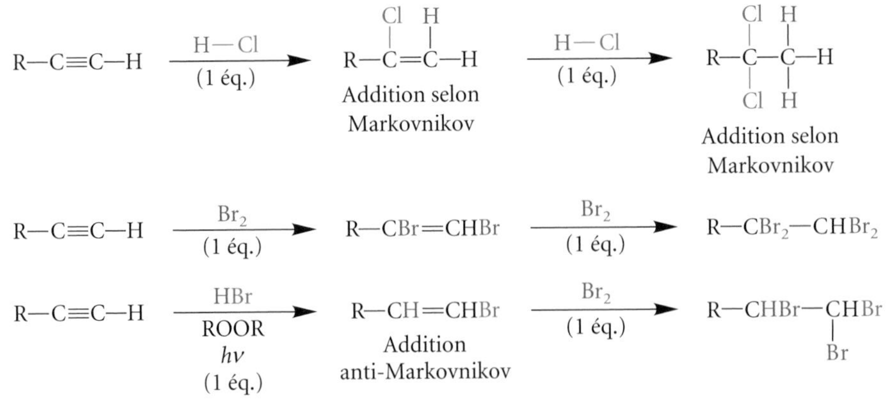

Les études expérimentales semblent démontrer que les mécanismes réactionnels des additions d'halogénures d'hydrogène (avec ou sans peroxyde) sur les alcynes sont identiques à ceux impliquant les alcènes (*voir les sections 7.3.1.1 A, p. 284, 7.3.1.1 B, p. 286 et 7.3.1.1 E, p. 296*). L'addition double d'halogénures d'hydrogène sur un alcyne mène systématiquement à la formation d'un produit dans lequel les deux hydrogènes des molécules de H—X se trouvent sur le même carbone.

La figure 7.40 présente le mécanisme réactionnel de la réaction d'addition double d'halogénures d'hydrogène (H—X) sur les alcynes. La première étape consiste en une addition favorisant la formation du carbocation le plus substitué, c'est-à-dire le plus stable, ce qui conduit au produit majoritaire selon la règle de Markovnikov. La seconde addition, quant à elle, favorise le carbocation stabilisé par la résonance des doublets d'électrons libres de l'halogène déjà lié.

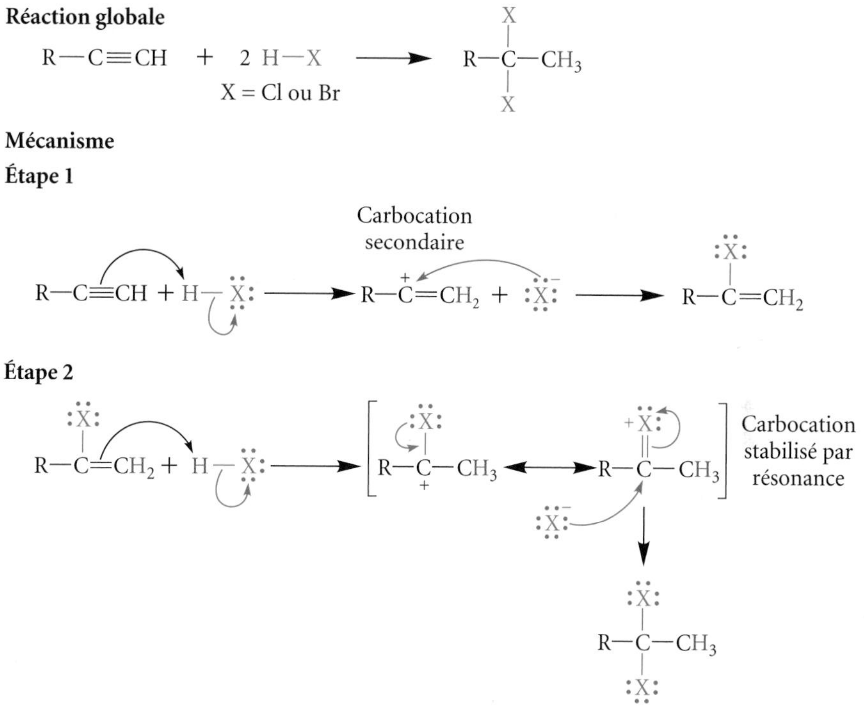

Figure 7.40

Réaction globale et mécanisme réactionnel de la réaction d'addition double d'halogénures d'hydrogène sur les alcynes

Réaction globale

Mécanisme
Étape 1

Étape 2

Enfin, au cours de l'halogénation des alcynes, le mécanisme est également identique en tous points à celui de l'halogénation des alcènes (*voir la section 7.3.1.2 B, p. 303*). Il doit cependant être reproduit deux fois. Dans le cas particulier de la chloration, la première addition de Cl_2 sur la liaison triple passerait par la formation d'un carbocation classique au lieu de l'ion ponté chloronium.

Exercice 7.33 Complétez les réactions suivantes en écrivant la structure des produits en deux dimensions.

a) $CH_3—C≡C—CH_3$ $\xrightarrow[\text{(1 éq.)}]{\text{HCl}}$

b) 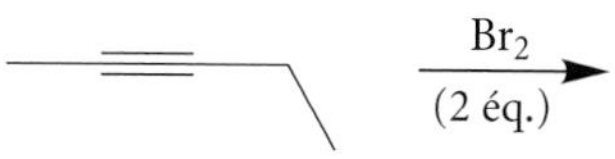 $\xrightarrow[\text{(2 éq.)}]{Br_2}$

c) hex-1-yne $\xrightarrow[\text{(1 éq.)}]{\text{HCl}}$? $\xrightarrow[\text{(1 éq.)}]{Cl_2}$?

Exercice 7.34 Écrivez l'équation globale ainsi que le mécanisme réactionnel correspondant pour la réaction d'addition de deux équivalents molaires de HBr sur l'oct-4-yne.

7.4.1.2 Hydratation et hydroboration-oxydation

Les réactions d'**hydratation** et d'**hydroboration-oxydation** sur les alcynes sont quelque peu différentes de celles sur les alcènes. Dans le cas de la réaction d'hydratation des alcynes, la première différence consiste à utiliser un catalyseur, le sulfate mercurique ($HgSO_4$) en plus de la quantité catalytique d'acide sulfurique (H_2SO_4) pour activer la réaction. Le rôle de l'ion mercure (II) est de créer un complexe avec les liaisons π de l'alcyne pour les activer et ainsi faciliter la réaction. De plus, bien que les mécanismes respectifs des réactions d'hydratation et d'hydroboration-oxydation des alcynes soient identiques à ceux des alcènes, les produits finaux obtenus au cours de la première addition électrophile sont tout à fait différents. En effet, dans le cas des alcynes, les alcools obtenus à la suite de la première addition électrophile portent le nom d'**énols** (mot formé de « én- » pour « alcène » et de « -ol » pour « alcool », une fonction alcool sur un atome de carbone d'une liaison double C=C). Les énols subissent un réarrangement, appelé plus particulièrement une **tautomérie**, qui les transforme en des fonctions plus stables, à savoir des cétones ou des aldéhydes. Ce réarrangement porte également le nom d'**équilibre céto-énolique** ou **équilibre aldo-énolique** (*voir la figure 7.41*). Aucune seconde addition électrophile sur la liaison double n'est alors possible.

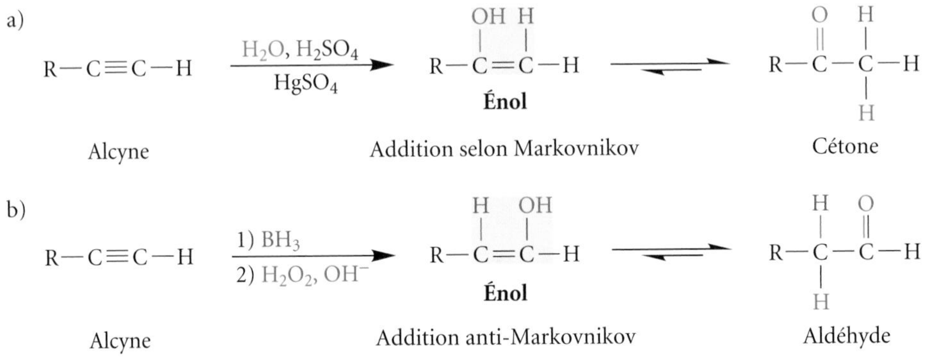

Figure 7.41
Tautomérie observée au cours de réactions – a) D'hydratation des alcynes ; b) D'hydroboration-oxydation des alcynes

Exercice 7.35 Déterminez les conditions réactionnelles ou les produits finaux obtenus à la suite des réactions chimiques suivantes.

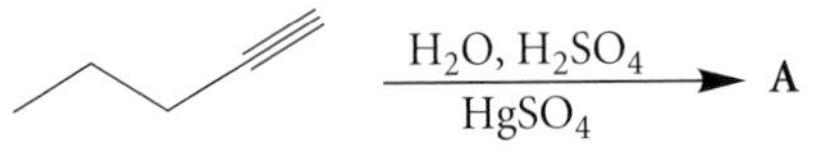

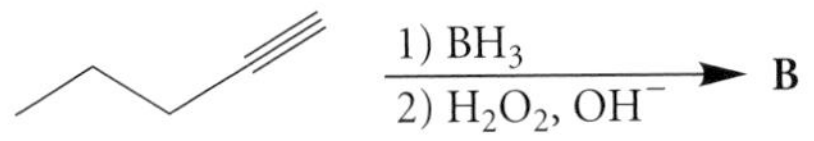

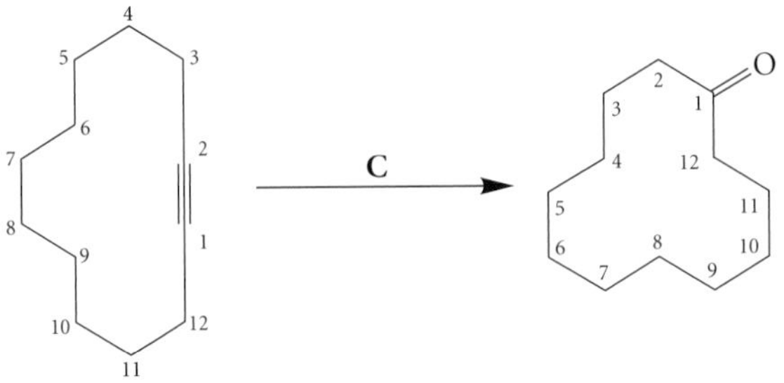

7.4.1.3 Réductions menant à la formation d'alcanes et d'alcènes (*cis* et *trans*)

La réaction d'**hydrogénation catalytique** permet de transformer les alcynes en alcanes par l'addition d'hydrogènes. Il s'agit d'une réaction de réduction complète (gain en hydrogènes). Ce type de réaction nécessite un catalyseur, le même que pour l'hydrogénation catalytique des alcènes, soit du nickel, du platine ou du palladium sur charbon (*voir la figure 7.42 a*).

Les alcynes peuvent également subir une hydrogénation catalytique partielle (réduction incomplète) à l'aide d'un catalyseur de palladium particulier, le **catalyseur de Lindlar**. Ce catalyseur est formé de palladium déposé sur du carbonate de calcium ($CaCO_3$) et désactivé avec de l'acétate de plomb (($CH_3COO)_2Pb$). Cette réaction permet de limiter la réduction d'une seule liaison π et d'obtenir ainsi un alcène à partir d'un alcyne. Puisque le mécanisme réactionnel de l'hydrogénation catalytique des alcynes est le même que celui des alcènes (*voir la figure 7.21, p. 299*), les deux atomes d'hydrogène réagissant avec la liaison triple s'additionnent du même côté selon une **addition *syn*** (*voir la figure 7.42 b*).

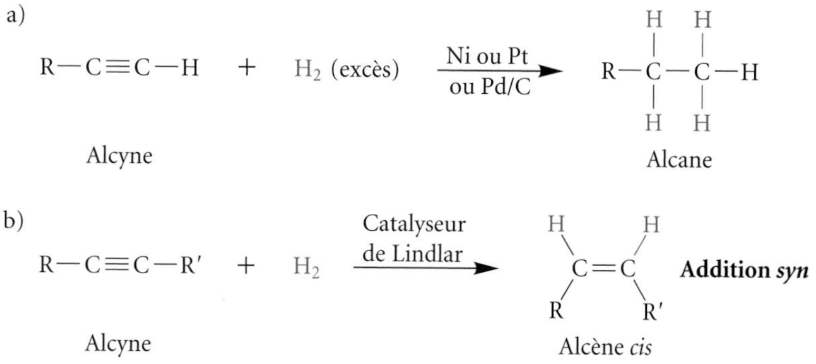

Figure 7.42
a) Réaction globale d'hydrogénation catalytique des alcynes ; b) Réaction globale d'hydrogénation catalytique des alcynes avec le catalyseur de Lindlar

Pour obtenir un alcène *trans* à partir d'un alcyne, une autre réaction de réduction contrôlée doit être utilisée, soit celle passant par une **addition *anti*** et employant le sodium métallique (Na (*s*)) dans l'ammoniac liquide (NH_3 (*l*)) (*voir la figure 7.43*). Le mécanisme réactionnel de cette réduction est un mécanisme radicalaire. Le sodium métallique, un métal alcalin et un excellent réducteur, donne un seul électron à l'alcyne, ce qui conduit à la formation d'un carbanion et d'un carbone radicalaire qui s'oriente, en position *trans*, de façon à minimiser la répulsion stérique. L'ammoniac liquide, quant à lui, agit à titre de solvant et de donneur d'hydrogène.

cheneliere.ca/chimieorganique www
> Mécanisme de la réduction des alcynes avec le Na (*s*) dans l'ammoniac liquide (NH_3 (*l*))

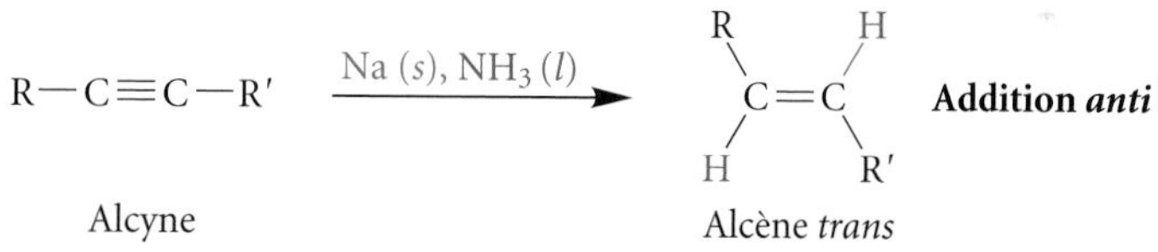

Figure 7.43
Réaction globale de la réduction des alcynes avec le Na (*s*) dans l'ammoniac liquide (NH_3 (*l*))

Exercice 7.36 Déterminez les structures des produits A, B et C à la suite des réactions de réduction suivantes. Attention à la géométrie de la liaison double !

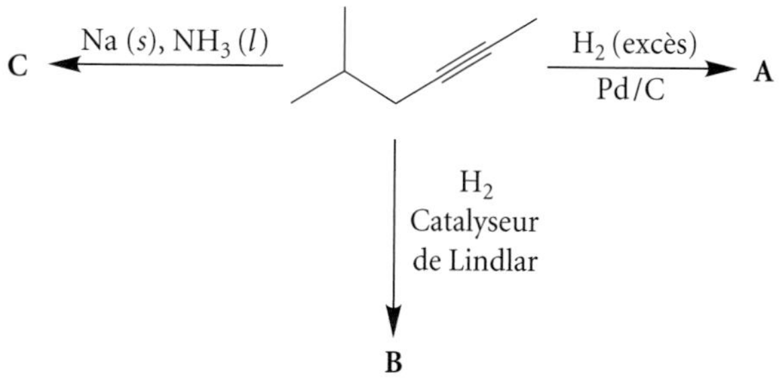

7.4.2 Oxydation

Tout comme les alcènes, les alcynes peuvent être oxydés selon des réactions d'oxydation forte et d'ozonolyse. Ils peuvent également subir une réaction de combustion.

7.4.2.1 Oxydation forte et ozonolyse

Le permanganate de potassium concentré en milieu acide ($KMnO_4$, H_3O^+), permettant d'effectuer une réaction d'**oxydation forte**, rompt la liaison triple, ce qui mène à des composés renfermant des fonctions acides carboxyliques uniquement; la fonction cétone est impossible à produire. Contrairement à l'oxydation forte des alcènes, le $K_2Cr_2O_7$ ne peut être employé, car il est un oxydant moins fort que le $KMnO_4$. L'**ozonolyse** des alcynes mène également à la synthèse de fonctions acides carboxyliques (*voir la figure 7.44*). Toutefois, comparativement à l'ozonolyse des alcènes, l'ozonide n'est traité qu'avec de l'eau.

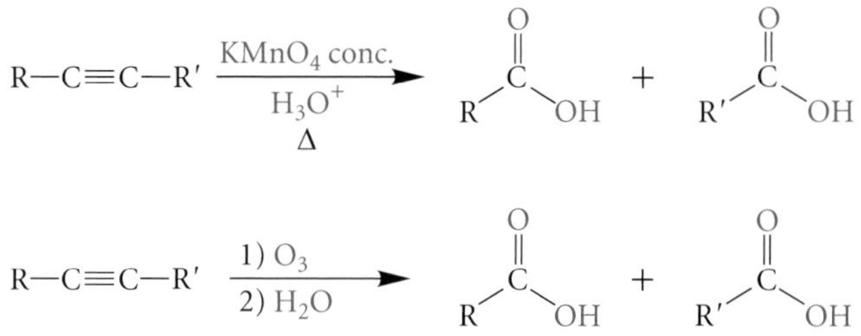

Figure 7.44
Réactions d'oxydation
des alcynes

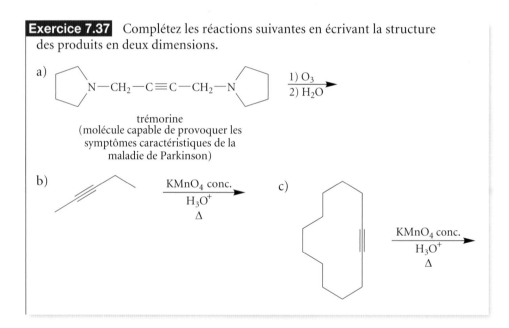

Exercice 7.37 Complétez les réactions suivantes en écrivant la structure des produits en deux dimensions.

a)

trémorine
(molécule capable de provoquer les
symptômes caractéristiques de la
maladie de Parkinson)

b)

c)

7.4.2.2 Combustion

Les alcynes subissent la réaction de **combustion** au même titre que les alcanes et les alcènes (*voir la figure 7.45*).

Figure 7.45
Combustion complète d'un
alcyne, soit celle de l'éthyne

$$2\,C_2H_2 \;+\; 5\,O_2 \;\xrightarrow{\;\Delta\;}\; 4\,CO_2 \;+\; 2\,H_2O$$

7.4.3 Acidité des alcynes et élongation de la chaîne de carbones

7.4.3.1 Formation des sels d'alcynes

Les hydrogènes liés aux carbones des liaisons triples ont un faible caractère acide (p. ex.: le pK_a de l'éthyne est de 26). Même si ces hydrogènes sont des acides très faibles comparativement à ceux des fonctions acides carboxyliques (p. ex.: le pK_a de l'acide acétique est de 4,74), ils peuvent être arrachés par une base très forte telle que l'amidure de sodium (NaNH$_2$). L'hydroxyde de sodium (NaOH), quant à lui, n'est pas une base assez forte pour réagir dans ces cas. Le produit de réaction est un **sel d'alcyne** ou **acétylure métallique** (*voir la figure 7.46*). Les alcynes subissant cette réaction doivent être des **alcynes terminaux**. Les alcynes internes (R—C≡C—R) ne peuvent pas réagir avec l'amidure de sodium et former des sels d'alcynes, car il y a absence d'hydrogènes terminaux.

Figure 7.46
Formation d'un sel d'alcyne à partir des alcynes terminaux

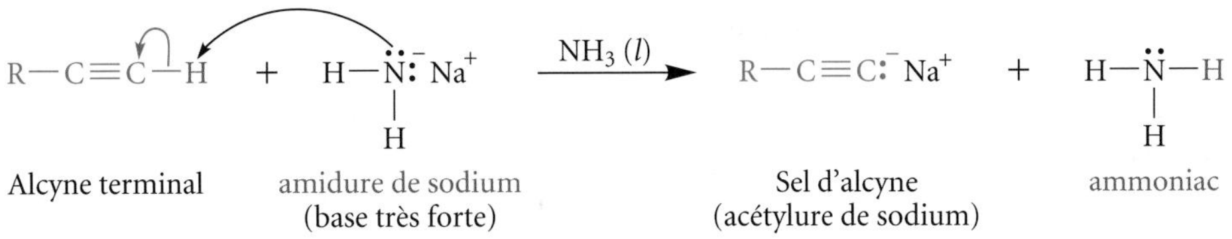

Alcyne terminal   amidure de sodium   Sel d'alcyne   ammoniac
(base très forte)   (acétylure de sodium)

Alcane	Alcène	Alcyne
C sp^3	C sp^2	C sp
(25%	(33%	(50%
de s)	de s)	de s)

→

Augmentation du caractère s
Augmentation de l'acidité

Le caractère acide des hydrogènes des alcanes et des alcènes est trop faible (p. ex.: le pK_a de l'éthane est de 51 et celui de l'éthène est de 44) comparativement à celui des alcynes terminaux pour qu'une réaction soit possible avec l'amidure de sodium. Cela s'explique par l'hybridation de l'atome de carbone dans les différentes liaisons C—H des alcanes, des alcènes et des alcynes. Plus le caractère s du carbone hybridé augmente, plus l'acidité de l'hydrogène lié à ce carbone est élevée. Les électrons d'une liaison C—H dont le carbone possède un plus grand caractère s sont très rapprochés du noyau de cet atome, ce qui augmente la charge partielle positive de l'hydrogène, et donc son acidité. Dans le cas des alcynes, le carbone de la liaison triple est hybridé sp et il possède alors 50 % de caractère s et 50 % de caractère p. Il s'agit du carbone avec le caractère s le plus élevé. En effet, les alcènes sont formés d'atomes de carbone hybridés sp^2 ayant 33 % de caractère s et 67 % de caractère p, tandis que les atomes de carbone des alcanes sont hybridés sp^3 et ont donc 25 % de caractère s et 75 % de caractère p.

Exercice 7.38 Complétez les réactions suivantes en écrivant, s'il y a lieu, la structure des produits en deux dimensions.

a) CH$_3$—CH$_2$—CH$_2$—CH$_2$—C≡CH $\xrightarrow[\text{NH}_3\,(l)]{\text{NaNH}_2}$

b) hept-2-yne $\xrightarrow[\text{NH}_3\,(l)]{\text{NaNH}_2}$ c)

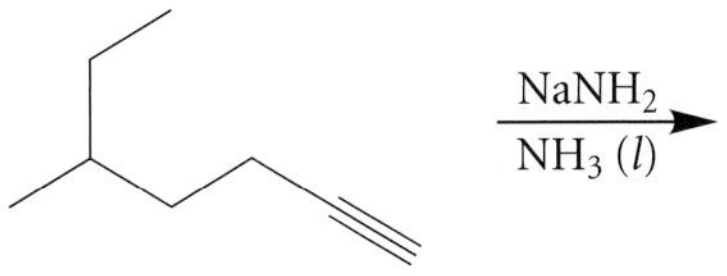

$\xrightarrow[\text{NH}_3\,(l)]{\text{NaNH}_2}$

Exercice 7.39 Écrivez l'équation globale ainsi que le mécanisme réactionnel correspondant pour la réaction du but-1-yne avec l'amidure de sodium dans l'ammoniac liquide.

Au cours de la formation d'un sel d'alcyne, il faut toujours travailler dans des conditions rigoureusement anhydres, car même si les alcynes possèdent un certain caractère acide (pK_a de 26 dans le cas de l'éthyne), ils le sont considérablement moins que l'eau (pK_a de 16). Ainsi, la seule présence d'humidité transforme le sel d'alcyne en alcyne et en hydroxyde de sodium (*voir la figure 7.47*).

Figure 7.47
Hydrolyse d'un sel d'alcyne

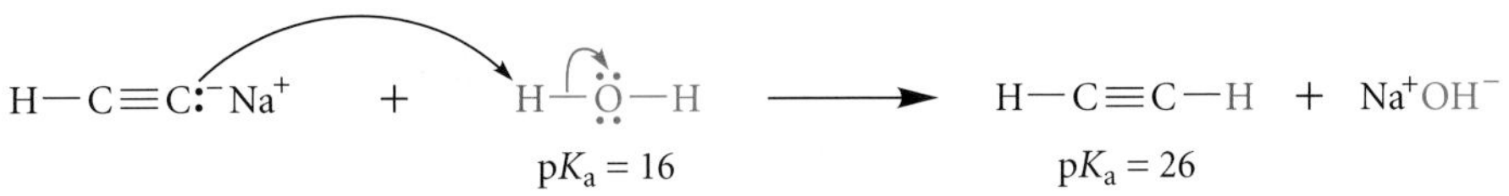

pK_a = 16   pK_a = 26

7.4.3.2 Élongation de la chaîne de carbones

Une fois l'alcyne déprotoné, le sel d'alcyne résultant est un nucléophile fort pouvant servir, en synthèse organique, à une **élongation de la chaîne** de carbones. La chaîne de carbones d'un alcyne peut donc être allongée en réagissant, entre autres, avec des composés halogénés, des oxiranes (époxydes) et des groupements carbonyles des fonctions aldéhyde et cétone (*voir la figure 7.48*).

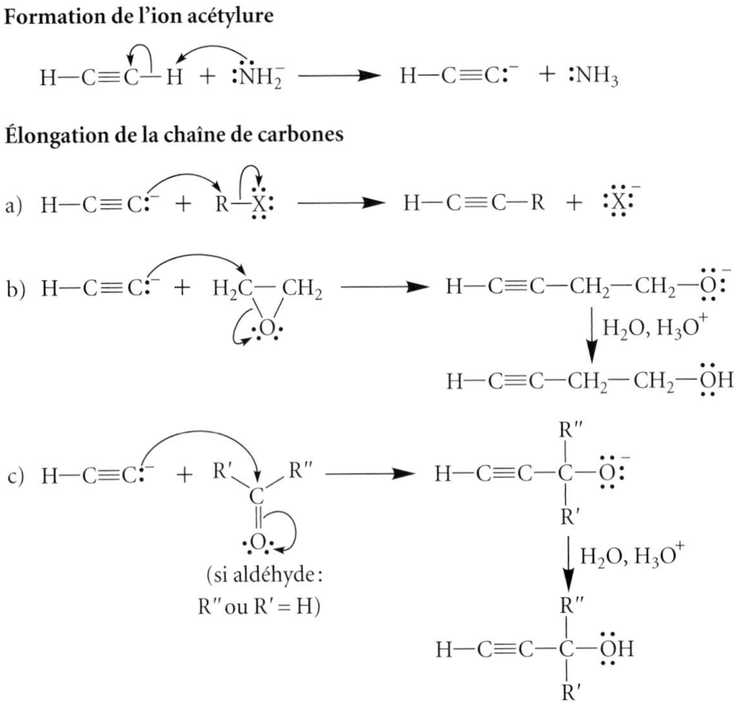

Figure 7.48
Formation de l'ion acétylure et élongation de la chaîne de carbones – a) Avec un composé halogéné ; b) Avec un oxirane (époxyde) ; c) Avec un aldéhyde ou une cétone

Formation de l'ion acétylure

Élongation de la chaîne de carbones

> **REMARQUE**
>
> Très souvent en chimie organique, les ions spectateurs tels que l'ion sodium (Na^+) ne sont pas écrits afin d'alléger la présentation. De plus, les produits inorganiques tels que l'ammoniac (NH_3) sont rarement inscrits.

En présence de l'éthyne (ou acétylène), il est possible d'allonger la chaîne de carbones de chaque côté de la liaison triple en raison des deux hydrogènes terminaux (*voir la figure 7.49*).

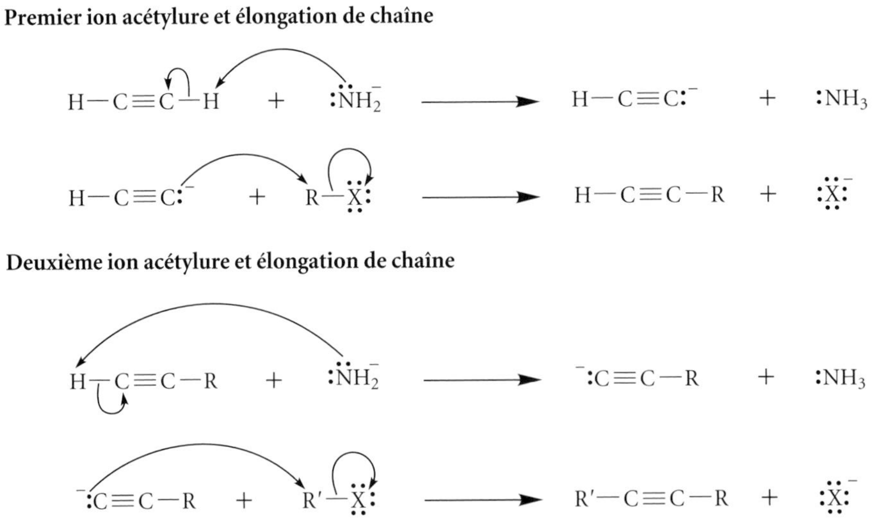

Figure 7.49
Élongation de la chaîne de carbones de chaque côté de la liaison triple de l'éthyne

Premier ion acétylure et élongation de chaîne

Deuxième ion acétylure et élongation de chaîne

7.5 Synthèse organique

Les connaissances acquises jusqu'à maintenant permettent de réaliser des synthèses organiques qui consistent à former des produits, en quelques étapes, à partir d'un substrat de départ. Ainsi, en ayant recours aux réactions étudiées, il est possible de planifier les différentes étapes nécessaires pour convertir un substrat donné en un produit final désiré.

Exemple 7.3

Déterminez une voie de synthèse permettant de réaliser la transformation suivante.

$$CH\equiv CH \xrightarrow{\ ?\ } CH_3-\underset{\underset{CH_3}{|}}{CH}-CH_2-\underset{\underset{OH}{|}}{CH}-CH_3$$

Solution

Cet exemple propose une méthode de résolution d'un exercice de synthèse. Il est à noter que ce type d'exercice peut avoir plusieurs possibilités de résolution.

1. Tout d'abord, il faut comparer le nombre de carbones du substrat et celui du produit à synthétiser. Dans cet exemple, le substrat contient deux carbones (éthyne), et le produit final en contient six. Il y a donc une élongation de chaîne à réaliser. Pour ce faire, il faut mettre à profit l'acidité de l'alcyne en présence d'une base forte comme l'amidure de sodium afin de générer le sel d'alcyne correspondant.

$$CH\equiv CH \xrightarrow[NH_3\,(l)]{NaNH_2} CH\equiv C\!:^- Na^+$$

2. Étant donné le caractère nucléophile du sel d'alcyne, il est ensuite possible de s'en servir en le faisant réagir avec un réactif électrophile tel qu'un composé halogéné. Il s'agit d'une réaction de substitution nucléophile qui sera détaillée dans le chapitre 9. Le choix du composé halogéné se fait selon le fragment de la chaîne de carbones manquant entre le substrat et le produit final (élongation de la chaîne).

$$CH\equiv C\!:^- Na^+ \xrightarrow{CH_3-\underset{\underset{CH_3}{|}}{CH}-CH_2-X} CH_3-\underset{\underset{CH_3}{|}}{CH}-CH_2-C\equiv CH$$

3. Il faut observer la transformation des groupements fonctionnels entre le substrat et le produit à synthétiser. À ce stade, il faut avoir en tête l'ensemble des réactions chimiques étudiées jusqu'à présent dans les chapitres 6 et 7.

Dans cet exemple, la fonction alcyne est transformée en alcool. Il y a donc une hydratation en milieu acide à faire, mais la fonction alcyne doit être au préalable hydrogénée en alcène. En effet, il faut se rappeler que l'hydratation directe d'un alcyne conduit à un énol, qui se transforme en une cétone par équilibre céto-énolique (tautomérie). Ceci constituerait une impasse dans le cadre de cette synthèse en n'utilisant que les réactions décrites jusqu'à maintenant dans les chapitres 6 et 7.

$$CH_3-\underset{\underset{CH_3}{|}}{CH}-CH_2-C\equiv CH \xrightarrow[\substack{Catalyseur \\ de\ Lindlar}]{H_2} CH_3-\underset{\underset{CH_3}{|}}{CH}-CH_2-CH=CH_2$$

Cette réaction permet l'hydrogénation partielle de l'alcyne en alcène.

$$\xrightarrow[H_2SO_4]{H_2O}$$

Il s'agit d'une réaction d'hydratation d'un alcène menant à la formation d'une fonction alcool. Le produit selon Markovnikov est obtenu.

$$CH_3-\underset{\underset{CH_3}{|}}{CH}-CH_2-\underset{\underset{OH}{|}}{CH}-CH_3$$

Produit final attendu

Exercice 7.40 Déterminez une voie de synthèse permettant d'obtenir les produits suivants à partir de l'éthyne et des réactifs de votre choix.

a) $CH_3-CH_2-CH_2-CH_2-CH_3$ b) $CH_3-CH_2-\underset{\underset{Cl}{|}}{CH}-CH_3$

c) $CH_3-\underset{\underset{OH}{|}}{CH}-CH_3$

7.6   Préparation des alcènes et des alcynes

Les tableaux 7.4 et 7.5 présentent un bref aperçu de la préparation des alcènes et des alcynes.

Tableau 7.4   **Préparation des alcènes**

Nom de la réaction	Réaction	Section dans laquelle sont abordées en détail ces notions
Hydrogénation catalytique partielle des alcynes (réduction contrôlée des alcynes et formation d'alcènes *cis*)	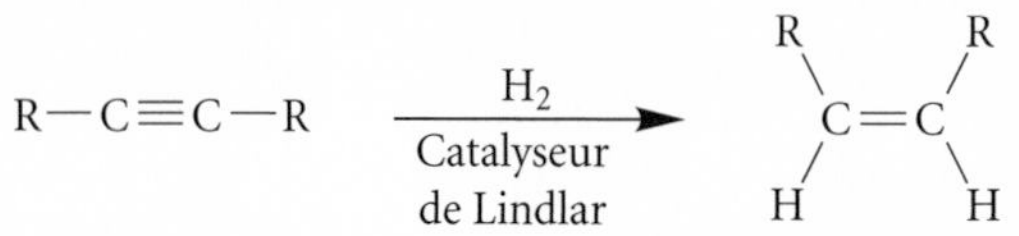 $R-C{\equiv}C-R \xrightarrow[\text{de Lindlar}]{\underset{\text{Catalyseur}}{H_2}}$ $\underset{H}{\overset{R}{\diagup}}C{=}C\underset{\diagdown H}{\overset{R}{\diagup}}$	Section 7.4.1.3 (*voir p. 324*)
Réduction contrôlée des alcynes avec le sodium métallique (formation d'alcènes *trans*)	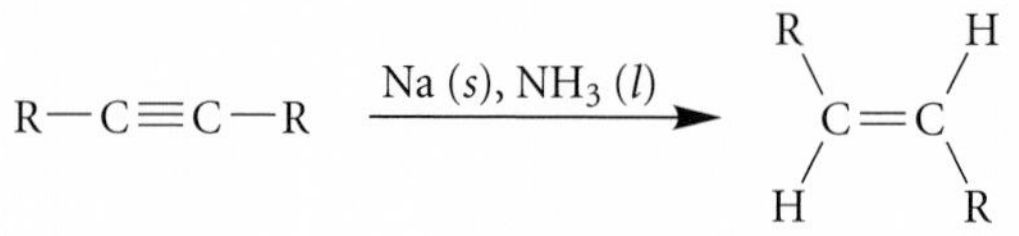 $R-C{\equiv}C-R \xrightarrow{Na\ (s),\ NH_3\ (l)}$ $\underset{H}{\overset{R}{\diagup}}C{=}C\underset{\diagdown R}{\overset{H}{\diagup}}$	Section 7.4.1.3 (*voir p. 324*)
Réactions d'élimination d'ordre 2 (E2) ou d'ordre 1 (E1)	$-\underset{\underset{H}{\overset{\displaystyle |}{}}}{\overset{\overset{\displaystyle A}{\overset{\displaystyle |}{}}}{C}}-\overset{\displaystyle |}{C}-\xrightarrow[\Delta]{\text{E1 ou E2}} \diagdown C{=}C\diagup$ La règle de Saytzev doit être respectée. 1. Si A est un halogène (Cl, Br ou I), il s'agit d'une déshydrohalogénation. Cette réaction implique une base (base forte pour une E2 et base modérée à faible pour une E1). 2. Si A est un alcool (OH), il s'agit d'une déshydratation. Cette réaction s'effectue en milieu acide (H_2SO_4).	1. Section 9.5 (*voir p. 405*) 2. Section 10.4.3 (*voir p. 457*)
Déshalogénation (couplage métallique avec le Zn)	$-\underset{\underset{X}{\overset{\displaystyle |}{}}}{\overset{\overset{\displaystyle X}{\overset{\displaystyle |}{}}}{C}}-\overset{\displaystyle |}{C}-\xrightarrow{Zn} \diagdown C{=}C\diagup + ZnX_2$	Section 9.7 (*voir p. 418*)

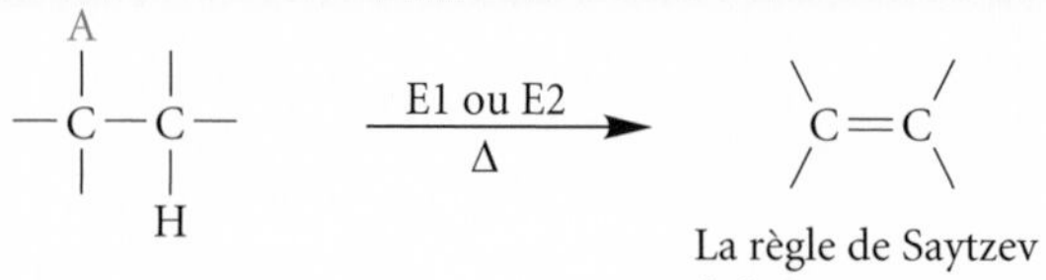

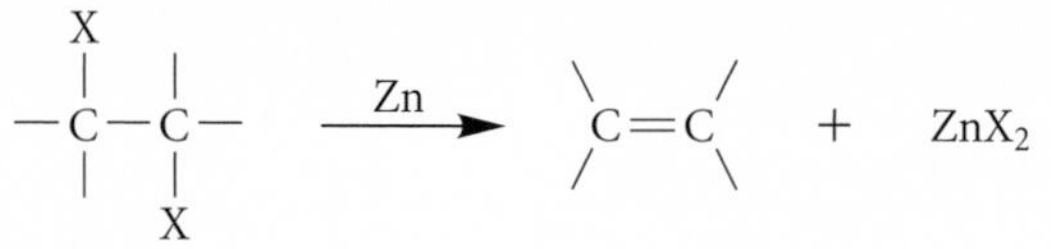

Tableau 7.5   Préparation des alcynes

Nom de la réaction	Réaction	Section dans laquelle sont abordées en détail ces notions
Déshydrohalogénation double (élimination double)	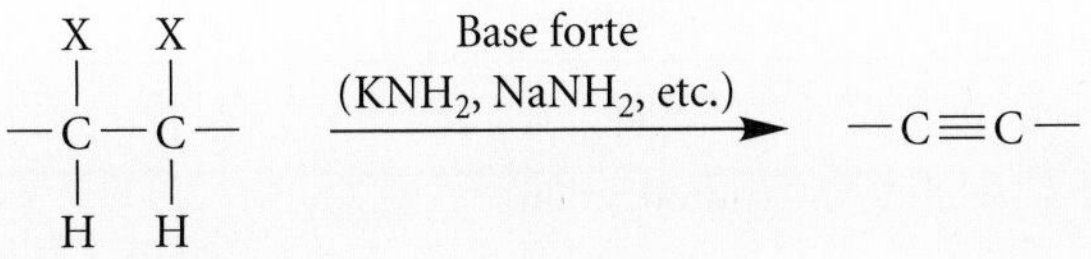 Composé halogéné vicinal 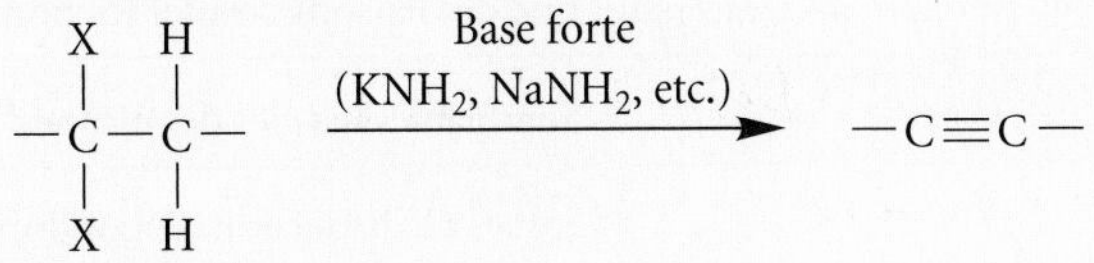 Composé halogéné géminal	Section 9.5.4 (*voir p. 414*)
Synthèse inorganique; procédé industriel à partir du coke et de la chaux	 	Cette réaction est présentée à titre informatif. Elle ne sera pas traitée en détail dans le cadre de cet ouvrage.

RÉSUMÉ

Principales caractéristiques des alcènes et des alcynes

	Alcènes	Alcynes
Formule moléculaire générale (composé acyclique)	C_nH_{2n} (introduction)	C_nH_{2n-2} (introduction)
Type de molécule	Apolaire ne renfermant que des liaisons covalentes non polaires C—C et C—H (section 7.1)	
Propriétés physiques	Semblables à celles des alcanes[a] (section 7.1)	
Attractions intermoléculaires	Forces de dispersion de London (section 7.1)	
Géométrie	Triangulaire plane (angle de liaison de 120°) (section 7.2)	Linéaire (angle de liaison de 180°) (section 7.2)
Longueur de liaison	simple > double > triple (section 7.2)	
Composition de la liaison multiple	Liaison double (C=C): un lien σ et un lien π (section 7.2)	Liaison triple (C≡C): un lien σ et deux liens π (section 7.2)
Particularités	Rotation bloquée en raison de la liaison π (à la température ambiante)	

a. Les isomères géométriques d'un même alcène peuvent avoir des propriétés physiques différentes.

Réactions des alcènes

Réactions d'addition électrophile

Soit la réaction générale suivante.

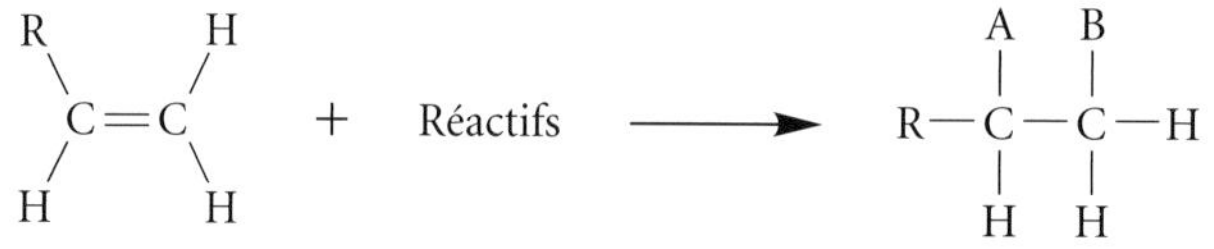

Type d'addition	Réactifs	Nom de la réaction	Particularité	—A	—B
Polaire	H—X (X = F, Cl, Br ou I)	Hydrohalogénation (section 7.3.1.1 A)	Produit Markovnikov	—X	—H
	H₂O, H₂SO₄	Hydratation (section 7.3.1.1 C)	Produit Markovnikov	—OH	—H
	1) BH₃ 2) H₂O₂, OH⁻	Hydroboration-oxydation (section 7.3.1.1 D)	Produit anti-Markovnikov	—H	—OH
	H—Br, ROOR, $h\nu$ ou Δ	Addition radicalaire d'halogénures d'hydrogène de type anti-Markovnikov (ou hydrobromation radicalaire) (section 7.3.1.1 E)	Produit anti-Markovnikov	—H	—Br
Non polaire	H₂, Pd/C (ou Pt ou Ni)	Hydrogénation catalytique (section 7.3.1.2 A)	Addition *syn*	—H	—H
	X₂ (X = Cl ou Br)	Halogénation (section 7.3.1.2 B)	Addition *anti*	—X	—X

Polymérisation radicalaire (section 7.3.2)

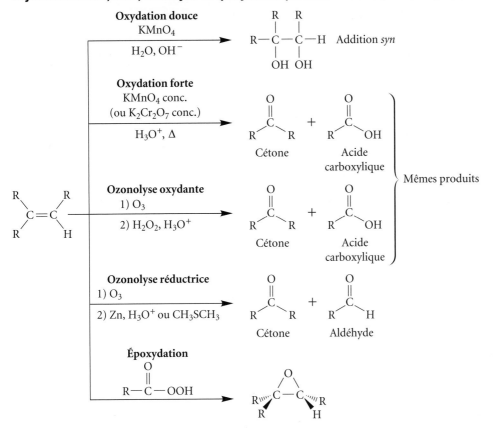

Oxydations douce, forte, ozonolyse et époxydation (sections 7.3.3.1 A, 7.3.3.1 B, 7.3.3.2 et 7.3.3.3)

Combustion complète (section 7.3.3.4)

$$C_nH_{2n} + \left(\frac{3n}{2}\right)O_2 \xrightarrow{\Delta} n\,CO_2 + n\,H_2O$$

Réactions des alcynes

Réactions d'addition électrophile (section 7.4.1.1)

Soit la réaction générale[a] suivante.

$$R-C\equiv C-H \; + \; \text{Réactifs} \longrightarrow R-\underset{\underset{A}{|}}{\overset{\overset{A}{|}}{C}}-\underset{\underset{B}{|}}{\overset{\overset{B}{|}}{C}}-H$$

Type d'addition	Réactifs	Nom de la réaction	Particularité	—A	—B
Polaire	H—X (excès)	Hydrohalogénation	Produit Markovnikov	—X	—H
	HBr (excès), ROOR, $h\nu$ ou Δ	Addition radicalaire d'halogénures d'hydrogène de type anti-Markovnikov (ou hydrobromation radicalaire)	Produit anti-Markovnikov	—H	—Br

Type d'addition	Réactifs	Nom de la réaction	Particularité	—A	—B
Non polaire	H₂ (excès), Pd/C (ou Pt ou Ni)	Hydrogénation catalytique	Addition double *syn*	—H	—H
	X₂ (excès) (X = Cl ou Br)	Halogénation	Addition double *anti*	—X	—X

a. L'addition partielle (limitée à un seul équivalent) de HX, de HBr de type anti-Markovnikov et de X₂ est possible, mais très difficile.

Hydratation et hydroboration-oxydation (section 7.4.1.2)

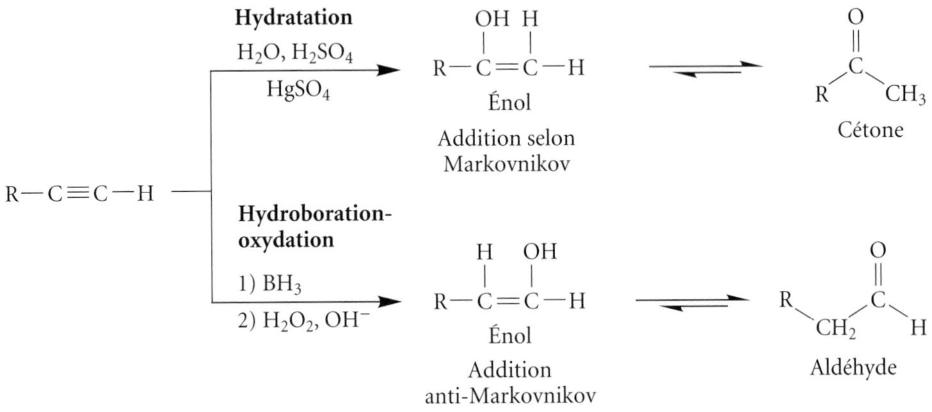

Réduction contrôlée (section 7.4.1.3)

- **Addition *syn* (hydrogénation catalytique partielle)**

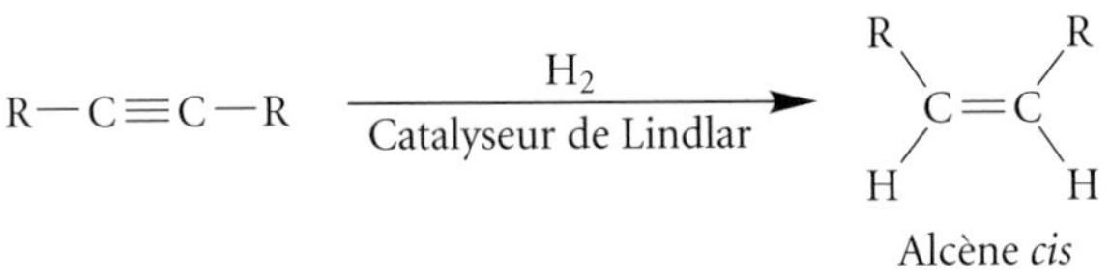

- **Addition *anti***

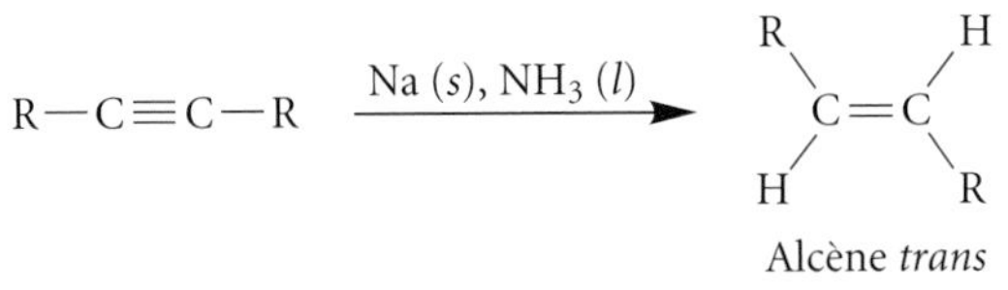

Oxydation forte et ozonolyse (section 7.4.2.1)

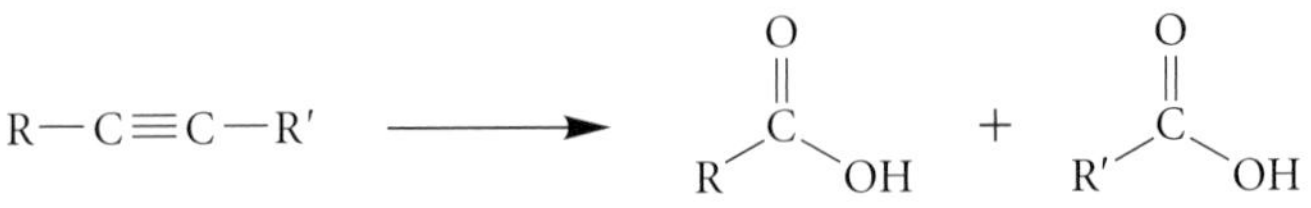

Réactifs possibles:
Ozonolyse: 1) O₃ et 2) H₂O
Oxydation: KMnO₄ conc., H₃O⁺, Δ

Acidité des alcynes et élongation de la chaîne de carbones (section 7.4.3)

- **Formation des sels d'alcynes (ou acétylures métalliques)**

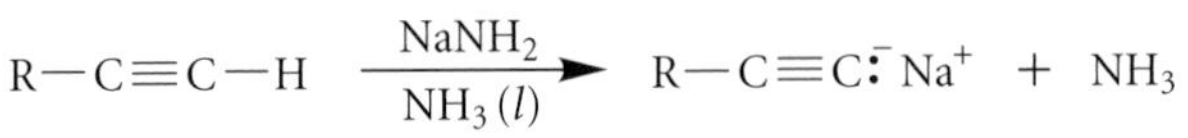

- **Élongation de la chaîne de carbones**

Ion acétylure	Réactifs	Produit organique
R—C≡C:⁻	R′—X	R—C≡C—R′
	1) $H_2C—CH_2$ (O) 2) H_2O, H_3O^+	R—C≡C—CH_2—CH_2—OH
	1) $R'-\overset{O}{\overset{\|}{C}}-R''$ 2) H_2O, H_3O^+	R—C≡C—$\overset{R'}{\underset{R''}{C}}$—OH

Combustion complète (section 7.4.2.2)

$$C_nH_{2n-2} \ + \ \left(\frac{3n-1}{2}\right)O_2 \ \xrightarrow{\Delta} \ n\,CO_2 \ + \ (n-1)\,H_2O$$

VÉRIFICATION DES CONNAISSANCES

Après l'étude de ce chapitre, je devrais être en mesure :

○ de définir la nature des groupements fonctionnels alcène et alcyne ainsi que les caractéristiques des liaisons C—C doubles et triples ;

○ d'expliquer la réactivité des groupements fonctionnels alcène et alcyne ;

○ de prévoir les produits obtenus et les conditions expérimentales nécessaires au cours des réactions suivantes sur les alcènes :
- addition H—X (Markovnikov et anti-Markovnikov), H_2O, BH_3, H_2, X_2,
- oxydations douce ($KMnO_4$ dilué) et forte ($KMnO_4$ concentré, H_3O^+, Δ),
- ozonolyses réductrice (1) O_3 et 2) Zn, H_3O^+) et oxydante (1) O_3 et 2) H_2O_2, H_3O^+),
- époxydation (RCOOOH),
- combustion (O_2) ;

○ de prévoir les produits d'une polymérisation radicalaire à partir de la nature du monomère utilisé et des conditions expérimentales ;

○ de prévoir les produits obtenus et les conditions expérimentales nécessaires au cours des réactions suivantes sur les alcynes :
- addition H—X (Markovnikov et anti-Markovnikov), H_2O, BH_3, H_2, X_2,
- oxydation ($KMnO_4$ concentré, H_3O^+, Δ),
- ozonolyse (1) O_3 et 2) H_2O),
- formation de sels d'alcynes ;

○ de prévoir l'arrangement spatial des produits obtenus à la suite des réactions d'addition *syn* (hydrogénation catalytique, oxydation douce) et *anti* (halogénation) sur les alcènes et les alcynes ;

○ de décrire les mécanismes réactionnels des réactions d'addition électrophile (H—X [Markovnikov et anti-Markovnikov], H_2O, BH_3, H_2, X_2) sur les alcènes et les alcynes ainsi que le mécanisme partiel de l'oxydation douce sur les alcènes, le mécanisme réactionnel de l'époxydation des alcènes et le mécanisme réactionnel de la formation de sels d'alcynes ;

○ d'appliquer la règle de Markovnikov afin de prévoir les produits organiques majoritaires formés au cours des réactions d'addition électrophile de réactifs polaires de type A—B (où A ≠ B) sur des alcènes et des alcynes dissymétriques ;

○ de déterminer la structure d'un alcène et d'un alcyne à l'aide de leurs propriétés physiques et chimiques caractéristiques ;

○ de concevoir (séquence des étapes et conditions réactionnelles de chacune) la synthèse d'un composé en utilisant notamment les réactions des alcènes et des alcynes ;

Enrichissement

○ de prévoir l'arrangement spatial des produits obtenus, au cours de la formation d'un carbone stéréogénique, à la suite des réactions sur les alcènes et les alcynes :
- d'addition H—X (Markovnikov et anti-Markovnikov), H_2O, BH_3, H_2, X_2,
- d'oxydation douce ($KMnO_4$ dilué),
- d'époxydation (RCOOOH).

EXERCICES SUPPLÉMENTAIRES

Propriétés physiques des alcènes et des alcynes

7.41 Le pent-2-ène existe sous la forme de deux isomères géométriques. L'un de ces isomères possède un point d'ébullition de 36 °C, et l'autre, un point d'ébullition de 38 °C. Associez ces points d'ébullition aux isomères *cis* et *trans* du pent-2-ène. Expliquez votre raisonnement.

7.42 Le non-1-yne est un hydrocarbure insaturé de type alcyne. Prédisez et expliquez sa solubilité (soluble ou insoluble) dans :
a) l'eau ;
b) le déc-1-ène.

Réactions des alcènes et des alcynes

7.43 Une des transformations chimiques importantes à l'échelle industrielle impliquant les alcènes est celle de la conversion des huiles végétales en des graisses solides. Ce procédé est à la base de la fabrication du *shortening* d'huile végétale et de la margarine.

L'acide palmitoléique, présent notamment dans l'huile de noix de macadamia, peut être transformé en acide palmitique ; ce dernier est présent entre autres dans le lait, le beurre, le fromage, et dans la viande de bœuf et de porc.

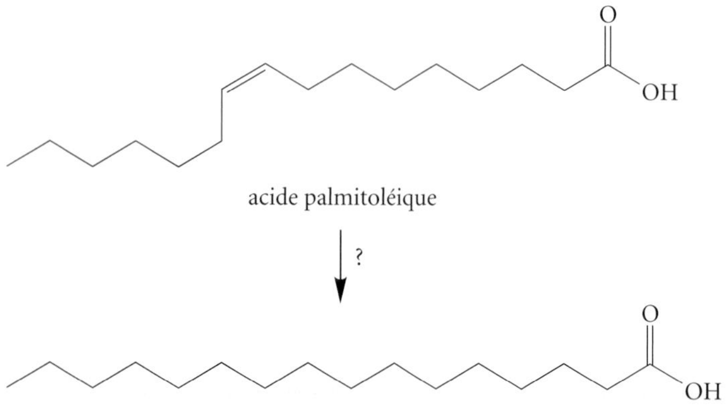

acide palmitoléique

acide palmitique

a) Indiquez les conditions expérimentales nécessaires pour réaliser la transformation de l'acide palmitoléique en acide palmitique. De quel type de réaction s'agit-il ?
b) L'acide palmitoléique possède un point de fusion autour de 0 °C, alors que l'acide palmitique possède un point de fusion autour de 63 °C. Expliquez cette différence.

7.44 Complétez les réactions suivantes en écrivant la structure de tous les produits possibles en deux dimensions. Dans chacun des cas, illustrez le mécanisme réactionnel correspondant et déterminez le produit majoritaire.

a)

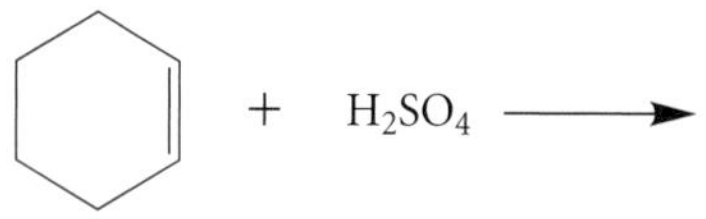

$+ \quad H_2SO_4 \longrightarrow$

b)

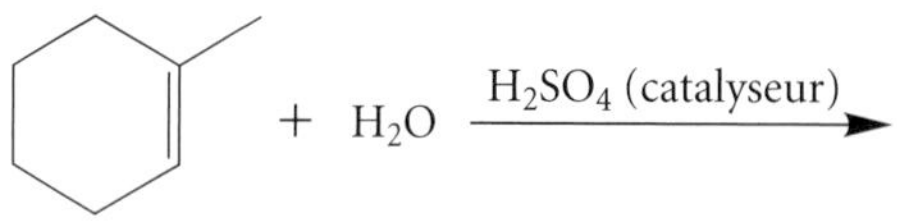

$+ \quad H_2O \quad \xrightarrow{H_2SO_4 \ (\text{catalyseur})}$

7.45 Pour chacune des réactions de l'exercice 7.44, dessinez le diagramme énergétique menant au produit majoritaire. Prenez soin de bien définir les axes et de déterminer les réactifs, les produits et les intermédiaires réactionnels. Considérez que les réactions sont globalement exothermiques.

7.46 Soit la réaction chimique suivante.

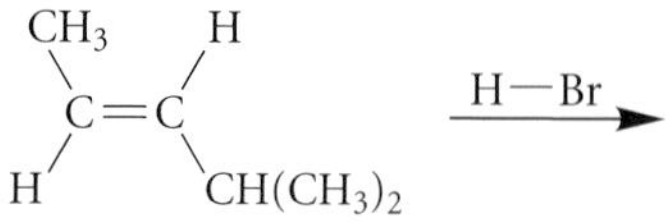

a) Nommez le substrat selon les règles de l'UICPA.
b) Écrivez la structure en deux dimensions de tous les produits possibles.
c) Déterminez le produit majoritaire en appliquant la règle de Markovnikov. Expliquez brièvement votre raisonnement.

7.47 Déterminez quel sera le produit majoritaire obtenu à la suite de la réaction suivante en basant votre raisonnement à partir du mécanisme réactionnel et de la stabilité des carbocations. Quel aurait été le produit majoritaire si vous aviez appliqué simplement la règle de Markovnikov?

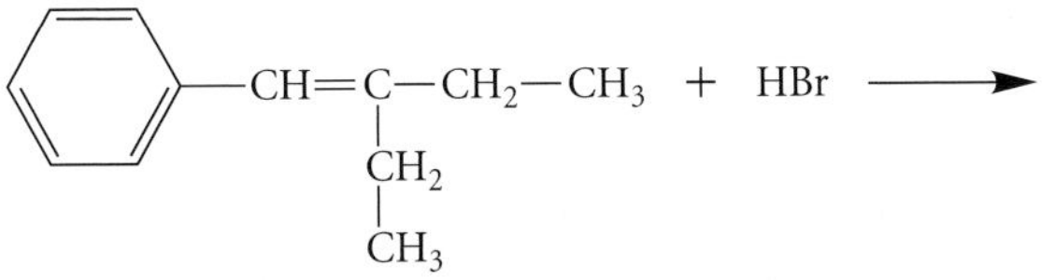

$$\text{C}_6\text{H}_5\text{—CH}=\text{C—CH}_2\text{—CH}_3 \quad + \quad \text{HBr} \longrightarrow$$
$$\underset{\displaystyle\underset{\text{CH}_3}{\overset{|}{\text{CH}_2}}}{|}$$

7.48 Soit les réactions suivantes.

   i) (E)-but-2-ène $\xrightarrow{\text{Br}_2}$ ii) (Z)-but-2-ène $\xrightarrow{\text{Br}_2}$

   a) Complétez ces réactions en écrivant la structure des produits en trois dimensions.

   b) Dans chacun des cas, illustrez le mécanisme réactionnel menant au produit.

7.49 À la suite d'une ozonolyse oxydante, deux équivalents molaires de chacun des produits organiques suivants ont été obtenus. Dessinez la formule simplifiée d'un substrat possible pour chacun des cas.

   a) 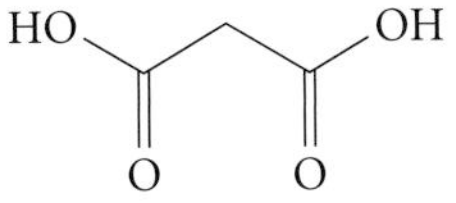   b)

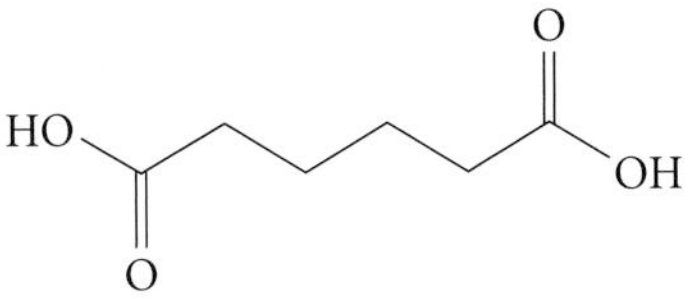

7.50 Soit le substrat suivant.

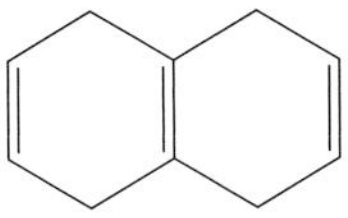

   a) Indiquez les conditions expérimentales adéquates pour réaliser l'oxydation forte de ce substrat.

   b) Déterminez la structure du produit obtenu à la suite de l'oxydation forte.

7.51 Dans les années 1920, les chimistes **Hermann Staudinger** (1881-1965) et **Leopold Ruzicka** (1887-1976) furent des pionniers dans l'étude de la composition d'un insecticide naturel produit par les fleurs de chrysanthème, notamment la *Chrysanthemum cinerariaefolium*. L'un des composants de cet insecticide est la pyréthrine I qui est un dérivé de l'acide (+)-*trans*-chrysanthémique. De nos jours, cet insecticide est autorisé en agriculture biologique. La structure de l'acide (+)-*trans*-chrysanthémique a été déterminée, entre autres, par une réaction d'ozonolyse.

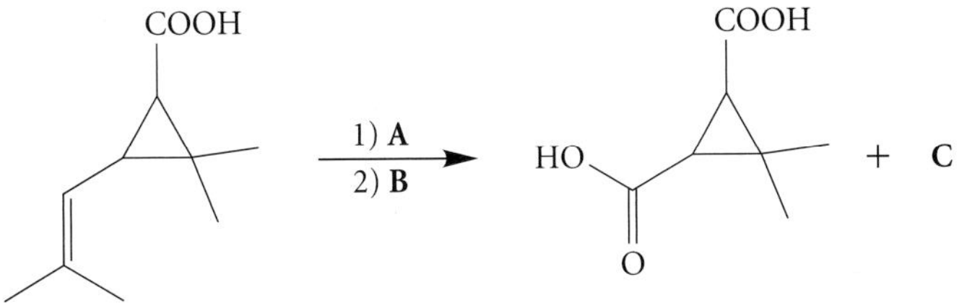

acide (+)-*trans*-chrysanthémique

   a) Déterminez les réactifs A et B. De quel type d'ozonolyse s'agit-il?

   b) Dessinez la formule simplifiée du produit C.

   c) Si le produit final avait la structure illustrée ci-contre, quelle aurait été la nature des réactifs A et B? Quelle aurait été la formule simplifiée du produit C?

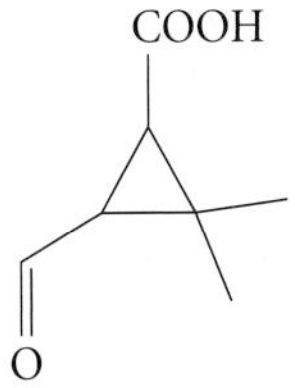

7.52 Un certain composé organique a été trouvé dans un laboratoire, mais son étiquette d'identification a été égarée. Un chimiste ayant déjà utilisé ce produit antérieurement se souvient qu'il s'agit du cyclopentène ou du cyclopentane.

Énumérez trois moyens rapides pour confirmer la structure de l'une ou l'autre de ces molécules.

7.53 Le polydivinylbenzène (PDVB) est utilisé dans les colonnes de chromatographie liquide de haute performance (HPLC) ainsi qu'en nanotechnologie et en biotechnologie pour optimiser les membranes dans les glycomètres.

a) À partir de la structure ci-dessous, quel monomère faut-il utiliser dans la fabrication de ce polymère ?

b) À une température de 35 °C, le monomère du PDVB est un liquide, alors que le polymère est un solide. Expliquez cette différence d'état physique.

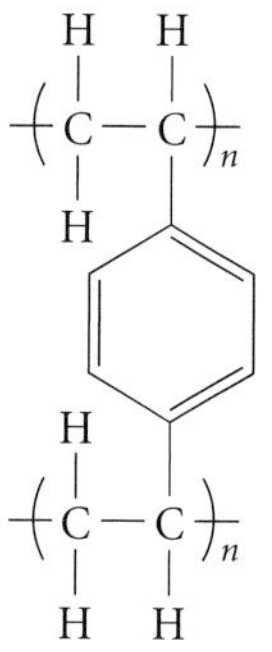

polydivinylbenzène (PDVB)

7.54 Le sel d'alcyne peut-il attaquer le groupement carbonyle (C=O) d'une cétone ou d'un aldéhyde ? Peut-il attaquer celui d'un acide carboxylique ? Justifiez votre réponse en complétant les réactions suivantes.

a) $CH_3-CH_2-C\equiv C:^- Na^+$ + $CH_3-\overset{\overset{\displaystyle O}{\|}}{C}-CH_3$ $\longrightarrow$

b) $CH_3-CH_2-C\equiv C:^- Na^+$ + $CH_3-\overset{\overset{\displaystyle O}{\|}}{C}-OH$ $\longrightarrow$

7.55 La muscalure, ou (Z)-tricos-9-ène, est la phéromone d'attraction sexuelle de la mouche domestique. La femelle s'en sert pour attirer le mâle. La muscalure synthétique peut être formée à partir du tricos-9-yne.

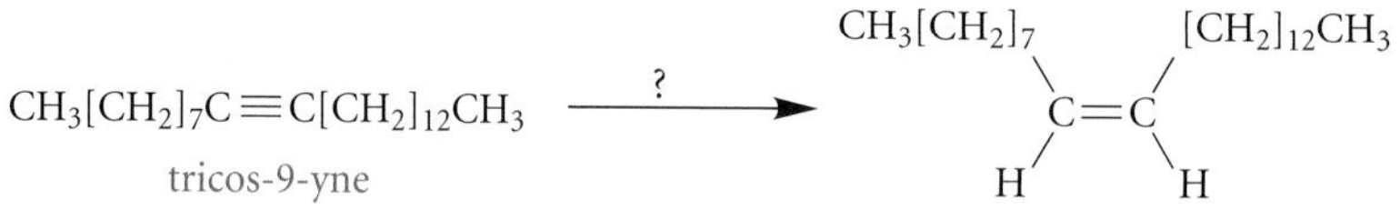

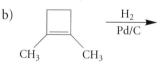

$CH_3[CH_2]_7C\equiv C[CH_2]_{12}CH_3$ $\xrightarrow{\quad ? \quad}$

tricos-9-yne

(Z)-tricos-9-ène
(muscalure)

a) Indiquez les conditions expérimentales adéquates pour réaliser cette réaction.

b) Selon les conditions réactionnelles choisies en a), pourquoi le produit obtenu possède-t-il une isomérie géométrique Z ?

c) Comment serait-il possible de transformer le tricos-9-yne en tricosane ($C_{23}H_{48}$) ? La muscalure et le tricosane ayant des structures similaires, est-il possible de conclure que le tricosane sera reconnu comme une phéromone par la mouche domestique ?

7.56 Complétez les réactions suivantes en représentant les produits majoritaires ou les substrats en deux dimensions.

a) $CH_3-\overset{\overset{\displaystyle CH_3}{|}}{CH}-CH=CH_2$ $\xrightarrow[H_2O,\ OH^-]{KMnO_4}$

b) $\xrightarrow[Pd/C]{H_2}$

c) $\xrightarrow{Cl_2}$

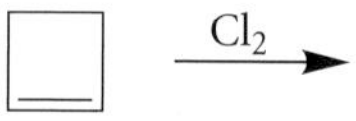

d) 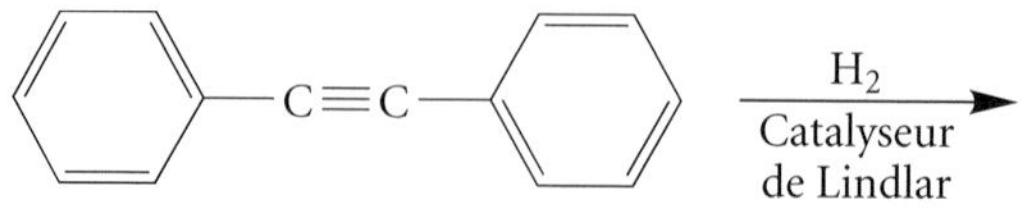 $\xrightarrow[\substack{\text{Catalyseur} \\ \text{de Lindlar}}]{H_2}$

e) 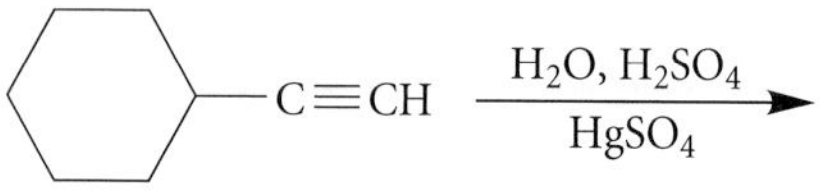 $-C\equiv CH$ $\xrightarrow[HgSO_4]{H_2O,\ H_2SO_4}$

f) 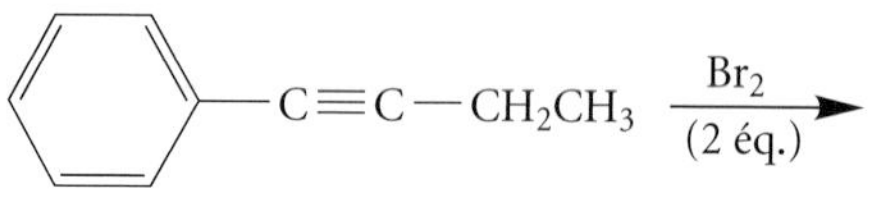 $-C\equiv C-CH_2CH_3$ $\xrightarrow[(2\ \text{éq.})]{Br_2}$

g)

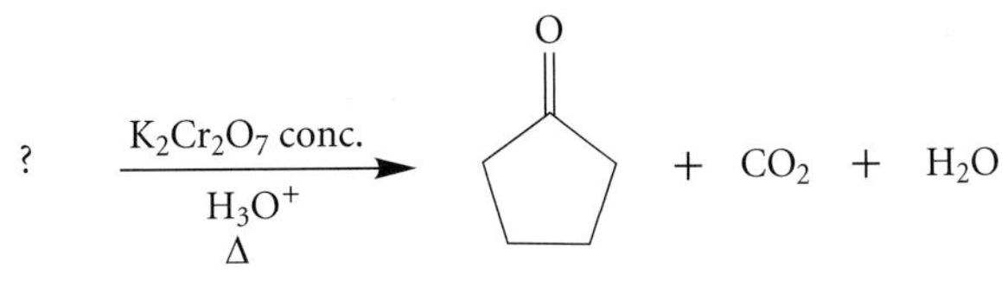

? $\xrightarrow[\substack{H_3O^+ \\ \Delta}]{K_2Cr_2O_7 \text{ conc.}}$ [cyclopentanone] + CO_2 + H_2O

h)

[structure] $\xrightarrow[\text{(1 éq.)}]{HCl}$

i)

[zingibérène structure] + O_2 $\xrightarrow{\Delta}$

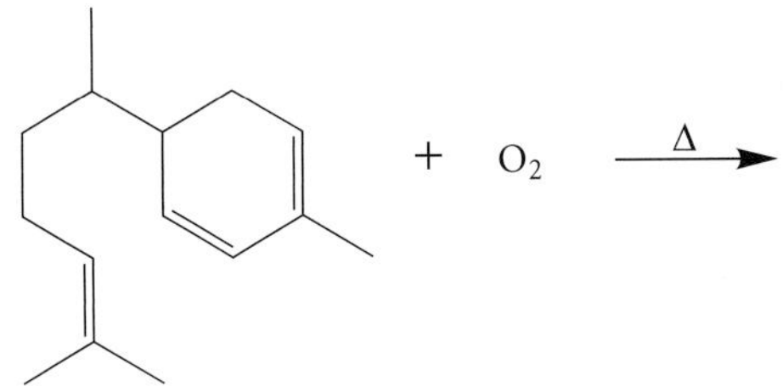

zingibérène
(huile essentielle
de gingembre)

j)

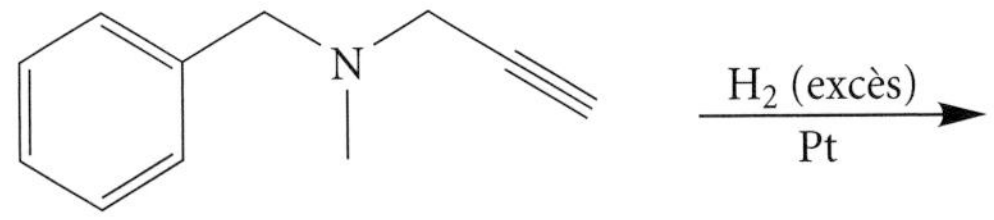

[pargyline structure] $\xrightarrow[\text{Pt}]{H_2 \text{ (excès)}}$

pargyline
(médicament antihypertenseur utilisé
pour traiter l'anxiété, l'angoisse,
l'épilepsie et les convulsions)

k)

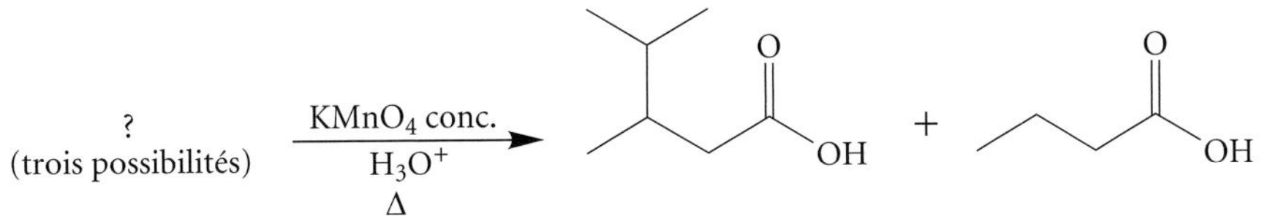

?
(trois possibilités) $\xrightarrow[\substack{H_3O^+ \\ \Delta}]{KMnO_4 \text{ conc.}}$ [acide] $\overset{O}{\underset{OH}{}}$ + [acide] $\overset{O}{\underset{OH}{}}$

7.57 Dessinez en trois dimensions les produits majoritaires des réactions de l'exercice 7.56 b) et c). Nommez-les selon les règles de l'UICPA.

7.58 Déterminez une voie de synthèse permettant d'obtenir les produits suivants à partir du pent-1-yne et de tous les réactifs de votre choix :

a)

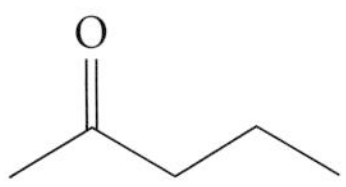

[pentan-2-one structure]

pentan-2-one

b)

[pentanal structure]

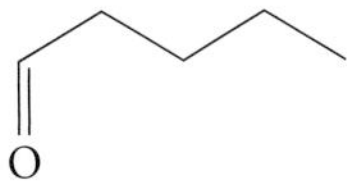

pentanal

7.59 Déterminez une voie de synthèse permettant d'obtenir les produits suivants à partir de l'éthyne et de tous les réactifs de votre choix.

a) $CH_2\text{=}CH-CH_2-Cl$ b) $CH_3-CH_2-CH_2-CH_2-\underset{\underset{Br}{|}}{CH}-CH_3$ c) $CH_3-CH_2-CH_2-\underset{\underset{Br}{|}}{CH}-CH_2-Br$

d) $CH_3-\underset{\underset{}{|}}{\overset{\overset{CH_3}{|}}{CH}}-CH_2-\underset{\underset{OH}{|}}{CH}-CH_3$ e) 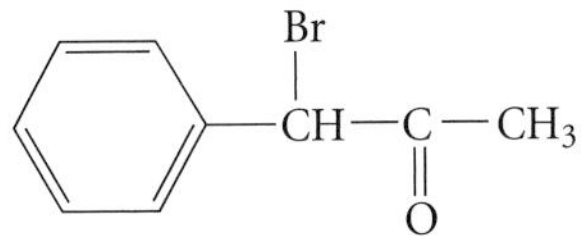 [phényle]$-\underset{}{\overset{\overset{Br}{|}}{CH}}-\underset{\underset{O}{||}}{C}-CH_3$ f) $CH_3-CH_2-CH\text{=}CH-CH_2-CH_3$

7.60 Déterminez une voie de synthèse permettant d'obtenir les produits suivants à partir du but-1-yne.

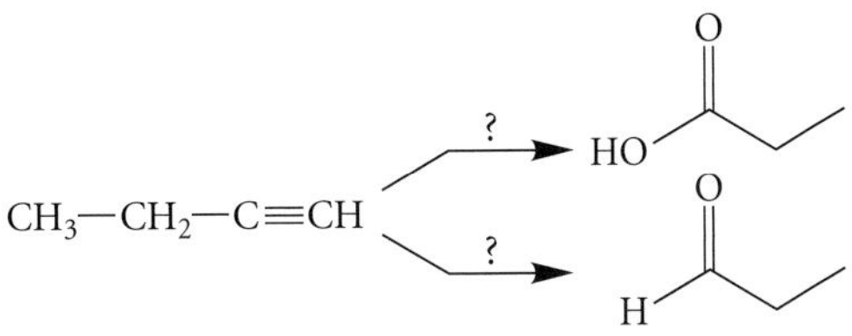

$CH_3-CH_2-C\equiv CH$ $\xrightarrow{?}$ HO $\overset{O}{\underset{}{}}$ [acide]

$\xrightarrow{?}$ H $\overset{O}{\underset{}{}}$ [aldéhyde]

7.61 Complétez les réactions suivantes en représentant les composés en deux dimensions. Pour les sous-questions e) et f), dessinez en trois dimensions les produits possibles.

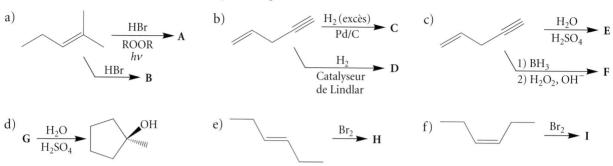

a)

b)

c)

d)

e)

f)

7.62 Déterminez les lettres A à F dans les séquences suivantes de réactions chimiques. E* veut dire qu'il se forme un carbone stéréogénique (C*) au cours de la réaction (écrivez alors en trois dimensions les produits possibles).

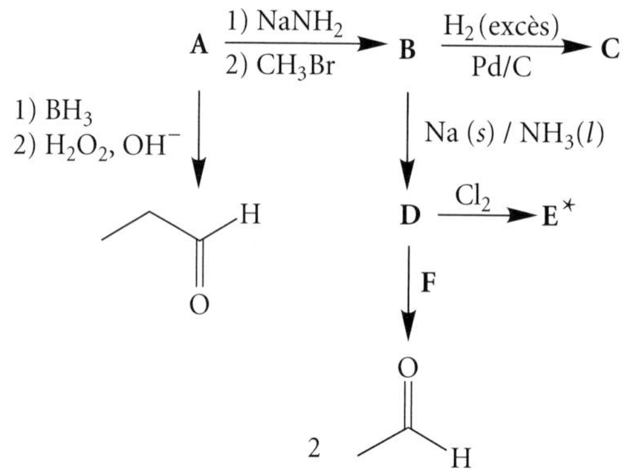

7.63 Déterminez la structure des composés A, B, C, D, E et F en tenant compte des informations inscrites ci-dessous.

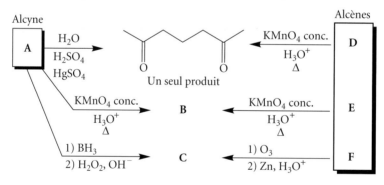

7.64 Indiquez les conditions expérimentales adéquates A, B et C pour réaliser les réactions d'oxydation suivantes.

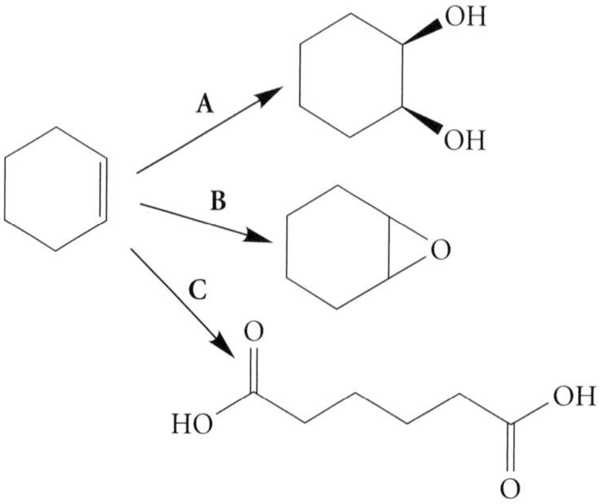

Problèmes à indices

Pour les problèmes suivants, découvrez la structure du composé grâce aux indices fournis. Pour chaque indice, expliquez l'information que vous en avez tirée. Écrivez toutes les étapes du raisonnement menant à votre réponse.

7.65 1) Une solution avec du brome devient incolore en présence de ce composé.

2) Composé qui, au cours d'une combustion complète, mène à la formation de trois molécules de CO_2.

3) Composé qui ne réagit pas, ou très lentement, avec une solution aqueuse acide (H_2O, H_2SO_4).

7.66 1) Composé monocyclique de formule moléculaire C_6H_8.

2) Le spectre infrarouge présente des pics caractéristiques de 3140 à 3020 cm^{-1} et de 1680 à 1620 cm^{-1}.

3) Le traitement au $KMnO_4$ concentré et à chaud forme deux produits distincts.

7.67 1) Composé de formule moléculaire C_7H_{14}.

2) Le composé réagit avec une solution de brome.

3) L'ozonolyse réductrice mène à la formation d'un aldéhyde et d'une cétone.

4) L'hydrogénation catalytique de la structure ne crée aucun carbone stéréogénique.

5) La chaîne principale du composé n'a que cinq carbones.

Stéréosélectivité des réactions des alcènes et des alcynes

7.68 Enrichissement En tenant compte de la stéréochimie du substrat, déterminez en trois dimensions le ou les produits obtenus à la suite des réactions suivantes.

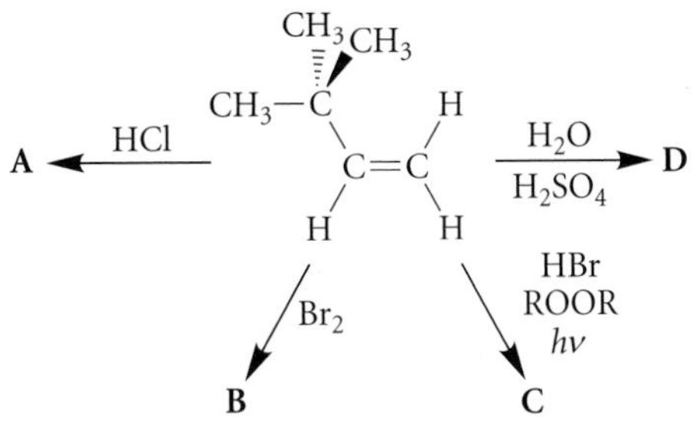

7.69 Enrichissement Déterminez une voie de synthèse pour former chacune de ces molécules à partir du but-2-yne (CH_3—$C\equiv C$—CH_3).

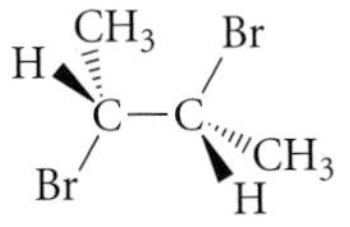

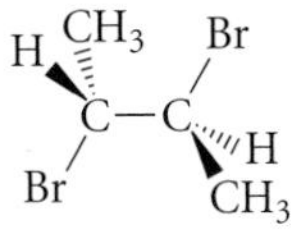

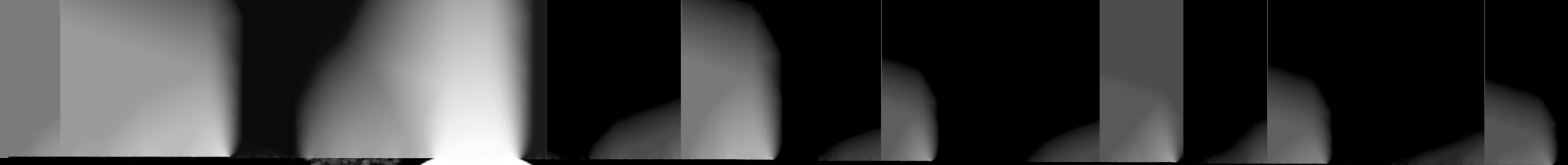

8

Composés aromatiques

Éléments de compétence

- Déterminer la réactivité de fonctions organiques simples comme alcanes, alcènes, alcynes, organomagnésiens, dérivés halogénés, alcools à l'aide des principaux types de mécanisme de réactions : S_N1, S_N2, E1, E2.

- Concevoir théoriquement des méthodes de synthèse de composés organiques simples à partir de produits donnés.

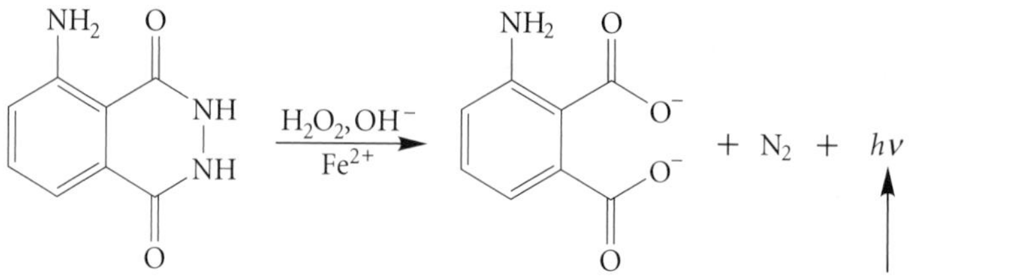

cheneliere.ca/chimieorganique

› Mots clés

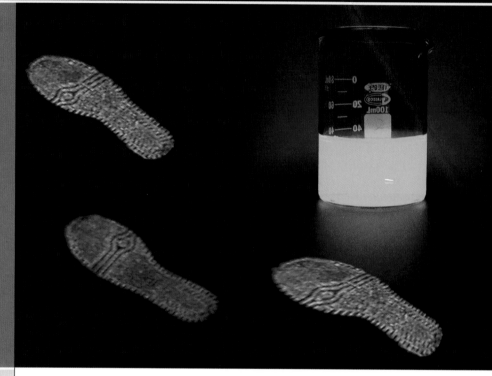

luminol → Chimiluminescence

Le luminol (5-amino-2,3-dihydrophthalazine-1,4-dione) est un composé aromatique qui comporte une chimiluminescence, c'est-à-dire qu'il émet une lumière bleutée à la suite d'une réaction chimique avec un oxydant tel que le peroxyde d'hydrogène en milieu basique. Il est utilisé par la police scientifique pour déceler les traces de sang sur les lieux de crimes, et ce, même à de très faibles concentrations (p.ex. : les empreintes de souliers d'un individu ayant marché dans une mare de sang). L'ion fer (II) contenu dans l'hémoglobine du sang catalyse la réaction d'oxydation et permet à un nombre suffisant de molécules de luminol de réagir en émettant une lumière perceptible à l'œil nu.

Autrefois, l'expression «composés aromatiques» caractérisait une catégorie de substances chimiques d'origine végétale et d'odeur généralement agréable. Aujourd'hui encore, les composés aromatiques évoquent les plaisirs de la table, puisqu'ils réfèrent souvent au parfum et au goût des épices et des fines herbes. Le mot «aromate», désignant toute substance végétale odoriférante, tire d'ailleurs son nom du mot grec *aromaticus* qui signifie «parfum[1]», «épices».

Le commerce des épices remonte à des milliers d'années. Les épices étaient considérées comme un bien d'une très grande valeur dans l'Antiquité et au Moyen Âge. Ce commerce se pratiquait surtout au Moyen-Orient. Les épices

Anis

Noix de muscade

étaient utilisées à des fins religieuses, médicinales et culinaires. Leur rareté en Europe et la grande demande pour ces produits poussèrent, au fil des âges, des explorateurs tels que Christophe Colomb, Vasco de Gama et Fernand de Magellan à entreprendre de périlleuses expéditions navales dans le but de découvrir une nouvelle route des épices. Ce faisant, ils permirent de redéfinir la carte du monde.

Les épices et les fines herbes figurent parmi les premiers composés naturels étudiés par les chimistes organiciens. Les scientifiques, tout comme les explorateurs d'un autre temps, étant au fait de la grande valeur des épices, voulurent connaître les molécules responsables des odeurs et des saveurs en vue de mettre au point une méthode simple et peu coûteuse pour les synthétiser en grande quantité.

De nos jours, les **composés aromatiques** sont des molécules organiques classées selon leur structure et leur remarquable stabilité. À titre d'exemple, les épices utilisées en cuisine peuvent être soumises à des températures élevées sans se décomposer.

Un grand nombre de composés aromatiques partagent une structure commune, soit celle du **benzène**, une molécule cyclique de six atomes de carbone renfermant six électrons π délocalisés. Ces composés portent plus spécifiquement le nom de **composés benzéniques**. La figure 8.1 illustre quelques composés benzéniques naturels et indique leur source.

Figure 8.1 Exemples de composés benzéniques naturels

benzaldéhyde
(extrait de l'huile
d'amandes amères)

myristicine
(extrait de la noix de muscade)

anéthol
(extrait de l'anis)

estragole
(extrait de l'estragon et du basilic)

> **REMARQUE**
>
> Le benzène peut être représenté par la structure de Kekulé ou par une formule simplifiée d'un hexagone ayant en son centre un cercle pour symboliser la délocalisation des électrons π (résonance) (*voir la figure 4.29, p. 204*). Dans ce chapitre, la structure de Kekulé est préconisée afin de mieux visualiser les mouvements des électrons dans les mécanismes réactionnels.

Tout comme les alcènes et les alcynes, les composés aromatiques, dépourvus d'hétéroatomes, font partie de la grande classe des **hydrocarbures insaturés**, car leur structure chimique ne renferme que des atomes de carbone et d'hydrogène, et elle comporte des liaisons π (*voir la figure 8.2*).

Figure 8.2

Classification des hydrocarbures selon leur structure chimique. (Le chapitre 8 traite des notions indiquées par une trame bleue.)

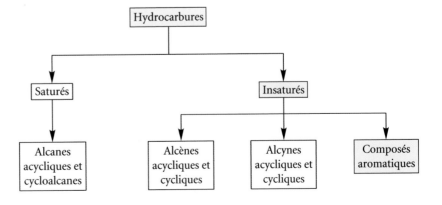

ERICH HÜCKEL (1896-1980)

Physicien, mathématicien et physico-chimiste allemand né le 9 août 1896 à Charlottenburg (en banlieue de Berlin), Hückel reçut son doctorat en chimie-physique à l'Université de Göttingen en 1921, sous la supervision de Peter Debye. Il suivit son mentor à Zurich en tant qu'assistant de recherche où il travailla sur les solutions électrolytiques et élabora la théorie Debye-Hückel. Par la suite, en 1928 et 1929, ayant reçu des subventions de la Rockefeller Foundation, il travailla à Londres et brièvement à Copenhague avec Niels Bohr en mécanique quantique. C'est en 1931 qu'il énonça sa règle pour les composés aromatiques. Il devint ensuite professeur, en 1935, à l'Université Phillips de Marburg, en Allemagne, jusqu'à sa retraite en 1962. Il décéda le 16 février 1980. Il est membre de l'Académie internationale des sciences moléculaires quantiques.

Au cours de ce chapitre, il sera possible de constater que les composés aromatiques regroupent un éventail très vaste de molécules. Leurs caractéristiques structurales particulières seront décrites, et quelques propriétés physiques seront également étudiées. Enfin, bien que les composés aromatiques soient très stables, ils peuvent réagir dans certaines conditions expérimentales; leur réactivité chimique, plus particulièrement celle des composés benzéniques, sera donc détaillée.

8.1 Aromaticité

Bien que plusieurs composés aromatiques contiennent un cycle benzénique, d'autres structures peuvent également être qualifiées de «composés aromatiques». En effet, le terme **aromaticité** s'applique à tous les composés qui respectent la règle établie par **Erich Armand Arthur Joseph Hückel** (1896-1980) en 1931. La **règle de Hückel** stipule que, pour qu'un composé soit aromatique, il doit:

- être cyclique (le cycle peut constituer le composé en entier ou simplement une portion du composé);

- renfermer un système conjugué sur l'ensemble du cycle ou des cycles;

- posséder $4n + 2$ électrons délocalisables, où n représente un nombre entier naturel ($n = 0, 1, 2, 3, 4$, etc.). Les électrons délocalisables regroupent des électrons π et des doublets d'électrons libres. Si n n'est pas un nombre entier, le composé n'est pas aromatique.

La figure 8.3 présente quelques composés aromatiques et non aromatiques. Pour que les doublets d'électrons libres puissent participer à l'aromaticité, il faut qu'ils soient conjugués à des liaisons doubles (profil 1 de la résonance) à l'intérieur du cycle. La figure 8.4 présente quelques composés pour lesquels certains doublets d'électrons libres

Figure 8.3 Aromaticité et non-aromaticité de différentes molécules cycliques renfermant des électrons π

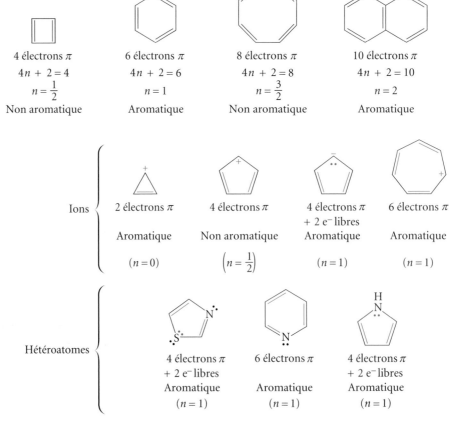

4 électrons π	6 électrons π	8 électrons π	10 électrons π
$4n + 2 = 4$	$4n + 2 = 6$	$4n + 2 = 8$	$4n + 2 = 10$
$n = \frac{1}{2}$	$n = 1$	$n = \frac{3}{2}$	$n = 2$
Non aromatique	Aromatique	Non aromatique	Aromatique

Figure 8.4
Aromaticité et non-aromaticité de différents composés contenant soit seulement des électrons π, soit des électrons π et des doublets d'électrons libres

Ions

2 électrons π / Aromatique / ($n = 0$)

4 électrons π / Non aromatique / $\left(n = \frac{1}{2}\right)$

4 électrons π + 2 e$^-$ libres / Aromatique / ($n = 1$)

6 électrons π / Aromatique / ($n = 1$)

Hétéroatomes

4 électrons π + 2 e$^-$ libres / Aromatique / ($n = 1$)

6 électrons π / Aromatique / ($n = 1$)

4 électrons π + 2 e$^-$ libres / Aromatique / ($n = 1$)

(en rouge) participent à la résonance et permettent l'aromaticité, et d'autres (en noir) ne participent pas à ce phénomène.

Malgré l'existence d'une multitude de composés aromatiques, ce chapitre traitera en particulier de ceux dont la structure de base est le benzène, soit les composés benzéniques.

Exercice 8.1 Déterminez si les molécules suivantes sont aromatiques ou non aromatiques. Expliquez votre raisonnement.

a)   b)   c)   d)   e)   f)

8.2 Propriétés physiques des composés benzéniques

La molécule de benzène est uniquement formée de liaisons C==C et C—H covalentes non polaires. Dès lors, les propriétés physiques du benzène sont très semblables à celles des alcanes, des alcènes et des alcynes de masses molaires similaires (*voir le tableau 8.1*). Au même titre que ces analogues structuraux, le benzène flotte à la surface de l'eau, y étant insoluble et ayant une masse volumique inférieure.

La carte de potentiel électrostatique du benzène met en évidence les liaisons covalentes non polaires (le nuage électronique est symétrique et la région riche en électrons, en rouge, est localisée à la même distance entre chaque atome des liaisons). De plus, la région rouge au centre indique la richesse en électrons π du benzène.

Tableau 8.1 Propriétés physiques du benzène et de certains analogues structuraux

Nom systématique	Masse molaire (g/mol)	Point d'ébullition normal (°C)	Masse volumique[a] (g/cm³)
benzène	78,11	80,0	0,8765
cyclohexa-1,3-diène	80,13	80,5	0,8405
cyclohexa-1,4-diène	80,13	85,5	0,8471
cyclohexène	82,15	82,9	0,8110
cyclohexane	84,16	80,7	0,7785

a. Toutes les valeurs des masses volumiques inscrites dans ce tableau sont celles déterminées à la température ambiante (25 °C).

Lorsque des substituants sont fixés au cycle benzénique, deux contextes différents peuvent survenir. Premièrement, si les substituants sont des chaînes d'hydrocarbures saturés ou insaturés, les propriétés physiques (p. ex.: la solubilité et la masse volumique) de ces dérivés du benzène sont similaires à celles de leurs homologues aliphatiques. Le point d'ébullition croît également avec l'augmentation de la masse molaire. Deuxièmement, en comparant des composés benzéniques ayant des substituants renfermant divers groupements fonctionnels, il est commun d'observer des changements importants de propriétés physiques en raison de la nature des liaisons du substituant et des atomes composant celui-ci. Si les liaisons sont covalentes polaires, de nouvelles attractions intermoléculaires peuvent être créées, notamment des interactions de Keesom et des ponts hydrogène (*voir le tableau 8.2, page suivante*).

Même si les composés benzéniques ont des propriétés physiques qui peuvent être très variables, leur réactivité chimique est similaire en raison notamment de la structure particulière du benzène.

Tableau 8.2   Propriétés physiques de composés dérivés du benzène

Nom systématique (formule moléculaire)	Masse molaire (g/mol)	Point d'ébullition normal (°C)	Masse volumique[a] (g/cm³)
benzène (C_6H_6)	78,11	80,0	0,8765
toluène ($C_6H_5CH_3$)	92,14	110,6	0,8669
éthylbenzène ($C_6H_5CH_2CH_3$)	106,17	136,1	0,8670
xylène (o, m, p) ($C_6H_5(CH_3)_2$)	106,17	144,5 ; 139,1 ; 138,3	$0,8802^{10}$; 0,8642 ; 0,8611
phénol (C_6H_5OH)	93,13	184,1	1,0217
benzaldéhyde (C_6H_5CHO)	106,12	179,0	$1,0415^{10}$
chlorobenzène (C_6H_5Cl)	112,56	131,7	1,1058
acide benzoïque ($C_6H_5CO_2H$)	122,12	249,2	$1,2659^{15}$

a. Toutes les valeurs des masses volumiques inscrites dans ce tableau sont déterminées à 20 °C. Si la température diffère, elle est inscrite en exposant de la valeur de la masse volumique dans le tableau.

Exercice 8.2   Comparez et expliquez les différents points d'ébullition des molécules suivantes présentées dans le tableau 8.2.

a) phénol, benzaldéhyde et acide benzoïque

b) benzène, toluène et éthylbenzène

c) Pourquoi les molécules en a) ont-elles des points d'ébullition plus élevés que les molécules en b) ?

cheneliere.ca/chimieorganique (www)

› Caractéristiques spectrales des composés benzéniques

8.3   Réactions du benzène

Le benzène est un composé carbocyclique polyinsaturé possédant, selon la structure de Kékulé, trois liaisons doubles. Cependant, il ne se comporte pas comme un composé insaturé typique. En effet, dans la très grande majorité des cas, le benzène n'effectue aucune réaction d'addition électrophile, d'oxydation et de réduction selon les conditions expérimentales typiques des alcènes et des alcynes vues dans le chapitre 7. Par exemple, contrairement aux alcènes et aux alcynes qui réagissent avec une solution de brome moléculaire (Br_2) et provoquent une décoloration de la solution, aucune réaction n'est observée avec le benzène (*voir la figure 8.5*).

Figure 8.5 Réactions d'addition électrophile non polaire d'un halogène, Br_2, sur l'éthène (possible) et sur le benzène (impossible)

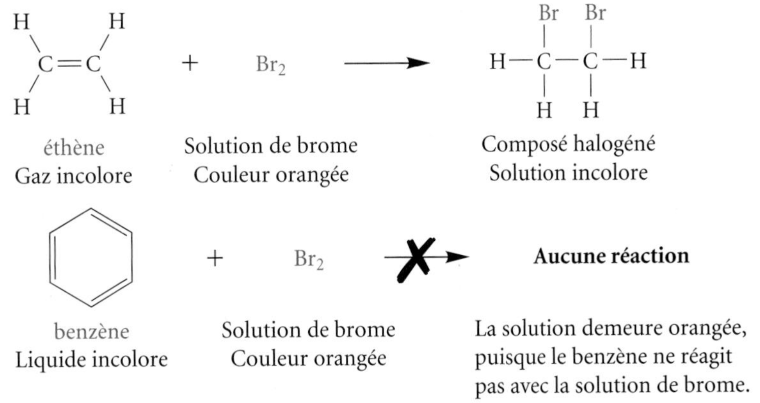

éthène
Gaz incolore

Solution de brome
Couleur orangée

Composé halogéné
Solution incolore

benzène
Liquide incolore

Solution de brome
Couleur orangée

Aucune réaction

La solution demeure orangée, puisque le benzène ne réagit pas avec la solution de brome.

Cette faible réactivité du benzène est due à son aromaticité. La réaction n'a pas lieu, puisque le phénomène de résonance stabilise considérablement la structure.

Il est toutefois possible de procéder à une réaction d'addition électrophile sur un cycle benzénique, soit une **hydrogénation catalytique**, qui consiste en une réaction d'addition d'hydrogène en présence d'un catalyseur. Cette réaction ressemble à celle décrite dans la section 7.3.1.2 A, p. 299. Cependant, pour que la réaction puisse avoir lieu en présence des catalyseurs classiques tels que le Ni, le Pt ou le Pd/C, elle doit être soumise à des conditions rigoureuses de pression et à des températures élevées. Un catalyseur particulier, le **nickel de Raney**, peut également être utilisé (*voir la figure 8.6*). Ce catalyseur, découvert par l'ingénieur américain **Murray Raney** (1885-1966), permet d'effectuer une hydrogénation catalytique du cycle benzénique à de faibles pressions et à la température ambiante.

Figure 8.6 Hydrogénation catalytique du benzène avec le nickel de Raney

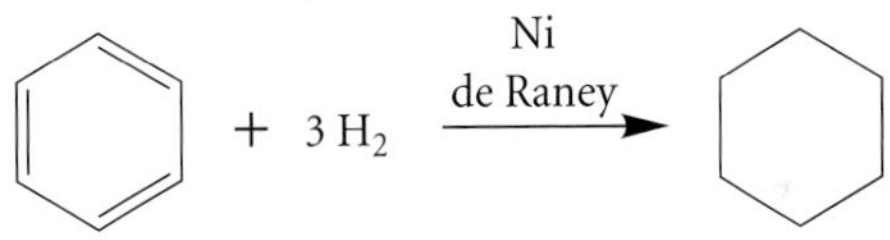

$+ \ 3 \ H_2 \xrightarrow[\text{de Raney}]{\text{Ni}}$

Le benzène ne peut donc réagir que dans certaines conditions expérimentales particulières. Ainsi, pour qu'une réaction de **bromation** puisse avoir lieu, un catalyseur, le bromure de fer (III) ($FeBr_3$), doit être présent dans le milieu réactionnel, contrairement à la réaction avec les alcènes. De plus, dans le cas des alcènes, les deux atomes de brome s'additionnent sur chaque carbone de la liaison double. Dans le cas du benzène (et des composés benzéniques), un atome d'hydrogène est remplacé par un atome de brome. La réaction de bromation du benzène est donc une réaction de substitution plutôt qu'une réaction d'addition (*voir la figure 8.7*).

Dans la figure 8.7, au cours de la réaction de bromation du benzène, un seul produit est obtenu, car tous les hydrogènes sont chimiquement équivalents. Cependant, si le produit de la réaction, soit le bromobenzène, est traité de nouveau avec du Br_2 en présence de $FeBr_3$, trois produits différents sont observés (dans des proportions variables) : le 1,2-dibromobenzène, le 1,3-dibromobenzène et le 1,4-dibromobenzène. Ce résultat démontre que, dans cet exemple, tous les hydrogènes du bromobenzène ne sont pas chimiquement équivalents (*voir la figure 8.8, page suivante*).

Figure 8.7
Réaction de bromation du benzène à l'aide d'un catalyseur ($FeBr_3$)

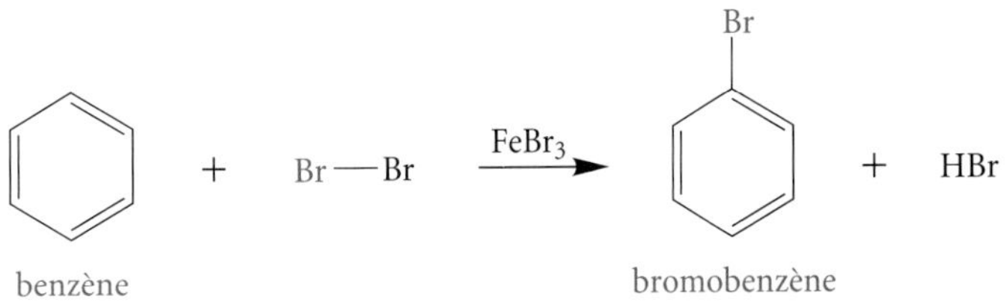

benzène

$+ \quad Br-Br \xrightarrow{FeBr_3}$

bromobenzène

$+ \ HBr$

Figure 8.8 Réaction de bromation du bromobenzène à l'aide d'un catalyseur (FeBr₃)

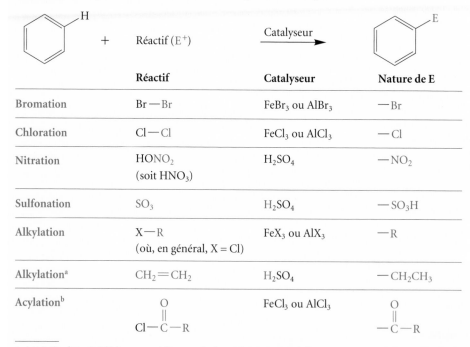

bromobenzène   1,2-dibromobenzène   1,3-dibromobenzène   1,4-dibromobenzène

8.4   Substitution électrophile aromatique

Le tableau 8.3 dresse la liste des réactions de **substitution électrophile aromatique** couramment effectuées sur le benzène (et les composés benzéniques) dans lesquelles un atome d'hydrogène du cycle benzénique est remplacé par un atome ou un groupe d'atomes. Il s'agit d'une substitution, et plus particulièrement d'une **substitution électrophile**, car la nature de la portion du réactif qui remplace l'hydrogène sur le benzène (le substrat) est un électrophile.

Les mécanismes réactionnels de ces diverses réactions de substitution électrophile aromatique seront décrits en détail dans les prochaines sections. Ils permettront de comprendre pourquoi, en présence d'un catalyseur, les composés benzéniques réagissent principalement selon des réactions de substitution électrophile plutôt que selon des réactions d'addition électrophile, comme celles vues pour les autres types d'hydrocarbures insaturés, soit les alcènes et les alcynes.

Dans les réactions de substitution électrophile aromatique, seule la portion électrophile du réactif qui remplace l'hydrogène sur le cycle benzénique est en bleu afin de mieux la reconnaître.

Tableau 8.3	**Réactions globales typiques de substitution électrophile aromatique sur le benzène**

Réaction globale générale de substitution électrophile aromatique

	Réactif	**Catalyseur**	**Nature de E**
Bromation	Br—Br	FeBr₃ ou AlBr₃	—Br
Chloration	Cl—Cl	FeCl₃ ou AlCl₃	—Cl
Nitration	HONO₂ (soit HNO₃)	H₂SO₄	—NO₂
Sulfonation	SO₃	H₂SO₄	—SO₃H
Alkylation	X—R (où, en général, X = Cl)	FeX₃ ou AlX₃	—R
Alkylation[a]	CH₂=CH₂	H₂SO₄	—CH₂CH₃
Acylation[b]	$\overset{\text{O}}{\underset{\text{‖}}{\text{Cl—C—R}}}$	FeCl₃ ou AlCl₃	$\overset{\text{O}}{\underset{\text{‖}}{\text{—C—R}}}$

a. Les hydrogènes de l'éthène peuvent être remplacés par des groupements R.

b. Si R est un hydrogène, l'acylation ne peut se réaliser, car le chlorure de méthanoyle (HCOCl) est trop instable.

8.4.1 Mécanisme général de la substitution électrophile aromatique

Puisque les liaisons π des composés benzéniques participent au phénomène de résonance, ces derniers n'ont pas la même réactivité que les alcènes et les alcynes. Ainsi, pour que le benzène, un nucléophile faible, puisse réagir, il faut qu'un électrophile fort soit présent dans le milieu réactionnel. Le catalyseur utilisé dans toutes les réactions globales décrites dans le tableau 8.3 a donc pour rôle de transformer un électrophile relativement faible en un très puissant électrophile.

Le mécanisme général d'une substitution électrophile aromatique se déroule en deux étapes (*voir la figure 8.9*). La première étape consiste en la préparation, à l'aide d'un catalyseur, d'un électrophile fort capable de se substituer à l'hydrogène du noyau aromatique. Au cours de la deuxième étape, celle de la substitution électrophile, le cycle benzénique attaque tout d'abord l'électrophile fort (étape 2 A), menant ainsi à la formation d'un intermédiaire réactionnel, soit l'**ion benzénium**, un carbocation stabilisé par résonance. Cette étape constitue l'étape lente qui détermine la vitesse de la réaction. Elle est endothermique. Bien qu'il y ait une perte momentanée de l'aromaticité durant cette étape, elle est néanmoins possible, puisque le carbocation résultant possède une charge positive délocalisée par résonance (profil 2 de résonance) sur une large portion du composé, ce qui minimise la déstabilisation et rend la réaction possible. La substitution électrophile sur le cycle benzénique se termine lorsque l'atome de carbone hybridé sp^3, auquel l'électrophile s'est attaché, perd un proton grâce à une base présente dans le milieu réactionnel. Puisqu'il y a régénération de l'aromaticité, cette étape (étape 2 B) est rapide et exothermique. Le catalyseur est également régénéré. L'aspect énergétique de ce mécanisme général est illustré dans la figure 8.10 (*voir page suivante*).

À l'étape 2 B) de la figure 8.9, il peut sembler étrange qu'un hydrogène subisse l'attaque de la base plutôt que le carbocation. En effet, ne possédant pas l'octet, ce dernier semble constituer un meilleur site électrophile. Toutefois, puisque le benzène a momentanément perdu son aromaticité, il est énergétiquement beaucoup plus favorable pour la réaction que le proton H^+ soit arraché par la base afin de rétablir l'aromaticité (*voir la figure 8.11, page suivante*).

> **REMARQUE**
>
> Dans ce cas précis, la base n'a pas besoin d'être forte, car l'hydrogène qui doit être arraché possède une charge partielle positive très grande ; il est très acide. En effet, son départ fait en sorte que le composé retrouve son aromaticité, ce qui est énergétiquement favorable.

Figure 8.9
Mécanisme général d'une réaction de substitution électrophile aromatique sur le benzène

Étape 1 : Préparation de l'électrophile

Étape 2 : Substitution électrophile sur le cycle aromatique

A) Attaque du cycle benzénique (nucléophile) sur l'électrophile

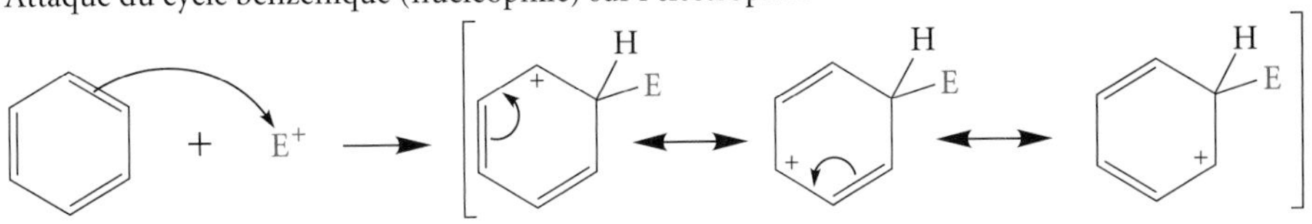

Stabilisation de l'ion benzénium (intermédiaire réactionnel)
Formes limites de résonance

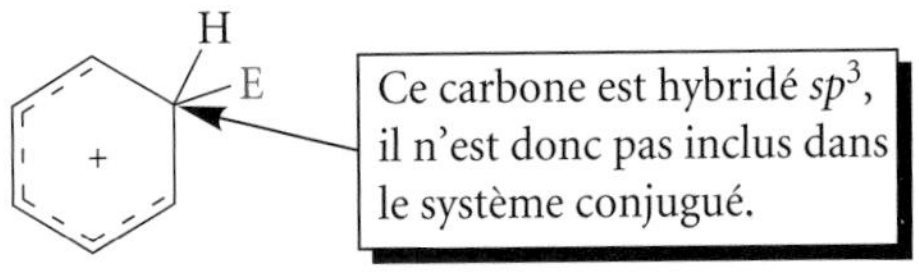

Ce carbone est hybridé sp^3, il n'est donc pas inclus dans le système conjugué.

Hybride de résonance
(non aromatique)

B) Régénération de l'aromaticité

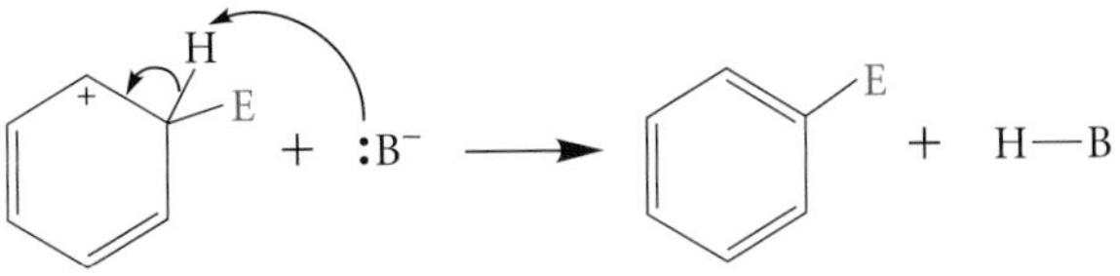

Figure 8.10
Diagramme énergétique d'une réaction de substitution électrophile aromatique sur le benzène

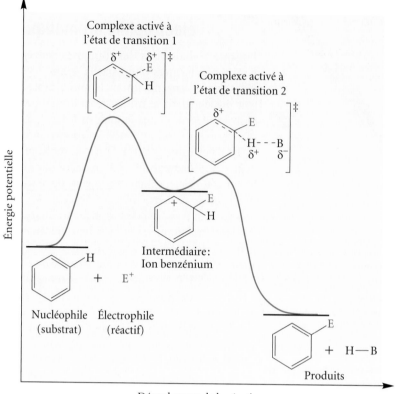

Figure 8.11
Réaction de substitution électrophile favorisée plutôt qu'une réaction d'addition électrophile au cours de l'étape 2 B)

Étape 2 B)

1re possibilité : Réaction de substitution – Attaque d'une base pour arracher le proton H^+

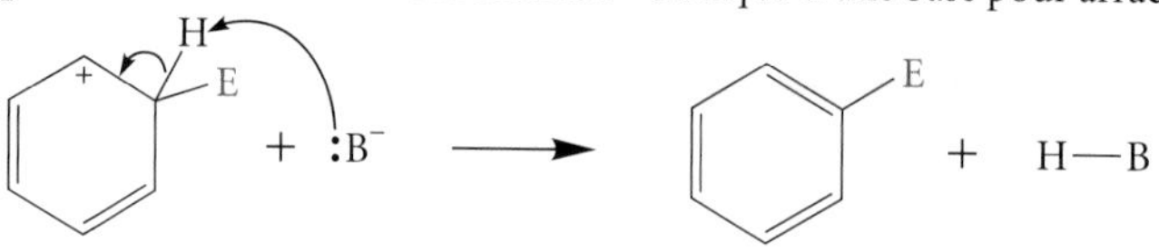

Régénération de l'aromaticité

2e possibilité : Réaction d'addition – Attaque d'un nucléophile sur le carbocation

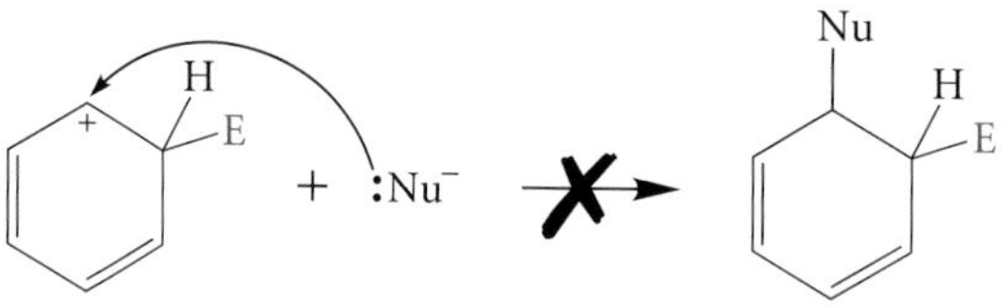

Perte définitive de l'aromaticité

Cette réaction n'est pas favorisée, voire impossible énergétiquement.

REMARQUE

Le terme « nucléophile » est employé pour décrire les espèces chimiques qui donnent des électrons au cours d'une réaction. Toutefois, lorsque ces espèces chimiques donnent spécifiquement des électrons à un proton H^+, le terme « base » peut être employé pour référer aux bases de Brønsted-Lowry, qui sont des accepteurs de protons H^+.

Dans les sections suivantes, les particularités de chacune des réactions de substitution électrophile aromatique, présentées dans le tableau 8.3 (*voir p. 348*), seront précisées.

8.4.2 Halogénation (bromation et chloration)[2]

La réaction d'halogénation s'effectue généralement en additionnant lentement l'halogène (Br_2 ou Cl_2) à un mélange de composé benzénique et de limaille de fer. Lorsque le fer et l'halogène se rencontrent, il y a formation du catalyseur, soit l'halogénure ferrique FeX_3 (où X = Br ou Cl). La réaction d'**halogénation** (**bromation** ou **chloration**) permet globalement de remplacer un atome d'hydrogène fixé au cycle benzénique par un atome de brome ou de chlore en présence de l'halogénure ferrique correspondant (c'est-à-dire $Br_2 + FeBr_3$ ou $Cl_2 + FeCl_3$) (*voir les réactions globales dans le tableau 8.3, p. 348*).

La figure 8.12 présente le mécanisme réactionnel d'une bromation. À la première étape, le catalyseur, agissant en tant qu'acide de Lewis, forme un complexe avec l'halogène moléculaire et active ainsi un atome de brome. En engendrant une très grande polarisation de la liaison Br—Br, le catalyseur rend un des atomes de brome fortement électrophile. Contrairement au mécanisme réactionnel général présenté dans la figure 8.9 (*voir p. 349*), il n'y a pas formation du cation Br^+. En effet, cet électrophile ne peut être formé, puisqu'il serait trop instable, l'atome de brome étant trop électronégatif. Il est aussi possible d'utiliser un catalyseur d'aluminium pour activer le brome, soit le $AlBr_3$. Toutefois, il est très peu utilisé en raison de son coût élevé.

Au cours de la substitution électrophile, le benzène attaque tout d'abord le brome ayant une forte charge partielle positive ($Br \, \delta^+$) (*voir la figure 8.12, étape 2 A*), formant ainsi une liaison simple C—Br de type σ. Un ion benzénium et le complexe $FeBr_4^-$ sont obtenus. La substitution électrophile sur le cycle benzénique se termine lorsque l'atome de carbone hybridé sp^3, auquel l'électrophile s'est lié, perd un proton H^+ grâce à une base présente dans le milieu. Dans cette réaction, la base est un ion bromure qui se libère du complexe $FeBr_4^-$. Il y a alors régénération de l'aromaticité. Le catalyseur $FeBr_3$ est également régénéré.

Figure 8.12 Mécanisme réactionnel de la bromation du benzène

Étape 1 : Préparation de l'électrophile

Le Br possède une charge partielle positive par effet inductif.

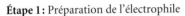

Catalyseur

L'ion Br^+ n'est pas formé. Par contre, le complexe avec le $FeBr_3$ polarise la liaison Br—Br et fait en sorte que le Br à l'extrémité du complexe est très électrophile.

Étape 2 : Substitution électrophile sur le cycle aromatique

A) Attaque du cycle benzénique (nucléophile) sur l'électrophile

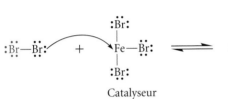

Ion benzénium
(carbocation secondaire)

Stabilisation de l'intermédiaire réactionnel par résonance

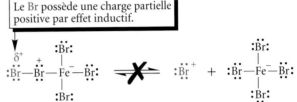

Hybride de résonance
(non aromatique)

B) Régénération de l'aromaticité et du catalyseur

Régénération de l'aromaticité   Catalyseur régénéré

Exercice 8.3 Soit la réaction suivante.

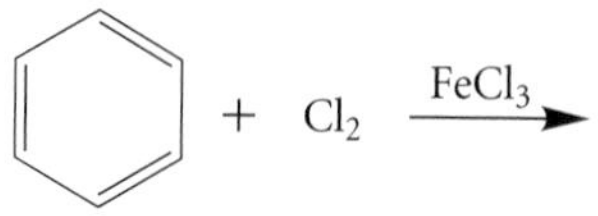

a) Complétez cette réaction en écrivant la structure de tous les produits possibles.

b) Illustrez le mécanisme réactionnel menant à la formation de ces produits.

c) Dessinez le diagramme énergétique de la substitution électrophile aromatique. Prenez soin de bien définir les axes et d'indiquer les réactifs, les produits et l'intermédiaire réactionnel.

8.4.3 Nitration

Dans une réaction de **nitration**, un des hydrogènes liés au cycle benzénique est remplacé par un groupement nitro. Pour ce faire, l'électrophile est préparé en faisant réagir l'acide nitrique avec l'acide sulfurique, qui est le catalyseur de cette réaction. L'acide nitrique agit à titre de base, puisque l'acide sulfurique est un acide plus fort. Une molécule d'eau est ensuite expulsée de l'acide nitrique protoné (déshydratation), ce qui génère un **ion nitronium** (NO_2^+), un très puissant électrophile, dans lequel l'atome d'azote est chargé positivement (catégorie 2 d'électrophiles, *voir le tableau 4.4, p. 187*). Cet électrophile est ensuite attaqué par le cycle benzénique pour réaliser la substitution électrophile aromatique (*voir la figure 8.13*).

Figure 8.13
Mécanisme réactionnel de la nitration du benzène

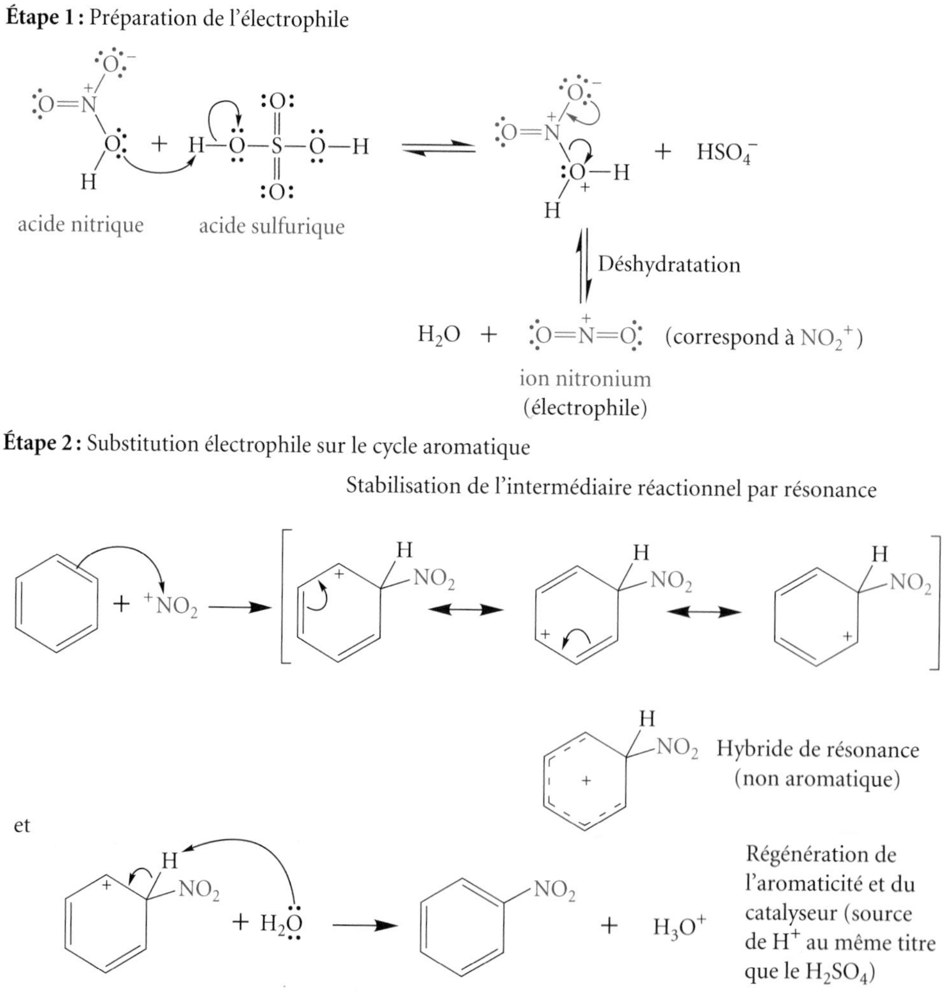

Étape 1 : Préparation de l'électrophile

Étape 2 : Substitution électrophile sur le cycle aromatique

Stabilisation de l'intermédiaire réactionnel par résonance

Le nitrobenzène, obtenu à la suite de la nitration du benzène, est un composé qui possède une odeur d'amandes. Il est utilisé, entre autres, en tant que solvant dans certaines peintures et pour la fabrication de cires à chaussures et de vernis à planchers dans le but de camoufler des odeurs désagréables. Le nitrobenzène est utilisé principalement dans la synthèse de l'amine aromatique la plus importante, soit l'aniline, servant à produire de nombreux colorants. La figure 8.14 illustre une réaction de réduction du groupement nitro menant à la formation du groupement amino. Il existe également d'autres réactions de réduction des groupements nitros, notamment l'hydrogénation catalytique (H_2, Pd/C).

Figure 8.14
Synthèse de l'aniline

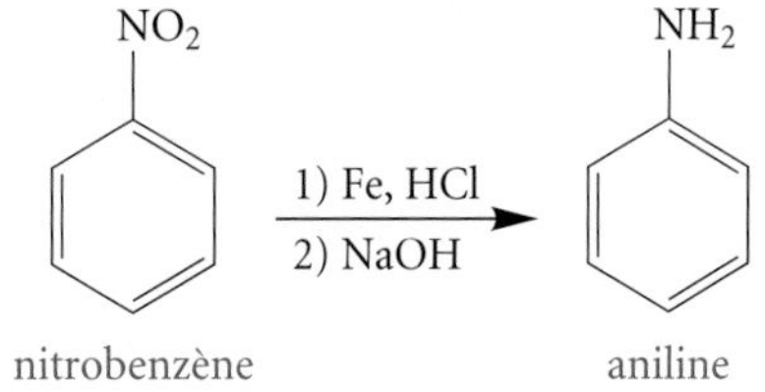

nitrobenzène   aniline

8.4.4 Sulfonation

Au cours d'une réaction de **sulfonation**, le groupement acide sulfonique ($-SO_3H$) substitue l'un des hydrogènes du cycle benzénique. Pour réaliser ce type de réaction, ce sont les ions HSO_3^+, de forts électrophiles, qui sont utilisés. Ceux-ci sont formés en employant de l'acide sulfurique concentré (H_2SO_4) en présence de trioxyde de soufre (SO_3), formant un mélange appelé **oléum** (ou acide sulfurique fumant). Le mécanisme réactionnel de la sulfonation est présenté dans la figure 8.15.

Figure 8.15
Mécanisme réactionnel de la sulfonation du benzène

Étape 1 : Préparation de l'électrophile

Étape 2 : Substitution électrophile sur le cycle aromatique

Stabilisation de l'intermédiaire réactionnel par résonance

Hybride de résonance
(non aromatique)

et

Base
(p. ex. : SO_3)   Régénération de l'aromaticité

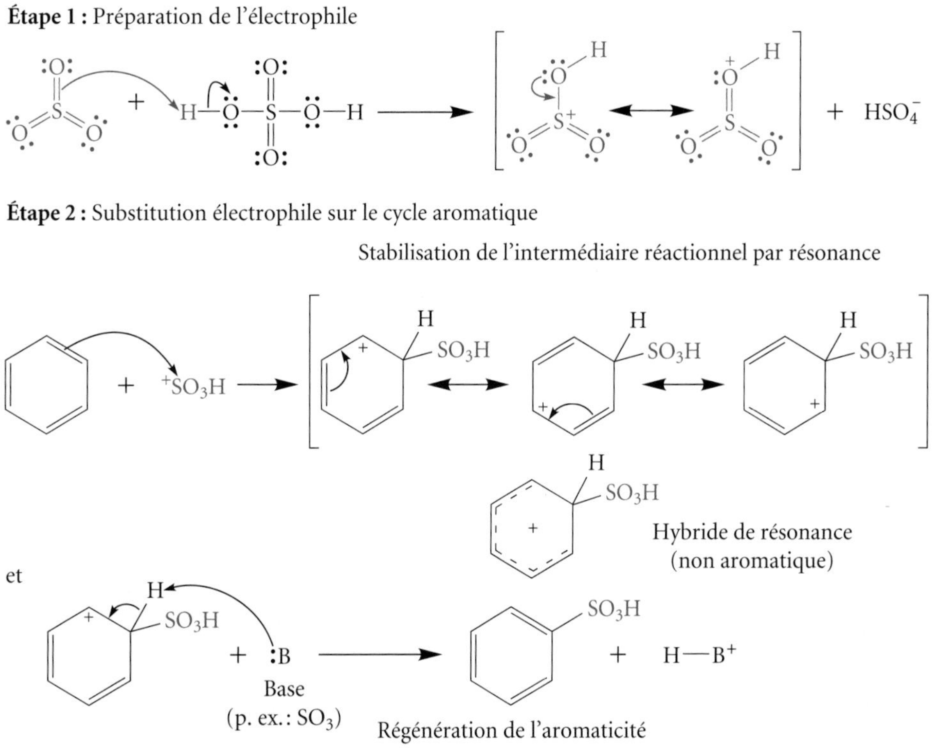

Le produit obtenu au cours d'une réaction de sulfonation du benzène est l'acide benzènesulfonique. Il s'agit d'un acide organique puissant servant notamment de catalyseur dans les réactions d'estérification et de déshydratation. De plus, il est un précurseur dans la synthèse des sulfonamides, soit des composés ayant des propriétés antibactériennes. Lorsqu'il est soumis à des températures élevées en présence de NaOH, l'acide benzènesulfonique est transformé en phénol (*voir la figure 8.16, page suivante*).

Figure 8.16
Synthèse du phénol

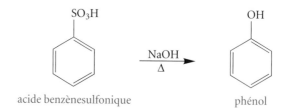

acide benzènesulfonique   phénol

8.4.5   Alkylation et acylation – Réactions de Friedel-Crafts

Les réactions d'**alkylation** et d'**acylation** sont également appelées **réactions de Friedel-Crafts** en l'honneur du chimiste français **Charles Friedel** (1832-1899) et du chimiste américain **James Mason Crafts** (1839-1917) qui découvrirent ces réactions de substitution électrophile aromatique en 1877.

Dans la réaction d'**alkylation**, l'un des hydrogènes du cycle benzénique est remplacé par un groupement alkyle R. La préparation de l'électrophile peut varier. Il peut tout d'abord être synthétisé en faisant réagir un alcène en présence d'acide (anhydre) pour former un carbocation (*voir la figure 8.17, étape 1, première possibilité*). De plus, l'électrophile peut être obtenu à partir d'un composé chloré (R—Cl) en présence du catalyseur $AlCl_3$, un acide de Lewis (*voir la figure 8.17, étape 1, deuxième possibilité*). Dans le cas d'un composé halogéné primaire, le catalyseur $AlCl_3$ polarise la liaison C—Cl et active ainsi l'halogène sur le composé halogéné, sans mener à la formation d'un carbocation. Cela s'explique par le fait que les carbocations primaires sont trop instables pour être formés. Cependant, l'activation d'un composé halogéné secondaire ou tertiaire par le catalyseur favorise la formation d'un carbocation. Ce dernier est stabilisé grâce à l'effet inductif répulsif des substituants. La seconde étape, celle de la substitution électrophile aromatique, s'effectue toujours comme cela est décrit dans le mécanisme général (*voir la figure 8.17, étape 2*).

Figure 8.17
Mécanisme réactionnel de la réaction d'alkylation de Friedel-Crafts

Étape 1 : Préparation de l'électrophile

Première possibilité : À partir d'un alcène

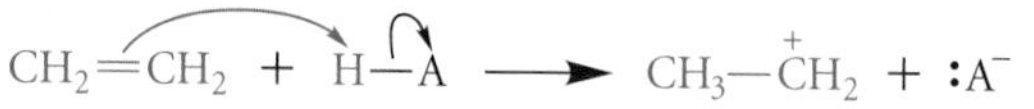

$$CH_2=CH_2 + H—A \longrightarrow CH_3—\overset{+}{C}H_2 + :A^-$$

Deuxième possibilité : À partir d'un composé halogéné en présence d'un catalyseur

- Pour un composé halogéné primaire :

$$CH_3—CH_2—\overset{..}{\underset{..}{Cl}}: + \overset{:\overset{..}{Cl}:}{\underset{:\overset{..}{Cl}:}{Al}}—\overset{..}{\underset{..}{Cl}}: \rightleftharpoons CH_3—CH_2—\overset{\delta+}{\underset{..}{\overset{..}{Cl}}}—\overset{+}{\underset{:\overset{..}{Cl}:}{\overset{:\overset{..}{Cl}:}{Al}}}—\overset{..}{\underset{..}{Cl}}:$$

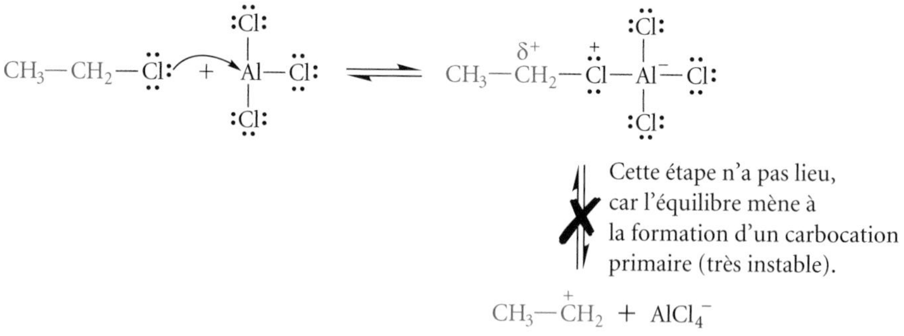

Cette étape n'a pas lieu, car l'équilibre mène à la formation d'un carbocation primaire (très instable).

$$CH_3—\overset{+}{C}H_2 + AlCl_4^-$$

- Pour un composé halogéné tertiaire (ou secondaire) :

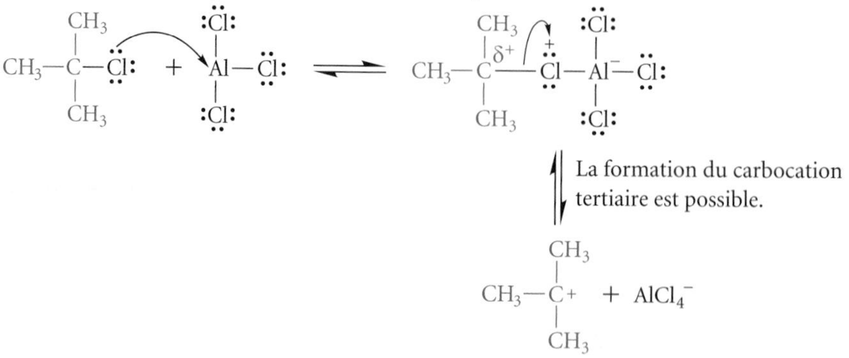

$$CH_3—\underset{\underset{CH_3}{|}}{\overset{\overset{CH_3}{|}}{C}}—\overset{..}{\underset{..}{Cl}}: + \overset{:\overset{..}{Cl}:}{\underset{:\overset{..}{Cl}:}{Al}}—\overset{..}{\underset{..}{Cl}}: \rightleftharpoons CH_3—\underset{\underset{CH_3}{|}}{\overset{\overset{CH_3}{|}}{C}}\overset{\delta+}{\underset{..}{\overset{..}{Cl}}}—\overset{+}{\underset{:\overset{..}{Cl}:}{Al}}—\overset{..}{\underset{..}{Cl}}:$$

La formation du carbocation tertiaire est possible.

$$CH_3—\underset{\underset{CH_3}{|}}{\overset{\overset{CH_3}{|}}{C}}{}^+ + AlCl_4^-$$

▶ **Étape 2 :** Substitution électrophile sur le cycle aromatique

- Pour un composé halogéné primaire :

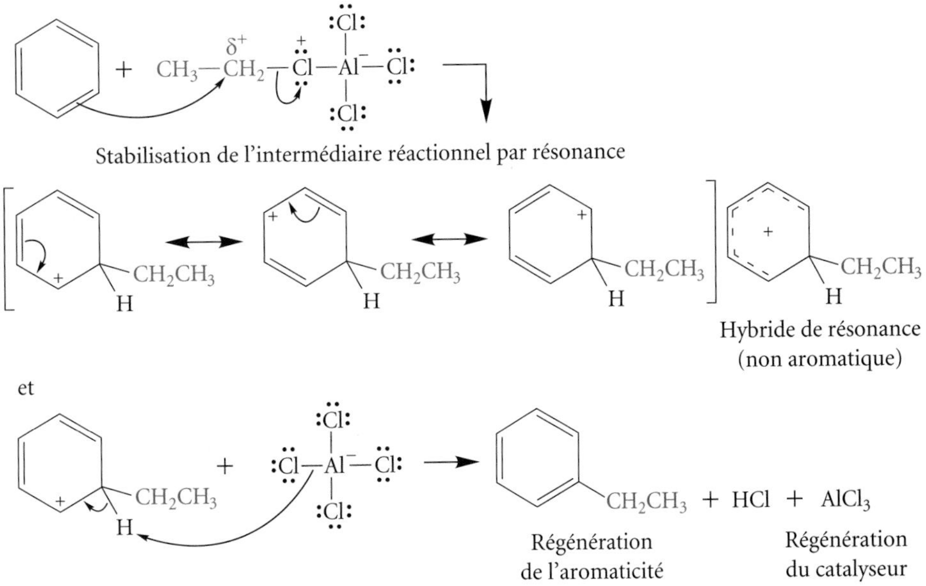

Stabilisation de l'intermédiaire réactionnel par résonance

Hybride de résonance
(non aromatique)

et

Régénération
de l'aromaticité

Régénération
du catalyseur

- Pour un composé halogéné tertiaire (ou secondaire) :

Le mécanisme réactionnel est identique à celui présenté pour les composés halogénés primaires, mais le cycle aromatique attaque le carbocation plutôt que le complexe.

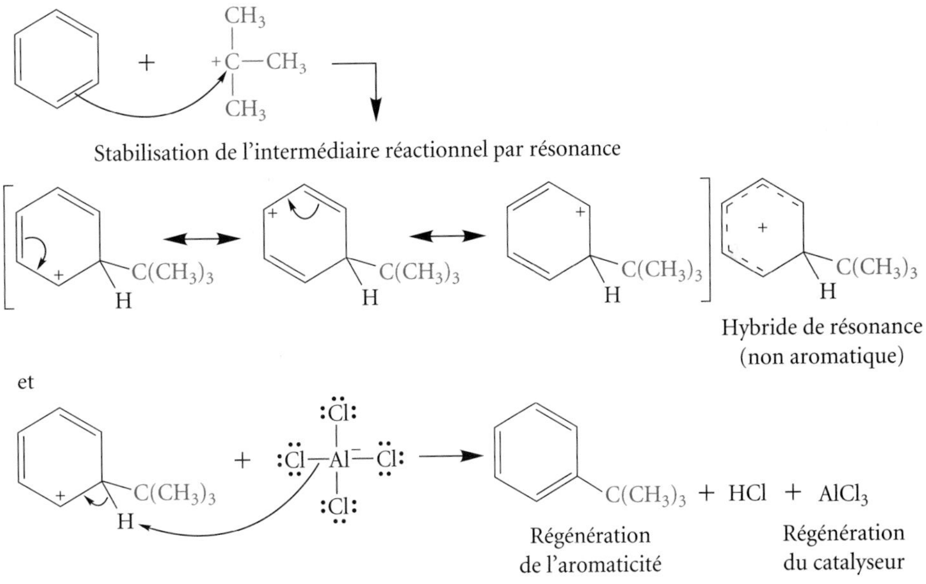

Stabilisation de l'intermédiaire réactionnel par résonance

Hybride de résonance
(non aromatique)

et

Régénération
de l'aromaticité

Régénération
du catalyseur

CHARLES FRIEDEL (1832-1899)

Minéralogiste et chimiste français né le 12 mars 1832 à Strasbourg, Friedel fut tout d'abord l'élève de Louis Pasteur à Strasbourg. Quelques années plus tard, en 1861, il étudia entre autres les aldéhydes et les cétones au sein du laboratoire de recherche de Charles Adolphe Wurtz (connu pour la réaction de Wurtz, *voir p. 418*). C'est d'ailleurs à l'École de médecine de Paris, dans les classes de Wurtz, qu'il fit la connaissance de James Mason Crafts. Ils énoncèrent tous deux les réactions d'alkylation et d'acylation de Friedel-Crafts en 1877. En 1878, Friedel devint professeur de chimie à la Sorbonne et fut élu membre de l'Académie des sciences. En 1885, il succéda à Wurtz à la tête de la chaire de chimie organique. Il décéda à Montauban le 20 avril 1899.

Les réactions d'alkylation ne s'appliquent toutefois pas à des cycles benzéniques déjà substitués avec les groupements nitro, amino ou acide sulfonique. En effet, ces substituants interagissent avec le catalyseur $AlCl_3$ en formant un complexe et l'empêchent ainsi d'activer le composé halogéné. De plus, l'alkylation ne peut être réalisée en utilisant un halogénure d'aryle (p. ex. : Cl—Ar) ou un halogénure de vinyle (p. ex. : Cl—CH=CH_2) comme composé halogéné de départ. Cela s'explique par le fait que la liaison C—Cl de ces réactifs participe au phénomène de résonance (profil 1 de résonance) et qu'elle est donc plus forte et plus difficilement clivable. Le catalyseur n'est donc pas en mesure d'activer suffisamment l'halogène pour transformer le complexe en un électrophile fort.

JAMES MASON CRAFTS (1839-1917)

Chimiste américain né à Boston le 8 mars 1839 et fils d'un riche fabricant de textile, Crafts étudia à Harvard où il obtint son baccalauréat en sciences en 1858. Il étudia ensuite, en Allemagne, à l'École des mines de Freiberg, puis à l'Université d'Heidelberg où il fut l'assistant de recherche de Robert Bunsen. C'est en 1861 qu'il fit la connaissance de Charles Friedel à l'École de médecine de Paris. Après son retour aux États-Unis, il devint professeur de chimie au Cornell College en 1867, puis au Massachusetts Institute of Technology (MIT) en 1870. En 1874, il demanda un congé exceptionnel pour rejoindre Friedel à la Sorbonne et se consacrer à leurs recherches. C'est pendant cette période qu'il découvrit, avec Friedel, les réactions d'alkylation et d'acylation. Crafts revint en 1891 au MIT où il enseigna la chimie organique jusqu'en 1897. Il fut ensuite président de cette université de 1897 à 1900. Il décéda le 20 juin 1917.

Dans la figure 8.17 (*voir p. 354 et 355*), il est mentionné que le mécanisme des réactions d'alkylation de Friedel-Crafts impliquant des composés halogénés primaires ne forme aucun carbocation comme intermédiaire de réaction, tandis que les composés halogénés secondaires et tertiaires passent par des carbocations. Or, certains résultats expérimentaux ont démontré que, parfois, les intermédiaires réactionnels des composés halogénés primaires peuvent se réarranger à la suite d'une migration d'un hydrogène ou d'un groupement alkyle pour engendrer des carbocations secondaires ou tertiaires, plus stables. Dans certains cas, les carbocations des composés halogénés secondaires peuvent aussi se réarranger en carbocations tertiaires.

Puisque les réactions d'alkylation de Friedel-Crafts peuvent conduire à un mélange de produits en raison, entre autres, des réarrangements des carbocations des chaînes de carbones et de polyalkylations fréquentes (les groupements alkyles sont des substituants activants, *voir la section 8.5*), leur utilisation est limitée en synthèse organique. La réaction d'acylation de Friedel-Crafts suivie d'une réduction du groupement carbonyle (formant alors un groupement méthylène —CH_2—) sont souvent plus avantageuses pour produire des alkylbenzènes.

Les groupements alkyles sur le cycle benzénique peuvent être transformés en acide benzoïque à l'aide d'un puissant oxydant, le permanganate de potassium ($KMnO_4$), en présence d'acide et de chaleur, comme cela est présenté dans la figure 8.18.

Figure 8.18 Oxydation des groupements alkyles fixés sur un cycle benzénique à l'aide du permanganate de potassium ($KMnO_4$)

Les réactions d'**acylation** permettent à l'un des hydrogènes du cycle benzénique d'être remplacé par un groupement acyle —COR. Elles se produisent selon un mécanisme réactionnel semblable à celui des réactions d'alkylation. Cependant, dans ce type de réaction, un chlorure d'acyle est employé comme réactif et conduit à la formation d'un **cation acylium** à la suite de l'activation par le catalyseur $AlCl_3$. Les réactions d'acylation permettent la synthèse de cétones aromatiques (*voir la figure 8.19*).

REMARQUE

Le cation acylium est stabilisé par résonance. Aucun réarrangement de carbocations n'est favorisé.

Tous les atomes de la forme limite de résonance de droite respectent la règle de l'octet (ou du doublet).

Figure 8.19 Mécanisme réactionnel de la réaction d'acylation de Friedel-Crafts

Étape 1 : Préparation de l'électrophile

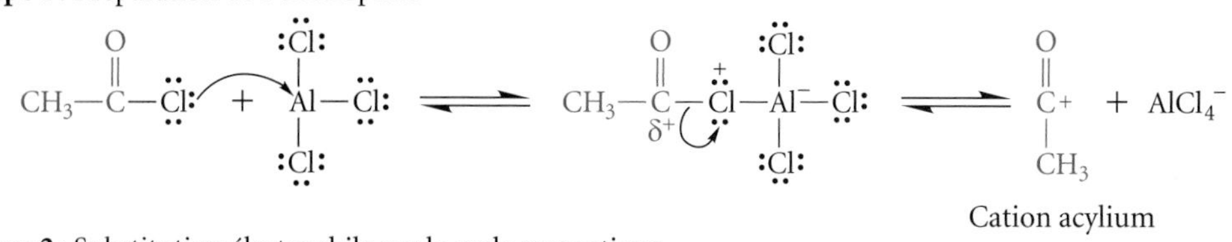

Cation acylium

Étape 2 : Substitution électrophile sur le cycle aromatique

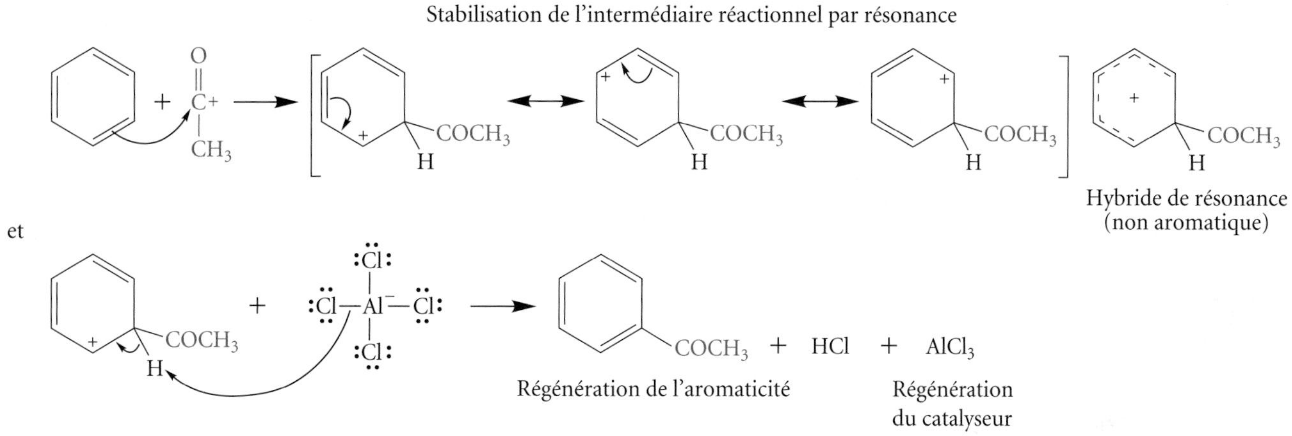

Stabilisation de l'intermédiaire réactionnel par résonance

Hybride de résonance
(non aromatique)

et

Régénération de l'aromaticité   Régénération
du catalyseur

8.5 Substituants activants et désactivants

Jusqu'à présent, seule la réactivité du benzène a été étudiée. Toutefois, les composés benzéniques naturels ou artificiels possèdent souvent plus d'un substituant. Pour parvenir à synthétiser de tels composés, plusieurs substitutions électrophiles aromatiques doivent être réalisées successivement. Dans le cas où une substitution électrophile aromatique est effectuée et qu'un substituant est déjà présent sur le cycle benzénique, ce dernier joue un rôle déterminant tant sur la vitesse de la réaction que sur la position du groupement ajouté.

Des études cinétiques menées sur la nitration de divers composés benzéniques (benzène, phénol, toluène, etc.) ont démontré que les substituants présents sur un cycle benzénique ont un effet sur la vitesse de la substitution électrophile aromatique (*voir le tableau 8.4*). L'influence qu'exerce un substituant sur la vitesse d'une substitution

Tableau 8.4 **Vitesse relative de la réaction de nitration de divers composés benzéniques**

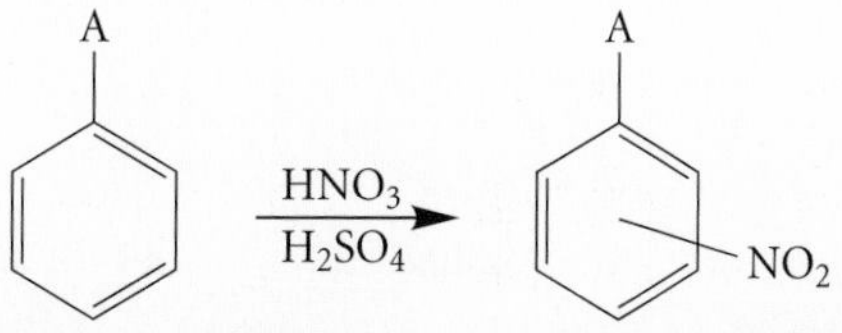

Nature du substituant A		Vitesse relative de nitration
Activants	—OH	1000
	—CH$_3$	24,5
Référence	—H	1,0
Désactivants	—Cl	0,033 (30 fois plus lente)
	—CO$_2$CH$_2$CH$_3$	0,0037 (270 fois plus lente)
	—NO$_2$	6×10^{-8} (17 millions de fois plus lente)

électrophile aromatique est toujours comparée avec celle du benzène, celui-ci étant dépourvu de substituants. Le substituant d'un cycle aromatique est dit **activant** s'il augmente la vitesse de la substitution électrophile aromatique par rapport à celle du benzène, et **désactivant** s'il la diminue.

À la lumière des informations du tableau 8.4 (*voir page précédente*), il est possible de remarquer que les substituants électrodonneurs tels que —OH et —CH₃ sont des substituants activants qui accélèrent la réaction. Par opposition, les substituants électroattracteurs tels que —Cl, —CO₂CH₂CH₃ et —NO₂ sont des substituants désactivants qui ralentissent la réaction. Cette constatation ne s'applique pas uniquement à la réaction de nitration, mais elle est valable pour n'importe quelle réaction de substitution électrophile aromatique.

En se référant à l'étape 2 A) du mécanisme général de la substitution électrophile aromatique présenté dans la figure 8.9 (*voir p. 349*), ces observations expérimentales sont logiques. En effet, puisque le cycle benzénique doit attaquer un électrophile et que cette étape constitue l'étape limitante de la réaction, plus il sera riche en électrons, plus il sera en mesure d'attaquer avec efficacité et rapidité. Par conséquent, tout substituant électrodonneur, qui accroît la densité électronique au cœur du cycle benzénique, permet d'accélérer la réaction. Le caractère nucléophile du cycle benzénique étant accru, la vitesse de la substitution électrophile aromatique est plus grande. Par opposition, un substituant électroattracteur, qui diminue la densité électronique du cycle benzénique en attirant les électrons vers lui, ralentit la réaction. La figure 8.20 illustre les effets des substituants activants et désactivants sur la densité électronique du cycle benzénique au moyen des cartes de potentiel électrostatique.

Figure 8.20
Cartes de potentiel électrostatique du phénol, du benzène et du nitrobenzène

> **REMARQUE**
> La densité électronique du cycle benzénique du phénol est plus grande (rouge plus intense) que celle du benzène, alors que celle du nitrobenzène est plus faible ; le cycle benzénique est bleu-vert.

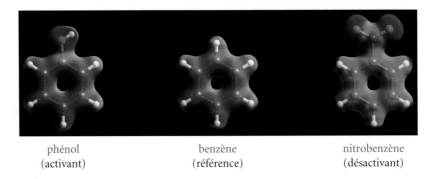

| phénol | benzène | nitrobenzène |
| (activant) | (référence) | (désactivant) |

Exercice 8.4   À partir du tableau 8.4 (*voir page précédente*), à quoi faudrait-il s'attendre quant aux vitesses relatives de la nitration des composés suivants ?

a)   NH₂

aniline

b)   CH₂Cl

(chlorométhyl)benzène

Les substituants activants sont dits « moyens » et « forts » s'ils enrichissent le cycle benzénique par résonance (p. ex. : —OH, —NH₂, etc.), et « faibles » s'ils le font exclusivement par effet inductif répulsif (p. ex. : les groupements alkyles, R). Quant aux substituants désactivants, ils sont généralement moyens et forts s'ils appauvrissent le cycle benzénique par résonance (p. ex. : —CO₂CH₂CH₃ et —NO₂), alors que les substituants désactivants sont faibles s'ils l'appauvrissent par effet inductif attractif seulement (p. ex. : les halogènes).

La figure 8.21 de la section 8.6 (*voir p. 362*) présente un résumé des différents substituants classés selon leurs caractéristiques activantes ou désactivantes. Dans le cas des substituants activants, il est important de remarquer leur classement, de haut en bas, par ordre décroissant de leur caractère activant (les plus forts étant les fonctions amines). Par contre, dans le cas des substituants désactivants, ils sont classés, de bas en haut, par ordre décroissant de leur caractère désactivant (les plus forts étant donc les fonctions —NO_2 et —NR_3^+).

En plus d'influencer la vitesse d'une substitution électrophile aromatique, les substituants fixés sur le cycle benzénique orientent également la position d'un nouvel électrophile au cours des réactions de substitution électrophile aromatique subséquentes. Ces notions seront étudiées dans la prochaine section.

CHRONIQUES D'UNE MOLÉCULE

Le pouvoir des substituants activants et désactivants sur la zone de virage des indicateurs colorés

Avant l'arrivée des indicateurs colorés, les titrages acidobasiques se réalisaient à l'aide de bicarbonate de potassium ($KHCO_3$). Cette méthode s'avérait fiable dans la mesure où une effervescence était observée au point d'équivalence. C'est en 1767 que le chimiste et médecin anglais **William Lewis** (1714-1781) eut l'idée d'utiliser un extrait de tournesol à titre d'indicateur coloré[3].

De nos jours, il existe une grande variété d'indicateurs colorés, dont le plus connu du grand public est, sans contredit, la phénolsulfonephtaléine, également appelée « rouge de phénol ». Cette molécule est commercialisée pour déterminer le pH de l'eau des piscines[4]. En solution aqueuse acide, plus particulièrement à un pH de 6,4 et moins, le rouge de phénol est jaune. Toutefois, en solution aqueuse basique à un pH de 8,0 et plus, la forme basique de cet indicateur est prépondérante et la solution devient rouge. La zone de virage de

cet indicateur se situe donc entre 6,4 et 8,0. La solution est à ce moment de couleur orangée.

Comment expliquer le phénomène de changement de couleur dans la zone de virage ? Il suffit tout d'abord d'observer les modifications structurales que subit la molécule au moment de son passage du milieu acide au milieu basique (et vice versa).

En milieu acide, la molécule existe sous une forme cyclique. Cette dernière possède trois cycles aromatiques isolés les uns des autres (en bleu dans la structure de gauche). La phénolsulfonephtaléine émet dans une longueur d'onde d'environ 580 nm, ce qui correspond à la couleur jaune. Par opposition, en milieu basique, la molécule existe sous une forme ouverte permettant au phénomène de résonance de s'effectuer sur l'ensemble de la structure. Cette dernière forme est alors beaucoup plus stable et moins énergétique que la forme cyclique. Puisque la longueur d'onde d'émission est inversement proportionnelle à l'énergie ($E = hc/\lambda$), la longueur d'onde d'émission associée à la structure ouverte est supérieure à celle de la forme cyclique. Sa valeur est de plus de 625 nm, ce qui correspond à la couleur rouge observée.

L'ouverture du cycle de la phénolsulfonephtaléine nécessite tout d'abord la déprotonation d'un des groupements hydroxyles (—OH) par une base. Puis, le doublet d'électrons libre se délocalise au travers de la molécule.

Forme cyclique
Forme acide du rouge
de phénol (pH < 6,4)
Couleur jaune

Forme ouverte
Forme basique du rouge
de phénol (pH > 8,0)
Couleur rouge

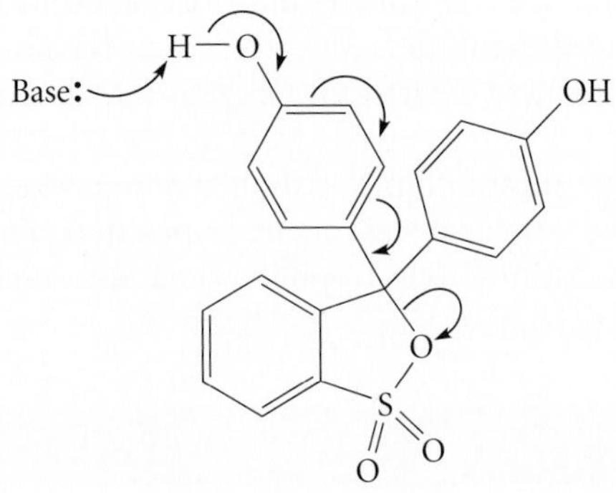

L'ouverture de la forme cyclique de la molécule est à l'origine de la formation de l'ion sulfonate (—SO$_3^-$) trouvé dans la forme ouverte.

Plusieurs composés dérivés de la phénolsulfonephtaléine et également employés à titre d'indicateurs colorés permettent de mettre en relief l'effet de la nature des substituants liés aux cycles aromatiques sur la zone de virage[5].

Les données illustrées dans le tableau ci-dessous démontrent que la présence de substituants activants (tels que les groupements méthyle et isopropyle) enrichit en électrons le cycle aromatique par effet inductif

répulsif. De ce fait, les doublets d'électrons libres de l'oxygène du groupement hydroxyle effectuent plus difficilement de la résonance. L'atome d'hydrogène du groupement hydroxyle est moins acide, car la liaison O—H est moins polarisée. Par conséquent, il est plus difficile d'arracher le proton H$^+$ de la liaison O—H. Le pK_a de cet acide est plus élevé et la zone de virage est ainsi déplacée vers des pH supérieurs.

Par opposition, la présence de substituants désactivants (tel le brome) appauvrit en électrons le cycle aromatique par effet inductif attractif. Le groupement hydroxyle donne ainsi plus facilement ses doublets d'électrons libres pour faire de la résonance. L'atome d'hydrogène du groupement hydroxyle est plus acide, puisque la liaison O—H est plus polarisée. L'indicateur coloré possède un pK_a plus petit et donc sa zone de virage se situe à des valeurs de pH inférieures.

Cette analyse révèle ainsi toute la beauté et la simplicité des indicateurs colorés. La mesure du pH de l'eau des piscines à l'aide du rouge de phénol ne semblera plus aussi mystérieuse qu'auparavant! Bonne baignade!

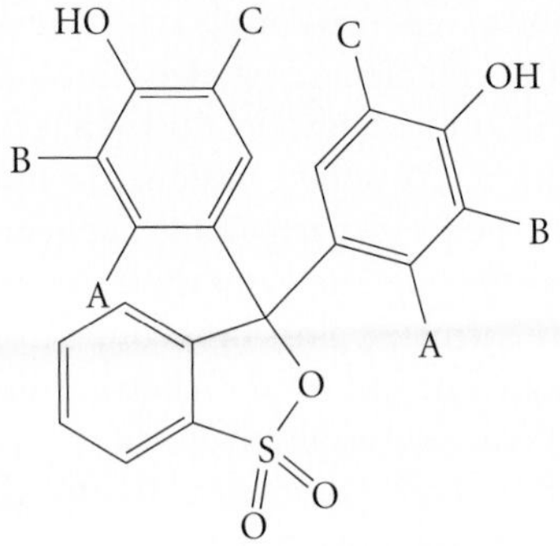

Indicateur coloré	—A	—B	—C	Zone de virage
Bleu de bromophénol	—H	—Br	—Br	3,0 à 4,6
Vert de bromocrésol	—Me	—Br	—Br	3,8 à 5,4
Pourpre de bromocrésol	—H	—Br	—Me	5,2 à 6,8
Rouge de phénol	—H	—H	—H	6,4 à 8,0
Rouge de crésol	—H	—H	—Me	7,2 à 8,8
Bleu de thymol	—Me	—H	—iPr	8,0 à 9,6

8.6 Groupes orienteurs en *ortho* et *para*, et groupes orienteurs en *méta*

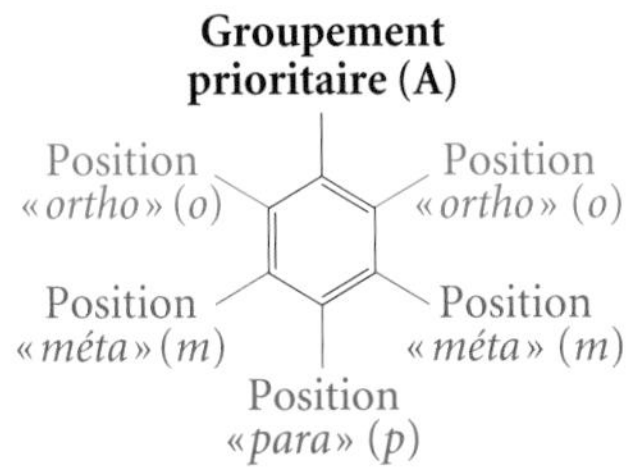

Groupement prioritaire (A)

Position «*ortho*» (*o*)
Position «*ortho*» (*o*)
Position «*méta*» (*m*)
Position «*méta*» (*m*)
Position «*para*» (*p*)

Au cours d'une réaction de substitution électrophile aromatique, la présence d'un substituant déjà lié sur le cycle benzénique influence la position du nouveau substituant ajouté. Un substituant est désigné **orienteur** (ou **directeur**) **en *ortho* et *para*** sur un cycle benzénique s'il dirige un nouveau substituant en position *ortho* et *para* par rapport à lui. Pour sa part, un substituant **orienteur** (ou **directeur**) **en *méta*** sur un cycle benzénique contrôle l'ajout du nouveau substituant en position *méta* par rapport à lui.

Le tableau 8.5 illustre les résultats obtenus au cours de la réaction de nitration sur quatre composés benzéniques renfermant différents substituants. Certains substituants, tels le —CH$_3$ du toluène et le —OH du phénol, sont dits «orienteurs en *ortho* et *para*», et d'autres, tels le —NO$_2$ du nitrobenzène et le —SO$_3$H de l'acide benzènesulfonique, sont dits «orienteurs en *méta*».

Dans le cas des substituants orienteurs en *ortho* et *para*, il faut tout d'abord considérer un facteur statistique quant aux pourcentages obtenus pour les isomères *ortho* et *para*. En effet, il y a deux positions possibles sur le cycle benzénique pour l'orientation en *ortho*, et une seule pour la position *para*. Ce facteur favorise donc *a priori* les isomères *ortho*. Toutefois, l'encombrement stérique entre le réactif électrophile et le substituant déjà présent sur le cycle benzénique est également un facteur à prendre en considération. Ainsi, plus ces derniers sont volumineux, plus l'isomère *para* est favorisé.

Tableau 8.5 **Réaction de nitration de différents composés benzéniques renfermant un seul substituant**

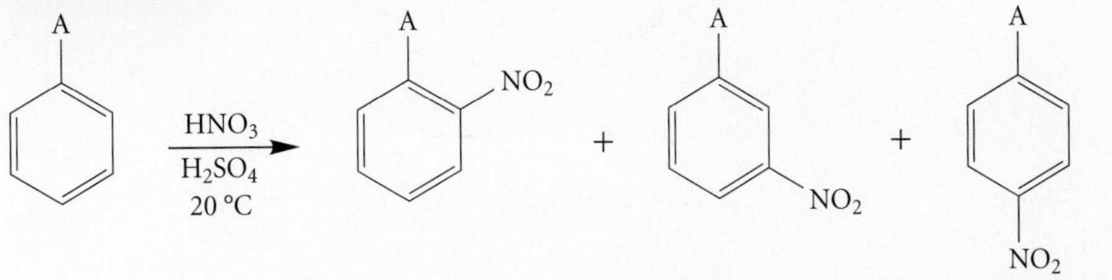

		Pourcentages obtenus pour chaque isomère (%)		
Nature du substituant A		*ortho*	*méta*	*para*
Orienteurs en *ortho* et *para*	—OH	50	0	50
	—CH$_3$	58	5	37
Orienteurs en *méta*	—SO$_3$H	21	72	7
	—NO$_2$	7	92	1

Exercice 8.5 Les groupements alkyles, tel le —CH$_3$, sont des substituants orienteurs en *ortho* et *para*. Les deux réactions suivantes présentent respectivement la chloration et la bromation du toluène.

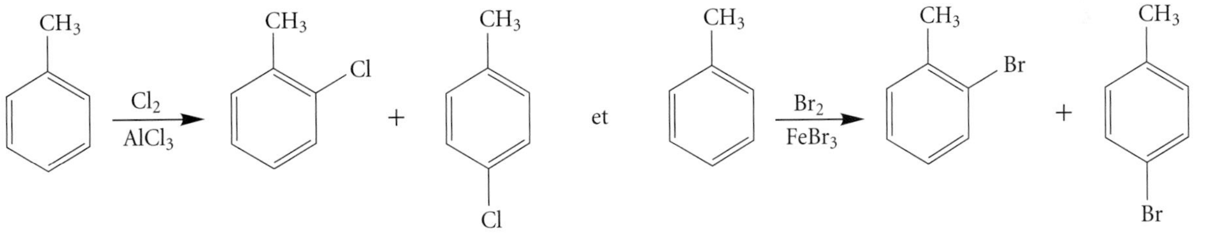

| toluène | *o*-chlorotoluène 62 % | *p*-chlorotoluène 38 % | | toluène | *o*-bromotoluène 40 % | *p*-bromotoluène 60 % |

À partir des connaissances acquises jusqu'à maintenant, expliquez pourquoi l'isomère *ortho* est majoritaire pour la chloration du toluène, alors que c'est l'isomère *para* qui est majoritaire pour la bromation.

Exercice 8.6 D'après le tableau 8.5, la nitration du toluène (—A = —CH$_3$) conduit majoritairement à l'isomère *ortho*. Quel sera le produit majoritaire pour la nitration du *tert*-butylbenzène? Expliquez votre réponse en comparant le résultat obtenu pour la nitration du toluène.

La figure 8.21, à la page suivante, présente différents substituants, les plus fréquents en synthèse organique, classés selon leur effet sur la vitesse de la substitution électrophile aromatique (substituants activants et désactivants) et selon leur effet orienteur (groupes orienteurs en *ortho* et *para*, et groupes orienteurs en *méta*).

Figure 8.21
Effet de divers substituants sur la
vitesse et sur l'orientation de la réaction
de substitution électrophile des
composés aromatiques
monosubstitués

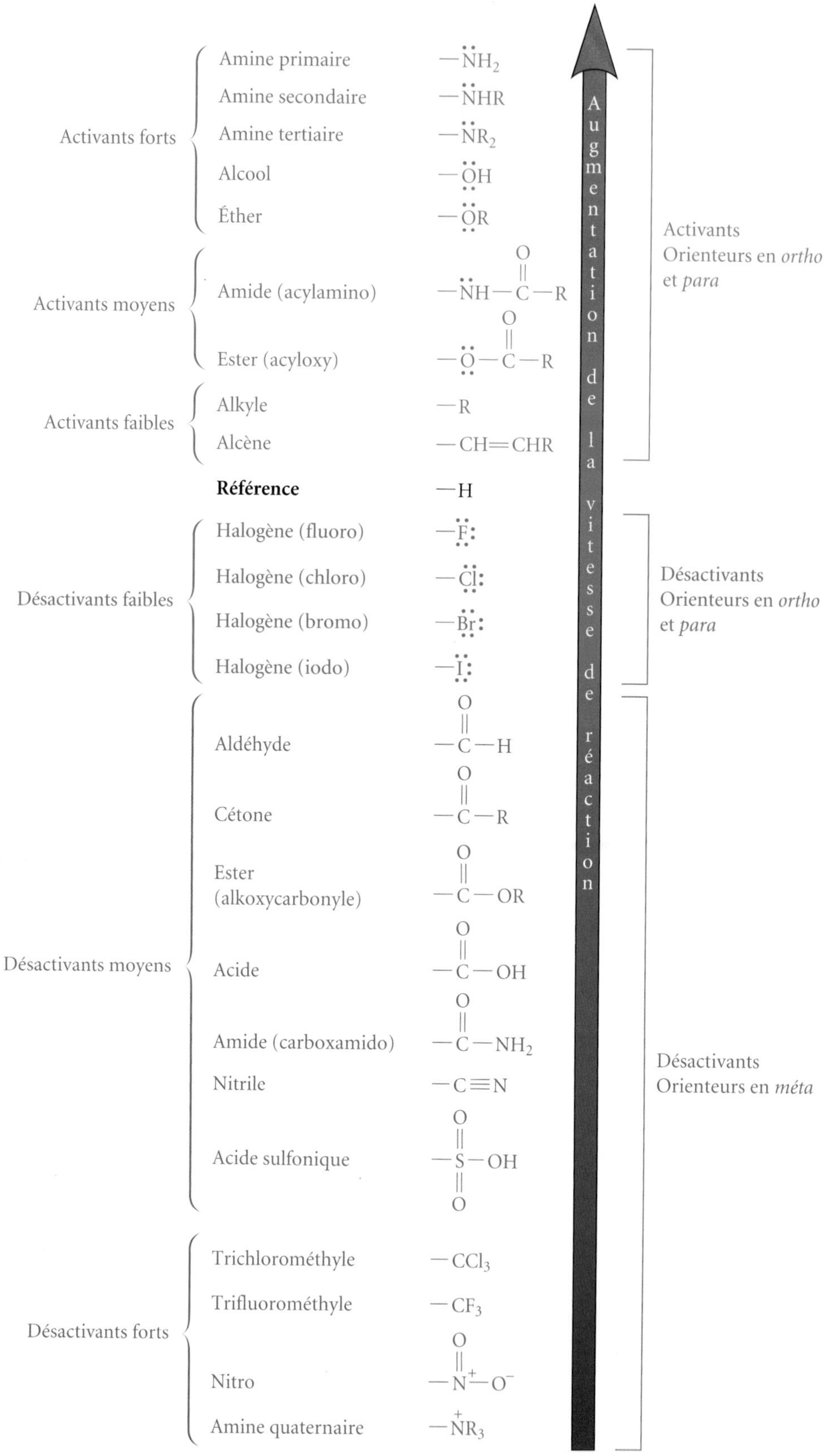

Activants forts	Amine primaire	$-\ddot{N}H_2$
	Amine secondaire	$-\ddot{N}HR$
	Amine tertiaire	$-\ddot{N}R_2$
	Alcool	$-\ddot{O}H$
	Éther	$-\ddot{O}R$

Activants moyens	Amide (acylamino)	$-\ddot{N}H-\overset{\overset{\displaystyle O}{\|}}{C}-R$
	Ester (acyloxy)	$-\ddot{O}-\overset{\overset{\displaystyle O}{\|}}{C}-R$

Activants faibles	Alkyle	$-R$
	Alcène	$-CH=CHR$

Référence	$-H$

Désactivants faibles	Halogène (fluoro)	$-\ddot{\underset{..}{F}}:$
	Halogène (chloro)	$-\ddot{\underset{..}{C}l}:$
	Halogène (bromo)	$-\ddot{\underset{..}{B}r}:$
	Halogène (iodo)	$-\ddot{\underset{..}{I}}:$

Désactivants moyens	Aldéhyde	$-\overset{\overset{\displaystyle O}{\|}}{C}-H$
	Cétone	$-\overset{\overset{\displaystyle O}{\|}}{C}-R$
	Ester (alkoxycarbonyle)	$-\overset{\overset{\displaystyle O}{\|}}{C}-OR$
	Acide	$-\overset{\overset{\displaystyle O}{\|}}{C}-OH$
	Amide (carboxamido)	$-\overset{\overset{\displaystyle O}{\|}}{C}-NH_2$
	Nitrile	$-C\equiv N$
	Acide sulfonique	$-\overset{\overset{\displaystyle O}{\|}}{\underset{\underset{\displaystyle O}{\|}}{S}}-OH$

Désactivants forts	Trichlorométhyle	$-CCl_3$
	Trifluorométhyle	$-CF_3$
	Nitro	$-\overset{\overset{\displaystyle O}{\|}}{N^+}-O^-$
	Amine quaternaire	$-\overset{+}{N}R_3$

Augmentation de la vitesse de réaction

Activants
Orienteurs en *ortho*
et *para*

Désactivants
Orienteurs en *ortho*
et *para*

Désactivants
Orienteurs en *méta*

Dans les prochaines sous-sections, le mode d'action d'un point de vue mécanistique de chacun des groupes orienteurs sera analysé afin de mieux saisir les causes de cette orientation sélective. Puisque la formation du carbocation, soit l'ion benzénium, est l'étape limitante dans le mécanisme de la substitution électrophile aromatique, la stabilité de cet intermédiaire sera étudiée pour bien comprendre la raison pour laquelle certains substituants dirigent l'ajout d'un nouvel électrophile en position *ortho* et en position *para*, ou en position *méta*.

8.6.1 Groupes orienteurs en *ortho* et *para*

Lorsqu'un composé benzénique déjà substitué participe à une réaction de substitution électrophile aromatique, trois intermédiaires réactionnels, plus précisément, trois ions benzénium (carbocations) sont possibles selon les trois positions (*ortho*, *méta* et *para*) du second substituant. L'analyse des stabilités relatives de ces trois carbocations permet de déterminer les produits préférentiellement obtenus. En effet, plus un intermédiaire réactionnel est stable, plus le produit qui en découle est favorisé.

Si un composé benzénique renferme un substituant alkyle (p. ex.: le groupement méthyle —CH₃ dans le cas du toluène), soit un substituant activant faible par effet inductif répulsif, ce dernier favorise la formation des isomères *ortho* et *para*. La figure 8.22 permet d'expliquer ce résultat en illustrant tous les ions benzénium obtenus à la suite de l'attaque du cycle benzénique du toluène sur un électrophile ainsi que leurs formes limites de résonance.

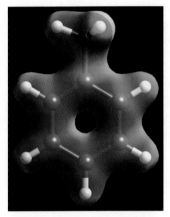

Carte de potentiel électrostatique du toluène, dont le groupement —CH₃ est un substituant activant faible

Figure 8.22 Formes limites de résonance des ions benzénium obtenus après l'attaque du toluène sur un électrophile qui se lie aux positions *ortho*, *méta* et *para*

Cette figure démontre tout d'abord que le nombre de formes limites de résonance est identique d'une voie mécanistique à l'autre, ce qui ne peut donc pas expliquer la différence de stabilité entre les intermédiaires réactionnels. Or, seules les attaques dans lesquelles le nouvel électrophile se lie en position *ortho* et en position *para* présentent une forme limite de résonance plus stable, renfermant un carbocation tertiaire, qui ne se trouve pas dans l'attaque menant à la position *méta*. Toutes les autres formes limites de résonance contiennent des carbocations secondaires. La différence de stabilité due au carbocation tertiaire est suffisante pour favoriser la formation des isomères *ortho* et *para* en présence d'un substituant alkyle sur le cycle benzénique. Tous les substituants activants faibles sont donc des groupes orienteurs en *ortho* et *para*.

Si un composé benzénique renferme un substituant activant fort par résonance (p. ex.: le groupement amino —NH$_2$ dans le cas de l'aniline), les isomères *ortho* et *para* sont encore une fois favorisés. Dans la figure 8.21 (*voir p. 362*), les substituants activants forts sont facilement repérables par le fait qu'ils possèdent tous un doublet d'électrons libre sur l'atome directement fixé au cycle benzénique (à l'exception des halogènes, dont les particularités sont décrites dans la section 8.6.3 [*voir p. 367*]). La figure 8.23 illustre ce phénomène par l'attaque de l'aniline sur un électrophile.

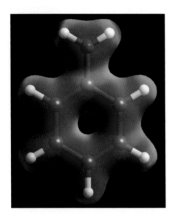

Carte de potentiel électrostatique de l'aniline, dont le groupement —NH$_2$ est un substituant activant fort

Figure 8.23 Formes limites de résonance des ions benzénium obtenus après l'attaque de l'aniline sur un électrophile qui se lie aux positions *ortho*, *méta* et *para*

Carbocation stabilisé par une forme limite de résonance impliquant le doublet d'électrons libre du groupement amino

ortho

méta

para

Carbocation stabilisé par une forme limite de résonance impliquant le doublet d'électrons libre du groupement amino

Les ions benzénium obtenus à la suite des attaques dans lesquelles le nouvel électrophile se lie en position *ortho* et en position *para* sont stabilisés par un plus grand nombre de formes limites de résonance (quatre formes limites de résonance au lieu de trois, dans le cas de la position en *méta*). Le doublet d'électrons libre du substituant électrodonneur, soit le groupement amino dans le cas de l'aniline, s'avère en fait d'une grande importance, puisqu'il permet de stabiliser davantage le carbocation lorsque l'attaque se réalise en position *ortho* ou en position *para*. En effet, sa délocalisation vers la charge positive du carbone porteur du groupement amino permet alors à cette charge d'être attribuée à l'atome d'azote. Dans cette forme limite de résonance, tous les atomes respectent alors les règles de l'octet et du doublet. Dans le cas d'une attaque dans laquelle le nouvel électrophile se lie en position *méta*, la délocalisation des électrons est restreinte au cycle benzénique (aucune contribution du groupement amino possible), ce qui ne favorise pas la formation de cet intermédiaire réactionnel, et donc cette position.

Par conséquent, en présence d'un substituant activant fort par résonance sur le cycle benzénique, la formation des isomères *ortho* et *para* est favorisée. Tous les substituants activants forts sont donc des groupes orienteurs en *ortho* et *para*.

> **Exercice 8.7** Au cours de la bromation du phénol, la substitution électrophile aromatique favorise les isomères *ortho* et *para*. Expliquez cette observation en dessinant les formes limites de résonance des différents intermédiaires produits par la bromation du phénol.

8.6.2 Groupes orienteurs en *méta*

Si un substituant désactivant (p. ex.: le groupement formyle —CHO dans le cas du benzaldéhyde) est fixé à un cycle benzénique, l'isomère favorisé à la suite d'une substitution électrophile aromatique est généralement l'isomère *méta*. Dans la figure 8.21 (*voir p. 362*), les substituants désactivants se distinguent tout d'abord par la présence d'une liaison double ou triple polaire dont l'un des atomes est directement rattaché au cycle benzénique. Dans chacun de ces cas, l'atome directement lié au cycle benzénique est toujours moins électronégatif et porte donc une charge positive complète (p. ex.: le substituant —NO$_2$) ou partielle (p. ex.: le substituant —CHO). Ces substituants attirent les électrons du cycle benzénique par résonance. Ensuite, certains substituants désactivants appauvrissent en électrons le cycle benzénique par effet inductif attractif et non par résonance. Ces derniers, tels que —NH$_3^+$ et —NR$_3^+$, portent une charge complète positive sur l'atome lié au cycle benzénique.

Afin de mieux comprendre l'orientation sélective des groupes orienteurs en *méta*, la figure 8.24 (*voir page suivante*) présente les formes limites de résonance des trois ions benzénium obtenus après l'attaque du benzaldéhyde sur un électrophile.

Dans cette figure, les positions *ortho* et *para* de l'électrophile sur le cycle benzénique présentent une forme limite de résonance très instable dans laquelle le carbocation formé est adjacent à la charge partielle positive du groupement carbonyle. Cette forme limite de résonance n'est pas favorisée en raison des deux charges identiques qui se repoussent. Par contre, si l'électrophile se fixe en position *méta*, aucune forme limite de résonance ne présente une telle déstabilisation. Par conséquent, tous les substituants désactivants (à l'exception des halogènes, dont les particularités sont décrites dans la section 8.6.3 [*voir p. 367*]) sont donc des groupes orienteurs en *méta*.

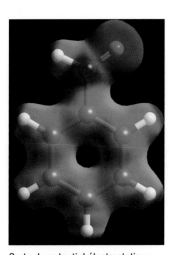

Carte de potentiel électrostatique du benzaldéhyde, dont le groupement —CHO est un substituant désactivant fort

> **Exercice 8.8** Au cours de la bromation du nitrobenzène, la substitution électrophile aromatique favorise l'isomère *méta*. Expliquez cette observation en dessinant les formes limites de résonance des différents intermédiaires produits par la bromation du nitrobenzène.

Figure 8.24 Formes limites de résonance des ions benzénium obtenus après l'attaque du benzaldéhyde sur un électrophile qui se lie aux positions *ortho*, *méta* et *para*

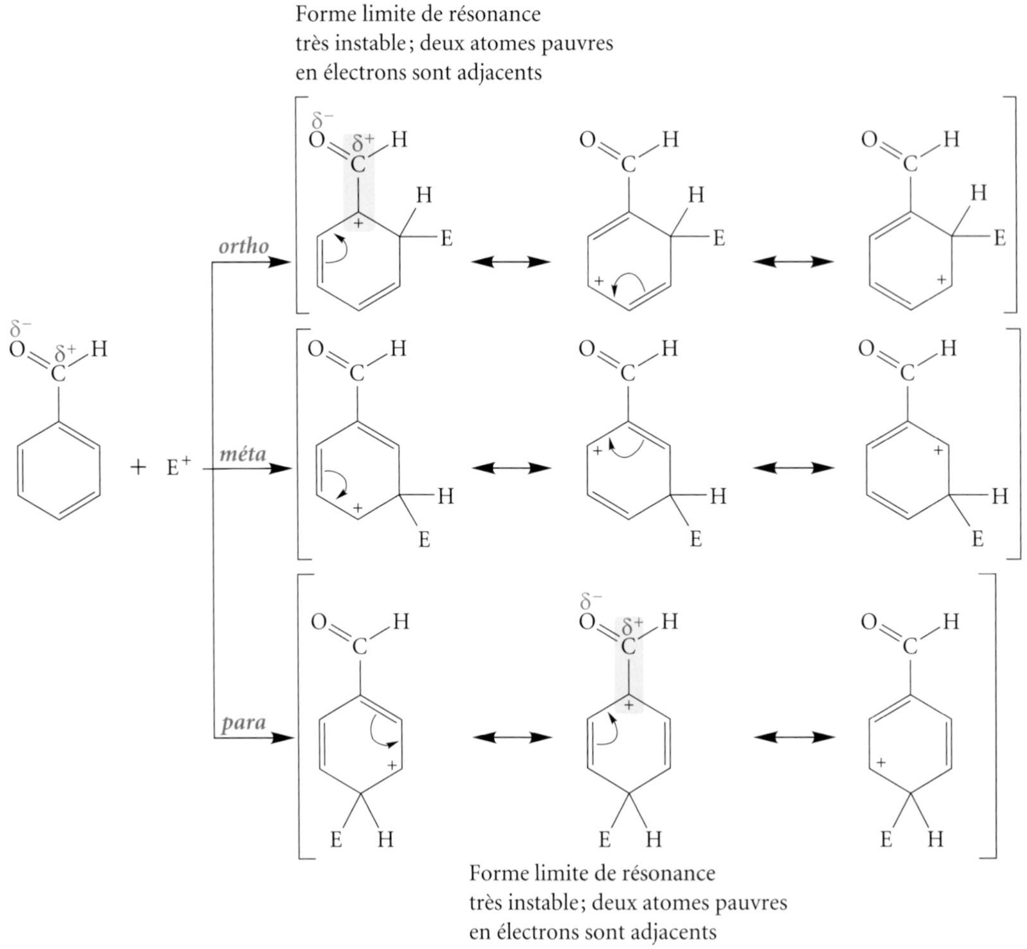

Les explications fournies dans les figures 8.22, 8.23 (*voir p. 363 et 364*) et 8.24 quant à l'orientation d'un nouveau substituant sur le cycle benzénique selon la nature d'un substituant déjà présent sont très rigoureuses. Elles sont basées sur la stabilité relative des formes limites de résonance des ions benzénium (carbocations) formés durant la première étape de la substitution électrophile aromatique. Toutefois, il est usuel d'expliquer l'effet orienteur en *ortho* et *para* ainsi que l'effet orienteur en *méta* des substituants sur le cycle benzénique grâce à l'hybride de résonance du composé avant la réaction de substitution électrophile aromatique (pour les substituants participant au phénomène de résonance). À titre d'exemple, dans la figure 8.25, l'hybride de résonance de l'aniline (le groupement —NH$_2$ est un substituant activant) démontre bien que les positions *ortho* et *para* sont enrichies en électrons (charges partielles négatives, δ^-), alors que la position *méta* ne l'est pas. L'électrophile ira donc se fixer sur les carbones aux positions *ortho* et *para* du cycle benzénique. Par opposition, l'hybride de résonance du benzaldéhyde (le groupement —CHO est un substituant désactivant) démontre des appauvrissements sur les carbones aux positions *ortho* et *para* (charges partielles positives, δ^+). L'électrophile ira se fixer, par défaut, sur les sites les plus riches en électrons, soit les carbones en position *méta*.

Par ces hybrides de résonance, il est également plus aisé de comprendre pourquoi la présence de substituants activants sur le cycle benzénique entraîne des substitutions électrophiles aromatiques plus rapides que sur le benzène, alors que la présence de substituants désactivants crée des substitutions électrophiles aromatiques plus lentes; la vitesse de réaction dépend du caractère nucléophile du cycle benzénique.

Figure 8.25
Visualisation des régions riches ou pauvres en électrons pour des substituants activant et désactivant grâce aux formes limites de résonance et aux hybrides de résonance du substrat de départ

Formes limites de résonance de l'aniline

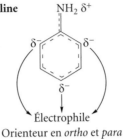

Hybride de résonance de l'aniline

L'attaque du cycle benzénique (nucléophile) sur un électrophile s'effectue à partir des carbones les plus riches en électrons.

Électrophile
Orienteur en *ortho* et *para*

Formes limites de résonance du benzaldéhyde

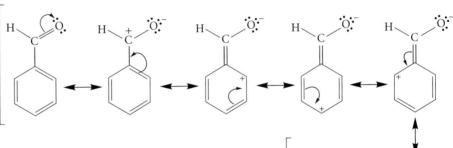

Hybride de résonance du benzaldéhyde

L'attaque du cycle benzénique (nucléophile) sur un électrophile s'effectue à partir des carbones les moins pauvres en électrons.

Électrophile
Orienteur en *méta*

Exercice 8.9 En ayant recours aux formes limites de résonance et aux hybrides de résonance, déterminez, sur les composés suivants, les sites du cycle benzénique susceptibles d'interagir avec un électrophile.

a) OCH₃

anisole

b) COCH₃

acétophénone

8.6.3 Substituants halogénés sur un cycle benzénique – Substituants désactivants, mais orienteurs en *ortho* et *para*

Les halogènes sont des substituants qui présentent des irrégularités quant aux règles décrites dans les sections 8.6.1 et 8.6.2 (*voir p. 363 et 365*) pour les groupes orienteurs en *ortho* et *para* ou en *méta*. Selon les observations expérimentales, les **substituants**

halogénés sont des substituants désactivants faibles et des groupes orienteurs en *ortho* et *para,* deux facteurs qui, pourtant, semblent contradictoires!

Bien que les halogènes possèdent des doublets d'électrons libres (ce qui laisse croire qu'ils sont des substituants activants forts), ces derniers ne pourront pas enrichir efficacement le cycle benzénique par le phénomène de résonance. En fait, les orbitales de l'halogène et du carbone n'ayant pas la même taille, leur recouvrement est mauvais, rendant la résonance plus difficile. L'effet inductif attractif des halogènes (ayant des valeurs d'électronégativité assez élevées, plus que celle du carbone) l'emporte ainsi sur la résonance. Les halogènes sont donc des substituants désactivants faibles. Le cycle benzénique étant moins riche en électrons, son caractère nucléophile est moins élevé, et la réaction de substitution électrophile aromatique est plus lente.

Par contre, au cours de la substitution électrophile aromatique sur un composé benzénique porteur d'un halogène, l'ion benzénium obtenu peut être stabilisé grâce au phénomène de résonance impliquant l'halogène. Même si le recouvrement orbitalaire n'est pas très efficace, la résonance peut avoir lieu pour favoriser une forme limite de résonance dans laquelle tous les atomes respectent la règle de l'octet ou celle du doublet, comme le ferait n'importe quel groupe orienteur en *ortho* et *para*. Pour cette raison, les substituants halogénés sont des groupes orienteurs en *ortho* et *para* (*voir la figure 8.26*).

Pour conclure la section portant sur les halogénobenzènes, il faut retenir que l'effet inductif attractif a une incidence plus importante sur leur réactivité, mais que la résonance influence l'orientation de leur substitution électrophile aromatique.

Figure 8.26
Formes limites de résonance stabilisées par la présence de substituants halogénés lorsqu'un électrophile se lie aux positions *ortho* et *para*

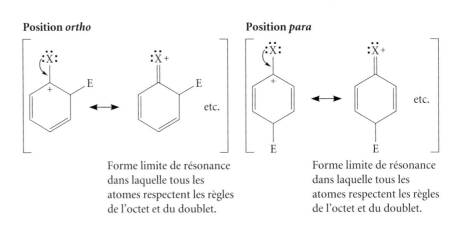

Position *ortho*

Forme limite de résonance dans laquelle tous les atomes respectent les règles de l'octet et du doublet.

Position *para*

Forme limite de résonance dans laquelle tous les atomes respectent les règles de l'octet et du doublet.

8.7 Importance des effets des substituants en synthèse organique

La compréhension des substituants activants et désactivants ainsi que des groupes orienteurs en *ortho* et *para* ou en *méta* est primordiale au moment de la synthèse d'un composé organique comportant l'ajout de plusieurs substituants sur un cycle benzénique. Par exemple, une réaction de bromation du nitrobenzène avec le Br$_2$ mène majoritairement au *m*-bromonitrobenzène, puisque le groupement nitro du nitrobenzène est un groupe orienteur en *méta* (*voir la figure 8.27 a*). Par contre, si le but est d'obtenir le *o*-bromonitrobenzène ou le *p*-bromonitrobenzène, la synthèse devra être repensée en entier afin d'ajouter, en premier lieu, sur le benzène, le substituant orienteur en *ortho* et *para* (le groupement bromo) qui permettra d'obtenir le produit attendu à la suite d'une nitration (*voir la figure 8.27 b*). Par conséquent, l'ordre des différentes substitutions électrophiles aromatiques est très important en synthèse organique pour obtenir le ou les produits majoritaires. En d'autres mots, la présence des substituants sur le cycle benzénique permet d'obtenir une **régiosélectivité des substitutions électrophiles aromatiques** subséquentes.

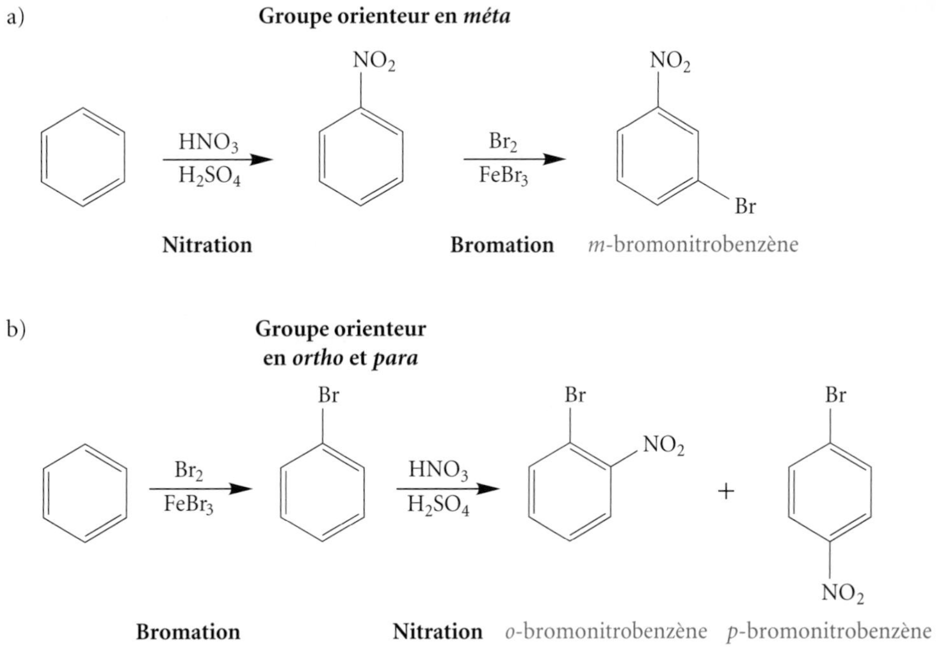

Figure 8.27

Régiosélectivité des substitutions électrophiles aromatiques en prenant comme exemples les synthèses
a) Du *m*-bromonitrobenzène ;
b) Du *o*-bromonitrobenzène et du *p*-bromonitrobenzène

a)

Groupe orienteur en *méta*

Nitration   Bromation   *m*-bromonitrobenzène

b)

Groupe orienteur en *ortho* et *para*

Bromation   Nitration   *o*-bromonitrobenzène *p*-bromonitrobenzène

De plus, dans la figure 8.27, la deuxième étape de la synthèse en b), soit la nitration du bromobenzène, est plus rapide que celle de la synthèse en a). Cela s'explique par la présence du substituant —Br, un désactivant faible comparativement au substituant —NO$_2$, un désactivant fort.

Exercice 8.10 Déterminez une voie de synthèse permettant d'obtenir les produits suivants à partir du benzène et de tous les réactifs de votre choix.

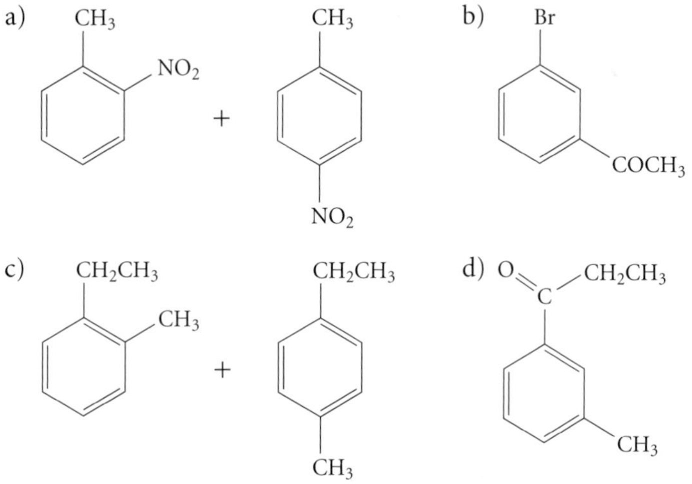

S'il y a plus d'un substituant sur un même cycle benzénique, le plus activant (activant fort) sera toujours celui qui déterminera la position d'un nouveau substituant à ajouter, puisqu'il permet la substitution électrophile aromatique la plus rapide (*voir la figure 8.28, page suivante*). Lorsque deux substituants (ou plus) sont désactivants sur un même cycle benzénique, la position de l'électrophile est alors dictée par le substituant le moins désactivant. **Dans ce dernier cas, la réaction de substitution électrophile aromatique peut tout de même avoir lieu, mais elle se produit très lentement.**

Figure 8.28
Exemples de substitutions
électrophiles aromatiques
pour un cycle benzénique
polysubstitué

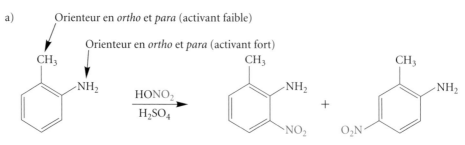

a) Orienteur en *ortho* et *para* (activant faible)

Orienteur en *ortho* et *para* (activant fort)

C'est le substituant activant fort qui détermine la position du nouveau substituant sur le cycle benzénique, puisqu'il permet une substitution électrophile aromatique plus rapide.

Produit minoritaire   Produit majoritaire

Attention! Le produit majoritaire est celui sur lequel le nouveau substituant se fixe en position *para* par rapport à l'activant fort, car il y a alors moins d'encombrement stérique.

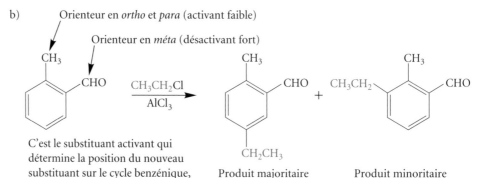

b) Orienteur en *ortho* et *para* (activant faible)

Orienteur en *méta* (désactivant fort)

C'est le substituant activant qui détermine la position du nouveau substituant sur le cycle benzénique, car le substituant orienteur en *méta* est un désactivant qui ralentit la substitution électrophile aromatique.

Produit majoritaire   Produit minoritaire

Exercice 8.11 Déterminez les produits synthétisés au cours des réactions suivantes.

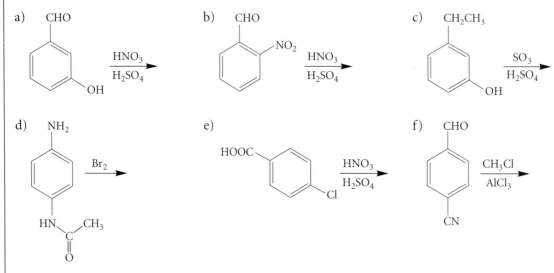

Exercice 8.12 Déterminez une voie de synthèse permettant d'obtenir les produits suivants à partir du benzène et de tous les réactifs de votre choix.

CHRONIQUES D'UNE MOLÉCULE

Les fullerènes et les nanotubes
Par François Raymond, Collège Jean-de-Brébeuf

Le $(C_{60}\text{-}I_h)$[5,6]fullerène, communément appelé « C_{60} (**1**) », a été découvert au milieu des années 1980. La première publication scientifique dont le sujet était l'identification de cette molécule sphérique composée de 60 atomes de carbone date de 1985[6]. Le prix Nobel de chimie de l'année 1996 a été décerné à trois des auteurs ayant signé cet article pour la découverte de ce composé particulier, qui est le digne représentant de toute une famille de molécules de forme sphérique ou ellipsoïde composées exclusivement d'atomes de carbone[7]. Il s'agit de Robert F. Curl (fils), de Sir Harold W. Kroto et de Richard E. Smalley.

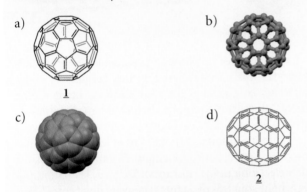

a) Fullerène C_{60}; b) Représentation de type boules et bâtonnets du C_{60}; c) Représentation de type modèle compact du C_{60}; d) Fullerène C_{70}

Comme cela est illustré dans la figure ci-dessus, le C_{60} est un composé aromatique sphérique constitué exclusivement d'atomes de carbone hybridés sp^2. L'agencement qu'adoptent ceux-ci engendre une structure semblable à la forme d'un ballon de soccer. Ces atomes sont disposés de façon à former 12 pentagones et 20 hexagones distribués de manière ordonnée à la surface de la sphère[8]. La figure a)

illustre la représentation simplifiée de ce fullerène utilisée dans les schémas réactionnels. La taille du C_{60} est d'environ $1,1 \times 10^{-9}$ m. Il faudrait concevoir de très petits filets pour jouer une partie de soccer avec un tel objet! Afin de nommer le nouveau composé C_{60}, ses découvreurs ont proposé de l'appeler « buckminsterfullerène[9] ». Ils se sont inspirés du nom d'un architecte américain très visionnaire du nom de Richard Buckminster Fuller (1895-1983). Il est connu pour être le concepteur de bâtiments de formes géodésiques (sphériques). La surface de ces bâtiments est composée de montants en acier reliés entre eux de manière à décrire des formes géométriques simples telles que des triangles et des hexagones. La Biosphère de Montréal est un exemple typique de l'œuvre de Fuller. Avec le temps, le préfixe « buckminster- » est tombé, et le nom « fullerène » est demeuré. Ce nom regroupe en fait une multitude de composés sphériques à base de carbone. Parmi les fullerènes, il existe entre autres la version « ballon de rugby ». En effet, le fullerène C_{70} (**2**) (*voir la figure d*) est composé de 70 atomes de carbone dispersés dans l'espace sous la forme d'un ellipsoïde.

Les fullerènes peuvent être fabriqués à partir de tiges de graphite. En générant un arc électrique entre deux tiges de graphite se faisant face, il est possible de fabriquer un mélange de ces molécules. Le rendement de cette réaction est évalué à environ 7 %. L'emploi de cette technique engendre un mélange de C_{60}, C_{70}, C_{76} et C_{84}. La molécule de C_{60} possède une forte affinité électronique et elle peut être réduite jusqu'à l'hexaanion (C_{60}^{6-}) de façon réversible[10]. De la même façon, il est possible de réduire successivement la molécule de C_{70} jusqu'à l'espèce anionique C_{70}^{6-}. Ces molécules possèdent donc une grande habileté à accepter des électrons de manière

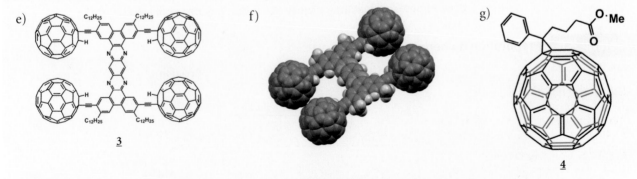

e) Nanocamion (**3**); f) Représentation de type modèle compact d'une molécule analogue dans laquelle les groupements dodécyles ont été remplacés par des méthyles; g) Molécule de [6,6]-phényl-C_{61}-butanoate de méthyle (PCBM) (Me = CH_3)

réversible. De façon imagée, ces molécules peuvent être décrites comme étant des réservoirs (potentiels) d'électrons[11].

De nos jours, la chimie des fullerènes est un domaine en ébullition. Cela découle des propriétés particulières propres aux fullerènes, mais aussi de la possibilité de fonctionnaliser ces molécules par l'intermédiaire de réactions chimiques conventionnelles[12].

Au cours des dernières années, une pléthore de composés organiques incorporant un noyau fullerène ont vu le jour. Étant donné la grande disponibilité commerciale du C_{60}, c'est principalement ce fullerène qui est employé dans les nouvelles structures synthétisées. À titre d'exemple, certaines nanomachines[13] incorporent la forme sphérique du C_{60} dans leurs structures. Le composé (**3**), illustré en e), est un exemple particulier d'une nanomachine[14]. Il s'agit d'un nanocamion dont les roues sont composées de C_{60} et dont les essieux sont des groupements acétyléniques, et la plateforme, des cycles aromatiques fusionnés. Une représentation tridimensionnelle modélisée d'une molécule analogue est illustrée en f). Par ailleurs, un autre exemple de dérivé fullerène qui trouve un emploi important de nos jours est le [6,6]-phényl-C_{61}-butanoate de méthyle (PCBM, (**4**), *voir la figure g*). Celui-ci est employé au sein de certains dispositifs photovoltaïques (cellules solaires) organiques[15]. Dans ces dispositifs, le PCBM agit comme agent de séparation de charge, étant donné sa grande habileté à accepter les électrons excités par la lumière.

Les fullerènes ne sont pas les seules substances chimiques possédant des surfaces aromatiques courbées constituées d'atomes de carbone. En effet, il existe aussi la famille des nanotubes de carbone. Il s'agit là de tubes de taille nanométrique dont la surface est composée d'atomes de carbone disposés de façon hexagonale. La figure h) illustre un exemple de nanotube. Il est possible de se représenter les nanotubes de carbone comme le résultat de l'enroulement d'un feuillet de graphène (*voir la figure i*). Le graphène ne doit pas être confondu avec le graphite, le constituant, entre autres, des mines de crayon. En effet, le graphite est obtenu par un empilement successif d'un grand nombre de feuillets de graphène.

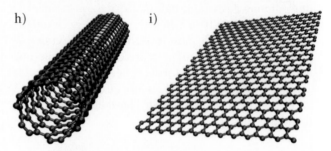

h) Nanotube de carbone ; i) Feuillet de graphène

Les nanotubes de carbone possèdent des propriétés physiques très particulières. En effet, certains sont des matériaux conducteurs des plus efficaces. Étant donné que ces tubes sont composés exclusivement d'atomes de carbone, ils sont plus légers que les métaux conducteurs électriques traditionnels (p. ex.: l'or et le cuivre). Les nanotubes peuvent donc être employés dans les dispositifs microélectroniques (transistors). De plus, les nanotubes de carbone sont très résistants et peuvent donc entrer dans la composition de matériaux spécialisés demandant légèreté et résistance, notamment dans la fabrication d'articles de sport (p. ex.: des raquettes et des bâtons divers).

cheneliere.ca/chimieorganique www

› Substitution nucléophile aromatique
› Hydrocarbures aromatiques polycycliques

8.8 Préparation du benzène

Le tableau 8.6 présente un bref aperçu de la préparation du benzène. Le reformage du naphte (un composé primaire extrait du pétrole brut) permet, entre autres, d'obtenir des composés aromatiques primaires tels que le benzène, le toluène, etc.

Tableau 8.6 Préparation du benzène[a]

Nom de la réaction	Réaction
Déshydrogénation du cyclohexane	
Déshydrocyclisation de l'hexane	

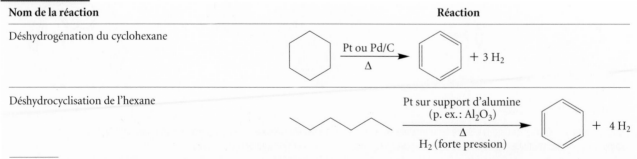

a. Ces réactions sont présentées à titre informatif. Elles n'ont pas été traitées dans le cadre de cet ouvrage.

Caractéristiques des composés aromatiques

- Molécules apolaires ne renfermant que des liaisons covalentes non polaires C—C et C—H (hydrocarbures insaturés – présence de liens σ et π) (introduction)
- Stabilité remarquable due au phénomène de résonance (introduction et section 8.3)
- Conditions pour présenter une aromaticité (ou un caractère aromatique), c'est-à-dire respect de la règle de Hückel (section 8.1):
  - molécule cyclique
  - système conjugué sur l'ensemble du cycle ou des cycles
  - $4n + 2$ électrons délocalisables, où n représente un nombre entier naturel ($n = 0$, 1, 2, 3, 4, etc.)
- Propriétés physiques (p. ex.: solubilité et masse volumique) du benzène similaires à celles de ses homologues aliphatiques (alcanes, alcènes, alcynes) (section 8.2)
- Point d'ébullition croissant avec l'augmentation de la masse molaire (pour les composés aromatiques dépourvus d'hétéroatomes), mais variant considérablement d'un composé à l'autre en présence d'hétéroatomes au niveau des substituants (section 8.2)

Réactions des composés benzéniques

Hydrogénation catalytique (réduction) (section 8.3)

benzène $+ 3 H_2 \xrightarrow[\substack{\text{Forte pression, }\Delta \\ \text{ou} \\ \text{Ni de Raney}}]{\text{Pd/C ou Ni ou Pt}}$ cyclohexane

Substitution électrophile aromatique (section 8.4)

Soit la réaction générale suivante.

benzène $\xrightarrow{\text{Réactifs}}$ A

Mécanisme général de la substitution électrophile aromatique (section 8.4.1)
• Préparation de l'électrophile
• Substitution électrophile aromatique:
– attaque du cycle benzénique (nucléophile) sur l'électrophile
– formation de l'ion benzénium (stabilisé par résonance)
– régénération de l'aromaticité

Réactifs	Nom de la réaction	—A
X_2, FeX_3 ou AlX_3 (où X = Cl ou Br)	Halogénation (chloration si X = Cl et bromation si X = Br) (section 8.4.2)	—X
HNO_3, H_2SO_4	Nitration (section 8.4.3)	—NO_2
SO_3, H_2SO_4	Sulfonation (section 8.4.4)	—SO_3H
RX, FeX_3 ou AlX_3 (où en général X = Cl)	Alkylation de Friedel-Crafts (section 8.4.5)	—R
$CH_2{=}CH_2$, H_2SO_4 Note: Les H de l'éthène peuvent être remplacés par des groupements R.	Alkylation de Friedel-Crafts (section 8.4.5)	—CH_2CH_3
$RCOCl$, $FeCl_3$ ou $AlCl_3$	Acylation de Friedel-Crafts (section 8.4.5)	—COR

Réactions particulières des composés benzéniques

Synthèse de l'aniline à partir du nitrobenzène (section 8.4.3)

$$NO_2 \xrightarrow[\text{2) NaOH}]{\text{1) Fe, HCl}} NH_2$$

nitrobenzène → aniline

Synthèse du phénol à partir de l'acide benzènesulfonique (section 8.4.4)

$$SO_3H \xrightarrow[\Delta]{\text{NaOH}} OH$$

acide benzènesulfonique → phénol

Oxydation d'un groupement alkyle R fixé sur un cycle benzénique – Synthèse de l'acide benzoïque (section 8.4.5)

$$R \xrightarrow[\substack{H_3O^+ \\ \Delta}]{KMnO_4} COOH$$

alkylbenzène → acide benzoïque

Substituants activants et désactivants (section 8.5) et orienteurs en *ortho* et *para*, et en *méta* (section 8.6)

Consultez la figure 8.21 (*voir p. 362*) pour un classement des différents substituants selon leur effet sur la vitesse de réaction et selon leur effet orienteur.

VÉRIFICATION DES CONNAISSANCES

Après l'étude de ce chapitre, je devrais être en mesure :

- ○ de déterminer si un composé est aromatique ou non, selon la définition de l'aromaticité et la règle de Hückel ;
- ○ de décrire les caractéristiques structurales du benzène ;
- ○ de connaître les différents symboles pour représenter le cycle benzénique ;
- ○ d'expliquer la réactivité du groupement fonctionnel arène ou aromatique, plus particulièrement celle du benzène ;
- ○ de prévoir les produits obtenus et les conditions expérimentales nécessaires au cours des réactions de substitution électrophile aromatique suivantes sur des composés benzéniques :
  - halogénation (chloration et bromation) (Cl$_2$ ou Br$_2$ en présence d'un catalyseur AlX$_3$ ou FeX$_3$),
  - nitration (HNO$_3$ conc., H$_2$SO$_4$ conc.),
  - sulfonation (SO$_3$, H$_2$SO$_4$),
  - alkylation et acylation de Friedel-Crafts (respectivement R—X et R—CO—X, en présence d'un catalyseur AlX$_3$ ou FeX$_3$) ;
- ○ d'illustrer les mécanismes réactionnels des réactions de substitution électrophile aromatique (halogénation,

nitration, sulfonation, alkylation et acylation de Friedel-Crafts) sur les composés benzéniques ;

- ○ de classer les substituants fixés au cycle benzénique en substituants activants et désactivants, selon leur effet sur la vitesse relative de substitution électrophile aromatique ;
- ○ de prévoir la position d'un substituant introduit par substitution électrophile aromatique, selon l'effet orienteur (en *ortho* et *para* ou en *méta*) des substituants déjà présents sur le cycle benzénique ;
- ○ d'expliquer l'effet orienteur (en *ortho* et *para* ou en *méta*) d'un substituant sur un cycle benzénique d'après la stabilité des intermédiaires réactionnels formés au cours des réactions de substitution électrophile aromatique ;
- ○ de déterminer la structure d'un composé aromatique à l'aide de ses propriétés physiques et chimiques caractéristiques ;
- ○ de concevoir (séquence des étapes et conditions réactionnelles de chacune) la synthèse d'un composé en utilisant notamment les réactions des composés benzéniques.

EXERCICES SUPPLÉMENTAIRES

Aromaticité et propriétés physiques des composés benzéniques

8.13 Expliquez pourquoi le cyclohepta-1,3,5-triène est beaucoup plus réactif que le benzène, bien qu'ils possèdent tous deux le même nombre de liaisons doubles.

benzène   cyclohepta-1,3,5-triène

8.14 Expliquez pourquoi le doublet d'électrons libre de l'azote d'un pyrrole est beaucoup moins basique que celui d'une pyridine.

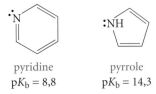

pyridine   pyrrole
$pK_b = 8,8$ $pK_b = 14,3$

8.15 Expliquez la différence entre les points de fusion des composés benzéniques suivants.

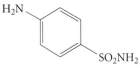

alcool anisylique
(molécule essentielle au goût de la réglisse)
p. f. : 22-25 °C

sulfanilamide
(molécule faisant partie des sulfamides
qui sont une famille d'antibiotiques)
p. f. : 164,5-166,5 °C

Réactions du benzène et des composés benzéniques

8.16 Depuis la Deuxième Guerre mondiale, le cumène est utilisé comme additif au carburant d'avion afin d'augmenter son indice d'octane. L'équation suivante représente une voie de synthèse du cumène.

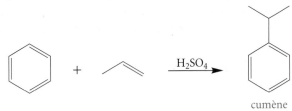

cumène

a) Écrivez toutes les étapes du mécanisme de cette réaction.
b) Faut-il s'attendre à ce que la monoalkylation (une seule substitution électrophile aromatique) mène exclusivement au cumène ? Expliquez votre réponse.
c) Décrivez une autre méthode de synthèse du cumène. Quelle différence y a-t-il avec le mécanisme présenté en a) ?

8.17 Pour chacun des énoncés suivants, donnez un exemple de substituant lié au cycle benzénique et présenté dans la figure 8.21 (*voir p. 362*) qui y correspond.

a) Un substituant qui possède des doublets d'électrons libres et qui génère un effet inductif attractif. La résonance avec le cycle benzénique est difficile, et sa présence ralentit la vitesse de substitution électrophile aromatique.
b) Un substituant qui est un donneur d'électrons par effet inductif répulsif seulement. Sa présence augmente la vitesse de substitution électrophile aromatique.
c) Un substituant qui génère un effet inductif attractif sans aucune résonance avec le cycle benzénique. Sa présence ralentit la vitesse de substitution électrophile aromatique.

d) Un substituant qui génère un effet inductif attractif et pour lequel il y a de la résonance avec le cycle benzénique. Sa présence ralentit la vitesse de substitution électrophile aromatique.

e) Un substituant qui est un donneur d'électrons par résonance, mais qui génère un effet inductif attractif. Sa présence augmente la vitesse de substitution électrophile aromatique.

8.18 Le tableau ci-dessous présente la vitesse relative de la réaction de nitration de quelques composés benzéniques. Associez les substituants suivants avec la bonne vitesse relative de nitration.

A = —*tert*-butyle; —$N(CH_3)_3^+$; —CH_2Cl; —CF_3

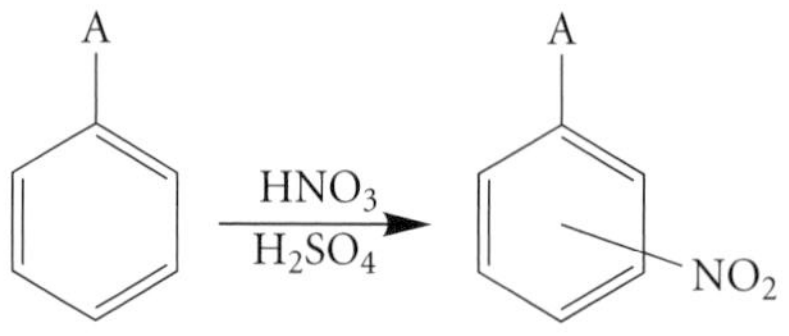

Nature du substituant A	Vitesse relative de nitration
?	16
—H	1,0
?	0,71
?	$2,6 \times 10^{-5}$
?	$1,2 \times 10^{-8}$

8.19 À l'aide du tableau suivant, expliquez les pourcentages obtenus pour chaque isomère *ortho* et *para* à la suite d'une réaction de substitution électrophile aromatique sur le chlorobenzène.

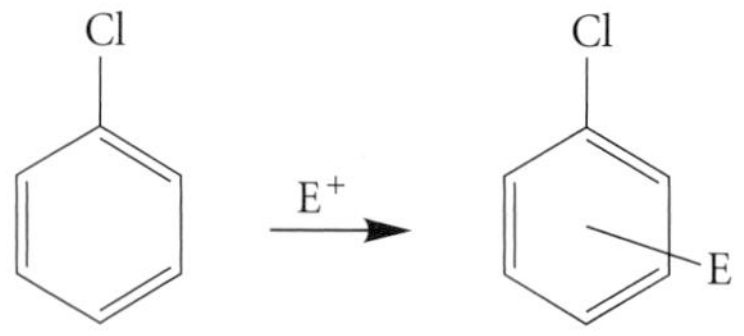

Nature de la substitution électrophile aromatique	Pourcentages obtenus pour chaque isomère (%)	
	ortho	*para*
Chloration	39	55
Bromation	11	87
Nitration	31	69
Sulfonation	≈0	≈100

8.20 Complétez les réactions suivantes en écrivant la structure des produits organiques majoritaires.

a)

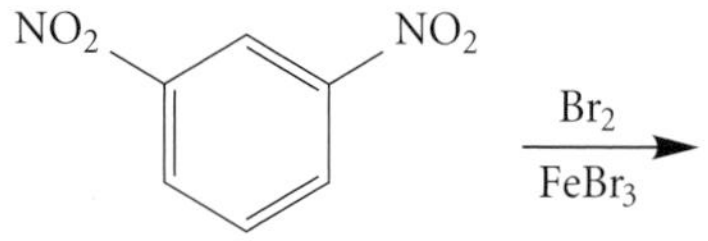

b)

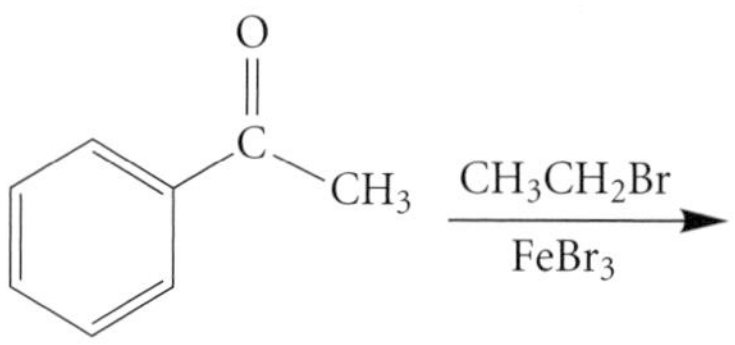

c)

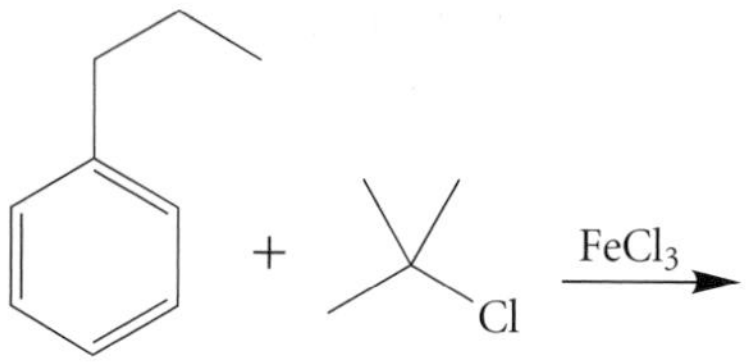

d)

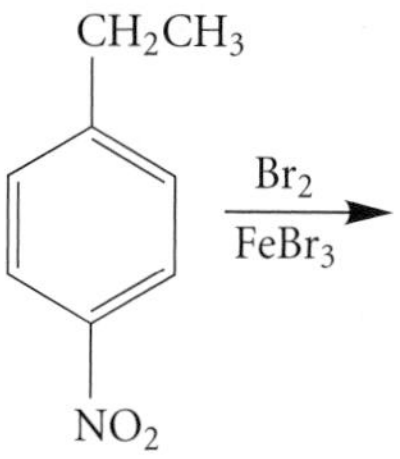

e)

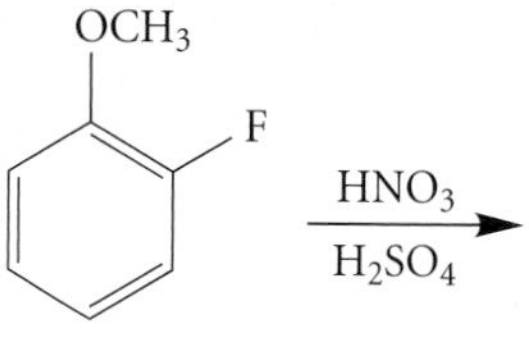

f)

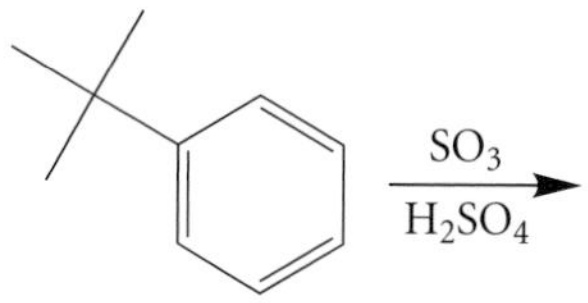

g)

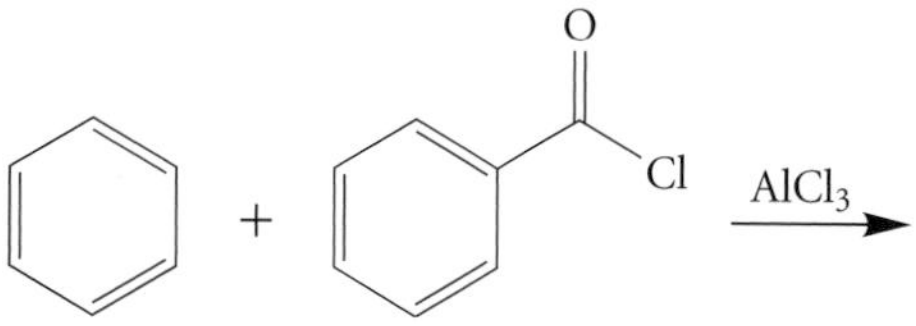

8.21 À quoi faudrait-il s'attendre quant à la vitesse de la réaction de bromation du *m*-dinitrobenzène présentée dans l'exercice 8.20 a)?

8.22 L'affichage par cristaux liquides ACL (ou LCD en anglais pour *liquid cristal display*) est apparu vers la fin des années 1990 et il s'est étendu depuis le début des années 2000. Il est utilisé dans les écrans plats, notamment dans les téléphones portables, les ordinateurs portatifs, les téléviseurs et les tableaux de bord d'automobiles et d'avions.

Un mélange de biphényle nitrile est utilisé dans les dispositifs d'affichage ACL.

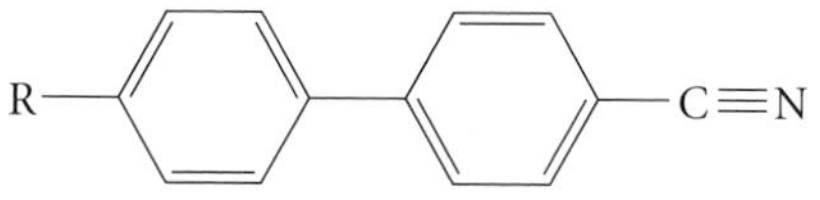

biphényle nitrile
(exemple de R : — C_5H_{11})

En ayant recours aux formes limites de résonance et à l'hybride de résonance, déterminez les carbones des cycles benzéniques du biphényle nitrile susceptibles d'interagir avec un électrophile.

8.23 Soit la réaction suivante.

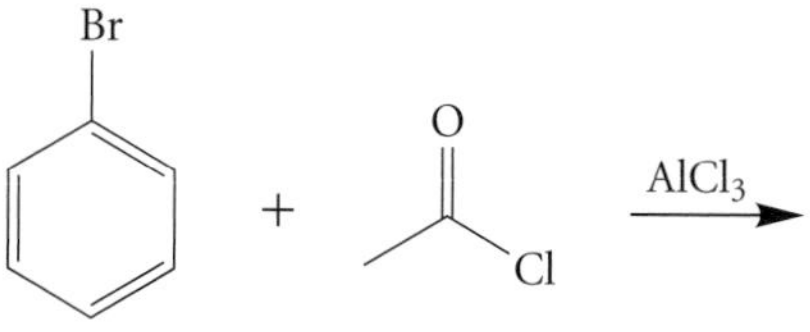

a) Complétez cette réaction en écrivant la structure du produit organique majoritaire. Expliquez votre choix.
b) Illustrez le mécanisme réactionnel menant à la formation de ce produit.
c) Quel est le nom particulier de cette réaction?
d) Dessinez le diagramme énergétique de la substitution électrophile aromatique. Prenez soin de bien définir les axes et d'indiquer les réactifs, les produits et l'intermédiaire réactionnel.

8.24 Pour chacune des réactions suivantes :

i)

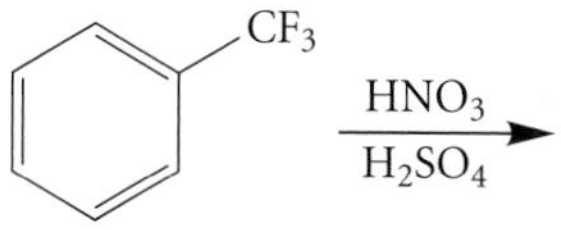

ii)

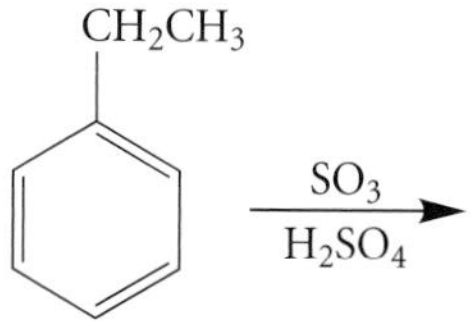

a) complétez la réaction en écrivant la structure du produit organique majoritaire ; expliquez votre choix ;
b) illustrez le mécanisme réactionnel menant à la formation de ce produit ;
c) donnez le nom particulier de cette réaction.

8.25 En utilisant le benzène comme substrat de départ, un chimiste souhaite synthétiser le *m*-chlorométhylbenzène. Il planifie de faire cette synthèse en deux étapes consécutives de substitutions électrophiles aromatiques. Quelle évaluation ferez-vous de son plan de synthèse?

8.26 L'anthranilate de méthyle est une molécule produite par les raisins Concord. Il s'agit d'un agent répulsif, car son goût est détestable pour les oiseaux. Cette substance protège ainsi ce type de raisin de son principal prédateur.

À partir de la structure de cette molécule, illustrez les produits organiques obtenus au cours des divers processus suivants.

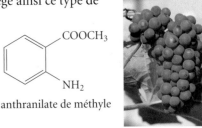

anthranilate de méthyle

a) Nitration en présence d'acide nitrique et d'acide sulfurique.
b) Hydrogénation en présence de platine à pression normale et à la température ambiante.

8.27 En utilisant seulement le benzène et l'éthyne (CH≡CH) comme composés organiques, effectuez les synthèses suivantes avec tous les composés inorganiques de votre choix.

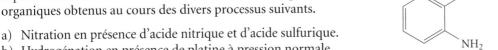

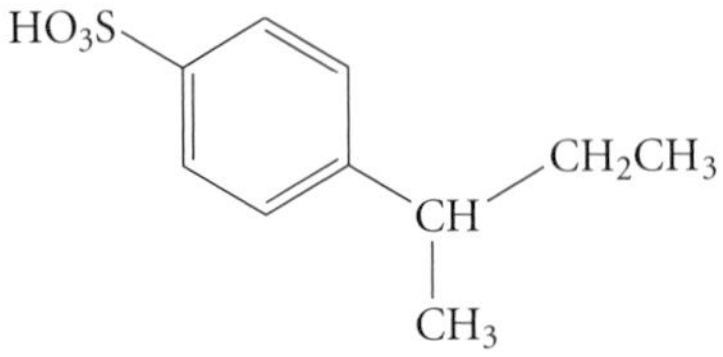

8.28 Complétez les réactions suivantes en déterminant les structures correspondant aux lettres A, B, C, D, E et F.

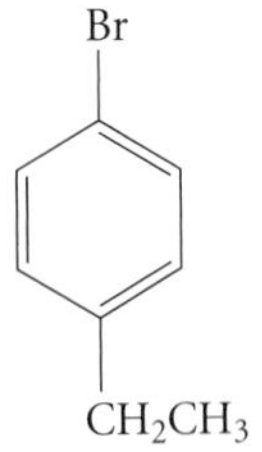

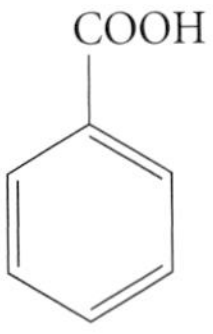

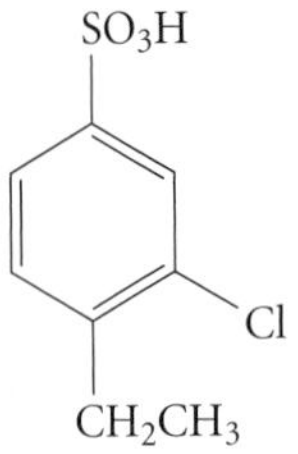

$$\textbf{A} + HBr \longrightarrow \textbf{B}$$

$$\textbf{A} \xrightarrow[\text{2) } H_2O_2, H_3O^+]{\text{1) } O_3} CH_3-\overset{O}{\underset{\|}{C}}-OH + CO_2 + \textbf{C}$$

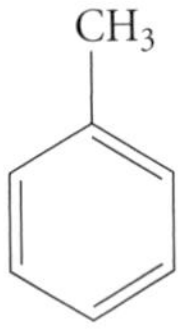

$$\text{(toluène)} + \textbf{B} \xrightarrow{\textbf{D}} \textbf{E} + \textbf{F}$$

Problèmes à indices

Pour les problèmes suivants, découvrez la structure du composé benzénique grâce aux indices fournis ci-dessous. Pour chaque indice, expliquez l'information que vous en avez tirée. Écrivez toutes les étapes du raisonnement menant à votre réponse.

8.29 Déterminez la structure du composé A à partir des indices suivants.
1) La formule moléculaire du composé A est C_9H_{10}.
2) Le composé A subit une transformation lorsqu'il est en présence de H_2 et d'un catalyseur de Pd/C dans des conditions normales de température et de pression.
3) La réaction du composé A avec le bromure d'hydrogène mène exclusivement à un seul produit en deux dimensions.
4) L'hydratation du composé A ne génère aucun carbone stéréogénique.

8.30 Déterminez la structure du composé B à partir des indices suivants.
1) La formule moléculaire du composé B est $C_{10}H_{12}$.
2) Le composé B ne subit aucune transformation lorsqu'il est en présence de H_2 et d'un catalyseur de Pd/C dans des conditions normales de température et de pression.
3) La réaction du composé B avec le $KMnO_4$ à chaud en milieu acide produit l'acide phtalique:

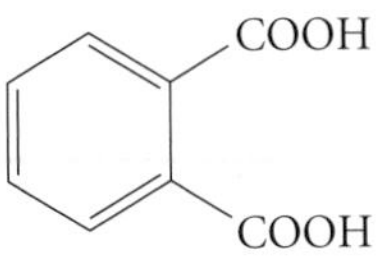

4) La réaction de bromation en présence de $FeBr_3$ ne donne que deux produits possibles.

9 Composés halogénés

Éléments de compétence

- Déterminer la réactivité de fonctions organiques simples comme alcanes, alcènes, alcynes, organomagnésiens, dérivés halogénés, alcools à l'aide des principaux types de mécanisme de réactions : S_N1, S_N2, E1, E2.

- Concevoir théoriquement des méthodes de synthèse de composés organiques simples à partir de produits donnés.

cheneliere.ca/chimieorganique (www)

› Mots clés

1-chloro-2-[(2-chloroéthyl)-sulfanyl]éthane
(gaz moutarde)

Au cours de la Première Guerre mondiale, plusieurs types de gaz (ou de liquides dispersés) ayant pour objectif d'empoisonner les soldats de l'armée adverse ont été utilisés, notamment le gaz moutarde, un composé halogéné qui réagit avec l'eau (incluant l'humidité de la peau et des poumons) pour libérer de l'acide chlorhydrique (HCl). Au contact de ce gaz, les victimes souffraient de graves brûlures et mouraient souvent quelque temps plus tard de pneumonie.

L es **composés halogénés** (ou **dérivés halogénés** ou **halogénures** ou **halogénoalcanes**) ont des structures semblables aux alcanes sur lesquelles un ou plusieurs atomes d'halogène remplacent un ou plusieurs atomes d'hydrogène. L'alcane de structure R—H devient ainsi un composé halogéné R—X, où X peut être un atome de fluor, de chlore, de brome ou d'iode. Le terme « halogéné » provient du grec *hals-* signifiant « sel » et de *-genos* pour « engendrer ». Ce sont donc des composés qui, à la suite d'une réaction chimique, peuvent former des sels (*voir la figure 9.4, p. 387*).

Certains composés halogénés sont produits naturellement. À titre d'exemple, des ions chlorure normalement présents dans certaines plantes ainsi que dans certains arbres et minéraux mènent à la formation de composés organiques chlorés au moment de leur combustion. Par conséquent,

2,3,7,8-tétrachloro-
dibenzo-*p*-dioxine
(dioxine de Seveso)

Cette molécule, de la famille des
PCDD, est l'une des molécules
les plus toxiques.

Le lièvre de mer *Aplysia brasiliana*
produit du panacène, un allène bromé
au goût désagréable qui lui confère
une protection contre les prédateurs
marins, notamment le requin.

panacène

les feux de forêt et de brousse libèrent de grandes quantités de chlore, majoritairement sous forme de chlorométhane (CH_3Cl). Il a également été démontré que la combustion du bois engendre la formation, en de très faibles concentrations (partie par milliard [ppb]), de molécules complexes appelées «polychlorodibenzo-*p*-dioxines» (PCDD), dont certaines sont très toxiques. Au Canada seulement, les feux de forêt libèrent annuellement environ 60 kg de PCDD. Il s'agit de la principale source naturelle de PCDD dans l'environnement. Pour leur part, les volcans sont riches en chlorure et en fluorure d'hydrogène. Au cours des éruptions volcaniques, ces molécules réagissent avec des composés organiques pour former de grandes quantités de composés halogénés, principalement des chlorofluorocarbures (CFC).

Cependant, ce sont les espèces marines, notamment les algues, les mollusques et les éponges, qui sont les plus prédisposées à produire des composés halogénés. En effet, la mer qui les entoure regorge d'ions chlorure et bromure. Les espèces marines sont donc parvenues à s'adapter à leur environnement en métabolisant ces ions halogénure. Par exemple, il a été possible d'identifier une centaine de composés halogénés différents (chlorés, bromés et iodés) dans l'algue rouge *Asparagopsis taxiformis*, une plante marine comestible abondamment utilisée dans la cuisine hawaïenne. La plupart des composés halogénés synthétisés naturellement par les espèces marines sont utilisés en tant que moyens de défense.

Toutefois, malgré l'existence de composés halogénés naturels, la plupart des composés halogénés présents dans notre quotidien sont artificiels, c'est-à-dire conçus en laboratoire. Ces composés monohalogénés et polyhalogénés sont synthétisés, entre autres, grâce à l'halogénation radicalaire d'alcanes, telle que décrite dans le chapitre 6 (*voir la section 6.4.2, p. 262*).

Les composés halogénés, particulièrement les composés polyhalogénés, possèdent un large éventail d'applications. Par exemple, le tétrachlorure de carbone (CCl_4), le chloroforme ($CHCl_3$) et le chlorure de méthylène (CH_2Cl_2) sont utilisés comme solvants dans les réactions organiques et pour réaliser des extractions[1]. Autrefois, le chloroforme était également employé à titre d'anesthésique. Des anesthésiants modernes tels que l'halothane ($CF_3CHBrCl$) sont des composés organiques renfermant plusieurs types d'halogènes. Les chlorofluorocarbures (CFC), quant à eux, anciennement appelés «fréons», servent de liquides réfrigérants (dans les réfrigérateurs, les congélateurs et les climatiseurs) et de fluides propulseurs dans les bombes aérosol. La rubrique «Chroniques d'une molécule – Les CFC : ces tueurs en série de la stratosphère» permet d'en connaître davantage sur les CFC, leurs répercussions environnementales et leur réglementation. De plus, les halons (p. ex. : l'halon-1301, dont la structure est $CBrF_3$), des composés polyhalogénés contenant des atomes de brome, sont fréquemment présents dans les extincteurs des feux de classe B (feux de liquides et de solides liquéfiables) et de classe C (feux de gaz).

Des composés halogénés sont aussi employés en tant que détachants pour le nettoyage à sec (p. ex. : CCl_2CCl_2), dans les herbicides et les insecticides, et à des fins thérapeutiques (médicaments). Quelques exemples concrets sont illustrés dans la figure 9.1. Enfin, quelques polymères, notamment le Téflon et le chlorure de polyvinyle, possèdent respectivement de nombreux atomes de fluor et de chlore (*voir le tableau 7.3, p. 310*).

> **REMARQUE**
>
> Les halons sont définis par un code de quatre ou cinq chiffres qui indique respectivement le nombre d'atomes de carbone, de fluor, de chlore, de brome (et, optionnellement, d'iode) que possède l'halon. Ainsi, l'halon-1301 possède un atome de carbone, trois atomes de fluor, aucun atome de chlore et un atome de brome.

Figure 9.1 Quelques composés halogénés et leurs applications

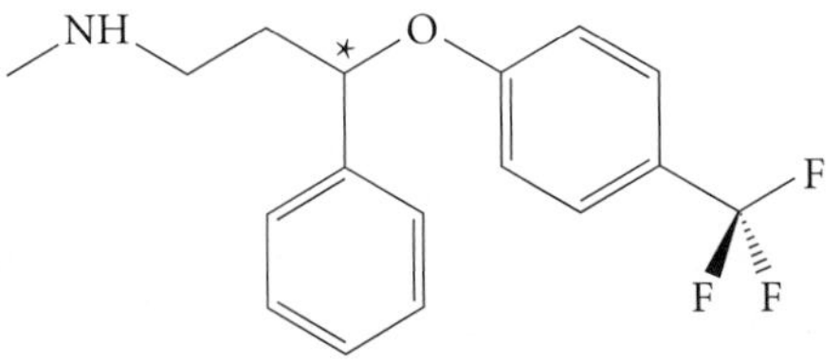

(*RS*)-*N*-méthyl-3-phényl-3-[4-
(trifluorométhyl)phénoxy]propan-1-amine
fluoxétine (Prozac)
Antidépresseur

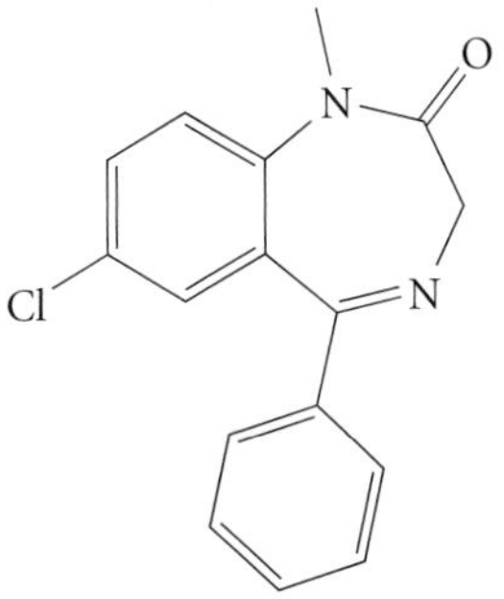

7-chloro-1-méthyl-5-phényl-1,3-
dihydro-2*H*-1,4-benzodiazépin-2-one
diazépam (Valium)
Anxiolytique et sédatif

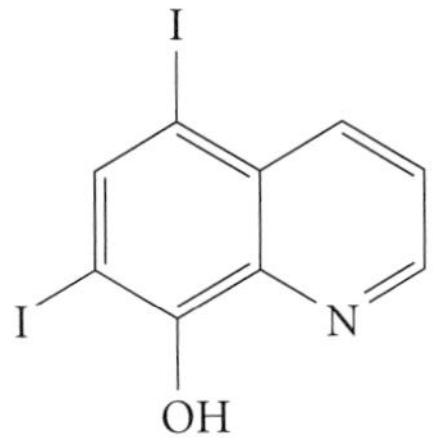

5,7-diiodoquinolin-8-ol
iodoquinol (Diodoquin)
Médicament de la famille des
antiprotozoaires utilisé pour
traiter l'amibiase (infection
parasitaire du gros intestin)

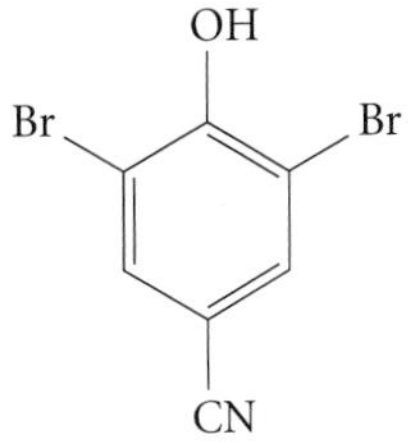

3,5-dibromo-4-hydroxybenzonitrile
bromoxynil
Herbicide utilisé pour combattre les
herbes dicotylédones annuelles,
principalement dans les cultures
céréalières

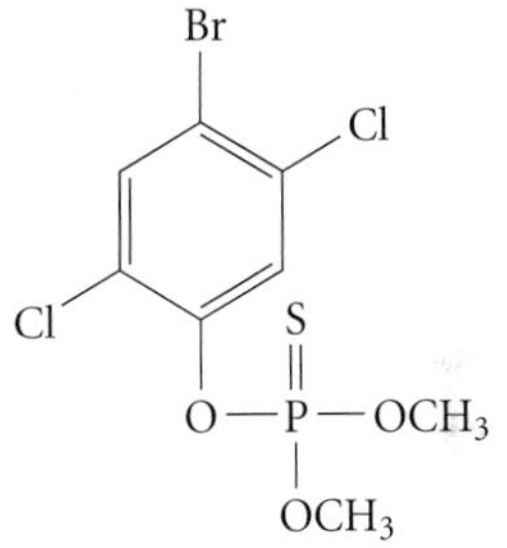

O-(4-bromo-2,5-dichlorophényl)
O,O-diméthylphosphorothioate
bromophos (Thermium Plus)
Insecticide (insectes domestiques,
mouches et poux)
et acaricide (acariens)

CHRONIQUES D'UNE MOLÉCULE

Les CFC: ces tueurs en série de la stratosphère[2]
Par Philippe Murphy, professeur dans le réseau collégial

Les chlorofluorocarbures (CFC) représentent une classe de composés qui, comme leur nom l'indique, sont formés d'atomes de chlore, de fluor et de carbone. C'est dans les années 1890 que le chimiste belge **Frédéric Swarts** (1866-1940) développa la première méthodologie de synthèse des CFC. Celle-ci consistait à remplacer des atomes de chlore du tétrachlorure de carbone (CCl_4) ou du chloroforme ($CHCl_3$) par des atomes de fluor au moyen d'un composé d'antimoine, le SbF_3Br_2. La réaction ci-dessous illustre la synthèse du $CFCl_3$ à partir du CCl_4.

$$SbF_3Br_2 + CCl_4 \longrightarrow CFCl_3 + SbF_2Br_2Cl$$

Le composé le plus répandu de la famille des CFC est, sans contredit, le dichlorodifluorométhane (CF_2Cl_2),

mieux connu sous son nom commercial de Fréon-12. Au cours des années 1920, le chimiste américain **Thomas Midgley** (1889-1944) améliora le procédé de synthèse de ce CFC. Le Fréon-12 trouva principalement usage comme liquide réfrigérant (fluide frigorigène) et agent propulseur dans les bombes aérosol. Grâce au Fréon-12, il devenait enfin possible de délaisser les agents réfrigérants toxiques autrefois utilisés, notamment le dioxyde de soufre (SO_2) et l'ammoniac (NH_3), au profit d'une molécule dépourvue de toxicité. En 1930, pour démontrer le caractère non toxique du Fréon-12, Midgley fit d'ailleurs une démonstration à l'Association américaine de chimie en inhalant ce dernier et en éteignant, par son souffle, une bougie allumée.

Les CFC sont ininflammables, ce qui représente un gage de sécurité au moment de leur utilisation. De plus, les CFC possèdent une très faible réactivité. Ainsi, ils peuvent être utilisés en présence d'une très grande variété de composés sans réagir avec eux. C'est pour ces raisons qu'après leurs découvertes, les applications des CFC se sont rapidement multipliées.

De façon générale, les CFC ont aussi été utilisés comme solvants de nettoyage (Fréon-113) et comme agents de gonflement dans la production d'isolants (Fréon-11). Un autre CFC, le chlorodifluorocarbure (CHF_2Cl, commercialisé sous le nom de HCFC-22), est produit en grande quantité (des millions de tonnes par année), car il sert de précurseur au Téflon.

Nomenclature

Les noms commerciaux donnés aux différents CFC peuvent paraître énigmatiques. Toutefois, des règles strictes sont employées pour les nommer. Le Fréon-12, ou R-12, sera donné en exemple.

Tout d'abord, le terme « Fréon » est une marque de commerce de la compagnie DuPont. Elle est attribuée à tous les CFC et les HCFC (hydrochlorofluorocarbures) de façon générale. Le « R », quant à lui, est une abréviation du mot « réfrigérant » et illustre la principale utilité de ces composés.

Le nombre à la fin du nom du CFC est fonction de sa formule moléculaire. En additionnant le nombre associé au CFC à la valeur de 90, un résultat à trois chiffres est obtenu. Le chiffre des centaines indique le nombre d'atomes de carbone dans le CFC, celui des dizaines indique le nombre d'atomes d'hydrogène et le chiffre des unités indique le nombre d'atomes de fluor. Sachant que chaque carbone forme quatre liaisons, il est possible de déduire le nombre d'atomes de chlore dans le composé. Ainsi, la formule moléculaire du Fréon-12 s'avère être CF_2Cl_2, puisque $12 + 90 = 102$ (indiquant la présence d'un atome de carbone, aucun hydrogène, deux atomes de fluor, et donc deux atomes de chlore).

CFC et couche d'ozone

Après leur utilisation, les CFC, dont la masse volumique est très faible, finissent presque toujours par se trouver dans l'atmosphère sans subir de transformation. En effet, les aérosols sont propulsés hors de leur contenant, les solvants s'évaporent, les systèmes de réfrigération sont brisés (p. ex.: au dépotoir) et laissent échapper leur liquide réfrigérant, etc. Les CFC s'élèvent ainsi à une altitude de 20 à 50 km, dans une couche de l'atmosphère nommée « stratosphère ». À cette altitude, ils peuvent mener à la destruction de la couche d'ozone. En effet, bien qu'ils soient chimiquement très stables, les CFC ne sont pas complètement inertes. La réaction la plus importante de ces composés est la scission photochimique des liaisons C—Cl. Lorsqu'elles sont exposées aux rayons ultraviolets, ces liaisons subissent une rupture homolytique au cours de laquelle des atomes de chlore radicalaires sont formés.

$$CF_2Cl_2 \xrightarrow{hv} \cdot CF_2Cl + Cl\cdot$$

Les CFC stratosphériques sont bombardés par les rayons ultraviolets du soleil et libèrent donc des atomes de chlore radicalaires. Ces atomes sont extrêmement réactifs et réagissent avec l'ozone naturellement présent à cette altitude selon l'équation 1. Cette réaction forme de l'oxygène moléculaire et une molécule de monoxyde de chlore (à ne pas confondre avec l'anion hypochlorite, ClO^-). Le monoxyde de chlore est également très réactif. Aussitôt formé, il réagit avec une seconde molécule d'ozone selon l'équation 2. Cette deuxième réaction a la particularité de régénérer le chlore radicalaire. Ce radical est donc un catalyseur qui a le potentiel de détruire un très grand nombre de molécules d'ozone avant d'être détruit.

$$Cl\cdot + O_3 \longrightarrow O_2 + ClO\cdot \quad \textbf{(équation 1)}$$

$$ClO\cdot + O_3 \longrightarrow 2\,O_2 + Cl\cdot \quad \textbf{(équation 2)}$$

$$2\,O_3 \longrightarrow 3\,O_2 \quad \textbf{(réaction globale)}$$

La loi de Hess permet de combiner les deux premières équations pour constater que la réaction globale implique la destruction nette de deux molécules d'ozone.

Répercussions de la destruction de la couche d'ozone

L'ozone est un gaz possédant la propriété d'absorber efficacement les rayons ultraviolets (UV). Puisque ce gaz est présent en grande quantité dans la stratosphère, il sert de bouclier contre les rayons UV du soleil, les empêchant d'atteindre la surface terrestre. La couche d'ozone s'avère bénéfique pour les êtres vivants, car les rayons UV sont entre autres responsables, chez l'humain, d'une grande variété de cancers de la peau et ils sont soupçonnés de causer des cataractes (une opacification de la cornée de l'œil). Certaines espèces de végétaux sont aussi indirectement sensibles aux rayons UV. Par exemple, pour absorber l'azote du sol, le riz dépend de cyanobactéries qui sont sensibles aux rayons UV. Une trop grande exposition à ces rayons peut ainsi s'avérer néfaste pour cette céréale.

Durant les années 1970, les scientifiques ont réalisé que l'utilisation des CFC entraînait une destruction de l'ozone stratosphérique. Conséquemment, il en résultait une augmentation de la fréquence d'une multitude de problèmes de santé. Une réglementation quant à l'usage des CFC devenait nécessaire !

Protocole de Montréal

Ce n'est qu'en 1987, lors d'une réunion des Nations Unies tenue à Montréal, qu'il a été convenu que la production des principaux CFC devait être ralentie, puis arrêtée. La première ébauche du protocole de Montréal proposait une réglementation non contraignante afin de diminuer progressivement l'utilisation des CFC jusqu'à ce qu'ils soient totalement interdits en 1996. Au fil des années, plusieurs amendements ont été ratifiés. En 1990, l'amendement de Londres a ajouté plusieurs substances à la liste des molécules à éliminer. En 1997, l'amendement de Montréal interdisait l'importation et l'exportation des CFC les plus nocifs.

En date de 2009, tous les pays des Nations Unies ont signé la version originale du traité officiellement intitulé Protocole de Montréal relatif à des substances qui appauvrissent la couche d'ozone. Cette reconnaissance unanime en fait le traité international le plus populaire (en ce qui a trait au nombre de signataires) de l'histoire des Nations Unies.

Initialement, les CFC ont été remplacés par d'autres substances moins nocives pour l'ozone stratosphérique. Les HCFC ont été utilisés à cette fin. L'ajout d'atomes d'hydrogène dans la molécule accélère la décomposition de ces molécules lorsqu'elles sont dans l'atmosphère. La plus courte durée de vie des HCFC les rend jusqu'à 100 fois moins destructeurs pour la couche d'ozone que ne le sont les CFC. Le HCFC-123 (CF_3CHCl_2) a ainsi remplacé le Fréon-11 (CCl_3F).

Bien qu'ils soient beaucoup moins destructeurs que les CFC, les HCFC détruisent néanmoins la couche d'ozone. L'amendement de Copenhague du protocole de Montréal, signé en 1992, exige que leur production soit réduite à compter de 2015. Les HFC (hydrofluorocarbures) semblent être les meilleurs produits de substitution. En effet, l'absence de liaisons C—Cl et C—Br fait en sorte que ces composés ne produisent aucun radical dans la stratosphère. Conséquemment, ils n'ont aucun effet sur l'ozone atmosphérique. Le HFC-134a (CF_3CH_2F) possède des propriétés physiques similaires au Fréon-12 et remplace désormais ce dernier.

Répercussions du protocole de Montréal

Depuis l'entrée en vigueur du protocole de Montréal, la concentration dans l'atmosphère des principaux CFC a commencé à diminuer. En 2006, les évaluations scientifiques des répercussions du protocole de Montréal présentaient les premiers signes d'une régénération de l'ozone.

Si tout se déroule comme prévu, la couche d'ozone devrait poursuivre sa « guérison » et retrouver son niveau de 1980 aux alentours de 2070.

Presque 100 ans auront passé entre la découverte des CFC et leur interdiction, et autant de temps sera nécessaire pour que la couche d'ozone se régénère. Toute cette histoire démontre qu'il n'y a pas de molécule « parfaite » et que l'utilisation à grande échelle de n'importe quelle substance doit préalablement être soumise à des études approfondies afin d'en déterminer les répercussions sur l'environnement. Les CFC en sont un bon exemple, mais avec l'avancement de la science, il est plus que probable qu'une situation similaire se reproduise. Seul l'avenir témoignera si l'homme a appris de ses erreurs.

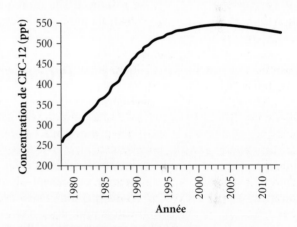

Concentration de CFC-12 dans l'atmosphère (en parties par billion [ppt]) de 1978 à 2012[3]

a)
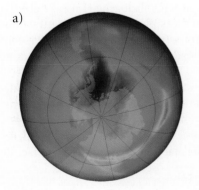

b)
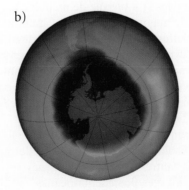

c)
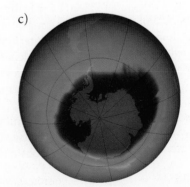

Trou dans la couche d'ozone (en bleu foncé sur les photos satellites) au-dessus de l'Antarctique, mesuré en unités Dobson, le jour de son étendue maximale des mois – a) De septembre 1979 ; b) D'octobre 1989 ; c) D'octobre 2010[4]

9.1 Classification des composés halogénés

En synthèse organique, les composés halogénés sont des composés fort importants, car ils permettent de créer une très grande variété de groupements fonctionnels grâce, entre autres, aux réactions chimiques de substitution nucléophile et d'élimination qui seront à l'étude dans ce chapitre.

Les composés halogénés sont classés selon trois catégories. Ils peuvent être primaires, secondaires ou tertiaires. La catégorie à laquelle ils appartiennent dépend du nombre de groupements alkyles ou de groupements aryles que porte le carbone directement lié à l'halogène (*voir la figure 9.2*). Les composés halogénés méthylés (p. ex.: CH_3Cl, CH_3Br, etc.) ne se trouvent pas au sens strict dans l'une de ces catégories, puisqu'ils sont, en réalité, des composés halogénés nullaires. Ils sont toutefois classés dans la catégorie des composés halogénés primaires en raison de leur réactivité similaire.

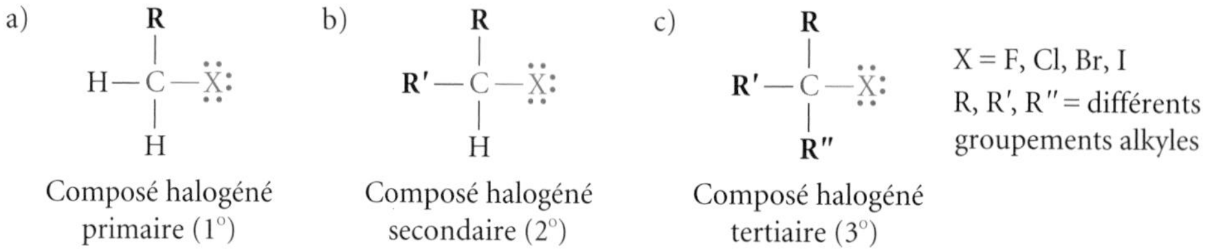

Figure 9.2
Catégories des composés halogénés – a) Primaires (1°) ; b) Secondaires (2°) ; c) Tertiaires (3°)

a) Composé halogéné primaire (1°)
b) Composé halogéné secondaire (2°)
c) Composé halogéné tertiaire (3°)

X = F, Cl, Br, I
R, R', R'' = différents groupements alkyles

Cette classification quant à la nature des composés halogénés s'avérera très importante au moment de l'étude de leur réactivité chimique.

9.2 Propriétés physiques des composés halogénés

La présence d'une ou de plusieurs liaisons covalentes polaires carbone-halogène (C—X) dans les composés halogénés leur confère des propriétés physiques différentes de celles des hydrocarbures correspondants. Ceci est dû au fait qu'un ou plusieurs dipôles permanents au sein des composés halogénés permettent de réaliser des attractions intermoléculaires de Van der Waals, plus particulièrement des interactions de Keesom (dipôle permanent-dipôle permanent). De plus, les masses molaires des halogènes, étant beaucoup plus élevées que celles des atomes de carbone et d'hydrogène, augmentent la force des attractions intermoléculaires de type forces de dispersion de London, contrairement à celles des hydrocarbures correspondants. Cela est causé par une plus grande polarisabilité du nuage électronique des composés halogénés. Plus l'halogène possède une masse molaire élevée, plus il est polarisable.

Dans le tableau 9.1, quelques composés monohalogénés et polyhalogénés sont présentés avec certaines de leurs propriétés physiques. Par exemple, en remplaçant un atome d'hydrogène dans la molécule de méthane par un atome d'halogène (F, Cl, Br et I), la masse molaire augmente. Le point d'ébullition est alors plus élevé, car les attractions intermoléculaires sont de plus en plus fortes. L'accroissement du point d'ébullition peut également s'expliquer par un nombre plus grand d'halogènes dans un composé, et donc par des interactions de Keesom plus importantes.

La masse volumique des composés halogénés est une autre caractéristique importante, largement exploitée durant les extractions de produits de synthèse en chimie organique. Les composés monochlorés et monofluorés acycliques possèdent une masse volumique plus faible que celle de l'eau (*voir le tableau 9.1*). Par conséquent, ces substances insolubles dans l'eau, lorsqu'elles sont à l'état liquide, flottent à la surface de l'eau. Tous les autres composés halogénés, soit les composés bromés, iodés et les composés polyhalogénés, possèdent une masse volumique plus élevée que celle de l'eau et se déposent ainsi au fond d'un récipient rempli d'eau (p. ex.: $CHCl_3$ dans le tableau 9.1).

Tableau 9.1	**Propriétés physiques de quelques composés monohalogénés et polyhalogénés**			
Formule moléculaire	Nom systématique	Masse molaire (g/mol)	Point d'ébullition (°C)	Masse volumique[a] (g/cm^3)
CH_4	méthane	16,04	−161,7	0,716
CH_3F	fluorométhane	34,03	−78,4	0,566
CH_3Cl	chlorométhane	50,49	−24,2	0,915
CH_3Br	bromométhane	94,94	3,6	3,300
CH_3I	iodométhane	141,94	42,4	2,280
CH_2Cl_2	dichlorométhane	84,93	39,8-40,0	1,325
$CHCl_3$	trichlorométhane	119,38	60,5-61,5	1,492
CCl_4	tétrachlorométhane	153,82	76-77	1,594

a. Toutes les valeurs des masses volumiques inscrites dans ce tableau sont celles déterminées à la température ambiante (25 °C). Les composés gazeux ont été comprimés pour obtenir l'état liquide.

La plupart des composés halogénés sont polaires en raison des liaisons covalentes polaires C—X qu'ils renferment. Cependant, certains composés halogénés (p. ex. : CCl_4) ne sont pas polaires, car les dipôles de leurs liaisons carbone-halogène s'annulent globalement dans la molécule (moment dipolaire nul ; $\mu = 0$) (*voir la section 1.9, p. 29*).

Bien que les composés halogénés soient en général polaires, ils ne sont toutefois pas solubles dans l'eau ou, du moins, très peu. Par exemple, seulement 1 mL de chloroforme ($CHCl_3$) est soluble dans 100 mL d'eau à la température ambiante. Néanmoins, les composés halogénés sont solubles dans un grand nombre de solvants organiques tels que les alcools, les éthers et le benzène.

cheneliere.ca/chimieorganique (www)

› Caractéristiques spectrales des composés halogénés

Exercice 9.1 Classez les composés suivants par ordre croissant de leur point d'ébullition. Expliquez votre choix.

CH_3CH_2Cl $\qquad$ CH_3CH_2Br $\qquad$ CH_3CH_2F $\qquad$ CH_3CH_2I $\qquad$ CH_3CH_3

9.3 Généralités de la réactivité chimique des composés halogénés

La liaison covalente polaire C—X n'affecte pas seulement les propriétés physiques des composés halogénés, elle est aussi la cause de leur réactivité spécifique. Dans la liaison C—X, l'halogène est l'élément le plus électronégatif, et donc l'élément porteur de la charge partielle négative (δ^-). Le carbone, quant à lui, porte la charge partielle positive (δ^+). Dans les réactions chimiques, les composés halogénés jouent généralement le rôle d'électrophiles et ils peuvent subir des attaques réalisées par des nucléophiles et des bases (*voir la figure 9.3*).

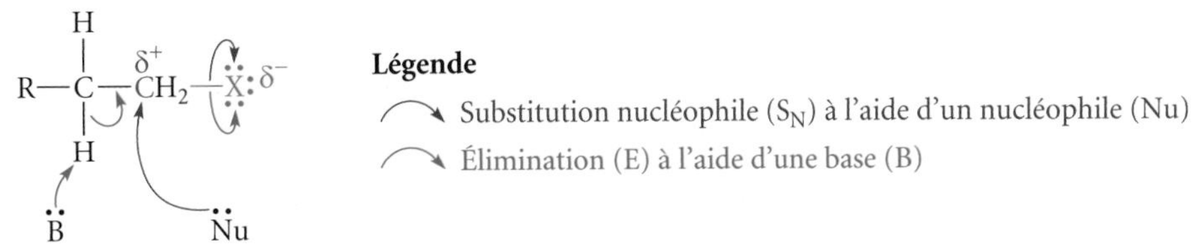

Figure 9.3
Liaison covalente polaire C—X et réactions générales possibles à partir d'un composé halogéné

Légende

⤳ Substitution nucléophile (S_N) à l'aide d'un nucléophile (Nu)

⤳ Élimination (E) à l'aide d'une base (B)

La réactivité du composé halogéné dépend de la force de la liaison C—X. Plus celle-ci est forte, plus la réactivité est faible. À première vue, il serait précipité de croire que plus la différence d'électronégativité est élevée dans une liaison C—X, plus la liaison est faible, et donc plus elle est facile à rompre. Or, les résultats expérimentaux démontrent le contraire. Cela s'explique par le fait que la liaison C—X est le résultat du recouvrement des orbitales d'un atome de carbone et d'un atome d'halogène. Dans le tableau périodique, en descendant le long de la famille des halogènes (de F à I), la taille de l'orbitale de l'halogène augmente, c'est-à-dire que le nuage électronique autour de l'halogène devient de plus en plus diffus. Par conséquent, le recouvrement orbitalaire est de moins en moins efficace, puisque la taille des orbitales des atomes de C et de X n'est plus du tout similaire. La liaison est alors moins forte. Ainsi, la force de la liaison diminue de C—F à C—I ; toutefois, la longueur de la liaison et la réactivité augmentent (*voir le tableau 9.2*).

Tableau 9.2	**Différence d'électronégativité, de force et de longueur de la liaison C—X dans les composés halogénés de type CH$_3$X**		
Formule moléculaire	ΔÉn C—X	Force de la liaison (kJ/mol)	Longueur de la liaison (pm)
CH$_3$F	1,43	460	139
CH$_3$Cl	0,61	356	178
CH$_3$Br	0,41	297	193
CH$_3$I	0,11	238	214

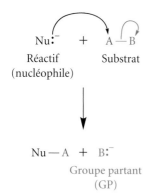

Nu:⁻ + A—B
Réactif (nucléophile)   Substrat

↓

Nu—A + B:⁻
Groupe partant (GP)

La réactivité des composés halogénés peut également être expliquée grâce à la notion de groupe partant (GP). Dans le cas général du substrat A—B, la portion électrophile A subit l'attaque du réactif nucléophile, et la portion B est libérée pour donner l'anion B⁻. L'atome ou groupe d'atomes qui est expulsé du substrat (B⁻ dans ce cas-ci) porte le nom de **groupe partant** (**GP**) (ou **groupe sortant** ou **nucléofuge**). Si le groupe partant n'est pas assez bon, la réaction ne pourra pas se produire. Afin de savoir si B⁻ est un bon ou un mauvais groupe partant, il faut analyser sa capacité à maintenir et à stabiliser le nouveau doublet d'électrons qu'il vient d'acquérir, c'est-à-dire son **aptitude nucléofuge**. S'il constitue une base faible, peu réactive, cela signifie que le doublet d'électrons libre est stabilisé et qu'il s'agit alors d'un bon groupe partant. Par opposition, s'il représente une base forte, donc réactive, le doublet d'électrons libre n'est pas stabilisé, et le groupe partant est mauvais. L'étude des groupes partants s'effectue généralement selon l'acidité (pK_a) des acides conjugués des groupes partants. Ainsi, lorsque l'acide conjugué du groupe partant est un acide fort, alors le groupe partant est une base faible, peu réactive, qui stabilise le doublet d'électrons libre. Il s'agit donc d'un bon groupe partant (*voir le tableau 9.3*).

Tableau 9.3	**Détermination d'un bon ou d'un mauvais groupe partant par l'analyse de la force de l'acide conjugué correspondant**			
Électrophile A—B	Groupe partant B⁻	Acide conjugué du groupe partant H—B	Force de l'acide conjugué	
R—C̈l:	:C̈l:⁻	H—C̈l:	Fort	⎫ Bons groupes partants
R—B̈r:	:B̈r:⁻	H—B̈r:	Fort	
R—Ö⁺—H H	H—Ö—H	H—Ö⁺—H H	Fort	⎭
R—ÖH	:ÖH⁻	H—ÖH	Faible	⎫ Mauvais groupes partants
R—CH$_3$	⁻:CH$_3$	H—CH$_3$	Très faible	⎭

Ainsi, les ions halogénure (I^-, Br^- et Cl^-) des composés halogénés sont de très bons groupes partants, car ils constituent des bases faibles, puisque leurs acides conjugués (HI, HBr et HCl) sont tous des acides forts. L'ion iodure est le meilleur groupe partant, car le pK_a de son acide conjugué HI est égal à $-5,2$, ce qui le situe parmi les acides les plus forts. Les pK_a des acides conjugués HBr, HCl et HF sont respectivement $-4,7$, $-2,2$ et $3,2$. Par conséquent, la réactivité des composés halogénés augmente de la liaison C—F à la liaison C—I, comme cela est démontré dans le tableau 9.4.

Pour une meilleure compréhension des couleurs…

Le carbone électrophile du substrat est bleu et l'atome ou le groupe d'atomes qui sera expulsé est rouge. Le nucléophile noir est mis en évidence par l'ajout d'un encadré jaune dans les réactions de substitution nucléophile.

Tableau 9.4	**Réactivité relative de différents composés halogénés avec l'ion hydroxyde au cours d'une réaction de substitution nucléophile**

$$R—CH_2—X \quad + \quad HO^- \quad \longrightarrow \quad R—CH_2—OH \quad + \quad X^-$$

Substrat Nucléophile   Produit organique   Groupe partant

Nature de X^- (groupe partant)	Vitesse relative
F^-	1
Cl^-	200
Br^-	10 000
I^-	30 000

Exercice 9.2 Les groupements fonctionnels alcool et éther libèrent-ils de bons groupes partants? Expliquez votre réponse.

Les composés halogénés ont la particularité de réagir selon deux types principaux de réactions chimiques entraînant le bris de la liaison C—X, soit la substitution nucléophile et l'élimination (*voir la figure 9.3, p. 385*). Chacune d'elles sera étudiée en détail dans les sections à venir. Plusieurs facteurs (structures du nucléophile et du composé halogéné, nature du solvant et température du milieu réactionnel) seront analysés afin de prédire la réaction favorisée, le mécanisme réactionnel ainsi que les produits attendus.

Dans ce chapitre, les composés fluorés ne seront pas traités, car ils possèdent une réactivité nettement plus faible que celle des composés chlorés, bromés et iodés. Leurs réactions sont particulières, souvent différentes de celles observées pour les autres composés halogénés.

REMARQUE

Puisque l'ion sodium (Na^+) est un ion spectateur et qu'il n'intervient pas dans la réaction, il est généralement omis dans l'équation chimique. Il est toutefois représenté ici pour démontrer que les composés halogénés génèrent bel et bien des sels au cours d'une réaction chimique (*voir l'étymologie du terme «halogéné» dans l'introduction de ce chapitre*).

9.4 Substitution nucléophile (S_N)

Les réactions de **substitution nucléophile** (S_N) impliquent qu'un atome ou un groupe d'atomes remplace sur le substrat un autre atome ou groupe d'atomes. Le réactif qui attaque le substrat (le composé halogéné) est plus précisément un nucléophile. La figure 9.4 présente un exemple typique de réaction de substitution nucléophile dans lequel un ion hydroxyde (OH^-), le nucléophile, réagit avec un composé halogéné, soit le bromoéthane. Au cours de cette réaction, un ion bromure (Br^-) est formé à la suite de la rupture de la liaison covalente C—Br. Une molécule d'éthanol est alors produite. La liaison covalente C—O formée est le résultat du partage d'un doublet d'électrons libre appartenant au nucléophile avec le carbone électrophile du composé halogéné.

Figure 9.4 Réaction globale d'une substitution nucléophile entre le bromoéthane et l'ion hydroxyde

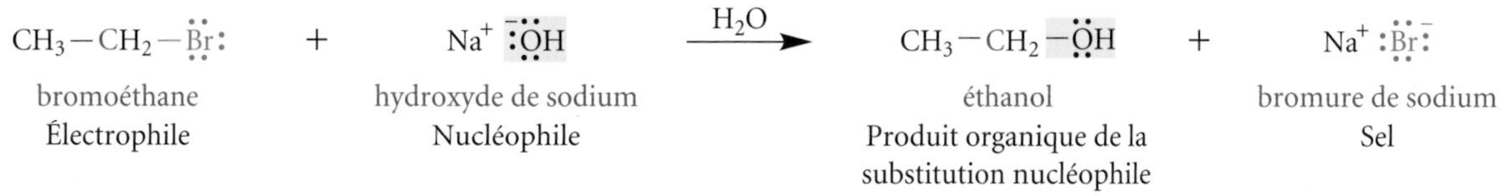

$$CH_3—CH_2—\overset{..}{\underset{..}{Br}}: \quad + \quad Na^+ \; :\overset{..}{\underset{..}{O}}H \quad \xrightarrow{H_2O} \quad CH_3—CH_2—\overset{..}{\underset{..}{O}}H \quad + \quad Na^+ \; :\overset{..}{\underset{..}{Br}}:^-$$

bromoéthane · hydroxyde de sodium · éthanol · bromure de sodium

Électrophile · Nucléophile · Produit organique de la substitution nucléophile · Sel

La substitution nucléophile se déroule généralement à basse température. Elle peut être réalisée à partir d'un nucléophile fort ou faible. La substitution nucléophile des composés halogénés se solde toujours par l'expulsion d'un ion halogénure (X^-) chargé négativement. Seule la charge du produit organique diffère. En effet, un nucléophile fort donne un produit électriquement neutre (*voir la réaction globale du tableau 9.5*), alors qu'un nucléophile faible donne un produit chargé positivement qui subit, par la suite, une déprotonation (*voir la réaction globale du tableau 9.6*). La seule exception à cette règle est la fonction amine (NH_3, RNH_2 ou R_2NH) qui est un nucléophile relativement fort, mais qui présente une réaction globale similaire à celle des nucléophiles faibles.

Tableau 9.5	**Réactions de substitution nucléophile avec des composés halogénés et des nucléophiles forts**

$$R—\overset{..}{\underset{..}{X}}: \quad + \quad Nu:^- \quad \longrightarrow \quad R—Nu \quad + \quad :\overset{..}{\underset{..}{X}}:^-$$

Nucléophile fort	Produit organique	Groupement fonctionnel synthétisé
$H—O^-$	$R—O—H$	Alcool
$R—O^-$	$R—O—R$	Éther
$H—S^-$	$R—S—H$	Thiol
$R—S^-$	$R—S—R$	Thioéther
$N\equiv C^-$	$R—C\equiv N$	Nitrile
$R—C\equiv C^-$	$R—C\equiv C—R$	Alcyne
X^-	$R—X$	Composé halogéné

Exemple 9.1

Complétez la réaction suivante de substitution nucléophile.

$$CH_3CH_2CH_2—\overset{..}{\underset{..}{Br}}: \quad + \quad CH_3—C\equiv C:^- \ Na^+ \quad \longrightarrow$$

$$\text{1-bromopropane} \qquad\qquad\qquad \text{Sel d'alcyne}$$

Solution

Le sel d'alcyne est un nucléophile fort qui réagira sur le carbone électrophile du 1-bromopropane. Pour sa part, l'ion bromure est un bon groupe partant, car son acide conjugué est un acide fort (HBr).

$$CH_3CH_2CH_2—\overset{..}{\underset{..}{Br}}: + \ CH_3—C\equiv C:^- \ Na^+ \longrightarrow CH_3CH_2CH_2—C\equiv C—CH_3 \ + \ Na^+ :\overset{..}{\underset{..}{Br}}:^-$$

Puisque l'ion halogénure (X^-) est également un nucléophile (possédant des doublets d'électrons libres), il peut attaquer à son tour le produit $R—Nu$ (*voir le tableau 9.5*) ou $R—Nu^+—H$ (*voir le tableau 9.6*), sur le carbone de la liaison $C—Nu$, pour reformer le composé halogéné de départ $R—X$. Ainsi, la réaction de substitution nucléophile est réversible. En fait, l'équilibre dépend de la force du nucléophile et de celle de l'ion halogénure X^-. Pour déplacer l'équilibre vers la droite et favoriser la réaction directe, le nucléophile choisi doit être plus fort que l'ion halogénure généré. De plus, selon le principe de Le Châtelier, un large excès du réactif peut être employé. Finalement, il est possible de trapper (retirer du milieu réactionnel) l'un ou l'autre des produits au fur et à mesure de sa formation.

Tableau 9.6	Réactions de substitution nucléophile avec des composés halogénés et des nucléophiles faibles

$$R-\ddot{X}: \quad + \quad :Nu-H \quad \longrightarrow \quad R-Nu\overset{+}{-}H \quad + \quad :\ddot{X}:^- \quad \xrightarrow{\text{Déprotonation}} \quad R-Nu$$

Nucléophile faible[a]	Produit organique chargé positivement	Produit organique (après déprotonation)	Groupement fonctionnel synthétisé
H—O—H	R—O(+)(H)—H	R—O—H	Alcool
R—O—H	R—O(+)(H)—R	R—O—R	Éther
H—S—H	R—S(+)(H)—R	R—S—H	Thiol
R—S—H	R—S(+)(H)—R	R—S—R	Thioéther
H—N(H)—H (ou NH$_2$R ou NHR$_2$)	R—N(+)(H)(H)—H	R—N(H)—H (ou RNHR ou RNR$_2$)	Amine

a. Certains nucléophiles tels que R$_2$S et R$_3$N (qui n'ont pas d'hydrogènes directement liés à l'hétéroatome) peuvent également effectuer une substitution nucléophile. Toutefois, aucune déprotonation n'est possible. Les produits obtenus sont donc des sels de sulfonium (R$_3$S$^+$X$^-$) ou des sels d'ammonium (R$_4$N$^+$X$^-$) substitués.

REMARQUE

Les halogénoarènes (ou halogénures d'aryle, Ar—X) et les halogénures de vinyle (CH$_2$=CH—X) ne peuvent cependant pas subir ce type de substitution nucléophile, car l'atome d'halogène (X), impliqué dans un phénomène de résonance, est lié à un carbone hybridé sp^2 plutôt qu'à un carbone hybridé sp^3.

À la lumière des tableaux 9.5 et 9.6, il est clair que les composés halogénés occupent une place de choix en synthèse organique. En effet, par de simples réactions de substitution nucléophile, une très grande diversité de groupements fonctionnels peuvent être créés à partir des composés halogénés.

Exemple 9.2

Complétez les réactions suivantes de substitution nucléophile.
a) CH$_3$CH$_2$—$\ddot{C}$l: + $\ddot{N}$H$_3$ $\longrightarrow$
   chloroéthane   ammoniac
b) CH$_3$CH$_2$—$\ddot{C}$l: + $\ddot{N}$(CH$_3$)$_3$ $\longrightarrow$
   chloroéthane   N,N-diméthylméthanamine (triméthylamine)

Solution

a) L'ammoniac est un nucléophile qui réagit sur le carbone électrophile du chloroéthane. Pour sa part, l'ion chlorure est un bon groupe partant, car son acide conjugué est un acide fort (HCl).

CH$_3$CH$_2$—$\ddot{C}$l: + $\ddot{N}$H$_3$ $\longrightarrow$ CH$_3$CH$_2$—$\overset{+}{N}$H$_3$ + :$\ddot{C}$l:$^-$

En milieu basique (B), l'ion éthylammonium subit une déprotonation générant la fonction amine.

CH$_3$CH$_2$—$\overset{+}{N}$H$_3$ + B: $\longrightarrow$ CH$_3$CH$_2$—$\ddot{N}$H$_2$ + $\overset{+}{B}$—H

b) En ce qui a trait à la triméthylamine, il s'agit également d'un nucléophile qui réagit sur le carbone électrophile du chloroéthane.

$$CH_3CH_2 - \overset{..}{\underset{..}{Cl}}: \; + \; \overset{..}{N}(CH_3)_3 \longrightarrow CH_3CH_2 - \overset{+}{N}(CH_3)_3 \; :\overset{..}{\underset{..}{Cl}}:^-$$

La triméthylamine est un nucléophile qui n'a pas d'hydrogènes directement liés à l'azote. Par conséquent, aucune déprotonation n'est possible, et le produit final est un sel, le chlorure d'éthyltriméthylammonium.

Exercice 9.3 Complétez les réactions suivantes de substitution nucléophile. Déterminez le nucléophile ainsi que le site électrophile du substrat. Indiquez également le groupe partant.

a) $CH_3CH_2CH_2I \; + \; CH_3ONa \longrightarrow$

b) $CH_3CH_2Br \; + \; NaI \longrightarrow$

c) $CH_3CH_2CH_2Cl \; + \; KCN \longrightarrow$

d) $CH_3Br \; + \; NH(CH_3)_2 \longrightarrow$

e) $CH_3CH_2Cl \; + \; S(CH_3)_2 \longrightarrow$

Exercice 9.4 Écrivez une équation de substitution nucléophile permettant de synthétiser les produits suivants. Déterminez le nucléophile ainsi que le site électrophile du substrat. Indiquez également le groupe partant.

a) $CH_3CH_2CH_2CH_2OH$

(à l'aide du 1-bromobutane et d'un nucléophile fort)

b) $CH_3CH_2CH_2CH_2OCH_2 -$ ⬡

(à l'aide du 1-bromobutane et d'un nucléophile fort)

c) $CH_3CH_2C(CH_3)_2SH$

(à l'aide du 2-bromo-2-méthylbutane et d'un nucléophile faible)

Exercice 9.5 Expliquez pourquoi la réaction suivante est difficile à réaliser.

$$CH_3CH_2Br \; + \; NaF \longrightarrow$$

D'autres réactions réalisées à partir des composés halogénés sont en étroite compétition avec les réactions de substitution nucléophile. Il s'agit des réactions d'élimination. Des études expérimentales ont cependant permis de trouver les conditions favorisant soit les réactions de substitution nucléophile, soit les réactions d'élimination. Les facteurs analysés sont principalement les structures des composés halogénés et des nucléophiles, la température à laquelle s'effectue la réaction et la nature du solvant. L'étude des mécanismes de chacune de ces réactions permettra de bien cibler et de comprendre leurs particularités.

Les réactions de substitution nucléophile sur les composés halogénés peuvent se réaliser selon deux types de substitution nucléophile empruntant deux mécanismes bien distincts : les **substitutions nucléophiles d'ordre 2 (S_N2)** et les **substitutions nucléophiles d'ordre 1 (S_N1)**.

9.4.1 Mécanisme d'une substitution nucléophile d'ordre 2 (S_N2)

Le mécanisme d'une réaction de type S_N2 fut proposé pour la toute première fois en 1937 par les chimistes **Edward D. Hughes** (1906-1963) et **Sir Christopher K. Ingold** (1893-1970). Ils suggérèrent un mécanisme général en trois dimensions, comme celui présenté dans la figure 9.5.

Dans une réaction de **substitution nucléophile d'ordre 2 (S_N2)**, le nucléophile attaque le carbone électrophile du composé halogéné du côté opposé à l'halogène pour ainsi établir une nouvelle liaison. Cette attaque s'effectue à 180° de l'halogène pour

Figure 9.5 Mécanisme général, en trois dimensions, d'une réaction de substitution nucléophile d'ordre 2 (S_N2)

Réactif / Nucléophile — Substrat (composé halogéné) Électrophile — Complexe activé à l'état de transition — Produit organique — Ion halogénure (groupe partant)

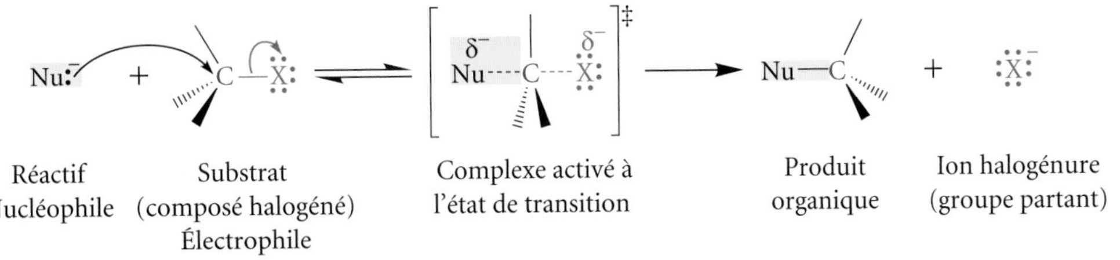

minimiser la tension stérique entre le nucléophile et l'halogène qui encombre la face d'approche. Dans le complexe activé à l'état de transition, le nucléophile et l'halogène sont reliés au carbone (C) du composé halogéné par des lignes en pointillé. Cela signifie que les liaisons sont partielles, c'est-à-dire qu'au fur et à mesure que la liaison C—X se brise et que l'halogène est expulsé avec un doublet d'électrons, le nucléophile fournit son doublet d'électrons au carbone, et la liaison Nu—C se forme.

La loi de vitesse pour ce genre de réaction est $v = k\,[R\!-\!X]^1\,[Nu]^1$ (ordre global = 2). Cela implique que le composé halogéné (substrat) et le réactif nucléophile participent à l'étape limitante de la réaction. Le mécanisme d'une réaction de type S_N2 s'effectue alors en une seule étape au cours de laquelle le nucléophile attaque le composé halogéné. Il n'y a pas de formation d'un intermédiaire réactionnel. Il s'agit d'un **mécanisme bimoléculaire**, c'est-à-dire que le nucléophile et le composé halogéné sont impliqués dans le complexe activé à l'état de transition.

Dans la figure 9.6, le mécanisme réactionnel en trois dimensions de l'exemple présenté dans la figure 9.4 (*voir p. 387*) est indiqué. L'ion hydroxyde, un bon nucléophile, attaque le carbone (δ^+) du composé halogéné du côté opposé à la liaison C—Br, puisque

Figure 9.6
a) Mécanisme réactionnel en trois dimensions ; b) Diagramme énergétique d'une réaction de substitution nucléophile d'ordre 2 (S_N2)

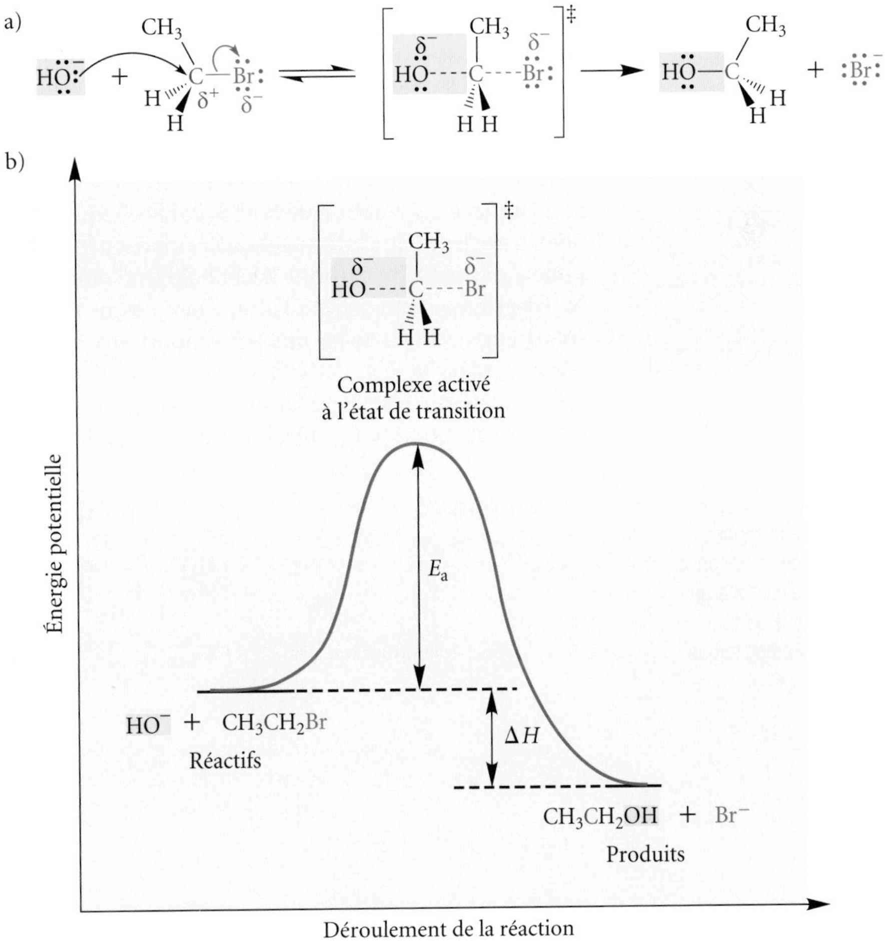

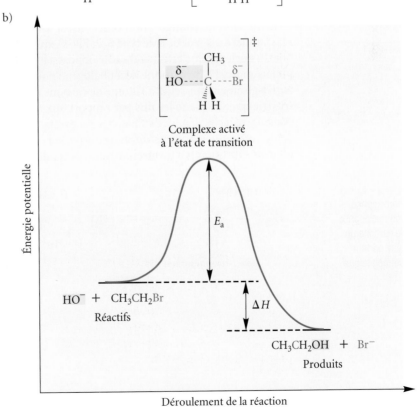

la présence de l'halogène diminue la densité électronique autour du carbone et encombre l'une des faces d'approche. L'ion hydroxyde remplace donc le brome par une substitution nucléophile d'ordre 2.

Exercice 9.6 Soit la réaction suivante de substitution nucléophile d'ordre 2 (S$_N$2).

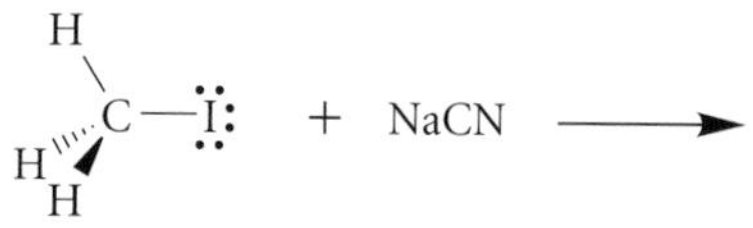

$$\underset{\substack{H \\ | \\ H'''''C—\ddot{\underset{..}{I}}: \\ | \\ H}}{} + \text{NaCN} \longrightarrow$$

a) Complétez cette réaction en écrivant la structure des produits. Dessinez le produit organique en trois dimensions.

b) À l'aide de la figure 9.5 (*voir page précédente*), illustrez le mécanisme réactionnel en incluant le complexe activé à l'état de transition. Quelle est la loi de vitesse pour cette réaction ?

c) Dessinez le diagramme énergétique de cette réaction, sachant qu'elle est exothermique. Prenez soin de bien définir les axes et de déterminer les réactifs, les produits, le complexe activé à l'état de transition, l'énergie d'activation (E_a) et la variation d'enthalpie (ΔH) de la réaction.

Dans l'exemple de la figure 9.6 (*voir page précédente*), aucun carbone stéréogénique n'est présent dans le composé halogéné, mais la représentation tridimensionnelle est toujours conseillée pour bien visualiser l'attaque du côté opposé à la liaison C—X.

En revanche, si, dans le composé halogéné, le carbone portant l'atome d'halogène est un carbone stéréogénique (C*), une représentation tridimensionnelle du mécanisme de la réaction est nécessaire, puisqu'une **inversion de configuration** sera observée. La figure 9.7 illustre la réaction du (*S*)-2-bromobutane avec l'ion hydroxyde. Le produit de cette réaction donne le (*R*)-butan-2-ol et non pas le (*S*)-butan-2-ol. Le produit final n'est toutefois pas un énantiomère du substrat de départ. Ce sont deux composés organiques distincts, ne possédant pas la même formule moléculaire, mais avec des configurations absolues inverses.

L'inversion de configuration observée est une preuve expérimentale du mécanisme réactionnel de la réaction de type S$_N$2. Elle s'explique effectivement par le fait que l'attaque du nucléophile s'effectue du côté opposé à l'halogène. Ainsi, à mesure que le nucléophile s'approche du carbone lié à l'halogène pour atteindre l'état de transition, les trois autres groupements reliés à l'atome de carbone s'éloignent jusqu'à occuper une géométrie triangulaire plane les uns par rapport aux autres. L'inversion de configuration qui s'ensuit, après le départ de l'halogène, porte le nom d'**inversion de Walden**[5] ou, plus communément, d'**effet parapluie**, puisque, au cours du déroulement de la substitution, les trois substituants s'inversent comme le ferait un parapluie les jours de grand vent.

> **REMARQUE**
>
> Les configurations absolues du substrat et du produit sont inversées chaque fois que le nucléophile possède la même priorité que l'halogène dans l'attribution des numéros en vue d'établir la configuration absolue.

Figure 9.7
Mécanisme tridimensionnel d'une substitution nucléophile d'ordre 2 dont le carbone du composé halogéné portant l'halogène est stéréogénique

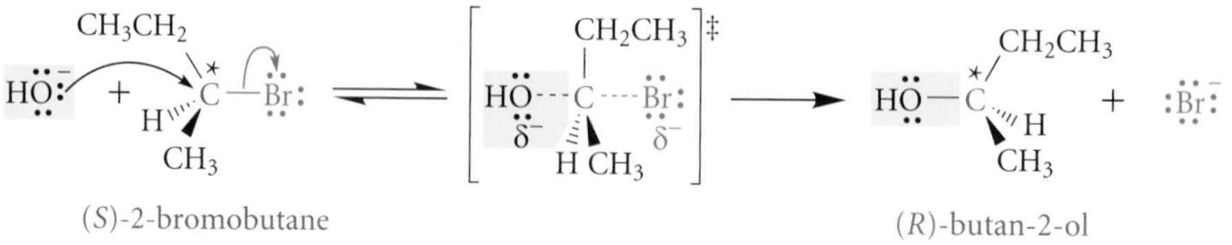

(*S*)-2-bromobutane   (*R*)-butan-2-ol

Exemple 9.3

Dessinez, en trois dimensions, la structure du produit organique obtenu à la suite d'une réaction de S$_N$2 entre le *cis*-1-chloro-4-méthylcyclohexane et l'ion hydroxyde.

Solution

L'ion hydroxyde attaque le carbone électrophile de la liaison C—Cl du côté opposé à l'atome de chlore. Le groupement hydroxy de l'alcool généré se trouve donc en position *trans* par rapport au méthyle.

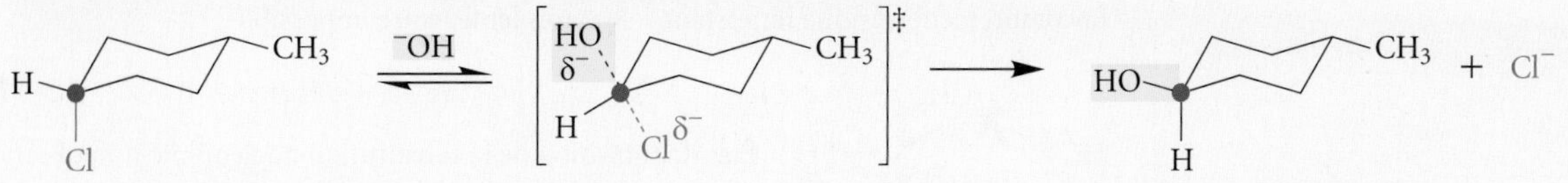

cis-1-chloro-4-méthylcyclohexane   *trans*-4-méthylcyclohexanol

Exercice 9.7   Complétez les réactions de S$_N$2 suivantes en écrivant la structure du produit organique en trois dimensions.

a) (*R*)-2-iodobutane   +   CH$_3$ONa $\longrightarrow$

b) (*S*)-2-chloro-1-phénylpropane   +   NaCN $\longrightarrow$

c) 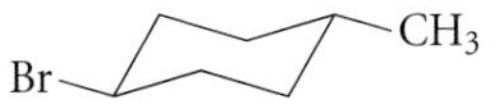   +   NaSH $\longrightarrow$

9.4.2   Conditions réactionnelles favorisant la substitution nucléophile d'ordre 2

Dans une réaction de substitution nucléophile d'ordre 2, la vitesse de réaction dépend non seulement de la température et des concentrations du substrat et du réactif, mais également du solvant et de l'efficacité de l'attaque du nucléophile sur le composé halogéné. Ainsi, la rapidité avec laquelle s'effectue une réaction de S$_N$2 est influencée par trois facteurs distincts, soit :

1. l'encombrement stérique du composé halogéné et du nucléophile ;

2. la force du nucléophile ;

3. la nature du solvant.

9.4.2.1   Efficacité de la réaction de S$_N$2 en fonction de l'encombrement stérique du composé halogéné et du nucléophile

Comme cela a été mentionné dans la section 9.4.1 (*voir p. 390*), l'attaque du nucléophile se réalise sur le carbone lié à l'halogène dans un angle de 180° par rapport à la liaison C—X. L'efficacité de cette attaque dépend de l'encombrement stérique du composé halogéné et du nucléophile. Ainsi, plus le composé halogéné et le nucléophile sont volumineux, plus ils présentent un fort encombrement stérique, et plus la réaction est lente.

Une réaction de S$_N$2 est rapide lorsque le carbone portant l'halogène est primaire, puisque l'encombrement stérique généré par les deux atomes d'hydrogène et le groupement R localisés à l'arrière de la liaison C—X est faible. La réaction est toutefois plus lente si le composé halogéné est secondaire, car l'encombrement stérique est plus grand (H, R et R'). En ce qui concerne les composés halogénés tertiaires, le carbone porteur de l'halogène est tellement encombré que la réaction est extrêmement lente, voire impossible (*voir la figure 9.8, page suivante*).

Le tableau 9.7 (*voir page suivante*) fournit les vitesses relatives d'une réaction de substitution nucléophile d'ordre 2 typique avec quelques composés halogénés dont le carbone porteur de l'halogène possède un encombrement stérique distinct.

Figure 9.8
Composé halogéné (substrat) impliquant – a) Un faible encombrement stérique ; b) Un fort encombrement stérique au cours de l'attaque d'un nucléophile dans une réaction de substitution nucléophile d'ordre 2

a) Composé halogéné primaire
Encombrement stérique faible – S$_N$2 rapide

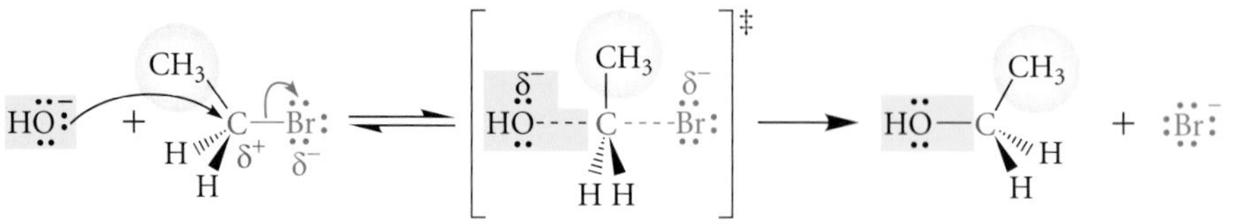

b) Composé halogéné tertiaire
Encombrement stérique important – S$_N$2 très lente, voire impossible

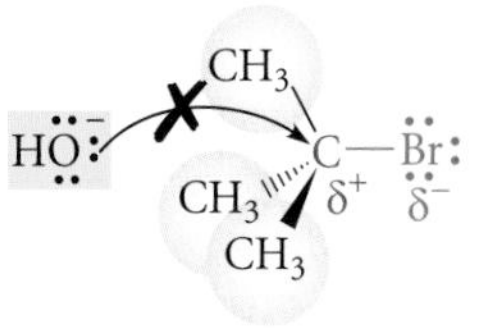

État de transition de la substitution nucléophile non observé

Tableau 9.7   **Vitesse relative d'une réaction de S$_N$2 typique en fonction de l'encombrement stérique du composé halogéné**

Soit la réaction suivante.

$$R\text{—}Br + I^- \longrightarrow R\text{—}I + Br^-$$

Composé halogéné (R—Br)	Vitesse relative
CH$_3$—Br	1
CH$_3$—CH$_2$—Br	0,0069 (145 fois plus lente)
CH$_3$—CH—Br | CH$_3$	$5,38 \times 10^{-5}$ (environ 18 600 fois plus lente)
CH$_3$—C—Br (avec CH$_3$, CH$_3$)	Négligeable

Exercice 9.8 Bien qu'il ait été mentionné précédemment qu'un composé halogéné primaire permet de réaliser rapidement des réactions de type S$_N$2, il existe des irrégularités à cette règle. Expliquez les vitesses relatives pour les composés halogénés primaires suivants dans le cadre de réactions de substitution nucléophile d'ordre 2 avec l'ion iodure.

Composé halogéné	Vitesse relative
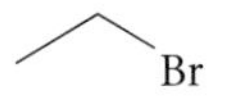 (structure) Br	1
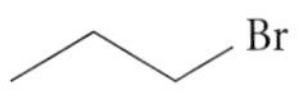 (structure) Br	0,8
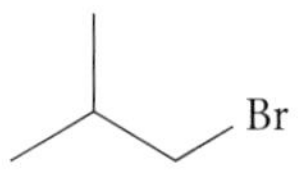 (structure) Br	0,03
 (structure) Br	$1,3 \times 10^{-5}$

Dans le cas du nucléophile, la vitesse d'une réaction de type S$_N$2 sera plus élevée s'il est peu volumineux. En effet, l'encombrement stérique engendré par les substituants d'un nucléophile peut également nuire à la S$_N$2. Le tableau 9.8 montre la taille croissante du nuage électronique de quelques nucléophiles de plus en plus substitués et les répercussions sur les vitesses relatives d'une réaction de type S$_N$2.

Tableau 9.8	Vitesse relative d'une réaction de S$_N$2 typique en fonction de l'encombrement stérique du nucléophile

Soit la réaction suivante.

$$RCH_2-Br \ + \ Nu^- \longrightarrow RCH_2-Nu \ + \ Br^-$$

Nucléophile (Nu$^-$)[a]	Superposition sur le modèle à boules et bâtonnets du modèle compact		Vitesse relative	Explications
CH$_3$—O$^-$ ion méthanolate	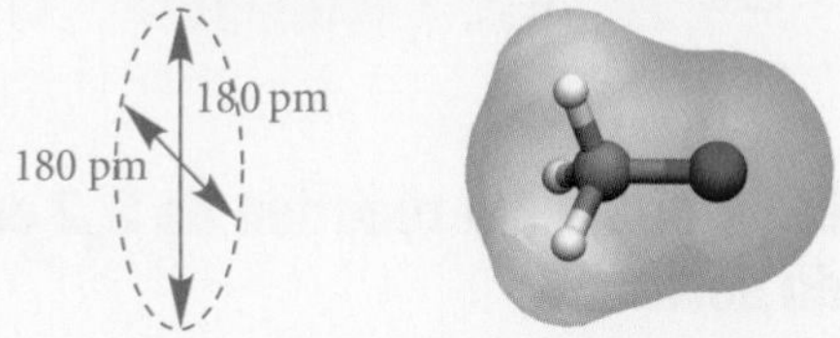 180 pm 180 pm		Très rapide	Nucléophile très peu encombré
CH$_3$—CH$_2$—O$^-$ ion éthanolate	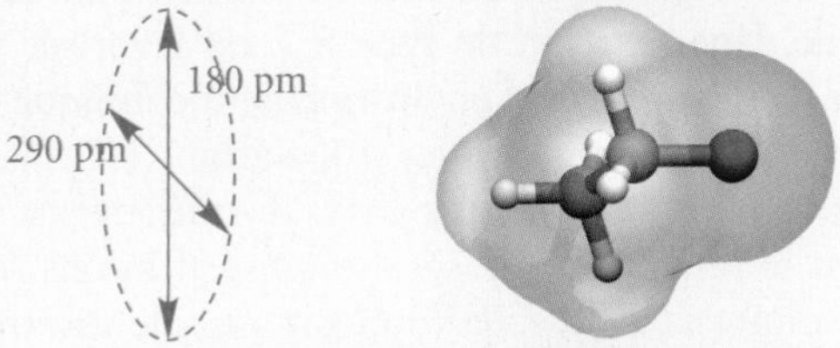 180 pm 290 pm		Rapide	Nucléophile peu encombré
CH$_3$—CH—O$^-$ | CH$_3$ ion propan-2-olate (ion isopropanolate)	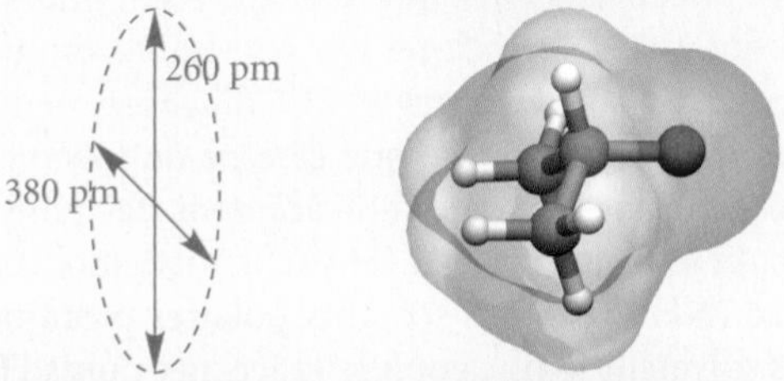 260 pm 380 pm		Moyennement rapide	Nucléophile encombré
CH$_3$ | CH$_3$—C—O$^-$ | CH$_3$ ion 2-méthylpropan-2-olate (ion *tert*-butanolate)	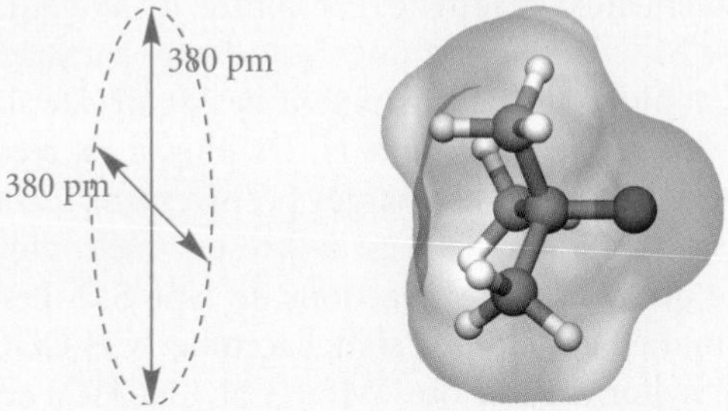 380 pm 380 pm		Lente	Nucléophile très encombré

a. Bien que l'effet inductif répulsif augmente le caractère nucléophile des ions alcoolate, l'encombrement stérique du réactif est un facteur grandement déstabilisant qui diminue la vitesse de la réaction d'une substitution nucléophile d'ordre 2.

9.4.2.2 Efficacité de la réaction de S$_N$2 en fonction de la force du nucléophile

En plus de l'encombrement stérique, la force du nucléophile est un autre facteur à prendre en considération. Dans une réaction de type S$_N$2, plus le nucléophile est fort (pour un encombrement stérique similaire), plus rapide sera la réaction. Cela s'explique par le fait qu'en utilisant un nucléophile fort (plus réactif, et donc plus élevé en énergie), la barrière énergétique (E_a) pour atteindre l'état de transition est plus faible. Par conséquent, un plus grand nombre de molécules de réactifs auront l'énergie suffisante pour former les produits finaux.

Pour déterminer la force des nucléophiles, il suffit de revoir la section 4.5.2 (*voir p. 188*). En général, les nucléophiles chargés négativement (anions) sont forts, alors que les nucléophiles neutres sont faibles. Par exemple, au cours d'une réaction de type S$_N$2 avec le composé halogéné CH$_3$—I, l'ion méthanolate (CH$_3$—O$^-$), un nucléophile fort, réagit environ deux millions de fois plus rapidement que le méthanol (CH_3—OH), un nucléophile faible.

Exercice 9.9 Classez les nucléophiles suivants par ordre croissant de leur vitesse de réaction pour une réaction de type S_N2 avec le chlorométhane dans le méthanol. Expliquez votre choix.

$$CH_3\!\!-\!\!\overset{S}{\frown}\!\!-\!\!H \qquad (CH_3)_2CH\!\!-\!\!\overset{S}{\frown}\!\!-\!\!CH(CH_3)_2 \qquad H\!\!-\!\!S^-$$

9.4.2.3 Efficacité de la réaction de S_N2 en fonction de la nature du solvant

Le solvant joue également un rôle de premier plan dans une réaction de substitution nucléophile. Une réaction de type S_N2 est favorisée par un nucléophile fort. Or, les molécules de solvant dans l'environnement chimique du nucléophile peuvent influencer sa force. De façon générale, si le solvant est capable de créer un grand nombre d'attractions intermoléculaires avec le nucléophile en monopolisant ses doublets d'électrons libres, ce dernier sera stabilisé et moins réactif, et la réaction de type S_N2 sera ainsi moins favorisée. Par opposition, si le solvant stabilise peu le nucléophile, ce dernier sera plus apte à effectuer une S_N2, étant plus réactif et plus fort.

> **REMARQUE**
>
> Les atomes d'hydrogène des solvants polaires protiques possèdent une forte charge partielle positive et présentent des caractéristiques similaires à celles d'un proton, d'où le qualificatif « protique » attribué à ces solvants.

Un **solvant polaire protique** est, par définition, un solvant polaire dont les molécules contiennent au moins un atome d'hydrogène lié à un atome très électronégatif. En d'autres mots, cela signifie que ce type de solvant renferme des liaisons covalentes très polaires capables de créer efficacement des ponts hydrogène avec le nucléophile. Parmi ceux-ci se trouvent l'eau (H_2O), le méthanol (CH_3OH), l'éthanol (CH_3CH_2OH), l'ammoniac (NH_3), etc. Les solvants polaires protiques nuisent aux réactions de type S_N2, car ils solvatent le nucléophile grâce aux ponts H, le stabilisent et diminuent ainsi considérablement sa réactivité. Par contre, les **solvants polaires aprotiques**, ne renfermant pas d'hydrogène ayant une forte charge partielle positive, favorisent les réactions de type S_N2, puisqu'ils ne permettent pas de solvater le nucléophile par des attractions intermoléculaires de type ponts H. De plus, il est reconnu que ces solvants stabilisent préférentiellement les ions chargés positivement (cations). Par conséquent, ils ne solvatent pas bien les anions, c'est-à-dire les nucléophiles. Ces derniers sont alors plus réactifs, ce qui accélère les réactions de type S_N2. Les solvants polaires aprotiques les plus communément utilisés sont l'acétone (CH_3COCH_3), l'acétonitrile (CH_3CN), le N,N-diméthylformamide ou DMF (($CH_3)_2NCHO$) et le diméthylsulfoxyde ou DMSO (CH_3SOCH_3). Le tableau 9.9 démontre l'effet du solvant sur la vitesse d'une réaction de type S_N2.

> **REMARQUE**
>
> Les solvants polaires aprotiques, donneurs d'électrons, stabilisent les cations, en raison de leurs sites négatifs qui sont généralement plus accessibles sur leur structure.

Les réactions de substitution nucléophile d'ordre 2 impliquent des solvants polaires aprotiques, même s'il existe des **solvants apolaires aprotiques** tels que le benzène et l'hexane. Cela s'explique par le fait que le nucléophile fort doit être néanmoins solubilisé dans le milieu réactionnel, même s'il ne doit pas être trop stabilisé par des attractions intermoléculaires pour ne pas perdre son pouvoir nucléophile. Il n'est pas rare d'utiliser un cosolvant polaire protique lorsque le solvant polaire aprotique est incapable de solubiliser le nucléophile. En pareil cas, le solvant polaire protique est utilisé dans des proportions minimales afin de ne pas nuire à la réaction.

Le tableau 9.12 (voir p. 403) résume les différentes caractéristiques d'une réaction de substitution nucléophile d'ordre 2 et les compare avec celles d'une réaction de substitution nucléophile d'ordre 1.

Tableau 9.9	Vitesse relative d'une réaction de S$_N$2 typique en fonction de la nature du solvant	

Soit la réaction suivante.

$$CH_3CH_2CH_2CH_2 \text{—} Br + N_3^- \xrightarrow{\text{Solvant}} CH_3CH_2CH_2CH_2 \text{—} N_3 + Br^-$$

Solvant	Nature du solvant	Vitesse relative
méthanol (CH$_3$OH)	Polaire protique	1
eau (H$_2$O)	Polaire protique	7
diméthylsulfoxyde ou DMSO (CH$_3$SOCH$_3$)	Polaire aprotique	1300
N,N-diméthylformamide ou DMF ((CH$_3$)$_2$NCHO)	Polaire aprotique	2800
acétonitrile (CH$_3$CN)	Polaire aprotique	5000

Exercice 9.10 Un chimiste souhaite effectuer la réaction suivante, mais il hésite, quant au choix du solvant, entre le méthanol (CH$_3$OH) et l'acétone (CH$_3$COCH$_3$). Que lui recommanderiez-vous comme solvant pour favoriser une réaction de S$_N$2 rapide ? Expliquez votre choix.

9.4.3   Mécanisme d'une substitution nucléophile d'ordre 1 (S$_N$1)

cheneliere.ca/chimieorganique www

› Réarrangement des carbocations au cours des réactions de substitution nucléophile et d'élimination d'ordre 1 (S$_N$1 et E1)

Contrairement au mécanisme d'une réaction de type S$_N$2, le mécanisme de la **substitution nucléophile d'ordre 1 (S$_N$1)** se réalise en deux étapes principales. Dans ce type de réaction, la première étape implique la rupture hétérolytique de la liaison C—X du composé halogéné. C'est l'halogène, l'élément le plus électronégatif, qui accepte le doublet d'électrons de la liaison et devient un ion halogénure. Cette rupture conduit à un intermédiaire réactionnel : un carbocation. Il s'agit de l'étape limitante (ou déterminante) de la réaction. La deuxième étape, quant à elle, consiste en l'attaque du nucléophile sur le carbocation, menant ainsi au produit.

Les réactions de type S$_N$1 impliquent généralement des nucléophiles faibles, soit des espèces neutres. Pour obtenir le produit final neutre, une réaction de déprotonation (neutralisation) est donc nécessaire comme troisième et dernière étape (*voir le tableau 9.6, p. 389*). Dans plusieurs réactions de S$_N$1, le solvant joue également le rôle du nucléophile. Il est alors question d'une réaction de solvolyse, car le solvant est responsable de la lyse, c'est-à-dire de la rupture de la liaison C—X.

La figure 9.9 (*voir page suivante*) présente un exemple typique d'une substitution nucléophile d'ordre 1 (S$_N$1). Tout comme pour les réactions de type S$_N$2, il est toujours de mise de représenter les mécanismes réactionnels des S$_N$1 en trois dimensions. Cela permet de préciser l'orientation quant à l'attaque du nucléophile sur le composé halogéné. Dans la figure 9.9, l'attaque de la molécule d'eau sur l'intermédiaire réactionnel peut s'effectuer selon deux orientations. En effet, chacun des lobes de l'orbitale p vide du carbocation peut être attaqué. Or, dans cet exemple, une seule attaque est représentée, car chacune d'elle mène au même produit.

La première étape est lente car, en solution aqueuse, le 2-bromo-2-méthylpropane se dissocie en un ion bromure et en un carbocation, un intermédiaire réactionnel instable. Dans le diagramme énergétique d'une réaction de S$_N$1 typique, la première énergie d'activation est toujours très élevée. La deuxième étape est très rapide, car elle consiste en l'attaque de l'eau sur le carbocation, un électrophile puissant. Finalement, au cours de la troisième étape, l'ion oxonium est rapidement déprotoné par une base (B) de manière à fournir le produit final neutre, à savoir dans cet exemple, le 2-méthylpropan-2-ol.

La loi de vitesse d'une réaction de type S_N1 est $v = k\,[R—X]^1$ (ordre global = 1), ce qui indique que seul le composé halogéné (substrat) intervient dans l'étape limitante. Le nucléophile (H_2O, dans l'exemple de la figure 9.9) n'y joue aucun rôle, et sa concentration n'affecte pas la vitesse de la réaction globale. Il s'agit d'un **mécanisme unimoléculaire**, c'est-à-dire que seul le composé halogéné est impliqué dans le complexe activé à l'état de transition au cours de l'étape limitante.

Figure 9.9
a) Mécanisme réactionnel en trois dimensions ; b) Diagramme énergétique d'une réaction typique de substitution nucléophile d'ordre 1 (S_N1) en solution aqueuse

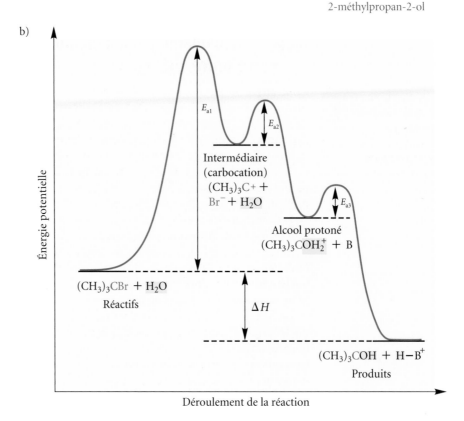

Exercice 9.11 Soit la réaction suivante de substitution nucléophile d'ordre 1 (S$_N$1).

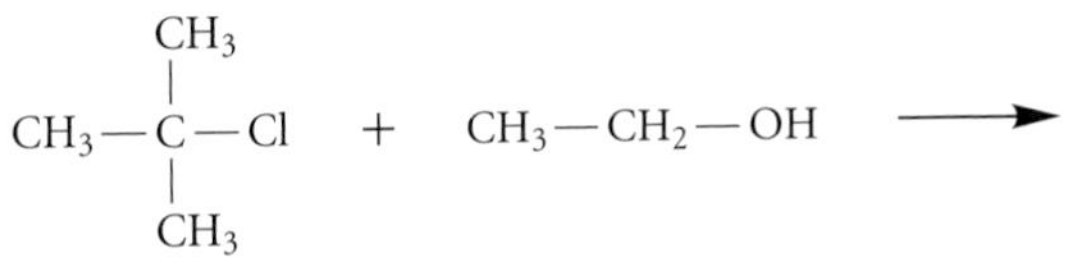

$$CH_3-\underset{\underset{CH_3}{|}}{\overset{\overset{CH_3}{|}}{C}}-Cl \quad + \quad CH_3-CH_2-OH \longrightarrow$$

a) Complétez cette réaction en écrivant la structure des produits en deux dimensions.

b) Illustrez le mécanisme réactionnel en deux dimensions et donnez la loi de vitesse pour la réaction globale.

c) Dans le contexte d'une réaction de type S$_N$1, qu'est-ce que le mécanisme en trois dimensions apporterait de plus ?

d) Dessinez le diagramme énergétique de cette réaction, sachant qu'elle est exothermique. Prenez soin de bien définir les axes et de déterminer les réactifs, les intermédiaires, les produits, l'énergie d'activation (E_a) de l'étape limitante et la variation d'enthalpie (ΔH) de la réaction globale.

Dans un mécanisme d'une réaction de type S$_N$1, si l'atome de carbone portant l'halogène est stéréogénique, chaque attaque du nucléophile de part et d'autre du carbocation devra être illustrée, et deux produits distincts seront obtenus. Dans le cas où le composé halogéné de départ ne renferme qu'un carbone stéréogénique (soit le carbone portant l'halogène), les deux produits obtenus sont des énantiomères. Puisque les substituants d'un carbone hybridé sp^2 sont coplanaires, chacune des attaques présente le même encombrement stérique. Ainsi, les deux énantiomères étant favorisés également, un mélange racémique est formé et une perte d'activité optique est observée ; ce phénomène porte le nom de **racémisation**. La figure 9.10 illustre la racémisation du (S)-3-bromo-3-méthylhexane en (RS)-3-méthylhexan-3-ol.

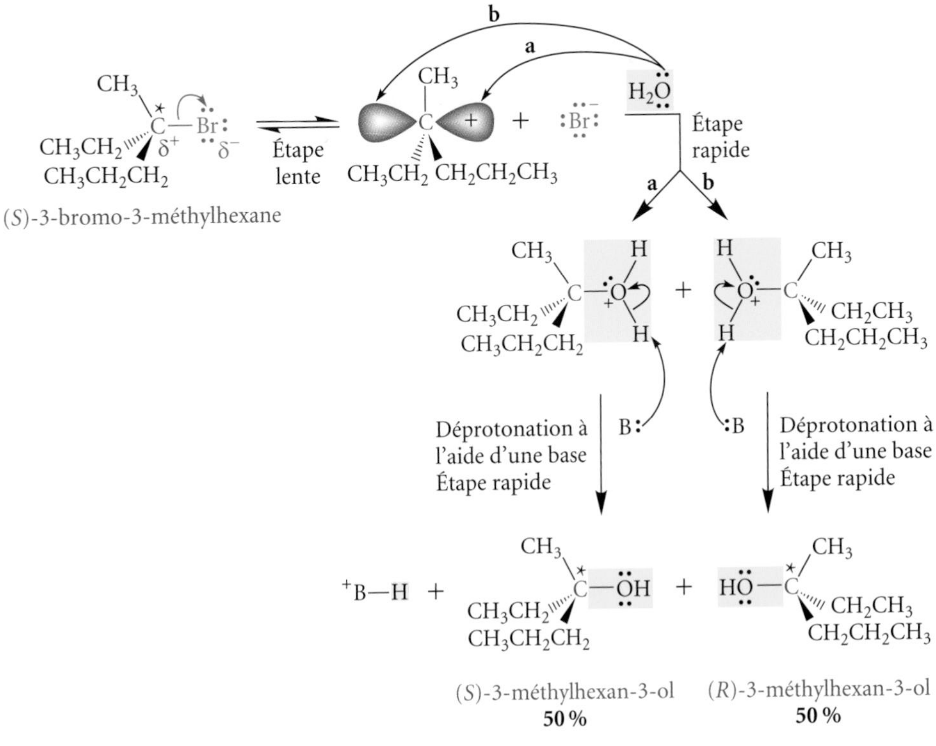

Figure 9.10

Mécanisme tridimensionnel d'une substitution nucléophile d'ordre 1 en solution aqueuse dont le carbone du composé halogéné portant l'halogène est stéréogénique

Exercice 9.12 Soit la réaction suivante de substitution nucléophile d'ordre 1 (S$_N$1).

$$(CH_3)_3C$$
$$H^{\prime\prime\prime\prime}C-Br + CH_3OH \longrightarrow$$
$$CH_3CH_2CH_2$$

a) Complétez cette réaction en écrivant la structure de tous les produits organiques possibles en trois dimensions.

b) Nommez le substrat ainsi que les produits organiques selon les règles de l'UICPA.

c) Illustrez le mécanisme réactionnel en trois dimensions.

9.4.4 Conditions réactionnelles favorisant la substitution nucléophile d'ordre 1

L'efficacité d'une réaction de S$_N$1 est influencée par deux paramètres, soit:

1. le degré de substitution du carbone porteur de l'halogène dans le composé halogéné;

2. la nature du solvant.

Pour une réaction de type S$_N$1, seule la formation du carbocation affecte la vitesse, puisqu'elle constitue l'étape lente (étape limitante) de la réaction. Par conséquent, seule la concentration du substrat (composé halogéné) influence la vitesse de la réaction dans ce type de substitution nucléophile. La vitesse d'une S$_N$1 ne dépend donc ni de la concentration, ni de la force, ni même de la nature du nucléophile. Ainsi, l'utilisation d'un nucléophile fort ou faible dans un mécanisme de type S$_N$1 ne change rien quant à la vitesse de la réaction. Par contre, afin d'éviter les réactions d'élimination (*voir la section 9.5, p. 405*) pouvant entrer en compétition avec les réactions de substitution nucléophile, il est préférable d'employer des nucléophiles faibles et peu basiques. Le nucléophile est souvent le solvant de la réaction (*voir la figure 9.10, page précédente*). Enfin, un nucléophile fort peut parfois être employé. Cependant, dans une telle situation, il est préférable qu'il soit en faible concentration et que le milieu réactionnel soit à basse température.

9.4.4.1 Efficacité de la réaction de S$_N$1 en fonction de la substitution du carbone porteur de l'halogène

Dans le cas d'une réaction de type S$_N$1, la réaction est généralement beaucoup plus rapide lorsque le carbone lié à l'halogène est très substitué et donc lorsqu'il y a formation de carbocations stables au cours de la première étape du mécanisme réactionnel. Par conséquent, les composés halogénés tertiaires sont favorisés. Ces derniers donnent naissance à des carbocations tertiaires, des intermédiaires réactionnels stabilisés par effet inductif répulsif des trois substituants. La réaction de type S$_N$1 est plus lente avec des composés halogénés secondaires, lesquels mènent à la formation de carbocations secondaires moins stables. Les composés halogénés primaires ou nullaires, quant à eux, ne peuvent pas réaliser une réaction de S$_N$1 (ou très rarement), puisque la formation du carbocation primaire est trop instable. Ainsi, plus le carbocation est stable, plus sa formation est favorisée et plus la S$_N$1 est rapide (*voir le tableau 9.10*).

REMARQUE

La rupture de la liaison C—X mène à une décompression stérique (passage d'un carbone hybridé *sp*^{3} [109,5°] en un carbone hybridé *sp*^{2} [120°]). Ce phénomène contribue également à favoriser la formation du carbocation.

Tableau 9.10	Vitesse relative d'une réaction de S$_N$1 en fonction du nombre de substituants liés au carbone porteur de l'halogène

Soit la réaction suivante.

$$R—Br \ + \ H_2O \ \longrightarrow \ R—OH^a \ + \ Br^-$$

Composé halogéné (**R—Br**)	CH$_3$—Br	CH$_3$—CH—Br | CH$_3$	CH$_3$ | CH$_3$—C—Br | CH$_3$
Vitesse relative	1	12	1 200 000

a. Le produit indiqué s'obtient à la suite d'une déprotonation.

L'emploi d'un composé halogéné est favorisé dans une réaction de type S$_N$1 s'il donne naissance à un carbocation stabilisé par effet inductif répulsif. Il ne faut toutefois pas omettre de considérer la stabilisation du carbocation par résonance. Ainsi, un composé halogéné, même primaire, sera capable d'effectuer une S$_N$1 s'il génère un carbocation stabilisé par résonance. De ce fait, une réaction de type S$_N$1 peut avoir lieu, par exemple, à partir de composés halogénés allyliques et benzyliques (*voir la figure 9.11*).

Figure 9.11

Mécanisme de la réaction de S$_N$1 – a) Pour les composés halogénés allyliques; b) Pour les composés halogénés benzyliques

a) Mécanisme de S$_N$1 pour les composés halogénés allyliques

Formation du carbocation favorisée, puisque ce dernier est stabilisé par résonance

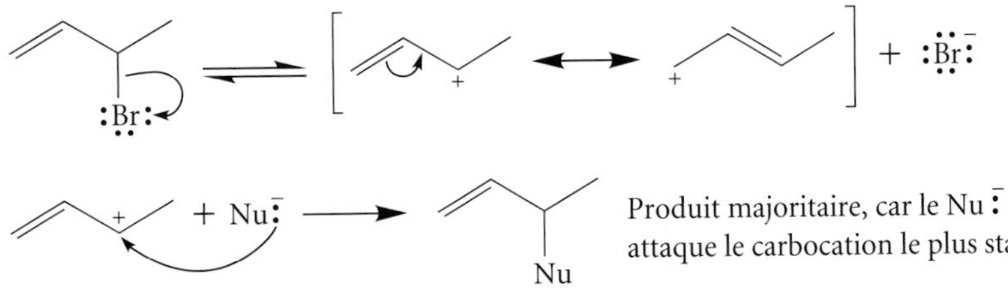

Produit majoritaire, car le Nu$^-$ attaque le carbocation le plus stable.

b) Mécanisme de S$_N$1 pour les composés halogénés benzyliques

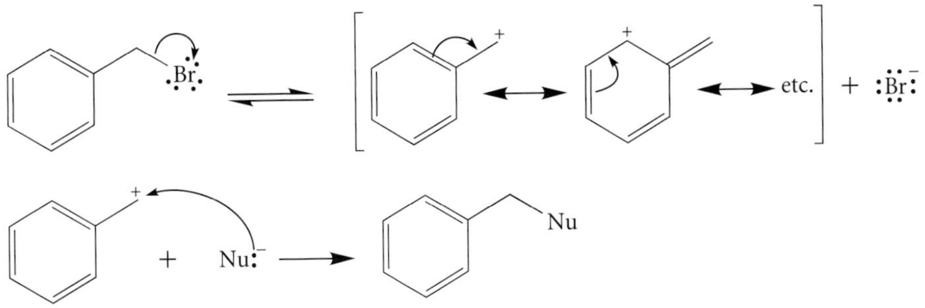

REMARQUE

L'attaque du nucléophile ne s'effectue jamais sur le carbocation du cycle afin de préserver l'aromaticité de la molécule.

Exercice 9.13	Classez les composés halogénés suivants par ordre croissant de leur vitesse de réaction pour une réaction de type S$_N$1 dans l'éthanol. Expliquez votre choix.

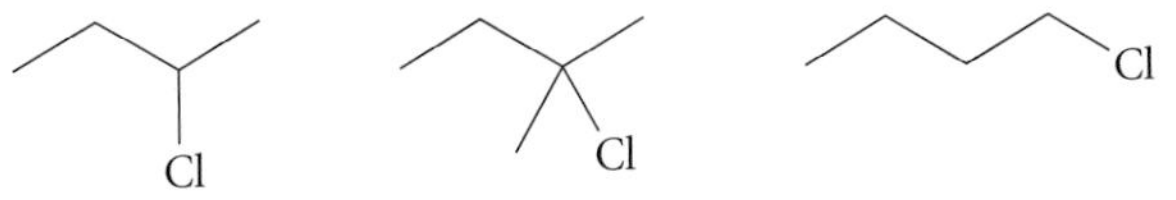

Exercice 9.14 Parmi les substrats suivants, lequel subira le plus facilement une substitution nucléophile d'ordre 1 ? Expliquez votre réponse.

a) 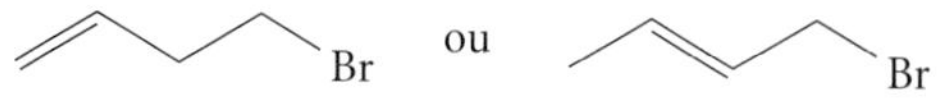 ou

b) 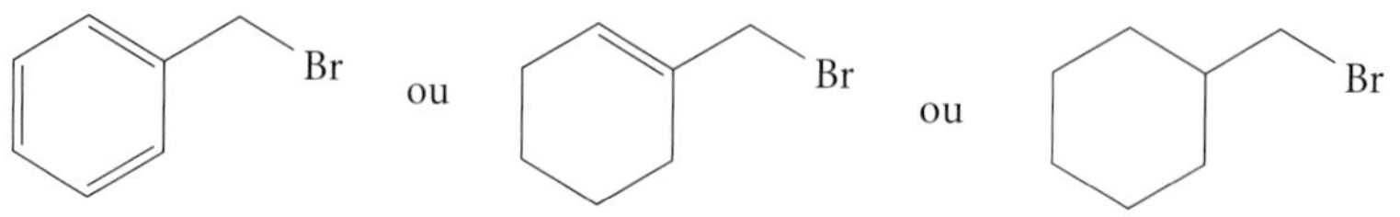 ou ou

9.4.4.2 Efficacité de la réaction de S_N1 en fonction de la nature du solvant

La nature du solvant a un effet sur les réactions de type S_N1. Les solvants utilisés dans les substitutions nucléophiles d'ordre 1 sont ceux qui favorisent la formation du carbocation en étant capables de stabiliser cet intermédiaire chargé positivement par des interactions ion-dipôle. En d'autres mots, la solvatation doit favoriser un complexe activé à l'état de transition de plus faible énergie au moment de la première étape menant au carbocation. Cela a pour conséquence de diminuer l'énergie d'activation de cette étape et d'augmenter la vitesse de la réaction. Ce sont les **solvants polaires protiques** tels que l'eau et les alcools qui peuvent jouer ce rôle.

Les carbocations se forment difficilement dans les solvants dont la constante diélectrique (ε) est faible (faible pouvoir ionisant), ce qui est le cas de la plupart des solvants organiques courants. Bien que le solvant le plus efficace pour favoriser la formation des carbocations soit l'eau, plusieurs composés halogénés y sont insolubles. Il est donc fréquent de procéder à des S_N1 dans des solvants mixtes tels que l'acétone et l'eau. Un minimum d'acétone doit toutefois être employé, car ce solvant polaire aprotique ne permet pas une bonne stabilisation du carbocation et nuit donc à la réaction de type S_N1. Le tableau 9.11 illustre un exemple des répercussions d'un trop grand excès de solvant polaire aprotique sur la vitesse d'une réaction de type S_N1.

Tableau 9.11 **Vitesse relative d'une réaction de S_N1 typique en fonction de la nature du solvant**

Soit la réaction suivante.

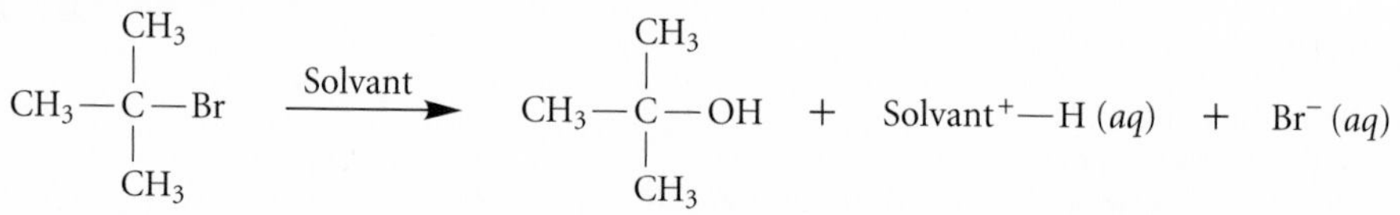

Solvant	Nature du solvant	Vitesse relative
eau (H$_2$O)	Polaire protique	400 000
acétone (CH$_3$COCH$_3$) 90 % et eau 10 %	Polaire aprotique et polaire protique	1

Exercice 9.15 Soit la réaction suivante de substitution nucléophile d'ordre 1 (S_N1).

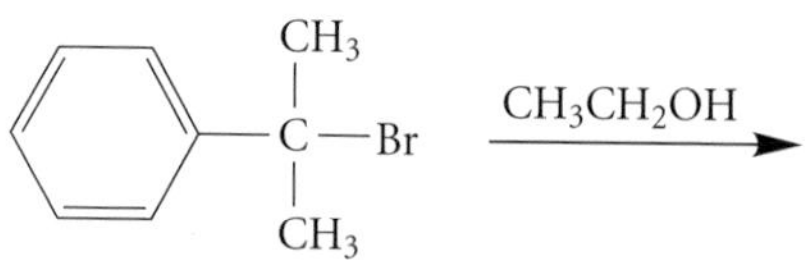

a) Complétez cette réaction en écrivant la structure du produit organique.

b) Quel sera l'effet sur la vitesse de cette réaction si de l'eau est ajoutée à l'éthanol ?

Dans la section suivante, le tableau 9.12 résume les différentes caractéristiques d'une réaction de substitution nucléophile d'ordre 1 et les compare avec celles d'une réaction de substitution nucléophile d'ordre 2.

9.4.5 Comparaison entre les substitutions nucléophiles d'ordre 2 et d'ordre 1 (S_N2 et S_N1)

REMARQUE

Les composés halogénés primaires et secondaires tels que les composés halogénés allyliques et benzyliques évoluent préférentiellement selon un mécanisme de type S_N1 si l'intermédiaire réactionnel (carbocation) peut être stabilisé par résonance.

En résumé, les composés halogénés primaires, moins encombrés, réagissent préférentiellement selon un mécanisme de type S_N2, alors que les composés halogénés tertiaires, fortement substitués, favorisent la formation d'un carbocation et suivent plutôt un mécanisme de type S_N1. Les composés halogénés secondaires, pour leur part, peuvent réagir par l'entremise des deux mécanismes possibles (S_N2 et S_N1). L'utilisation d'un nucléophile fort permet généralement de favoriser la réaction de type S_N2. De plus, la nature du solvant est l'un des facteurs jouant un rôle déterminant dans le choix du mécanisme réactionnel.

Le tableau 9.12 expose en détail les diverses caractéristiques des deux types de substitutions nucléophiles (ordre 2 et ordre 1) et permet, par le fait même, de mettre en lumière les différences entre ces deux réactions.

Tableau 9.12   **Comparaison entre les substitutions nucléophiles d'ordre 2 et d'ordre 1 (S_N2 et S_N1)**

	Loi de vitesse	Réactivité relative des composés halogénés	Nucléophile	Stéréochimie[a]	Solvant	Température
S_N2	$v = k\,[R—X]^1\,[Nu]^1$ Réaction d'ordre 2 qui s'effectue en une seule étape	**Primaires :** Très réactifs **Secondaires :** Réactifs **Tertiaires :** Très peu réactifs (réactivité négligeable)	Fort et peu encombré	Inversion de configuration du carbone stéréogénique du composé halogéné (substrat)	Polaires aprotiques (p. ex.: acétone, acétonitrile, DMF, DMSO, etc.)	Basse température
S_N1	$v = k\,[R—X]^1$ Réaction d'ordre 1 qui s'effectue en deux étapes (+ déprotonation possible) Formation d'un carbocation	**Primaires :** Très peu réactifs[b] (réactivité négligeable) **Secondaires :** Réactifs **Tertiaires :** Très réactifs	Faible	Racémisation du carbone stéréogénique du composé halogéné (substrat)	Polaires protiques (p. ex.: eau, éthanol, etc.)	Basse température

a. Dans le cas où le carbone portant l'halogène dans le composé halogéné est stéréogénique.
b. Les composés halogénés allyliques et benzyliques sont des exceptions.

Exemple 9.4

Par quel mécanisme chacune des réactions ci-dessous se réalise-t-elle? Combien de produits organiques sont possibles en trois dimensions?

a)

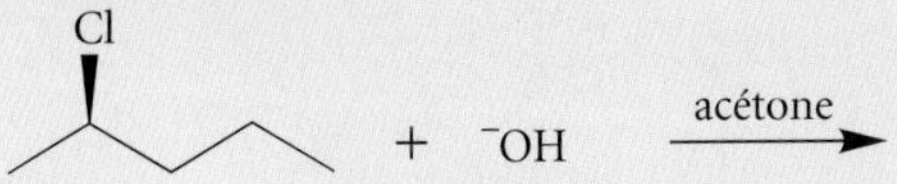

$+$ ⁻OH $\xrightarrow{\text{acétone}}$

b)

$+$ CH_3OH $\longrightarrow$

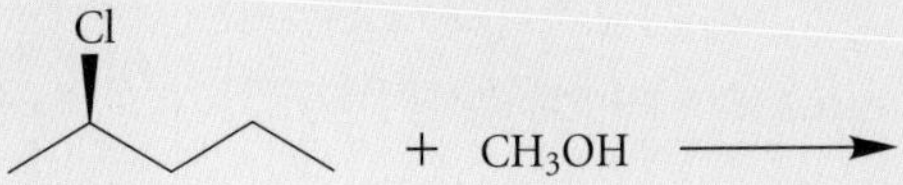

▶ **Solution**

Le substrat en a) et en b) est un composé halogéné secondaire qui peut réagir par l'entremise d'un mécanisme de type S_N1 ou S_N2. La présence d'un nucléophile fort (chargé négativement) et d'un solvant polaire aprotique (acétone) pour la réaction en a) favorise la réaction de S_N2.

Par contre, pour la réaction en b), la présence d'un nucléophile faible (neutre), ainsi que du méthanol (CH_3OH), un solvant polaire protique qui favorise la formation du carbocation, mène à une réaction de S_N1.

Nombre de produits obtenus:

a)

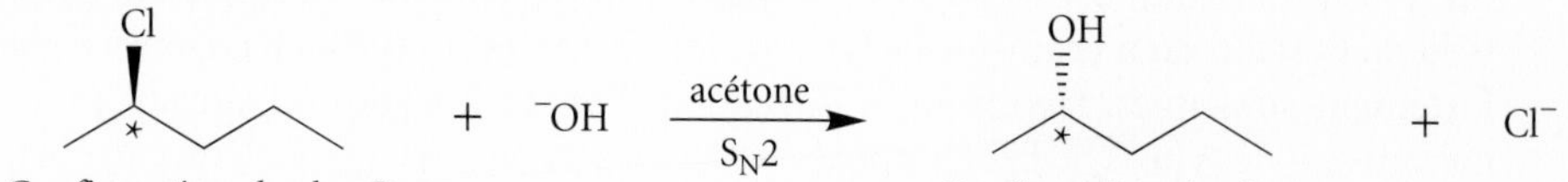

Configuration absolue R $\qquad$ Configuration absolue S

La S_N2 conduit à un produit unique en trois dimensions à la suite de l'inversion de la configuration du carbone stéréogénique de départ.

b)

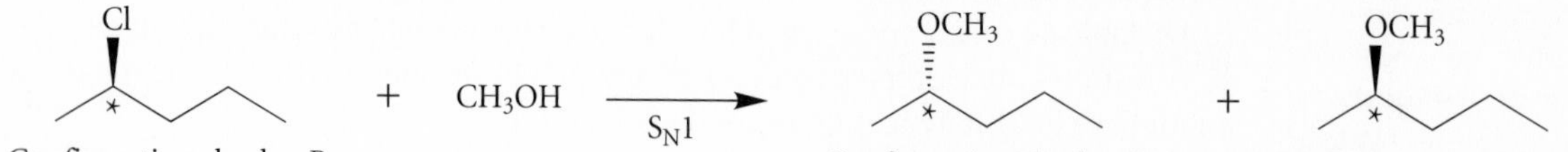

Configuration absolue R $\qquad$ Configuration absolue S $\qquad$ Configuration absolue R

$$+ \ CH_3OH_2^+ + \ Cl^-$$

La S_N1 conduit à un mélange racémique. Il y a donc deux produits possibles en trois dimensions: R et S.

Exercice 9.16 Complétez les réactions suivantes en écrivant la structure des produits organiques possibles en trois dimensions. Justifiez votre réponse en indiquant le type de substitution nucléophile (S_N2 ou S_N1) prévue.

a)

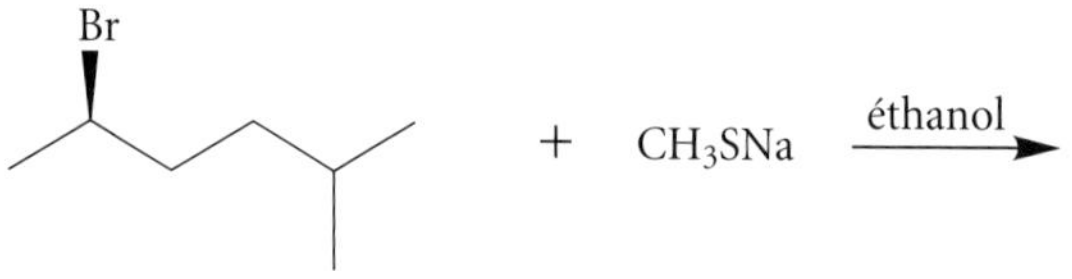

$+ \ CH_3SNa \xrightarrow{\text{éthanol}}$

b)

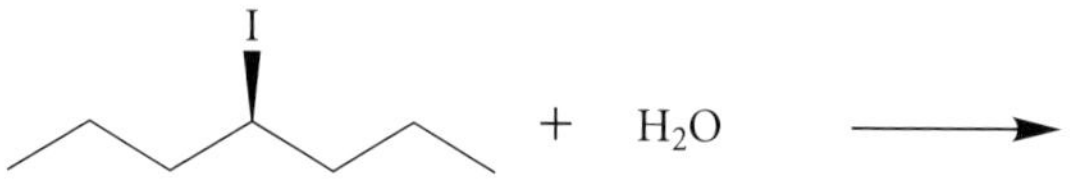

$+ \ H_2O \longrightarrow$

c)

$+ \ CH_3CH_2OH \longrightarrow$

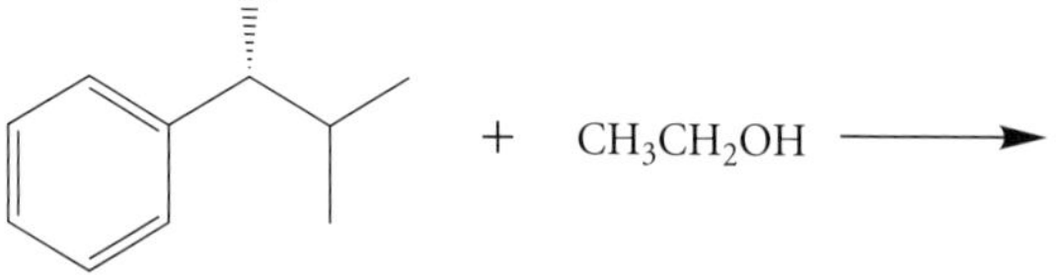

Exercice 9.17 Dessinez la structure en trois dimensions d'un substrat halogéné permettant de synthétiser le (S)-3-méthylbutan-2-ol ci-dessous par une réaction de type S_N2. Déterminez également le réactif nécessaire.

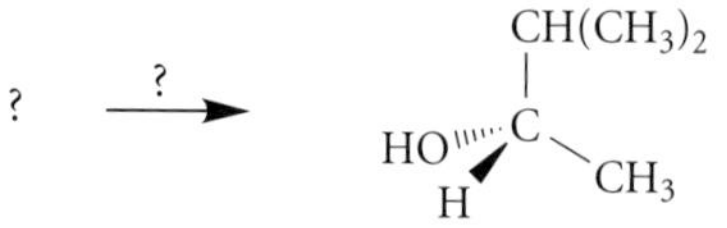

(S)-3-méthylbutan-2-ol

9.5 Élimination (E) ou déshydrohalogénation

Les éliminations, symbolisées par la lettre « E », sont des réactions dont les mécanismes diffèrent de ceux des substitutions nucléophiles. Elles mènent ainsi à des produits distincts de ceux des substitutions nucléophiles. Toutefois, ces deux types de réactions font généralement appel aux mêmes réactifs (composé halogéné et nucléophile) et peuvent donc s'effectuer simultanément. Ils ne doivent donc pas être confondus.

La réaction de substitution nucléophile implique, sur un composé R—X, le départ d'un atome d'halogène et son remplacement par un nucléophile. Pour sa part, la réaction d'**élimination** implique un nucléophile agissant spécifiquement à titre de base. Ce dernier doit arracher un atome d'hydrogène (sous forme de proton) sur le composé halogéné, conduisant ainsi à l'expulsion de l'atome d'halogène (sous forme d'ion halogénure). La base ne réagit cependant pas avec n'importe lequel des atomes d'hydrogène du composé halogéné. En effet, l'hydrogène doit être lié à un atome de carbone (appelé « carbone β ») adjacent au carbone portant l'halogène (appelé « carbone α »). Si tel n'est pas le cas, l'hydrogène ne pourra pas être arraché, et la réaction sera impossible (*voir la figure 9.12*).

> **REMARQUE**
>
> Il est d'usage de désigner le carbone porteur du groupement fonctionnel, dans ce cas-ci l'halogène, par la lettre grecque alpha (α). Les carbones adjacents et successifs sont représentés par les lettres grecques β, γ, δ, ε, etc.
>
> $$\underset{\delta}{CH_3}-\underset{\gamma}{CH_2}-\underset{\beta}{CH_2}-\underset{\alpha}{\overset{\overset{\displaystyle :\ddot{X}:}{|}}{CH}}-\underset{\beta}{CH_2}-\underset{\gamma}{CH_2}-\underset{\delta}{CH_3}$$

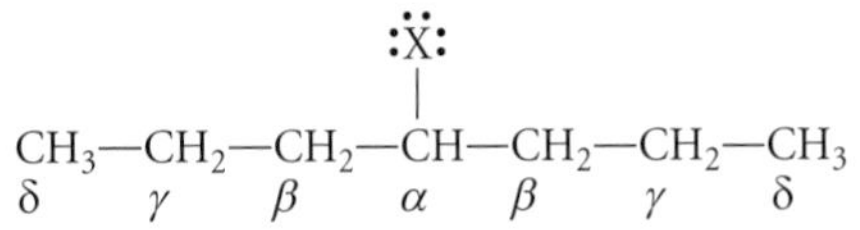

Figure 9.12
Réaction d'élimination impossible à partir d'un atome d'hydrogène lié au carbone α

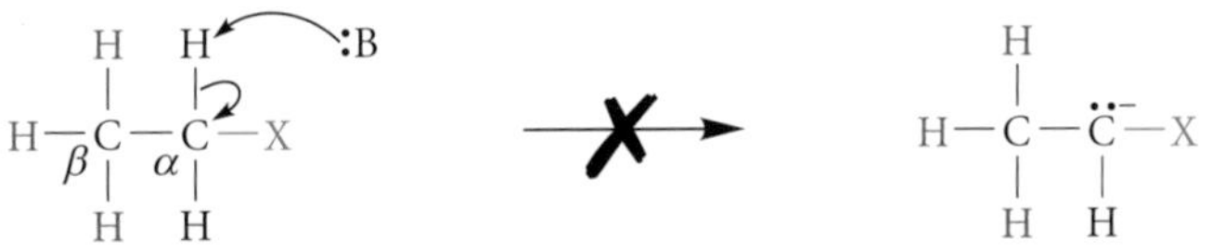

Cette réaction conduit à un carbanion, un intermédiaire réactionnel instable. L'élimination d'un hydrogène lié à un carbone α est donc impossible.

Le bilan de la réaction est la formation d'une liaison π entre les carbones α et β à la suite de l'élimination d'un hydrogène du carbone β et de l'halogène du carbone α du composé halogéné (*voir la figure 9.13*).

Figure 9.13
Réactions d'élimination avec des composés halogénés – a) Et une base forte (chargée négativement) ; b) Et une base faible (neutre)

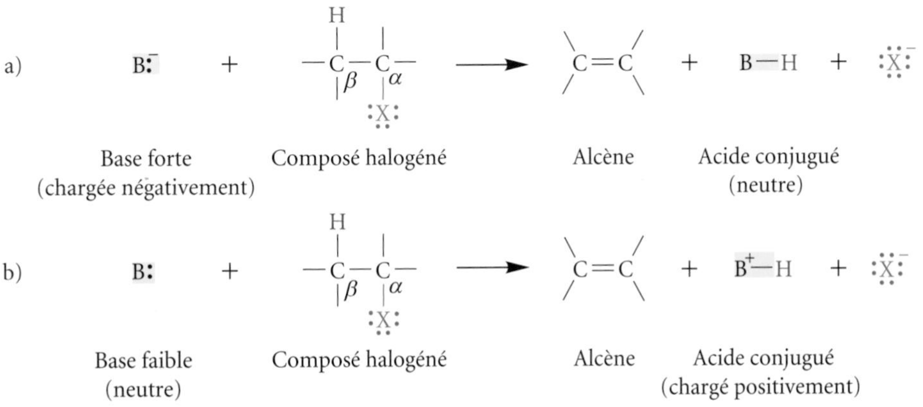

Les éliminations peuvent être réalisées à partir de plusieurs groupements fonctionnels. Cependant, lorsqu'une réaction d'élimination se réalise à partir d'un composé halogéné, elle porte le nom particulier de **déshydrohalogénation,** car un atome d'halogène et un atome d'hydrogène sont éliminés. Les réactions d'élimination sont particulièrement utiles en chimie organique afin de préparer des alcènes et des alcynes.

Dans l'exemple général de la figure 9.13 (*voir page précédente*), il est possible de constater que des bases anioniques ou neutres peuvent être employées. Les bases anioniques (p. ex.: OH^-, RO^-, NH_2^-) donnent des acides conjugués neutres, alors que les bases neutres (en général, les solvants tels que l'eau, l'éthanol et l'ammoniac) donnent des acides conjugués chargés positivement comme produits de réaction.

Comme pour les réactions de substitution nucléophile, deux types de mécanismes existent pour les réactions d'élimination, soit l'**élimination d'ordre 1 (E1)** et l'**élimination d'ordre 2 (E2)**. Ces mécanismes sont influencés, entre autres, par la nature de la base employée.

Puisque les réactions d'élimination et de substitution nucléophile font appel aux mêmes réactifs, une compétition a lieu entre celles-ci. Certaines conditions expérimentales peuvent néanmoins favoriser l'une ou l'autre de ces réactions. Elles seront analysées dans les prochaines sections. Il est à noter, déjà, qu'un point commun favorise les réactions d'élimination au détriment des réactions de substitution nucléophile, soit une température élevée. En effet, plus la température du milieu réactionnel est élevée, meilleurs sont les rendements d'élimination.

9.5.1 Mécanisme d'élimination d'ordre 2 (E2)

Les réactions d'**élimination d'ordre 2 (E2)**, tout comme les réactions de type S_N2, se déroulent en une seule étape. Aucun intermédiaire réactionnel (carbocation) n'est formé. Ces réactions s'effectuent selon un **mécanisme bimoléculaire** à l'intérieur duquel la base et le composé halogéné se trouvent impliqués dans le complexe activé à l'état de transition. La vitesse de la réaction dépend donc à la fois des concentrations du composé halogéné et de la base. La loi de vitesse pour la réaction de type E2 est $v = k\,[R{-}X]^1\,[B]^1$, où B représente la base. La figure 9.14 présente le mécanisme d'élimination d'ordre 2 (E2) à partir d'un halogénoéthane.

Figure 9.14 Mécanisme général, en trois dimensions, d'une élimination d'ordre 2 (E2)

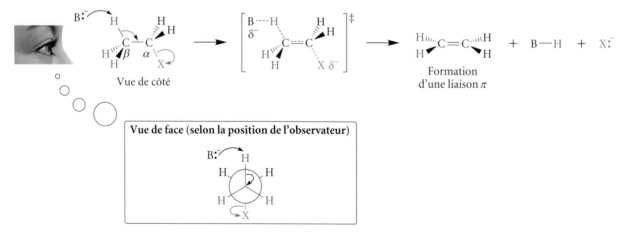

Dans un mécanisme de type E2, les atomes d'hydrogène et d'halogène sont éliminés de façon concertée, en une seule étape. N'importe lequel des atomes d'hydrogène en bleu (sur le carbone β) peut être arraché par une base, puisqu'ils sont tous chimiquement équivalents. Cependant, pour que le mécanisme de type E2 ait lieu, l'atome d'hydrogène doit être placé de manière antipériplanaire par rapport à l'halogène. En d'autres mots, les atomes H—C—C—X doivent être coplanaires (dans le même plan), et les liaisons H—C et C—X doivent être opposées l'une de l'autre avec un angle dièdre de 180°. Les atomes d'hydrogène et d'halogène adoptent ainsi un arrangement similaire à une conformation décalée *anti* dans laquelle les liaisons H—C et C—X sont parallèles entre elles. Cette orientation des atomes est obligatoire, car pour former une liaison π grâce au recouvrement latéral entre deux orbitales p, ces dernières se doivent d'être parfaitement parallèles.

Au cours d'une réaction d'élimination, chaque atome d'hydrogène des carbones β peut être arraché. Par conséquent, lorsqu'un composé halogéné présente plusieurs types d'hydrogènes β chimiquement équivalents, il est possible d'obtenir plus d'un produit de réaction. La **règle de Saytzev**[6], formulée en 1875 par le chimiste russe **Alexandre Mikhaïlovitch Saytzev** (1841-1910), stipule qu'en général, si plusieurs produits sont formés au cours d'une réaction d'élimination, le plus abondant sera l'alcène le plus substitué, soit celui ayant le plus de substituants (ou, en d'autres mots, le moins d'atomes d'hydrogène) directement liés aux carbones de la liaison double. L'exemple de la figure 9.15 illustre une élimination d'ordre 2 à partir du 2-bromo-3-méthylbutane, un composé halogéné possédant deux types d'hydrogènes β (H et H).

Figure 9.15
Mécanisme d'une élimination d'ordre 2, en deux dimensions, à partir du 2-bromo-3-méthylbutane et règle de Saytzev

ALEXANDRE SAYTZEV (1841-1910)

Chimiste russe, Saytzev est né à Kazan en 1841. Prédestiné à suivre les traces de son père comme marchand de thé et de sucre, il étudia l'économie à l'Université de Kazan. À l'époque, le programme russe d'économie comportait des cours de chimie. C'est à cette occasion qu'il rencontra le professeur Alexandre Mikhaïlovitch Butlerov et qu'il découvrit sa passion pour la chimie. Butlerov vit rapidement le grand potentiel de Saytzev et l'accueillit dans son laboratoire après qu'il eut complété deux stages à l'étranger, de 1862 à 1864, à Marbourg (Allemagne) dans le laboratoire du professeur Hermann Kolbe et, de 1864 à 1865, à Paris (France) dans le laboratoire de Charles Adolphe Wurtz. Saytzev défendit sa thèse de doctorat en 1870. Il enseigna par la suite à l'Université de Kazan où il formula, en 1875, ce qui est aujourd'hui connu comme la règle de Saytzev. Il demeura professeur à cette université jusqu'à sa mort, en 1910.

Analyse de la structure du composé halogéné 2-bromo-3-méthylbutane

2-bromo-3-méthylbutane

Tous les hydrogènes H sont équivalents.

Tous les hydrogènes H et H sont positionnés sur des carbones β.

Mécanisme E2 en deux dimensions

3-méthylbut-1-ène
Produit minoritaire
(liaison double monosubstituée)

2-méthylbut-2-ène
Produit majoritaire
(liaison double trisubstituée)

REMARQUE

La règle de Saytzev s'applique à toutes les réactions d'élimination employant une base forte peu encombrée. Toutefois, si une élimination est réalisée à l'aide d'une base encombrée, une forte tension stérique est créée entre la base et le substrat, ce qui défavorise le produit attendu par la règle de Saytzev. Le produit majoritaire de ce type de réaction obéit alors à la règle de Hofmann.

Tous les H sont équivalents.
Tous les H sont équivalents.

2-bromo-2-méthylbutane → (Base forte, Δ) → 2-méthylbut-1-ène + 2-méthylbut-2-ène

Nature de la base	Rendements	
$CH_3CH_2O^-$ ion éthanolate	30 %	70 %
$CH_3-\overset{\overset{\displaystyle CH_3}{|}}{\underset{\underset{\displaystyle CH_3}{|}}{C}}-O^-$ ion 2-méthylpropan-2-olate (ion *tert*-butanolate)	73 %	27 %

Exercice 9.18 Effectuez le mécanisme de type E2 pour les substrats suivants et illustrez tous les produits possibles en deux dimensions. Déterminez les produits majoritaires et minoritaires selon la règle de Saytzev. Les réactions se déroulent à haute température en présence d'une base forte concentrée, l'hydroxyde de sodium (NaOH).

a)

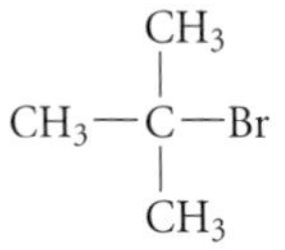

$$CH_3-\overset{\overset{\displaystyle CH_3}{|}}{\underset{\underset{\displaystyle CH_3}{|}}{C}}-Br$$

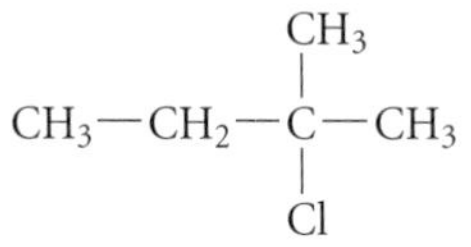

b)

$$CH_3-CH_2-\overset{\overset{\displaystyle CH_3}{|}}{\underset{\underset{\displaystyle Cl}{|}}{C}}-CH_3$$

c)

$$CH_3-\overset{\overset{\displaystyle CH_3}{|}}{CH}-CH_2-Br$$

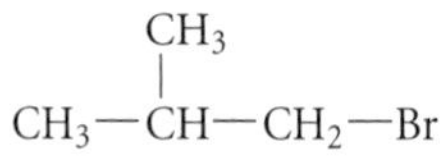

d)

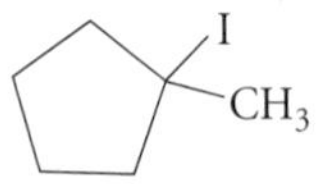

Au même titre que les réactions de substitution nucléophile, il est de mise de présenter les mécanismes d'élimination en trois dimensions afin de bien mettre en évidence, dans un premier temps, la position antipériplanaire de l'hydrogène et de l'halogène qui seront éliminés dans le composé halogéné.

Ainsi, le mécanisme de la réaction de la figure 9.15 (*voir page précédente*), illustré en deux dimensions, est représenté dans la figure 9.16 en trois dimensions. Dans cet exemple, le carbone α est chiral. Le substrat peut ainsi être dessiné en trois dimensions selon une configuration absolue *R* ou *S*. Une seule représentation, en trois dimensions, du composé halogéné a arbitrairement été choisie, soit celle de l'énantiomère (*R*)-2-bromo-3-méthylbutane.

Figure 9.16

Mécanisme d'une élimination d'ordre 2, en trois dimensions, à partir du (*R*)-2-bromo-3-méthylbutane et règle de Saytzev

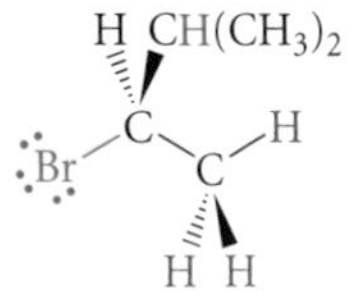

La liaison σ C—C permet une rotation libre. Par conséquent, chaque H peut aisément se positionner de façon antipériplanaire par rapport au brome. Tous les hydrogènes H du CH$_3$ sont donc équivalents.

Première élimination d'ordre 2 possible

$$\xrightarrow{\Delta}$$

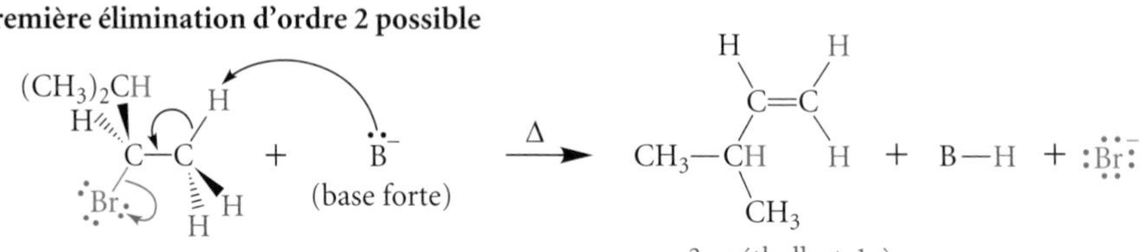

3-méthylbut-1-ène
Produit minoritaire
(liaison double monosubstituée)

Le (*R*)-2-bromo-3-méthylbutane peut également être dessiné de la façon suivante.

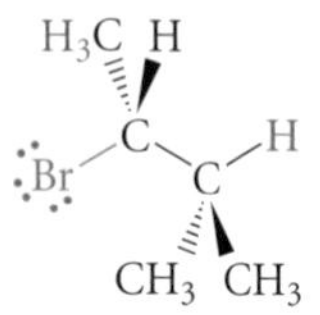

Dans cette structure, l'hydrogène H peut aussi se positionner de façon antipériplanaire par rapport au brome.

Deuxième élimination d'ordre 2 possible

$$\xrightarrow{\Delta}$$

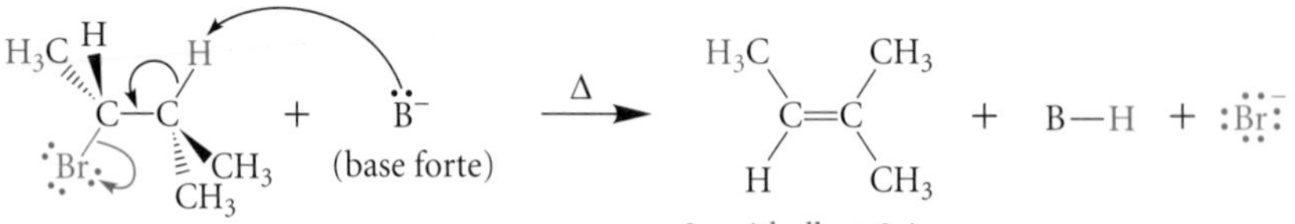

2-méthylbut-2-ène
Produit majoritaire
(liaison double trisubstituée)

Contrairement aux S_N2, il est impossible de créer un carbone stéréogénique à partir d'une réaction d'élimination en raison de la formation d'une liaison double. Cependant, il faut porter une attention particulière aux structures tridimensionnelles des produits finaux, puisqu'en synthétisant des liaisons doubles par élimination, il est possible d'obtenir des isomères géométriques (*E-Z*). Si, par exemple, le (2*R*,3*R*)-2-bromo-3-méthylpentane est représenté en trois dimensions et qu'il subit une élimination de type E2, il y aura un alcène majoritaire selon la règle de Saytzev (liaison double trisubstituée) et un seul isomère géométrique possible, soit l'alcène *E* (*voir la figure 9.17*).

Figure 9.17
Formation d'un isomère géométrique spécifique au cours d'une réaction d'élimination d'ordre 2

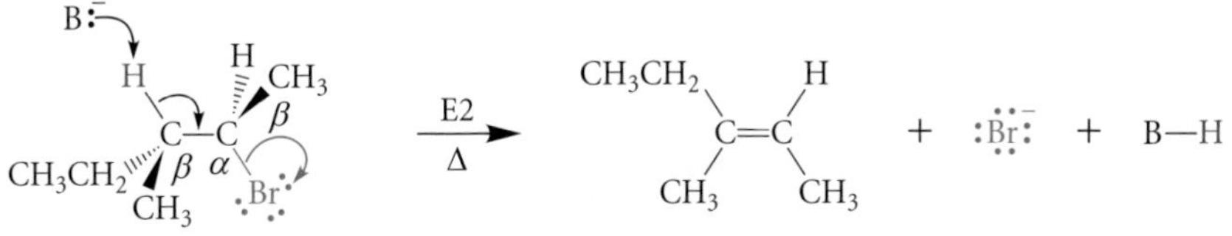

(2*R*,3*R*)-2-bromo-3-méthylpentane

$\xrightarrow[\Delta]{\text{E2}}$

(*E*)-3-méthylpent-2-ène

À partir d'un même composé halogéné, il est parfois possible d'obtenir un mélange de deux isomères géométriques (*E* et *Z*). Cela se produit lorsque deux hydrogènes se trouvent sur le même carbone β, mais qu'une fois positionnés de manière antipériplanaire avec l'halogène, ils ne présentent pas les mêmes interactions gauches. L'exemple de l'élimination d'ordre 2 à partir du 3-bromopentane est présenté dans la figure 9.18.

Figure 9.18 Formation d'un mélange d'isomères géométriques *E* et *Z* au cours d'une élimination d'ordre 2

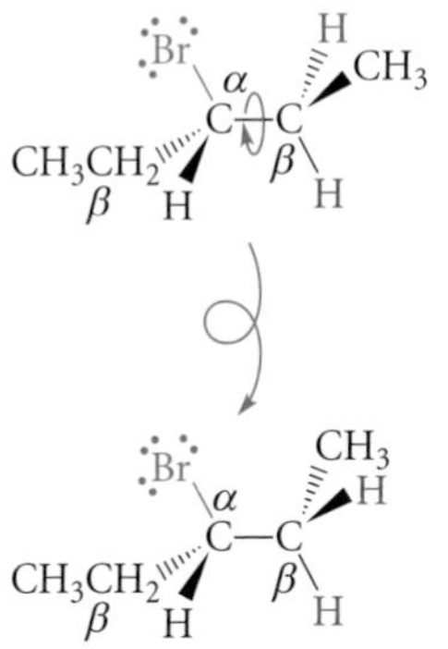

La molécule présente deux groupements éthyles qui sont tous deux équivalents.

En raison de la rotation libre autour de la liaison C—C, chaque hydrogène (H et H) peut se positionner de façon antipériplanaire par rapport au brome.

E2 possibles

Interaction gauche

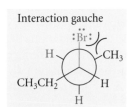

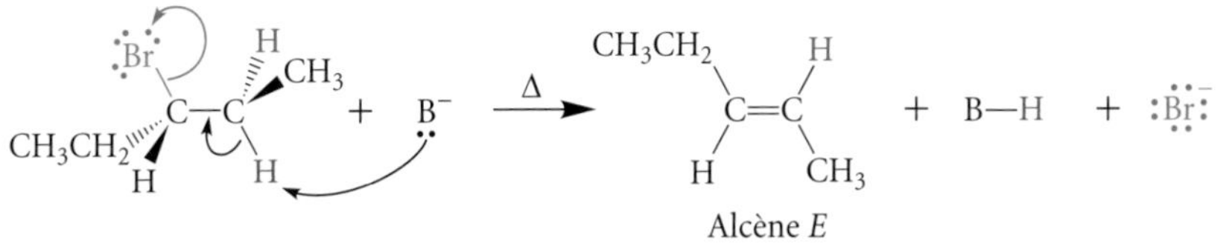

Interactions gauches

Alcène *E*

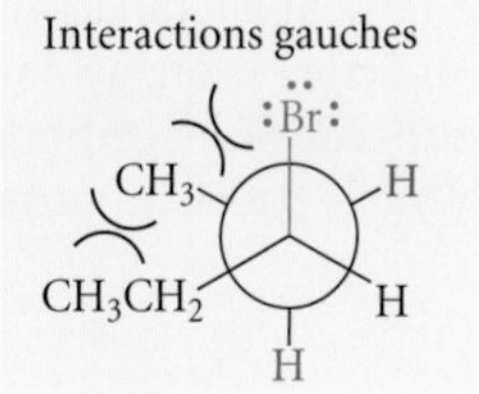

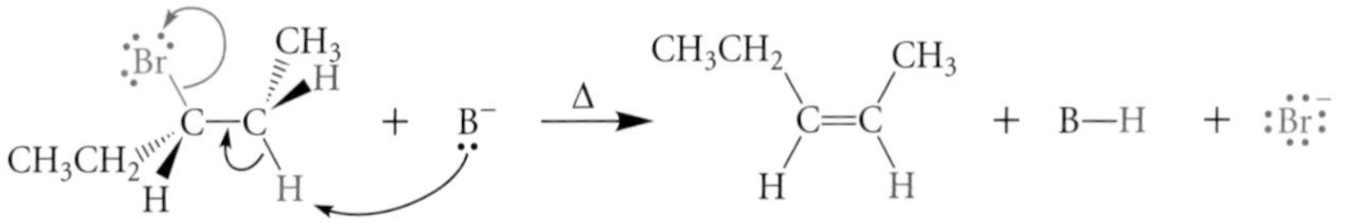

Alcène *Z*

L'alcène *E* est le produit majoritaire, car lors de sa formation par le mécanisme concerté, la conformation a moins de tension stérique (interactions gauches) entre les groupements les plus volumineux.

Puisque la vitesse de la réaction d'une élimination d'ordre 2 dépend de la force de la base, l'usage d'un solvant aprotique est de mise pour éviter que la base réagisse avec le solvant. Toutefois, un solvant protique peut être utilisé s'il est l'acide conjugué de la base (p. ex.: $CH_3CH_2O^-$ dans CH_3CH_2OH), car la réaction de la base avec le solvant reforme les mêmes composés. Ainsi, dans une réaction de type E2, il est préférable d'utiliser un solvant le moins polaire possible et aprotique. Cela évite de stabiliser la base, de favoriser l'ionisation, et donc de former un carbocation comme intermédiaire.

Les éliminations de type E2 sont favorisées à haute température et en présence d'une base forte. Tous les composés halogénés (primaires, secondaires, tertiaires) peuvent subir une élimination d'ordre 2 (E2). Puisque la base arrache un hydrogène se trouvant en périphérie du composé halogéné, l'encombrement stérique est alors considéré comme négligeable, et une E2 peut avoir lieu, peu importe la nature du composé halogéné.

Exercice 9.19 Effectuez le mécanisme de type E2 pour les substrats suivants et illustrez tous les produits possibles. Déterminez les produits majoritaires et les produits minoritaires selon la règle de Saytzev, et représentez les isomères géométriques, s'il y a lieu. Les réactions se déroulent à une température élevée en présence d'une base forte concentrée, l'hydroxyde de sodium (NaOH).

a)

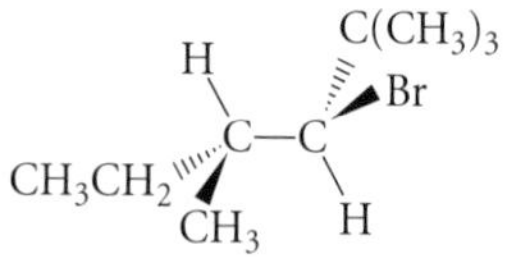

CH_3CH_2 — C(H) — C(CH_3)_3, Br, CH_3, H

b)

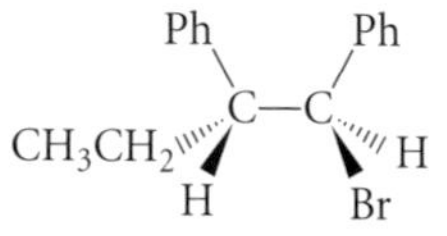

Ph, Ph, CH_3CH_2 — C — C — H, H, Br

c)

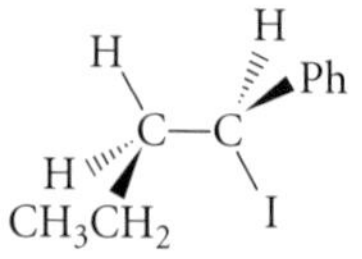

H, H, H — C — C — Ph, CH_3CH_2, I

d)

H, CH_2CH_3, $CH_3CH_2CH_2$ — C, Br

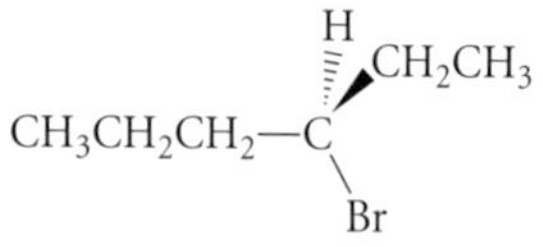

9.5.2 ## Mécanisme d'élimination d'ordre 1 (E1)

cheneliere.ca/chimieorganique www

› Réarrangement des carbocations au cours des réactions de substitution nucléophile et d'élimination d'ordre 1 (S_N1 et E1)

Les réactions d'**élimination d'ordre 1 (E1)**, tout comme les réactions de type S_N1, impliquent comme première étape mécanistique la formation d'un carbocation à partir du composé halogéné. Cette étape est l'étape limitante. La seconde étape nécessite une base faible ou modérée, souvent le solvant, qui arrache un atome d'hydrogène porté par un atome de carbone β; une liaison π est alors formée. Il s'agit d'un **mécanisme unimoléculaire** dans lequel le composé halogéné est le seul à être impliqué dans le complexe activé à l'état de transition de l'étape limitante. La vitesse de la réaction ne dépend que de la concentration du composé halogéné et elle est indépendante de celle de la base. La loi de vitesse pour la réaction de type E1 est la même que pour la réaction de type S_N1, soit $v = k\,[R{-}X]^1$. La figure 9.19 présente un exemple d'élimination d'ordre 1 (E1) à partir du 2-bromo-2-méthylpropane.

Pour qu'une liaison π puisse être formée par le recouvrement latéral des deux orbitales p, celles-ci doivent être parfaitement parallèles. Pour cette raison, au cours d'une élimination d'ordre 1, il est essentiel de positionner l'hydrogène lié au carbone β et qui doit être arraché par la base de façon coplanaire avec l'orbitale p vide du carbocation.

Figure 9.19
Mécanisme d'une élimination d'ordre 1 à partir du 2-bromo-2-méthylpropane

Mécanisme en deux dimensions

Étape 1 : formation du carbocation en solution aqueuse

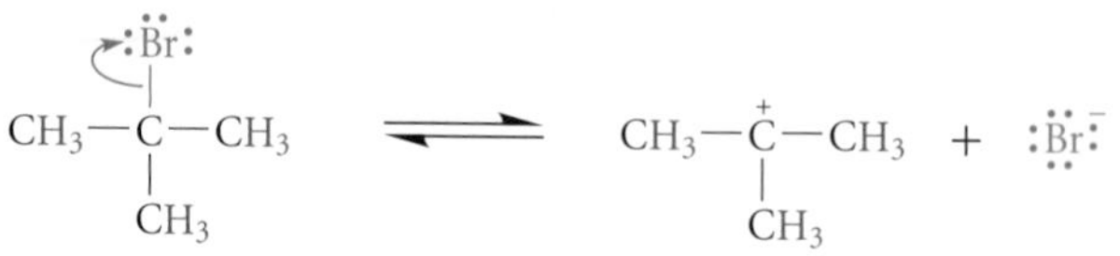

$$CH_3-\overset{\overset{\displaystyle :\ddot{Br}:}{|}}{\underset{\underset{\displaystyle CH_3}{|}}{C}}-CH_3 \quad \rightleftharpoons \quad CH_3-\overset{+}{\underset{\underset{\displaystyle CH_3}{|}}{C}}-CH_3 \;+\; :\ddot{Br}:^-$$

2-bromo-2-méthylpropane

REMARQUE
Dans une réaction d'élimination d'ordre 1, la base (B) est, le plus souvent, le solvant.

▶ **Étape 2 :** formation de la liaison π

$$CH_3-\overset{+}{\underset{CH_3}{C}}-CH_2-H \;+\; H_2\overset{..}{\underset{..}{O}} \xrightarrow{\Delta} CH_3-\underset{CH_3}{C}=CH_2 \;+\; H-\overset{+}{O}H_2$$

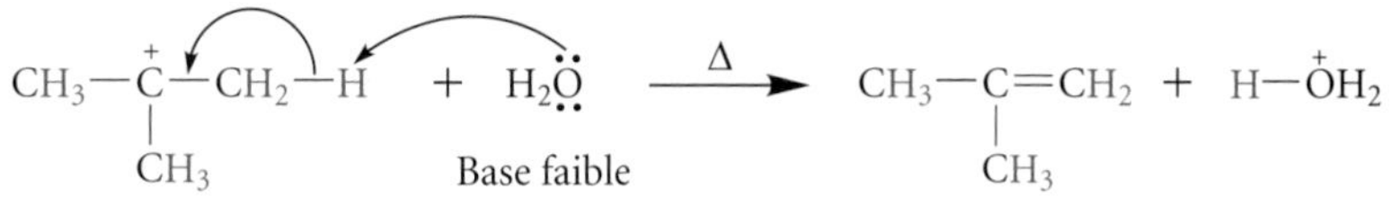

Base faible   2-méthylpropène

Mécanisme en trois dimensions

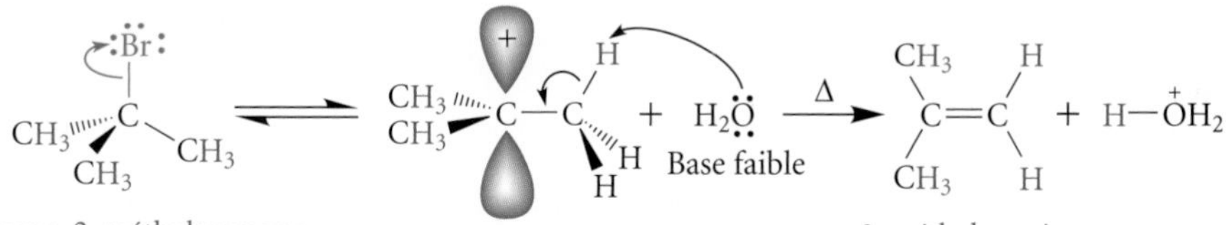

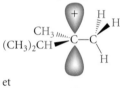

2-bromo-2-méthylpropane   Base faible   2-méthylpropène

La **règle de Saytzev** s'applique toujours pour connaître l'abondance relative des produits formés si le composé halogéné possède plus d'un type d'hydrogènes fixés aux carbones en position β. La figure 9.20 illustre un cas particulier d'une élimination d'ordre 1 avec le composé halogéné 2-bromo-2,3-diméthylbutane.

Figure 9.20

Mécanisme d'une élimination d'ordre 1, en trois dimensions, à partir du 2-bromo-2,3-diméthylbutane et règle de Saytzev

Étape 1 : formation du carbocation en solution aqueuse

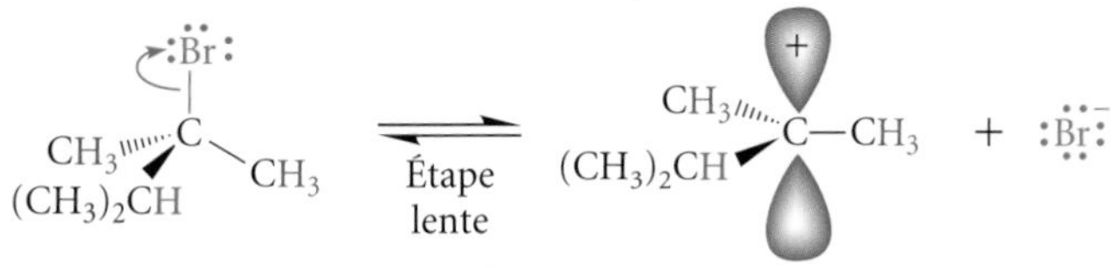

Étape lente

(CH₃)₂CH   C—CH₃ + :Br:⁻

Étude des hydrogènes sur les carbones β

Dans cette structure, les six hydrogènes H sont sur des carbones β et sont équivalents.

De plus, chaque hydrogène peut aisément se positionner pour être coplanaire avec l'orbitale p vide du carbocation grâce à la rotation libre des groupements méthyles autour des liaisons σ.

et

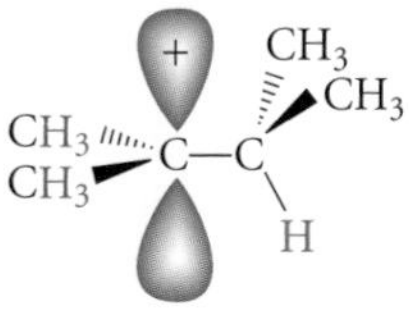

L'hydrogène H est également sur un carbone β et il peut se positionner pour être coplanaire avec l'orbitale p vide du carbocation.

Étape 2 : formation de la liaison π

Pour le mécanisme tridimensionnel de type E1, l'hydrogène à arracher sur le carbone β doit être coplanaire avec l'orbitale p vide du carbocation.

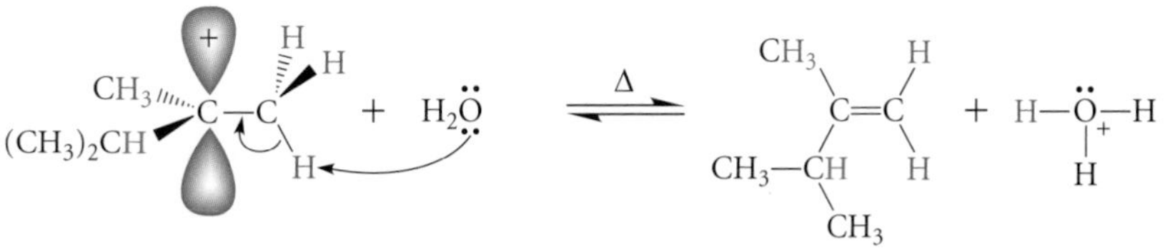

2,3-diméthylbut-1-ène
Produit minoritaire (selon la règle de Saytzev)
(liaison double disubstituée)

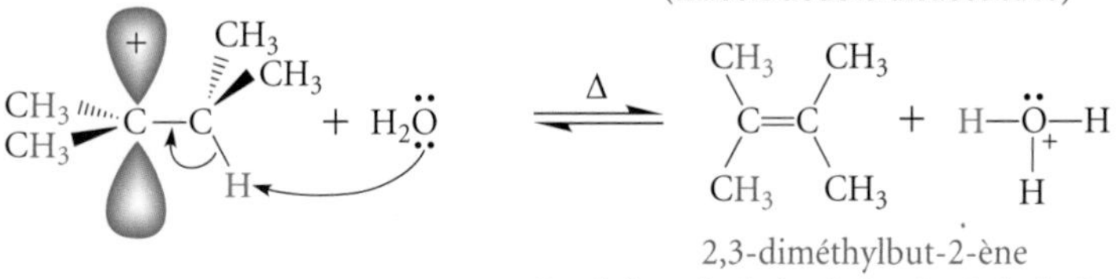

2,3-diméthylbut-2-ène
Produit majoritaire (selon la règle de Saytzev)
(liaison double tétrasubstituée)

Exercice 9.20 Effectuez le mécanisme de type E1 pour les substrats suivants et illustrez tous les produits possibles en deux dimensions. Déterminez les produits majoritaires et minoritaires selon la règle de Saytzev. Les réactions se déroulent à haute température en présence d'eau.

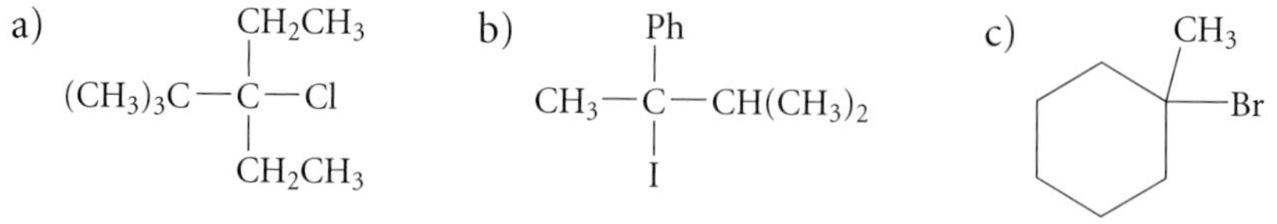

a)
CH_2CH_3
$(CH_3)_3C$—C—Cl
CH_2CH_3
b)
Ph
CH_3—C—$CH(CH_3)_2$
I
c)
CH_3
Br

Enfin, il est important de toujours considérer les mécanismes d'élimination en trois dimensions, puisque des isomères géométriques peuvent être formés. La figure 9.21 présente un exemple d'une élimination d'ordre 1 avec le (3*R*,4*R*)-3-bromo-4-éthyl-3-méthylheptane menant à la formation d'un mélange d'isomères géométriques. Dans une élimination d'ordre 1, lorsqu'il est possible de former un isomère géométrique (*E* ou *Z*) en arrachant un atome d'hydrogène spécifique sur un carbone β, il y aura systématiquement la possibilité de former l'autre isomère géométrique en arrachant le même atome d'hydrogène, mais après avoir exercé une rotation libre de 180° autour de la liaison C—C$^+$, comme le démontre la figure 9.21. Ce résultat diffère des réactions d'élimination de type E2 dans lesquelles chaque hydrogène arraché ne peut donner qu'un seul isomère géométrique.

Figure 9.21 Formation d'un mélange d'isomères géométriques *E* et *Z* au cours d'une élimination d'ordre 1 en solution aqueuse

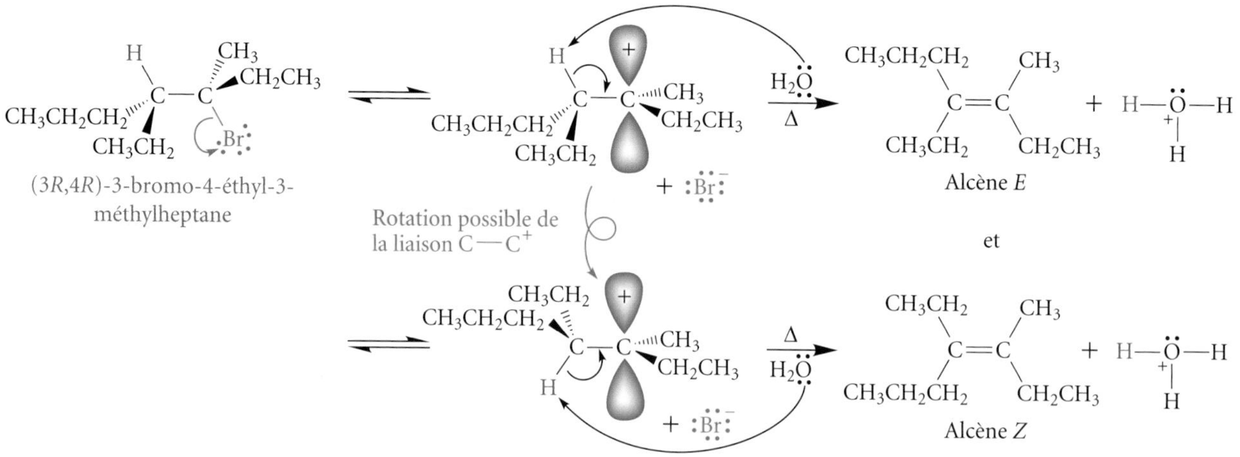

(3R,4R)-3-bromo-4-éthyl-3-méthylheptane
Rotation possible de la liaison C—C+
Alcène E
et
Alcène Z

Les éliminations d'ordre 1 sont favorisées à haute température et en présence d'un composé halogéné tertiaire. En effet, puisqu'un intermédiaire réactionnel de type carbocation est formé au cours de ce mécanisme, l'élimination d'ordre 1 est privilégiée lorsque le carbocation est stabilisé par effet inductif répulsif de trois groupements alkyles (R). La présence d'un **solvant polaire protique** favorise également l'élimination d'ordre 1 en stabilisant le carbocation par des interactions ion-dipôle. Enfin, l'emploi d'une base faible ou modérée, généralement le solvant, permet d'assurer le temps nécessaire à la formation du carbocation (étape limitante) et éviter ainsi le mécanisme concerté d'une élimination d'ordre 2 (E2).

Exercice 9.21 Effectuez le mécanisme de type E1 pour les substrats suivants et illustrez tous les produits possibles. Déterminez les produits majoritaires et minoritaires selon la règle de Saytzev, et représentez les isomères géométriques, s'il y a lieu. Toutes les réactions ont lieu à une température élevée en présence d'eau.

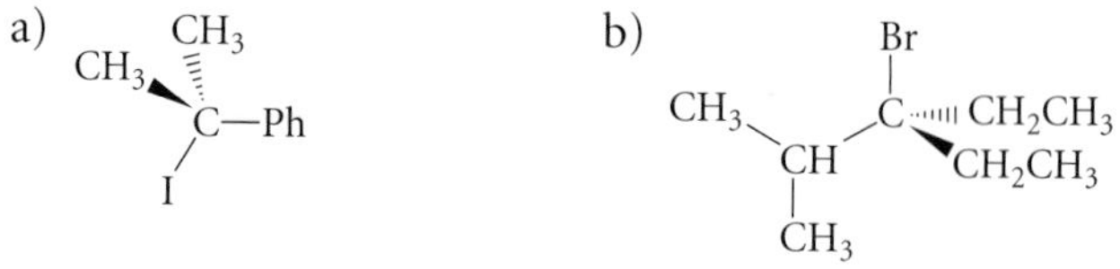

a)
CH_3
CH_3
C—Ph
I
b)
Br
CH_3
CH
C
CH_2CH_3
CH_2CH_3
CH_3

9.5.3 Comparaison entre les éliminations d'ordre 2 et d'ordre 1 (E2 et E1)

En résumé, toutes les réactions d'élimination sont favorisées à des températures élevées. Une base forte favorise les réactions d'élimination d'ordre 2. Pour les réactions d'élimination d'ordre 1, une base faible ou modérée (généralement le solvant) est préférable, puisque cela permet la formation du carbocation. Contrairement aux éliminations de type E2, qui sont efficaces quelle que soit la nature du composé halogéné (primaire, secondaire et tertiaire), les éliminations de type E1 sont favorisées en présence de composés halogénés tertiaires[7], ces derniers permettant d'obtenir un carbocation stabilisé grâce à l'effet inductif répulsif des substituants. Finalement, la nature du solvant employé est un facteur important pour avantager l'une ou l'autre des éliminations. De façon générale, un solvant aprotique, le moins polaire possible, favorise une réaction d'élimination de type E2, alors qu'un solvant polaire protique favorise une réaction d'élimination de type E1.

Le tableau 9.13 montre les caractéristiques des deux types d'éliminations (ordre 2 et ordre 1) et permet, par le fait même, de mettre en lumière les différences entre ces deux réactions.

Tableau 9.13   Comparaison entre les éliminations d'ordre 2 et d'ordre 1 (E2 et E1)

	Loi de vitesse	Réactivité relative des composés halogénés	Base	Stéréochimie	Solvant	Température
E2	$v = k\,[\text{R—X}]^1\,[\text{B}]^1$ Réaction d'ordre 2 qui s'effectue en une seule étape	**Primaires :** Très réactifs **Secondaires :** Très réactifs **Tertiaires :** Très réactifs	Forte (de préférence, encombrée pour les composés halogénés primaires et secondaires[a])	Un seul isomère géométrique est obtenu à partir de l'élimination d'un seul hydrogène.	Aprotique et le moins polaire possible	Haute température
E1	$v = k\,[\text{R—X}]^1$ Réaction d'ordre 1 qui s'effectue en deux étapes Formation d'un carbocation	**Primaires :** Très peu réactifs (réactivité négligeable) **Secondaires :** Réactifs **Tertiaires :** Très réactifs	Modérée à faible (en général, le solvant)	Les isomères géométriques *E* et *Z* sont obtenus à partir de l'élimination d'un seul hydrogène.	Polaire protique	Haute température

a. Cette notion sera détaillée dans la section 9.6 (*voir page suivante*).

Exercice 9.22   Soit les réactions d'élimination suivantes.

i) Ph, H, Cl ... $\xrightarrow[\Delta]{H_2O}$ ii) CH₃, H, Br ... + CH₃ONa $\xrightarrow[\Delta]{CH_3OH}$

a) Complétez chacune des réactions et déterminez s'il s'agit majoritairement d'une élimination de type E2 ou E1.

b) Dessinez les mécanismes pour ces deux réactions.

c) Pour chacune des réactions, écrivez la loi de vitesse et dessinez le diagramme énergétique, sachant qu'elles sont exothermiques. Prenez soin de bien définir les axes et de déterminer les réactifs, les intermédiaires, les produits, l'énergie d'activation (E_a) de l'étape limitante et la variation d'enthalpie (ΔH) de la réaction globale.

9.5.4 Synthèse des alcynes par déshydrohalogénation double (élimination double)

Les éliminations décrites dans les sections précédentes mènent exclusivement à la formation d'alcènes. Cependant, une **déshydrohalogénation double** (élimination double) conduit à la formation d'un alcyne. Les alcynes peuvent être synthétisés à partir de composés dihalogénés vicinaux ou géminaux. Cette réaction nécessite l'utilisation d'une base très forte (souvent $NaNH_2$ ou KNH_2 dans de l'ammoniac liquide) (*voir la figure 9.22*).

Figure 9.22
Synthèse d'une fonction alcyne grâce à une déshydrohalogénation double (élimination double)

Formation d'un alcyne à partir d'un composé dihalogéné vicinal

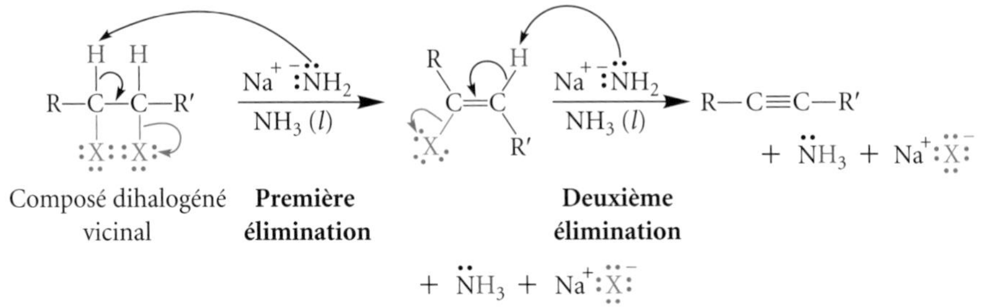

Formation d'un alcyne à partir d'un composé dihalogéné géminal

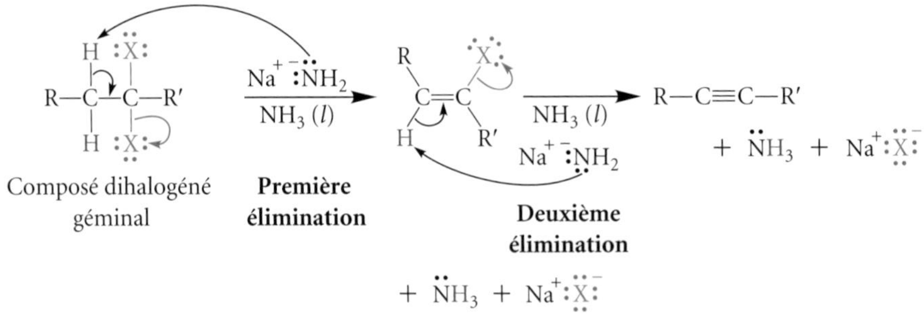

Exercice 9.23 Complétez les réactions suivantes en dessinant la structure du produit organique en deux dimensions.

a)

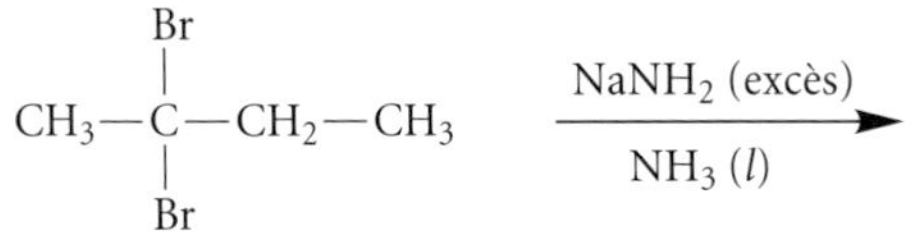

$$CH_3-\underset{\underset{Br}{|}}{\overset{\overset{Br}{|}}{C}}-CH_2-CH_3 \xrightarrow[\text{NH}_3\,(l)]{\text{NaNH}_2\,(\text{excès})}$$

b)

$$CH_3-CH_2-\underset{\underset{Cl}{|}}{CH}-CH_2-Cl \xrightarrow[\text{NH}_3\,(l)]{\text{NaNH}_2\,(\text{excès})}$$

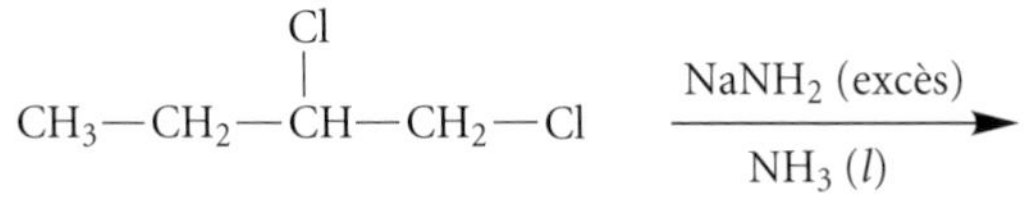

9.6 Compétition entre les réactions de substitution nucléophile et d'élimination

Les réactions de substitution nucléophile d'ordre 2 et d'élimination d'ordre 2 font appel à des conditions réactionnelles semblables (réactifs, solvants). De ce fait, une compétition aura lieu inévitablement entre ces deux types de réactions. Il en va de même pour les réactions de substitution nucléophile d'ordre 1 et d'élimination d'ordre 1. Par conséquent, les chimistes doivent porter une attention particulière aux caractéristiques propres à chacune de ces réactions au moment du choix des conditions expérimentales afin de favoriser le mécanisme réactionnel permettant d'obtenir majoritairement le produit désiré.

9.6.1 Compétition pour les composés halogénés tertiaires

Les composés halogénés tertiaires peuvent réagir selon trois mécanismes : S_N1, E1 ou E2. La réaction de type S_N2 est impossible, dans ce cas-ci, puisqu'un trop grand encombrement stérique du composé halogéné empêche le nucléophile d'effectuer une attaque à 180° de l'halogène fixé au carbone électrophile. L'élimination d'ordre 2 (E2) est donc, tout compte fait, la seule réaction ayant lieu si le nucléophile est une base forte. De plus, la réaction de type E2 est généralement favorisée lorsque la température de la réaction est élevée (*voir la figure 9.23 a*).

Si le solvant utilisé est un solvant polaire protique (tel que l'eau) et que le nucléophile est faible ou modéré, une compétition a lieu entre les réactions de types E1 et S_N1. Il sera possible d'exercer une discrimination entre ces deux réactions en contrôlant la température de la réaction. Plus elle est élevée, plus elle favorise le produit d'élimination au détriment du produit de la substitution nucléophile. Certaines réactions ont cependant une prédominance marquée pour les substitutions. En pareil cas, une température élevée augmente le pourcentage du produit d'élimination sans pour autant le rendre majoritaire (*voir la figure 9.23 b*).

Figure 9.23 Influence du nucléophile et de la température sur le mécanisme favorisé à partir d'un composé halogéné tertiaire

a)

2-bromo-2-méthylpropane   2-méthylpropène
100 % (E2)

b)

2-bromo-2-méthylpropane   2-méthylpropan-2-ol   2-méthylpropène

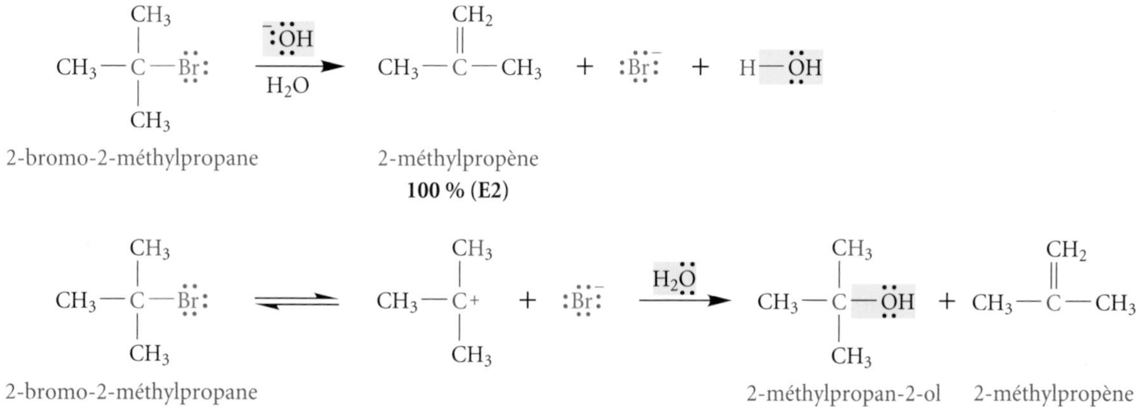

Température	S_N1	E1
25 °C	95 %	5 %
65 °C	90 %	10 %

9.6.2 Compétition pour les composés halogénés primaires

Dans le cas des composés halogénés primaires, uniquement les mécanismes de deuxième ordre, soit S_N2 et E2, sont possibles. En effet, ce type de composé halogéné ne permet pas la formation d'un carbocation, une étape nécessaire aux mécanismes de substitution nucléophile d'ordre 1 et d'élimination d'ordre 1. De façon générale, les carbocations primaires sont trop instables, à l'exception de certains stabilisés par résonance. Les substitutions nucléophiles d'ordre 2 sont privilégiées en présence d'un nucléophile fort et peu encombré. Pour que le produit de l'élimination d'ordre 2 soit favorisé au détriment du produit de S_N2, il est préférable d'utiliser un nucléophile fort, très encombré et ayant un fort caractère basique (*voir la figure 9.24, page suivante*), forçant celui-ci à demeurer en périphérie de la molécule et à attaquer l'hydrogène en surface. L'attaque sur le carbone électrophile est ainsi beaucoup plus ardue. De plus, l'élimination est toujours favorisée à une température élevée.

Figure 9.24 Compétition entre les réactions de types S_N2 et E2 à partir du 1-bromooctadécane, un composé halogéné primaire, traité avec différents nucléophiles

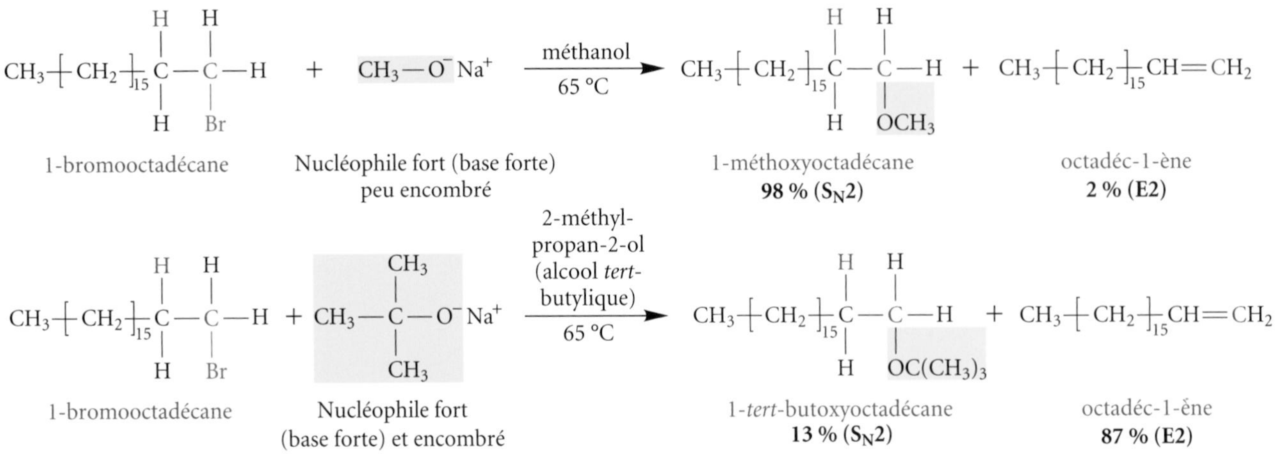

1-bromooctadécane   Nucléophile fort (base forte) peu encombré   1-méthoxyoctadécane **98 % (S_N2)**   octadéc-1-ène **2 % (E2)**

1-bromooctadécane   Nucléophile fort (base forte) et encombré   1-*tert*-butoxyoctadécane **13 % (S_N2)**   octadéc-1-ène **87 % (E2)**

9.6.3 Compétition pour les composés halogénés secondaires

Pour les composés halogénés secondaires, les quatre mécanismes (S_N2, E2, S_N1 et E1) sont possibles. En présence d'un solvant polaire protique et d'un nucléophile faible ou modéré, les mécanismes de types S_N1 et E1 sont en compétition. Seuls la température et le caractère basique du nucléophile sont des facteurs déterminants. Une température élevée et l'utilisation d'une base favorisent les réactions d'élimination. Une basse température privilégie les réactions de substitution nucléophile.

Quant aux mécanismes de types S_N2 et E2, la compétition est plus subtile. Les deux mécanismes sont favorisés en employant, de façon générale, un solvant aprotique et un nucléophile fort. Un simple contrôle de la température n'est pas toujours suffisant pour distinguer les deux types de mécanismes, sachant qu'une température élevée privilégie l'élimination d'ordre 2. En effet, pour favoriser la substitution nucléophile d'ordre 2, il est important d'utiliser un puissant nucléophile qui a un très faible caractère basique et qui est peu encombré, notamment les ions thiolate ($R-S^-$) ou l'ion acétate (CH_3COO^-). Par opposition, pour favoriser l'élimination d'ordre 2, il est préférable d'employer des nucléophiles dont le caractère basique est très fort, notamment les ions alcoolate ($R-O^-$). Plus la base est encombrée, meilleur sera le rendement de la réaction d'élimination de type E2. La figure 9.25 illustre des exemples favorisant certains mécanismes en fonction de la nature des réactifs et des conditions réactionnelles (température et solvant).

Figure 9.25
Réactions d'élimination et de substitution nucléophile possibles à partir du 2-bromopropane, un composé halogéné secondaire, selon la force du nucléophile ou de la base et les conditions réactionnelles

CH_3COO^-
25 °C
Nucléophile fort (base faible)
éthanoate d'isopropyle **100 % (S_N2)**   propène **0 % (E2)**

CH_3-O^-
55 °C
Nucléophile fort (base forte)
2-méthoxypropane **21 % (S_N2)**   propène **79 % (E2)**

CH_3-OH
80 °C
Nucléophile faible (base faible)
2-méthoxypropane **85 % (S_N1)**   propène **15 % (E1)**

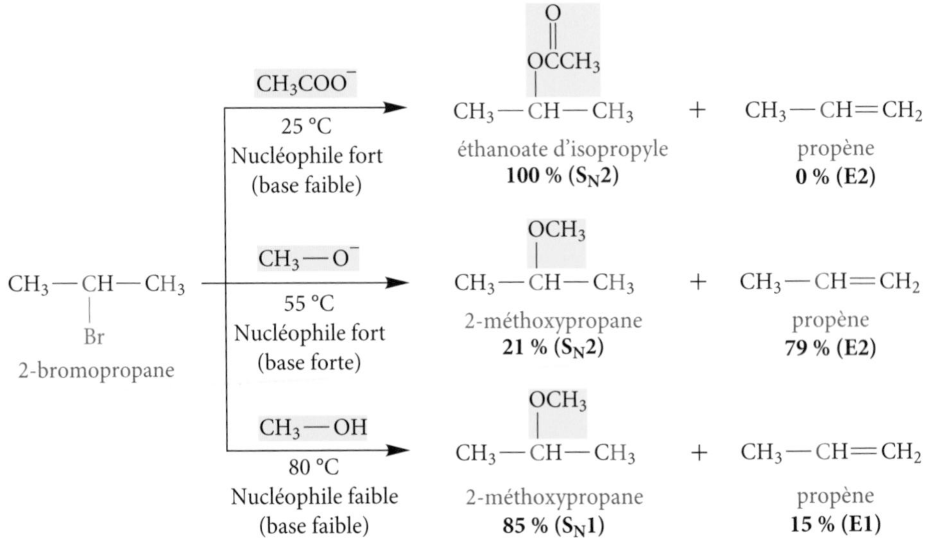

Exercice 9.24 Pour chacune des réactions suivantes, expliquez l'abondance relative des produits obtenus.

$$CH_3—\underset{\underset{Br}{|}}{CH}—CH_3 \quad + \quad I^- \quad \xrightarrow[25\,°C]{acétone} \quad CH_3—\underset{\underset{I}{|}}{CH}—CH_3$$

100 %

$$CH_3—\underset{\underset{Br}{|}}{CH}—CH_3 + CH_3CH_2—O^- \quad \xrightarrow[55\,°C]{éthanol} \quad CH_3—\underset{\underset{OCH_2CH_3}{|}}{CH}—CH_3 + CH_3—CH{=}CH_2$$

13 %   **87 %**

Exercice 9.25 Le 1-bromopropane et le 1-bromo-2-méthylpropane sont tous les deux des composés halogénés primaires. Lorsque ces deux substrats réagissent à 25° C en présence d'éthanolate de sodium ($CH_3CH_2O^-Na^+$) dans l'éthanol, l'un conduit à un produit majoritaire de substitution nucléophile et l'autre conduit à un produit majoritaire d'élimination.

a) Écrivez les équations chimiques pour ces deux substrats au moment de leur réaction respective avec l'éthanolate de sodium en présence d'éthanol. Dans chacun des cas, dessinez tous les produits organiques possibles en deux dimensions.

b) Lequel des substrats conduit à un produit majoritaire de substitution nucléophile? Lequel conduit à un produit majoritaire d'élimination? Expliquez vos réponses.

Exercice 9.26 La synthèse de Williamson est une réaction importante permettant la préparation des éthers. Elle sera expliquée en détail dans la section 11.3.2.2 (*voir p. 492*) de cet ouvrage. Toutefois, l'une des étapes de la synthèse de Williamson consiste en une réaction de substitution nucléophile entre un composé halogéné et un ion alcoolate (RO^-).

$$R—O^- \quad + \quad R'—X \quad \longrightarrow \quad R—O—R' \quad + \quad X^-$$
Éther

Lorsque la synthèse de Williamson est effectuée à 25 °C avec les composés halogénés ci-dessous, des rendements très différents sont observés.

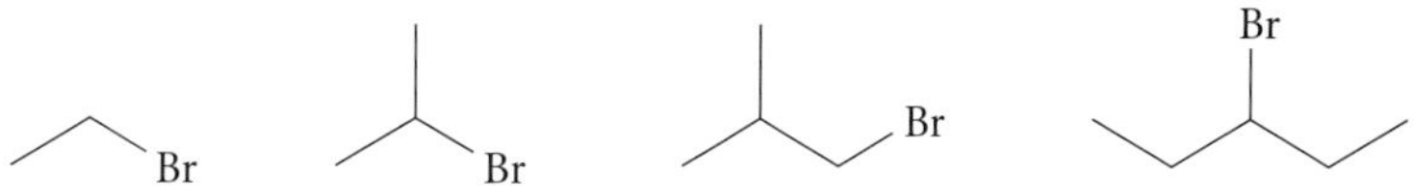

a) Associez les pourcentages de rendement suivants avec ces composés halogénés au cours de la synthèse des éthers avec la méthode de Williamson, en présence d'éthanolate de sodium et d'éthanol. Expliquez vos choix.

Composé halogéné	Pourcentage en éther (produit de la S$_N$)
I	12 %
II	20 %
III	99 %
IV	40 %

b) À la lumière des résultats obtenus en a) et de vos connaissances acquises jusqu'à présent, que recommanderiez-vous à un chimiste qui souhaite faire la synthèse des éthers avec des rendements optimaux, en ayant recours à la méthode de Williamson?

9.7 Autres réactions possibles des composés halogénés

Les composés halogénés peuvent réagir selon d'autres types de réactions que celles de substitution nucléophile et d'élimination. Leurs mécanismes ne sont toutefois pas à l'étude dans cet ouvrage.

Tout d'abord, une réaction de substitution radicalaire, impliquant une rupture homolytique, est possible, soit plus spécifiquement une hydrogénation catalytique (*voir la figure 9.26 a*). Il existe également une substitution radicalaire, connue sous le nom de « réaction de Wurtz », qui consiste à fusionner deux groupements R porteurs d'un halogène grâce au sodium métallique (*voir la figure 9.26 b*). Ces deux réactions conduisent à la formation d'alcanes. Le zinc métallique, quant à lui, permet de former des cycloalcanes à partir de composés dihalogénés (*voir la figure 9.26 c*) et de réaliser une réaction d'élimination sur des composés dihalogénés vicinaux, menant à la formation d'alcènes (*voir la figure 9.26 d*).

Figure 9.26
Autres réactions typiques possibles à partir de composés halogénés (où X = Cl, Br ou I)

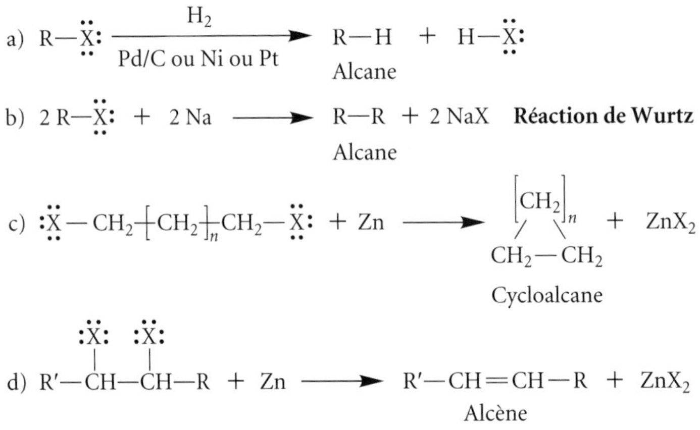

a) $R—\ddot{\underset{\cdot\cdot}{X}}: \xrightarrow[\text{Pd/C ou Ni ou Pt}]{H_2} R—H + H—\ddot{\underset{\cdot\cdot}{X}}:$
Alcane

b) $2\,R—\ddot{\underset{\cdot\cdot}{X}}: + 2\,Na \longrightarrow R—R + 2\,NaX$ **Réaction de Wurtz**
Alcane

c) $:\ddot{\underset{\cdot\cdot}{X}}—CH_2\!-\!\!\left[CH_2\right]_{\!n}\!\!-\!CH_2—\ddot{\underset{\cdot\cdot}{X}}: + Zn \longrightarrow \begin{bmatrix}CH_2\end{bmatrix}_n \quad + ZnX_2$
CH_2—CH_2
Cycloalcane

d) $R'—\underset{\underset{X}{|}}{CH}—\underset{\underset{X}{|}}{CH}—R + Zn \longrightarrow R'—CH{=}CH—R + ZnX_2$
Alcène

Exercice 9.27 Complétez les réactions suivantes en représentant seulement les produits organiques.

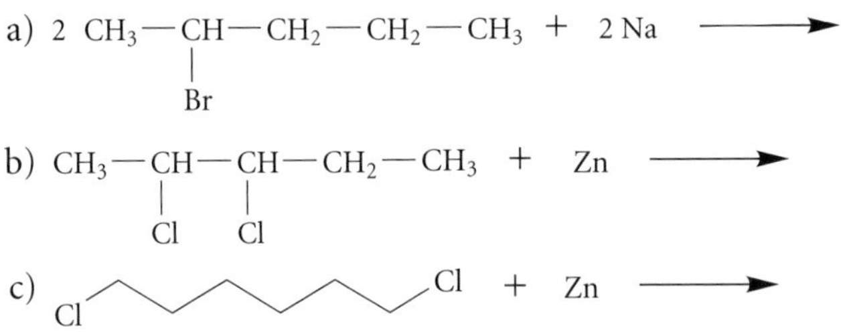

a) $2\ CH_3—\underset{\underset{Br}{|}}{CH}—CH_2—CH_2—CH_3 + 2\,Na \longrightarrow$

b) $CH_3—\underset{\underset{Cl}{|}}{CH}—\underset{\underset{Cl}{|}}{CH}—CH_2—CH_3 + Zn \longrightarrow$

c) $+ Zn \longrightarrow$

9.8 Composés organométalliques : organomagnésiens (réactifs de Grignard) et organolithiens

Dans la section 7.4.3 (*voir p. 326*), une méthode simple et commune pour allonger une chaîne de carbones a été présentée, soit celle employant la formation d'un sel d'alcyne. Au même titre que les alcynes, les composés halogénés peuvent être convertis en bons nucléophiles, appelés **composés organométalliques**, pour effectuer des élongations de chaînes. Les composés organométalliques tirent leur nom du fait qu'un composé halogéné R—X est transformé en incorporant un métal qui se lie à la chaîne de carbones pour donner un composé carboné métallique de type R—M ou R—M—X. Deux classes seront étudiées dans cet ouvrage : les **organomagnésiens** et les **organolithiens**.

VICTOR
GRIGNARD (1871-1935)

Chimiste français, Grignard est né le 6 mai 1871 à Cherbourg. En 1892, après avoir échoué à son examen pour obtenir une licence en mathématiques à l'Université de Lyon, il quitta l'université pour aller accomplir son service militaire. Un an plus tard, après avoir été démobilisé, il retourna à l'Université de Lyon où il obtint enfin les degrés *Licencié ès Sciences Mathématiques* (1894) et *Licencié ès Sciences Physiques* (1898). En 1901, il soumit sa thèse de doctorat sur les organomagnésiens intitulée *Sur les combinaisons organomagnésiennes mixtes*. En 1909, il devint professeur de chimie organique à l'Université de Nancy. C'est en 1912 que Grignard reçut un prix Nobel pour ses recherches sur ce qui est aujourd'hui connu comme les réactifs de Grignard. Au cours de la Première Guerre mondiale, la France fut envahie, et Grignard participa activement à la conception d'armes chimiques (explosifs et gaz de combat). Après la guerre, il retourna à l'Université de Nancy. En 1919, il occupa le poste de professeur de chimie générale à l'Université de Lyon. Il y devint d'ailleurs doyen de la Faculté des sciences en 1929. Il décéda le 13 décembre 1935.

Les organomagnésiens portent également le nom de **réactifs de Grignard** en raison de leur découverte par le chimiste organicien français **François Auguste Victor Grignard** (1871-1935).

La préparation des réactifs de Grignard se réalise sous atmosphère inerte (p. ex. : N_2), car ces derniers sont sensibles à l'eau. Elle consiste à additionner un composé halogéné de type alkyle (R—X) ou aryle (Ar—X), goutte à goutte, à un mélange de solvant éthéré et de magnésium. Un mélange hétérogène est alors observé, puisque le magnésium est un solide insoluble dans l'éther. Au fur et à mesure que le magnésium réagit avec le composé halogéné, le mélange réactionnel devient de plus en plus homogène, le magnésium disparaissant et le réactif de Grignard, soluble dans l'éther, se formant. Dans le cas des réactifs de Grignard, le magnésium vient s'intercaler dans la liaison carbone-halogène. La nouvelle liaison C—Mg créée possède 35 % de caractère ionique (*voir la figure 9.27*).

Figure 9.27
Réaction globale de la préparation d'un organomagnésien, ou réactif de Grignard

$$R—\ddot{\underset{\cdot\cdot}{X}}: \ + \ Mg \ \xrightarrow[\text{anhydre}]{Et_2O \ ou \ THF} \ R—MgX$$

ou   ou

$$Ar—\ddot{\underset{\cdot\cdot}{X}}: \qquad\qquad\qquad Ar—MgX$$

Organomagnésien ou réactif de Grignard

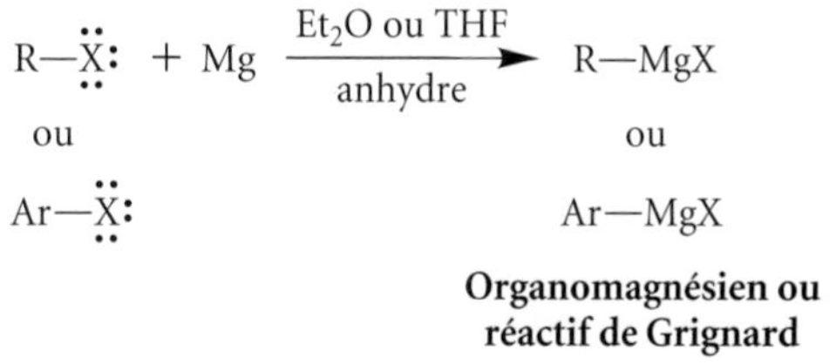

Figure 9.28
Stabilisation des réactifs de Grignard par les liaisons de coordination du solvant (p. ex. : le tétrahydrofurane, THF) avec le magnésium

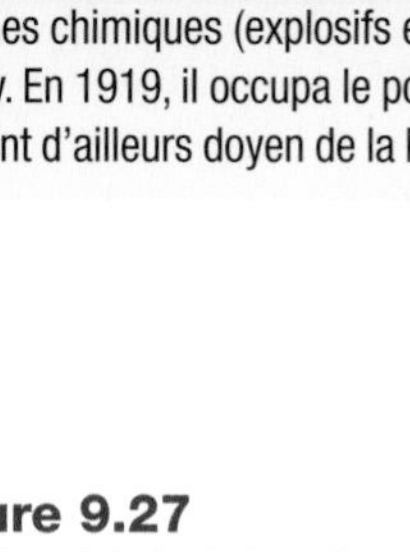

Contrairement au magnésium, les organomagnésiens sont solubles et stabilisés par le solvant éthéré. Les éthers les plus utilisés pour ce type de réaction sont le tétrahydrofurane (THF), un éther cyclique à cinq membres, et l'éthoxyéthane (Et_2O). La figure 9.28 démontre que le magnésium est stabilisé dans l'éther par l'entremise de liaisons de coordination entre les doublets d'électrons libres des atomes d'oxygène de l'éther et le métal Mg. Le THF est un meilleur solvant pour préparer et stabiliser les réactifs de Grignard, car, bien qu'il possède le même nombre de carbones que l'éthoxyéthane, sa forme cyclique minimise l'encombrement stérique autour de l'atome d'oxygène et permet ainsi une liaison de coordination plus efficace.

Les organolithiens, quant à eux, sont préparés de manière similaire à celle des réactifs de Grignard (*voir la figure 9.29*). Toutefois, la réaction s'effectue dans un solvant organique non polaire tel que l'hexane. Dans ce type de réaction, le lithium remplace l'halogène dans le composé halogéné de départ. La liaison C—Li ainsi formée possède 40 % de caractère ionique.

La particularité des composés organométalliques est principalement l'inversion de polarité occasionnée par le métal qui s'intercale entre le carbone et l'halogène, dans le cas des réactifs de Grignard, ou qui remplace complètement l'halogène, pour les organolithiens. En effet, dans les composés halogénés, le carbone est partiellement positif (δ^+),

Figure 9.29
Réaction globale de la préparation d'un organolithien

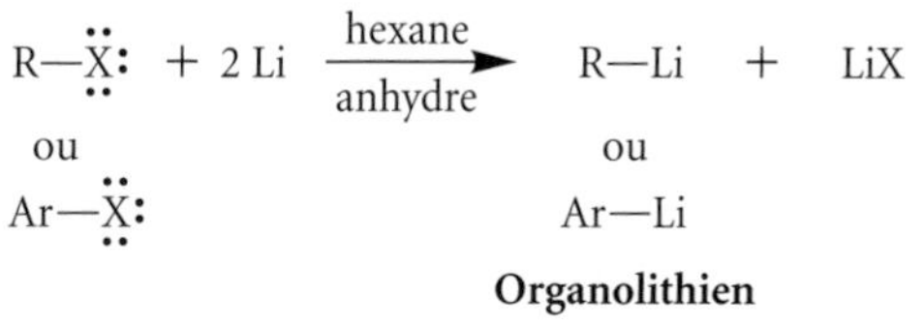

$$R—\ddot{\underset{\cdot\cdot}{X}}: \ + \ 2 \ Li \ \xrightarrow[\text{anhydre}]{\text{hexane}} \ R—Li \ + \ LiX$$

ou   ou

$$Ar—\ddot{\underset{\cdot\cdot}{X}}: \qquad\qquad\qquad Ar—Li$$

Organolithien

puisqu'il est moins électroattracteur que l'halogène. Cependant, les composés organo-métalliques possèdent un carbone partiellement négatif (δ^-) en raison de la présence d'un métal faiblement électroattracteur directement lié au carbone (*voir la figure 9.30*).

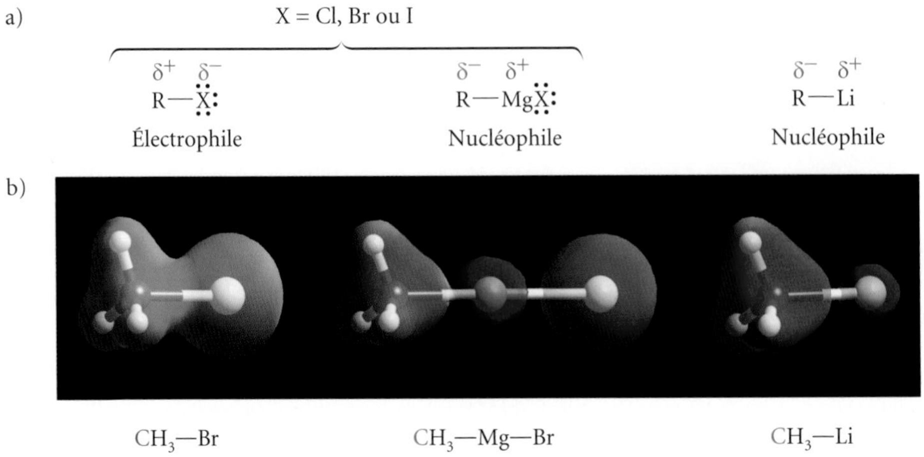

Figure 9.30
a) Polarité des composés organométalliques et du composé halogéné correspondant ;
b) Cartes de potentiel électrostatique révélant les différentes densités électroniques de chacun des composés méthylés

a)

b)

CH_3—Br CH_3—Mg—Br CH_3—Li

Les organomagnésiens et les organolithiens peuvent être synthétisés à partir de composés halogénés primaires, secondaires et tertiaires, ou à partir de composés halogénés dont l'halogène est directement lié à un groupement aryle (Ar). **Les rendements des réactions de formation des composés organométalliques sont très élevés, mais ceux-ci ne peuvent pas être isolés en raison de leur très grande réactivité.** Les composés organométalliques réagissent en tant que nucléophiles, plus particulièrement comme des carbanions. Ils sont largement utilisés en synthèse organique.

Exercice 9.28 Complétez les réactions suivantes en écrivant la structure de tous les produits. À l'aide des charges partielles (δ^+, δ^-), démontrez l'inversion de polarité sur les carbones impliqués dans ces réactions de préparation de composés organométalliques.

a) CH_3—Cl + 2 Li $\xrightarrow[\text{anhydre}]{\text{hexane}}$

b) CH_3—CH—Br + Mg $\xrightarrow[\text{anhydre}]{\text{Et}_2\text{O}}$
        |
       CH_3

c) ⬡—CH_2CH_2Br + 2 Li $\xrightarrow[\text{anhydre}]{\text{THF}}$

d) ⬡—CH_2I + Mg $\xrightarrow[\text{anhydre}]{\text{THF}}$

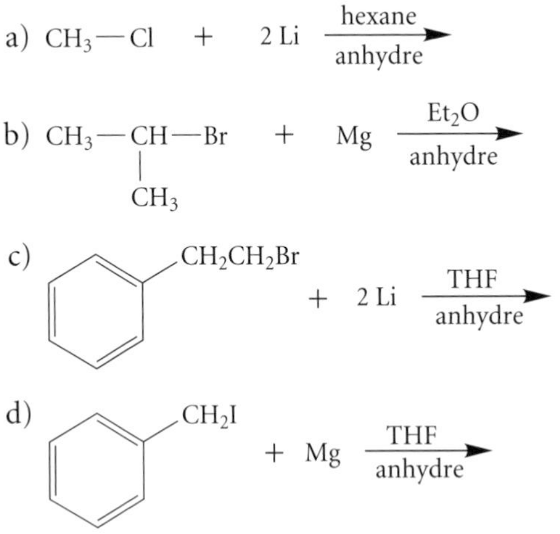

REMARQUE

Les composés organométalliques sont les bases conjuguées des hydrocarbures correspondants. Puisque les hydrocarbures sont de très faibles acides, les composés organométalliques sont des bases très fortes.

Les composés organométalliques sont des bases très fortes. Ils peuvent ainsi réagir avec une multitude d'acides (de forts à très faibles). En effet, toute molécule porteuse d'un hydrogène (δ^+) impliqué dans une liaison covalente polaire telle que H—X, H—O—, H—N—, H—S—, H—C≡C— et H—C≡N (p. ex.: l'eau, les alcools, les amines, les alcynes terminaux, etc.) réagit violemment avec les composés organométalliques, ce qui mène à la formation de l'hydrocarbure correspondant et à la perte du composé organométallique. Il est donc essentiel de faire preuve d'une grande prudence au moment du choix du réactif employé en sa présence. De plus, c'est pour cette raison que le solvant, l'éther ou l'hexane, doit être toujours rigoureusement anhydre, c'est-à-dire exempt d'eau, au cours de la formation d'un composé organométallique (*voir la figure 9.31*).

Figure 9.31
Réaction acidobasique d'un réactif de Grignard avec l'eau

$$\overset{\delta^-}{R}\!\!-\!\!\overset{\delta^+}{MgX} \ + \ \overset{\delta^+}{H}\!\!-\!\!\overset{\delta^-}{OH} \longrightarrow R\!\!-\!\!H \ + \ Mg^{2+}\,(aq) \ + \ OH^-\,(aq) \ + \ X^-\,(aq)$$

Composé   Hydrocarbure
organométallique   (acide conjugué très faible)
(base très forte)

Exemple 9.5

La réaction acidobasique d'un composé organométallique avec l'eau peut être appliquée à des fins de traçage servant, entre autres, à des études cinétiques (vitesse de réaction) et mécanistiques. Le traçage est une technique qui consiste à interchanger un ou des atomes précis dans une molécule par un isotope désiré.

Comment préparer le propane deutéré à partir du 1-bromopropane et de l'eau lourde (eau deutérée) en ayant recours à un réactif de Grignard ?

$$CH_3\!-\!CH_2\!-\!CH_2\!-\!D$$
propane deutéré   où D est le symbole chimique du deutérium, un isotope de l'hydrogène (^{2}H).

Solution

$$CH_3\!-\!CH_2\!-\!CH_2\!-\!Br \ \xrightarrow[\substack{Et_2O \\ \text{anhydre}}]{Mg} \ CH_3\!-\!CH_2\!-\!CH_2\!-\!MgBr \ \xrightarrow[\substack{\text{eau lourde} \\ \text{(eau deutérée)}}]{D-O-D} \ CH_3\!-\!CH_2\!-\!CH_2\!-\!D$$

1-bromopropane   bromure de   propane deutéré
                                propylmagnésium

Exercice 9.29 Complétez les réactions suivantes en écrivant la structure de tous les produits.

a) $CH_3\!-\!CH_2\!-\!MgBr \ + \ CH_3\!-\!C\!\equiv\!C\!-\!H \longrightarrow$

b)

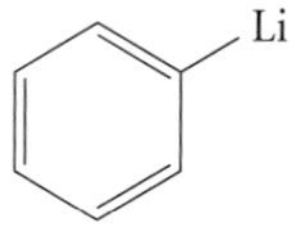

    + H$_2$O $\longrightarrow$

c) $CH_3\!-\!CH_2\!-\!CH_2\!-\!MgI \ + \ CH_3OH \longrightarrow$

d)

$$CH_3\!-\!\underset{\underset{CH_3}{|}}{\overset{\overset{CH_3}{|}}{C}}\!-\!Li \ + \ NH_3 \longrightarrow$$

Exercice 9.30 Soit la synthèse suivante.

a) Déterminez une voie de synthèse permettant d'obtenir le produit deutéré.

b) Pourquoi est-il impossible, par cette même voie de synthèse, de réaliser le produit deutéré à partir du *p*-chloroaniline ?

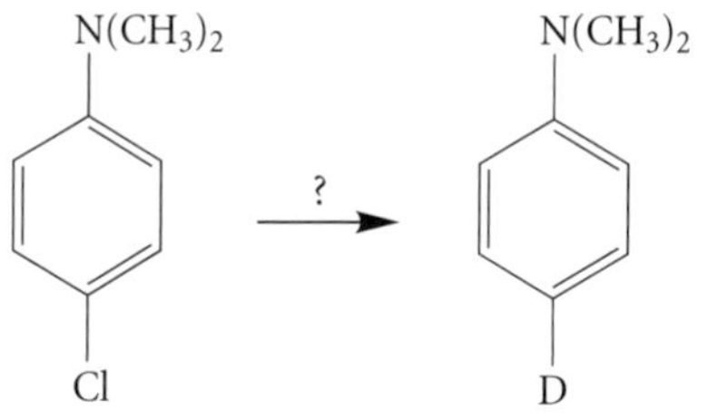

En plus de réagir avec des composés ayant des hydrogènes partiellement positifs, les organolithiens et organomagnésiens participent à une grande variété de réactions de substitution et d'addition. Le carbone nucléophile des composés organométalliques peut en effet réagir avec plusieurs types d'électrophiles. Ces réactions sont classées et illustrées dans le tableau 9.14. Seuls les réactifs de Grignard y sont employés. Les organolithiens réagissent cependant de façon similaire.

Tableau 9.14	**Réactions des réactifs de Grignard avec différents groupements fonctionnels**

Réactions acidobasiques	sur des composés ayant un hydrogène acide ou légèrement acide H—B (soit H—OH; H—OR; H—SR; H—NH$_2$; H—NHR; H—NR$_2$; H—C≡C—R; H—C≡N; H—X et H—OCOR)

$$\overset{\delta^-}{R}\!-\!\overset{\delta^+}{MgX}: \;+\; \overset{\delta^+}{H}\!-\!\overset{\delta^-}{B} \longrightarrow R\!-\!H \;+\; B:^{-\,+}MgX:$$

Hydrocarbure

Réactions de substitution nucléophile	sur des composés halogénés R—X

$$\overset{\delta^-}{R'}\!-\!\overset{\delta^+}{MgX}: \;+\; \overset{\delta^+}{R}\!-\!\overset{\delta^-}{X}: \longrightarrow R'\!-\!R \;+\; MgX_2$$

Hydrocarbure
Élongation de la chaîne de carbones

Réactions d'addition nucléophile	**I) sur des oxiranes**

$$\overset{\delta^-}{R}\!-\!\overset{\delta^+}{MgX}: \;+\; \underset{\delta^+}{H_2C}\!-\!CH_2 \longrightarrow R\!-\!CH_2\!-\!CH_2\!-\!\overset{..}{O}:^{-\,+}MgX: \xrightarrow[\text{(H}_2\text{O, H}_3\text{O}^+)]{\text{Hydrolyse acide}} R\!-\!CH_2\!-\!CH_2\!-\!\overset{..}{O}H$$

Alcool primaire
Élongation de la chaîne du
réactif de Grignard de 2 C

II) sur des groupements carbonyles

a) dioxyde de carbone (CO$_2$)

$$\overset{\delta^-}{R}\!-\!\overset{\delta^+}{MgX}: \;+\; \overset{\delta^-}{C} \longrightarrow R\!-\!C\!=\!\overset{..}{O} \xrightarrow[\text{(H}_2\text{O, H}_3\text{O}^+)]{\text{Hydrolyse acide}} R\!-\!C\!=\!\overset{..}{O}$$

Acide carboxylique
Élongation de la chaîne du
réactif de Grignard de 1 C

b) aldéhydes et cétones

$$\overset{\delta^-}{R}\!-\!\overset{\delta^+}{MgX}: \;+\; R''\!-\!\underset{\delta^+}{C}\!-\!R' \longrightarrow R\!-\!\overset{R''}{\underset{|}{C}}\!-\!R' \xrightarrow[\text{(H}_2\text{O, H}_3\text{O}^+)]{\text{Hydrolyse acide}} R\!-\!\overset{\overset{..}{O}H}{\underset{\underset{R''}{|}}{C}}\!-\!R'$$

Lorsque **R″ et R′ = H** (formaldéhyde), il y a formation d'un **alcool primaire**.
Lorsque **R″ ou R′ = H** (aldéhyde), il y a formation d'un **alcool secondaire**.
Lorsque **R″ et R′ = H** (cétone), il y a formation d'un **alcool tertiaire**.

c) dérivés d'acides carboxyliques (esters, halogénures d'acide et anhydrides)

Esters

$$\underset{R}{\overset{:O:}{\overset{\|}{C}}}\diagdown \overset{..}{O}R'$$

Dans le cas de ce composé, une **réaction de substitution nucléophile** précède les réactions d'addition et d'hydrolyse en milieu acide (neutralisation). C'est le réactif de Grignard, le carbanion, qui remplace le groupe d'atomes (en rouge) qui est expulsé.

▶ **Tableau 9.14** (*suite*)

Réactions d'addition nucléophile	**Halogénures d'acide**	Dans le cas de ces composés, une **réaction de substitution nucléophile** précède les réactions d'addition et d'hydrolyse en milieu acide (neutralisation). C'est le réactif de Grignard, le carbanion, qui remplace le groupe d'atomes (en rouge) qui sera expulsé.

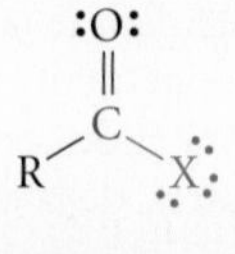

Anhydrides

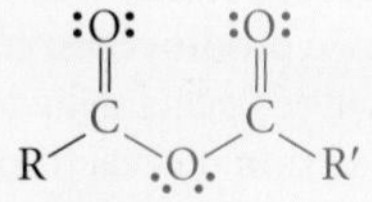

Par exemple, pour un ester donné :

1) substitution nucléophile

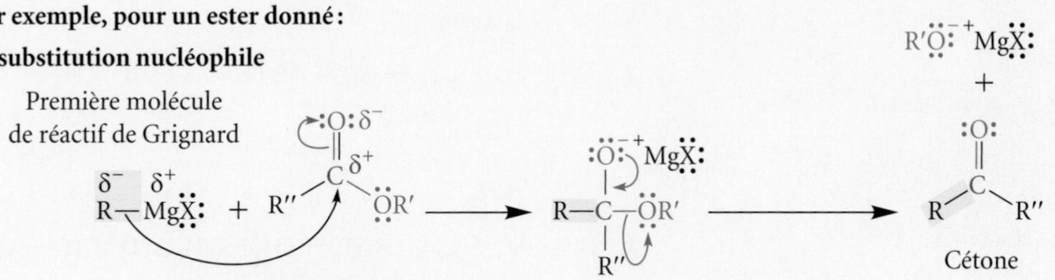

2) et 3) réactions d'addition et d'hydrolyse acide

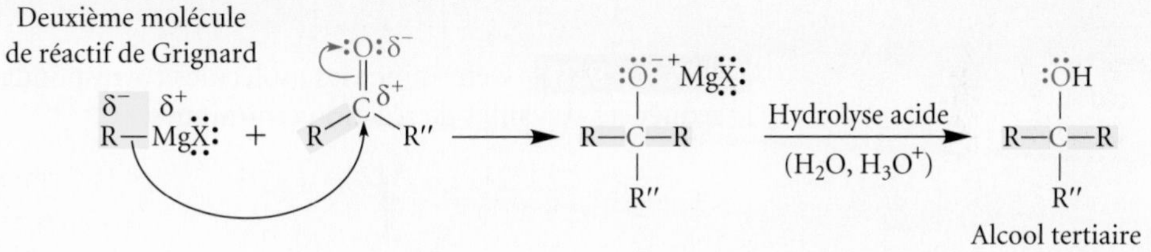

III) sur des nitriles

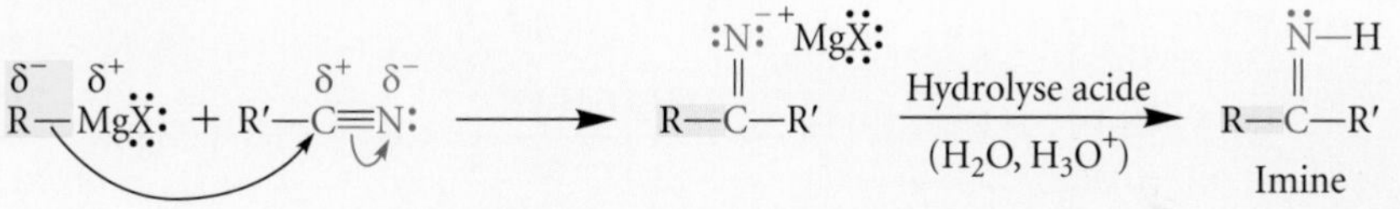

La réaction d'addition suivie d'une hydrolyse acide mène à la formation d'une imine.

L'imine s'hydrolyse et se transforme en une cétone en milieu acide et aqueux.

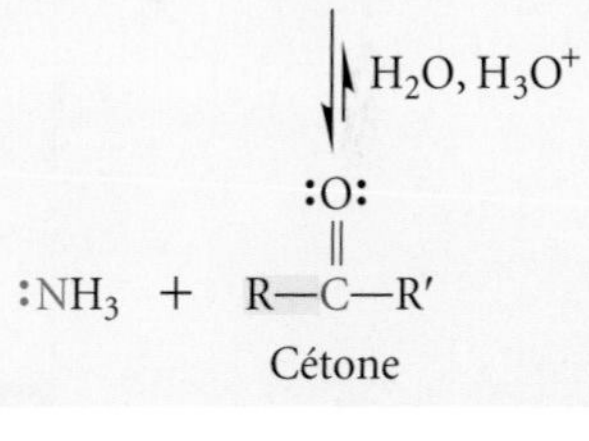

Exemple 9.6

Déterminez les molécules correspondant aux lettres A à D dans les séquences suivantes de réactions chimiques.

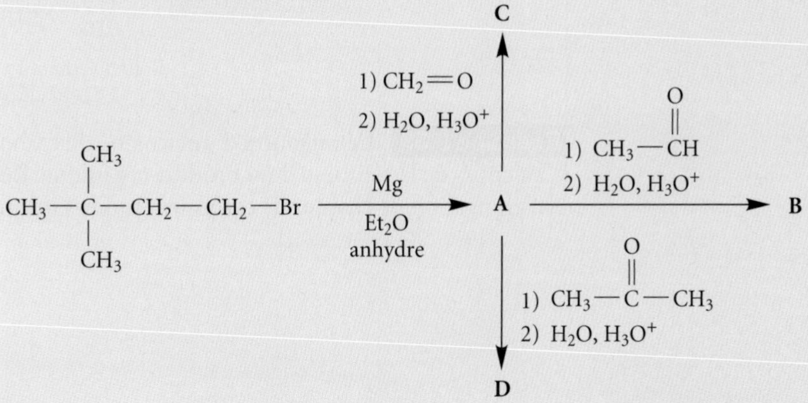

▶ **Solution**

Comme cela a été présenté dans le tableau 9.14 (*voir p. 422*), les réactifs de Grignard peuvent réagir avec différents groupements fonctionnels. Dans cet exemple, le réactif de Grignard A réagit avec des aldéhydes et des cétones, d'où la formation d'alcools. Le chapitre 10 de cet ouvrage traitera, entre autres, de la chimie des alcools.

Le produit C est un alcool primaire, car il provient de la réaction du réactif de Grignard A avec le formaldéhyde. Le produit B est un alcool secondaire, car il provient de la réaction du réactif de Grignard A avec l'acétaldéhyde. Finalement, le produit D est un alcool tertiaire, car il provient de la réaction du réactif de Grignard A avec l'acétone.

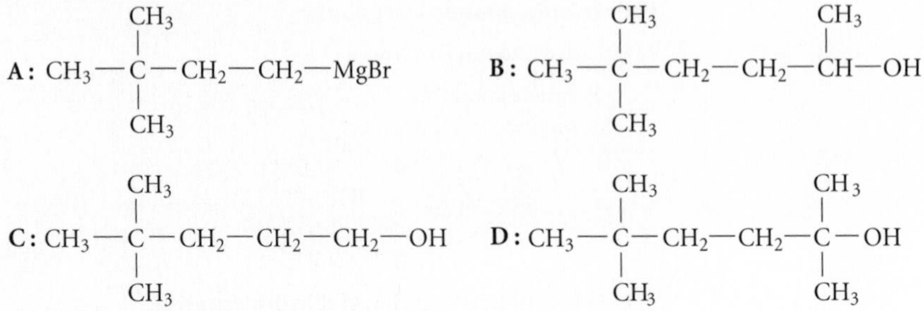

Exercice 9.31   Déterminez les molécules correspondant aux lettres A à C dans les séquences suivantes de réactions chimiques.

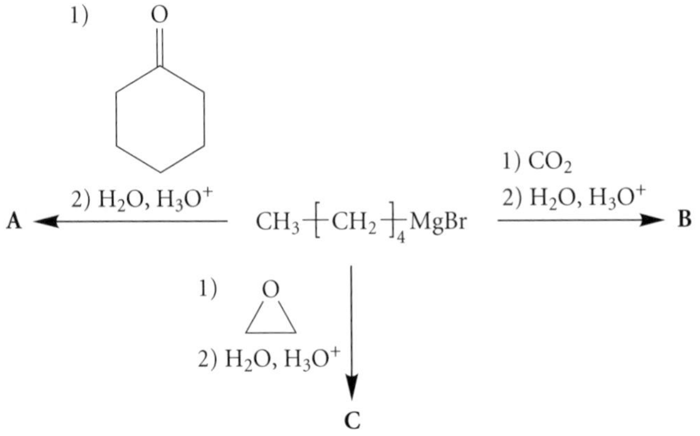

Exercice 9.32   Montrez toutes les étapes permettant de synthétiser l'alcool suivant à partir d'un réactif de Grignard et d'un ester de votre choix.

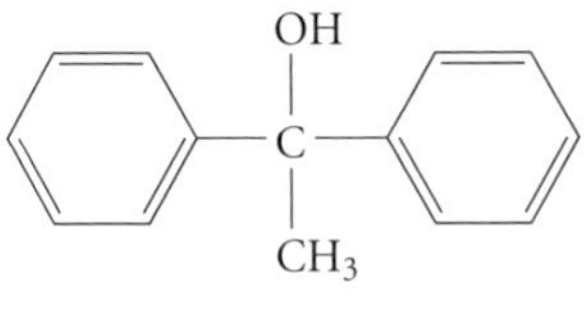

1,1-diphényléthanol

Exercice 9.33   L'élongation d'une chaîne de carbones est un concept important au cours de la synthèse d'un produit organique. Résumez deux méthodes d'élongation de chaînes de carbones étudiées jusqu'à présent dans cet ouvrage.

9.9   Préparation des composés halogénés

Les tableaux 9.15, 9.16 et 9.17 (*voir page suivante*) présentent un bref aperçu de la préparation des composés halogénés.

Tableau 9.15   Réactions d'addition électrophile sur un alcène

Soit la réaction générale suivante.

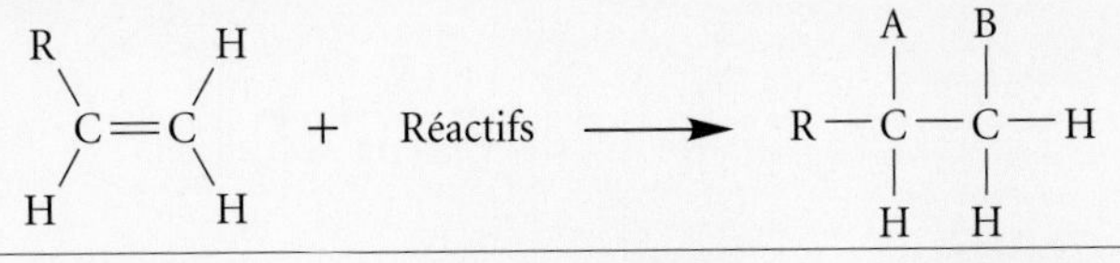

Type d'addition	Réactifs	Nom de la réaction	Particularité	—A	—B
Polaire	H—X (X = F, Cl, Br ou I)	Hydrohalogénation (section 7.3.1.1 A)	Produit Markovnikov	—X	—H
	H—Br, ROOR, $h\nu$ ou Δ	Hydrobromation radicalaire (section 7.3.1.1 E)	Produit anti-Markovnikov	—H	—Br
Non polaire	X$_2$ (X = Cl ou Br)	Halogénation (section 7.3.1.2 B)	Addition *anti*	—X	—X

Tableau 9.16   Réactions d'addition électrophile doubles sur un alcyne (section 7.4.1.1)

Soit la réaction générale[a] suivante.

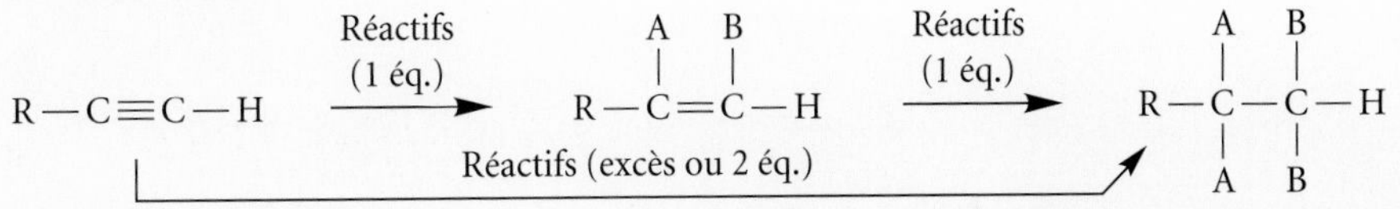

Type d'addition	Réactifs	Nom de la réaction	Particularité	—A	—B
Polaire	H—X (X = F, Cl, Br ou I)	Hydrohalogénation	Produit Markovnikov	—X	—H
	H—Br, ROOR, $h\nu$ ou Δ	Hydrobromation radicalaire	Produit anti-Markovnikov	—H	—Br
Non polaire	X$_2$ (X = Cl ou Br)	Halogénation	Addition *anti*	—X	—X

a. L'addition partielle (limitée à un seul équivalent) de HX, de HBr de type anti-Markovnikov et de X$_2$ est possible, mais plus difficile.

Tableau 9.17 **Autres méthodes diverses de préparation des composés halogénés**

Nom de la réaction	Réaction	Section dans laquelle sont abordées en détail ces notions
Halogénation radicalaire des alcanes	$R\!-\!H \ + \ X_2 \ \xrightarrow{\textit{hv} \text{ ou } \Delta} \ R\!-\!X \ + \ H\!-\!X \quad (X = Cl \text{ ou } Br)$	Section 6.4.2 (*voir p. 262*)
Halogénation (substitution électrophile aromatique)	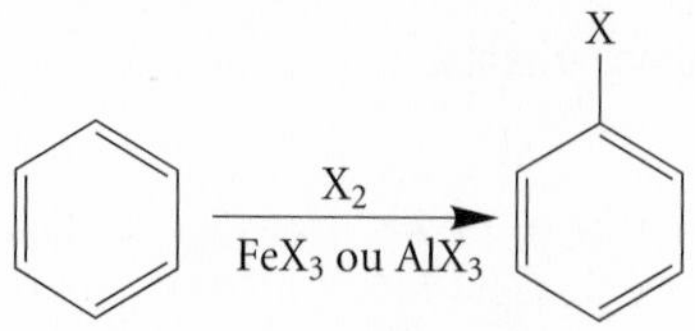 (Chloration (X = Cl) et bromation (X = Br))	Section 8.4.2 (*voir p. 350*)
Substitution nucléophile à partir des alcools	$R\!-\!OH \ \xrightarrow{\text{Réactifs}} \ R\!-\!X$ Réactifs possibles : 1. HX (X = Cl, Br ou I) Si alcool primaire, ajout de $ZnCl_2$ au réactif HCl (test de Lucas) 2. $SOCl_2$, pyridine 3. PX_3 (X = Br ou I)	1. Section 10.4.2.1 (*voir p. 452*) 2. Section 10.4.2.2 (*voir p. 455*) 3. Section 10.4.2.2 (*voir p. 455*)

RÉSUMÉ

Caractéristiques des composés halogénés

- Structure générale : R—X, où X = F, Cl, Br ou I (introduction)
- Composés halogénés naturels présents majoritairement dans les espèces marines ; composés halogénés artificiels, synthétisés en laboratoire, nettement plus abondants (introduction)
- Composés halogénés dits « primaires », « secondaires » ou « tertiaires » si un, deux ou trois groupements alkyles sont respectivement attachés au carbone porteur de l'halogène (section 9.1)
- Molécules polaires renfermant une ou des liaisons covalentes polaires C—X (section 9.2)
- Attractions intermoléculaires particulières : interactions de Keesom (section 9.2)
- Masses molaires plus élevées et molécules plus polarisables que les hydrocarbures correspondants en raison de la présence d'atomes d'halogène (section 9.2)
- Propriétés physiques (p. ex. : point d'ébullition) plus élevées que celles des hydrocarbures correspondants (section 9.2)
- Masses volumiques des composés monochlorés et monofluorés acycliques plus faibles que celle de l'eau ; masses volumiques de tous les autres composés halogénés plus élevées que celle de l'eau (section 9.2)
- Très peu ou pas solubles dans l'eau (section 9.2)
- Électrophile (rôle général) dans une réaction chimique (section 9.3)
- Augmentation de la réactivité des composés halogénés de C—F à C—I, car diminution de la force de la liaison de C—F à C—I (section 9.3)
- Ions halogénure (I$^-$, Br$^-$ et Cl$^-$) des composés halogénés = bons groupes partants (section 9.3)

Réactions de substitution nucléophile (S$_N$)

Définition : réaction au cours de laquelle un atome (ou un groupe d'atomes) est remplacé sur le substrat (dans ce cas-ci, le composé halogéné) par un autre atome (ou un groupe d'atomes) jouant le rôle de nucléophile. (section 9.4)

Deux mécanismes distincts

- Substitution nucléophile d'ordre 2 (S$_N$2) (section 9.4.1) :
    - une seule étape
    - attaque du nucléophile du côté opposé à l'halogène sur le substrat
    - inversion de configuration si le carbone portant l'halogène est stéréogénique
- Substitution nucléophile d'ordre 1 (S$_N$1) (section 9.4.3) :
    - deux étapes principales dont la première est la formation d'un carbocation
    - formation d'un mélange racémique si le carbone portant l'halogène est stéréogénique

Facteurs influençant l'efficacité d'une S$_N$ (sections 9.4.2 et 9.4.4)

- Encombrement stérique du composé halogéné et du nucléophile (S$_N$2)
- Degré de substitution du carbone porteur de l'halogène dans le composé halogéné (S$_N$1)
- Force du nucléophile (S$_N$2)
- Nature du solvant (S$_N$2 et S$_N$1)

Voir le tableau 9.12 (p. 403) pour une comparaison détaillée des deux types de réactions de substitution nucléophile (section 9.4.5).

Réactions d'élimination (E)

Définition: réaction au cours de laquelle une liaison π est formée entre les carbones α et β du composé halogéné à la suite de la perte d'un atome d'hydrogène sur le carbone β et d'un atome d'halogène sur le carbone α (section 9.5)

Nucléophile agissant spécifiquement à titre de base (section 9.5)

Deux mécanismes distincts

- Élimination d'ordre 2 (E2) (section 9.5.1):
  — une seule étape
  — relation antipériplanaire des deux atomes à éliminer
  — respect de la règle de Saytzev
  — formation possible d'isomères géométriques
- Élimination d'ordre 1 (E1) (section 9.5.2):
  — deux étapes, dont la première est la formation d'un carbocation
  — respect de la règle de Saytzev
  — formation possible d'un mélange des deux isomères géométriques

> Voir le tableau 9.13 (*p. 413*) pour une comparaison détaillée des deux types de réactions d'élimination (section 9.5.3).

Compétition entre les réactions de substitution nucléophile et d'élimination (section 9.6)

Voies mécanistiques préférentielles en fonction de la nature du composé halogéné et des conditions expérimentales (nature du réactif, solvant et température)

Composé halogéné	Voie mécanistique empruntée	Conditions expérimentales
Primaire	S_N2	• Solvant aprotique • Nucléophile fort et peu encombré • Basse température
	E2	• Solvant aprotique • Base forte et encombrée • Température élevée
Secondaire	S_N1	• Solvant polaire protique • Nucléophile faible à modéré • Basse température
	E1	• Solvant polaire protique • Base faible à modérée • Température élevée
	S_N2	• Solvant aprotique • Nucléophile fort, peu basique et peu encombré • Basse température
	E2	• Solvant aprotique • Base forte et encombrée • Température élevée

Composé halogéné	Voie mécanistique empruntée	Conditions expérimentales
Tertiaire	S_N1	• Solvant polaire protique • Nucléophile faible à modéré • Basse température
	E1	• Solvant polaire protique • Base faible à modérée • Température élevée
	E2	• Solvant aprotique • Base forte • Température élevée

Réactions des composés halogénés

Substitution nucléophile (S_N1 et S_N2) (section 9.4)

• Formation d'un très grand nombre de groupements fonctionnels (*voir les tableaux 9.5 et 9.6, p. 388 et 389*)

Élimination (E1 et E2)

• Formation d'alcènes :
  — à partir d'un composé monohalogéné (déshydrohalogénation) (section 9.5)

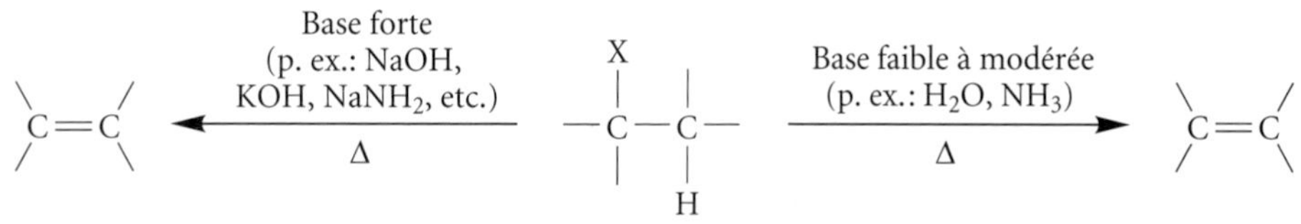

Mécanisme de type E2   Mécanisme de type E1

  — à partir d'un composé dihalogéné vicinal (section 9.7)

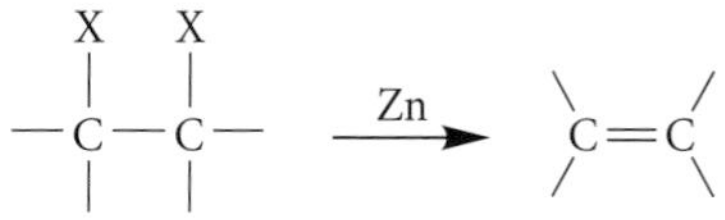

• Formation d'alcynes (déshydrohalogénation double) (section 9.5.4) :
  — à partir d'un composé dihalogéné vicinal

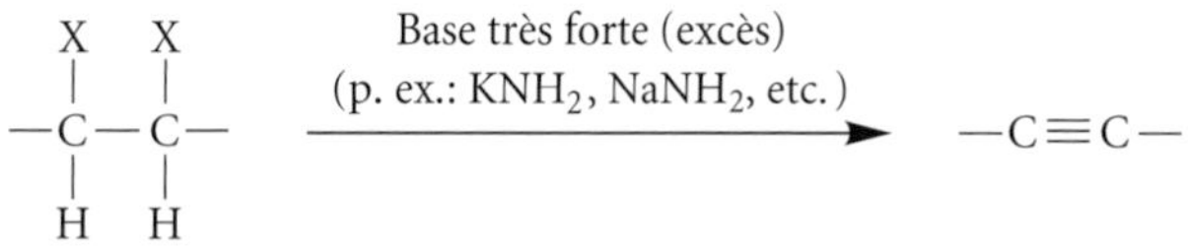

  — à partir d'un composé dihalogéné géminal

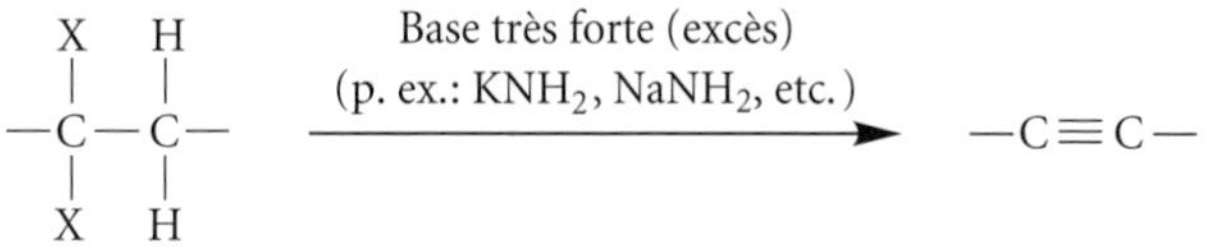

Hydrogénation catalytique (substitution radicalaire) (section 9.7)

$$R\!-\!X \xrightarrow[\text{Pd/C ou Ni ou Pt}]{H_2} R\!-\!H \ + \ H\!-\!X$$

Réaction de Wurtz (substitution radicalaire) (section 9.7)

$$2\,R\!-\!X \ + \ 2\,Na \longrightarrow R\!-\!R \ + \ 2\,NaX$$

Formation de cycloalcanes à partir de composés dihalogénés et de zinc métallique (section 9.7)

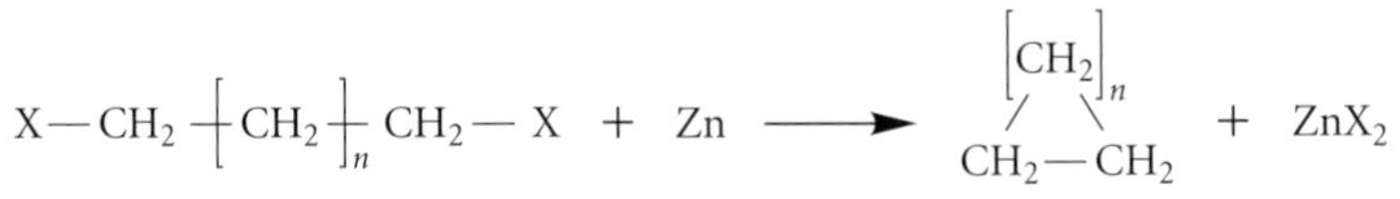

$$X\!-\!CH_2\!\!\left[CH_2\right]_n\!\!CH_2\!-\!X \ + \ Zn \longrightarrow \ \begin{array}{c}\left[CH_2\right]_n \\ CH_2\!-\!CH_2\end{array} \ + \ ZnX_2$$

Formation de composés organométalliques (section 9.8)

- Formation d'organomagnésiens (réactifs de Grignard)

$$R\!-\!X \ + \ Mg \xrightarrow[\text{anhydre}]{Et_2O \text{ ou } THF} R\!-\!MgX$$

- Formation d'organolithiens

$$R\!-\!X \ + \ 2\,Li \xrightarrow[\text{anhydre}]{\text{hexane}} R\!-\!Li \ + \ LiX$$

Réactions des composés organométalliques (section 9.8)

Remarque : Les réactions présentées ci-après sont réalisées avec les organomagnésiens (réactifs de Grignard), mais elles pourraient aussi bien s'effectuer avec les organolithiens.

Réactions acidobasiques sur des composés ayant un hydrogène acide ou légèrement acide H—B

$$R\!-\!MgX \ + \ H\!-\!B \longrightarrow R\!-\!H$$

Réactions de substitution nucléophile sur des composés halogénés R—X

$$R'\!-\!MgX \ + \ R\!-\!X \longrightarrow R'\!-\!R$$

Réactions d'addition nucléophile

- Sur des oxiranes

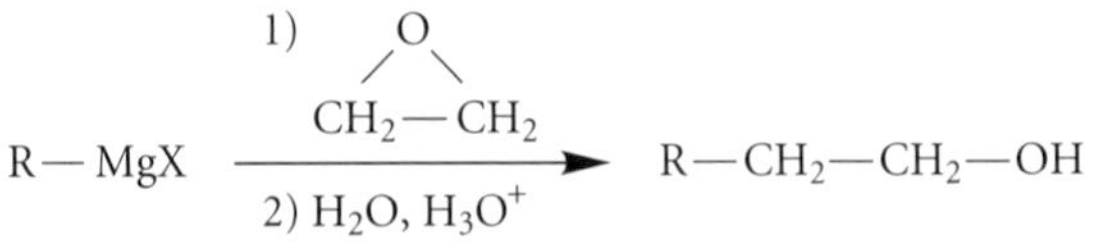

$$R\!-\!MgX \xrightarrow[\text{2) } H_2O,\, H_3O^+]{\substack{1)\ \ \overset{O}{\diagup\diagdown} \\ CH_2\!-\!CH_2}} R\!-\!CH_2\!-\!CH_2\!-\!OH$$

- Sur des groupements carbonyles :
  - dioxyde de carbone (CO_2)

$$R\!-\!MgX \xrightarrow[\text{2) } H_2O,\, H_3O^+]{1)\ CO_2} R\!-\!\overset{\overset{\displaystyle OH}{|}}{C}\!\!=\!\!O$$

— aldéhydes et cétones

$$R-MgX \xrightarrow[\text{2) } H_2O, H_3O^+]{\text{1) } \underset{R'}{\overset{O}{\underset{\quad}{C}}}R''} \quad R-\underset{R'}{\overset{OH}{\underset{|}{C}}}-R''$$

— dérivés d'acides carboxyliques (esters, halogénures d'acide et anhydrides)

Par exemple, pour un ester :

$$R-MgX + R''\overset{O}{\overset{||}{C}}OR' \longrightarrow R''\overset{O}{\overset{||}{C}}R + R-MgX \xrightarrow{H_2O, H_3O^+} R''-\underset{R}{\overset{OH}{\underset{|}{C}}}-R$$

Impossible d'arrêter
la réaction à ce stade

• Sur des nitriles

$$R-MgX \xrightarrow[\text{2) } H_2O, H_3O^+]{\text{1) } R'-C\equiv N} R-\overset{\overset{\cdot\cdot}{N}H}{\overset{||}{C}}-R' \underset{\longleftarrow}{\xrightarrow{H_2O, H_3O^+}} NH_3 + R-\overset{O}{\overset{||}{C}}-R'$$

VÉRIFICATION DES CONNAISSANCES

Après l'étude de ce chapitre, je devrais être en mesure :

○ de distinguer les composés halogénés primaires, secondaires et tertiaires ;

○ de décrire les caractéristiques structurales et les propriétés physiques des composés halogénés ;

○ d'expliquer la réactivité d'un composé halogéné ;

○ de prévoir les produits obtenus et les conditions expérimentales nécessaires au cours des réactions suivantes sur des composés halogénés :
  • substitution nucléophile,
  • élimination (règle de Saytzev),
  • hydrogénation catalytique,
  • couplage métallique (sodium [réaction de Wurtz], zinc) ;

○ d'illustrer les mécanismes réactionnels et la stéréochimie des réactions de substitution nucléophile et d'élimination d'ordre 2 et d'ordre 1 sur les composés halogénés ;

○ de définir les conditions expérimentales (structures du nucléophile et du composé halogéné, nature du solvant, température, etc.) favorisant l'un ou l'autre des mécanismes de substitution nucléophile (S_N2 ou S_N1) ou d'élimination (E2 ou E1) ;

○ de prédire l'abondance relative des produits obtenus à partir d'un composé halogéné et de certaines conditions expérimentales en raison de la compétition entre les réactions de substitution nucléophile et d'élimination ;

○ de prévoir les produits obtenus et les conditions expérimentales nécessaires au cours des réactions des composés halogénés avec le magnésium (organomagnésiens ou réactifs de Grignard) et le lithium (organolithiens) ;

○ de prévoir les produits obtenus et les conditions expérimentales nécessaires au cours des réactions de substitution nucléophile (sur des composés halogénés et des composés ayant un hydrogène acide) et d'addition nucléophile (sur des oxiranes, des groupements carbonyles et des nitriles) impliquant des composés organométalliques ;

○ de déterminer la structure d'un composé halogéné à l'aide de ses propriétés physiques et chimiques caractéristiques ;

○ de concevoir (séquence des étapes et conditions réactionnelles de chacune) la synthèse d'un composé en utilisant notamment les réactions des composés halogénés et des composés organométalliques.

EXERCICES SUPPLÉMENTAIRES

Propriétés physiques des composés halogénés

9.34 Expliquez les différences de point d'ébullition des composés halogénés suivants.

a) CH_3—Cl (−24,2 °C)   et CH_3—CH_2—CH_2—CH_2—Cl (78,4 °C)

b) CH_3—CH_2—CH_2—Br (71,0 °C)   et CH_3—CH_2—CH_2—Cl (46,6 °C)

c) Cl—CH_2—CH_2—Cl (83,5 °C)   et CH_3—CH_2—Cl (12,3 °C)

d) CH_3—CH_2—CH_2—Cl (46,6 °C)   et CH_3—$CH(Cl)$—CH_3 (36 °C)

9.35 Soit les isomères géométriques suivants.

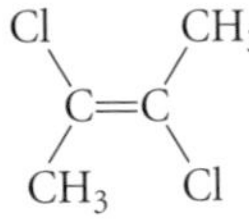

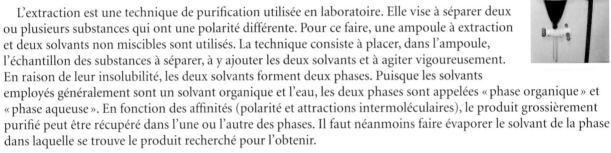

(*E*)-2,3-dichlorobut-2-ène
p. éb. : 102,0 °C

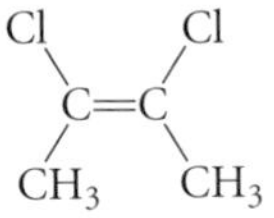

(*Z*)-2,3-dichlorobut-2-ène
p. éb. : 125,5 °C

Pourquoi le point d'ébullition de l'isomère *Z* est-il plus élevé que celui de l'isomère *E* ?

9.36 Dans l'ampoule à extraction ci-contre, deux phases sont distinctes : la phase aqueuse (mauve) et la phase organique (incolore). La phase organique est située au-dessus, car elle est constituée d'hexane, lequel possède une masse volumique inférieure à celle de l'eau. Ce sont les ions permanganate, solubles dans l'eau, qui donnent à celle-ci une coloration pourpre.

L'extraction est une technique de purification utilisée en laboratoire. Elle vise à séparer deux ou plusieurs substances qui ont une polarité différente. Pour ce faire, une ampoule à extraction et deux solvants non miscibles sont utilisés. La technique consiste à placer, dans l'ampoule, l'échantillon des substances à séparer, à y ajouter les deux solvants et à agiter vigoureusement. En raison de leur insolubilité, les deux solvants forment deux phases. Puisque les solvants employés généralement sont un solvant organique et l'eau, les deux phases sont appelées « phase organique » et « phase aqueuse ». En fonction des affinités (polarité et attractions intermoléculaires), le produit grossièrement purifié peut être récupéré dans l'une ou l'autre des phases. Il faut néanmoins faire évaporer le solvant de la phase dans laquelle se trouve le produit recherché pour l'obtenir.

En vous servant de vos connaissances, déterminez dans quelle phase seront placés les produits organiques suivants. Indiquez aussi s'il s'agit de la phase inférieure ou supérieure dans l'ampoule à extraction. (**Indice :** recherchez les masses volumiques des solvants.)

a) Solvants : H_2O et $CHCl_3$
   Produit à extraire : $CH_3CH_2CH_2CH_2CH_2Br$
b) Solvants : H_2O et CH_3Cl
   Produit à extraire : dichlorobenzène, $C_6H_4Cl_2$
c) Solvants : H_2O et CCl_4
   Produit à extraire : $HOCH_2CH_2COOH$

Réactions des composés halogénés

9.37 La réaction suivante de substitution nucléophile est-elle possible ? Expliquez brièvement.

$$CH_3-\underset{\underset{CH_3}{|}}{\overset{\overset{CH_3}{|}}{C}}-OH + NaBr \longrightarrow CH_3-\underset{\underset{CH_3}{|}}{\overset{\overset{CH_3}{|}}{C}}-Br + NaOH$$

9.38 Soit la réaction chimique suivante.

$$\underset{CH_3}{\overset{CH_2CH_3}{\underset{|}{I-C}}}\cdots H \quad + \quad :C\equiv N: \longrightarrow$$

Le substrat est optiquement actif. Au cours de cette réaction, le produit formé est également optiquement actif.

a) Indiquez le type de réaction.
b) Quelle est la loi de vitesse de la réaction?
c) Illustrez le mécanisme de cette réaction.
d) Déterminez les configurations absolues du substrat et du produit final.
e) Quelle est la relation entre la molécule de substrat et celle du produit final?

9.39 Le tableau suivant présente la vitesse relative d'une réaction de S_N2 typique en fonction de la nature du solvant. Expliquez les vitesses relatives observées.

Soit la réaction suivante.

$$CH_3-I \ + \ Cl^- \ \xrightarrow{\text{Solvant}} \ CH_3-Cl \ + \ I^-$$

Solvant	méthanol	formamide	N,N-diméthylformamide (DMF)	N,N-diméthylacétamide (DMA)
Structure	CH_3-OH	$\underset{}{\overset{O}{\overset{\|}{H-C}}-NH_2}$	$\underset{}{\overset{O}{\overset{\|}{H-C}}-N(CH_3)_2}$	$\underset{}{\overset{O}{\overset{\|}{CH_3-C}}-N(CH_3)_2}$
Vitesse relative	1	12,5	$1,2 \times 10^6$	$7,4 \times 10^6$

9.40 Classez les composés halogénés primaires suivants par ordre décroissant de leur vitesse de substitution nucléophile d'ordre 2. Expliquez votre classement.

9.41 Classez les composés halogénés tertiaires suivants par ordre croissant de leur vitesse de réaction dans l'eau (hydrolyse). Expliquez votre classement.

9.42 La *trans*-rhodophytine est un composé produit par une algue rouge dont la structure chimique renferme deux halogènes. Cette molécule est toxique et empêche ainsi les herbivores de consommer cette algue.

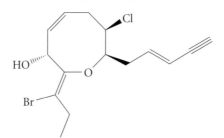

trans-rhodophytine

En présence d'un nucléophile peu basique, lequel des carbones serait le plus réactif? Expliquez votre choix.

9.43 Expliquez l'abondance relative des produits obtenus pour la réaction suivante.

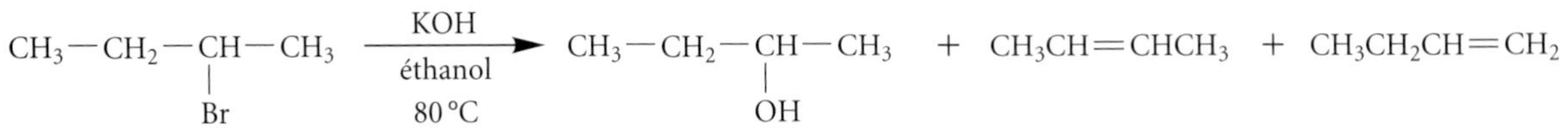

CH₃—CH₂—CH—CH₃ →(KOH, éthanol, 80 °C) CH₃—CH₂—CH—CH₃ + CH₃CH=CHCH₃ + CH₃CH₂CH=CH₂

2-bromobutane (Br) / butan-2-ol (OH) 9 % / but-2-ène 75 % / but-1-ène 16 %

9.44 Quel serait l'isomérie géométrique du but-2-ène produit dans l'exercice 9.43 si le substrat de départ était le (*R*)-2-bromobutane? Expliquez votre réponse à l'aide du mécanisme.

9.45 Comme cela a été démontré au cours de ce chapitre, le mécanisme de S$_N$1 est favorisé pour les carbocations stabilisés par des effets électroniques. C'est le cas des carbocations des composés halogénés allyliques et benzyliques (*voir la figure 9.11, p. 401*). Évaluez si le carbocation provenant du bronopol, un agent antimicrobien, favorise le mécanisme de S$_N$1.

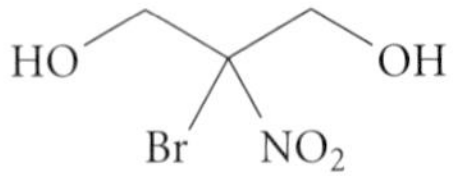

HO / OH / Br / NO₂ / bronopol

9.46 La réaction d'élimination d'ordre 2 (E2) s'effectue facilement avec le *cis*-1-bromo-4-*tert*-butylcyclohexane. Faut-il s'attendre à la même chose avec l'isomère géométrique correspondant, soit le *trans*-1-bromo-4-*tert*-butylcyclohexane? Expliquez votre réponse.

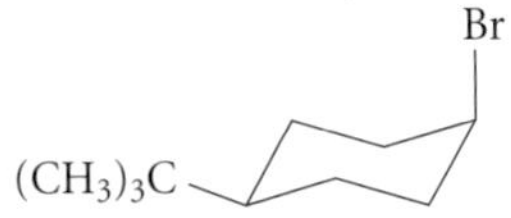

(CH₃)₃C ... Br

cis-1-bromo-4-*tert*-butylcyclohexane    *trans*-1-bromo-4-*tert*-butylcyclohexane

9.47 Dessinez le mécanisme menant au produit de l'élimination d'ordre 2 (E2) pour le *cis*-1-bromo-4-*tert*-butylcyclohexane de l'exercice 9.46, en présence du 2-méthylpropan-2-olate de potassium (CH₃)₃COK dans l'alcool *tert*-butylique.

9.48 Dessinez le mécanisme d'une élimination d'ordre 2 (E2) à partir du (*S*)-2-bromo-3-méthylbutane en présence d'une base forte (B).

9.49 Vous travaillez comme chimiste dans un laboratoire et vous souhaitez synthétiser le composé suivant.

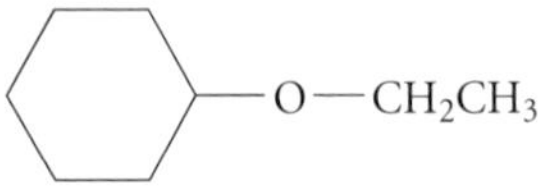

O—CH₂CH₃

Parmi les deux voies de synthèse (A et B) suivantes, laquelle devrait être retenue afin de favoriser votre composé? Expliquez votre réponse.

Voie A) CH₃CH₂—Br + [cyclohexyl]—O⁻ → [cyclohexyl]—O—CH₂CH₃

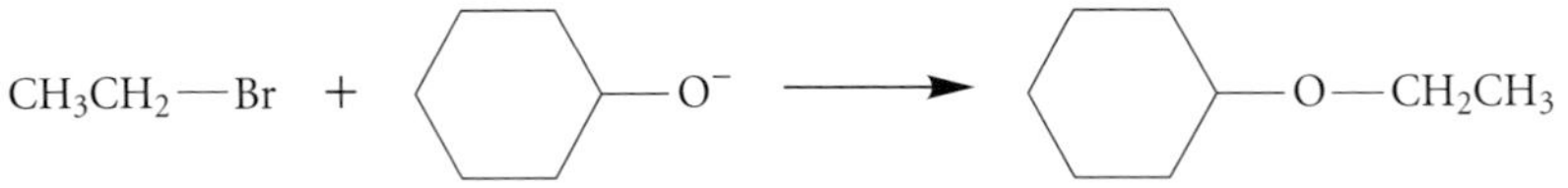

Voie B) CH₃CH₂—O⁻ + [cyclohexyl]—Br → [cyclohexyl]—O—CH₂CH₃

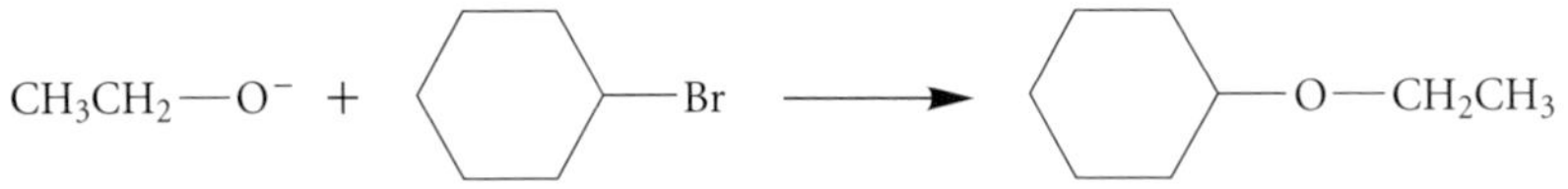

9.50 Soit la réaction suivante.

CH₃CH₂—Cl + [phényl]—O⁻ →

a) Sachant que cette réaction se déroule à basse température, indiquez le type de réaction.
b) Illustrez le mécanisme de la réaction en prenant soin de dessiner le complexe activé à l'état de transition.
c) Quel sera l'effet sur la vitesse de la réaction si l'hydrogène en position *para* du nucléophile est remplacé par les substituants chloro et méthyle pour donner les nucléophiles suivants?

Cl—[phényl]—O⁻   CH₃—[phényl]—O⁻

9.51 Complétez le tableau suivant en utilisant le 2-bromo-3-phénylbutane comme substrat.

Réactif	Température	Produit majoritaire	Type de réaction
?	?	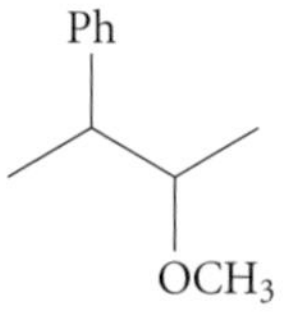	S_N2
H_2O	Basse	?	?
OH^-	?	?	E2
?	?	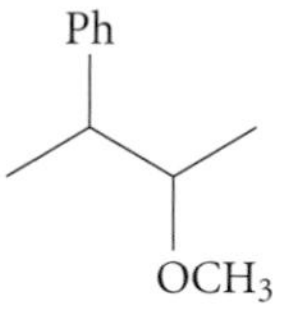	S_N1
CH_3S^-	?	?	S_N2
$(CH_3)_3CO^-$	?	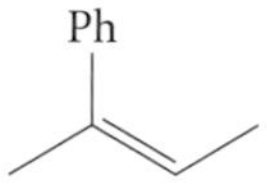	?

9.52 Soit la réaction suivante.

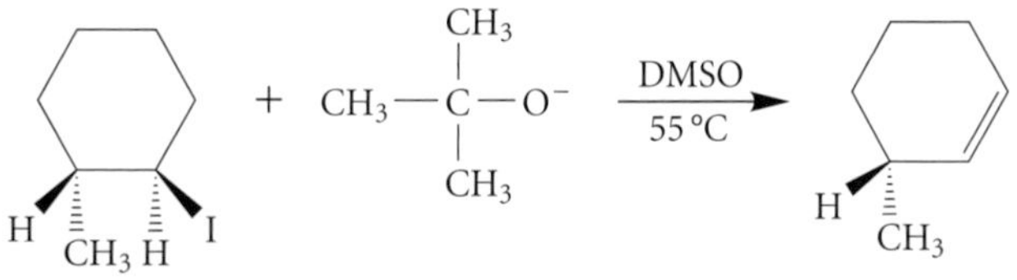

a) Quel aurait été le produit majoritaire attendu en appliquant la règle de Saytzev?

b) Expliquez pourquoi le produit de cette réaction ne suit pas la règle de Saytzev.

9.53 En laboratoire, vous tentez d'obtenir un produit final précis. Toutefois, les expériences ont été décevantes, car vous avez obtenu un mélange de produits.

a) Dans la réaction suivante, quelles modifications apporteriez-vous afin que le produit minoritaire devienne majoritaire?

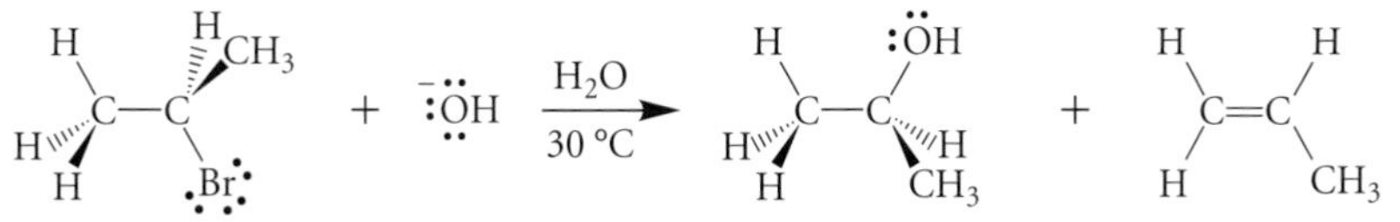

b) Quelles modifications apporteriez-vous afin d'optimiser la réaction suivante et d'obtenir uniquement le produit de configuration absolue R?

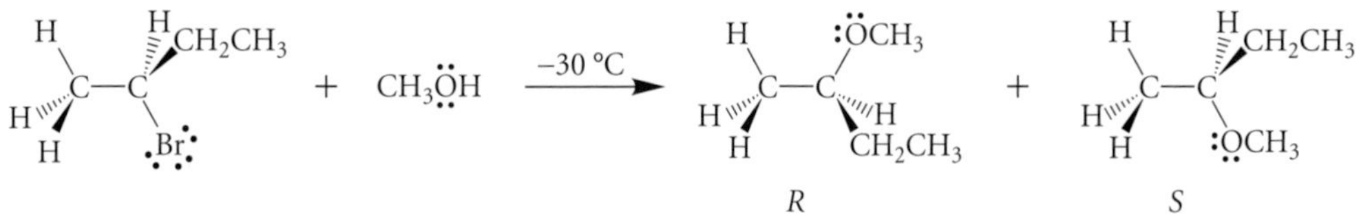

9.54 Le chlorambucil, commercialisé sous le nom Leukeran, est un médicament anticancéreux utilisé en chimiothérapie pour le traitement, entre autres, de certaines leucémies et certains cancers du système lymphatique. Il s'attaque aux cellules en tant qu'agent alkylant de la guanine, l'une des bases azotées de l'ADN. Cette alkylation du matériel génétique inhibe ainsi la reproduction des cellules. Le chlorambucil a un plus grand effet sur les cellules cancéreuses, puisque celles-ci prolifèrent plus rapidement que les cellules normales.

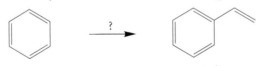

chlorambucil   guanine

L'alkylation de la guanine par le chlorambucil se fait selon un mécanisme de substitution nucléophile d'ordre 2. C'est l'azote à la position 7 qui réagit en tant que nucléophile sur le chlorambucil (impliquant un seul chlore).

a) Dessinez ce mécanisme d'alkylation anticancéreux.

b) Le caractère nucléophile de l'azote à la position 7 de la guanine est enrichi par un effet électronique. Lequel?

c) Après l'alkylation de la guanine, à quoi peut servir l'autre atome de chlore sur le chlorambucil qui n'a pas réagi?

d) Le chlorambucil peut-il réagir avec l'eau (hydrolyse) contenue dans les cellules?

9.55 Soit la réaction suivante qui se déroule à basse température.

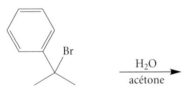

2-bromo-2-phénylpropane

a) Complétez cette réaction en écrivant la structure du produit organique majoritaire. Nommez-le selon les règles de l'UICPA.

b) Quels seront les produits obtenus si la réaction est réalisée dans un mélange équimolaire eau-éthanol?

c) Prédisez les vitesses relatives des réactions déterminées en b). Pour chacun des cas, écrivez la loi de vitesse.

9.56 Lorsque le (*R*)-2-bromopentane réagit avec le NaOH ou l'eau selon des conditions expérimentales variées (p. ex.: température, solvant), il est possible d'obtenir jusqu'à cinq produits différents en trois dimensions. À l'aide d'un organigramme, dessinez la structure de ces produits selon le type de réaction (S_N2, S_N1, E2 ou E1) et nommez-les selon les règles de l'UICPA.

9.57 Effectuez la synthèse suivante en ayant recours à un réactif de Grignard.

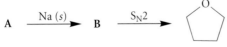

styrène
(monomère du polystyrène servant,
entre autres, dans l'emballage des
matières fragiles et comme isolant
thermique des verres à café)

9.58 Proposez deux voies de synthèse du propyne en ayant recours uniquement au $NaNH_2$ et à un substrat halogéné de votre choix.

9.59 Proposez une synthèse du propan-1-ol en ayant recours au bromure de méthylmagnésium (CH_3MgBr) et au substrat de votre choix.

9.60 Soit la réaction suivante.

A $\xrightarrow{Na\,(s)}$ B $\xrightarrow{S_N2}$

oxolane
(tétrahydrofurane)
Éther cyclique

Dessinez la structure des composés A et B. Quelle est la particularité de cette réaction? (**Indice:** le rôle du sodium consiste à déprotoner le groupement alcool du composé A.)

9.61 Comme cela a été présenté dans l'ouverture de ce chapitre, au cours de la Première Guerre mondiale, un gaz asphyxiant appelé « gaz moutarde » a été employé par les soldats. L'armée allemande a été la première à en faire usage durant l'été 1917. Les victimes souffraient de graves brûlures et mouraient souvent quelque temps plus tard de pneumonie, car ce composé halogéné réagit avec l'eau (incluant l'humidité de la peau et des poumons) pour libérer de l'acide.

Dessinez le mécanisme de cette réaction à trois étapes en vous inspirant pour la première étape de la particularité vue dans l'exercice 9.60.

$$Cl\diagdown\diagup\diagdown S\diagdown\diagup\diagdown Cl$$

1-chloro-2-[(2-chloroéthyl)sulfanyl]éthane
(gaz moutarde)

Réactions à compléter et synthèses organiques

9.62 Complétez les réactions suivantes en représentant seulement les produits organiques majoritaires.

a) $CH_3-CH-CH-CH_2-CH_3 \ + \ NaNH_2 \text{ (excès)} \xrightarrow{\ NH_3\ }$
           | |
           Cl   Cl

b) [structure] $+ \ NaI \xrightarrow{\text{acétone}}$

c) [structure] $+ \ NaOH \xrightarrow{\ \Delta\ }$

d) [structure] $+ \ NaCN \longrightarrow$

e) [structure] $+ \ KOH \xrightarrow{\ \Delta\ }$

f) $CH_3-CH_2-CH_2-Br \ + \ H_2O \longrightarrow$

g) [structure]$-MgBr \xrightarrow[\text{2) } H_2O, H_3O^+]{\text{1) } \triangle O}$

h) [structure]$-MgBr \ + \ $[structure]$=O \xrightarrow{\ H_2O, H_3O^+\ }$

9.63 Déterminez les composés correspondant aux lettres A à H dans les séquences suivantes de réactions chimiques.

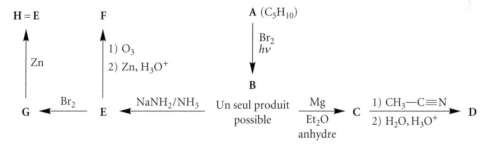

9.64 Déterminez les composés correspondant aux lettres A à K dans les séquences suivantes de réactions chimiques.

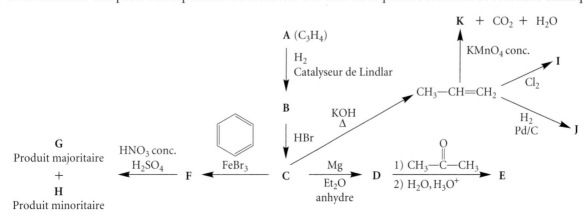

9.65 Synthétisez les produits finaux demandés.

Attention !
- Écrivez toutes les conditions expérimentales nécessaires.
- Utilisez tous les réactifs inorganiques de votre choix.
- Utilisez seulement les réactifs organiques provenant du substrat de départ.
- N'inscrivez aucun mécanisme.

a) $CH_3-CH_3 \xrightarrow{\text{?}} CH_3-CH_2-Cl$

b) $CH\equiv CH \xrightarrow{\text{?}} CH_3-CH_2-Cl$

c) 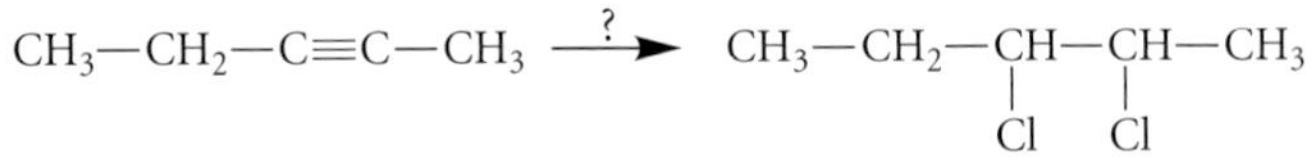 $CH_3-CH_2-C\equiv C-CH_3 \xrightarrow{\text{?}} CH_3-CH_2-\underset{\underset{Cl}{|}}{CH}-\underset{\underset{Cl}{|}}{CH}-CH_3$

d) 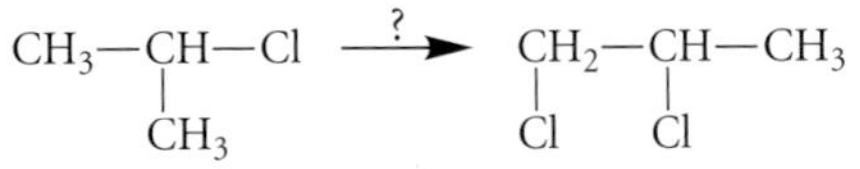 $CH_3-\underset{\underset{CH_3}{|}}{CH}-Cl \xrightarrow{\text{?}} \underset{\underset{Cl}{|}}{CH_2}-\underset{\underset{Cl}{|}}{CH}-CH_3$

e) 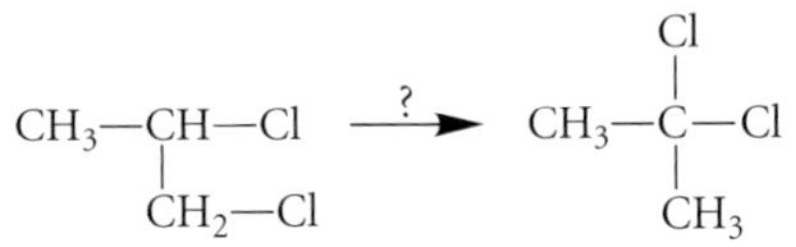 $CH_3-\underset{\underset{CH_2-Cl}{|}}{CH}-Cl \xrightarrow{\text{?}} CH_3-\underset{\overset{\overset{Cl}{|}}{\underset{CH_3}{|}}}{C}-Cl$

f) $CH\equiv CH \xrightarrow{\text{?}} CH_3-CH_2-CH=CH-CH_2-CH_3$

g) 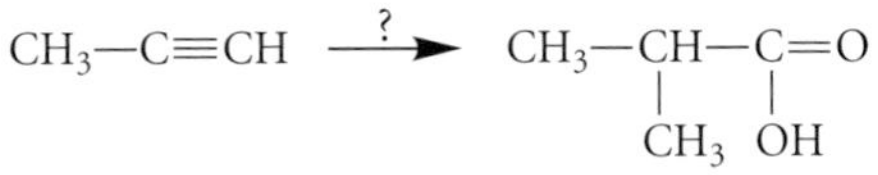 $CH_3-C\equiv CH \xrightarrow{\text{?}} CH_3-\underset{\underset{CH_3}{|}}{CH}-\underset{\underset{OH}{|}}{C}=O$

h) $CH\equiv CH \xrightarrow{\text{?}} CH_3-CH_2-CH_2-CH_2-OH$

i)

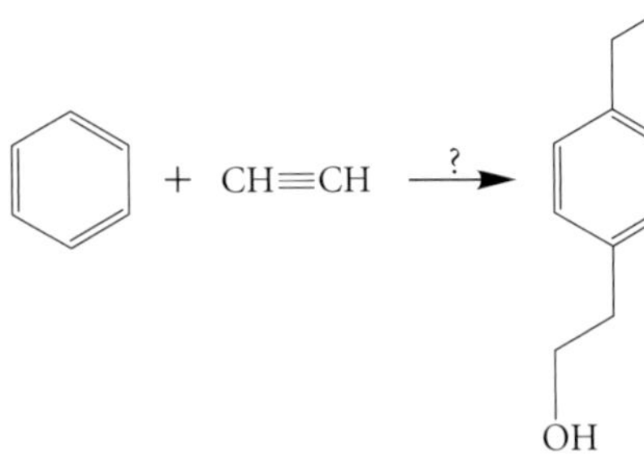

Problèmes à indices

Pour les problèmes suivants, découvrez la structure du composé grâce aux indices fournis ci-dessous. Pour chaque indice, expliquez l'information que vous en avez tirée. Écrivez toutes les étapes du raisonnement menant à votre réponse.

9.66 1) La formule moléculaire du composé A est $C_{10}H_{21}Br$.

2) Lorsque le composé A est traité avec une solution diluée de NaOH, un alcool tertiaire est formé.

3) Si le composé A est traité avec la base forte KNH_2 dans l'ammoniac, deux produits (en deux dimensions) sont possibles, l'un majoritaire (composé B) et l'autre minoritaire (composé C).

4) Deux isomères géométriques (*E* et *Z*) sont possibles pour le composé C. Cependant, il n'y a aucune isomérie géométrique possible pour le composé B.

5) Lorsque le composé B subit une ozonolyse oxydante, un seul produit est formé, soit une cétone de formule moléculaire $C_5H_{10}O$.

Déterminez les structures simplifiées des composés A, B et C.

9.67 Un composé A possède neuf atomes de carbone, un atome de brome, aucune insaturation et aucun cycle. Lorsque le composé A est traité avec de l'eau, un composé unique B, résultant d'une substitution nucléophile d'ordre 1, est obtenu. Ce dernier est optiquement inactif. Lorsque le composé A est traité avec de l'hydroxyde de potassium (KOH) à chaud ou à froid, le même composé unique B est obtenu. Illustrez les composés A et B à l'aide des formules semi-développées.

10 Alcools, phénols et thiols

$$CH_3\!-\!CH_2\!-\!OH$$
éthanol

L'éthanol, l'alcool trouvé dans les boissons alcoolisées, est une molécule généralement obtenue à la suite de la fermentation du sucre. Il est possible de fabriquer une grande variété de ces boissons par la fermentation de divers fruits, graines et céréales. Par exemple, l'orge donne la bière, le raisin donne le vin, le riz donne le saké, le malt donne le whisky, etc. Le Canada est réputé pour ses boissons alcoolisées issues de récoltes tardives (après les premiers gels), notamment pour ses vins de glace (Ontario) et ses cidres de glace (Québec).

Éléments de compétence

- Déterminer la réactivité de fonctions organiques simples comme alcanes, alcènes, alcynes, organomagnésiens, dérivés halogénés, alcools à l'aide des principaux types de mécanisme de réactions : S_N1, S_N2, E1, E2.

- Concevoir théoriquement des méthodes de synthèse de composés organiques simples à partir de produits donnés.

cheneliere.ca/chimieorganique **www**

› Mots clés

La nature regorge de composés organiques renfermant le groupement fonctionnel alcool. Le plus connu d'entre eux est, bien entendu, l'éthanol. Cette molécule euphorisante présente dans les boissons alcoolisées est d'ailleurs à l'origine du mot « alcool » qui provient du latin *alko(ho)l* signifiant « esprit du vin, dernier produit de la distillation du vin ».

Le plus petit composé de la famille des alcools est le méthanol, une molécule très toxique en raison des produits d'oxydation formés lorsque le foie le métabolise. Boire accidentellement du méthanol peut avoir de sévères répercussions. En effet, l'enzyme alcool déshydrogénase (ADH) transforme le méthanol en formaldéhyde (HCOH) et en acide formique (HCOOH), des molécules qui peuvent s'en prendre au nerf optique et provoquer ainsi la cécité (ingestion d'environ 15 mL de méthanol), voire la mort (ingestion d'environ 100 mL de méthanol). C'est d'ailleurs la raison pour laquelle le méthanol commercialisé a toujours une teinte colorée, généralement bleue, bien qu'il soit incolore. À des fins de sécurité, la coloration du méthanol permet ainsi d'éviter toute confusion avec l'éthanol.

Le méthanol est aussi appelé « alcool de bois », car les Égyptiens l'obtenaient à partir de la pyrolyse (décomposition par la chaleur en l'absence d'oxygène) du bois. Ce composé servait principalement pour leurs embaumements.

L'éthanol, pour sa part, possède un goût moins sucré que le méthanol et n'est pas toxique. Aussi surprenant que cela puisse paraître, il est d'ailleurs l'antidote par excellence pour combattre une intoxication au méthanol. Par la consommation d'une grande quantité d'éthanol, les enzymes ADH se saturent et ne peuvent ainsi plus transformer le méthanol en ses dérivés nocifs. Le méthanol est alors excrété de l'organisme, sans provoquer les effets néfastes décrits plus haut. Pour en connaître davantage sur l'éthanol, il est possible de consulter la rubrique « Chroniques d'une molécule – La chimie du vin... et de la bière » (*voir p. 442*). Le tableau 10.1 présente un bref aperçu de quelques alcools courants ainsi que certaines de leurs caractéristiques et applications.

Les **alcools** et les **phénols** sont des molécules organiques pourvues d'un **groupement hydroxyle** (—OH) dont l'atome d'oxygène est lié de façon covalente à un atome de carbone. Leurs structures générales sont respectivement R—OH et Ar—OH. Dans le cas des phénols, le groupement hydroxyle est directement lié à un cycle benzénique, ce qui leur confère une réactivité chimique particulière, due au phénomène de résonance. Pour leur part, les **thiols** et les **thiophénols** sont des molécules possédant un **groupement sulfanyle** (—SH). Leurs structures sont respectivement R—SH et Ar—SH. La réactivité des thiols est similaire à celle des alcools, alors que la réactivité des thiophénols est analogue à celle des phénols. Cette similitude s'explique par le fait qu'un atome d'oxygène a été remplacé par un atome de la même famille, soit le soufre. En effet, des atomes possédant le même nombre d'électrons de valence présentent des propriétés chimiques semblables. Les propriétés physiques et chimiques de ces différents groupements fonctionnels seront étudiées dans ce chapitre.

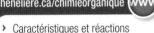

cheneliere.ca/chimieorganique

› Caractéristiques et réactions des thiols et des thiophénols

Tableau 10.1 — Alcools simples courants, leurs caractéristiques et leurs applications

Nom	Structure	Caractéristiques	Applications
méthanol	CH_3—OH	• Autre appellation : « alcool de bois » • Molécule très toxique qui peut causer la cécité et même la mort, après ingestion.	• Antigel dans les lave-glaces • Combustible à fondue
éthanol	CH_3—CH_2—OH	• Autre appellation : « alcool de grains » • Produit de la fermentation des sucres	• Molécule présente dans les boissons alcoolisées • Additif à l'essence • Solvant largement exploité en laboratoire[a]
éthane-1,2-diol (éthylèneglycol)	HO—CH_2—CH_2—OH	• Liquide visqueux, incolore et inodore, possédant un goût sucré • Molécule toxique : l'ingestion d'éthylèneglycol peut mener à une insuffisance rénale, car le corps métabolise cette substance en acide éthanedioïque qui précipite dans les reins[b].	• Antigel dans les liquides de refroidissement des radiateurs d'automobiles
propan-2-ol (alcool isopropylique)	CH_3—CH(OH)—CH_3	• Molécule qui, si elle est consommée, peut affecter le système nerveux central et entraîner une irritation du tube digestif, des vomissements et des diarrhées.	• Jusqu'à tout récemment, constituant principal de l'alcool à friction[c] • Utilisé pour stériliser les instruments médicaux • Dissolvant • Décapant

▶ **Tableau 10.1** (*suite*)

Nom	Structure	Caractéristiques	Applications
propane-1,3-diol	$HO—CH_2—CH_2—CH_2—OH$	• Liquide visqueux, incolore et presque inodore	• Utilisé dans la fabrication de certains polymères tels que le PTT, une matière première dans les fibres des tapis • Solvant
propane-1,2,3-triol (glycérol ou glycérine)	$HO—CH_2—CH(OH)—CH_2—OH$	• Liquide visqueux au goût sucré (0,6 fois celui du saccharose) • Molécule non toxique qui possède des propriétés diurétiques et laxatives.	• Agent hydratant et lubrifiant dans les cosmétiques, les savons, les crèmes hydratantes, les dentifrices et les médicaments (suppositoires, sirops, etc.) • Émulsifiant, humectant, support d'arôme dans de nombreux produits alimentaires

a. L'éthanol utilisé en recherche scientifique, en tant que solvant, doit être rendu inconsommable selon les lois. De faibles quantités de dénaturants tels que le méthanol et le propan-2-ol y sont donc ajoutées.

b. Par exemple, pendant la crise du verglas au Québec en janvier 1998, des chiens sont décédés après avoir bu ce liquide très sucré. Les propriétaires avaient mis de l'antigel dans les toilettes afin de protéger leurs installations sanitaires du gel au moment des pannes électriques, et certains chiens ont malheureusement consommé cette eau…

c. L'alcool à friction est, de nos jours, principalement constitué d'éthanol (70 %), de Bitrex, de camphre, de phtalate de diéthyle et d'eau.

10.1 Classification des alcools

La classification des alcools, similaire à celle des composés halogénés, dépend du nombre de groupements alkyles (R) liés au carbone α, soit le carbone hybridé sp^3 porteur du groupement hydroxyle. Les alcools sont dits «primaires», «secondaires» ou «tertiaires» si un, deux ou trois groupements alkyles sont respectivement liés au carbone α (*voir la figure 10.1*). Le méthanol, pour sa part, est un alcool nullaire, mais il est habituellement classé en tant qu'alcool primaire ayant une réactivité similaire. Plusieurs réactions chimiques des alcools, détaillées au cours de ce chapitre, dépendent de cette classification.

Figure 10.1
Catégories des alcools –
a) Primaires (1°);
b) Secondaires (2°);
c) Tertiaires (3°)

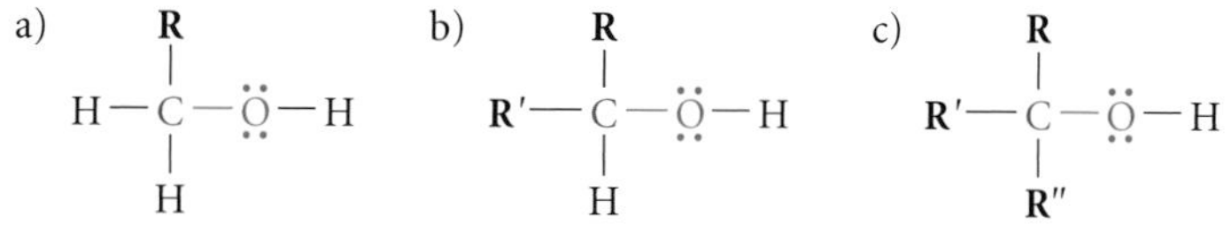

a) Alcool primaire (1°) b) Alcool secondaire (2°) c) Alcool tertiaire (3°)

R, R', R'' = différents groupements alkyles

Exercice 10.1 Classez les alcools suivants en alcools primaires, secondaires ou tertiaires.

a)

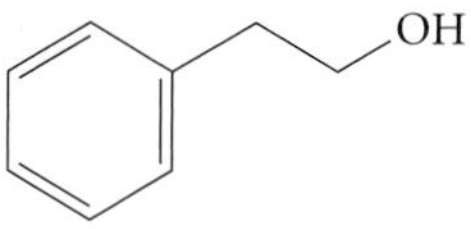

2-phényléthanol

Alcool naturel qui est responsable du parfum enivrant de la rose.

b)

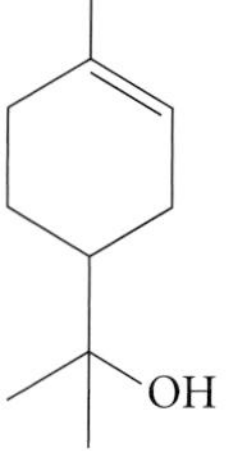

α-terpinéol

Alcool monoterpénique qui possède des propriétés antiseptiques.

c)

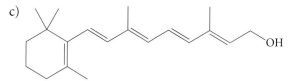

vitamine A

Vitamine liposoluble impliquée dans le développement des os et la pigmentation des yeux.

d)

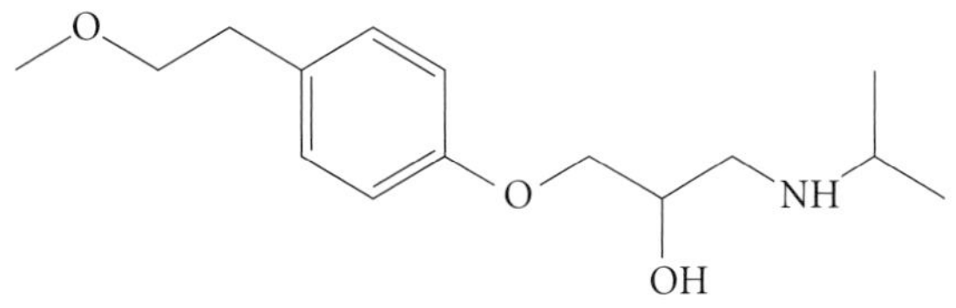

métoprolol

Médicament connu entre autres sous le nom de Lopressor. Il abaisse l'hypertension artérielle et prévient l'angine de poitrine. Il peut être utilisé après un infarctus du myocarde.

e)

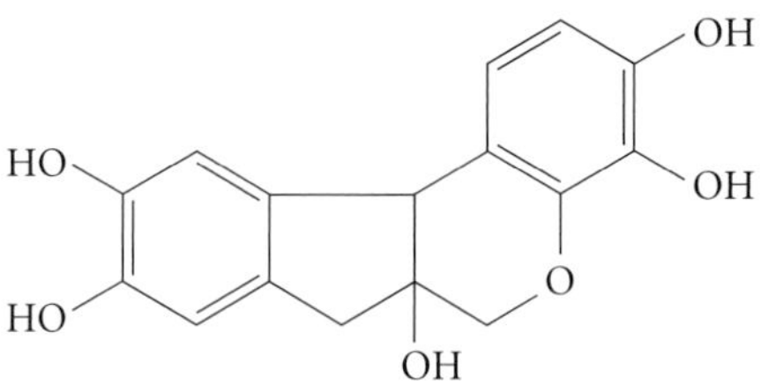

hématoxyline

Molécule utilisée comme colorant en microscopie qui permet d'identifier des tissus.

CHRONIQUES D'UNE MOLÉCULE

La chimie du vin… et de la bière
Par Steve Gillet, maître-assistant à la Haute École Charlemagne (Liège, Belgique)

À peine l'Homme eut-il appris à cultiver la terre qu'il se mit à vinifier le moût. Un peu plus tard, le vin eut même droit à ses dieux, Dionysos et Bacchus. Jésus en fit son sang et, par la suite, Saint-Vincent devint le protecteur des vignerons. Des nobles aux manants en passant par les religieux, le vin s'est régulièrement invité à toutes les tables durant l'histoire de l'Humanité. Il fallait donc que les scientifiques se penchent sur son cas à un moment ou à un autre.

Louis Joseph Gay-Lussac (1778-1850), à la fin du XIXe siècle, fut l'un des premiers à s'y intéresser d'un point de vue scientifique. C'est d'ailleurs lui qui a proposé la méthode pour mesurer le titre alcoométrique volumique (ou degré alcoolique) qui, comme son nom l'indique, désigne la proportion, en volume, d'alcool éthylique dans une boisson alcoolisée. Il en profita également pour établir les proportions relatives d'éthanol et de dioxyde de carbone produites par fermentation à partir du sucre[1].

Quelques années plus tard, **Louis Pasteur** (1822-1895) proposa la pasteurisation pour améliorer la conservation du vin, car, à l'époque, les maladies grèvent le commerce français.

Un peu plus tard encore, **Eduard Buchner** (1860-1917) mit en évidence le caractère enzymatique de la fermentation alcoolique (*voir le schéma ci-dessous*). Au cours de la glycolyse, le glucose est transformé en acide pyruvique. Durant ce processus, la coenzyme nicotinamide adénine dinucléotide passe de sa forme oxydée (NAD[+]) à sa forme réduite (NADH,H[+]). L'acide pyruvique, pour sa part, est décarboxylé en acétaldéhyde grâce à la pyruvate décarboxylase. Finalement, l'alcool déshydrogénase catalyse la réduction de l'acétaldéhyde en éthanol[2] par le NADH,H[+] qui est réoxydé en NAD[+].

De toute évidence, l'éthanol a toujours été considéré comme le principe actif le plus important du vin et, pourtant, il ne contribue guère qu'à lui donner ses «jambes» (gouttelettes qui glissent sur la paroi du verre après l'avoir fait tournoyer) et à couper celles des imprudents qui en consomment trop!

Le vin contient également d'autres composés renfermant des fonctions alcools ou des phénols[3]:
- des polyols, notamment le glycérol qui contribue à son moelleux et le *myo*-inositol (membre déchu des vitamines B) qui est un facteur de croissance pour certaines levures;

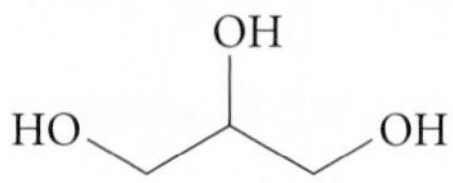

glycérol

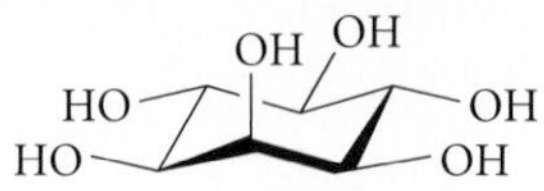

myo-inositol

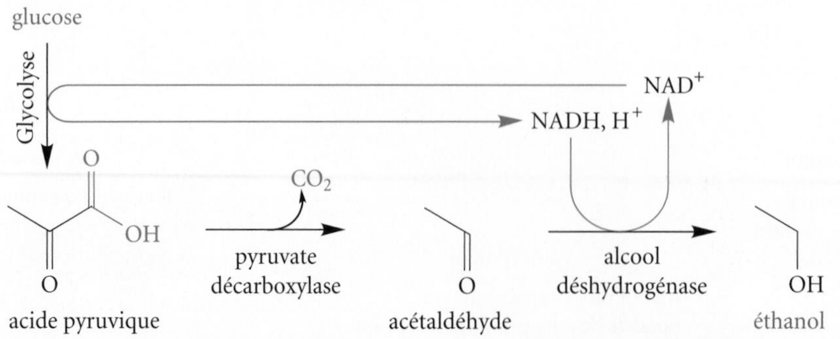

glucose

Glycolyse

NAD[+]

NADH, H[+]

acide pyruvique

pyruvate décarboxylase

CO_2

acétaldéhyde

alcool déshydrogénase

éthanol

- des glucides, comme le glucose et le fructose, qui lui donnent son goût sucré;

glucose   fructose

- des alcools terpéniques, qui contribuent aux arômes de citronnelle (citronellol), de fleur d'oranger (linalol), de magnolia (géraniol), etc.;

citronellol   linalol   géraniol

- des polyphénols, qui contribuent à sa couleur et à son astringence.

Exemple de polyphénol

Ces derniers sont à l'origine d'un regain d'intérêt des scientifiques pour le vin. En effet, ces substances pourraient bien être à l'origine du «paradoxe français» dont il est question régulièrement depuis les travaux du docteur Serge Renaud. Les polyphénols présenteraient de nombreuses propriétés[4]:

- antiagrégant plaquettaire;
- anti-inflammatoire;
- anticancéreux curatif et préventif.

Bref, le vin serait, à peu de choses près, la panacée.

Cela dit, comme l'a écrit Baudelaire: «Le vin est semblable à l'homme: on ne saura jamais jusqu'à quel point on peut l'estimer et le mépriser, l'aimer et le haïr, ni de combien d'actions sublimes ou de forfaits monstrueux il est capable. Ne soyons donc pas plus cruels envers lui qu'envers nous-mêmes, et traitons-le comme notre égal[5].» Ainsi, si plusieurs composants du vin sont bénéfiques, il n'en contient pas moins une quantité importante d'éthanol dont l'abus reste un grave problème de société. Il convient donc de se rappeler que le vin est bien meilleur lorsqu'il est consommé avec modération.

Et la bière dans tout cela? Il semblerait qu'un verre de bière ou un verre de vin présentent des propriétés antioxydantes équivalentes, et ce, même si le vin rouge contient 20 fois plus de polyphénols que la bière. Autre point commun entre le vin et la bière: si la prise d'un seul verre par jour contribue à prévenir des maladies telles que le cancer, le diabète, les problèmes cardiaques et la cataracte, la prise de trois verres ou plus par jour, *a contrario*, en augmente les risques[6].

Par contre, la caractéristique qui différencie le plus la bière du vin et qui la fait tant aimer des uns et détester des autres, c'est sans aucun doute son amertume. Cette dernière est due au houblon (*Humulus lupulus*), une plante de la famille des Cannabinacées, qui contient des humulones. Ces molécules ne sont que faiblement amères, mais le brassage les transforme en isohumulones dont l'intensité d'amertume est proche de la quinine. Ce sont donc les isohumulones qui donnent aux diverses bières leurs goûts si caractéristiques (*voir page suivante*).

Pour en finir avec la bière, pourquoi les bouteilles de bière sont-elles habituellement en verre fumé? La réponse est simple. Sous l'effet de la lumière, les isohumulones se dissocient en une paire de radicaux, dont un radical acyle. Ce dernier élimine facilement du monoxyde de carbone (CO) pour se recombiner avec un radical thiol et produire le 3-méthylbut-2-ène-1-thiol. Le goût de cette molécule est tellement atroce que quelques parties par milliard (ppb) suffisent à gâcher le goût d'une bière[7].

L'appellation «alcool» est habituellement associée à l'éthanol. Mais que devient donc ce dernier une fois absorbé? Environ 2 à 10 % de l'éthanol est simplement éliminé sans modifications, par voies urinaire et sudorale, ainsi que par l'air expiré. C'est cette proportion qui permet la détection de la prise récente de boissons alcoolisées en «soufflant dans le ballon». Environ 75 % de la dose ingérée est oxydée par le foie, et le reste l'est dans les tissus extrahépatiques. La voie hépatique procède par les actions successives de deux déshydrogé-nases ayant toutes deux le nicotinamide adénine dinu-cléotide (NAD⁺) comme coenzyme. Les autres voies d'oxydation comprennent entre autres l'action d'une catalase. Dans les deux cas, l'éthanol est d'abord oxydé en éthanal, lequel est à son tour oxydé en ion éthanoate. De là à dire que l'alcool rend « pisse-vinaigre » les lende-mains de soirées trop arrosées, il n'y a qu'un pas…

humulones

isohumulones

⌇⌇⌇ = Stéréochimie non précisée

Brassage

Lumière UV ou visible

+

3-méthylbut-2-ène-1-thiol

10.2 Propriétés physiques des alcools et des phénols

Les molécules d'alcool et de phénol renferment une liaison covalente O—H fortement polaire en raison de la grande différence d'électronégativité (ΔÉn = 1,24) entre l'atome d'hydrogène et l'atome d'oxygène. L'oxygène, étant l'atome le plus électronégatif, porte la charge partielle négative, alors que l'atome d'hydrogène porte la charge partielle positive. Comme cela est illustré dans la figure 10.2 a), cette importante polarisation permet aux molécules d'alcool et de phénol de réaliser de fortes attractions intermolé-culaires de type ponts hydrogène (*voir la section 1.10.2, p. 31*). Par conséquent, les alcools et les phénols ont des points d'ébullition relativement plus élevés comparativement aux alcanes et aux éthers de masses molaires similaires, ces derniers ne pouvant pas réaliser de ponts hydrogène entre leurs molécules (*voir la figure 10.2 b*).

Les alcools sont généralement solubles dans l'eau, puisque ces deux types de molé-cules peuvent effectuer des ponts hydrogène. Les alcools de faible masse molaire sont solubles en toutes proportions dans l'eau. Or, à mesure que la chaîne de carbones des alcools s'allonge, il devient de plus en plus difficile pour les molécules d'eau de rompre leur réseau de ponts hydrogène pour interagir avec des molécules portant de longues chaînes hydrophobes et pour réaliser des attractions intermoléculaires moins fortes telles que les forces de dispersion de London. La solubilité des alcools diminue dans l'eau au fur et à mesure que le nombre de carbones que porte la structure augmente[8].

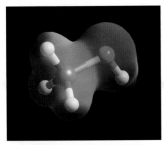

Carte de potentiel électrostatique du méthanol démontrant la zone riche en électrons (en rouge) de l'oxygène et les zones pauvres en électrons (en bleu) du carbone et de l'hydrogène directement liés à l'oxygène

Figure 10.2

a) Illustration de ponts hydrogène entre des molécules d'alcool et entre des molécules de phénol ; b) Comparaison des points d'ébullition de composés organiques de masses molaires similaires

a)

Remarque : Les ponts H sont représentés par des pointillés rouges.

Ponts hydrogène formés entre des molécules d'alcool

Ponts hydrogène formés entre des molécules de phénol

▶ b)

	 butan-1-ol	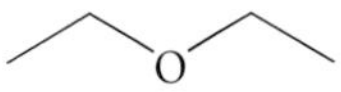 éthoxyéthane (éther éthylique)	 pentane
Masse molaire (g/mol):	74,12	74,12	72,15
p. éb. (°C):	117,7	34,6	36,1

	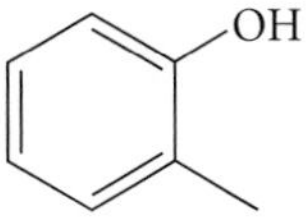 o-crésol	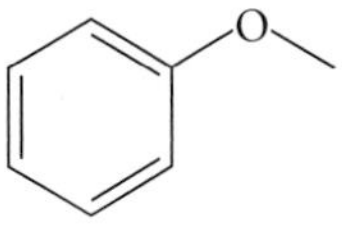 anisole	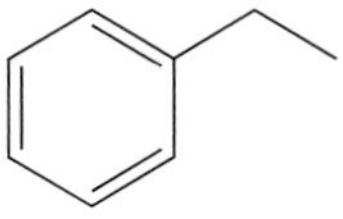 éthylbenzène
Masse molaire (g/mol):	108,14	108,14	106,17
p. éb. (°C):	191,0	153,7	136,1

Par contre, le point d'ébullition des alcools augmente à mesure que la chaîne de carbones s'allonge, car les forces de dispersion de London sont de plus en plus nombreuses (*voir le tableau 10.2*).

Tableau 10.2   **Propriétés physiques de différents alcools**

Nom systématique	Formule semi-développée	Point d'ébullition (°C)	Solubilité dans l'eau à 20 °C (g/100 mL)
méthanol	CH_3-OH	64,6	Miscible
éthanol	CH_3-CH_2-OH	78,2	Miscible
propan-1-ol	$CH_3-CH_2-CH_2-OH$	97,2	Miscible
propan-2-ol	$CH_3-CH-OH$ $\quad\quad\;\;\vert$ $\quad\quad CH_3$	82,3	Miscible
butan-1-ol	$CH_3-CH_2-CH_2-CH_2-OH$	117,7	7,9
2-méthylpropan-2-ol	$\quad\quad\;\; CH_3$ $\quad\quad\;\;\vert$ CH_3-C-OH $\quad\quad\;\;\vert$ $\quad\quad\;\; CH_3$	82,4	Miscible
pentan-1-ol	$CH_3-CH_2-CH_2-CH_2-CH_2-OH$	137,9	2,2
2-méthylbutan-1-ol	$\quad\quad\quad\quad\; CH_3$ $\quad\quad\quad\quad\;\vert$ $CH_3-CH_2-CH-CH_2-OH$	128	10,0
2,2-diméthylpropan-1-ol	$\quad\quad\;\; CH_3$ $\quad\quad\;\;\vert$ CH_3-C-CH_2-OH $\quad\quad\;\;\vert$ $\quad\quad\;\; CH_3$	113,5	10,2
hexan-1-ol	$CH_3-CH_2-CH_2-CH_2-CH_2-CH_2-OH$	157,6	0,6
heptan-1-ol	$CH_3-CH_2-CH_2-CH_2-CH_2-CH_2-CH_2-OH$	176,4	0,02

Les phénols, quant à eux, sont moins solubles dans l'eau que ne le sont les alcools de petite taille, car leur portion hydrophobe (cycle benzénique) est relativement grande. Cependant, le phénol est plus soluble dans l'eau (8,2 g/100 mL à 20 °C) que le cyclohexanol (0,4 g/100 mL à 20 °C), un composé de masse molaire similaire. Cette solubilité particulière s'explique tout d'abord par la structure plane et compacte du cycle benzénique. En effet, des molécules occupant un volume plus petit peuvent plus facilement être solvatées, ce qui favorise la solubilité. De plus, les ponts H sont particulièrement forts entre le phénol et l'eau, car l'oxygène du groupement hydroxyle (—OH) du phénol, étant impliqué dans un phénomène de résonance, possède une charge partielle positive (δ^+) dans l'hybride de résonance. Les électrons de la liaison O—H sont alors attirés davantage vers l'atome d'oxygène, ce qui accroît ainsi le caractère δ^+ de l'atome d'hydrogène.

> **Exercice 10.2** Expliquez la solubilité des alcools ramifiés par rapport aux non ramifiés, de même que leurs points d'ébullition. Pour répondre à cet exercice, utilisez les données fournies dans le tableau 10.2 (*voir page précédente*) pour les alcools suivants : pentan-1-ol, 2-méthylbutan-1-ol et 2,2-diméthylpropan-1-ol.

cheneliere.ca/chimieorganique www

› Caractéristiques spectrales des alcools, des phénols et des thiols

10.3 Caractères acide et basique des alcools et des phénols

10.3.1 Acidité des alcools et des phénols

La plupart des alcools possèdent un très faible caractère acide ($pK_a \approx 16$). Cette acidité provient de la polarité de la liaison covalente O—H dans laquelle l'atome d'hydrogène possède une charge partielle positive (δ^+). Le groupement hydroxyle peut donc donner son proton H^+ grâce à une rupture hétérolytique de la liaison. Cependant, la dissociation est partielle et défavorisée, car la base conjuguée d'un alcool est un **ion alcoolate**, une base très forte qui peut aisément capter l'ion H^+ libéré (*voir la figure 10.3*).

Figure 10.3
Caractère acide des alcools

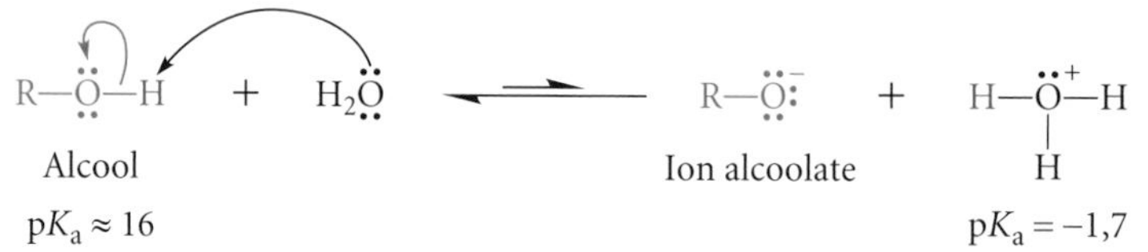

REMARQUE
Dans un ion alcoolate, la charge négative est localisée sur l'atome d'oxygène. Aucune délocalisation n'est possible.

REMARQUE
• $K_a = [RO^-][H_3O^+]/[ROH]$ et $pK_a = -\log K_a$ • Plus la réaction favorise les produits (l'équilibre est déplacé vers la droite), plus la valeur de K_a est grande, et donc plus le pK_a est petit. Le caractère acide est alors plus élevé.

Alcool
$pK_a \approx 16$

Ion alcoolate

$pK_a = -1,7$

Pour leur part, bien que les phénols soient des acides faibles, ils possèdent une acidité beaucoup plus forte ($pK_a \approx 10$) que celle des alcools. Cela s'explique par l'obtention d'une base conjuguée, soit un **ion phénolate**, nettement plus stable qu'un ion alcoolate. En effet, contrairement aux ions alcoolate, la charge négative sur l'atome d'oxygène dans un ion phénolate est délocalisée par résonance, ce qui favorise la dissociation du proton H^+ (*voir la figure 10.4*).

Des valeurs de pK_a de quelques alcools et phénols sont présentées dans le tableau 10.3. La comparaison des valeurs du méthanol, de l'éthanol, du propan-2-ol et du 2-méthylpropan-2-ol permet de constater que plus la chaîne de carbones s'accroît, plus la valeur de pK_a augmente, et donc plus l'acidité diminue. Ce phénomène peut s'expliquer par le fait que la liaison covalente O—H des alcools volumineux est moins polarisée, car l'effet inductif répulsif des groupements alkyles engendre un déplacement des électrons de la liaison C—O vers l'atome d'oxygène. Ce changement affecte le doublet d'électrons de la liaison O—H qui se rapproche davantage de l'hydrogène. Cette augmentation de la densité électronique autour de l'hydrogène diminue son

Figure 10.4
Caractère acide des phénols

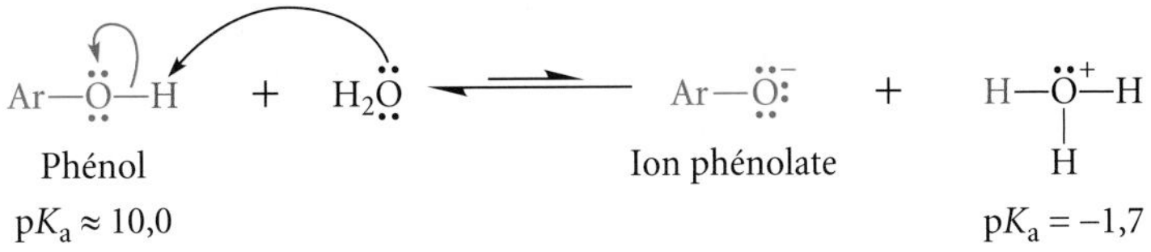

$$\text{Ar}\!-\!\overset{..}{\underset{..}{\text{O}}}\!-\!\text{H} \;+\; \text{H}_2\overset{..}{\underset{..}{\text{O}}} \;\rightleftharpoons\; \text{Ar}\!-\!\overset{..}{\underset{..}{\text{O}}}{:}^- \;+\; \text{H}\!-\!\overset{+}{\underset{\underset{\text{H}}{|}}{\text{O}}}\!-\!\text{H}$$

Phénol
$pK_a \approx 10{,}0$

Ion phénolate

$pK_a = -1{,}7$

REMARQUE

Dans un ion phénolate, la charge négative est délocalisée par résonance. L'ion phénolate présente plusieurs formes limites de résonance.

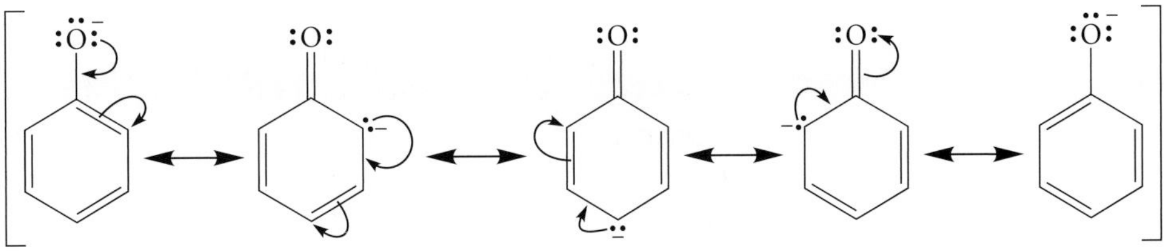

caractère acide, défavorisant la création de l'ion alcoolate. De nos jours, une justification basée sur la solvatation des ions alcoolate est toutefois privilégiée. Les molécules de solvant entourant les ions ont un effet stabilisant. Plus les ions alcoolate sont volumineux, plus leur solvatation est difficile. La formation de ces ions n'est donc pas favorisée. Par conséquent, le caractère acide des alcools de grande taille est plus faible.

Le 2-chloroéthanol, le 2,2-dichloroéthanol et le 2,2,2-trichloroéthanol sont, quant à eux, des composés plus acides que l'éthanol, puisque les atomes de chlore exercent un effet inductif attractif, ce qui polarise davantage la liaison O—H. L'atome d'hydrogène possède alors une plus grande charge partielle positive (δ^+). Ainsi, plus le nombre d'atomes de chlore est grand, plus la molécule est acide (*voir la section 4.7.3.3, p. 200*). L'effet inductif attractif des substituants électroattracteurs stabilise la charge négative sur l'atome d'oxygène dans les ions alcoolate.

Tableau 10.3 **Valeurs de pK_a de quelques alcools et phénols en solution aqueuse à 25 °C**

Nom systématique	Structure	pK_a	Nom systématique	Structure	pK_a
eau	H—OH	15,7	phénol	OH (benzène)	10,0
méthanol	CH_3—OH	15,5			
éthanol	CH_3—CH_2—OH	16,0	chlorophénol	OH (benzène, Cl)	ortho : 8,9 méta : 8,8 para : 9,1
propan-2-ol	CH_3—CH—OH avec CH_3	17,1	nitrophénol	OH (benzène, NO_2)	ortho : 7,2 méta : 8,4 para : 7,2
2-méthylpropan-2-ol	CH_3—C—OH avec CH_3 (haut) et CH_3 (bas)	18,0			
2-chloroéthanol	Cl—CH_2—CH_2—OH	14,3	*p*-aminophénol	OH (benzène, NH_2)	10,4
2,2-dichloroéthanol	Cl—CH—CH_2—OH avec Cl	12,9			
2,2,2-trichloroéthanol	Cl—C—CH_2—OH avec Cl (haut) et Cl (bas)	12,0	*p*-méthylphénol	OH (benzène, CH_3)	10,2

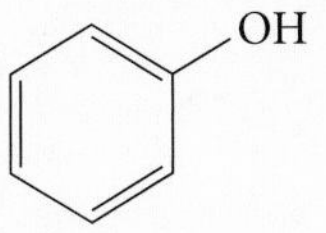

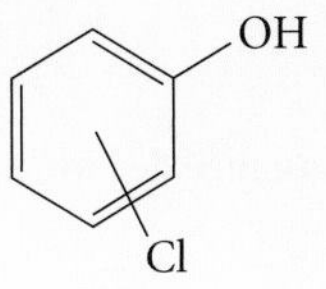

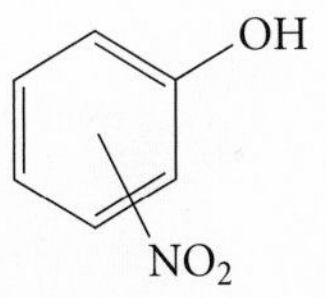

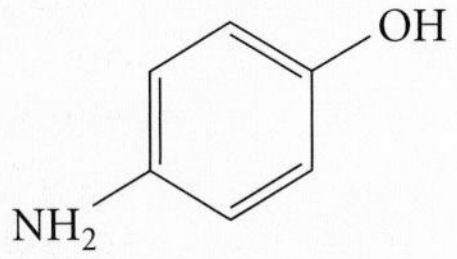

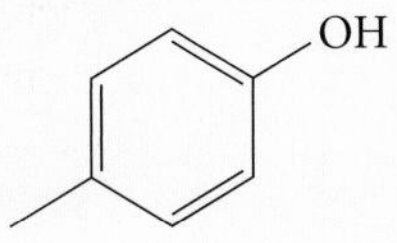

Les phénols possèdent un plus grand caractère acide lorsqu'un substituant diminue la densité électronique du cycle benzénique. Ces substituants sont des groupements électroattracteurs qui appauvrissent le cycle en électrons par effet inductif attractif, comme les halogènes (incidence plus faible), ou par résonance, comme le groupement nitro (incidence plus forte). Les substituants doivent être localisés en position *ortho* ou *para* du groupement hydroxyle —OH du phénol pour que l'incidence de la résonance soit plus marquée.

Exemple 10.1

À l'aide des formes limites de résonance, expliquez pourquoi le *p*-nitrophénol (pK_a = 7,2) est un meilleur acide que le *m*-nitrophénol (pK_a = 8,4).

Solution

Le groupement nitro en position *para* du groupement hydroxyle —OH du phénol favorise une plus grande délocalisation par résonance de la charge négative de l'ion nitrophénolate que pour l'isomère *méta*.

Formes limites de résonance de l'ion *p*-nitrophénolate (il y en a six)

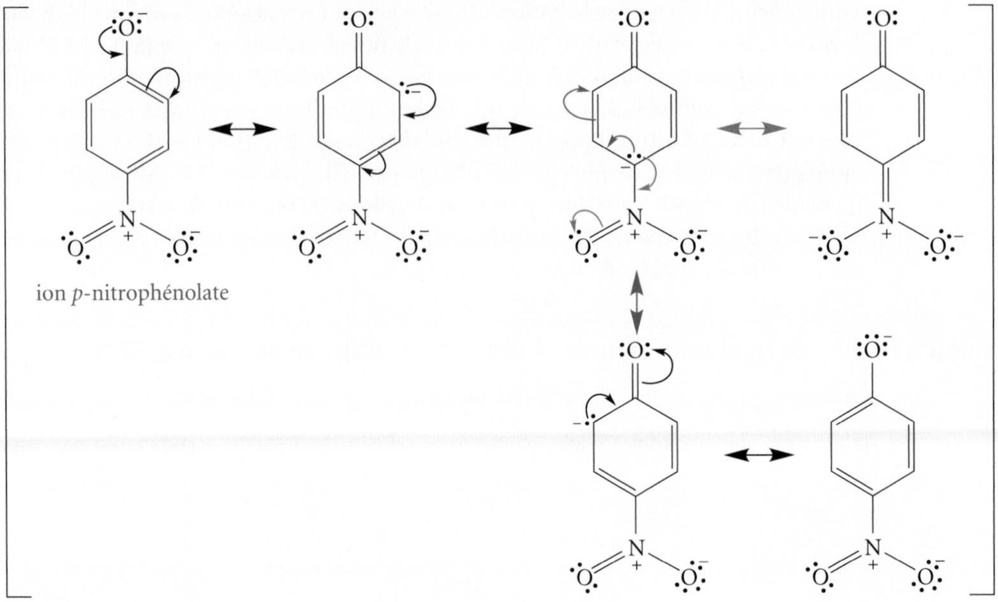

ion *p*-nitrophénolate

Formes limites de résonance de l'ion *m*-nitrophénolate (il y en a cinq)

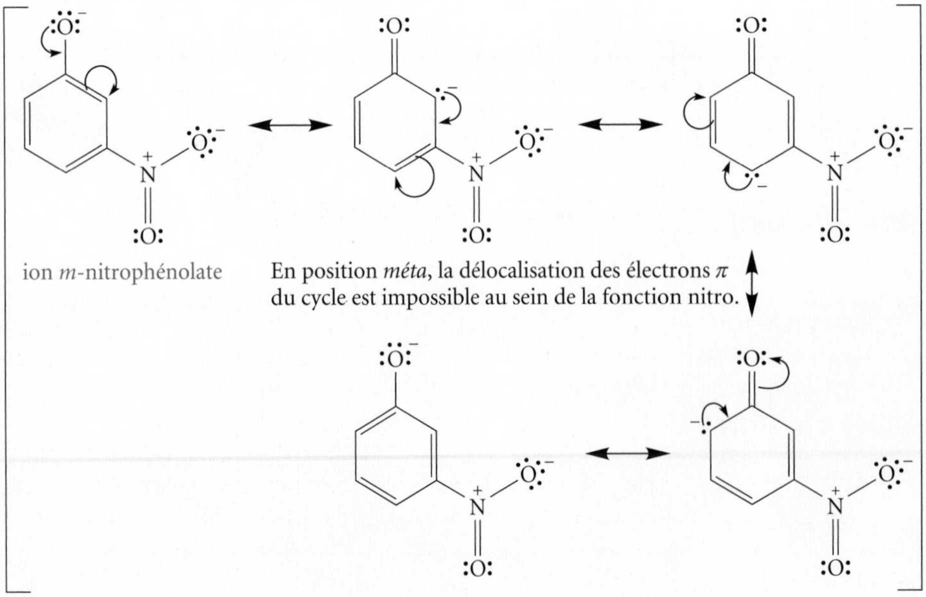

ion *m*-nitrophénolate

En position *méta*, la délocalisation des électrons π du cycle est impossible au sein de la fonction nitro.

L'incidence de la résonance est ainsi plus marquée pour l'ion *p*-nitrophénolate que pour l'ion *m*-nitrophénolate. De ce fait, le caractère acide de l'isomère *para* est supérieur à celui de l'isomère *méta*, puisque l'ion *p*-nitrophénolate est plus stable (plus grand nombre de formes limites de résonance) que l'ion *m*-nitrophénolate.

De la même manière, il faut noter que la résonance est tout aussi stabilisante pour l'ion *o*-nitrophénolate, d'où un caractère acide du *o*-nitrophénol similaire (pK_a = 7,2) à celui du *p*-nitrophénol.

Les substituants électroattracteurs ont pour effet d'attirer davantage les doublets d'électrons libres de l'oxygène (du groupement hydroxyle —OH) vers le cycle benzénique par résonance, ce qui diminue la densité électronique sur l'atome d'oxygène et augmente sa charge partielle positive (δ^+). Par conséquent, les électrons de la liaison O—H sont déplacés davantage vers l'atome d'oxygène, ce qui polarise davantage la liaison O—H et, par le fait même, accentue l'acidité du composé.

Par opposition, les substituants électrodonneurs, qui enrichissent le cycle benzénique en électrons, diminuent l'acidité d'un composé phénolique. En effet, si le cycle est plus riche en électrons, les doublets d'électrons libres de l'oxygène (du groupement hydroxyle —OH) sont moins attirés vers le cycle et se délocalisent moins efficacement. La densité électronique sur l'atome d'oxygène est alors plus élevée et sa charge partielle positive est moins grande. La liaison O—H est ainsi moins polarisée, ce qui a pour effet de diminuer l'acidité du composé. L'augmentation de la densité électronique au sein du cycle benzénique due à la présence d'un groupement électrodonneur peut se réaliser par effet inductif répulsif (incidence plus faible), comme c'est le cas pour les groupements alkyles, ou par résonance (incidence plus forte), comme c'est le cas pour le groupement amino.

Exercice 10.3 Expliquez les valeurs de pK_a pour les composés suivants.

o-hydroxybenzaldéhyde
pK_a = 6,8

m-hydroxybenzaldéhyde
pK_a = 8,0

p-hydroxybenzaldéhyde
pK_a = 7,7

Exercice 10.4 Placez les composés suivants par ordre croissant d'acidité et expliquez votre classement.

2,4,6-trichlorophénol ; 2,4,6-trinitrophénol ; 2,2,2-trifluoroéthanol ; 3,3,3-trifluoropropan-1-ol ; 2,4,6-triméthylphénol.

REMARQUE

Les ions alcoolate sont formés dans des milieux réactionnels exempts de sources de protons H$^+$. Les solvants couramment employés sont l'éthoxyéthane (Et$_2$O), le tétrahydrofurane (THF), etc. L'eau, par exemple, ne serait pas un solvant adéquat, car les ions alcoolate auraient une préférence à réagir avec les molécules d'eau pour reformer des molécules d'alcool.

10.3.2 Formation des ions alcoolate et phénolate

Puisque les alcools sont des acides faibles, ils doivent réagir avec de très fortes bases pour former efficacement les **ions alcoolate** (R—O$^-$). En général, l'ion hydroxyde (OH$^-$) n'est pas une base assez forte pour effectuer ce type de réaction (*voir la figure 10.5 a, page suivante*). En effet, les ions alcoolate sont des bases plus fortes que l'ion hydroxyde, ce qui favorise la réaction inverse. Ce sont plutôt les métaux tels que le sodium (Na (*s*)) et le potassium (K (*s*)) ainsi que les hydrures métalliques comme l'hydrure de sodium (NaH) qui sont employés. Ces réactions sont irréversibles, car elles génèrent un gaz, le dihydrogène (H$_2$), qui s'échappe du milieu réactionnel (*voir la figure 10.5 b et c, page suivante*). Selon la réaction illustrée dans la figure 10.5 d) à la page suivante, l'hydrogène de la fonction alcool —OH peut également être arraché au cours d'une réaction avec un organomagnésien R—MgBr ou avec un organolithien R—Li, ce qui mène à la formation d'un hydrocarbure et d'un sel (ion alcoolate). L'amidure de sodium (NaNH$_2$), présenté dans la section 7.4.3.1 (*voir p. 326*) pour former des sels d'alcynes, est aussi une puissante base qui peut être employée pour déprotoner les alcools (*voir la figure 10.5 e*).

Figure 10.5
Préparation des ions alcoolate

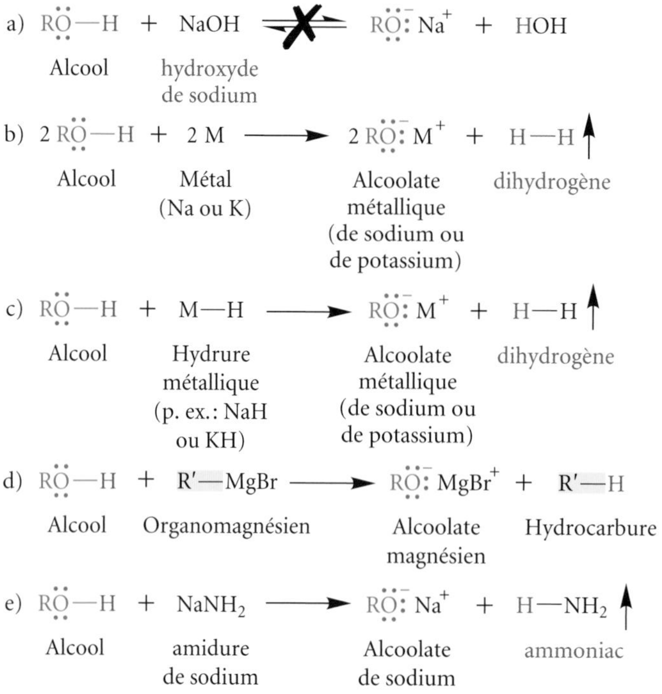

REMARQUE

La flèche vers le haut, dans une réaction globale, signifie un dégagement gazeux.

a) $R\ddot{O}$—H + NaOH $\xlongequal{\quad\times\quad}$ $R\ddot{O}{:}^-$ Na$^+$ + HOH

    Alcool   hydroxyde
                de sodium

b) $2\,R\ddot{O}$—H + 2 M $\longrightarrow$ $2\,R\ddot{O}{:}^-$ M$^+$ + H—H ↑

    Alcool   Métal   Alcoolate   dihydrogène
             (Na ou K)   métallique
                         (de sodium ou
                         de potassium)

c) $R\ddot{O}$—H + M—H $\longrightarrow$ $R\ddot{O}{:}^-$ M$^+$ + H—H ↑

    Alcool   Hydrure   Alcoolate   dihydrogène
            métallique   métallique
           (p. ex.: NaH   (de sodium ou
            ou KH)   de potassium)

d) $R\ddot{O}$—H + R′—MgBr $\longrightarrow$ $R\ddot{O}{:}^-$ MgBr$^+$ + R′—H

    Alcool   Organomagnésien   Alcoolate   Hydrocarbure
                            magnésien

e) $R\ddot{O}$—H + NaNH$_2$ $\longrightarrow$ $R\ddot{O}{:}^-$ Na$^+$ + H—NH$_2$ ↑

    Alcool   amidure   Alcoolate   ammoniac
           de sodium   de sodium

Les ions alcoolate, étant d'excellents nucléophiles et des bases fortes, sont employés dans plusieurs réactions de substitution nucléophile et d'élimination. Ils servent, par exemple, à la synthèse des éthers (*voir la section 11.3.2.2, p. 492*).

Bien que l'ion hydroxyde (OH$^-$) ne soit pas une base suffisamment puissante pour déprotoner efficacement un alcool et former un ion alcoolate, il est assez fort pour transformer un phénol en **ion phénolate**; cet ion est une base relativement faible, stabilisée par résonance (*voir la figure 10.6*).

Figure 10.6
Préparation des ions phénolate

Ar—$\ddot{O}$H + NaOH $\longrightarrow$ Ar—$\ddot{O}{:}^-$ Na$^+$ + HOH

  Phénol   hydroxyde   Phénolate   eau
           de sodium   de sodium

Exercice 10.5 Complétez, s'il y a lieu, les réactions suivantes en dessinant la structure des produits obtenus.

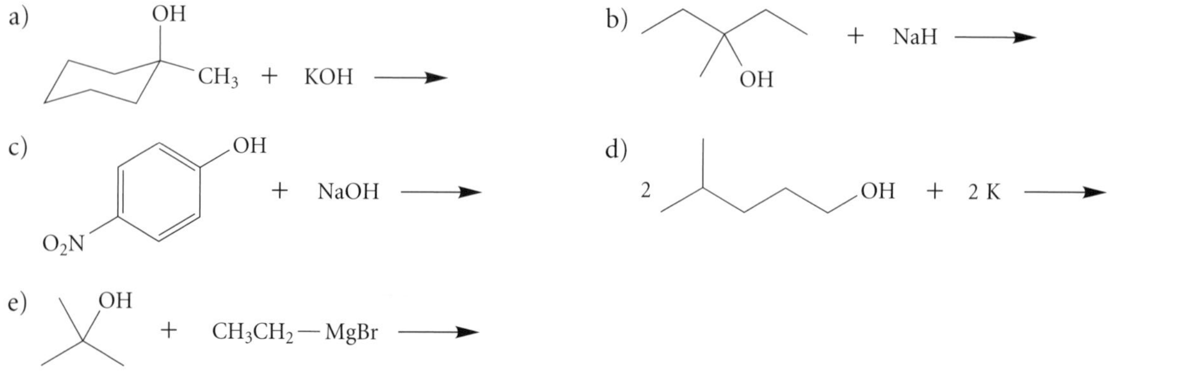

a)

  [structure : cyclohexane avec OH et CH$_3$] + KOH $\longrightarrow$

b)

  [structure : alcool] + NaH $\longrightarrow$

c)

  [structure : 4-nitrophénol, O$_2$N—] + NaOH $\longrightarrow$

d)

  2 [structure : alcool] + 2 K $\longrightarrow$

e)

  [structure : alcool OH] + CH$_3$CH$_2$—MgBr $\longrightarrow$

10.3.3 Basicité des alcools et des phénols

Tout comme l'eau, les alcools et les phénols sont des **ampholytes** (ou **substances amphotères**), c'est-à-dire qu'ils peuvent agir à titre d'acides (faibles), mais également à titre de bases (faibles), selon les conditions réactionnelles. En effet, ces composés ont un caractère basique en raison des doublets d'électrons libres de l'atome d'oxygène du groupement hydroxyle. Ce sont plus particulièrement des bases de Lewis, soit des donneurs d'électrons. En réagissant avec des acides, les alcools captent les protons H$^+$ et se transforment en **ions alkyloxonium** (ROH$_2^+$) (*voir la figure 10.7*). Cette réaction acidobasique est très importante, puisqu'elle constitue l'étape clé de plusieurs transformations chimiques des alcools. Les phénols, quant à eux, possèdent un caractère basique moins élevé que celui des alcools, puisque les doublets d'électrons libres de l'atome d'oxygène du groupement hydroxyle sont impliqués dans le phénomène de résonance. Ils peuvent cependant réaliser des réactions acidobasiques dans des conditions fortement acides pour générer des **ions aryloxonium** (ArOH$_2^+$).

Figure 10.7
Caractère basique – a) Des alcools ; b) Des phénols

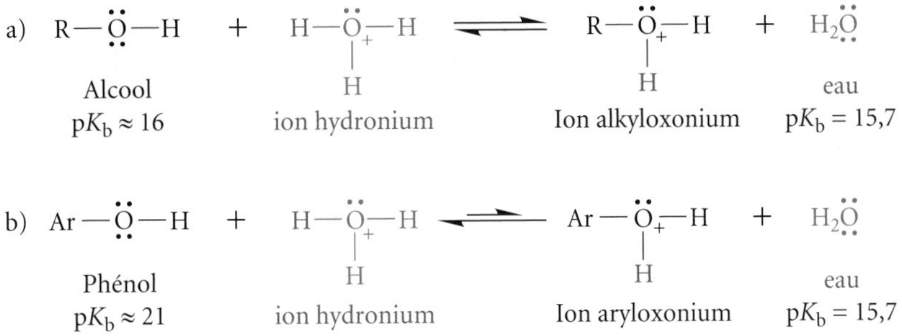

a) R—O̤—H + H—O̤$_+$—H ⇌ R—O̤$_+$—H + H$_2$O̤
          | |
Alcool   H   H   eau
pK$_b$ ≈ 16   ion hydronium   Ion alkyloxonium   pK$_b$ = 15,7

b) Ar—O̤—H + H—O̤$_+$—H ⇌ Ar—O̤$_+$—H + H$_2$O̤
           | |
Phénol   H   H   eau
pK$_b$ ≈ 21   ion hydronium   Ion aryloxonium   pK$_b$ = 15,7

10.4 Réactions des alcools

Les alcools sont réactifs en raison de leurs deux liaisons covalentes polaires, c'est-à-dire la liaison O—H (ΔÉn = 1,24) et la liaison C—O (ΔÉn = 0,89). Dans la section précédente, les caractères acide et basique des alcools, dus à la liaison O—H, ont été étudiés. En effet, il a été démontré que l'hydrogène du groupement hydroxyle O—H est responsable du caractère acide, alors que les doublets d'électrons libres de l'oxygène sont responsables du caractère basique. Dans cette section, les réactions chimiques comportant une rupture de la liaison C—O des alcools seront détaillées.

10.4.1 Particularité du groupe partant des alcools

Au même titre que les composés halogénés, les alcools peuvent subir des réactions de substitution nucléophile et d'élimination. Toutefois, contrairement aux composés halogénés, dont les ions halogénure sont de bons groupes partants, les alcools comportent un groupement hydroxyle —OH qui est un mauvais **groupe partant** sous la forme de l'ion hydroxyde (OH$^-$), puisque son acide conjugué, l'eau (H—OH), est un acide faible (*voir la figure 10.8 a, page suivante*). Par conséquent, pour que les alcools puissent réagir, il est essentiel d'effectuer, en premier lieu, un traitement acide afin de transformer le groupement —OH en un groupement —OH$_2^+$. Ce dernier, une fois libéré, correspond à une molécule d'eau qui s'avère être un bon groupe partant. En effet, son acide conjugué est l'ion hydronium (H$_3$O$^+$), un acide fort (*voir la figure 10.8 b, page suivante*).

Les détails mécanistiques des diverses réactions de substitution nucléophile et d'élimination seront abordés dans les prochaines sections.

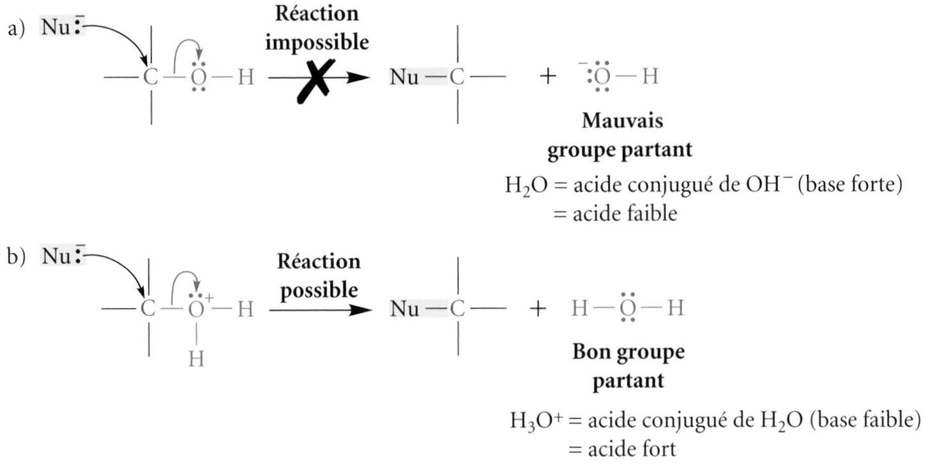

Figure 10.8
Mécanisme général de substitution nucléophile – a) Sur un alcool libérant un mauvais groupe partant ; b) Sur un alcool protoné libérant un bon groupe partant

a) Réaction impossible

Mauvais groupe partant

H_2O = acide conjugué de OH^- (base forte)
= acide faible

b) Réaction possible

Bon groupe partant

H_3O^+ = acide conjugué de H_2O (base faible)
= acide fort

REMARQUE

Pour favoriser une réaction de substitution nucléophile sur les alcools, les réactifs utilisés doivent être de bons nucléophiles, mais les plus faiblement basiques possible. Dans une fonction alcool, la charge partielle positive (δ^+) de l'hydrogène de la liaison O—H est plus grande que celle du carbone de la liaison C—O, puisque la différence d'électronégativité (ΔÉn) de la liaison O—H est plus élevée. Par conséquent, l'hydrogène peut subir préférentiellement l'attaque d'un nucléophile menant à une réaction acidobasique (*voir la section 10.3.2, p. 449*) plutôt qu'à une réaction de substitution nucléophile, si le nucléophile possède un trop fort caractère basique (p. ex.: RMgX, NH_2^-, etc.).

Si le nucléophile a un fort caractère basique: réaction acidobasique

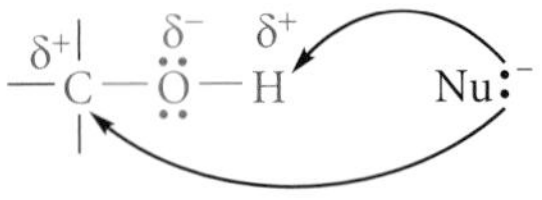

Si le nucléophile a un faible caractère basique: réaction de substitution nucléophile (S_N)

10.4.2 Synthèse de composés halogénés à partir des alcools

10.4.2.1 Réactions de substitution nucléophile avec les acides halogénés (HCl, HBr et HI en solution aqueuse)

Grâce à des réactions de substitution nucléophile, les alcools peuvent réagir avec des acides halogénés (H—X en solution aqueuse) pour former des composés halogénés selon la réaction globale présentée dans la figure 10.9.

Les réactions de substitution nucléophile peuvent se réaliser selon un mécanisme de type S_N1 ou S_N2, selon la nature de l'alcool de départ (primaire, secondaire ou tertiaire).

Les alcools tertiaires réagissent selon un mécanisme de substitution nucléophile d'ordre 1 (S_N1), car ils favorisent la formation d'un carbocation tertiaire plus stable. Dans ce type de réaction, la solution aqueuse de H—X, un acide fort, est employée. Ce sont ainsi les ions halogénure (X^-) et hydronium (H_3O^+) qui sont présents dans le milieu réactionnel de départ. Au moment de l'ajout de l'alcool, le groupement hydroxyle est protoné par l'ion hydronium. Pour sa part, l'ion halogénure X^- est un bon nucléophile (meilleur que l'eau), étant chargé négativement, mais il n'est pas en mesure d'arracher l'hydrogène de l'ion alkyloxonium (ROH_2^+) ni même d'effectuer une réaction d'élimination, car il est une très mauvaise base. Cette caractéristique des ions halogénure favorise donc la réaction de substitution nucléophile. Par conséquent, à la suite de la formation du carbocation, l'ion halogénure X^- attaque ce dernier pour donner le composé halogéné attendu.

La figure 10.10 présente un exemple de substitution nucléophile d'ordre 1 sur un alcool tertiaire, soit le 2-méthylpropan-2-ol (alcool *tert*-butylique). Ce dernier réagit avec une solution d'acide chlorhydrique concentrée pour donner le 2-chloro-2-méthylpropane. Ce type de réaction s'effectue rapidement en agitant le mélange à la température ambiante.

Comme c'est le cas pour les composés halogénés, les réactions de substitution nucléophile d'ordre 1 (S_N1) mènent à la formation d'un mélange racémique si et seulement si le carbone porteur de la fonction alcool est un carbone stéréogénique (C^*) et qu'il est le seul carbone chiral de la molécule (*voir la section 9.4.3, p. 397*).

Contrairement aux alcools tertiaires, les alcools primaires réagissent selon un mécanisme de substitution nucléophile d'ordre 2 (S_N2), car la formation d'un carbocation primaire instable n'est pas favorisée. Lorsqu'une solution d'acide chlorhydrique (un acide fort) est employée, ce sont, par conséquent, les ions chlorure (Cl^-) et hydronium (H_3O^+)

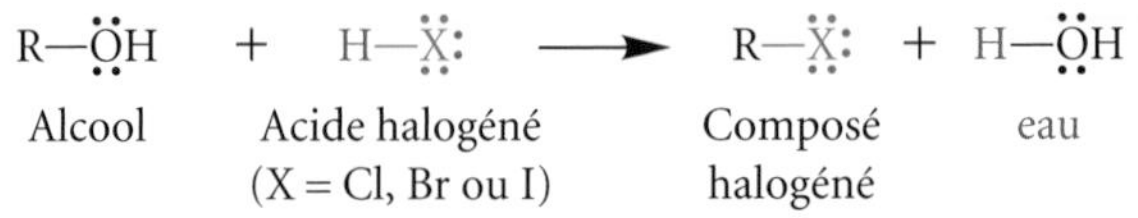

Figure 10.9
Réaction globale de la formation d'un composé halogéné à partir d'un alcool en présence d'un acide halogéné

$$R-\overset{..}{\underset{..}{O}}H \quad + \quad H-\overset{..}{\underset{..}{X}}: \quad \longrightarrow \quad R-\overset{..}{\underset{..}{X}}: \quad + \quad H-\overset{..}{\underset{..}{O}}H$$

Alcool | Acide halogéné (X = Cl, Br ou I) | Composé halogéné | eau

Figure 10.10

Réaction globale et mécanisme de type S$_N$1 de la formation d'un composé halogéné à partir d'un alcool tertiaire, le 2-méthylpropan-2-ol, en présence d'une solution d'acide chlorhydrique concentrée

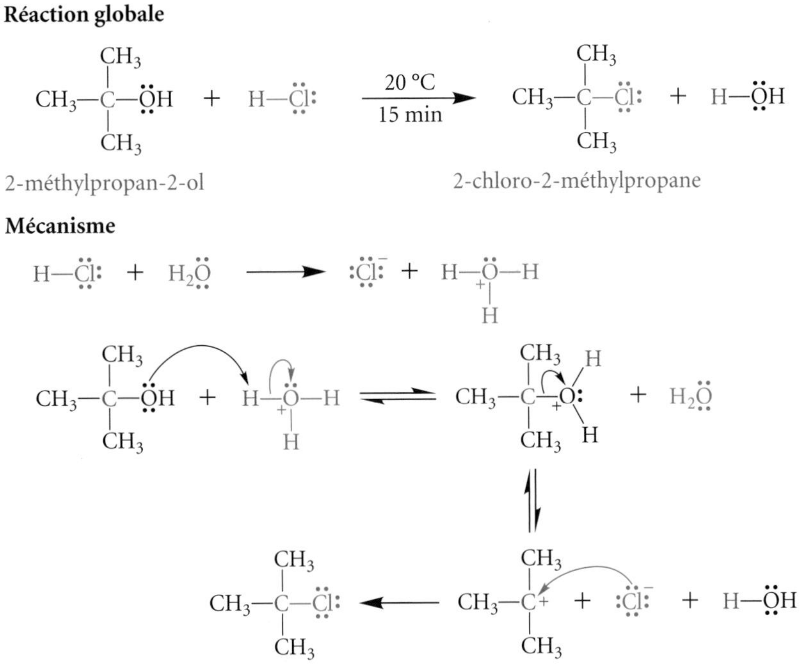

REMARQUE

La solution commerciale de HCl concentrée a une concentration de 12 mol/L. De ce fait, une grande quantité d'eau est présente dans le milieu réactionnel, et le HCl réagit donc avec celle-ci pour produire les ions Cl$^-$ et H$_3$O$^+$.

Réaction globale

2-méthylpropan-2-ol   2-chloro-2-méthylpropane

Mécanisme

qui se trouvent dans le milieu réactionnel de départ. Même si, à ce stade, le H$_3$O$^+$ peut protoner la fonction alcool, le Cl$^-$ n'est pas un nucléophile suffisamment fort pour permettre une attaque efficace et libérer le groupe partant. Les réactions de type S$_N$2 d'alcools sont ainsi des réactions très lentes. Pour qu'elles puissent avoir lieu, elles doivent être chauffées plusieurs heures et mises en présence de chlorure de zinc (ZnCl$_2$), un acide de Lewis, qui joue le rôle de catalyseur. L'ion zincique (Zn^{2+}) crée une liaison de coordination (ou de coordinence) avec l'oxygène du groupement hydroxyle de l'alcool en captant un doublet d'électrons libre de l'oxygène dans une de ses orbitales vides. Cette liaison permet de diminuer la densité électronique dans l'environnement du carbone portant le groupement hydroxyle, augmentant ainsi sa charge partielle positive (δ^+), ce qui favorise l'attaque de l'ion chlorure et mène au produit final (*voir la figure 10.11*). Par la même occasion, le ZnCl$_2$ enrichit la solution en ions chlorure, ce qui contribue à accroître la vitesse de la réaction.

Figure 10.11

Réaction globale et mécanisme de type S$_N$2 de la formation d'un composé halogéné à partir d'un alcool primaire, l'éthanol, en présence d'une solution d'acide chlorhydrique concentrée, à une température élevée pendant plusieurs heures

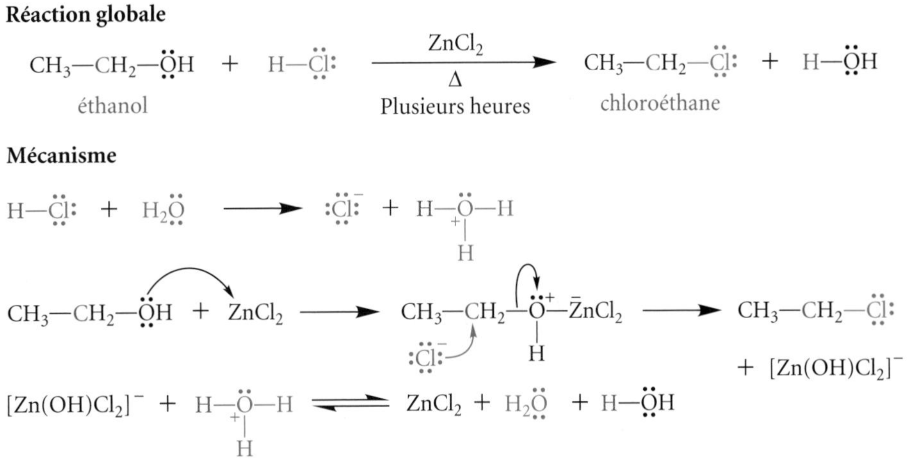

REMARQUE

La présence d'un acide de Lewis tel que ZnX$_2$ n'est pas nécessaire au moment de la formation d'un composé halogéné à partir d'un alcool primaire avec les acides halogénés HBr et HI, car Br$^-$ et I$^-$ sont de meilleurs nucléophiles que Cl$^-$.

Réaction globale

éthanol   chloroéthane

Mécanisme

Telles que décrites précédemment (*voir la section 9.4.1, p. 390*), les réactions de substitution nucléophile d'ordre 2 (S$_N$2) se réalisent par l'attaque du nucléophile à 180° du groupe partant. Par conséquent, si le carbone portant le groupement hydroxyle est stéréogénique (C*), une inversion de configuration de ce carbone sera observée.

Les conditions réactionnelles utilisées pour les alcools primaires, soit une solution aqueuse de HCl en présence du catalyseur ZnCl$_2$, représentent un test spécifique des alcools appelé **test de Lucas**. Ce test permet de distinguer les alcools primaires des alcools secondaires ou tertiaires. En effet, le ZnCl$_2$ est un catalyseur qui augmente la vitesse de la réaction en polarisant davantage la liaison C—O. Son action est tout aussi efficace dans une réaction impliquant un alcool primaire que celle impliquant un alcool secondaire ou tertiaire. Cependant, dans le cas des alcools secondaires et tertiaires, ce catalyseur n'est simplement pas nécessaire, puisque la rupture peut s'effectuer d'elle-même, engendrant un carbocation relativement stable. Lorsqu'un alcool est ajouté aux réactifs HCl et ZnCl$_2$, à la température ambiante, pour effectuer le test de Lucas, la réaction est très rapide, voire instantanée, pour les alcools tertiaires, et une turbidité de la solution est immédiatement observée en raison de la formation du composé halogéné insoluble en solution aqueuse. Par contre, pour un alcool primaire, la réaction est très lente, impliquant plusieurs heures de chauffage. La solution demeure ainsi transparente durant le test de Lucas à la température ambiante. Les alcools secondaires, quant à eux, ont des vitesses intermédiaires de réaction. En cas de doute au moment de la distinction entre un alcool secondaire et un alcool tertiaire, il suffit de procéder à une réaction avec le HCl concentré en l'absence de ZnCl$_2$. Dans ces conditions, seul l'alcool tertiaire réagit rapidement.

> **REMARQUE**
>
> La détermination de la nature de l'alcool (primaire, secondaire et tertiaire) est basée sur l'apparition d'un composé halogéné qui s'avère être insoluble dans le réactif de Lucas (solution aqueuse de HCl et de ZnCl$_2$). Par conséquent, le test de Lucas n'est efficace que pour des alcools de faible masse molaire (alcools ayant six carbones et moins) qui se doivent d'être initialement solubles dans le réactif de Lucas.

Exercice 10.6 Lorsque le 1-méthylcyclopentanol réagit avec une solution d'acide chlorhydrique concentrée, le 1-chloro-1-méthylcyclopentane est obtenu.

a) Écrivez l'équation globale pour cette réaction.

b) Illustrez le mécanisme réactionnel.

c) Dessinez le diagramme énergétique de cette réaction. Prenez soin de bien définir les axes et de déterminer les réactifs, les produits, les intermédiaires réactionnels, les énergies d'activation (E_a) et la variation d'enthalpie (ΔH) de la réaction. Considérez que la réaction est exothermique.

d) Quelle est la loi de vitesse pour la réaction globale ?

e) Quelle sera l'incidence sur la vitesse de la réaction si l'acide chlorhydrique est remplacé par l'acide bromhydrique ? Expliquez votre réponse.

Exercice 10.7 Soit la réaction suivante.

pentan-1-ol

a) Complétez cette réaction en écrivant la structure de tous les produits en deux dimensions.

b) Quelle sera l'incidence sur la vitesse de la réaction si l'acide iodhydrique est remplacé par l'acide chlorhydrique ? Expliquez votre réponse.

c) Quelle sera l'incidence sur la vitesse de la réaction si l'acide iodhydrique est remplacé par l'acide chlorhydrique en présence de ZnCl$_2$? Expliquez votre réponse.

Exercice 10.8 Complétez les réactions suivantes en indiquant la structure du produit organique obtenu et illustrez le mécanisme réactionnel.

a)

Dessinez le produit organique et illustrez le mécanisme en deux dimensions.

b)

Dessinez les produits organiques et illustrez le mécanisme en trois dimensions.

10.4.2.2 Autres méthodes de synthèse des composés halogénés à partir des alcools

Il existe un grand nombre de transformations chimiques permettant de convertir les alcools en composés halogénés. En chimie organique, maîtriser plus d'une méthode pour réaliser une même transformation chimique s'avère essentiel, car certaines conditions réactionnelles sont parfois inappropriées selon le substrat employé. Par exemple, une molécule de pent-4-én-2-ol ne peut pas être convertie en 4-chloropent-1-ène par une simple réaction avec le HCl. En effet, sachant que les alcènes réagissent également en présence de HCl selon une addition électrophile de type Markovnikov, le produit majoritaire obtenu serait le 2,4-dichloropentane (*voir la figure 10.12*). Si le produit désiré est bel et bien le 4-chloropent-1-ène, il faudra plutôt utiliser une réaction chimique permettant de transformer sélectivement le groupement hydroxyle de la fonction alcool en un substituant chloro, sans faire réagir les liaisons π des fonctions alcènes et alcynes.

Figure 10.12 Réaction chimique d'un composé renfermant les fonctions alcool et alcène avec du HCl

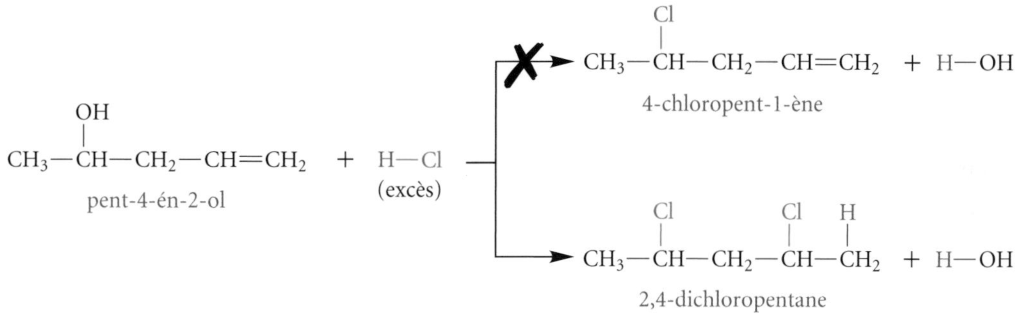

Le **chlorure de thionyle** est un bon exemple de réactif capable de transformer sélectivement les alcools primaires et secondaires en composés chlorés, sans toucher aux liaisons doubles ou triples[9]. La figure 10.13 présente la réaction globale ainsi que le mécanisme de cette réaction. Dans la première étape du mécanisme, le groupement hydroxyle de l'alcool (le nucléophile) attaque le soufre du chlorure de thionyle (l'électrophile). L'atome de soufre dans le chlorure de thionyle est le site électrophile, car il est entouré d'atomes de chlore et d'oxygène qui sont nettement plus électronégatifs. Un intermédiaire réactionnel, soit un chlorosulfite d'ester, est formé à la suite d'une déprotonation de l'oxygène par la pyridine, jouant le rôle d'une base. À ce stade, le groupement hydroxyle de l'alcool de départ est converti en un groupe d'atomes qui constituera un bon groupe partant une fois la liaison rompue. Le produit final est obtenu lorsque l'ion chlorure réalise une substitution nucléophile (S_N2 ou S_N1) selon que l'alcool de départ est primaire ou secondaire. Dans cette réaction, la pyridine a pour rôle de piéger le HCl produit, sous forme de chlorure de pyridinium.

Figure 10.13 Réaction globale et mécanisme de la formation d'un composé chloré à partir d'un alcool en présence de chlorure de thionyle (SOCl₂)

Réaction globale

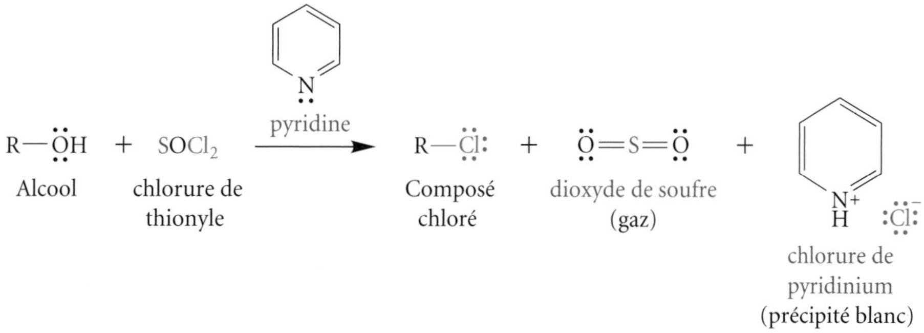

▶ **Mécanisme**

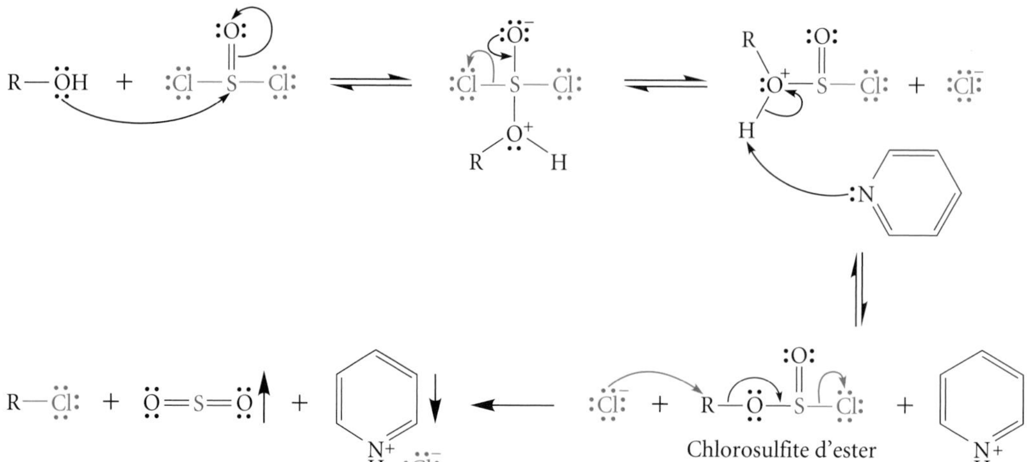

Si aucune liaison multiple n'est présente dans le composé (ou si les fonctions alcènes et alcynes doivent être transformées), il est possible de ne pas utiliser la pyridine. À ce moment, du HCl s'échappe du milieu sous la forme d'un gaz. Or, le HCl est très corrosif et endommage rapidement les conduits d'aération des hottes. Pour remédier à ce problème, il est d'usage de faire barboter le produit de la réaction dans une solution basique.

Cette réaction offre l'avantage d'être facile à purifier, puisque le chlorure de pyridinium précipite (indiqué par une flèche pointant vers le bas) et que le dioxyde de soufre (SO$_2$) est un gaz qui s'échappe du milieu réactionnel (indiqué par une flèche pointant vers le haut).

Exercice 10.9 Pour chacun des alcools suivants, synthétiser les composés halogénés correspondants en présence du chlorure de thionyle (SOCl$_2$) et de la pyridine. Illustrez le mécanisme réactionnel de chacune des réactions.

a) CH$_3$CH$_2$OH

b) CH$_3$CH$_2$—CH—OH avec CH$_2$CH$_3$

La réaction d'un alcool avec le chlorure de thionyle ne s'avère toutefois efficace que si les composés chlorés obtenus possèdent un point d'ébullition relativement élevé. En effet, s'ils possèdent un point d'ébullition faible, ils s'échapperont du système en même temps que le dioxyde de soufre (SO$_2$). Pour remédier à ce problème, d'autres réactifs, tels que les **halogénures de phosphore**, peuvent être employés pour transformer les alcools en composés halogénés (*voir la figure 10.14*). L'acide phosphoreux (H$_3$PO$_3$) obtenu à la fin de la réaction possède un point d'ébullition élevé (200 °C). Ainsi, puisque, en général, les composés halogénés synthétisés par ce type de réaction possèdent un point d'ébullition plus faible, ils sont facilement isolés par distillation.

Figure 10.14

Réaction globale et mécanisme de la formation d'un composé halogéné à partir d'un alcool en présence d'un halogénure de phosphore (PBr$_3$ ou PI$_3$)

Réaction globale

$$3 \ R\text{—}\overset{..}{\underset{..}{O}}H + PX_3 \longrightarrow 3 \ R\text{—}\overset{..}{\underset{..}{X}}: + H_3PO_3$$

Halogénure de phosphore
X = Br ou I

Mécanisme

Si ces étapes sont répétées à trois reprises, les produits de la réaction globale sont alors obtenus.

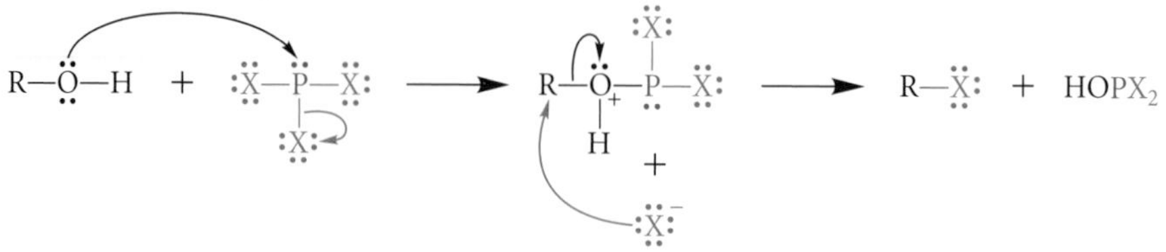

Exercice 10.10 Complétez les réactions suivantes.

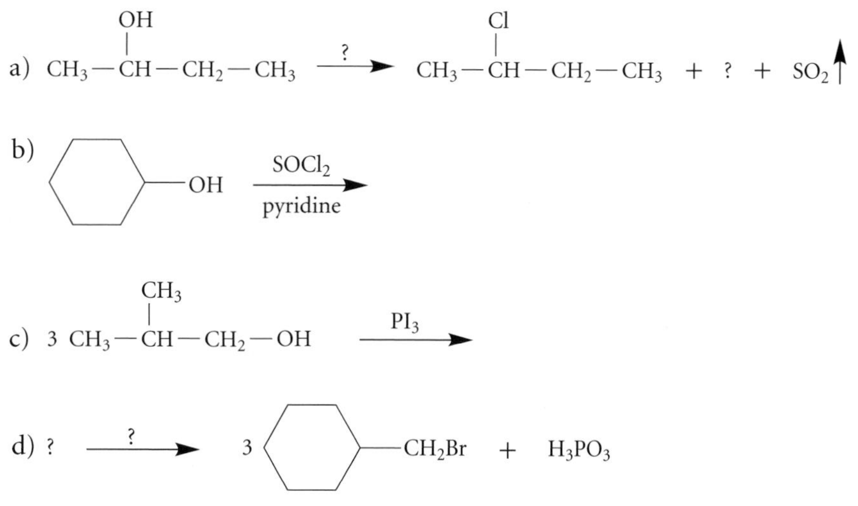

a)
$$CH_3 \overset{\overset{\displaystyle OH}{|}}{-}CH-CH_2-CH_3 \xrightarrow{\;?\;} CH_3 \overset{\overset{\displaystyle Cl}{|}}{-}CH-CH_2-CH_3 \;+\; ? \;+\; SO_2\uparrow$$

b)
[cyclohexyl]—OH $\xrightarrow[\text{pyridine}]{SOCl_2}$

c)
$$3\;CH_3 \overset{\overset{\displaystyle CH_3}{|}}{-}CH-CH_2-OH \xrightarrow{\;PI_3\;}$$

d)
$$?\; \xrightarrow{\;?\;}\; 3\;[\text{cyclohexyl}]-CH_2Br \;+\; H_3PO_3$$

10.4.3 Déshydratation des alcools en alcènes (réaction d'élimination)

La **déshydratation des alcools** consiste en une réaction d'élimination se réalisant en milieu acide et à température élevée, et menant à la formation d'alcènes. Il s'agit de la réaction inverse de l'hydratation des alcènes décrite dans la section 7.3.1.1 C (*voir p. 290*).

Selon la nature de l'alcool (primaire, secondaire ou tertiaire), la déshydratation ne s'effectue pas dans les mêmes conditions réactionnelles ni par l'entremise du même mécanisme réactionnel (E1 ou E2).

Les alcools tertiaires sont déshydratés selon un mécanisme de type E1 dans des conditions réactionnelles plus douces que celles des alcools primaires. À titre d'exemple, le 2-méthylpropan-2-ol se transforme en 2-méthylpropène en présence de l'acide sulfurique dilué (H_2SO_4 20 %) et en chauffant à une température de 85 °C. Puisque l'acide sulfurique est dilué, le H_2SO_4, qui est un acide fort, réagit avec l'eau pour former l'ion hydrogénosulfate (HSO_4^-) et l'ion hydronium (H_3O^+). Ce dernier protone la fonction alcool pour convertir le groupement hydroxyle en un groupement $-OH_2^+$, correspondant, à la suite de son expulsion, à une molécule d'eau qui s'avère être un bon groupe partant. Cette réaction est réversible. Le départ de la molécule d'eau, menant à la formation du carbocation, constitue l'étape limitante. Dans ce cas-ci, elle s'effectue aisément, car le carbocation est tertiaire et il est stabilisé par l'effet inductif répulsif de trois groupements alkyles. Le produit final, un alcène, est obtenu à la suite de l'attaque d'une molécule d'eau sur l'hydrogène du carbone en position β du carbocation (*voir la figure 10.15*).

Figure 10.15
Réaction globale et mécanisme de type E1 de la déshydratation d'un alcool tertiaire, le 2-méthylpropan-2-ol

Réaction globale

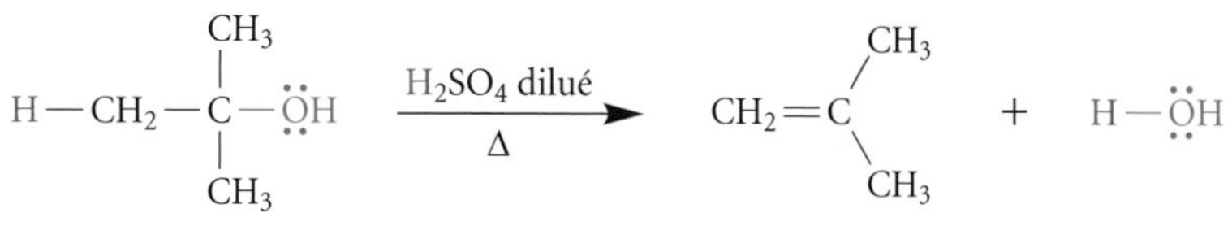

$$H-CH_2 \overset{\overset{\displaystyle CH_3}{|}}{\underset{\underset{\displaystyle CH_3}{|}}{-}}C-\overset{..}{O}H \xrightarrow[\Delta]{H_2SO_4\ \text{dilué}} CH_2{=}C\overset{\nearrow CH_3}{\underset{\searrow CH_3}{}} \;+\; H-\overset{..}{\underset{..}{O}}H$$

2-méthylpropan-2-ol   2-méthylpropène ▶

▶ **Mécanisme**

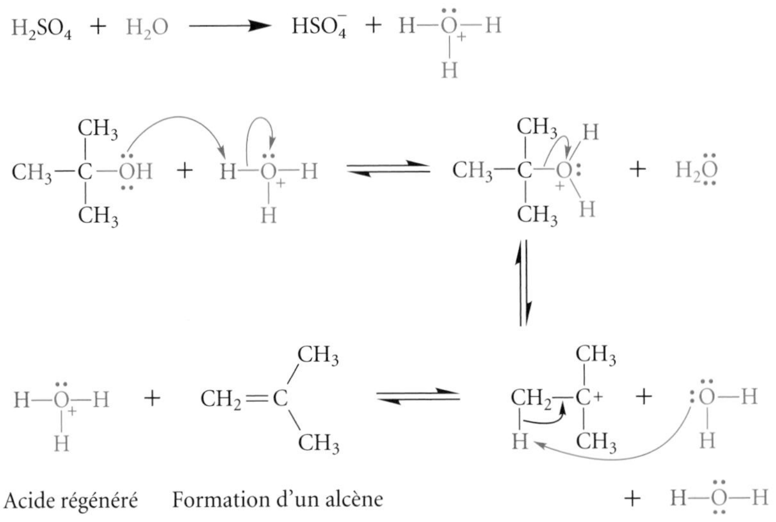

$$H_2SO_4 \ + \ H_2O \ \longrightarrow \ HSO_4^- \ + \ H-\overset{..}{\underset{+}{O}}-H$$
$$\overset{|}{H}$$

cheneliere.ca/chimieorganique www

▶ Réarrangements des carbocations
   au cours de la déshydratation
   des alcools

Acide régénéré   Formation d'un alcène $+ \ H-\overset{..}{O}-H$

Les alcools primaires, **quant à eux,** sont déshydratés selon un mécanisme de type E2 en employant des conditions réactionnelles plus vigoureuses que pour les alcools tertiaires. Par exemple, pour procéder à la déshydratation de l'éthanol, la réaction doit être chauffée jusqu'à 180 °C en présence d'acide sulfurique concentré. Dans ces conditions, le H_2SO_4 concentré (95 à 98 %) est directement utilisé comme donneur de protons à la fonction alcool. Une fois le groupement hydroxyle de l'alcool protoné et converti en un groupement —OH_2^+, le mécanisme de type E2 s'effectue de manière concertée, c'est-à-dire par le retrait simultané d'un atome d'hydrogène sur le carbone   et le départ d'une molécule d'eau. Ceci mène à la formation d'une molécule d'éthène, un alcène. Aucun carbocation n'est formé (*voir la figure 10.16*).

Figure 10.16
Réaction globale et mécanisme de type E2 de la déshydratation d'un alcool primaire, l'éthanol

Réaction globale

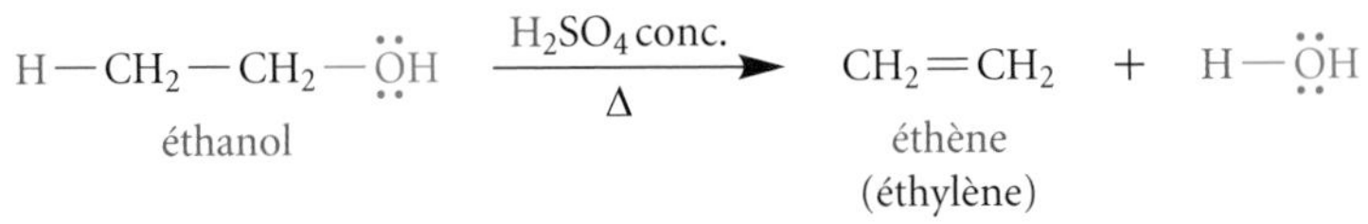

$$H-CH_2-CH_2-\overset{..}{\underset{..}{O}}H \ \xrightarrow[\Delta]{H_2SO_4 \ conc.} \ CH_2{=}CH_2 \ + \ H-\overset{..}{O}H$$
éthanol   éthène
                                          (éthylène)

Mécanisme

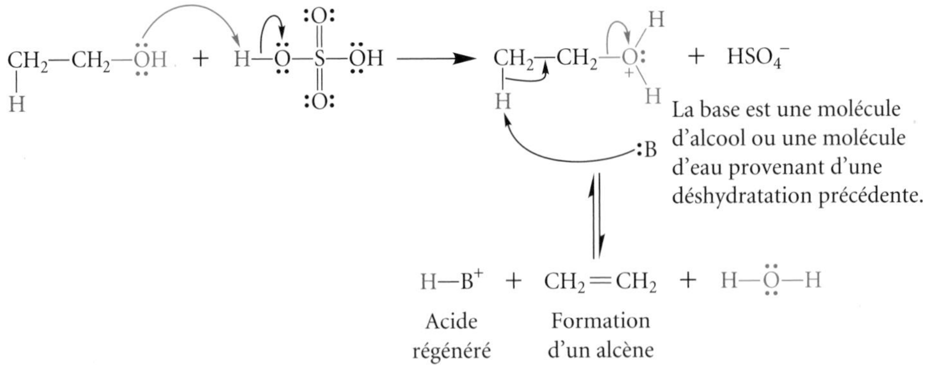

La base est une molécule d'alcool ou une molécule d'eau provenant d'une déshydratation précédente.

$$H-B^+ \ + \ CH_2{=}CH_2 \ + \ H-\overset{..}{O}-H$$
Acide   Formation
régénéré   d'un alcène

La vitesse de réaction de la déshydratation des alcools suit cet ordre : alcool tertiaire > alcool secondaire > alcool primaire. Cet ordre correspond à la stabilité des carbocations. Les alcools tertiaires et secondaires se déshydratent selon un mécanisme de type E1. Les carbocations tertiaires étant plus stables que les carbocations secondaires, les alcools tertiaires réagissent plus rapidement. Les carbocations primaires étant trop instables, les alcools primaires se déshydratent selon un mécanisme de type E2, mais ce processus est plus long à exécuter, puisqu'il se réalise, dans le cas présent, à l'aide d'une base faible (p. ex.: alcool, H_2O), et non pas grâce à une base forte comme il est d'usage dans un mécanisme de type E2.

Comme c'est le cas pour les composés halogénés, il existe une compétition entre les mécanismes de type E2 et S_N2 pour les alcools primaires et secondaires dans les conditions réactionnelles mentionnées précédemment (milieu acide). Par exemple, au cours de la déshydratation de l'éthanol qui mène majoritairement à l'éthène (à une température élevée, en milieu acide), un produit secondaire, l'éther diéthylique ($CH_3CH_2OCH_2CH_3$), découlant d'une substitution nucléophile d'ordre 2, est également formé (*voir la figure 10.17*).

Les alcools tertiaires, pour leur part, ne sont pas de bons nucléophiles pour réaliser une S_N1 en raison de leur fort encombrement stérique. Par conséquent, le produit de substitution nucléophile est toujours négligeable.

Figure 10.17 Formation de l'éther diéthylique, un produit secondaire formé au cours de la déshydratation de l'éthanol, en raison de la compétition entre les mécanismes de type E2 et S_N2

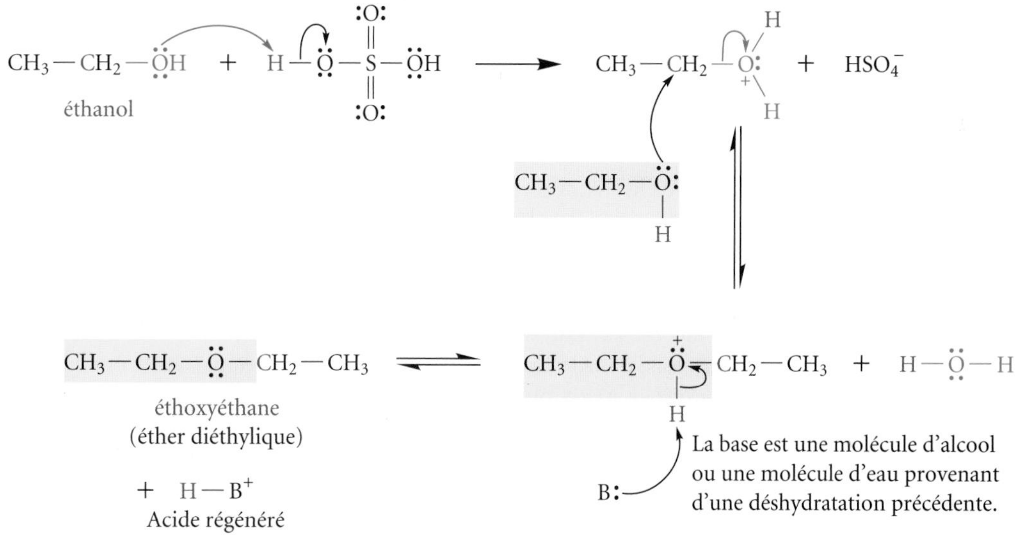

La déshydratation d'un alcool peut parfois mener à la formation d'un mélange d'alcènes. En effet, si la molécule est pourvue de plusieurs carbones β porteurs d'atomes d'hydrogène, plusieurs alcènes pourront être créés. Dans la figure 10.18, le butan-2-ol, par exemple, donne deux produits différents issus de la déshydratation. Le produit majoritairement formé, le but-2-ène, est celui qui possède la liaison double la plus substituée, respectant ainsi la **règle de Saytzev** (*voir la section 9.5, p. 405*).

Figure 10.18 Réaction globale de la déshydratation du butan-2-ol menant à la formation de plus d'un alcène

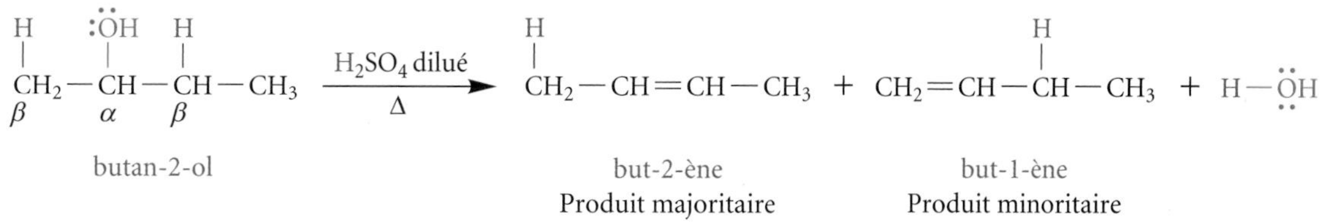

Finalement, puisque les réactions de déshydratation des alcools sont des réactions d'élimination, elles peuvent mener à la formation d'isomères géométriques (*E-Z*) (*voir la section 9.5, p. 405*).

Exercice 10.11 Complétez les réactions suivantes en dessinant la structure de tous les produits organiques de déshydratation possibles. Considérez, s'il y a lieu, la formation d'isomères géométriques et déterminez le ou les produits majoritaires.

a)

$$\xrightarrow[\Delta]{H_2SO_4 \text{ conc.}}$$

b)

$$\xrightarrow[\Delta]{H_2SO_4 \text{ dilué}}$$

c)

$$\xrightarrow[\Delta]{H_2SO_4 \text{ dilué}}$$

Exercice 10.12 Soit la réaction suivante.

? $\xrightarrow{\quad ? \quad}$ —CH$=$CH$_2$
(deux possibilités)

styrène

(monomère du polystyrène, un polymère servant,
entre autres, dans l'emballage des matières fragiles
et comme isolant thermique des verres à café)

a) Dessinez la structure des alcools permettant de réaliser la synthèse du styrène. Déterminez également les conditions réactionnelles requises.

b) Illustrez les mécanismes pour chacun des substrats et indiquez le type de mécanisme par lequel se déroule la réaction.

c) Les alcools primaires se déshydratent généralement selon un lent processus. Toutefois, dans le cas présent, la réaction de déshydratation de l'alcool primaire dessinée en a) est plus rapide. Expliquez cette particularité.

10.4.4 Oxydation des alcools en aldéhydes, en cétones et en acides carboxyliques

Une réaction d'oxydation (symbole : [O]) se caractérise par la perte d'électrons menant à une augmentation du nombre d'oxydation. En chimie organique, cela se traduit généralement par la perte d'atomes d'hydrogène ou le gain d'atomes d'oxygène sur le substrat donné. Dans le cas des alcools, c'est le nombre d'oxydation du carbone porteur du groupement hydroxyle (—OH) qui augmente. L'**oxydation des alcools** permet de synthétiser des composés renfermant un groupement carbonyle (C$=$O). Elle ne peut s'effectuer que sur les alcools primaires et secondaires, c'est-à-dire sur les alcools munis d'au moins un atome d'hydrogène fixé à l'atome de carbone α porteur du groupement hydroxyle.

Les alcools primaires peuvent s'oxyder tout d'abord en aldéhydes lorsqu'ils sont placés en présence d'oxydants faibles ou modérés, puis davantage en acides carboxyliques lorsqu'ils sont en présence d'oxydants forts. Les alcools secondaires s'oxydent en cétones, peu importe la nature de l'oxydant. Finalement, les alcools tertiaires ne peuvent s'oxyder, car le carbone α auquel est fixé le groupement hydroxyle ne possède aucun hydrogène (*voir la figure 10.19*).

L'un des oxydants les plus utilisés est le trioxyde de chrome (CrO$_3$). Ce dernier est dissous dans une solution aqueuse d'acide sulfurique. Cette solution oxydante porte le nom de **réactif de Jones** en l'honneur du chimiste britannique **Sir Ewart Ray Herbert Jones** (1911-2002) qui en fut le découvreur. Il s'agit d'un oxydant fort effectuant une oxydation complète des alcools primaires en acides carboxyliques, et des alcools secondaires en cétones (*voir la figure 10.20*). Au cours de cette réaction effectuée généralement dans l'acétone (solvant), le chrome est réduit, passant d'un nombre d'oxydation de +6 à +3.

Figure 10.19
Différentes oxydations possibles des alcools primaires et secondaires

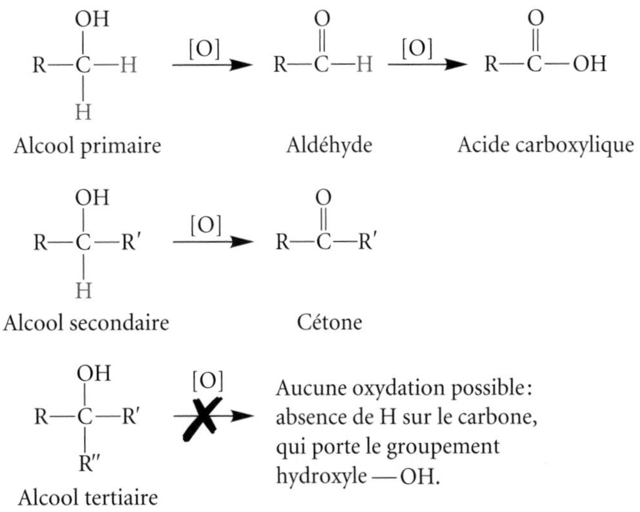

$$R-\overset{\overset{\displaystyle OH}{|}}{\underset{\underset{\displaystyle H}{|}}{C}}-H \xrightarrow{[O]} R-\overset{\overset{\displaystyle O}{\|}}{C}-H \xrightarrow{[O]} R-\overset{\overset{\displaystyle O}{\|}}{C}-OH$$

Alcool primaire   Aldéhyde   Acide carboxylique

$$R-\overset{\overset{\displaystyle OH}{|}}{\underset{\underset{\displaystyle H}{|}}{C}}-R' \xrightarrow{[O]} R-\overset{\overset{\displaystyle O}{\|}}{C}-R'$$

Alcool secondaire   Cétone

$$R-\overset{\overset{\displaystyle OH}{|}}{\underset{\underset{\displaystyle R''}{|}}{C}}-R' \xrightarrow{[O]} \!\!\!\!\! \times$$

Aucune oxydation possible : absence de H sur le carbone, qui porte le groupement hydroxyle —OH.

Alcool tertiaire

Pour effectuer des oxydations complètes d'alcools primaires en acides carboxyliques[10] et des alcools secondaires en cétones, des conditions réactionnelles oxydantes fortes, telles que le permanganate de potassium ($KMnO_4$) concentré à chaud ou des sels de chrome ($K_2Cr_2O_7$ ou $Na_2Cr_2O_7$) dans une solution aqueuse d'acide sulfurique (H_2SO_4, H_2O), peuvent également être employées. Dans ces conditions, en plus de l'oxydation des alcools, il est important de se rappeler que les liaisons multiples subissent un clivage oxydatif, comme cela est présenté dans la section 7.3.3.1 B (*voir p. 316*). Par contre, le réactif de Jones laisse intact les alcènes et les alcynes.

Figure 10.20 Oxydation complète des alcools par le réactif de Jones

L'acide propanoïque (CH_3CH_2COOH) est un précurseur du propanoate de calcium($CH_3CH_2CO_2)_2Ca$. Ce dernier est utilisé en médecine vétérinaire pour traiter les troubles digestifs des bovins. Il stimule les sécrétions digestives et facilite ainsi la motricité gastrique et la rumination.

Oxydation d'alcools primaires en acides carboxyliques

$$CH_3-CH_2-CH_2-OH \xrightarrow[\substack{H_2SO_4,\ \text{acétone} \\ (\text{réactif de Jones})}]{CrO_3} CH_3-CH_2-\overset{\overset{\displaystyle O}{\|}}{C}-OH$$

propan-1-ol   acide propanoïque

4-cyclopentyl-2-méthylbutan-1-ol
$\xrightarrow[\substack{H_2SO_4,\ \text{acétone} \\ (\text{réactif de Jones})}]{CrO_3}$
acide 4-cyclopentyl-2-méthylbutanoïque

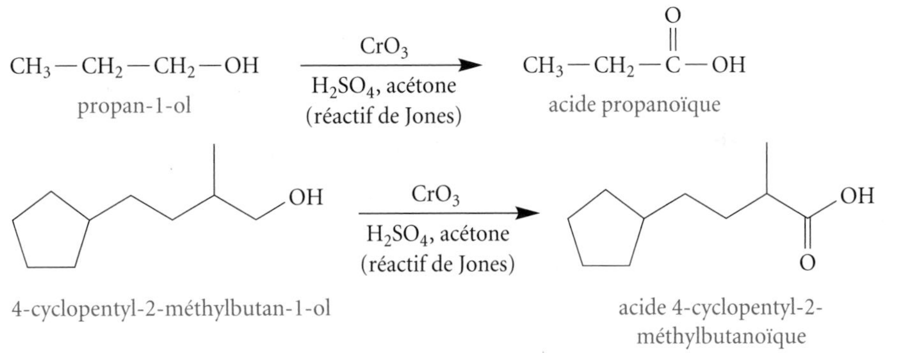

Oxydation d'alcools secondaires en cétones

$$CH_3-CH_2-CH_2-CH_2-\overset{\overset{\displaystyle OH}{|}}{CH}-CH_3 \xrightarrow[\substack{H_2SO_4, \\ \text{acétone} \\ (\text{réactif de Jones})}]{CrO_3} CH_3-CH_2-CH_2-CH_2-\overset{\overset{\displaystyle O}{\|}}{C}-CH_3$$

hexan-2-ol   hexan-2-one

cyclohexanol
$\xrightarrow[\substack{H_2SO_4,\ \text{acétone} \\ (\text{réactif de Jones})}]{CrO_3}$
cyclohexanone

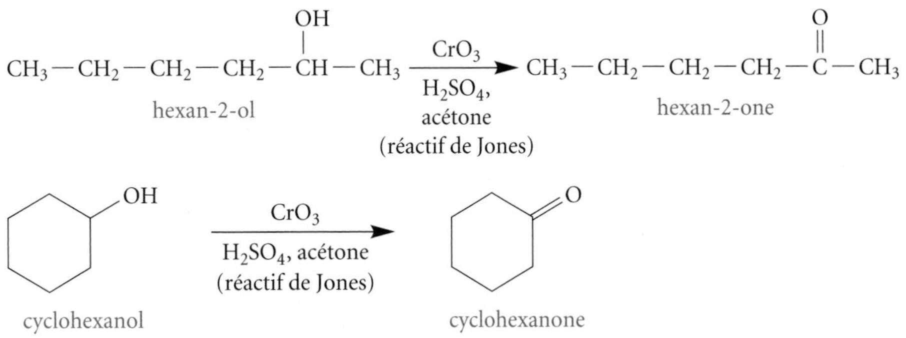

L'éprouvette de gauche contient une solution aqueuse de dichromate de potassium ($K_2Cr_2O_7$) en l'absence d'éthanol. Dans l'éprouvette de droite, de l'éthanol a été ajouté à la solution de $K_2Cr_2O_7$. Il se produit alors une réaction d'oxydoréduction menant à la formation de $Cr_2(SO_4)_3$ de coloration verte.

> **REMARQUE**
>
> Les solutions aqueuses de $K_2Cr_2O_7$ (Cr^{6+}) sont oranges, alors que les solutions aqueuses de $Cr_2(SO_4)_3$ (Cr^{3+}) sont vertes (*voir l'image ci-contre*). Ce changement de couleur est à la base des appareils de mesure du taux d'alcoolémie (p. ex.: les alcootests à usage unique dont les billes de gel de silice sont recouvertes de $K_2Cr_2O_7$). En effet, la réaction d'oxydo-réduction au cours d'un alcootest est la suivante: 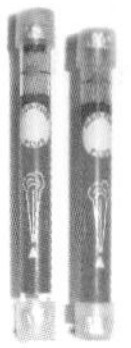
>
> $$2\,K_2Cr_2O_7\ +\ 8\,H_2SO_4\ +\ 3\,CH_3CH_2OH\ \xrightarrow{AgNO_3}$$
> $$2\,Cr_2(SO_4)_3\ +\ 2\,K_2SO_4\ +\ 3\,CH_3COOH\ +\ 11\,H_2O$$

Par opposition, pour effectuer une **oxydation douce**, c'est-à-dire une oxydation partielle des alcools primaires en aldéhydes et des alcools secondaires en cétones, un oxydant particulier plus faible, le **chlorochromate de pyridinium** (**PCC**), est utilisé (*voir la figure 10.21*). Le PCC se prépare en dissolvant du CrO_3 dans du HCl et en présence de pyridine. Le solvant dans lequel se déroule la réaction est généralement le dichlorométhane (CH_2Cl_2).

Il existe des conditions réactionnelles d'oxydation plus modernes, autres que le PCC, permettant une oxydation douce sans recourir au chrome, un métal toxique. L'**oxydation de Swern**, qui emploie le diméthylsulfoxyde (DMSO, CH_3SOCH_3) et le chlorure d'oxalyle (ClCOCOCl) à basse température, en est un exemple (*voir la figure 10.22*). Cette réaction dégage toutefois une odeur des plus désagréables en raison de la formation d'un sous-produit soufré, soit le sulfure de diméthyle (CH_3—S—CH_3). Il est à noter que le PCC et le réactif de Swern ne réagissent pas avec les alcènes et les alcynes.

Figure 10.21
Préparation du PCC et oxydation des alcools par le PCC

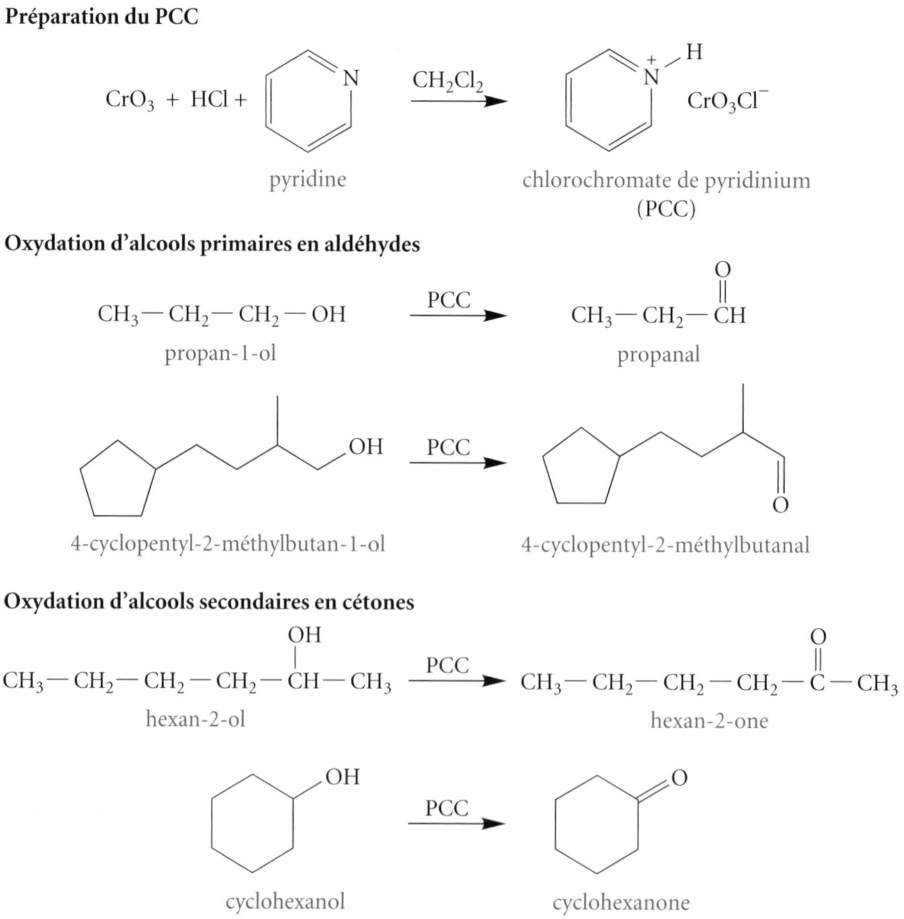

Préparation du PCC

$$CrO_3\ +\ HCl\ +\ \text{pyridine} \xrightarrow{CH_2Cl_2} \text{chlorochromate de pyridinium (PCC)}$$

Oxydation d'alcools primaires en aldéhydes

$$CH_3—CH_2—CH_2—OH \xrightarrow{PCC} CH_3—CH_2—CH$$
propan-1-ol → propanal

4-cyclopentyl-2-méthylbutan-1-ol $\xrightarrow{PCC}$ 4-cyclopentyl-2-méthylbutanal

Oxydation d'alcools secondaires en cétones

$$CH_3—CH_2—CH_2—CH_2—\underset{OH}{CH}—CH_3 \xrightarrow{PCC} CH_3—CH_2—CH_2—CH_2—C—CH_3$$
hexan-2-ol → hexan-2-one

cyclohexanol $\xrightarrow{PCC}$ cyclohexanone

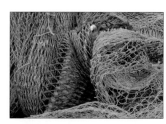

La cyclohexanone est un précurseur du nylon 6 qui sert notamment à la confection de filets de pêche, de cordes, de pneus, de meubles d'extérieur, etc.

Figure 10.22
Réaction globale de l'oxydation de Swern

$$R—CH_2—OH \xrightarrow[\substack{Et_3N, CH_2Cl_2, -60\ °C \\ (\text{réactif de Swern})}]{\substack{CH_3—S—CH_3,\ Cl—C—C—Cl}} R—C—H$$

Alcool primaire · Aldéhyde

cheneliere.ca/chimieorganique (www)

› Mécanisme réactionnel de l'oxydation de Swern

REMARQUE

L'oxydation de Swern se fait généralement dans un intervalle de température de −60 °C à −78 °C selon la réactivité du substrat. La température de −60 °C de la réaction de Swern est obtenue en immergeant le milieu réactionnel dans un bain de glace sèche (CO_2 (s)) et de chloroforme, alors que celle de −78 °C est obtenue grâce à un bain de glace sèche et d'acétone.

Exercice 10.13 Complétez, s'il y a lieu, les réactions suivantes.

a)
$$\xrightarrow[\text{H}_2\text{SO}_4,\ \text{acétone}]{\text{CrO}_3}$$

b)
$$\xrightarrow[\text{Et}_3\text{N, CH}_2\text{Cl}_2,\ -60\ °C]{\text{CH}_3—S—CH_3,\ Cl—C—C—Cl}$$

c)
cholestérol
$$\xrightarrow[\text{H}_2\text{SO}_4,\ \text{acétone}]{\text{CrO}_3}$$

d)
géraniol
$$\xrightarrow{\text{PCC}}$$

Le géraniol est un terpène présent, entre autres, dans l'huile essentielle de géranium utilisée en parfumerie.

e)
? (trois possibilités)
$$\xrightarrow[\substack{\text{H}_2\text{SO}_4\ \text{dilué} \\ \Delta}]{\text{K}_2\text{Cr}_2\text{O}_7}$$
$+\ CO_2\ +\ H_2O$

f) $CH_3—CH=CH—CH_2—OH \xrightarrow{?} CH_3—CH=CH—CH$

Il y a deux conditions réactionnelles possibles. Donnez les deux.

10.5 Polyols

Les **polyols** (ou **polyalcools**), des molécules dotées de plusieurs fonctions alcools, sont présents dans de nombreux produits à usage domestique très utiles dans notre quotidien. Il en existe une grande variété, et quelques-uns sont présentés dans la figure 10.23 (*voir page suivante*). Ils ont en commun un point d'ébullition élevé, une grande solubilité dans l'eau et une grande viscosité, comparativement à des composés de masse molaire similaire. Ces propriétés physiques particulières proviennent de leur capacité à réaliser un grand nombre de ponts hydrogène.

REMARQUE

Les composés renfermant deux fonctions alcools adjacentes (diols vicinaux), tel l'éthylèneglycol, font partie de la famille des **glycols**.

Figure 10.23
Quelques polyols et leurs applications

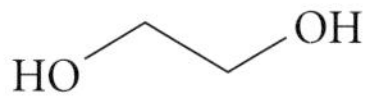

éthane-1,2-diol
(éthylèneglycol)
p. éb. : 198 °C

- Antigel dans les liquides de refroidissement des radiateurs d'automobiles

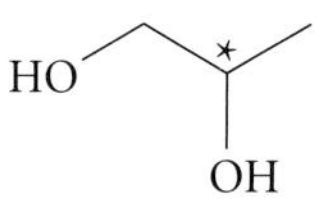

(RS)-propane-1,2-diol
(propylèneglycol)
p. éb. : 187 °C

- Additif alimentaire utilisé comme émulsifiant dans les sauces
- Agent antimoisissure dans les cosmétiques

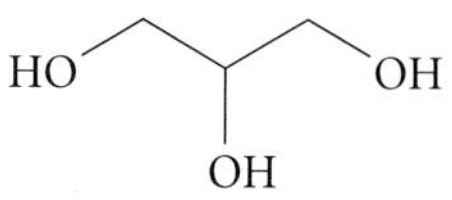

propane-1,2,3-triol
(glycérol)
p. éb. : 290 °C

- Liquide visqueux au goût sucré largement utilisé dans le domaine pharmaceutique comme lubrifiant (pastilles et sirops contre la toux)
- Propriétés hydratantes exploitées dans les savons

> **REMARQUE**
>
> Un **édulcorant** est une substance apportant une saveur douce aux aliments et aux boissons. Il permet, par le fait même, d'atténuer le mauvais goût d'un médicament. Le terme « édulcorant » est également employé pour désigner une substance au goût sucré qui est moins calorifique que le saccharose (ou sucre de table).

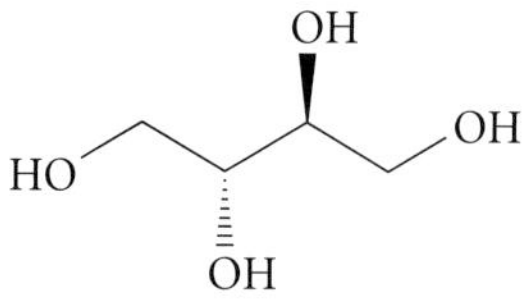

(2R,3S)-butane-1,2,3,4-tétrol
(érythritol)
p. éb. : 330 °C

- Édulcorant naturel au goût moins sucré que le saccharose présent dans les fruits, les algues, les lichens et la sauce soya

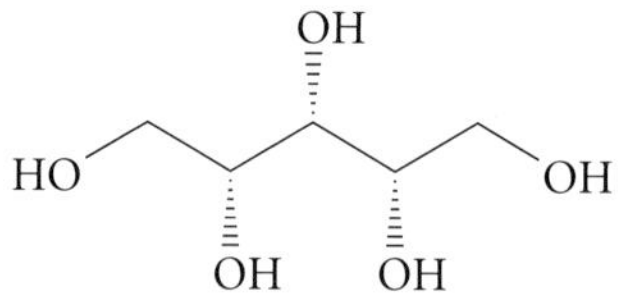

(2R,4S)-pentane-1,2,3,4,5-pentol
(xylitol)
p. éb. : 216 °C

- Édulcorant naturel (extrait du bois de bouleau) au gout sucré offrant une sensation de fraîcheur en bouche et utilisé, entre autres, dans les produits rafraîchisseurs d'haleine et les gommes à mâcher

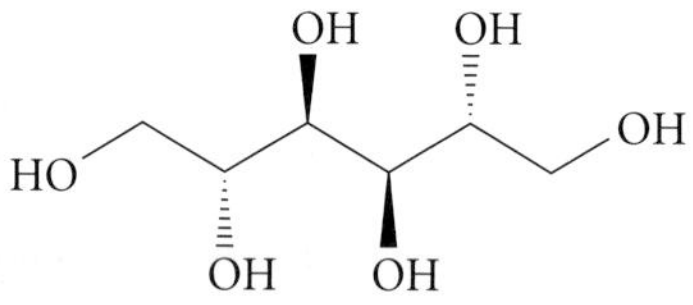

(2R,3R,4R,5R)-hexane-1,2,3,4,5,6-hexol
(mannitol)
p. éb. : 292 °C

- Agent anticollant utilisé dans les gommes à mâcher
- Médicament diurétique injecté de manière intraveineuse pour traiter les patients souffrant d'une insuffisance rénale

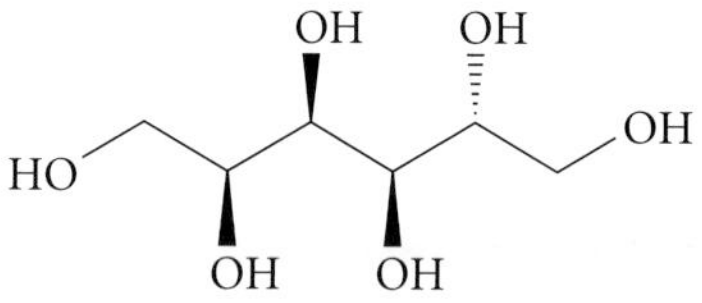

(2S,3R,4R,5R)-hexane-1,2,3,4,5,6-hexol
(sorbitol)
p. éb. : 296 °C

- Édulcorant naturel au goût deux fois moins sucré que le saccharose
- Présent plus fréquemment dans les produits commerciaux, étant moins coûteux que le xylitol

CHRONIQUES D'UNE MOLÉCULE

Le chemin de fer Canadien Pacifique et la nitroglycérine

La nitroglycérine fut synthétisée pour la toute première fois en 1847 par le chimiste italien **Ascanio Sobrero**[11] (1812-1888). Il s'agit d'une molécule organique simple qui s'obtient par la nitration du glycérol en présence d'acide sulfurique et d'acide nitrique.

La nitroglycérine est un explosif très puissant. Cette molécule s'avère être également d'une grande utilité dans le domaine médical. En effet, elle est employée pour soulager les angines de poitrine grâce à ses propriétés vasodilatatrices.

À l'état pur, la nitroglycérine, tout comme plusieurs molécules polynitrées, est extrêmement instable et explose sous l'action d'un choc ou d'une température élevée. Sa dangerosité s'explique principalement grâce à deux éléments. Tout d'abord, la réaction de décomposition est très exothermique ($\Delta H = -1632,4$ kJ/kg). L'énergie thermique se dissipe donc moins rapidement qu'elle n'est produite. Par conséquent, la chaleur déclenche une réaction en chaîne, et cette réaction devient alors incontrôlable. Enfin, la réaction globale de

$$\text{glycérol} + 3 \text{ HO-NO}_2 \xrightarrow[< 20\,°C]{\text{H}_2\text{SO}_4 \text{ conc.}} \text{trinitrate de glycéryle} + 3 \text{ H}_2\text{O}$$

glycérol   acide nitrique

trinitrate de glycéryle
(nitroglycérine)

$$4 \text{ C}_3\text{H}_5\text{N}_3\text{O}_9 \, (l) \longrightarrow 12 \text{ CO}_2 \, (g) + 10 \text{ H}_2\text{O} \, (g) + 6 \text{ N}_2 \, (g) + \text{O}_2 \, (g)$$

trinitrate de glycéryle
(nitroglycérine)

la transformation de la nitroglycérine démontre que 4 moles de réactifs produisent 29 moles de gaz. L'expansion obtenue à la suite de la formation des molécules de gaz (716 L/kg) est responsable de la violence de l'explosion.

Malgré les risques encourus à la manipuler, la nitroglycérine fut largement utilisée, notamment lors de la construction des chemins de fer. À ce sujet, le Canada ouvre une page sombre de son histoire.

En 1871, le premier ministre canadien de l'époque, John Alexander Macdonald (dont l'effigie apparaît sur les billets de 10 dollars), entreprit d'unifier toutes les provinces du pays par une voie ferrée connue, encore aujourd'hui, sous le nom «Canadien Pacifique». Celle-ci avait pour objectif principal de contrer la concurrence économique américaine. Pour réaliser cet ambitieux projet, il fallut frayer un chemin à travers les chaînes de montagnes, notamment les montagnes Selkirk dans l'Ouest canadien.

Les conditions de travail étaient très difficiles pour les cheminots, surtout pour les immigrants

Ascanio Sobrero (1812-1888), connu pour sa découverte de la nitroglycérine

Alfred Bernhard Nobel (1833-1896), inventeur de la dynamite

chinois qui faisaient l'objet de racisme. Affamés et exploités, ils avaient, entre autres, la tâche la plus périlleuse, soit celle de manipuler la nitroglycérine. Dans l'exercice de leurs fonctions, plusieurs centaines d'entre eux perdirent la vie. À cette époque, la dynamite était déjà disponible, mais son coût était élevé. Pour cette raison, elle n'était pas employée.

La dynamite fut, en effet, inventée en 1866 par le chimiste suédois **Alfred Bernhard Nobel**[12] (1833-1896). Elle est formée de nitroglycérine (environ 15 %) et de certains autres explosifs mélangés à un sable siliceux d'origine naturelle, le kieselguhr (mieux connu, en chimie, sous le nom de «célite»). Ce mélange permet de manipuler la nitroglycérine en toute sécurité. Nobel breveta sa découverte, ce qui le rendit immensément riche. Il légua sa fortune à une fondation chargée de récompenser, grâce aux fameux prix Nobel, les personnes ayant rendu à l'humanité de grands services dans cinq domaines différents, soit la physique, la chimie, la physiologie ou la médecine, la littérature et la paix.

Construction du chemin de fer Canadien Pacifique en 1889 à travers les monts Selkirk dans l'Ouest canadien

10.6 Réactions des phénols

Même si les phénols et les alcools présentent un même groupement hydroxyle (—OH), leurs propriétés chimiques diffèrent. En effet, comme mentionné dans la section 10.3 (*voir p. 446*), le caractère acide des phénols ($pK_a \approx 10$) est beaucoup plus élevé que celui des alcools ($pK_a \approx 16$) en raison de la stabilisation par résonance de l'ion phénolate. Le phénol est ainsi une très mauvaise base ($pK_b = 20{,}7$), car les doublets d'électrons libres sur l'atome d'oxygène sont impliqués dans le système conjugué, et la protonation de cet atome nuirait alors au phénomène de résonance.

Les phénols ne réagissent donc pas comme les alcools par rapport à des catalyses acides. Malgré une protonation du groupement hydroxyle qui peut se réaliser en présence d'un acide très fort, la rupture de la liaison C—OH$_2^+$ est très difficile, voire impossible, contrairement à ce qui est observé dans le cas des alcools secondaires ou tertiaires. Même si une molécule d'eau est, en soi, un bon groupe partant, le cation phényle obtenu serait trop instable. Le carbone du carbocation serait hybridé *sp* et il devrait adopter une géométrie linéaire. Or, les cycles benzéniques pourvus d'un atome hybridé *sp* sont extrêmement difficiles à former, puisqu'ils présentent une trop forte tension de cycle. La rupture de la liaison C—OH$_2^+$ est donc énergétiquement très défavorisée (*voir la figure 10.24*). Par conséquent, les réactions de substitution nucléophile d'ordre 1 (S$_N$1) impliquant la substitution du groupement hydroxyle des phénols ne peuvent avoir lieu.

Figure 10.24
Formation du cation phényle extrêmement difficile, voire impossible, par catalyse acide

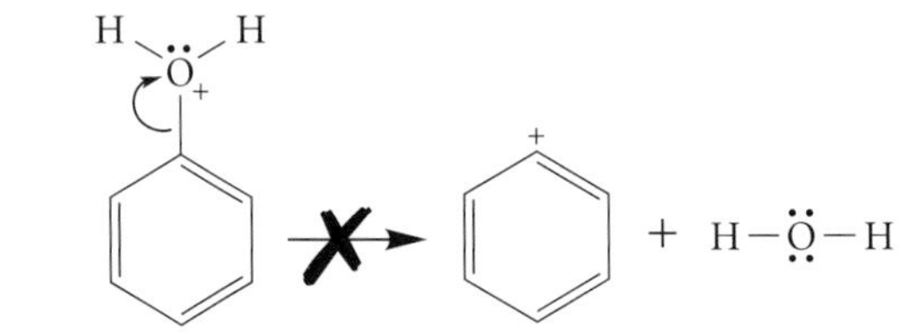

ion phényloxonium   cation phényle   eau

Dans le cas des réactions de substitution nucléophile d'ordre 2 (S$_N$2), la géométrie du cycle benzénique rend impossible cette réaction. En effet, le carbone porteur du groupement hydroxyle est hybridé *sp^2* au lieu d'être hybridé *sp^3*, un prérequis pour les réactions de type S$_N$2. Enfin, les phénols ne peuvent pas non plus subir de réactions d'élimination (E1 ou E2), car la nouvelle liaison π aurait pour effet d'accroître les angles du cycle benzénique, ce qui est nettement défavorisé énergétiquement.

Exercice 10.14 Complétez les réactions suivantes en représentant la structure des produits organiques A à C obtenus.

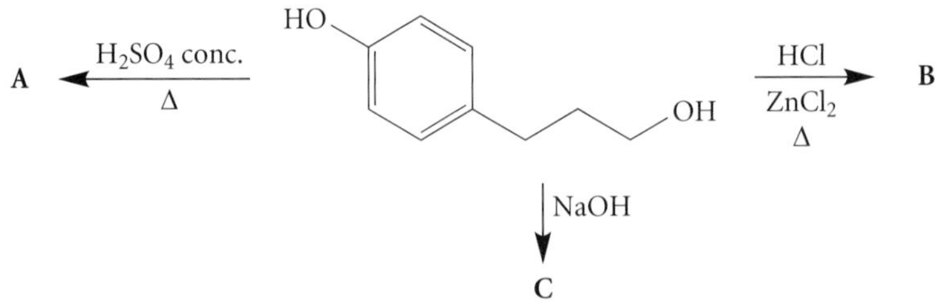

10.6.1 Substitution électrophile aromatique des phénols

Bien que les phénols ne puissent subir de réactions de substitution nucléophile ou d'élimination, il n'en demeure pas moins qu'ils sont des composés aromatiques qui peuvent réagir selon des réactions de substitution électrophile aromatique, telles que décrites dans le chapitre 8. Toutefois, puisque les phénols sont dotés d'un groupement hydroxyle —OH, un activant fort, des conditions réactionnelles beaucoup plus douces que celles employées avec le benzène pourront être utilisées. En effet, le cycle benzénique étant enrichi en électrons, il est un meilleur nucléophile et peut réagir avec des électrophiles plus faibles. À titre d'exemple, la réaction de **bromation du phénol**, qui mène au 2,4,6-tribromophénol, peut se réaliser grâce à une solution aqueuse de Br_2 sans l'ajout du catalyseur $FeBr_3$. De plus, la **nitration du phénol** s'effectue simplement en présence d'une solution aqueuse d'acide nitrique (HNO_3) et n'implique pas d'acide sulfurique. La **sulfonation du phénol**, quant à elle, mène à deux produits majoritaires différents selon la température à laquelle s'effectue la réaction (*voir le tableau 10.4*).

Tableau 10.4 **Conditions réactionnelles particulières pour certaines réactions de substitution électrophile aromatique du phénol**

Réactifs	Conditions réactionnelles (solvant et température, en °C)	Produits obtenus	Rendement (%)
Br_2	H_2O, 20 °C (solvant polaire)	2,4,6-tribromophénol (A, B et C = Br)	100 %
Br_2	CS_2, 5 °C (solvant non polaire)	4-bromophénol (A et B = H ; C = Br)	80 %
HNO_3 (*aq*) 20 %	20 °C	2-nitrophénol (A = NO$_2$; B et C = H) + 4-nitrophénol (A et B = H ; C = NO$_2$)	40 % + 60 %
H_2SO_4 conc.	25 °C	acide 2-hydroxybenzènesulfonique (A = SO$_3$H ; B et C = H)	Produit majoritaire
H_2SO_4 conc.	100 °C	acide 4-hydroxybenzènesulfonique (A et B = H ; C = SO$_3$H)	Produit majoritaire

Puisque l'oxygène du groupement hydroxyle —OH forme un complexe de façon très efficace avec les métaux tels que le fer et l'aluminium, plusieurs réactions présentées dans le chapitre 8 avec les composés benzéniques ne sont pas compatibles avec les phénols. En effet, les réactions d'acylation, d'alkylation et de chloration sont très peu efficaces avec les phénols.

Le thymol, une huile isolée du thym, est notamment reconnu pour ses propriétés antibactériennes et antiseptiques.

Exercice 10.15 À l'aide de la formule simplifiée, dessinez le produit organique majoritaire obtenu lorsque le 2-isopropyl-5-méthylphénol, appelé également « thymol », est soumis aux processus suivants :

a) Sulfonation
b) Nitration

Exercice 10.16 Complétez les réactions suivantes en écrivant la structure du produit organique majoritaire.

a)

b)

CHRONIQUES D'UNE MOLÉCULE

Bisphénol A : un nouveau produit sur la liste noire de Santé Canada[13]
Par Suzanne Girard, Cégep de Sherbrooke

Le 2,2-bis(4-hydroxyphényl)propane (ou 4,4′-dihydroxy-2,2-diphénylpropane), mieux connu sous le nom « bisphénol A » (ou « BPA »), est un produit chimique industriel de la famille des composés aromatiques. Il a été synthétisé pour la toute première fois en 1891 par le chimiste russe **Alexander Pavlovich Dianin** (1851-1918). Au début des années 1930, le bisphénol A a été employé en tant qu'œstrogène de synthèse. Il a été utilisé comme œstrogène artificiel pour la croissance des bovins et de la volaille, et brièvement employé comme œstrogène de remplacement pour les femmes. Il a cependant été remplacé par le diéthylstilbestrol (DES), un médicament considéré, à tort, plus prometteur. En effet, les études ont révélé que de nombreuses malformations génitales étaient observées chez les enfants nés de femmes ayant consommé le DES.

Depuis les années 1950, le bisphénol A est surtout utilisé comme monomère pour synthétiser du polycarbonate (PC), un plastique dur transparent et pratiquement incassable. Le BPA entre dans la fabrication d'une panoplie de produits courants incluant les biberons, les bouteilles pour boissons, les récipients pour denrées alimentaires, les équipements de sport, les lentilles pour lunettes, les CD et les DVD. Il est également présent, sous forme libre, dans un grand nombre de reçus de caisse (papier thermique). Enfin, les résines qui tapissent l'intérieur de certaines boîtes de conserve ou de canettes, les couvercles métalliques de pots et de bouteilles en verre ainsi que certains amalgames dentaires renferment du bisphénol A. Sa production mondiale est évaluée à plus de trois millions de tonnes par année.

Le BPA est au centre d'une controverse. Sa structure étant proche des hormones de la famille des œstrogènes, il devient inévitable qu'une exposition massive au BPA entraîne des répercussions physiologiques tant chez l'homme que chez la femme. Le BPA est, en effet, classé dans la catégorie des perturbateurs endocriniens. Plusieurs scientifiques associent le BPA à l'augmentation de cas de cancers du sein et de la prostate, d'obésité, de diabète de type 2, de perturbations neurologiques et, plus inquiétant encore, de troubles de la fertilité. À cet effet, le BPA fait partie de la famille des substances dites « reprotoxiques de catégorie 3 », c'est-à-dire jugées préoccupantes pour la fertilité de l'espèce humaine.

En règle générale, la plupart des Canadiens sont quotidiennement exposés à des quantités non négligeables de BPA. En 2010, Statistique Canada rapportait que

bisphénol A (BPA)

diéthylstilbestrol (DES)

10.6.2 Oxydation des phénols

Les **réactions d'oxydation des phénols** mènent à la formation de **quinones**. Pour ce faire, le **sel de Frémy** ($\cdot ON(SO_3K)_2$) est employé. Il agit comme donneur d'oxygène et permet à la réaction d'avoir lieu en introduisant de l'oxygène en position *para* du phénol (*voir la figure 10.25*).

Figure 10.25
Oxydation des phénols à l'aide du sel de Frémy

phénol

nitrosodisulfonate de potassium (sel de Frémy)

1,4-benzoquinone
ou cyclohexa-2,5-diène-1,4-dione

91 % des Canadiens avaient une quantité appréciable de BPA dans leur urine. Bien qu'alarmant, ce résultat s'avère le plus souvent sans conséquence, puisque le foie et les intestins d'un adulte en santé métabolisent rapidement le bisphénol A en une molécule dépourvue d'activité endocrine. Cependant, des études menées entre autres par deux groupes distincts de chercheurs, soit J. M. Braun et ses collaborateurs et M. Nishikawa et ses collaborateurs, démontrent que les femmes enceintes métabolisent moins facilement le BPA en raison d'une activité réduite de l'enzyme UGT2B1, laquelle est responsable de la biotransformation du BPA. De plus, le BPA est capable de traverser la barrière placentaire pour atteindre le fœtus. Une accumulation de BPA dans l'utérus de la femme enceinte ainsi que chez le fœtus est ainsi possible, ce qui risque par le fait même d'occasionner de graves problèmes de santé.

Le BPA est également écotoxique et peut malheureusement être rejeté dans l'environnement au cours de la production, de la transformation, de l'utilisation ou de l'élimination des produits qui en contiennent. Il pénètre l'environnement directement par dégradation ou par les eaux usées, les résidus de lavage, la percolation des eaux de sites d'enfouissement, etc. Le secteur du recyclage du papier a été désigné comme une grande source de rejet de bisphénol A dans l'environnement. Des études ont toutefois démontré que les stations d'épuration des eaux usées réussissaient à retirer une quantité non négligeable de BPA, soit un rendement médian de 68 %.

Le bisphénol A a été décelé dans l'eau de surface, l'eau souterraine et les sédiments de nombreux endroits au Canada.

Certains plastiques arborant un code de recyclage 3 ou 7 peuvent contenir du BPA. Toutefois, au Canada, depuis mars 2010, une réglementation assure que tous les biberons ne renferment aucune trace de cette substance.

Il n'est pas significativement persistant en conditions aérobies. Par contre, en l'absence d'oxygène ou en présence d'une faible teneur en oxygène, il ne se dégrade pas ou, du moins, très lentement. Compte tenu de sa grande utilisation et de sa lente décomposition, ce produit s'accumule dans les eaux. La problématique réside dans le fait qu'il est néfaste, même à de faibles concentrations. En avril 2012, le gouvernement du Canada publiait un avis de planification de la prévention de la pollution pour gérer les rejets de BPA des effluents industriels.

Enfin, avec le temps, les molécules de BPA présentes dans divers contenants et bouteilles ont tendance à s'extraire spontanément, à très faible dose, et ce, même à la température ambiante. Pire encore, la migration du BPA dans la nourriture est augmentée sous l'action d'une chaleur intense ou dans le cas de contact avec des aliments acides.

À la lumière de ces résultats (ainsi que de nombreuses autres recherches démontrant les risques encourus à exposer les femmes enceintes et les enfants en bas âge au BPA), le gouvernement du Canada a ajouté le BPA, en octobre 2010, sur la liste des substances toxiques. Il a imposé une réglementation interdisant la fabrication des biberons en bisphénol A, laquelle est entrée en vigueur le 11 mars 2010. De plus, à partir de 2014, l'étiquetage des produits contenant du BPA deviendra obligatoire. Dans un avenir à court terme, l'objectif consiste donc à remplacer le BPA par une molécule substitut ayant les mêmes propriétés chimiques, mais sans les effets nocifs pour la santé… Le défi reste de taille !

Ce sont plus particulièrement les dérivés des phénols, soit les **benzènediols** [Ph(OH)$_2$], qui sont facilement oxydables. Par exemple, l'**hydroquinone** (ou benzène-1,4-diol) et le **catéchol** (ou benzène-1,2-diol), exposés à l'air ambiant pendant un certain temps, s'oxydent pour former des quinones, soit le 1,4-benzoquinone (ou cyclohexa-2,5-diène-1,4-dione) et le 1,2-benzoquinone (ou cyclohexa-3,5-diène-1,2-dione). Pour accroître la vitesse de formation des produits oxydés, des oxydants tels que Na$_2$Cr$_2$O$_7$ et Ag$_2$O sont utilisés (*voir la figure 10.26*).

Figure 10.26
Oxydation de benzènediols

L'hydroquinone est un révélateur fréquemment employé dans le développement des films photographiques traditionnels en noir et blanc.

hydroquinone
ou benzène-1,4-diol
Cristaux incolores

$$\xrightarrow[\text{30 °C}]{\text{Na}_2\text{Cr}_2\text{O}_7 \quad \text{H}_2\text{SO}_4}$$

1,4-benzoquinone
ou cyclohexa-2,5-diène-1,4-dione
Solide jaune

catéchol
ou benzène-1,2-diol
Cristaux incolores

$$\xrightarrow[\text{Na}_2\text{SO}_4]{\text{Ag}_2\text{O} \quad \text{Et}_2\text{O}}$$

1,2-benzoquinone
ou cyclohexa-3,5-diène-1,2-dione
Solide rouge

L'une des applications de l'hydroquinone est son utilisation dans les révélateurs des films photographiques traditionnels en noir et blanc. Ces substances réduisent les ions argent (sous forme de cristaux de bromure d'argent, AgBr) ayant été exposés à la lumière en atomes d'argent (argent métallique, formant un solide noir); de ce fait, elles sont oxydées en quinones. Le catéchol, pour sa part, peut être utilisé dans plusieurs domaines d'application, notamment la production de pesticides, et en tant que précurseur dans la synthèse de parfums et de produits pharmaceutiques. Il est également employé comme agent antioxydant dans les bains pour galvanoplastie.

10.6.3 Propriété antioxydante des phénols

Il suffit d'exposer à l'air une pièce de viande rouge durant quelques heures pour constater que les aliments peuvent s'oxyder! En effet, la viande changera alors de couleur et elle prendra une teinte brunâtre ou même verdâtre. Ce sont plus particulièrement les alcènes contenus dans les aliments qui réagissent avec les radicaux libres hydroxydes (HO•) et superoxydes (O$_2$•) (*voir la rubrique « Chroniques d'une molécule – Jacques Cartier et les radicaux libres », p. 188*). Pour minimiser le problème d'oxydation, des additifs phénoliques peuvent être ajoutés aux produits alimentaires. Ils jouent le rôle d'**antioxydants** en réagissant préférentiellement avec les radicaux libres qui se forment, les empêchant, par le fait même, d'attaquer les fonctions alcènes. La réaction engendre des **radicaux phénoxydes**, dont la stabilité est relativement grande en raison du nombre élevé de formes limites de résonance (*voir la figure 10.27*). L'altération des alcènes est ainsi restreinte, et les aliments se conservent donc plus longtemps.

Figure 10.27
Phénols réagissant à titre d'agents antioxydants et stabilisation du radical phénoxyde par résonance

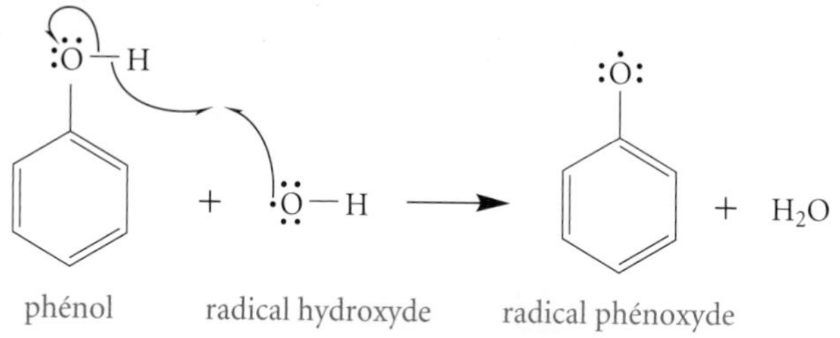

phénol   radical hydroxyde   radical phénoxyde

Stabilisation du radical phénoxyde par résonance

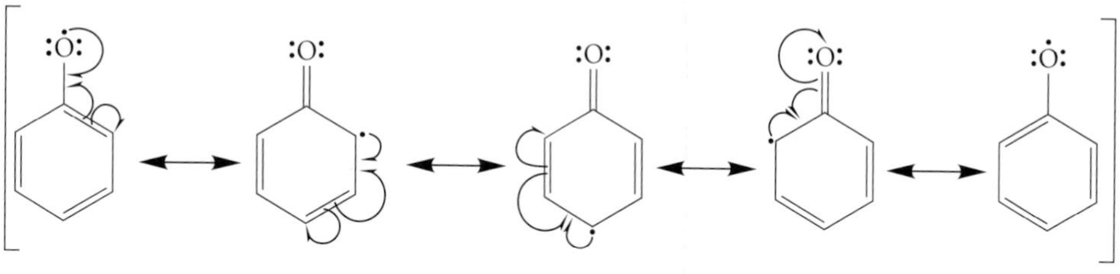

Les antioxydants phénoliques les plus connus sont le resvératrol et le α-tocophérol (vitamine E), lesquels sont des antioxydants naturels, ainsi que les composés phénoliques synthétiques tels que le **BHA** (de l'anglais *butylated hydroxyanisole*, «hydroxyanisole butylé») et le **BHT** (de l'anglais *butylated hydroxytoluene*, «hydroxytoluène butylé») (*voir la figure 10.28*).

Figure 10.28
Antioxydants phénoliques –
a) Naturels ; b) Synthétiques

a)

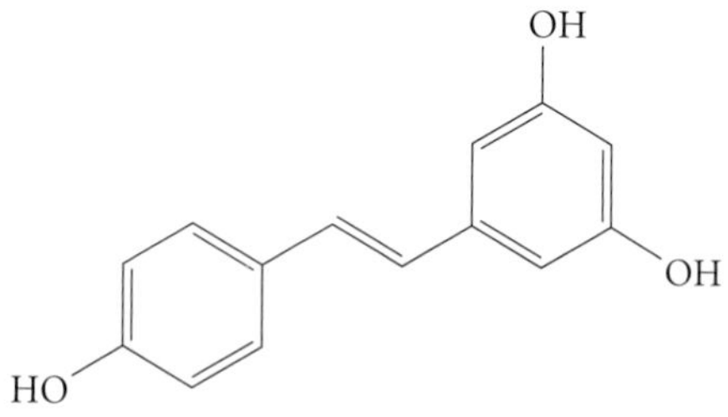

resvératrol
(antioxydant présent dans les mûres, les cacahouètes et la peau des raisins rouges)

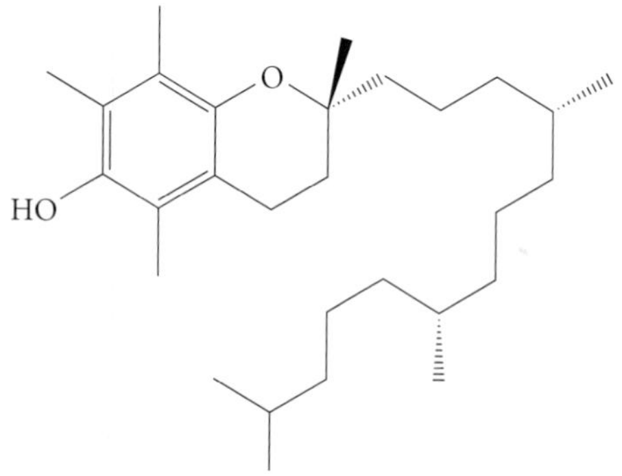

α-tocophérol
(une des huit formes naturelles de la vitamine E ; antioxydant principalement présent dans les huiles végétales)

b)

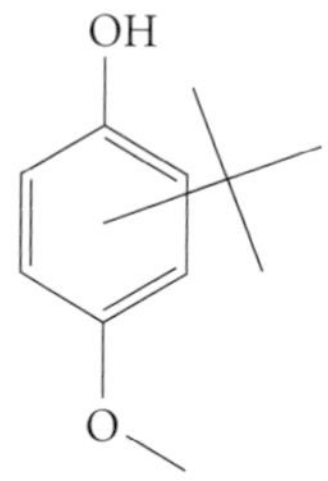

BHA
(additif ajouté aux viandes et aux gommes à mâcher)

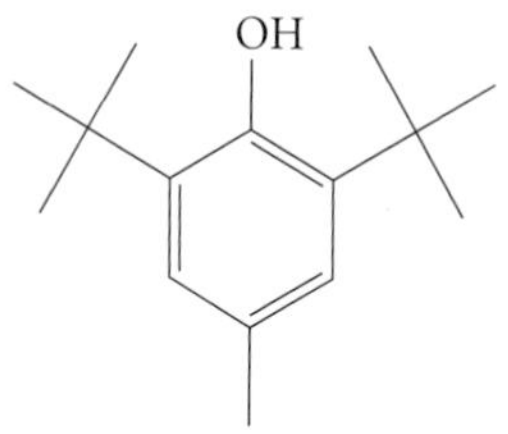

BHT
(additif ajouté aux produits alimentaires et aux cosmétiques, mais également aux lubrifiants, aux caoutchoucs et aux plastiques)

10.7 Préparation des alcools et des phénols

Les tableaux 10.5 à 10.7 présentent un aperçu de la préparation des alcools. La préparation des phénols est présentée, quant à elle, dans le tableau 10.8.

Tableau 10.5 **Formation d'alcools grâce à des réactions d'addition et d'oxydation sur les alcènes (sections 7.3.1.1 et 7.3.3.1)**

Soit la réaction générale suivante.

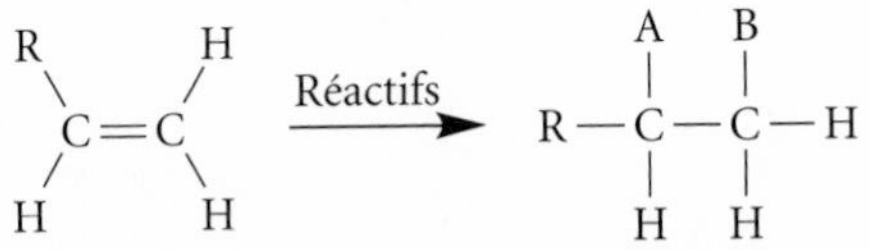

Réactifs	Nom de la réaction	Particularités	—A	—B
H_2O, H_2SO_4	Hydratation	• Produit selon Markovnikov	—OH	—H
1) BH_3 2) H_2O_2, OH^-	Hydroboration-oxydation	• Produit anti-Markovnikov	—H	—OH
$KMnO_4$ dilué, à froid	Oxydation douce	• Formation d'un diol • Addition *syn*	—OH	—OH

Tableau 10.6 **Formation d'alcools grâce à des réactions d'addition nucléophile de composés organométalliques sur les oxiranes, les aldéhydes, les cétones et les dérivés d'acides carboxyliques (section 9.8)**

Soit la réaction générale suivante.

Substrats + R—MgBr ⟶ R—A

Substrats	R—A
1) 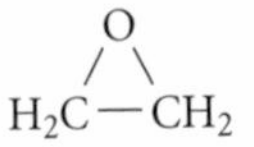 oxirane $H_2C—CH_2$ 2) H_2O, H_3O^+	R—CH_2CH_2OH
1) 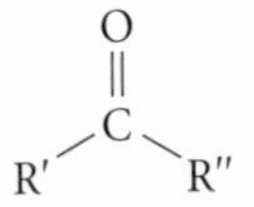 cétone R'—C(=O)—R'' 2) H_2O, H_3O^+	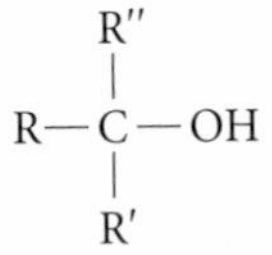 R—C(OH)(R'')(R')
1) 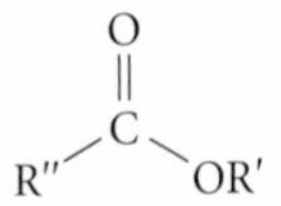 ester R''—C(=O)—OR' 2) H_2O, H_3O^+	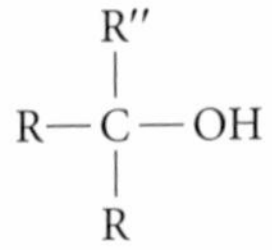 R—C(OH)(R'')(R)

Deux équivalents du réactif de Grignard sont nécessaires pour obtenir le produit final.

Tableau 10.7 Formation d'alcools à partir de diverses réactions

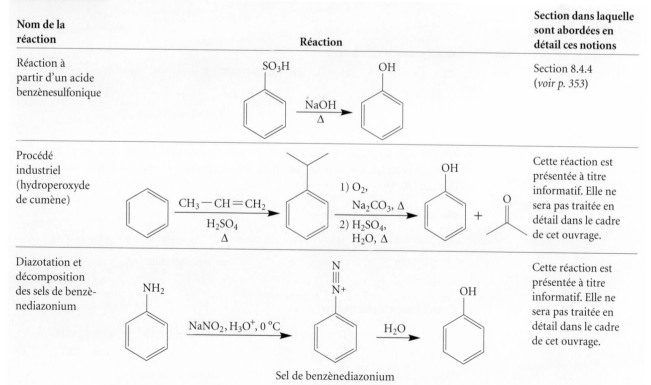

Nom de la réaction	Réaction	Section dans laquelle sont abordées en détail ces notions
Substitution nucléophile (S_N2 ou S_N1) sur les composés halogénés	$R-X \xrightarrow{\text{OH}^- \text{ ou } H_2O} R-OH$	Section 9.4 (*voir p. 387*)
Clivage des éthers	$R-O-R' \xrightarrow[\substack{H_2SO_4 \\ \Delta}]{H_2O} R-OH + R'-OH$	Section 11.4.1 (*voir p. 495*)
Réduction des aldéhydes et des cétones	Réactifs possibles : 1re possibilité : 1) $NaBH_4$ ou $LiAlH_4$ 2) H_2O, H_3O^+ 2e possibilité : H_2 (forte pression), Pd/C ou Pt ou Ni, Δ	Ressources numériques : chapitre 12
Hydrolyse (en milieu acide) et saponification (en milieu basique) des esters	**Hydrolyse** H_2O, H_3O^+, Δ **Saponification** 1) H_2O, NaOH, Δ 2) H_3O^+	Ressources numériques : chapitre 12
Réduction des esters	1) $LiAlH_4$ 2) H_2O, H_3O^+ → $RCH_2OH + R'OH$	Ressources numériques : chapitre 12

Tableau 10.8 Formation des phénols à partir de diverses réactions

Nom de la réaction	Réaction	Section dans laquelle sont abordées en détail ces notions
Réaction à partir d'un acide benzènesulfonique	$\xrightarrow[\Delta]{\text{NaOH}}$	Section 8.4.4 (*voir p. 353*)
Procédé industriel (hydroperoxyde de cumène)	$\xrightarrow[\substack{H_2SO_4 \\ \Delta}]{CH_3-CH=CH_2}$ 1) O_2, Na_2CO_3, Δ 2) H_2SO_4, H_2O, Δ	Cette réaction est présentée à titre informatif. Elle ne sera pas traitée en détail dans le cadre de cet ouvrage.
Diazotation et décomposition des sels de benzènediazonium	$\xrightarrow{NaNO_2, H_3O^+, 0\,°C}$ Sel de benzènediazonium $\xrightarrow{H_2O}$	Cette réaction est présentée à titre informatif. Elle ne sera pas traitée en détail dans le cadre de cet ouvrage.

Caractéristiques des alcools et des phénols

- Structure générale d'un alcool : R—OH (introduction)
- Structure générale d'un phénol : Ar—OH (introduction)
- Alcools dits « primaires », « secondaires » ou « tertiaires » si un, deux ou trois groupements alkyles sont respectivement attachés au carbone α (carbone porteur du groupement hydroxyle) (section 10.1)
- Molécules polaires renfermant notamment une liaison covalente polaire O—H (section 10.2)
- Attractions intermoléculaires particulières : ponts hydrogène (section 10.2)
- Propriétés physiques (p. ex.: point d'ébullition) plus élevées que celles des alcanes et des éthers de masses molaires similaires (section 10.2)
- Alcools de faible masse molaire solubles en toutes proportions dans l'eau (section 10.2)
- Diminution de la solubilité des alcools dans l'eau avec l'accroissement de leur chaîne de carbones (section 10.2)
- Solubilité des phénols dans l'eau moins élevée (en raison de leur plus grande portion hydrophobe) que celle des alcools de petite taille (section 10.2)
- Solubilité du phénol plus élevée que celle du cyclohexanol en raison de la structure plane et compacte du cycle benzénique et de sa capacité à réaliser des ponts hydrogène particulièrement forts (section 10.2)
- Les alcools sont des acides faibles et des bases faibles. Tout comme l'eau, ce sont des ampholytes (ou substances amphotères) (section 10.3)

Alcool jouant le rôle d'acide

$$R-\overset{\cdot\cdot}{\underset{\cdot\cdot}{O}}-H \ + \ H-\overset{\cdot\cdot}{\underset{\cdot\cdot}{O}}-H \ \rightleftharpoons \ R-\overset{\cdot\cdot}{\underset{\cdot\cdot}{O}}{:}^{-} \ + \ H-\overset{\cdot\cdot}{\underset{\underset{H}{|}}{O}}{+}-H$$

$pK_a \approx 16$ Ion alcoolate $pK_a = -1{,}7$

Alcool jouant le rôle de base

$$R-\overset{\cdot\cdot}{\underset{\cdot\cdot}{O}}-H \ + \ H-\overset{\cdot\cdot}{\underset{\underset{H}{|}}{O}}{+}-H \ \rightleftharpoons \ R-\overset{\cdot\cdot}{\underset{\underset{H}{|}}{O}}-H \ + \ H-\overset{\cdot\cdot}{\underset{\cdot\cdot}{O}}-H$$

$pK_b \approx 16$ $pK_b = 15{,}7$

Ion alkyloxonium

- Les phénols sont des acides plus forts et des bases plus faibles que les alcools. Tout comme l'eau et les alcools, ce sont des ampholytes (ou substances amphotères) (section 10.3)

Phénol jouant le rôle d'acide

$$Ar-\overset{\cdot\cdot}{\underset{\cdot\cdot}{O}}-H \ + \ H-\overset{\cdot\cdot}{\underset{\cdot\cdot}{O}}-H \ \rightleftharpoons \ Ar-\overset{\cdot\cdot}{\underset{\cdot\cdot}{O}}{:}^{-} \ + \ H-\overset{\cdot\cdot}{\underset{\underset{H}{|}}{O}}{+}-H$$

$pK_a \approx 10$ Ion phénolate $pK_a = -1{,}7$

Phénol jouant le rôle de base

$$Ar-\overset{\cdot\cdot}{\underset{\cdot\cdot}{O}}-H \ + \ H-\overset{\cdot\cdot}{\underset{\underset{H}{|}}{O}}{+}-H \ \rightleftharpoons \ Ar-\overset{\cdot\cdot}{\underset{\underset{H}{|}}{O}}{+}-H \ + \ H-\overset{\cdot\cdot}{\underset{\cdot\cdot}{O}}-H$$

$pK_b \approx 21$ $pK_b = 15{,}7$

Ion phényloxonium

- Particularité du groupe partant: le groupement hydroxyle —OH d'un alcool doit être transformé en un ion oxonium —OH_2^+ à l'aide d'un acide fort pour que des réactions de substitution nucléophile et d'élimination puissent avoir lieu (section 10.4.1). La molécule d'eau libérée est un bon groupe partant, car son acide conjugué, l'ion hydronium (H_3O^+), est un acide fort. Les phénols ne peuvent subir de réactions de substitution nucléophile et d'élimination (section 10.6).

Réactions des alcools

Formation des ions alcoolate (section 10.3.2)

- Réactions d'oxydoréduction avec un métal

$$2\, R—OH \;+\; 2\, K\, (ou\; 2\, Na) \longrightarrow 2\, RO^-\, K^+ \;+\; H_2$$

$$R—OH \;+\; KH\, (ou\; NaH) \longrightarrow RO^-\, K^+ \;+\; H_2$$

- Réaction avec un organomagnésien (ou un organolithien)

$$R—OH \;+\; R'—MgBr \longrightarrow RO^-\, {}^+MgBr \;+\; R'—H$$

- Réaction avec l'amidure de sodium

$$R—OH \;+\; NaNH_2 \longrightarrow RO^-\, Na^+ \;+\; NH_3$$

Réactions de substitution nucléophile

Soit la réaction générale suivante.

$$R—OH \;+\; \text{Réactifs} \longrightarrow R—A$$

	Réactifs	Nom de la réaction	Particularités	—A
Formation de composés halogénés	H—X	S_N avec un acide halogéné (test de Lucas) (section 10.4.2.1)	• X = Cl, Br ou I • Ajout de $ZnCl_2$ au milieu réactionnel avec les alcools primaires (lorsque X = Cl) • Alcools tertiaires et secondaires: S_N1 • Alcools primaires: S_N2	—X
	$SOCl_2$, pyridine	S_N avec le chlorure de thionyle (section 10.4.2.2)	• Alcools primaires et secondaires seulement • Pas de réaction des liaisons doubles et triples présentes dans le composé (en présence de pyridine) • Les composés chlorés formés au cours de cette réaction doivent avoir des points d'ébullition assez élevés pour qu'ils puissent être isolés plus facilement.	—Cl
	PX_3	S_N avec un halogénure de phosphore (section 10.4.2.2)	• X = Br ou I	—X

Déshydratation (réaction d'élimination) – Formation d'alcènes (section 10.4.3)

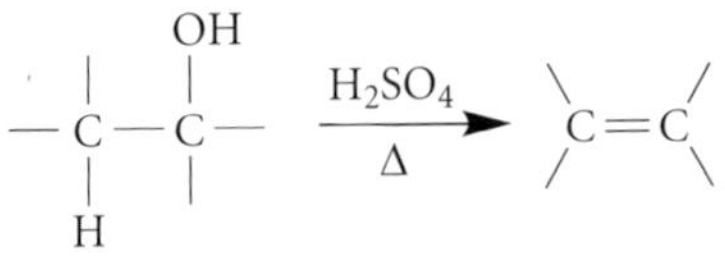

$$\underset{H}{\overset{OH}{-\overset{|}{C}-\overset{|}{C}-}} \xrightarrow[\Delta]{H_2SO_4} \overset{\diagdown}{\underset{\diagup}{C}} = \overset{\diagup}{\underset{\diagdown}{C}}$$

- Si l'alcool est primaire, la réaction s'effectue selon un mécanisme de type E2. Les conditions réactionnelles sont plus vigoureuses. L'acide sulfurique est concentré (H_2SO_4 conc., de 95 à 98 %) et la température peut être élevée.
- Si les alcools sont secondaires ou tertiaires, la réaction s'effectue selon un mécanisme de type E1. Les conditions réactionnelles sont plus douces. L'acide sulfurique est dilué (H_2SO_4 dilué, environ 20 %) et la température est moins élevée.
- La règle de Saytzev est respectée.
- La réaction de substitution nucléophile entre en compétition avec la réaction d'élimination principalement dans le cas des alcools primaires, ce qui mène à la formation d'éthers symétriques.

Oxydation (section 10.4.4)

- Oxydation forte

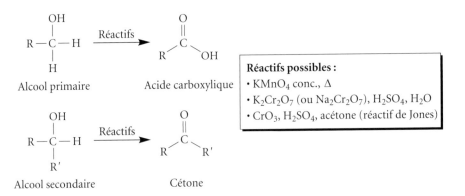

Réactifs possibles :
- $KMnO_4$ conc., Δ
- $K_2Cr_2O_7$ (ou $Na_2Cr_2O_7$), H_2SO_4, H_2O
- CrO_3, H_2SO_4, acétone (réactif de Jones)

- Oxydation douce

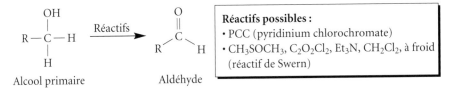

Réactifs possibles :
- PCC (pyridinium chlorochromate)
- CH_3SOCH_3, $C_2O_2Cl_2$, Et_3N, CH_2Cl_2, à froid (réactif de Swern)

L'oxydation douce des alcools secondaires mène à la formation de cétones au même titre que l'oxydation forte.

> Les alcools tertiaires ne peuvent pas s'oxyder.

Réactions des phénols

Formation des ions phénolate (section 10.3.2)

$$Ar{-}OH \ + \ NaOH \longrightarrow Ar{-}O^- Na^+ \ + \ H_2O$$

Substitution électrophile aromatique (section 10.6.1)

(*voir le tableau 10.4, p. 467*)

Oxydation (section 10.6.2)

Après l'étude de ce chapitre, je devrais être en mesure :

- ○ de définir la nature des groupements fonctionnels alcool, phénol, thiol et thiophénol ;
- ○ de distinguer les alcools primaires, secondaires et tertiaires ;
- ○ de décrire les caractéristiques structurales et les propriétés physiques des alcools et des phénols ;
- ○ d'expliquer la réactivité des groupements fonctionnels alcool et phénol ;
- ○ d'expliquer la différence d'acidité entre les alcools et les phénols ainsi que les facteurs qui l'influencent ;
- ○ de préparer des ions alcoolate en faisant réagir des alcools avec le potassium, le sodium, un hydrure métallique, un organomagnésien, un organolithien ou l'amidure de sodium ;
- ○ de prévoir les produits obtenus et les conditions expérimentales nécessaires au cours des réactions suivantes sur des alcools :
  - substitution nucléophile (HX, SOCl$_2$, PX$_3$),
  - déshydratation (réaction d'élimination avec le H$_2$SO$_4$ dilué ou concentré, à chaud),
  - oxydation douce des alcools primaires et secondaires, respectivement en aldéhydes et en cétones (PCC ou réactif de Swern),
  - oxydation forte des alcools primaires et secondaires, respectivement en acides carboxyliques et

en cétones (KMnO$_4$ conc., à chaud ; K$_2$Cr$_2$O$_7$ ou Na$_2$Cr$_2$O$_7$ en présence de H$_2$SO$_4$ (*aq*) ; CrO$_3$, H$_2$SO$_4$, acétone [réactif de Jones]) ;

- ○ de déduire la nature d'un alcool (primaire, secondaire ou tertiaire) par le test de Lucas ;
- ○ d'illustrer les mécanismes réactionnels des réactions de substitution nucléophile (S$_N$1 et S$_N$2) et d'élimination (E1 et E2) des alcools ;
- ○ de prévoir les produits obtenus et les conditions expérimentales nécessaires au cours des réactions suivantes sur des phénols :
  - formation des ions phénolate (NaOH),
  - substitution électrophile aromatique,
  - oxydation (sel de Frémy ; Na$_2$Cr$_2$O$_7$ en présence de H$_2$SO$_4$; Ag$_2$O en présence de Na$_2$SO$_4$ dans Et$_2$O) ;
- ○ d'expliquer la propriété antioxydante des phénols et de donner des exemples d'antioxydants phénoliques naturels et synthétiques ;
- ○ de déterminer la structure d'un alcool ou d'un phénol à l'aide de leurs propriétés physiques et chimiques caractéristiques ;
- ○ de concevoir (séquence des étapes et conditions réactionnelles de chacune) la synthèse d'un composé en utilisant notamment les réactions des alcools et des phénols.

EXERCICES SUPPLÉMENTAIRES

Propriétés physiques des alcools

10.17 Classez les composés suivants par ordre croissant de leur point d'ébullition. Expliquez brièvement votre réponse.

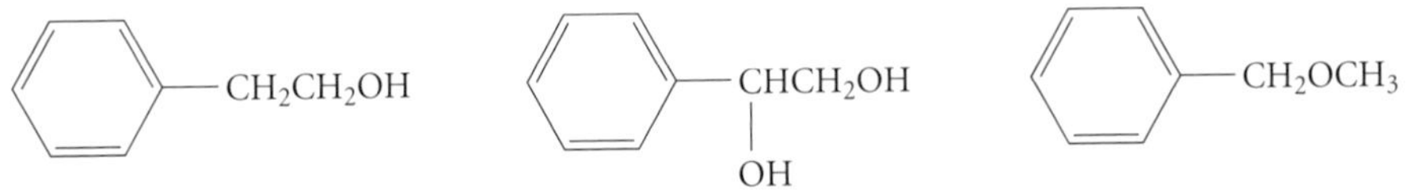

10.18 Classez les composés suivants par ordre décroissant de leur solubilité dans l'eau. Expliquez brièvement votre réponse.

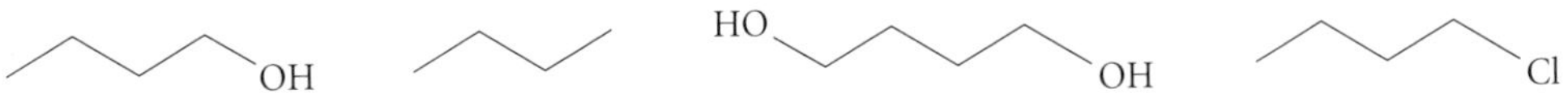

Caractères acide et basique des alcools et des phénols

10.19 Les alcools (R—OH) et les phénols (Ar—OH) peuvent réagir en tant que bases de Lewis. Illustrez cette propriété en écrivant une équation chimique pour chacune de ces fonctions au cours d'une réaction avec l'ion hydronium (H_3O^+).

10.20 Quel composé possède le caractère acide le plus élevé, l'alcool benzylique ou le phénol? Expliquez votre réponse.

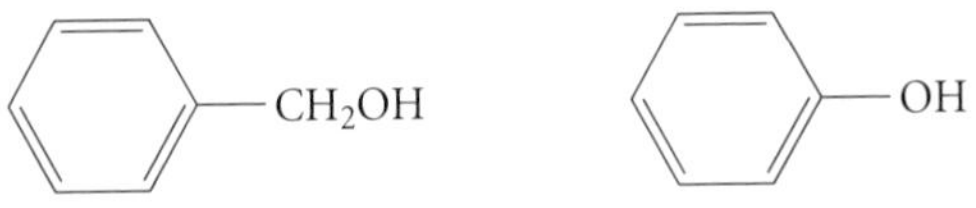

alcool benzylique   phénol

10.21 Complétez, s'il y a lieu, les réactions suivantes en dessinant la structure des produits obtenus.

a)

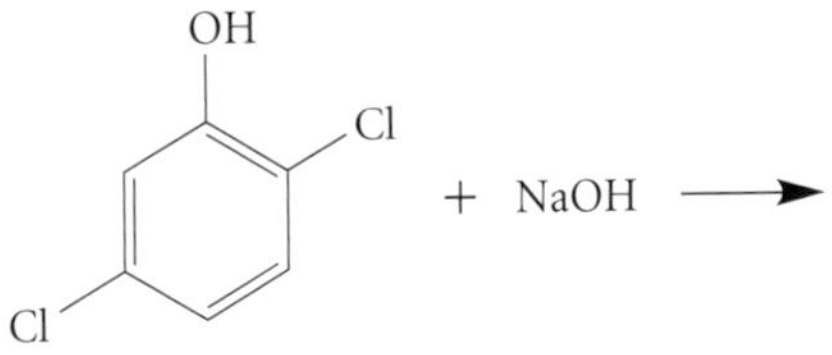

+ NaOH ⟶

2,5-dichlorophénol
(composé sécrété par des
sauterelles comme
moyen de défense)

b)

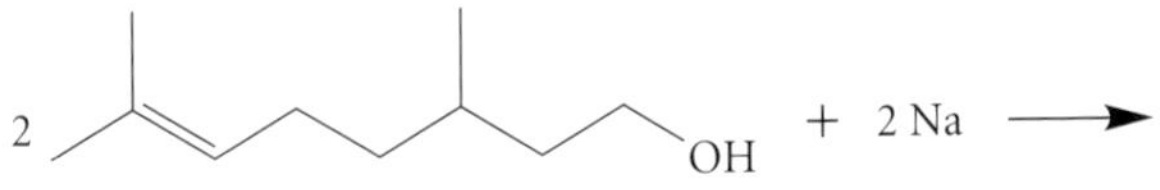

2   OH   + 2 Na ⟶

citronellol
(composé présent entre autres
dans l'huile de la rose et dans l'huile
de géranium, et utilisé en parfumerie)

c)

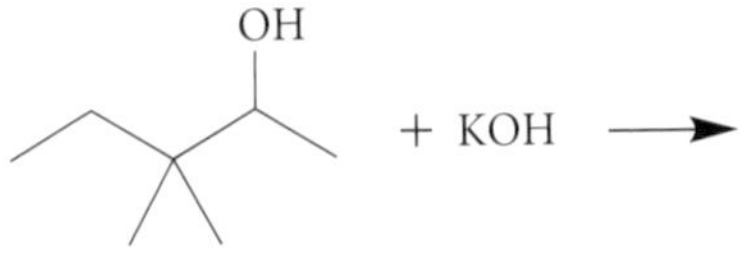

+ KOH ⟶

d)

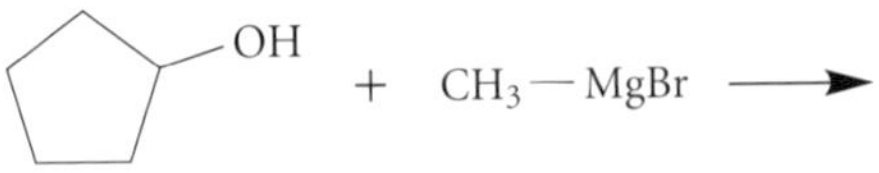

+ CH₃ — MgBr ⟶

e)

+ KH ⟶

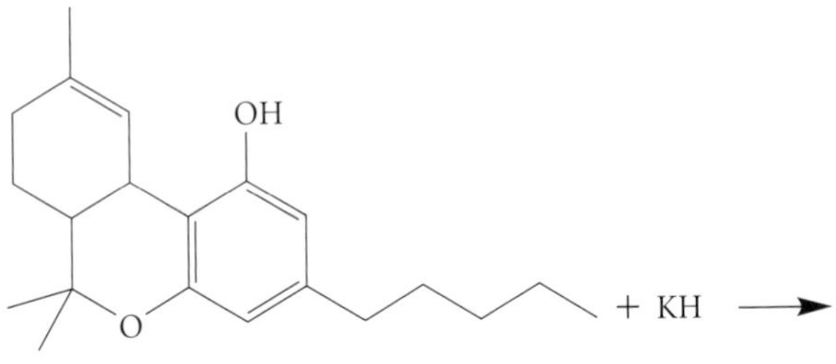

tétrahydrocannabinol (THC)
(composé actif de la marijuana)

Réactions des alcools et des phénols

10.22 Le butan-2-one est un solvant organique très utilisé dans les industries, notamment dans la préparation des peintures et des résines.

$$CH_3 - \overset{\overset{\displaystyle O}{\|}}{C} - CH_2 - CH_3$$

butan-2-one

a) Nommez, selon les règles de l'UICPA, l'alcool qui peut être utilisé pour faire la synthèse du butan-2-one en une seule étape.

b) À quel type de réaction des alcools faut-il avoir recours?

c) Grâce aux connaissances acquises dans ce chapitre, écrivez toutes les méthodes chimiques possibles de synthèse du butan-2-one à partir de l'alcool trouvé en a). Illustrez votre réponse à l'aide d'équations chimiques.

d) Un étudiant souhaite faire la synthèse du butan-2-one en laboratoire. Laquelle des méthodes illustrées en c) lui conseilleriez-vous?

e) Quel moyen lui proposeriez-vous afin de vérifier que sa synthèse est bien complétée après un certain laps de temps? Expliquez votre réponse.

10.23 Le bisabolol est un alcool de la famille des terpènes et un des constituants de l'huile essentielle de camomille. Il est connu, entre autres, pour ses propriétés calmantes, anti-inflammatoires et odorantes. Complétez la réaction d'oxydation suivante et expliquez les produits obtenus.

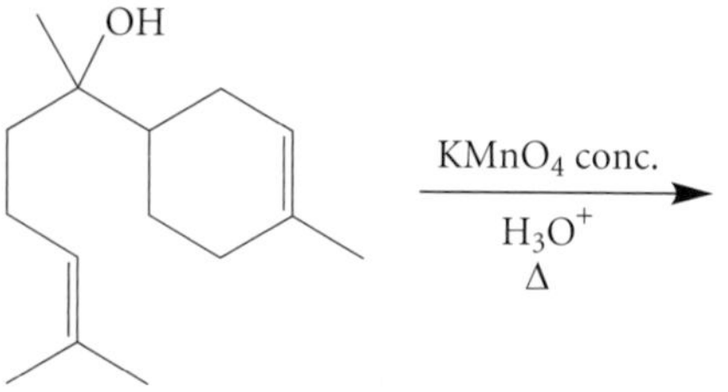

bisabolol

$$\xrightarrow[\substack{H_3O^+ \\ \Delta}]{KMnO_4 \text{ conc.}}$$

10.24 Complétez, s'il y a lieu, les réactions suivantes en représentant les composés manquants.

a) 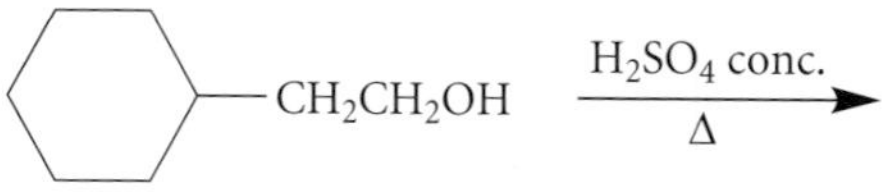
$$\text{C}_6\text{H}_{11}-CH_2CH_2OH \xrightarrow[\Delta]{H_2SO_4 \text{ conc.}}$$

b)
$$\text{(pentan-3-ol)} + HCl \xrightarrow[\Delta]{ZnCl_2}$$

c)
$$\text{(2-méthylcyclobutan-1-ol)} \xrightarrow[H_2SO_4, \text{ acétone}]{CrO_3}$$

d)
$$CH_3 - \overset{\overset{\displaystyle OH}{|}}{\underset{\underset{\displaystyle C_6H_5}{|}}{C}} - CH_2 - CH_3 \xrightarrow[\Delta]{H_2SO_4 \text{ dilué}}$$

e)
$$CH_3 - \overset{\overset{\displaystyle OH}{|}}{\underset{\underset{\displaystyle CH_3}{|}}{C}} - CH_2 - CH_3 \xrightarrow{PCC}$$

f) 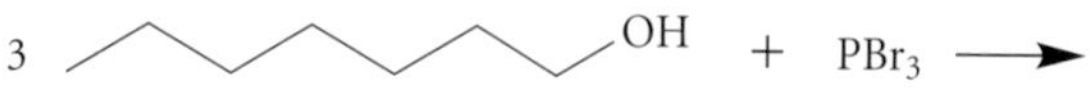
$$3 \text{ CH}_2=\ldots-OH + PBr_3 \longrightarrow$$

g) 
$$? \xrightarrow{HCl}$$

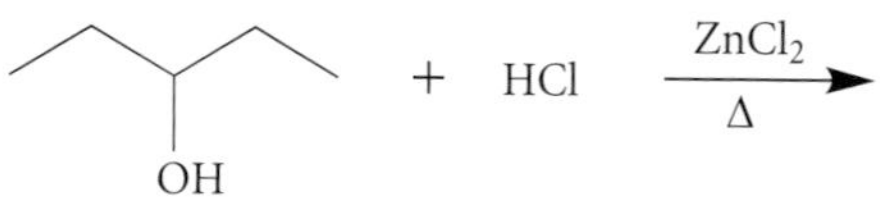

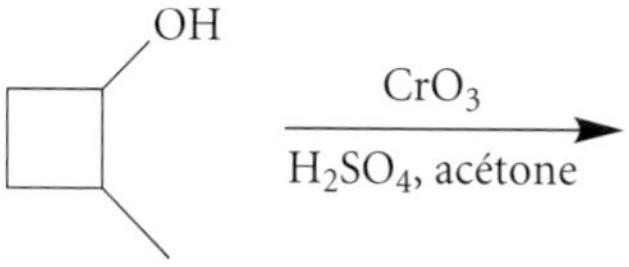

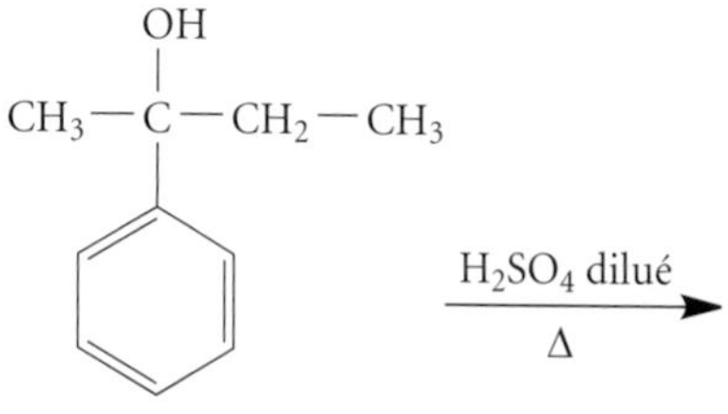

h) 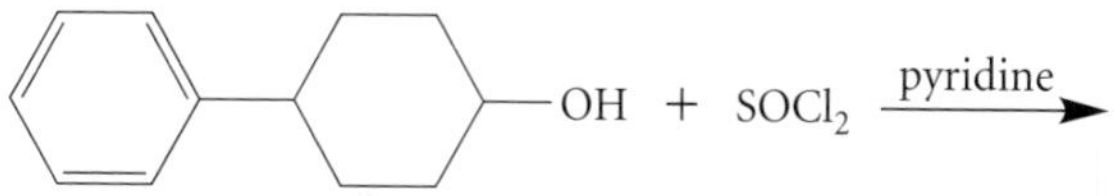
$$\text{C}_6\text{H}_5-\text{C}_6\text{H}_{10}-OH + SOCl_2 \xrightarrow{pyridine}$$

i) ? $\xrightarrow[\text{Et}_3\text{N, CH}_2\text{Cl}_2, -60\,°\text{C}]{\text{CH}_3-\overset{\text{O}}{\overset{\|}{\text{S}}}-\text{CH}_3,\ \text{Cl}-\overset{\text{O}}{\overset{\|}{\text{C}}}-\overset{\text{O}}{\overset{\|}{\text{C}}}-\text{Cl}}$ $\text{CH}_3-\overset{\overset{\text{CH}_3}{|}}{\underset{\overset{|}{\text{CH}_3}}{\text{C}}}-\overset{\overset{\text{O}}{\|}}{\text{C}}-\text{CH}_3$

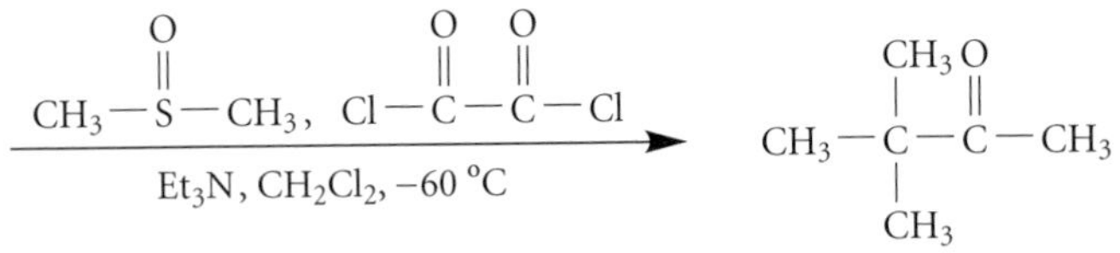

j) 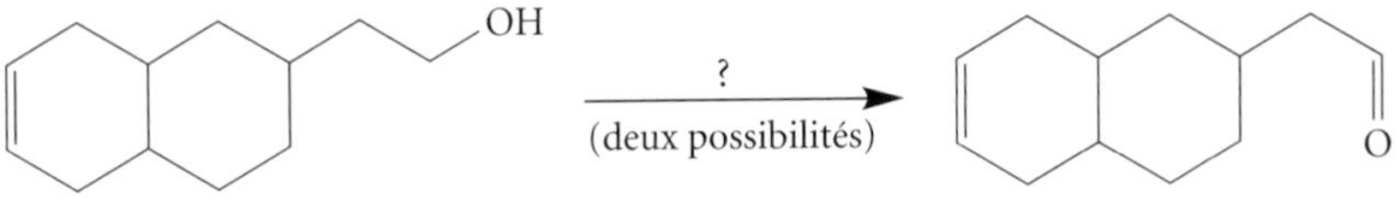 $\xrightarrow[\text{(deux possibilités)}]{?}$

k)   ?
(deux possibilités d'alcool) $\xrightarrow[\Delta]{\text{H}_2\text{SO}_4\text{ dilué}}$ CH₃

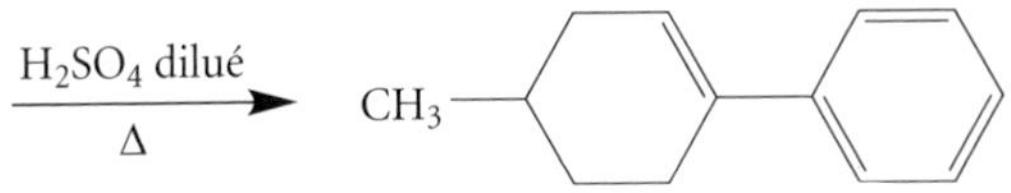

10.25 L'alizarine est un colorant rouge qui ne pouvait, jusqu'en 1868, être obtenu que par la culture de la garance (une plante de la famille des Rubiacées). En 1868, la découverte d'une méthode de synthèse de l'alizarine à partir de l'anthracène par des chimistes de la compagnie BASF fut si importante auprès des industries teinturières que les cultivateurs français de garance furent contraints de déclarer faillite. Le gouvernement résolut toutefois ce problème en exploitant le colorant d'origine végétale pour les soldats de la guerre franco-allemande de 1870 qui se présentèrent en face de l'ennemi avec des pantalons d'un rouge flamboyant d'alizarine naturelle!

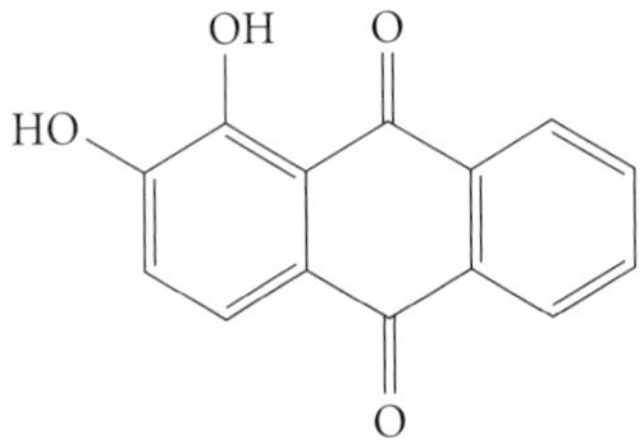

alizarine

Dans l'œuvre *Le fifre* d'Édouard Manet, un jeune flûtiste porte des pantalons rouge alizarine.

a) Quel serait le produit obtenu à la suite de la réaction de l'alizarine avec le $\text{Na}_2\text{Cr}_2\text{O}_7$ en présence d'acide sulfurique?

b) Quel autre réactif pourrait être utilisé pour former le même produit qu'en a)?

10.26 Complétez les réactions suivantes en représentant les composés manquants.

a)   ? $\xrightarrow{?}$

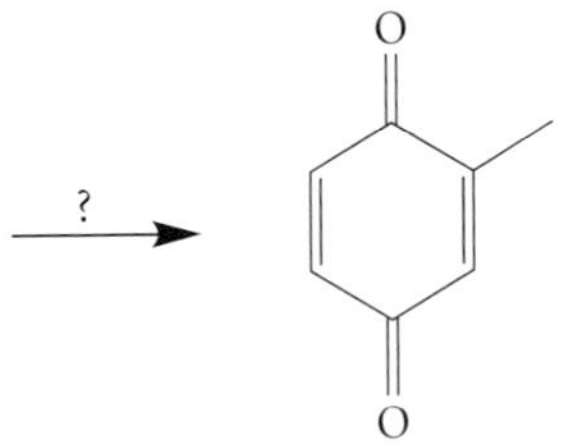

b) 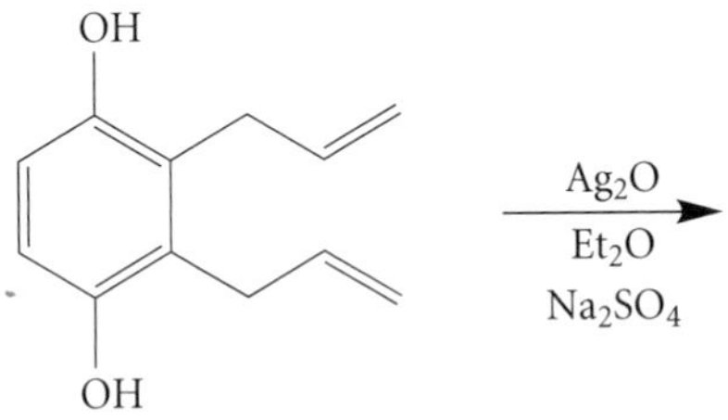 $\xrightarrow[\text{Na}_2\text{SO}_4]{\overset{\text{Ag}_2\text{O}}{\text{Et}_2\text{O}}}$

10.27 Illustrez le mécanisme réactionnel en deux dimensions de l'halogénation des alcools suivants.

a)    OH + SOCl₂ $\xrightarrow{\text{pyridine}}$

b) 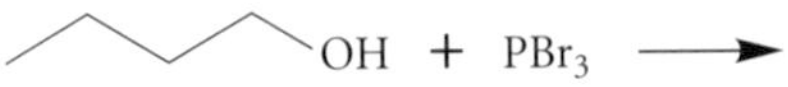   OH + PBr₃ $\longrightarrow$

c) 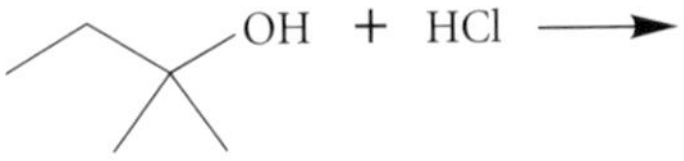   OH + HCl $\longrightarrow$

10.28 Illustrez le mécanisme tridimensionnel de déshydratation des alcools suivants et inscrivez tous les produits possibles. Si plus d'un alcène est possible, prédisez le produit majoritaire et expliquez votre choix.

a) 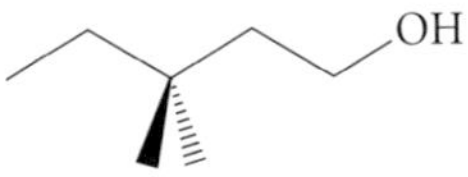   OH

b) 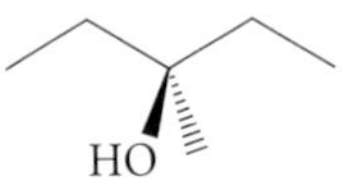   HO

10.29 Proposez une voie de synthèse pour former les produits A à E à partir du propan-1-ol comme seul composé organique. Tous les réactifs inorganiques sont cependant permis.

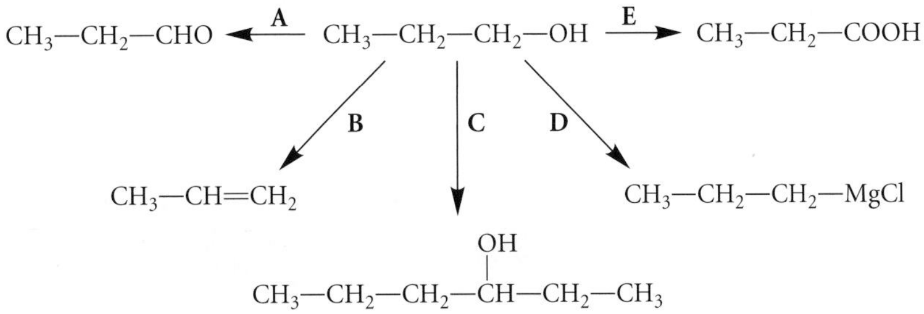

$$CH_3-CH_2-CHO \xleftarrow{\ A\ } CH_3-CH_2-CH_2-OH \xrightarrow{\ E\ } CH_3-CH_2-COOH$$

B

C

D

$$CH_3-CH=CH_2$$

$$CH_3-CH_2-CH_2-MgCl$$

$$\overset{\displaystyle OH}{CH_3-CH_2-CH_2-\overset{|}{CH}-CH_2-CH_3}$$

10.30 L'hydroxytyrosol est un puissant antioxydant phénolique naturel provenant, entre autres, du processus de fabrication de l'huile d'olive. Ses bienfaits pour la santé sont reconnus pour limiter et retarder les dommages causés par les réactions biologiques d'oxydation et associés à certaines maladies, notamment les cancers et les maladies cardiovasculaires. Complétez les réactions suivantes en représentant la structure du produit organique.

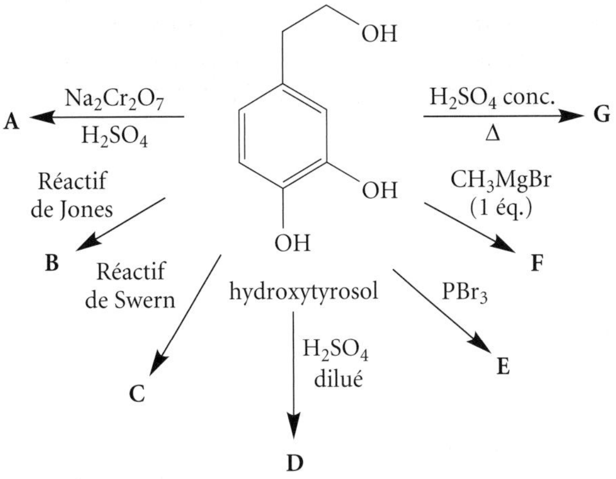

A $\xleftarrow[\text{H}_2\text{SO}_4]{\text{Na}_2\text{Cr}_2\text{O}_7}$

Réactif de Jones

B

Réactif de Swern

C

hydroxytyrosol

$\xrightarrow[\Delta]{\text{H}_2\text{SO}_4 \text{ conc.}}$ G

$\xrightarrow[\text{(1 éq.)}]{\text{CH}_3\text{MgBr}}$ F

PBr$_3$

E

$\xrightarrow[\text{dilué}]{\text{H}_2\text{SO}_4}$

D

10.31 Synthétisez les produits finaux demandés.

Attention!

- Indiquez toutes les conditions expérimentales et tous les réactifs nécessaires.
- Le substrat indiqué est le seul composé organique pouvant être utilisé. Tous les composés organiques utilisés doivent provenir du substrat. Tous les réactifs inorganiques sont permis.
- N'inscrivez aucun mécanisme.

a)

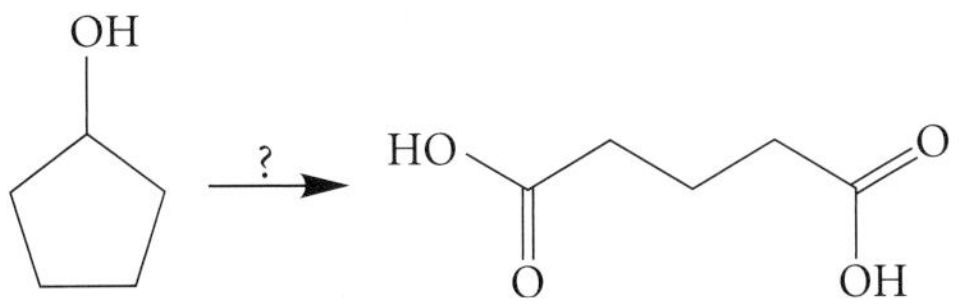

?

b)

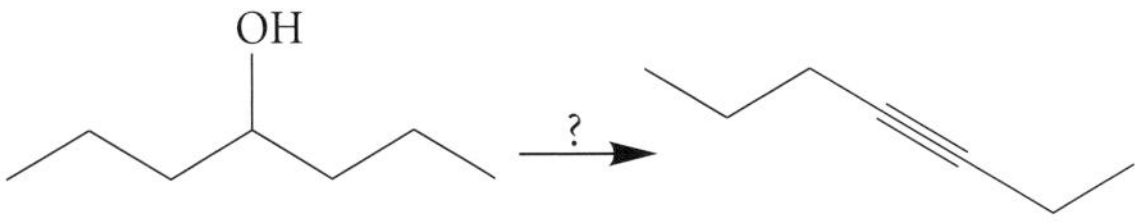

?

c)

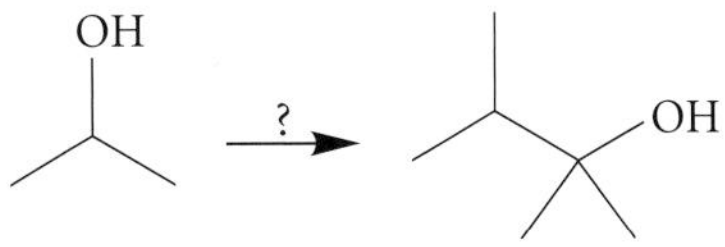

?

d)

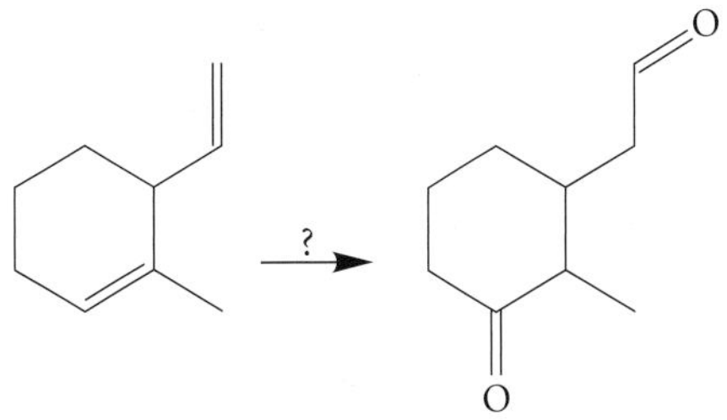

?

e)

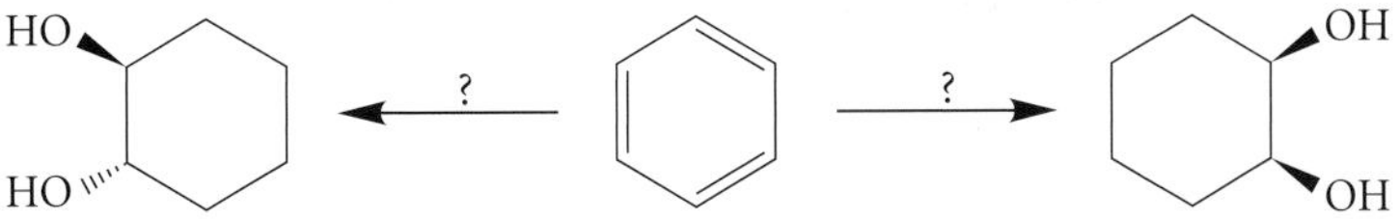

?   ?

f)

g)

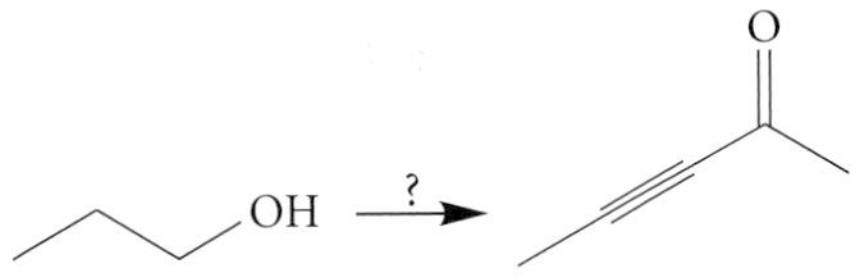

10.32 Déterminez les lettres A à F dans les séquences suivantes de réactions chimiques.

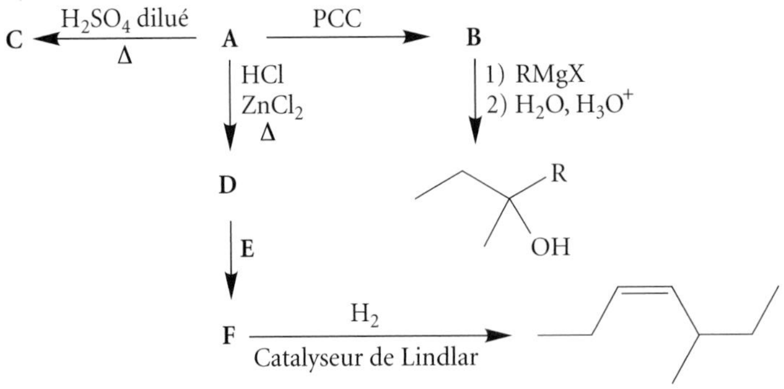

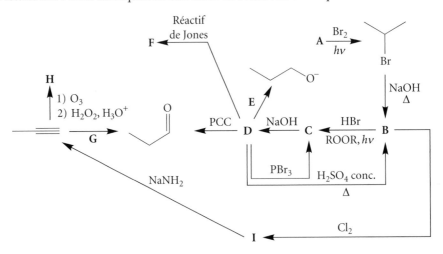

10.33 Déterminez les lettres A à I dans les séquences suivantes de réactions chimiques.

Problèmes à indices

Pour les problèmes suivants, découvrez la structure du composé grâce aux indices fournis ci-dessous. Pour chaque indice, expliquez l'information que vous en avez tirée. Écrivez toutes les étapes du raisonnement menant à votre réponse.

10.34 1) La formule moléculaire du composé A est $C_5H_{12}O$.

2) Lorsque le composé A est traité en présence de HCl à chaud, la réaction est très lente. Elle est toutefois beaucoup plus rapide (quelques minutes) avec l'ajout de $ZnCl_2$ (test de Lucas).

3) À la suite de la réaction du test de Lucas, un mélange racémique est obtenu.

4) Enfin, au cours de la déshydratation (H_2SO_4 à chaud) du composé A, l'alcène majoritaire formé selon la règle de Saytzev est disubstitué.

Déterminez la structure simplifiée du composé A.

10.35 1) La formule moléculaire du composé B est $C_5H_{12}O_2$.

2) Lorsque le composé B est oxydé avec le PCC, le produit obtenu renferme une fonction aldéhyde et une fonction alcool.

3) La réaction de déshydratation (H_2SO_4 à chaud) du composé B mène au produit suivant:

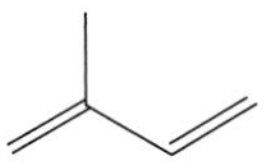

Déterminez la structure simplifiée du composé B.

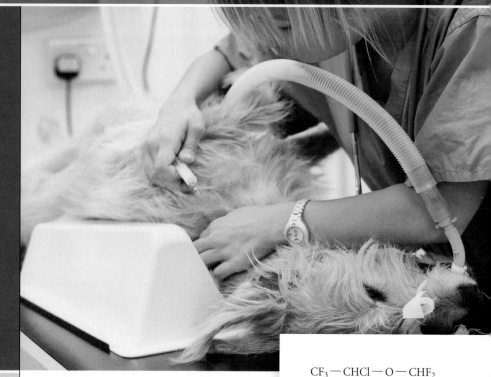

11 Éthers

11.1 Propriétés physiques des éthers

11.2 Utilité des éthers en synthèse organique

11.3 Préparation des éthers

11.4 Réactions des éthers

11.5 Éthers cycliques

$$CF_3 — CHCl — O — CHF_2$$

2-chloro-2-(difluorométhoxy)-
1,1,1-trifluoroéthane
(isoflurane)

Éléments de compétence

- Déterminer la réactivité de fonctions organiques simples comme alcanes, alcènes, alcynes, organomagnésiens, dérivés halogénés, alcools à l'aide des principaux types de mécanisme de réactions : S_N1, S_N2, E1, E2.

- Concevoir théoriquement des méthodes de synthèse de composés organiques simples à partir de produits donnés.

Les anesthésiques sont des substances chimiques permettant de supprimer la sensibilité au cours d'interventions chirurgicales. La fonction éther est présente dans de nombreux anesthésiques tels que l'isoflurane, qui est un éther fluoré et chloré. En Amérique du Nord, l'isoflurane est l'anesthésiant le plus utilisé en médecine vétérinaire, particulièrement pour les animaux de compagnie.

cheneliere.ca/chimieorganique www

› Mots clés

Le terme « éther » provient du latin *aether* signifiant « haute région de l'air », puisque jadis, les Anciens croyaient que les couches supérieures de l'atmosphère étaient constituées d'éther, une déduction erronée en raison de la grande volatilité de ces molécules.

De nombreux éthers naturels et artificiels sont largement répandus, tant dans les laboratoires de chimie que dans la vie de tous les jours. Leur champ d'application est vaste. À titre d'exemple, parmi les éthers acycliques (ou non cycliques) les plus connus se trouve l'éthoxyéthane (ou éther diéthylique), souvent appelé simplement « éther ». Bien qu'actuellement l'éthoxyéthane serve de solvant organique, il a longtemps été employé en tant qu'anesthésique général. Plusieurs anesthésiques plus modernes, tels que le sévoflurane et le desflurane, renfermant également une fonction éther et présentant moins d'effets secondaires, ont remplacé l'éthoxyéthane. Pour en connaître davantage sur les propriétés anesthésiques de certains composés éthérés, il est possible de consulter la rubrique « Chroniques d'une molécule – L'anesthésie : une révolution du monde de la chirurgie qui a débuté grâce à l'éther diéthylique » (*voir p. 487*). D'autres éthers acycliques tels que le MTBE (de l'anglais *methyl* tert-*butyl ether*) et le ETBE (de l'anglais *ethyl* tert-*butyl ether*) sont utilisés comme additifs à l'essence pour augmenter l'indice d'octane. Le citrate de pentoxyvérine, pour sa part, est l'ingrédient actif présent dans le sirop pectoral Vicks (commercialisé par la compagnie Procter & Gamble en France) pour traiter les toux sèches et les toux d'irritation.

Parmi les éthers cycliques, le plus petit d'entre eux est l'**oxirane** (ou oxyde d'éthylène), couramment appelé «époxyde», un éther cyclique à trois membres. Il est un précurseur industriel de l'éthylèneglycol utilisé comme antigel dans les circuits de refroidissement des voitures. Il est également utilisé dans la synthèse du polymère polyéthylèneglycol (PEG), un polyéther employé comme laxatif. Enfin, certains éthers cycliques agissent, entre autres, à titre de phéromones, d'insecticides, de diurétiques, de fragrances ou d'agents anticancéreux (*voir la figure 11.1*).

Figure 11.1
Exemples d'éthers naturels et artificiels

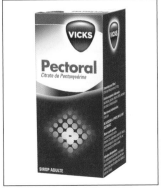

Le sirop pectoral Vicks renferme du citrate de pentoxyvérine, l'ingrédient actif antitussif.

Éthers acycliques

$CH_3-CH_2-O-CH_2-CH_3$

éthoxyéthane ou
oxyde de diéthyle
(éther diéthylique)
Solvant

2-méthoxy-2-méthylpropane
(MTBE)

2-éthoxy-2-méthylpropane
(ETBE)

Additifs utilisés pour augmenter l'indice d'octane des essences

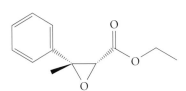

pentoxyvérine
Antitussif ayant également des propriétés antispasmodiques, présent sous la forme de citrate de pentoxyvérine dans certains sirops contre la toux

Éthers cycliques

oxirane
(oxyde d'éthylène)
Précurseur de l'éthylèneglycol et du polymère PEG

3-méthyl-3-phénylglycidate d'éthyle
Molécule artificielle qui simule l'odeur de la fraise

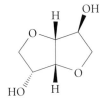

isosorbide
Molécule utilisée en pharmacie pour ses propriétés diurétiques et pour le traitement de la maladie de Ménière (trouble de l'oreille interne)

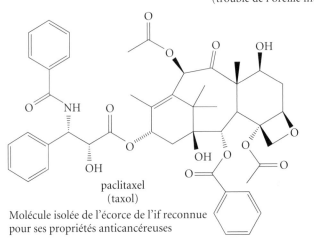

paclitaxel
(taxol)
Molécule isolée de l'écorce de l'if reconnue pour ses propriétés anticancéreuses

Le taxol est une molécule isolée de l'écorce du *Taxus brevifolia* (ou if de l'Ouest).

REMARQUE

Les thioéthers, de structure générale R—S—R′, sont les analogues sulfurés des éthers.

Tous les composés possédant deux groupements alkyles (—R) ou aryles (—Ar) reliés par des liaisons covalentes simples de part et d'autre d'un atome d'oxygène sont des **éthers**. Ils peuvent être acycliques ou cycliques. La structure générale des éthers est R—O—R′ (ou encore R—O—Ar, ou même Ar—O—Ar′). Lorsque les groupements alkyles (ou aryles) sont identiques (R—O—R), l'**éther** est dit **symétrique**, alors que si les groupements alkyles (ou aryles) sont différents (R—O—R′), l'**éther** est dit **asymétrique**. Les éthers cycliques sont regroupés dans la catégorie des hétérocycles.

Les propriétés chimiques et physiques des éthers acycliques et des éthers cycliques les plus communs à trois membres, à cinq membres et à six membres seront étudiées dans ce chapitre.

11.1 Propriétés physiques des éthers

Les éthers sont des substances incolores dotées d'une forte odeur caractéristique. Ils possèdent de faibles points d'ébullition, similaires à ceux des alcanes de masses molaires analogues. En fait, bien que les éthers soient des molécules polaires en raison de la présence de l'atome d'oxygène entre deux groupements alkyles, ils ne le sont que très légèrement, le dipôle résultant n'étant pas très élevé. De plus, puisqu'une fonction éther ne renferme pas d'atomes d'hydrogène directement liés à l'oxygène, des attractions intermoléculaires de type ponts hydrogène ne peuvent avoir lieu entre des éthers. Par conséquent, seules les forces de Van der Waals telles que les forces de dispersion de London et les interactions de Keesom sont possibles. Ainsi, le point d'ébullition d'un éther est considérablement inférieur à celui d'un alcool de même masse molaire (*voir la figure 10.2 b, p. 445*).

Exercice 11.1 Soit la formule moléculaire $C_4H_{10}O$.

a) Dessinez la formule simplifiée pour chacun des isomères acycliques possibles.

b) Donnez leur nom selon les règles de l'UICPA.

c) Classez-les par ordre croissant de leur point d'ébullition. Expliquez votre classement.

Même si les éthers sont incapables de réaliser des ponts hydrogène entre eux, ils peuvent toutefois établir ce type d'attractions intermoléculaires avec un grand nombre de composés organiques dotés de groupements fonctionnels renfermant une liaison H—O ou H—N, notamment les alcools, les acides carboxyliques, les amines, les amides, etc. (*voir la figure 11.2*). Par conséquent, plusieurs molécules organiques polaires sont solubles dans les solvants éthérés.

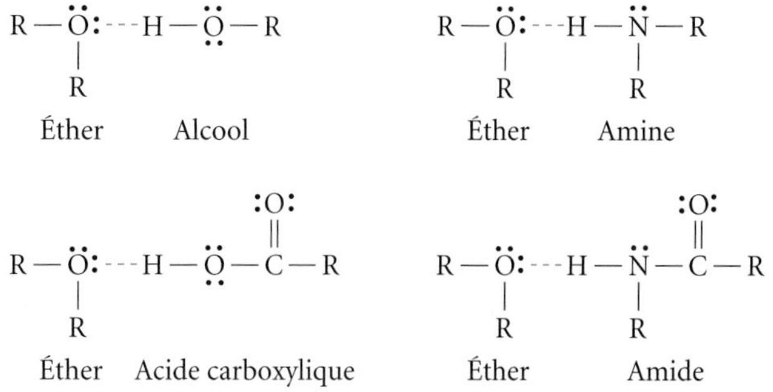

Figure 11.2
Schématisation d'un pont hydrogène (pointillés en rouge) entre un éther et différents groupements fonctionnels

La création des ponts hydrogène peut toutefois être difficile avec les éthers, car les atomes d'oxygène peuvent être encombrés de part et d'autre par deux groupements alkyles volumineux en rotation libre. Plus la taille des groupements alkyles (—R) ou aryles (—Ar) de l'éther est grande, moins les ponts hydrogène sont efficacement créés. À titre d'exemple, le méthoxyméthane (CH_3—O—CH_3), un éther dont les groupements alkyles sont petits, est miscible dans l'eau. L'éthoxyéthane (CH_3CH_2—O—CH_2CH_3), pour sa part, est nettement moins soluble (solubilité dans l'eau à 20 °C : 10 g/100 g d'eau) avec l'ajout d'un seul groupement méthylène par chaîne R, alors que le propoxypropane ($CH_3CH_2CH_2$—O—$CH_2CH_2CH_3$) est pratiquement insoluble (solubilité dans l'eau à 20 °C : 0,25 g/100 g d'eau).

11.2   Utilité des éthers en synthèse organique

Les éthers sont des molécules qui ne réagissent ni avec les agents oxydants ou réducteurs, ni avec les bases, ni même avec des nucléophiles forts tels que les composés organométalliques. Cette inertie confère aux éthers une place de choix comme solvants en synthèse organique, car, en plus de solubiliser un grand nombre de composés organiques, les éthers n'interfèrent pas dans la réaction et permettent aux réactifs de réagir entre eux. Par exemple, les éthers tels que l'éthoxyéthane (Et_2O) et le tétrahydrofurane (THF) sont utilisés au cours de la formation des réactifs de Grignard (*voir la section 9.8, p. 418*).

De plus, puisque les éthers sont volatils, possédant des points d'ébullition relativement faibles, et qu'ils solubilisent une grande variété de composés organiques, ils sont largement exploités pour réaliser des extractions liquide-liquide ou encore solide-liquide. Dans cette technique de séparation, la phase organique éthérée se trouve au-dessus de la phase aqueuse, car les éthers ont une masse volumique plus faible que celle de l'eau. L'éther le plus fréquemment employé est l'éthoxyéthane en raison de son faible coût, de sa grande capacité à solubiliser les produits organiques et de son faible point d'ébullition (35 °C). Ainsi, sans risquer de dégrader la substance organique à isoler en la chauffant trop, les éthers peuvent être facilement éliminés à l'aide d'un évaporateur rotatif ou encore récupérés par distillation.

Bien que les éthers soient largement utilisés dans les laboratoires de recherche en chimie organique, il n'en demeure pas moins qu'ils doivent être manipulés avec prudence et ne doivent jamais être laissés près d'une source de chaleur vive, car ce sont des composés hautement inflammables.

Toutefois, le danger des éthers ne se limite pas à leur caractère inflammable. Si les éthers sont exposés pour une longue période de temps à l'oxygène de l'air, une réaction d'oxydation a lieu, transformant la fonction éther en un peroxyde organique. Cette réaction porte le nom d'**autoxydation** (*voir la figure 11.3*). Les peroxydes organiques sont des molécules hautement explosives lorsque soumises à un choc ou à une flamme. Même s'ils ne se forment généralement qu'en faible concentration, il est impératif de les éliminer du solvant éthéré avant une quelconque utilisation. Pour détecter leur présence, il existe des tests chimiques tels que les tests à l'iodure ou au thiocyanate ferreux. Si la présence des peroxydes est confirmée, ils peuvent être détruits à l'aide d'une solution aqueuse de sulfate de fer (II) ($FeSO_4$), un agent réducteur. Des antioxydants, tels que le 2,6-di-*tert*-butyl-4-méthylphénol ou le 2,6-di-*tert*-butyl-*p*-crésol, sont également ajoutés aux éthers achetés commercialement (THF, éthoxyéthane et plusieurs autres) afin de les stabiliser et de minimiser la formation des peroxydes organiques.

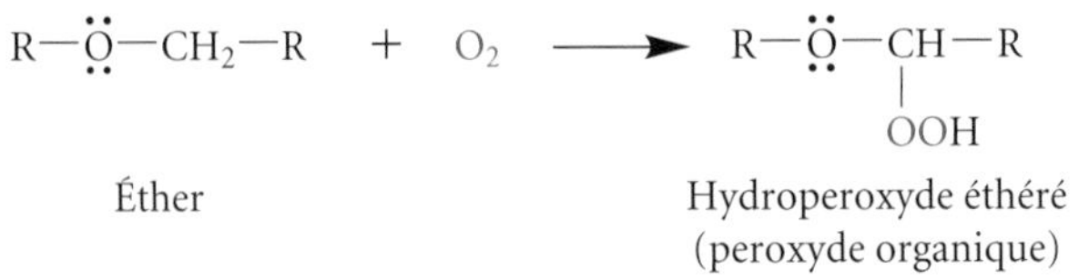

Figure 11.3
Réaction globale de la formation naturelle des peroxydes organiques dans les éthers exposés à l'oxygène de l'air

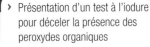

Éther

Hydroperoxyde éthéré
(peroxyde organique)

CHRONIQUES D'UNE MOLÉCULE

L'anesthésie: une révolution du monde de la chirurgie qui a débuté grâce à l'éther diéthylique

Par Dana K. Winter, candidate au postdoctorat, Boston University (2011-2013)

Imaginez la réaction d'une personne assise sur la chaise d'un dentiste à qui celui-ci annonce qu'une intervention chirurgicale doit avoir lieu sans anesthésie locale! Une pensée, certes, complètement absurde de nos jours, mais qui fut, pendant de nombreux siècles, une réalité. Autrefois, les interventions chirurgicales étaient considérées comme une forme de torture, souvent plus douloureuse que le mal lui-même. L'emploi de substances pour supprimer la douleur des patients se limitait à des traitements à l'éthanol ainsi qu'à des cocktails d'herbes[1]. Cependant, un dosage adéquat de ces substances était difficile à prévoir, les résultats pouvant varier de l'inefficacité jusqu'à la mort par surdose.

Il fallut attendre jusqu'en 1846 pour que le dentiste **William Morton** (1819-1868) exécute la première démonstration scientifique, au Massachusetts General Hospital, à Boston, d'une intervention chirurgicale sans douleur grâce à une substance anesthésiante: l'éther[2]. Il réussit, en fait, à réaliser l'ablation sans douleur d'une tumeur de la mâchoire d'un patient. Cette découverte eut des répercussions si importantes qu'un monument en cet honneur fut érigé dans le jardin public de Boston.

Le terme «éther» est couramment employé pour désigner l'éther diéthylique, un solvant communément employé dans une variété de réactions organiques en raison de son inertie. Néanmoins, cette petite molécule possède une propriété qui a fait d'elle un excellent anesthésiant, à savoir sa volatilité. En effet, l'éther diéthylique est un liquide clair qui possède un point d'ébullition de seulement 35 °C, permettant à cette substance d'émettre des vapeurs qui peuvent être inhalées à la température ambiante[3].

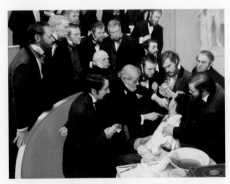

Représentation de la première intervention chirurgicale grâce à l'éther diéthylique au Massachusetts General Hospital

L'histoire de l'éther diéthylique débute par sa synthèse en 1275 par l'alchimiste **Raymond Lulle**[4] (1232-1316) à partir de l'acide sulfurique et de l'éthanol. Toutefois, les propriétés volatiles et analgésiques de cette molécule n'ont été rapportées qu'en 1818 par le physicien et chimiste **Michael Faraday**[5] (1791-1867). L'éther fut employé initialement par plusieurs chercheurs à des fins récréatives plutôt qu'anesthésiantes en raison de ses propriétés euphorisantes après la respiration de ses vapeurs. C'est d'ailleurs au cours de cet usage que le chercheur **Crawford W. Long** (1815-1878) avait remarqué que, sous l'effet de l'éther, les blessures étaient indolores. Il a alors conclu que cette substance pourrait être utilisée à titre d'anesthésiant. Malheureusement, Long n'a jamais rapporté sa découverte avant le dentiste William Morton[6]…

William Morton (1819-1868)   Masque d'éther conçu par Morton

Morton, désireux de soigner ses patients sans douleur, effectua des recherches sur les propriétés de l'éther. Après plusieurs mois d'étude et des essais sur des animaux, il réussit à convaincre un chirurgien du Massachusetts General Hospital d'essayer cette substance lors d'une intervention chirurgicale. Morton conçut également un masque pour permettre une inhalation adéquate et constante d'éther diéthylique au cours des interventions. Grâce au succès de l'opération, l'éther diéthylique a été employé pendant de nombreuses années comme anesthésiant par inhalation. Toutefois, cette substance, étant inflammable, a été abandonnée dans plusieurs pays par précaution.

Les propriétés anesthésiantes du chloroforme furent par la suite découvertes par un obstétricien écossais, **James Young Simpson** (1811-1870), qui l'utilisa, en 1847, pour la toute première fois au cours d'un accouchement. Cette molécule, moins inflammable que l'éther, s'avéra être une alternative. Le chloroforme fut employé durant quelques années[7]. Toutefois, il a rapidement été associé à des dommages causés au foie et aux reins, et a ainsi été abandonné comme anesthésiant.

Depuis, de nombreux progrès du point de vue de la toxicité, de la volatilité et de l'inflammabilité ont été réalisés concernant les anesthésiques par inhalation. Plusieurs d'entre eux sont des dérivés acycliques

Le monument *Éther* dans le jardin public de Boston commémore la découverte des propriétés anesthésiantes de l'éther diéthylique.

halogénés de l'éther diéthylique ou du chloroforme, notamment l'halothane, l'isoflurane, le méthoxyflurane, etc. Ils sont communément employés en combinaison avec des anesthésiants par voie intraveineuse. C'est ainsi qu'aujourd'hui, grâce aux innovations que l'éther diéthylique a apportées au monde de la chirurgie, des opérations de grande complexité s'étalant sur de nombreuses heures peuvent avoir lieu, et ce, sans que le patient ressente le moindre mal.

chloroforme

- Liquide volatil
- Agent pouvant causer une toxicité hépatique

éther diéthylique

- Liquide volatil, inflammable

oxyde nitreux

- Gaz, couramment employé, possédant un bas coefficient de partition (0,47) permettant une anesthésie rapide mais partielle

halothane

- Liquide volatil
- Premier anesthésiant moderne (1956) dont le coefficient de partition moyen (2,30) permet une anesthésie lente mais profonde
- Employé principalement en pédiatrie

isoflurane

- Liquide volatil, couramment employé, dont le coefficient de partition moyen (1,40) permet une anesthésie lente mais profonde

desflurane

- Liquide peu volatil employé à l'aide d'un vaporisateur
- Bas coefficient de partition (0,42) permettant une anesthésie rapide mais partielle
- Couramment employé

sévoflurane

- Liquide volatil, couramment employé, dont le bas coefficient de partition (0,69) permet une anesthésie rapide mais partielle
- Rétablissement rapide du patient

méthoxyflurane

- Liquide volatil dont le haut coefficient de partition (12) permet une anesthésie lente mais très profonde
- Employé occasionnellement en obstétrique

Remarque: Un coefficient de partition est une mesure d'absorption d'un médicament (dans ce cas-ci, l'anesthésique) par le corps humain.

11.3 Préparation des éthers

11.3.1 Préparation des éthers symétriques

La technique la plus simple pour préparer un **éther symétrique** consiste à faire réagir un alcool en présence d'acide sulfurique et de chaleur (*voir la figure 11.4*).

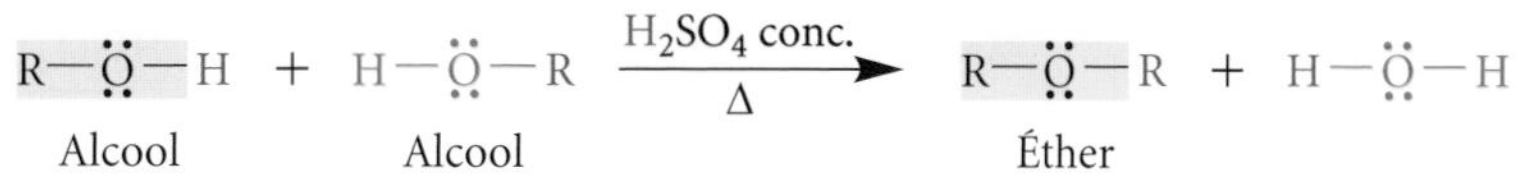

Figure 11.4
Réaction globale générale de la formation d'un éther symétrique en milieu acide

$$R-\ddot{O}-H \ + \ H-\ddot{O}-R \xrightarrow[\Delta]{H_2SO_4 \ conc.} R-\ddot{O}-R \ + \ H-\ddot{O}-H$$

Alcool   Alcool   Éther

Même si cette réaction peut s'appliquer à la formation de divers éthers, elle comporte le désavantage de n'être efficace que pour les alcools primaires. De plus, elle ne s'applique qu'à la synthèse d'éthers symétriques, soit R—O—R. Le mécanisme réactionnel consiste à protoner tout d'abord la fonction alcool d'une molécule afin qu'une seconde molécule d'alcool agisse comme nucléophile et attaque l'alcool protoné grâce à une substitution nucléophile d'ordre 2 (S_N2). La figure 11.5 illustre la formation de l'éthoxyéthane à partir de l'éthanol en milieu acide.

cheneliere.ca/chimieorganique (www)

❯ Stéréosélectivité des réactions de formation d'éthers symétriques

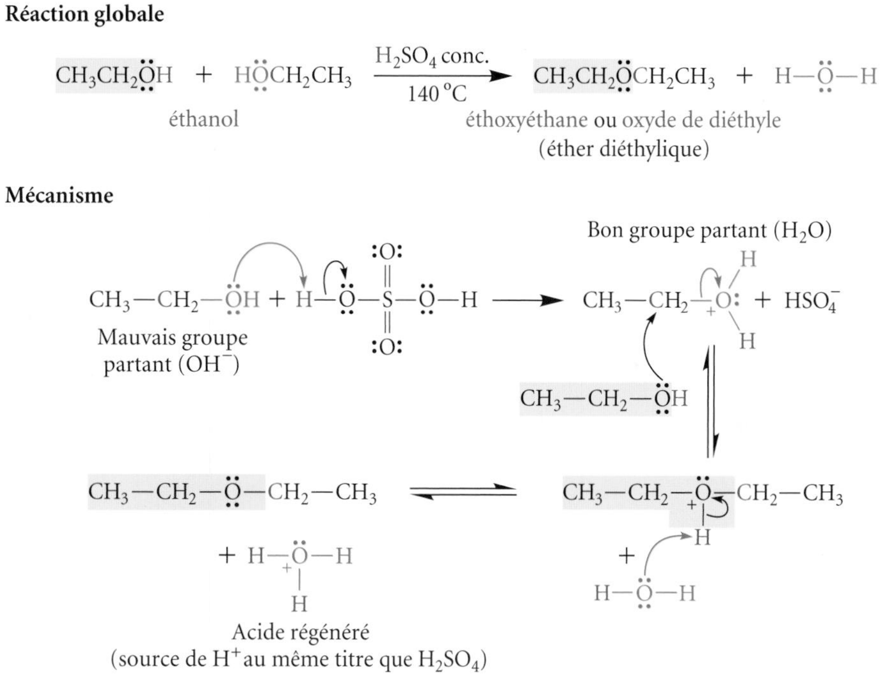

Figure 11.5
Réaction globale et mécanisme réactionnel de la formation de l'éthoxyéthane à partir de l'éthanol en milieu acide grâce à une substitution nucléophile d'ordre 2 (S_N2)

Réaction globale

$$CH_3CH_2\ddot{O}H \ + \ H\ddot{O}CH_2CH_3 \xrightarrow[140\,°C]{H_2SO_4 \ conc.} CH_3CH_2\ddot{O}CH_2CH_3 \ + \ H-\ddot{O}-H$$

éthanol   éthoxyéthane ou oxyde de diéthyle
                  (éther diéthylique)

Mécanisme

La réaction se réalisant en présence de chaleur, il y a compétition entre la formation d'un alcène (E2) et la formation d'un éther (S_N2). Bien qu'il soit impossible d'empêcher la formation de sous-produits, il est néanmoins possible de minimiser leur formation par un rigoureux contrôle de la température. Par exemple, si la réaction présentée dans la figure 11.5 se réalise à une température de 140 °C, l'éthoxyéthane (éther) sera le produit majoritaire découlant d'une S_N2. Cependant, si cette même réaction se déroule à une température de 180 °C, l'éthène (alcène) sera le produit majoritaire provenant de l'élimination (E2) (*voir la figure 10.16, p. 458*).

Si cette réaction s'effectue à partir d'un alcool secondaire, le produit final est aussi un éther, mais celui-ci est obtenu selon un mécanisme de type S_N1. Toutefois, l'encombrement stérique rend la réaction plus difficile d'exécution et nettement moins efficace. Quant aux alcools tertiaires, leur encombrement stérique est si grand qu'ils mènent quasi exclusivement au produit d'élimination dans ces conditions réactionnelles.

Exercice 11.2 Complétez les réactions suivantes en dessinant la structure des produits majoritaires, sachant qu'une température minimale a été appliquée pour chacune des réactions.

a) 2 $CH_3-CH_2-CH_2-OH$ $\xrightarrow[\Delta]{H_2SO_4 \ conc.}$

b)
$$2 \ CH_3-\underset{\underset{CH_3}{|}}{\overset{\overset{CH_3}{|}}{C}}-CH_2-CH_2-OH \xrightarrow[\Delta]{H_2SO_4 \ conc.}$$

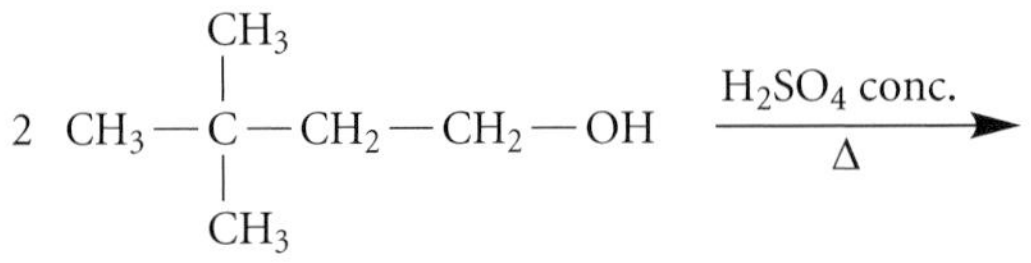

c)
$$2 \ CH_3-\underset{\underset{CH_3}{|}}{\overset{\overset{CH_3}{|}}{C}}-OH \xrightarrow[\Delta]{H_2SO_4 \ conc.}$$

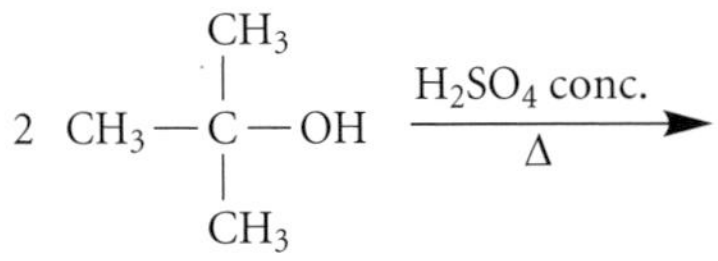

Exercice 11.3 Illustrez le mécanisme de préparation du méthoxyméthane à partir du méthanol en présence d'acide sulfurique et de chaleur.

Exercice 11.4 Soit la réaction suivante.

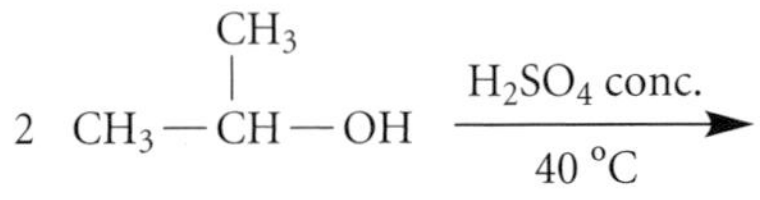

$$2 \ CH_3-\underset{\underset{CH_3}{|}}{\overset{\overset{CH_3}{|}}{C}H}-OH \xrightarrow[40\ ^{\circ}C]{H_2SO_4 \ conc.}$$

a) Complétez cette réaction en dessinant la structure du produit organique majoritaire.

b) Illustrez le mécanisme correspondant.

c) Le produit organique majoritaire dessiné en a) est obtenu, dans ces conditions réactionnelles, avec une abondance relative maximale de 75 %. Expliquez pourquoi il n'est pas exclusif et illustrez le produit organique minoritaire.

d) Déterminez les conditions réactionnelles qui permettraient d'obtenir majoritairement le sous-produit illustré en c).

11.3.2 Préparation des éthers asymétriques

11.3.2.1 Préparation d'éthers asymétriques en milieu acide

La préparation d'**éthers asymétriques** peut s'effectuer en faisant réagir un alcool et un alcène par catalyse acide. Pour que le rendement d'une telle réaction soit élevé, l'une des deux contraintes suivantes doit être respectée :

- l'alcène doit être symétrique ;

ou

- l'alcène peut être dissymétrique, mais chaque carbone de la liaison double doit avoir un nombre différent de substituants pour que la réaction mène à un produit majoritaire selon la règle de Markovnikov.

Quant au mécanisme de cette réaction, il comporte quatre étapes. Dans un premier temps, l'alcool, une meilleure base que l'alcène, réagit avec l'acide sulfurique pour donner un cation alkyloxonium de type ROH_2^+. L'alcène attaque ensuite l'un des hydrogènes de l'électrophile ROH_2^+. Cette deuxième étape réactionnelle est lente et très semblable à l'hydratation des alcènes en milieu acide (*voir la section 7.3.1.1 C, p. 290*). L'intermédiaire réactionnel formé est le carbocation le plus stable, en accord avec la règle de Markovnikov. Au cours de la troisième étape, une molécule d'alcool réagit avec le carbocation (étape rapide). Finalement, le produit renfermant la fonction éther est obtenu à la suite d'une déprotonation par une base du milieu réactionnel (p. ex.: une molécule d'alcool). La figure 11.6 présente la réaction employée en industrie pour préparer le MTBE, un éther acyclique présenté dans l'introduction de ce chapitre. La méthode consiste à ajouter le méthanol au 2-méthylpropène en présence d'acide sulfurique concentré.

> REMARQUE
>
> Le MTBE possède un très fort indice d'octane et il a été introduit dans les essences sans plomb pour réduire les émanations de monoxyde de carbone, de produits de combustion incomplète, de benzène et d'autres composants néfastes. L'utilisation du MTBE comme additif dans l'essence est répandue dans tout le Canada depuis 1986, soit depuis l'interdiction d'additifs de plomb. Toutefois, elle n'est pas obligatoire. En 2002, plus de deux milliards et demi de litres de MTBE ont été consommés dans le monde. Toutefois, à la suite de cette utilisation de masse, des problèmes environnementaux sont apparus. En effet, cet additif soluble dans l'eau contamine les eaux souterraines et se dégrade très lentement dans la nature. Certains chercheurs travaillent actuellement à la mise au point d'un additif de remplacement à base de glycérine, soit le GTBE, un substitut adéquat au MTBE. Il n'endommage pas le moteur et offre un haut indice d'octane. En plus, il est insoluble dans l'eau, donc plus écologique. Selon Environnement Canada, en 1998, 10 % de l'essence vendue au Canada contenait du MTBE, alors qu'en 2000, ce taux n'était plus que de 2 %, et il continue de décroître. Les États-Unis semblent emboîter le pas et commencent à l'interdire.

Figure 11.6
Réaction globale et mécanisme réactionnel de la formation du MTBE

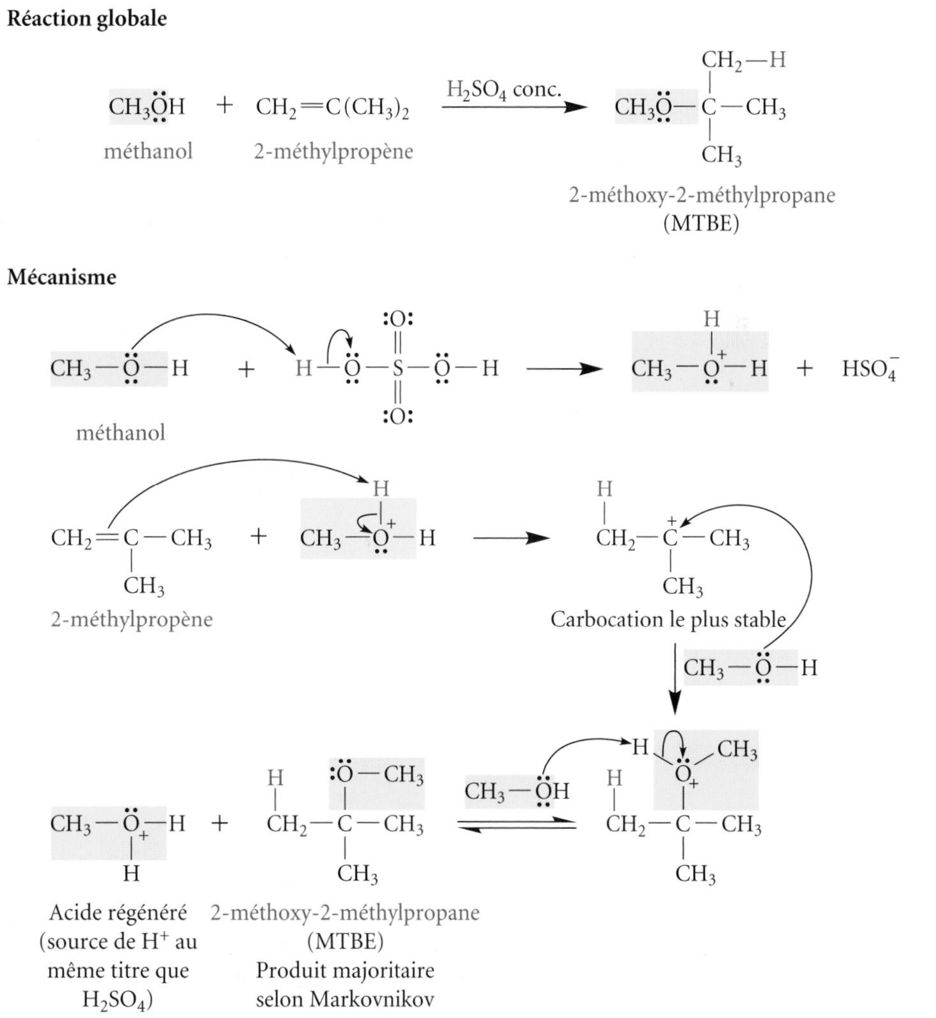

Réaction globale

Mécanisme

ALEXANDER WILLIAMSON (1824-1904)

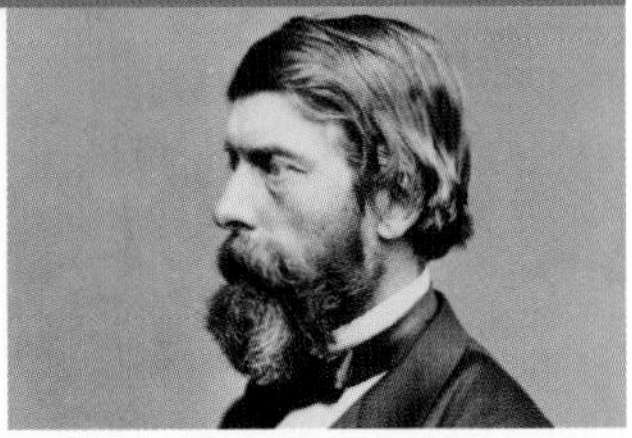

Chimiste britannique, Williamson, né le 1er mai 1824 à Londres, travailla sous la direction de Leopold Gmelin et de Justus von Liebig dans les universités allemandes de Heidelberg et de Giessen respectivement avant de devenir lui-même professeur à la University College de Londres de 1849 à 1887. Au cours de ses recherches, il découvrit, entre autres, la relation entre les structures des alcools et des éthers. Sa renommée lui vient de ses travaux sur l'éthérification. Il expliqua l'importance de la catalyse acide pour la préparation des éthers symétriques à partir des alcools et il élabora la synthèse des éthers asymétriques, synthèse portant d'ailleurs son nom. Pour souligner sa contribution exceptionnelle à l'avancement de la science, il reçut la médaille royale de l'Académie des sciences du Royaume-Uni. Il décéda le 6 mai 1904 à Hindhead, Surrey.

Cette méthode de synthèse des éthers asymétriques présente toutefois le désavantage de former des produits secondaires tels que des éthers symétriques provenant de la réaction entre deux molécules d'alcool identiques, étant donné que les conditions réactionnelles sont les mêmes (*voir la figure 11.4, p. 489*).

Exercice 11.5 Complétez la réaction suivante en dessinant la structure des différents produits organiques et illustrez le mécanisme correspondant.

$$CH_3{-}OH \; + \; CH_3CH_2CH{=}CHCH_3 \xrightarrow{H_2SO_4 \text{ conc.}}$$

11.3.2.2 Préparation d'éthers asymétriques par la synthèse de Williamson

La **synthèse de Williamson** est sans contredit la voie de synthèse la plus efficace pour produire des éthers asymétriques. Cette synthèse est nommée ainsi en l'honneur de son concepteur, le chimiste britannique **Alexander William Williamson** (1824-1904). Cette réaction se réalise en deux étapes décrites dans la figure 11.7. La première étape comprend la formation d'un ion alcoolate ($R{-}O^-$) obtenu en faisant réagir un alcool ($R{-}OH$) avec, par exemple, du sodium, du potassium ou un hydrure métallique (*voir la figure 10.5, p. 450*). Durant la deuxième étape, l'ion alcoolate réagit par l'entremise d'une réaction de substitution nucléophile avec un composé halogéné ($R'{-}X$) pour donner l'éther asymétrique désiré.

Dans la synthèse de Williamson, il est fortement conseillé d'utiliser un alcool primaire (converti en ion alcoolate) et un composé halogéné primaire afin d'obtenir majoritairement le produit de substitution nucléophile par un mécanisme de type S_N2. Cette méthode de synthèse offre l'avantage de ne pas favoriser la formation de produits secondaires, tels que les éthers symétriques, puisqu'elle ne comporte pas de conditions réactionnelles acides.

Il n'est pas recommandé d'employer les alcools et les composés halogénés secondaires ou tertiaires pour réaliser une synthèse de Williamson. En effet, même s'il est envisageable de les utiliser, il y a alors une compétition entre les mécanismes de substitution nucléophile et d'élimination, et le produit d'élimination (un alcène) est obtenu en quantité non négligeable.

REMARQUE

Les thioéthers ($R{-}S{-}R'$) peuvent également être préparés selon un mécanisme de type S_N2 similaire à celui de la synthèse de Williamson. Ce sont les ions thiolate ($R{-}S^-$), analogues sulfurés des ions alcoolate ($R{-}O^-$), qui sont alors employés.

Figure 11.7
Réaction globale et mécanisme de la synthèse de Williamson

Réaction globale

Étape 1 : Formation de l'ion alcoolate

$$2\,ROH + 2\,Na \longrightarrow 2\,RO^- \, Na^+ + H_2$$

Étape 2 : Substitution nucléophile de l'ion alcoolate sur un composé halogéné

$$RO^- \, Na^+ + R'{-}X \longrightarrow ROR' + Na^+ \; X^-$$

Mécanisme de type S_N2 de la deuxième étape (optimal pour un ion alcoolate et un composé halogéné primaires)

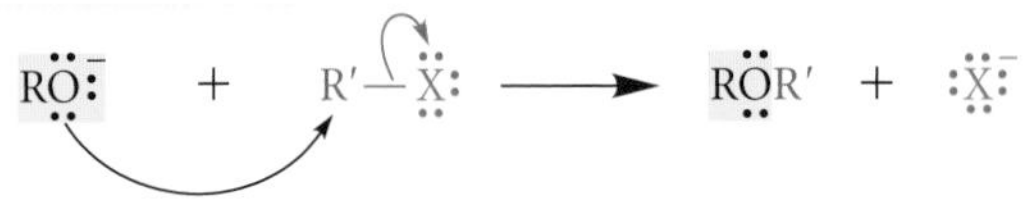

cheneliere.ca/chimieorganique www

› Stéréosélectivité des réactions de formation d'éthers asymétriques

Exemple 11.1

Parmi les deux réactions suivantes, laquelle sera la plus efficace pour former le 3-méthoxy-3-méthylpentane selon la synthèse de Williamson?

Possibilité n° 1 :

$$CH_3-O^- \quad + \quad CH_3-\overset{\overset{\displaystyle CH_2CH_3}{|}}{\underset{\underset{\displaystyle CH_2CH_3}{|}}{C}}-Br$$

$$CH_3-\overset{\overset{\displaystyle CH_2CH_3}{|}}{\underset{\underset{\displaystyle CH_2CH_3}{|}}{C}}-O-CH_3$$

3-méthoxy-3-méthylpentane

Possibilité n° 2 :

$$CH_3-\overset{\overset{\displaystyle CH_2CH_3}{|}}{\underset{\underset{\displaystyle CH_2CH_3}{|}}{C}}-O^- \quad + \quad CH_3Br$$

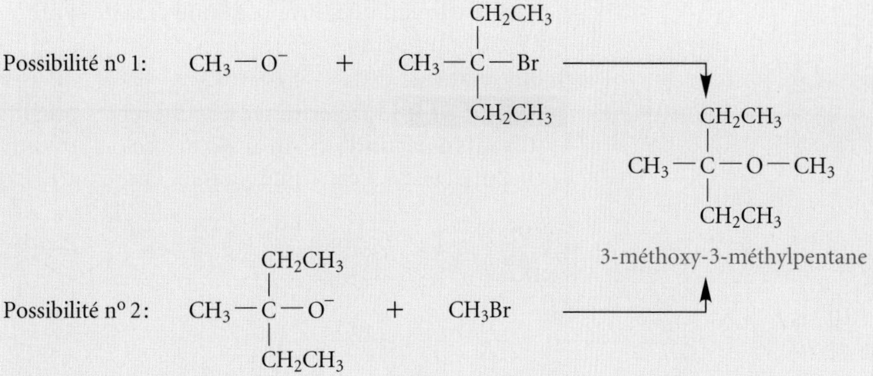

Solution

Pour répondre adéquatement à cette question, il faut se rappeler que la synthèse de Williamson consiste en une réaction de substitution nucléophile d'ordre 2 (S_N2). Or, pour obtenir de bons rendements, les réactions de S_N2 doivent comporter un composé halogéné peu encombré et un nucléophile fort le moins encombré possible (*voir le chapitre 9*).

Dans le cas de la possibilité n° 1, il est très peu probable de réaliser un mécanisme de type S_N2 avec un composé halogéné tertiaire, car il est trop encombré. C'est plutôt le produit d'élimination (un alcène) qui sera obtenu majoritairement.

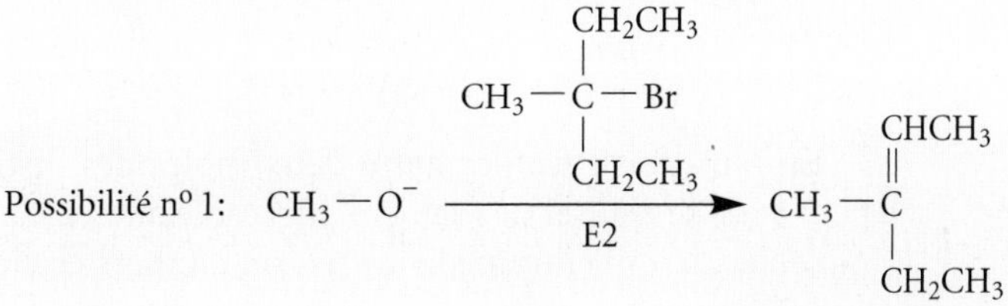

Possibilité n° 1 :

$$CH_3-O^- \xrightarrow[E2]{CH_3-\overset{\overset{\displaystyle CH_2CH_3}{|}}{\underset{\underset{\displaystyle CH_2CH_3}{|}}{C}}-Br} CH_3-\overset{\overset{\displaystyle CHCH_3}{\|}}{\underset{\underset{\displaystyle CH_2CH_3}{|}}{C}}$$

3-méthylpent-2-ène
Produit majoritaire
(selon la règle de Saytzev)

La possibilité n° 2 s'avère donc l'option la plus efficace, car bien que le nucléophile soit encombré, la réaction de type S_N2 est possible, puisqu'elle comporte un composé halogéné primaire (CH_3Br). Un rigoureux contrôle de température est toutefois essentiel afin de minimiser la formation de produits secondaires découlant d'une réaction d'élimination.

Exercice 11.6 Complétez les séquences réactionnelles suivantes.

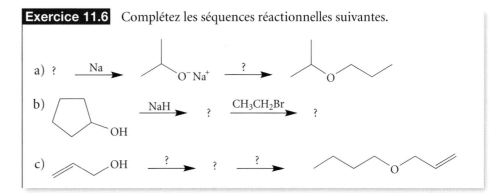

Exercice 11.7 L'anisole est un composé aromatique qui, à la température ambiante, est un liquide incolore possédant l'odeur de l'anis, d'où son nom familier accepté par l'UICPA. Il est utilisé, entre autres, dans l'industrie du parfum et en synthèse organique. Proposez une voie de synthèse de l'anisole à partir du phénol.

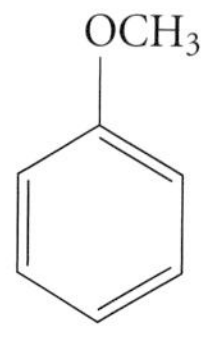
OCH_3
anisole

Exercice 11.8 Déterminez les différentes possibilités de préparation des éthers suivants à partir d'un ion alcoolate, selon la synthèse de Williamson. Dans chacun des cas, déterminez la meilleure voie et expliquez votre choix.

a) 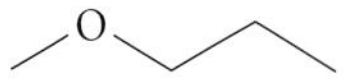
O

b) 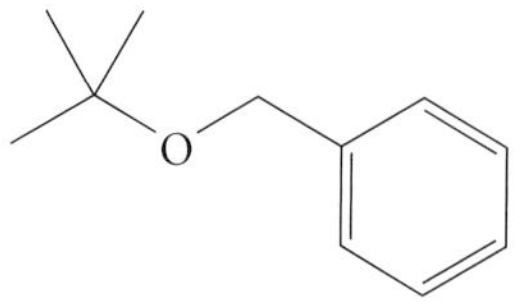
O

Exercice 11.9 Pourquoi est-il impossible de synthétiser l'anisole, présenté dans l'exercice 11.7, par la séquence réactionnelle suivante ?

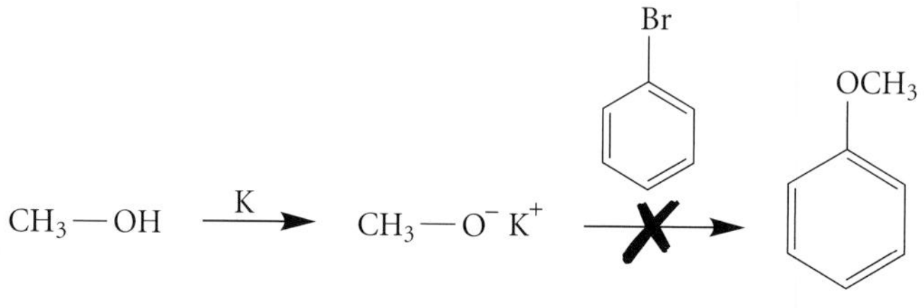
Br
OCH_3
CH_3—OH
K
CH_3—O^- K^+
anisole

En plus de s'effectuer entre deux molécules distinctes, la synthèse de Williamson peut aussi se réaliser de manière intramoléculaire, c'est-à-dire à l'intérieur d'une même molécule, ce qui entraîne la formation d'éthers cycliques (*voir la figure 11.8*).

Figure 11.8 Synthèse de Williamson intramoléculaire et formation des éthers cycliques – a) tétrahydrofurane (oxolane) ; b) 7-oxabicyclo[4.1.0]heptane

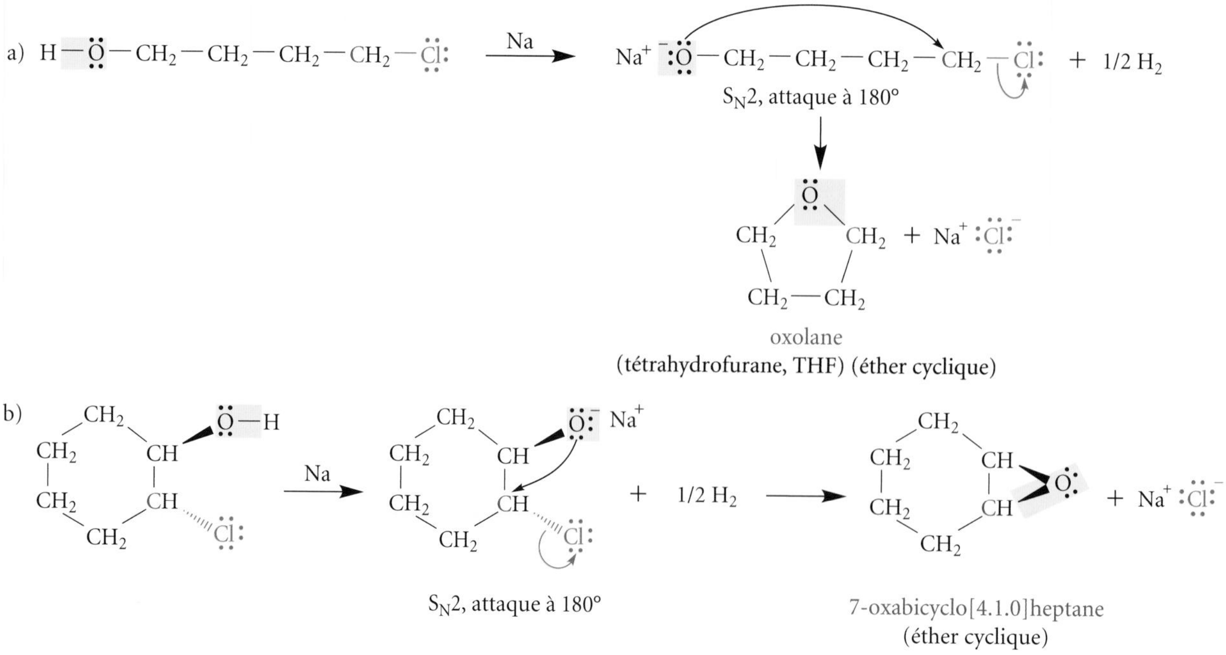
a) H—O—CH_2—CH_2—CH_2—CH_2—Cl:
Na
Na^+ :O—CH_2—CH_2—CH_2—CH_2—Cl: + 1/2 H_2
S_N2, attaque à 180°
O
CH_2 CH_2 + Na^+ :Cl:
CH_2—CH_2
oxolane
(tétrahydrofurane, THF) (éther cyclique)
b)
CH_2 CH O—H CH_2 CH Cl
Na
Na^+
+ 1/2 H_2
+ Na^+ :Cl:
S_N2, attaque à 180°
7-oxabicyclo[4.1.0]heptane
(éther cyclique)

11.4 Réactions des éthers

Les éthers possèdent deux liaisons covalentes polaires C—O qui peuvent être rompues à l'aide d'un nucléophile par l'entremise d'une réaction de substitution nucléophile. Toutefois, l'ion alcoolate (RO⁻) est un mauvais groupe partant, tout comme l'ion hydroxyle (OH⁻) pour les alcools. Pour favoriser la rupture de la liaison C—O, l'éther doit donc être placé dans un milieu acide (p. ex.: H_2SO_4 (aq)) ou en présence d'un acide de Lewis (p. ex.: BBr_3). De cette manière, l'oxygène de la fonction éther, porteur de doublets d'électrons libres, peut tout d'abord réagir avec l'hydrogène de l'acide fort ou se complexer à l'acide de Lewis (*voir la figure 11.9*). Dans ce type de réaction, les éthers agissent à titre de bases.

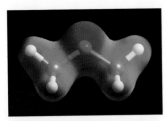

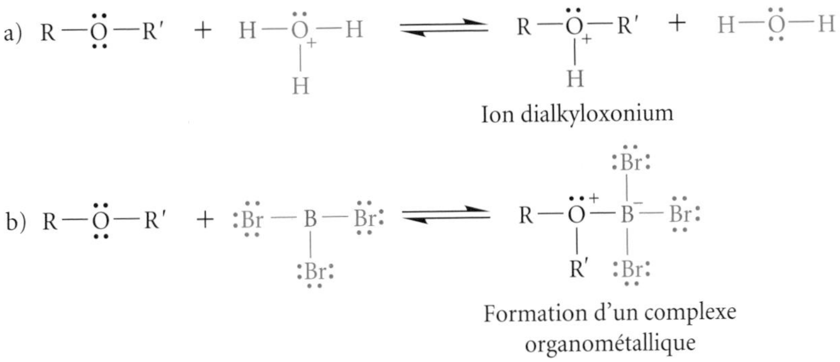

Carte de potentiel électrostatique du méthoxyméthane illustrant la richesse en électrons (en rouge) de l'atome d'oxygène de la fonction éther

Figure 11.9
Transformation de la fonction éther afin de libérer un bon groupe partant en exploitant le caractère basique de l'oxygène et en utilisant – a) Un milieu acide; b) Un acide de Lewis

a) R—Ö—R′ + H—Ö—H ⇌ R—Ö⁺—R′ + H—Ö—H
                     | |
                     H   H

Ion dialkyloxonium

b) R—Ö—R′ + :Br—B—Br: ⇌ R—Ö⁺—B—Br:

Formation d'un complexe organométallique

11.4.1 Synthèse d'alcools à partir d'éthers

La transformation des éthers en alcools s'effectue grâce à un **clivage de la fonction éther**, c'est-à-dire en réalisant la rupture d'une des liaisons R—O—R′. Cette réaction est possible si l'éther renferme au moins un groupement R secondaire ou tertiaire et en utilisant une solution aqueuse d'acide sulfurique (H_2SO_4 (aq)) en présence de chaleur. Elle s'effectue plus précisément par un mécanisme de type S_N1. En effet, après la protonation de l'oxygène de l'éther par l'acide, permettant alors de libérer un bon groupe partant (*voir la figure 11.9*), la formation d'un carbocation secondaire ou tertiaire stable est favorisée. Des alcools sont ainsi obtenus à la suite d'une attaque de l'eau sur le carbocation, puis d'une neutralisation par une base (p.ex.: l'eau ou une molécule d'éther) (*voir la figure 11.10*). L'eau favorise également la formation de carbocations en raison de son grand pouvoir ionisant. Dans ces conditions réactionnelles, la synthèse d'alcools est impossible à partir d'éthers porteurs de deux groupements R primaires; le carbocation primaire engendré serait trop instable.

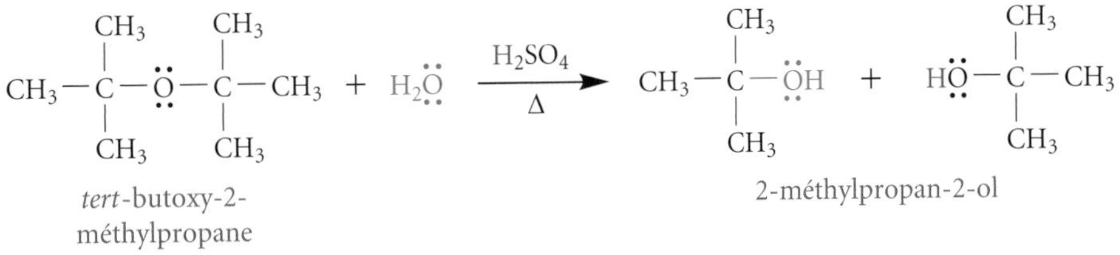

Figure 11.10
Réaction globale et mécanisme réactionnel de la formation d'alcools à partir d'un éther renfermant au moins un groupement R secondaire ou tertiaire

Réaction globale

$$CH_3-\underset{\underset{CH_3}{|}}{\overset{\overset{CH_3}{|}}{C}}-\ddot{O}-\underset{\underset{CH_3}{|}}{\overset{\overset{CH_3}{|}}{C}}-CH_3 + H_2\ddot{O} \xrightarrow[\Delta]{H_2SO_4} CH_3-\underset{\underset{CH_3}{|}}{\overset{\overset{CH_3}{|}}{C}}-\ddot{O}H + H\ddot{O}-\underset{\underset{CH_3}{|}}{\overset{\overset{CH_3}{|}}{C}}-CH_3$$

tert-butoxy-2-méthylpropane

2-méthylpropan-2-ol

▶ **Mécanisme**

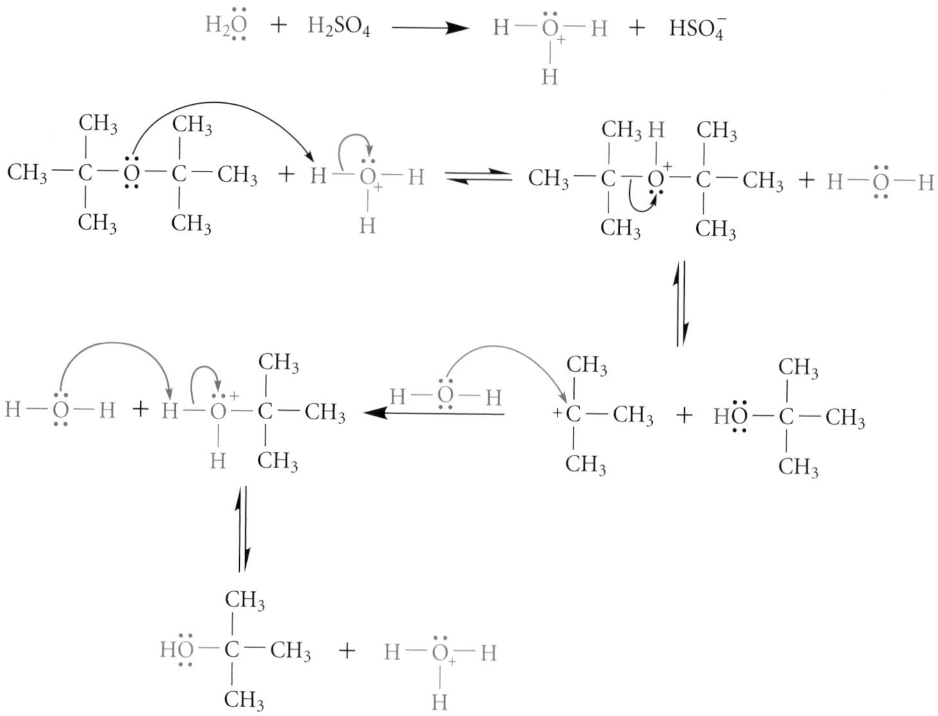

$$H_2\ddot{O} + H_2SO_4 \longrightarrow H-\overset{+}{\underset{|}{\ddot{O}}}-H + HSO_4^-$$
$$\phantom{H-\ddot{O}}H$$

Acide régénéré
(source de H$^+$ au même titre que H$_2$SO$_4$)

Exercice 11.10 Soit les éthers suivants.

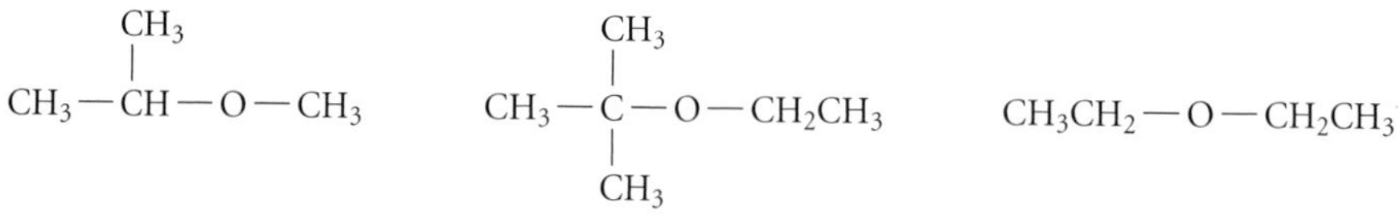

$$CH_3-\underset{\underset{H}{|}}{CH}-O-CH_3 \qquad CH_3-\underset{\underset{CH_3}{|}}{\overset{\overset{CH_3}{|}}{C}}-O-CH_2CH_3 \qquad CH_3CH_2-O-CH_2CH_3$$

a) Écrivez la réaction globale pour chacun de ces éthers lorsqu'ils sont soumis à une solution aqueuse d'acide sulfurique (H$_2$SO$_4$ (*aq*)) en présence de chaleur.

b) Illustrez le mécanisme de chacune des réactions en a).

11.4.2 Synthèse de composés halogénés à partir d'éthers

REMARQUE

Le clivage des éthers avec l'acide chlorhydrique (H—Cl) s'avère toutefois beaucoup moins efficace qu'avec les acides halogénés H—Br ou H—I.

Une solution aqueuse de H—X (où X = Cl, Br ou I) peut être employée pour permettre le **clivage de la fonction éther**, soit la rupture d'une des liaisons R—O—R'. La liaison C—O de toutes les catégories d'éthers (R et R' peuvent être primaires, secondaires et tertiaires) peut être clivée. La réaction commence toujours par la protonation de l'oxygène de la fonction éther grâce à l'hydrogène de l'acide fort H$_3$O$^+$ (provenant de la réaction du H—X avec l'eau). Cette première étape réactionnelle transforme le groupement —OR en un groupement —OHR$^+$, qui, une fois libéré, constitue un bon groupe partant.

Dans le cas des éthers portant des groupements alkyles R primaires ou secondaires, le clivage de la liaison C—O s'effectue selon un mécanisme de type S$_N$2 (*voir la figure 11.11*). L'efficacité de la réaction relève du fait que l'anion halogénure X$^-$ possède un faible caractère basique, mais un fort caractère nucléophile. En effet, l'anion X$^-$ ne réagit pas avec l'hydrogène lié à l'atome d'oxygène pour redonner le substrat de départ (l'éther), mais il attaque plutôt le carbone électrophile directement attaché à l'atome d'oxygène de l'éther.

Les produits finaux dépendent du nombre d'équivalents de H—X utilisés pour la réaction. En employant un seul équivalent, les produits obtenus sont un alcool et un composé halogéné. Dans un mécanisme de type S_N2 impliquant des groupements R primaires ou secondaires liés à l'oxygène de la fonction éther, le nucléophile X^- attaque toujours préférentiellement le carbone le moins encombré directement lié à l'oxygène. Par conséquent, le clivage d'un éther asymétrique avec un seul équivalent de H—X donnera un composé halogéné à partir du groupement alkyle le moins encombré, et un alcool à partir du groupement alkyle le plus encombré. Si, par contre, un excès de H—X est utilisé, deux composés halogénés seront observés, puisque les acides halogénés convertissent également les alcools en composés halogénés (*voir la section 10.4.2.1, p. 452*).

Figure 11.11
Réaction globale et mécanisme réactionnel du clivage du méthoxyméthane (portant des groupements alkyles R primaires) en présence d'une solution aqueuse de H—X

Réaction globale

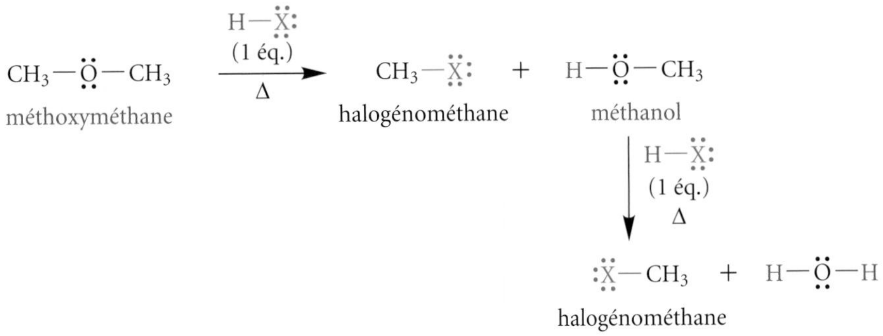

Mécanisme

Étape 1: Solution aqueuse de H—X

Étape 2: Protonation de l'éther et réaction de type S_N2

Protonation

S_N2

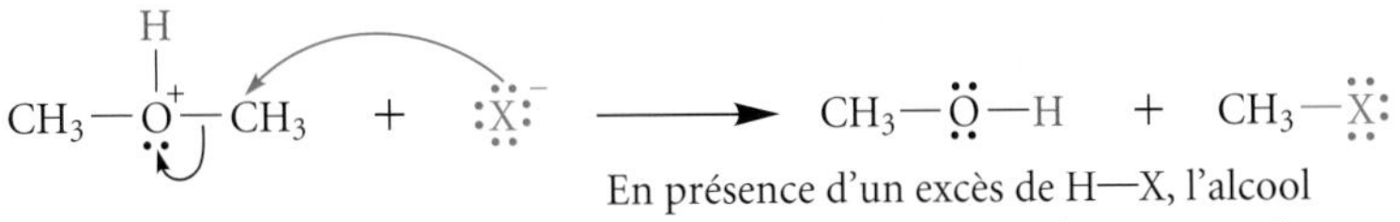

En présence d'un excès de H—X, l'alcool primaire peut être converti en composé halogéné selon un mécanisme de type S_N2 illustré dans la figure 10.11 (*voir p. 453*).

Exercice 11.11 Comme cela a été mentionné dans cette section, une solution aqueuse de H—X (où X = Cl, Br ou I) peut être employée pour permettre le clivage de la liaison C—O d'un éther. Expliquez les températures requises, présentées dans le tableau suivant, pour cliver un éther (dont les groupements R sont primaires ou secondaires) selon la nature de H—X.

Nature du réactif (H—X)	Température requise pour le clivage de la liaison C—O d'un éther dont les groupements R sont primaires ou secondaires (°C)
H—I	25
H—Br	≈ 100
H—Cl	> 100

Dans le cas des éthers portant des groupements alkyles R tertiaires, le mécanisme du clivage de la fonction éther avec une solution aqueuse de H—X est préférentiellement de type S_N1 (*voir la figure 11.12*). En effet, un carbocation tertiaire doit être formé, car l'encombrement stérique est trop important pour que l'ion halogénure X⁻ puisse attaquer à 180° du groupe d'atomes qui sera expulsé.

Figure 11.12

Réaction globale et mécanisme réactionnel du clivage du 2-*tert*-butoxy-2-méthylpropane (portant des groupements alkyles R tertiaires) en présence d'une solution aqueuse de H—X

Réaction globale

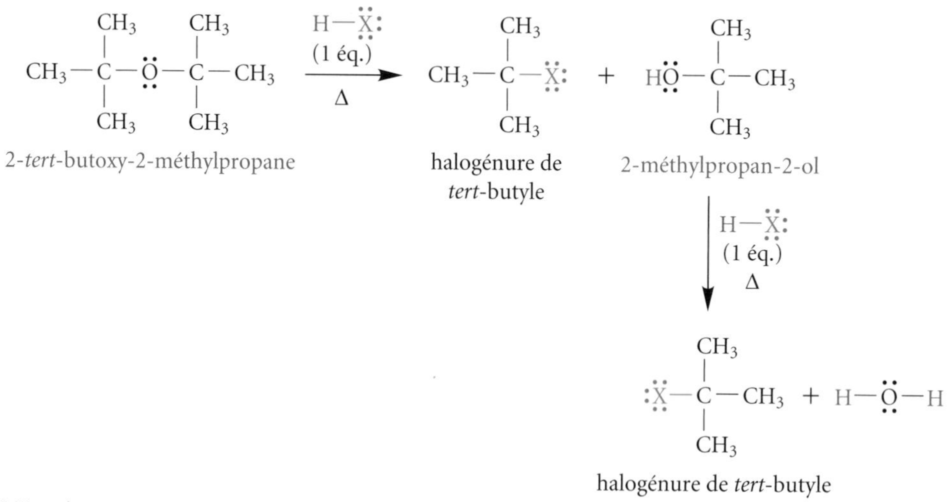

2-*tert*-butoxy-2-méthylpropane

halogénure de *tert*-butyle

2-méthylpropan-2-ol

halogénure de *tert*-butyle

Mécanisme

Étape 1 : Solution aqueuse de H—X

Étape 2 : Protonation de l'éther et réaction de type S_N1

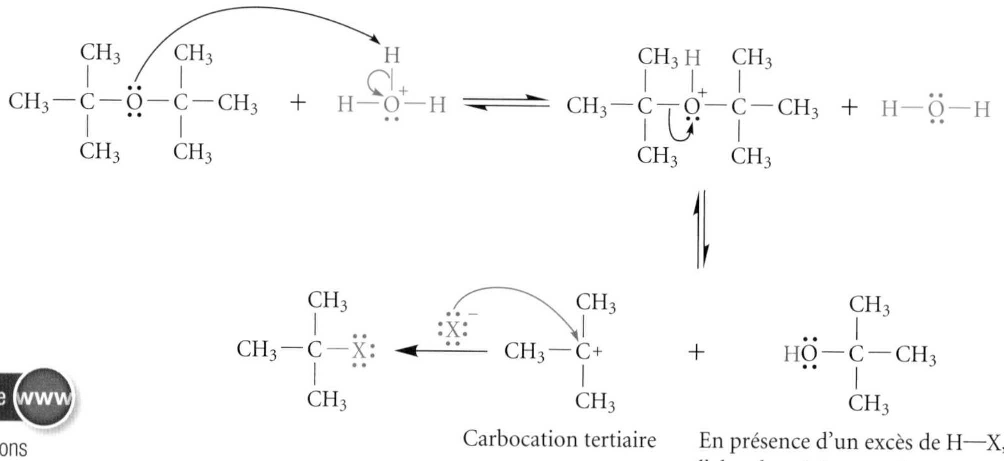

Carbocation tertiaire

En présence d'un excès de H—X, l'alcool tertiaire peut être converti en composé halogéné selon un mécanisme de type S_N1 illustré dans la figure 10.10 (*voir p. 453*).

Dans les conditions expérimentales acides employées pour cliver les éthers, la réaction de type S_N1 s'avère être favorisée par rapport à la réaction de type S_N2. Par conséquent, un éther asymétrique portant un groupement alkyle tertiaire et un groupement alkyle primaire, et traité avec un seul équivalent de H—X, mène à la formation d'un composé halogéné tertiaire et d'un alcool primaire.

Exercice 11.12 Soit les éthers suivants.

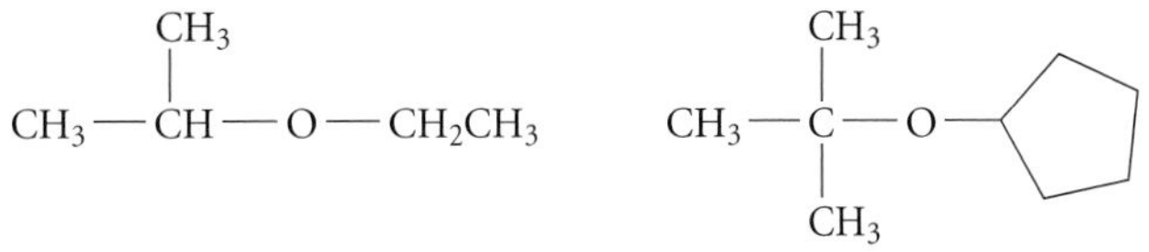

a) Écrivez la réaction globale pour chacun de ces éthers lorsqu'ils sont traités avec un seul équivalent molaire de H—I.

b) Illustrez le mécanisme de chacune des réactions en a).

Enfin, il est impossible de cliver une fonction éther comprise entre deux groupements aryles (Ar—O—Ar′). Dans cette même optique, si un seul des deux groupements liés à l'oxygène est un aryle, le groupement hydroxyle —OH du phénol, résultant du clivage, ne peut être remplacé par un halogène, et ce, même en présence d'un excès de H—X, car aucune substitution nucléophile ne peut s'effectuer sur le carbone hybridé sp^2 du groupement aryle (*voir la figure 11.13*).

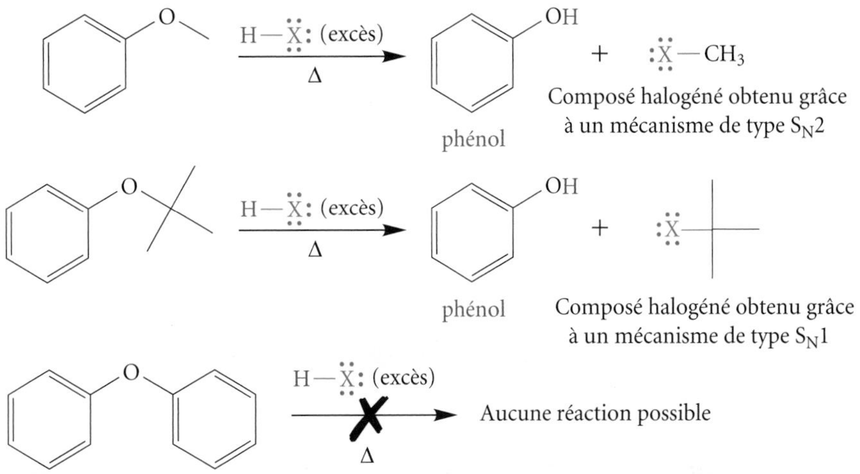

Figure 11.13

Clivage particulier en présence d'une solution aqueuse de H—X pour les éthers dont au moins un des groupements liés à l'oxygène est un groupement aryle

Exemple 11.2

Démontrez pourquoi il est impossible de cliver une fonction éther comprise entre deux groupements aryles (Ar—O—Ar) en présence d'une solution aqueuse de H—X.

Solution

Il s'agit d'illustrer le mécanisme de la réaction du clivage d'un éther en présence d'un acide halogéné (H—X) et d'envisager les diverses possibilités de réactions de type S_N1 et S_N2.

Étape 1 : Solution aqueuse de H—X

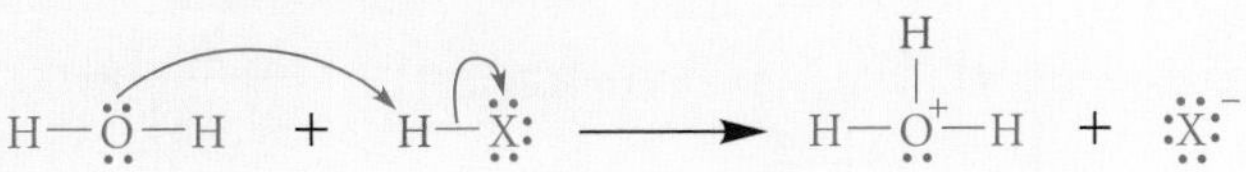

Étape 2 : Protonation de l'éther et possibilités de réactions de type S_N1 et S_N2

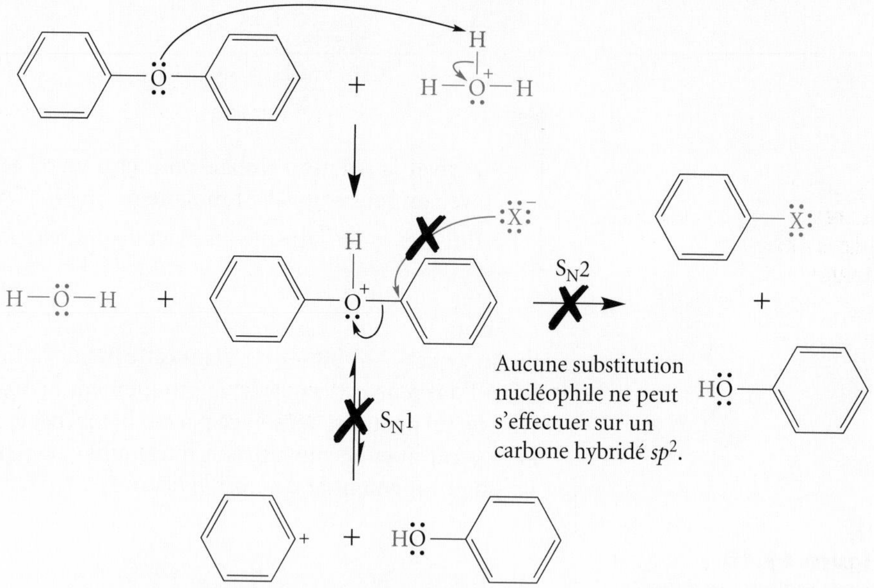

Carbocation instable : la charge positive ne peut être stabilisée par résonance, puisqu'elle n'est pas conjuguée avec les électrons π du cycle aromatique.

Pour chacune des réactions de type S_N1 et S_N2 envisagées, les mécanismes respectifs conduisent à une impasse, d'où la conclusion qu'il est impossible de cliver une fonction éther comprise entre deux groupements aryles en présence d'une solution aqueuse de H—X.

Exercice 11.13 Complétez les réactions suivantes en dessinant la structure des produits organiques.

a) 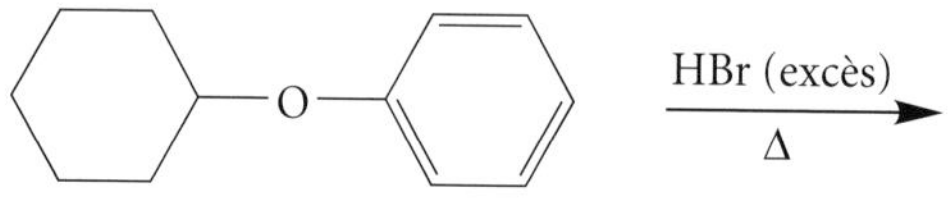 [cyclohexyl]—O—[phényl] $\xrightarrow[\Delta]{\text{HBr (excès)}}$

b) 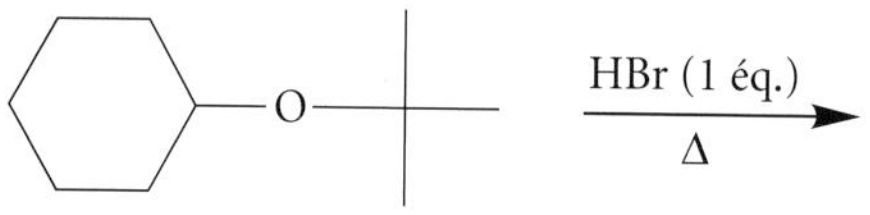 [cyclohexyl]—O—[tert-butyl] $\xrightarrow[\Delta]{\text{HBr (1 éq.)}}$

c) $CH_3CH_2CH_2-O-CH_2CH_2CH_3$ $\xrightarrow[\Delta]{\text{HI (excès)}}$

d) $CH_3-O-CH_2CHCH_3$ $\xrightarrow[\Delta]{\text{HI (1 éq.)}}$? $\xrightarrow[\Delta]{\text{HI (1 éq.)}}$?
    $\quad\quad\quad\quad\quad\; | $
    $\quad\quad\quad\quad\quad CH_3$

e) 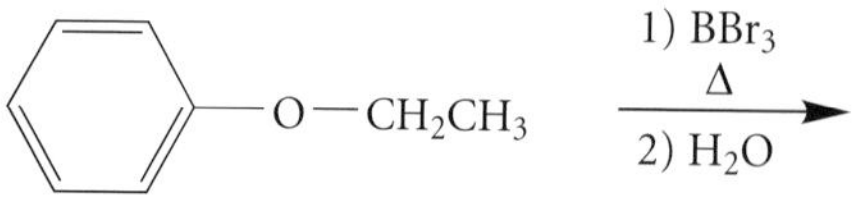 [phényl]—O—CH_2CH_3 $\xrightarrow[\text{2) }H_2O]{\text{1) }BBr_3\;\; \Delta}$

11.5 Éthers cycliques

Lorsque la fonction éther se trouve impliquée dans un cycle, ces composés portent le nom d'**éthers cycliques**. Dans cette section, seules les caractéristiques des éthers cycliques les plus courants, c'est-à-dire les oxiranes (époxydes), les éthers cycliques à cinq et à six membres et les éthers couronnes, seront détaillées.

11.5.1 Oxiranes (époxydes)

L'UICPA recommande de désigner les éthers cycliques à trois membres (dont l'un des trois atomes est un oxygène) en tant qu'**oxiranes**. Toutefois, le terme **époxyde** est couramment employé pour représenter cette catégorie d'éthers cycliques. Divers oxiranes sont présents naturellement; quelques exemples sont illustrés dans la figure 11.14.

Figure 11.14
Oxiranes naturels dont l'éther cyclique à trois membres est en rouge

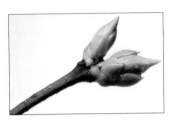

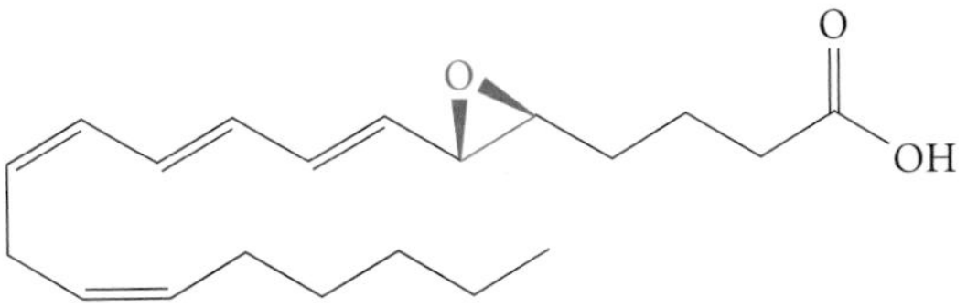

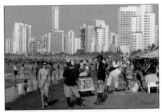

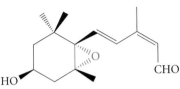

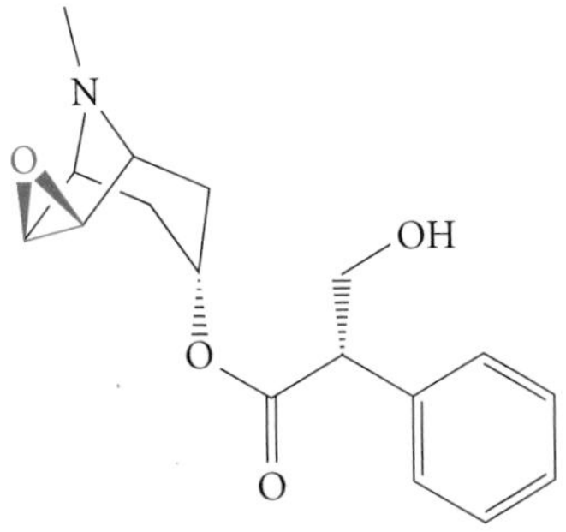

xanthoxine

Molécule responsable, entre autres, de la dormance des bourgeons

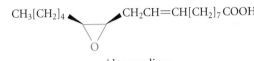

acide vernolique

Acide gras naturel isolé des graines d'une plante, la *Vernonia galamensis*, abondamment présente en Éthiopie. Depuis 2007, cette molécule fait l'objet d'études, car elle serait potentiellement un substitut au pétrole dans le domaine industriel.

La xanthoxine est une molécule participant à la biosynthèse de l'acide abscissique. Cet acide est une phytohormone notamment responsable de la dormance des bourgeons et des graines.

leucotriène A_4

Intermédiaire observé durant le métabolisme de l'acide arachidonique (composé présent dans les arachides)

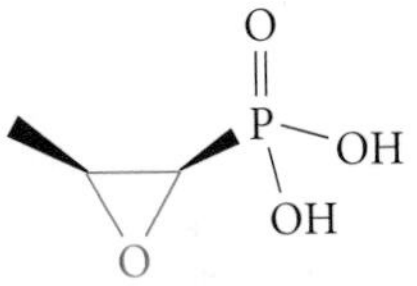

fosfomycine

Antibiotique utilisé pour traiter les infections urinaires causées par la bactérie *Escherichia coli*

Santé Canada recommande de faire preuve de prudence pour les voyageurs qui se rendent en Colombie, notamment, puisque la scopolamine est une drogue répandue, généralement dissimulée dans une feuille de papier et subtilement soufflée au visage des voyageurs. Les malfaiteurs utilisent cette drogue dans le but de rendre leur victime incapable de riposter pour ainsi la dévaliser. La scopolamine est communément appelée « souffle du diable ».

scopolamine

Molécule, de la famille des alcaloïdes, ayant des propriétés sédatives pouvant causer des hallucinations et même la mort si elle est consommée à forte dose. La scopolamine a été utilisée comme sérum de vérité durant la Deuxième Guerre mondiale.

Le plus simple des oxiranes porte tout simplement le nom « oxirane ». En industrie, il est possible de transformer de l'éthène en oxirane par une oxydation à l'air en présence d'argent, utilisé en tant que catalyseur, et soumis à de rigoureuses conditions de pression et de température (*voir la figure 11.15*). L'oxirane est un composé majoritairement utilisé en tant qu'intermédiaire en synthèse organique en raison de sa réactivité attribuable à la tension angulaire du cycle.

Figure 11.15
Réaction globale de la préparation industrielle de l'oxirane

CH2=CH2 + O2
Ag
200-300 °C, pression
H2C—CH2
O
éthène
oxirane
(oxyde d'éthylène)

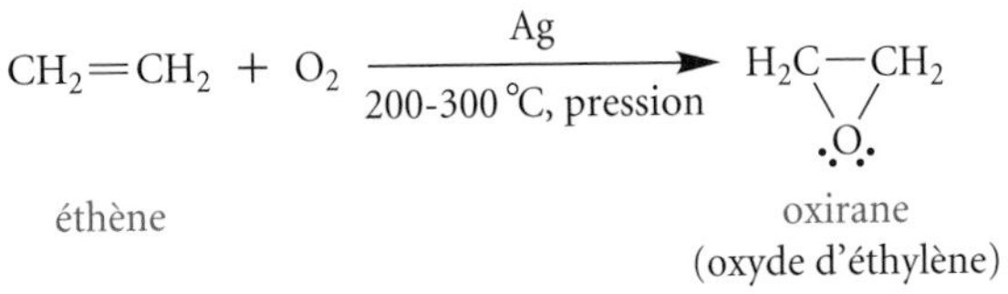

Cette réaction ne s'applique cependant qu'à l'oxirane (C_2H_4O). D'autres voies de synthèse ont été élaborées pour créer une grande variété d'oxiranes, dont l'une est présentée dans la prochaine section.

11.5.1.1 Préparation des oxiranes

En général, les oxiranes sont formés grâce à une **réaction d'époxydation d'un alcène**, c'est-à-dire en faisant réagir un alcène en présence d'un peroxyde organique, appelé aussi « peracide ». Le peracide le plus fréquemment utilisé est l'acide *méta*-chloroperbenzoïque (MCPBA). La réaction globale est illustrée dans la figure 11.16. Le mécanisme de cette réaction a été décrit dans la section 7.3.3.3 (*voir p. 320*).

Figure 11.16
Réaction globale de l'époxydation d'un alcène avec le MCPBA

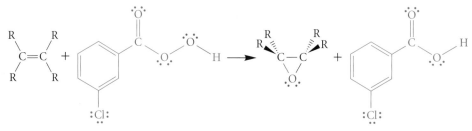

acide *méta*-chloroperoxybenzoïque
(acide *méta*-chloroperbenzoïque ou MCPBA)

11.5.1.2 Réactions des oxiranes

A) Ouverture des oxiranes en milieu acide

Étant donné la forte tension angulaire présente dans les molécules cycliques à trois membres (*voir la section 3.4, p. 110*), les oxiranes sont beaucoup plus réactifs que les éthers acycliques et que les éthers cycliques à cinq et à six membres.

En présence d'un nucléophile faible (en général, le solvant) et par catalyse acide, les oxiranes réagissent, menant à une ouverture de leur cycle. Par exemple, l'oxirane traité avec de l'eau, en milieu acide, génère l'éthylèneglycol, un diol vicinal (*voir la figure 11.17*).

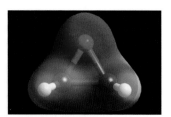

Carte de potentiel électrostatique de l'oxirane illustrant la richesse en électrons (en rouge) de l'atome d'oxygène

Figure 11.17
Réaction globale de l'ouverture de l'oxirane avec de l'eau, en milieu acide

$$H_2C - CH_2 \ + \ H_2\ddot{O} \ \xrightarrow{H_2SO_4} \ CH_2 - CH_2$$

oxirane
(oxyde d'éthylène)

éthylèneglycol

La première étape du mécanisme réactionnel comporte la protonation de l'oxygène de l'oxirane par l'ion hydronium H_3O^+ (provenant de la réaction de l'eau avec l'acide sulfurique). Cette étape de réaction permet, tout comme pour les éthers acycliques, de libérer un bon groupe partant. Au cours de la deuxième étape, une molécule d'eau attaque l'un des carbones de l'oxirane par un mécanisme de type S_N2. Dans le cas des **oxiranes symétriques**, le nucléophile attaque l'un ou l'autre des carbones électrophiles du cycle. Comme pour les ions bromonium (*voir la section 7.3.1.2 B, p. 303*), l'oxirane encombre une face d'attaque et oblige ainsi le nucléophile à réaliser son attaque du côté opposé au groupe partant. Par conséquent, le produit obtenu découle d'une réaction d'addition *anti*. La dernière étape, quant à elle, consiste en la déprotonation de l'ion oxonium, menant à la formation d'un diol vicinal (*voir la figure 11.18*).

Dans le cas d'**oxiranes asymétriques** portant des substituants différents sur les carbones du cycle, l'ouverture des oxiranes en milieu acide suit exactement les mêmes règles que celles de l'ouverture des ions bromonium ou chloronium formés par une réaction d'addition de Br_2 ou de Cl_2 sur un alcène (*voir la section 7.3.1.2 B, p. 303*). C'est ainsi que le carbone le plus substitué est le site d'attaque du nucléophile, car la liaison entre l'oxygène de l'oxirane et le carbone le plus substitué est moins forte (*voir la figure 11.19*). Cette liaison est plus fragile puisque, en cas de rupture, le carbocation formé est le plus stabilisé par effet inductif répulsif. Il est toutefois important de préciser qu'expérimentalement, il ne se forme jamais de carbocation durant le mécanisme d'ouverture des oxiranes en milieu acide.

Figure 11.18
Mécanisme réactionnel de l'ouverture d'un oxirane symétrique avec de l'eau, en milieu acide

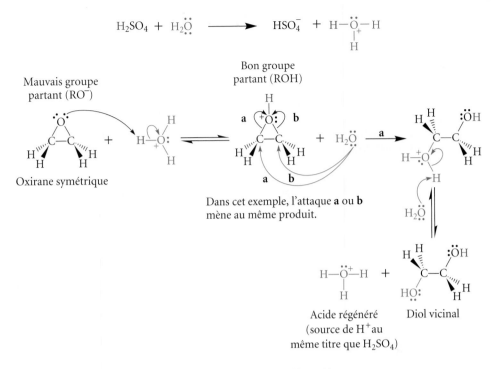

Figure 11.19 Mécanisme réactionnel de l'ouverture d'un oxirane asymétrique avec de l'eau, en milieu acide

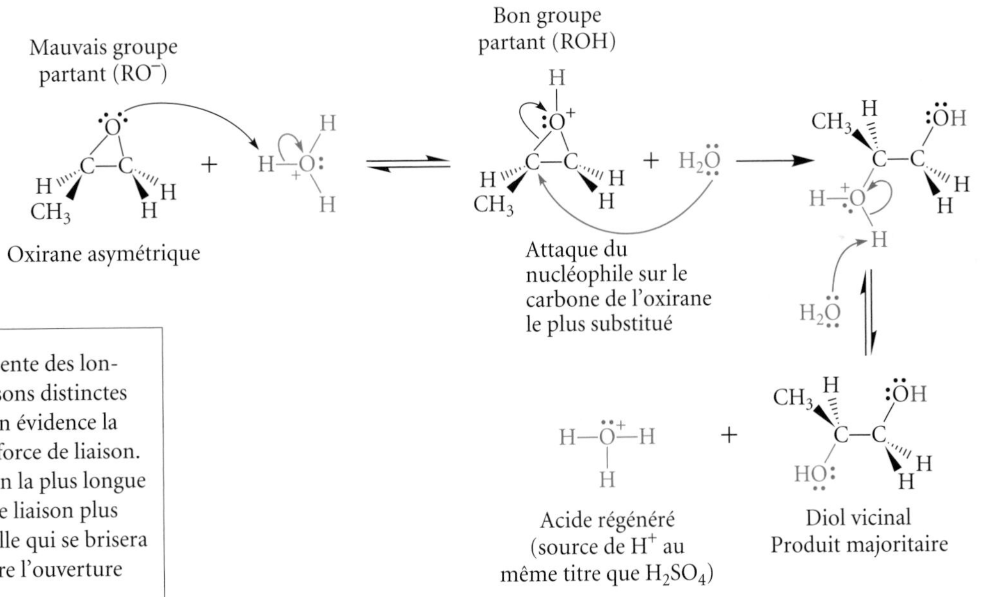

REMARQUE

L'oxirane présente des longueurs de liaisons distinctes pour mettre en évidence la différence de force de liaison. Ainsi, la liaison la plus longue représente une liaison plus fragile, soit celle qui se brisera pour permettre l'ouverture de l'oxirane.

Les résultats expérimentaux ont démontré que le mécanisme de type S_N1 n'a pas lieu au moment de l'ouverture des oxiranes, mais qu'il s'agit plutôt d'un mécanisme de type S_N2, peu importe si les carbones électrophiles de l'oxirane sont primaires, secondaires ou tertiaires. À première vue, il peut sembler étrange qu'un mécanisme de type S_N2 ait lieu sur un carbone tertiaire, cela allant à l'encontre de ce qui a été étudié jusqu'à maintenant. Or, il est important de se rappeler tout d'abord que les cycles à trois membres sont particulièrement tendus. Les groupements liés aux carbones hybridés sp^3 et formant le cycle ne sont pas positionnés parfaitement au sommet d'un tétraèdre, mais ont des angles de liaison inférieurs à 109,5°. Les groupements liés aux carbones hybridés sp^3 rattachés au cycle sont, quant à eux, plus espacés. Par conséquent, l'encombrement stérique des carbones de l'oxirane est moins grand, ce qui favorise l'attaque du nucléophile sans la formation du carbocation comme intermédiaire réactionnel. Ceci est avantageux d'un point de vue énergétique, puisque les carbones de l'oxirane respectent la règle de l'octet, contrairement à ceux des carbocations.

L'ouverture des oxiranes en milieu acide ne se limite pas à la formation de diols vicinaux en présence d'eau. En effet, une multitude de solvants peuvent agir à titre de nucléophiles de catégorie 2 (*voir le tableau 4.5, p. 189*) pour ainsi voir naître une grande variété de produits finaux. Un exemple est illustré dans la figure 11.20. Dans chacun de ces cas, le mécanisme est identique à celui décrit dans la figure 11.19 (*voir p. 503*).

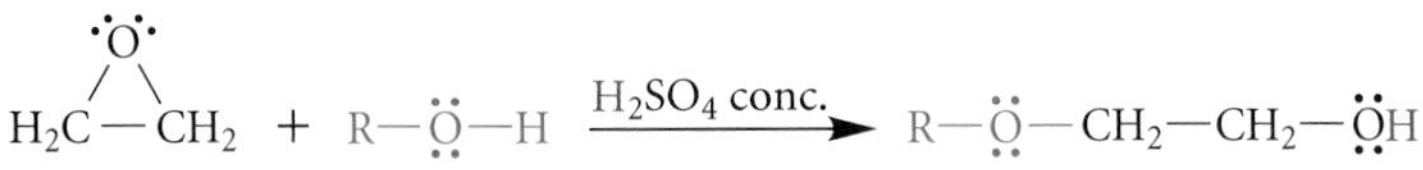

Figure 11.20
Réaction globale de l'ouverture de l'oxirane avec un alcool, en milieu acide

$$H_2C\!-\!CH_2 \ + \ R\!-\!\ddot{\underset{..}{O}}\!-\!H \ \xrightarrow{H_2SO_4 \text{ conc.}} \ R\!-\!\ddot{\underset{..}{O}}\!-\!CH_2\!-\!CH_2\!-\!\ddot{\underset{..}{O}}H$$

Exercice 11.14 Illustrez le mécanisme réactionnel de l'ouverture de l'oxirane avec un alcool, en milieu acide, présenté dans la figure 11.20.

Exercice 11.15 Complétez les réactions suivantes effectuées en milieu acide.

a)

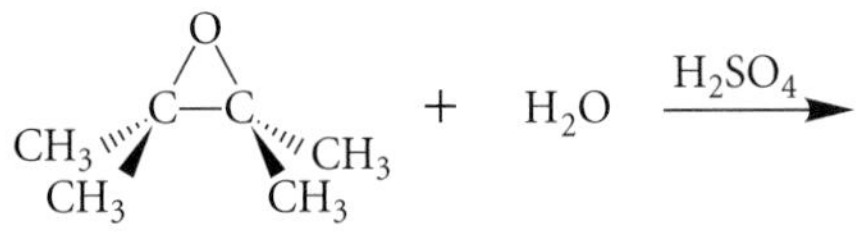

$$+ \ H_2O \ \xrightarrow{H_2SO_4}$$

b)

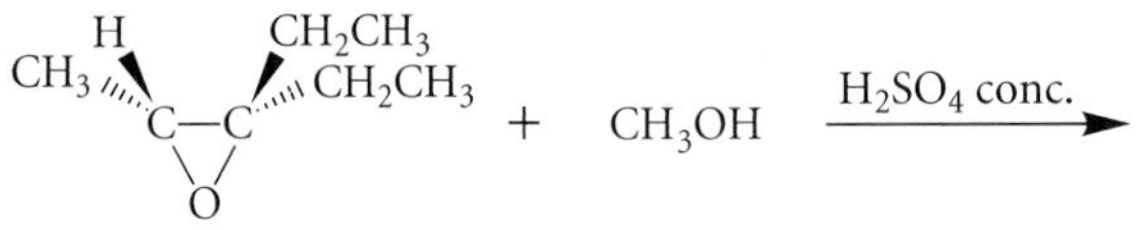

$$+ \ CH_3OH \ \xrightarrow{H_2SO_4 \text{ conc.}}$$

c)

$$+ \ CH_3CH_2OH \ \xrightarrow{H_2SO_4 \text{ conc.}}$$

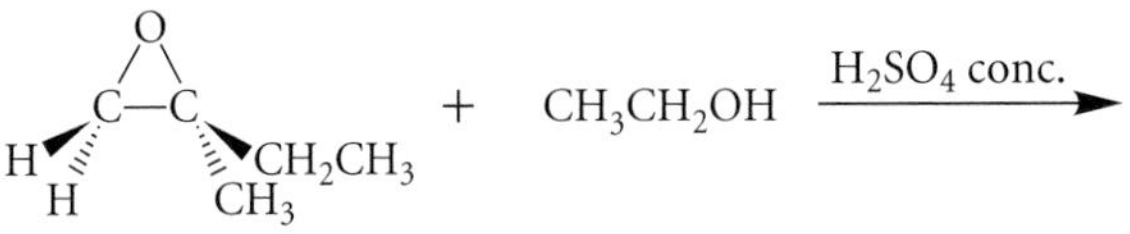

B) Ouverture des oxiranes en milieu basique

Il est vrai que les groupements tels que —OR et —OH ne peuvent être expulsés sans être préalablement transformés, grâce à une protonation, pour libérer de bons groupes partants. Cependant, il faut spécifier que la forte tension angulaire du cycle régnant dans un oxirane lui confère des caractéristiques particulières. En effet, les nucléophiles tels que les ions hydroxyde (HO⁻) et alcoolate (RO⁻), les composés organométalliques (R—MgX et R—Li) et les ions acétylure (R—C≡C⁻) sont suffisamment puissants pour permettre l'ouverture des oxiranes sans protonation préliminaire de l'oxygène de la fonction éther. Dans ce type de réaction, non seulement la protonation n'est pas nécessaire, mais elle ne doit absolument pas avoir lieu, car le nucléophile, ayant également un fort caractère basique, attaquerait le proton plutôt que les carbones électrophiles de l'oxirane.

Le résultat de l'ouverture du cycle de l'oxirane en milieu basique est la formation d'un ion alcoolate. Le produit final est obtenu à la suite d'une hydrolyse acide permettant la neutralisation (*voir la figure 11.21*).

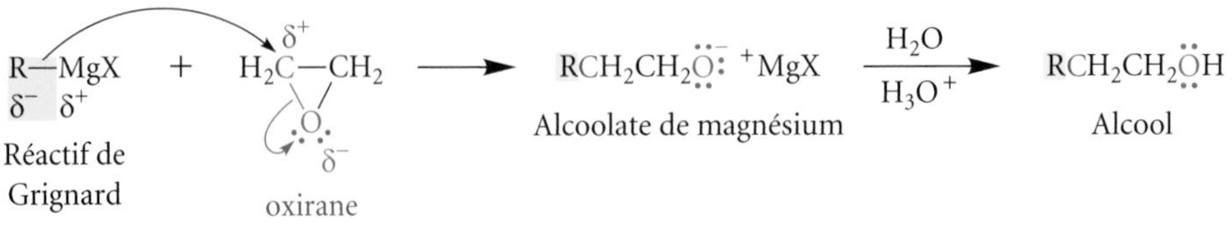

Figure 11.21
Mécanisme réactionnel de l'ouverture d'un oxirane symétrique, en milieu basique, avec un composé organométallique, plus précisément un réactif de Grignard

Dans le cas de l'ouverture des **oxiranes asymétriques** avec un fort nucléophile en milieu basique, le carbone de l'oxirane le moins substitué est le site d'attaque privilégié. En effet, la réaction se produit très rapidement en présence d'un puissant nucléophile, et l'attaque doit nécessairement avoir lieu sur le carbone offrant le plus faible encombrement stérique (*voir la figure 11.22*).

Figure 11.22

Mécanisme réactionnel de l'ouverture d'un oxirane asymétrique, en milieu basique, avec un composé organométallique, plus précisément un réactif de Grignard

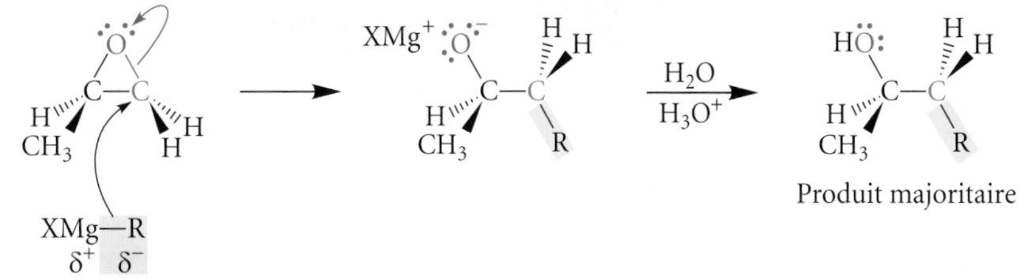

Produit majoritaire

Exercice 11.16 Complétez les réactions suivantes effectuées en milieu basique.

a)

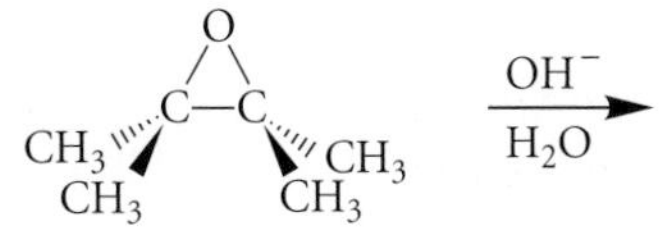

$$\xrightarrow[\text{H}_2\text{O}]{\text{OH}^-}$$

b)

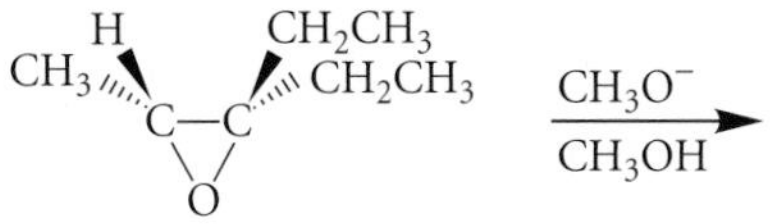

$$\xrightarrow[\text{CH}_3\text{OH}]{\text{CH}_3\text{O}^-}$$

c)

$$\xrightarrow[\substack{\text{Et}_2\text{O} \\ \text{anhydre}}]{\text{CH}_3\text{CH}_2\text{MgBr}} \xrightarrow[\text{H}_3\text{O}^+]{\text{H}_2\text{O}}$$

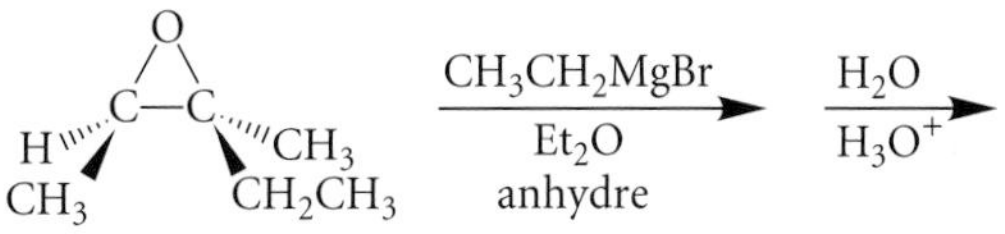

Exercice 11.17 Le benzopyrène, ou benzo[α]pyrène, est un composé appartenant à la famille des hydrocarbures aromatiques polycycliques (HAP) (*voir les ressources numériques du chapitre 8 au <www.cheneliere.ca/chimieorganique>*). Il est reconnu comme étant un agent mutagène et très cancérigène. Son origine principale provient des activités humaines telles que le chauffage au bois et au charbon, la fumée de cigarette, la combustion des viandes sur le barbecue et la combustion de l'essence.

Le benzo[α]pyrène est métabolisé en un oxirane diol. L'oxirane ainsi formé réagit avec un groupement fonctionnel amine de l'ADN, générant un ADN dénaturé, d'où les propriétés mutagène et cancérigène du benzo[α]pyrène.

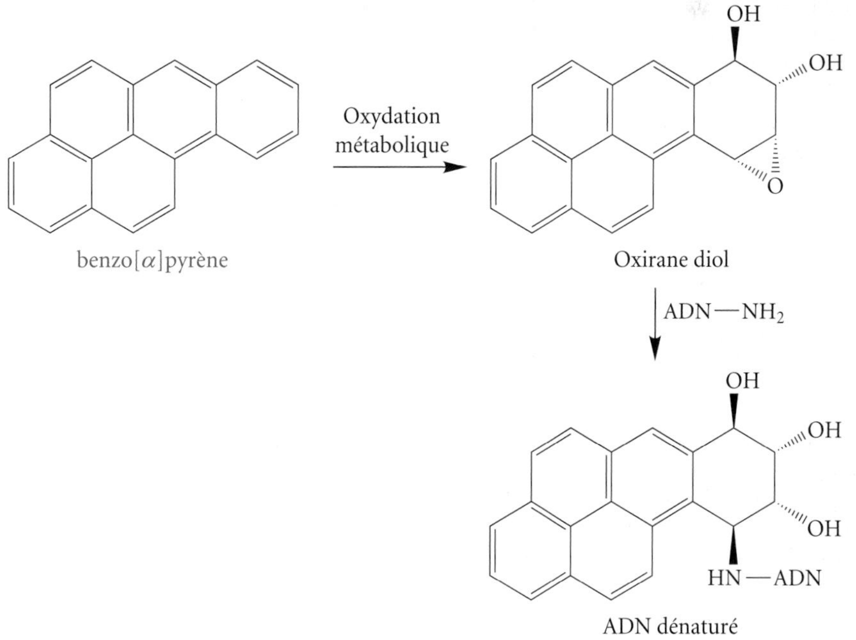

benzo[α]pyrène

Oxydation métabolique

Oxirane diol

ADN—NH$_2$

ADN dénaturé

Illustrez le mécanisme de cette réaction entre un groupement fonctionnel amine de l'ADN et l'oxirane diol. Quel est le rôle joué par l'amine dans cette réaction ?

11.5.2 Éthers cycliques à cinq et à six membres

Des éthers cycliques de taille supérieure aux oxiranes sont également présents dans des composés organiques naturels et artificiels. Bien qu'il existe des éthers cycliques naturels à quatre membres, nommés **oxétanes** (*voir l'exemple du paclitaxel, ou taxol, dans la figure 11.1, p. 484*), ils sont peu abondants en raison de leur forte tension angulaire créant une grande instabilité. Les **éthers cycliques à cinq et à six membres**, quant à eux, sont beaucoup plus stables et fréquents. Leur faible tension angulaire les rend moins réactifs. À ce titre, ils sont souvent utilisés comme solvants en synthèse organique. Les principaux sont l'oxolane, l'oxane et le 1,4-dioxane (*voir la figure 11.23*). Ces solvants offrent l'avantage de solubiliser un grand nombre de composés organiques. Ils sont donc tout indiqués lorsqu'un composé organique peu polaire doit réagir avec un réactif très polaire (ou inversement). Toutefois, un de leurs désavantages est qu'il peut s'avérer complexe de les retirer du milieu une fois l'expérience complétée. En effet, des traces sont souvent présentes dans le produit, même purifié. De plus, ayant une bonne affinité avec l'eau, il est très difficile de les conserver en tant que solvants anhydres (secs) sur une longue période de temps.

Figure 11.23
Éthers cycliques courants à cinq et à six membres

Le champignon *Amanita muscaria* (amanite tue-mouches) est une source de muscarine.

oxolane
(tétrahydrofurane, THF)

oxane
(tétrahydropyrane)

1,4-dioxane
(ou simplement dioxane)

En raison de leur grande stabilité, les éthers cycliques à cinq et à six membres sont abondamment présents dans la nature (*voir la figure 11.24*). Par exemple, l'eucalyptol, une molécule renfermant un éther cyclique à six membres, est présent majoritairement dans l'eucalyptus. Pour sa part, la muscarine est une substance toxique isolée du champignon *Amanita muscaria*. Elle active le système nerveux parasympathique. Son ingestion provoque des convulsions et peut même occasionner la mort. L'acide hippospongique, quant à lui, est extrait d'une éponge marine et possède la propriété d'inhiber le développement embryonnaire des poissons.

Figure 11.24
Exemples d'éthers cycliques naturels à cinq et à six membres

L'eucalyptol est un composé extrait de l'eucalyptus. Il est reconnu par l'Organisation mondiale de la santé (OMS) pour ses propriétés apaisantes dans le traitement des voies respiratoires (usage interne) et des douleurs rhumatismales (usage externe).

eucalyptol

muscarine

acide hippospongique

La réactivité des éthers cycliques à cinq et à six membres ressemble à celle décrite pour les éthers acycliques. De plus, il n'est pas possible de réaliser une ouverture de cycle en milieu basique de ces types d'éthers avec un nucléophile fort, comme c'est le cas pour les oxiranes.

11.5.3 Éthers couronnes

Certaines macromolécules présentent un hétérocycle de très grande taille renfermant un nombre élevé de fonctions éthers. Ces polyéthers macrocycliques portent le nom d'**éthers couronnes**. Leur nom provient de leur aspect analogue à celui d'une couronne. Les éthers couronnes furent synthétisés et baptisés pour la toute première fois en 1967 par le chimiste **Charles John Pedersen** (1904-1984), alors chercheur pour la compagnie DuPont. La figure 11.25 présente quelques exemples d'éthers couronnes.

Figure 11.25
Éthers couronnes fréquents

> **REMARQUE**
>
> Dans les éthers couronnes, les atomes d'oxygène sont généralement séparés par deux atomes de carbone.

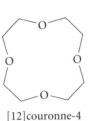

[12]couronne-4

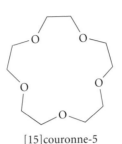

[15]couronne-5

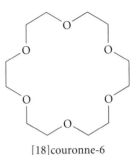

[18]couronne-6

Les éthers couronnes sont couramment nommés d'après la nomenclature élaborée par Charles J. Pedersen[8]. Le nom renferme les éléments suivants :

1. un nombre entre crochets, représentant le nombre d'atomes constituant le cycle ;

2. le mot « couronne », spécifiant qu'il s'agit d'un éther couronne ;

3. un chiffre terminal indiquant le nombre d'atomes d'oxygène compris dans l'éther couronne.

Une des principales caractéristiques des éthers couronnes est de créer spécifiquement et très efficacement des complexes avec certains cations (Li^+, Na^+, K^+, etc.). Ce sont les atomes d'oxygène, ayant de fortes charges partielles négatives, qui ont une bonne affinité avec les cations. La relation unissant les éthers couronnes et les cations qu'ils transportent porte le nom de **relation hôte-invité** dans laquelle l'hôte est l'éther couronne et l'invité, le cation.

Les composés ioniques (cation et anion) sont solubles dans l'eau, mais insolubles dans les solvants organiques. Toutefois, puisque les éthers couronnes sont des molécules qui se solubilisent aisément dans plusieurs solvants organiques, ils peuvent entraîner les cations en phase organique au cours d'extractions. À titre d'exemple, le permanganate de potassium ($KMnO_4$) est un composé ionique soluble dans l'eau. Si du toluène est ajouté à une solution aqueuse de $KMnO_4$ et qu'une extraction est réalisée, le $KMnO_4$ demeurera dans la phase aqueuse, car les attractions intermoléculaires (ion-dipôle) y sont plus favorables. Par contre, si un éther couronne spécifique de l'ion K^+ est incorporé au mélange, il trappera le cation potassium pour former un complexe et permettra ainsi le transfert du K^+ vers la phase organique. La structure carbonée hydrophobe de l'éther couronne qui entoure le cation crée de plus fortes attractions intermoléculaires avec le solvant de la phase organique. Que se passe-t-il avec l'ion permanganate MnO_4^- ? Reste-t-il dans la phase aqueuse ? Par apposition électrostatique (attraction des charges + et −), l'ion permanganate

cheneliere.ca/chimieorganique **www**

› Cryptands de Jean-Marie Lehn

CHARLES JOHN
● PEDERSEN (1904-1989)

Chimiste américain, Pedersen est né le 3 octobre 1904 à Pusan (en Corée). Fils d'un père norvégien et d'une mère japonaise, il émigra avec sa famille aux États-Unis en 1922. Il termina tout d'abord des études en génie chimique à l'Université de Dayton (Ohio), puis obtint une maîtrise en chimie organique au M.I.T. en 1927. Il fut ensuite embauché par la compagnie DuPont, où il y demeurera jusqu'à son départ à la retraite en 1969. Il découvrit, entre autres, un additif antidétonant (autrefois utilisé dans les carburants) ainsi qu'un procédé pour stabiliser différents hydrocarbures. C'est en 1962 qu'il découvrit ce qui fut à l'origine de sa renommée : les éthers couronnes. En 1967, il publia un mémoire dans lequel il décrivit la synthèse d'une cinquantaine d'éthers couronnes différents. Par ses écrits, il inspira les travaux de Donald James Cram (chimiste américain, 1919-2001) et de Jean-Marie Lehn (chimiste français, 1939-...) avec lesquels il partagea le prix Nobel de chimie en 1987. Même s'il était affaibli par un cancer, il fit le voyage pour recevoir cet honneur. Pedersen s'éteignit le 26 octobre 1989.

est également entraîné dans la phase organique. Le permanganate de potassium subit alors un transfert de phase de l'eau au toluène.

D'un point de vue chimique, les éthers couronnes jouent un rôle catalytique pour permettre des réactions qui impliquent un substrat exclusivement soluble en phase organique et un réactif exclusivement soluble en phase aqueuse. De plus, l'intérêt des éthers couronnes est davantage marqué pour la réactivité de l'anion transféré en phase organique que pour le cation piégé par l'éther couronne. En effet, l'anion étant désormais dans un solvant apolaire aprotique qui ne peut le stabiliser, il voit sa réactivité augmenter de manière prodigieuse. Par exemple, le $KMnO_4$ en phase aqueuse est un oxydant fort (plus précisément l'ion permanganate MnO_4^-), mais en phase organique, il devient un oxydant beaucoup plus puissant.

La complexation spécifique de l'éther couronne avec un cation particulier dépend de la taille de la cavité de l'éther couronne et de celle du cation. À titre d'exemple, un ion sodium de diamètre égal à 190 pm ne peut s'incorporer aux éthers couronnes [12]couronne-4 et [18]couronne-6 qui ont respectivement une cavité trop petite (120 à 150 pm) ou trop grande (260 à 320 pm). Par contre, le [15]couronne-5 est tout à fait adéquat pour que l'ion sodium s'y incorpore (*voir la figure 11.26*).

Figure 11.26 Éthers couronnes et leur association spécifique à un cation de taille particulière

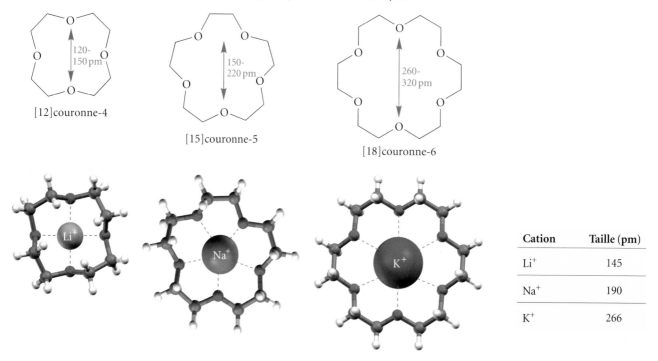

Cation	Taille (pm)
Li^+	145
Na^+	190
K^+	266

Biologiquement, il existe une famille d'antibiotiques appelés **ionophores** (du grec *phoros* signifiant « porteur ») qui se comportent comme des éthers couronnes. En effet, les ionophores peuvent lier spécifiquement un cation (p. ex.: Na^+ ou K^+) et permettre un transport massif de celui-ci à travers la membrane cellulaire d'une bactérie. Ils perturbent alors le gradient normal de concentration en ions sodium ou potassium nécessaire au maintien de l'homéostasie de la cellule, entraînant ainsi la mort de cette dernière.

Les ionophores se subdivisent en deux catégories. Tout d'abord, les ionophores transporteurs tels que la monensine, une molécule polyéthérée, transportent par migration les cations à travers la membrane cellulaire (*voir la figure 11.27 a*). Puis, les ionophores de type canal, notamment la valinomycine, agissent comme des canaux en ouvrant des pores, permettant ainsi le passage des cations de part et d'autre de la membrane cellulaire (*voir la figure 11.27 b*).

Figure 11.27 a) Ionophore transporteur et son mode d'action (monensine); b) Ionophore de type canal et son mode d'action (valinomycine)

a)

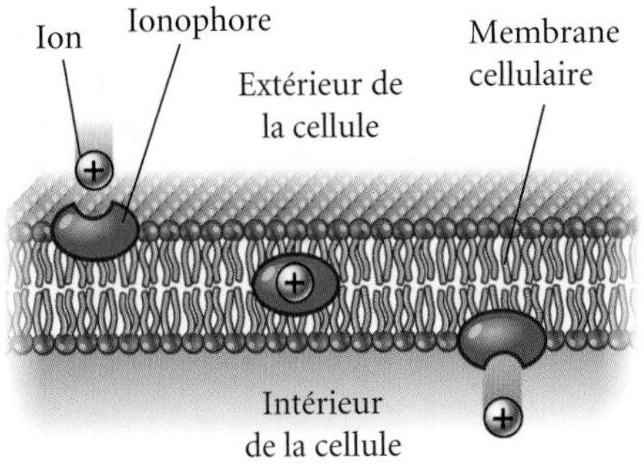

Mode d'action d'un ionophore transporteur

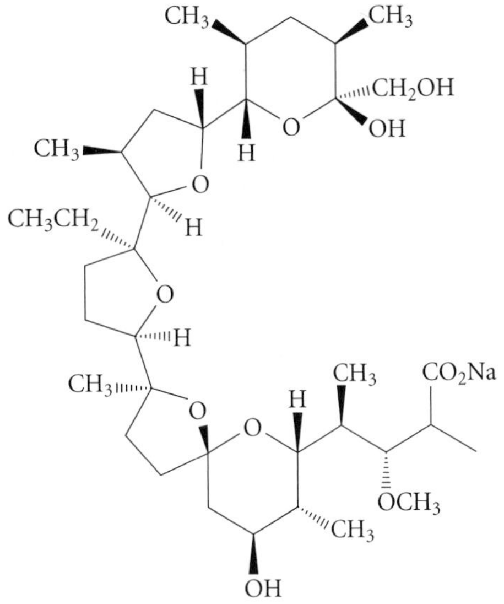

Structure de la monensine

b)

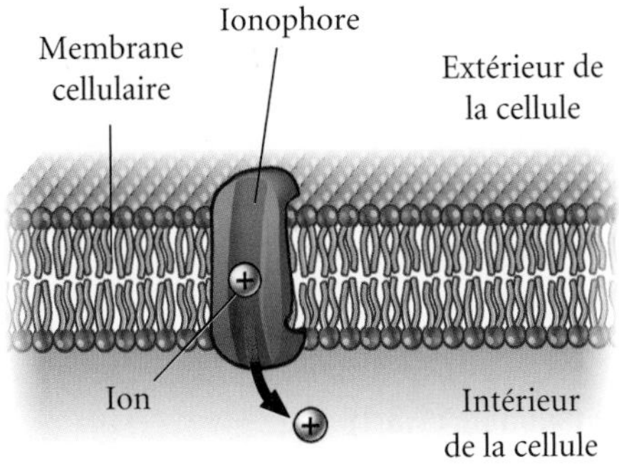

Mode d'action d'un ionophore de type canal

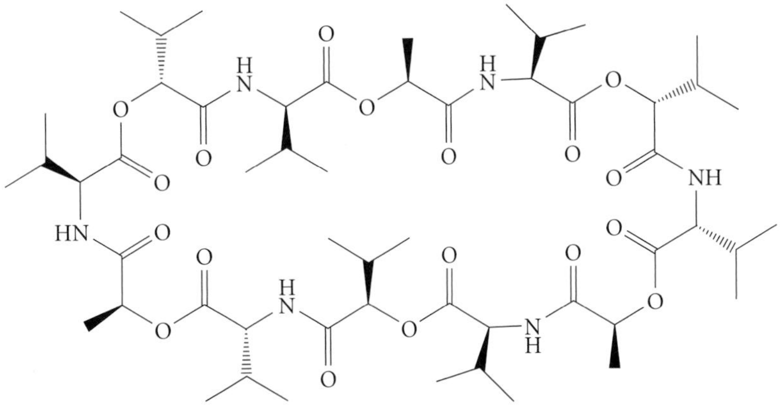

Structure de la valinomycine

Caractéristiques des éthers

- Structure générale des éthers : R—O—R′ (ou encore R—O—Ar ou même Ar—O—Ar′) (introduction)
- Éther symétrique si les groupements alkyles (ou aryles) sont identiques (R—O—R) (introduction)
- Éther asymétrique si les groupements alkyles (ou aryles) sont différentes (R—O—R′) (introduction)
- Molécules légèrement polaires en raison de deux liaisons covalentes C—O (section 11.1)
- Attractions intermoléculaires : forces de Van der Waals (forces de dispersion de London et interactions de Keesom) (section 11.1)
- Aucun pont hydrogène possible entre des molécules d'éther (la fonction éther ne renferme pas d'atomes d'hydrogène directement liés à l'oxygène) (section 11.1)
- Propriétés physiques (p. ex.: point d'ébullition) similaires à celles des alcanes de masses molaires analogues (section 11.1)
- Volatilité très élevée (section 11.1)
- Ponts hydrogène possibles entre des molécules d'éther et des composés organiques dotés de groupements fonctionnels portant une liaison H—O ou H—N ; solubilité de plusieurs molécules organiques dans les solvants éthérés (section 11.1)
- Faible réactivité des éthers, à l'exception des éthers cycliques à trois membres (oxiranes) et à quatre membres (oxétanes) qui sont instables en raison d'une forte tension angulaire (sections 11.2 et 11.5)
- Masse volumique plus faible que celle de l'eau (section 11.2)
- Utilité des éthers : solvants organiques en synthèse organique et pour les extractions liquide-liquide ou solide-liquide (section 11.2)
- Molécules inflammables et réaction d'autoxydation possible (section 11.2)
- Éthers couronnes = polyéthers macrocycliques formant des complexes spécifiques avec des cations particuliers (relation hôte-invité) grâce à leurs atomes d'oxygène (section 11.5)
- Étant des macromolécules se solubilisant aisément dans plusieurs solvants organiques, les éthers couronnes, en complexant des cations spécifiques, rendent certains composés ioniques solubles dans des solvants apolaires. (section 11.5)

Préparation des éthers et des oxiranes

Formation d'éthers symétriques en milieu acide (section 11.3.1)

$$2 \text{ R—OH} \xrightarrow[\Delta]{H_2SO_4 \text{ conc.}} \text{R—O—R} + \text{H—O—H}$$

Réaction efficace avec les alcools primaires

Formation d'éthers asymétriques en milieu acide (section 11.3.2.1)

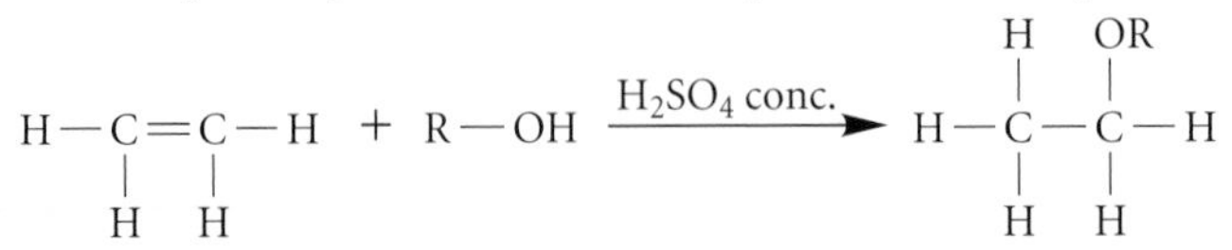

$$\underset{\overset{|}{H}}{\overset{|}{H}}{\text{—C}} = \underset{\overset{|}{H}}{\text{C—H}} + \text{R—OH} \xrightarrow{H_2SO_4 \text{ conc.}} \text{H—}\underset{\overset{|}{H}}{\text{C}}\text{—}\underset{\overset{|}{H}}{\overset{\overset{|}{OR}}{\text{C}}}\text{—H}$$

Réaction efficace :

1. sur un alcène symétrique ;

2. sur un alcène dissymétrique, à condition que chaque carbone de la liaison double porte un nombre différent de substituants (de façon à ce que la réaction forme un carbocation plus stable et mène à un produit majoritaire selon la règle de Markovnikov).

Formation d'éthers asymétriques par la synthèse de Williamson (section 11.3.2.2)

$$R\text{—}OH \quad \xrightarrow[\text{2) R'—X}]{\text{1) NaH ou Na ou K}} \quad R\text{—}O\text{—}R'$$

Réaction efficace avec les alcools et les composés halogénés primaires

Préparation industrielle de l'oxirane en présence d'un catalyseur d'argent (section 11.5.1)

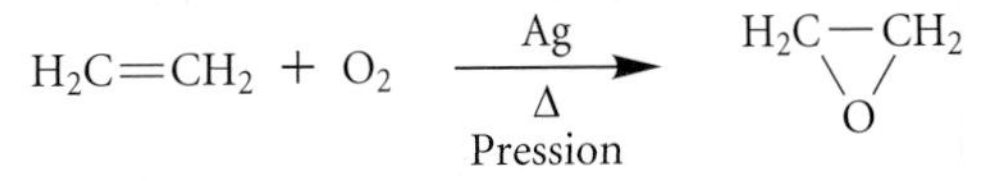

$$H_2C\text{=}CH_2 \;+\; O_2 \quad \xrightarrow[\substack{\Delta \\ \text{Pression}}]{\text{Ag}} \quad H_2C\text{—}CH_2 \underset{O}{\diagdown\diagup}$$

Époxydation d'un alcène avec un peracide RCOOOH (p. ex. : MCPBA) (section 11.5.1.1)

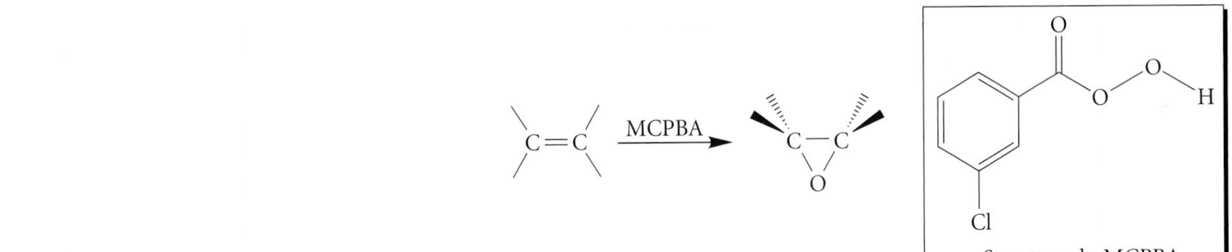

Structure du MCPBA

Réactions des éthers et des oxiranes

Clivage des éthers (synthèse d'alcools) (section 11.4.1)

$$R\text{—}O\text{—}R' \;+\; H_2O \quad \xrightarrow[\Delta]{H_2SO_4} \quad R\text{—}OH \;+\; R'\text{—}OH$$

La synthèse d'alcools est impossible à partir d'éthers porteurs de deux groupements R primaires. Le carbocation primaire engendré serait trop instable.

Clivage des éthers (synthèse de composés halogénés) (section 11.4.2)

$$R\text{—}O\text{—}R' \quad \xrightarrow[\Delta]{\text{HX (1 éq.)}} \quad R\text{—}X \;+\; R'\text{—}OH \quad \xrightarrow[\Delta]{\text{HX (1 éq.)}} \quad R'\text{—}X \;+\; H_2O$$

X = Cl, Br ou I
La réaction est moins
efficace avec HCl.

Dans la réaction globale ci-dessus, le groupement alkyle R est choisi arbitrairement comme étant le moins encombré.

Pour les groupements alkyles tertiaires, la réaction se réalise par un mécanisme de type S_N1, plus rapide qu'un mécanisme de type S_N2.

Pour les groupements alkyles primaires ou secondaires, X⁻ attaque le côté le moins encombré par un mécanisme de type S_N2.

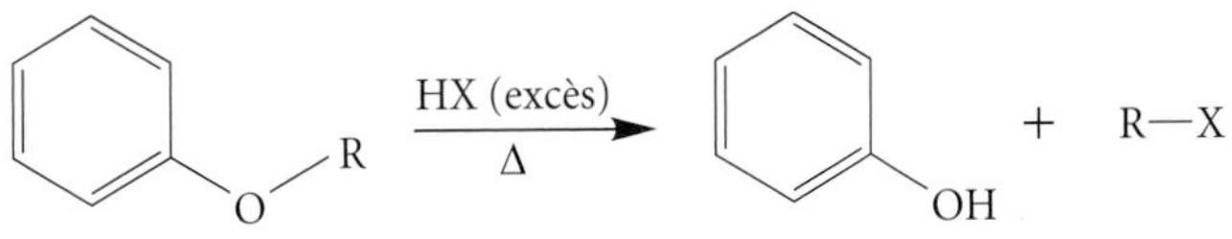

Aucune substitution nucléophile
possible sur les phénols.

Ouverture des oxiranes en milieu acide (section 11.5.1.2 A)

Soit la réaction générale suivante.

$$
\begin{array}{c}
\text{H}_3\text{C}\text{---}\text{C}\text{---}\text{H} \xrightarrow{\text{Réactifs}} \text{HO}\text{---}\text{C}\text{---}\text{C}\text{---}\text{R}
\end{array}
$$

Attaque du nucléophile du côté le plus encombré de l'oxirane

Réactifs	—A
H_2O, H_2SO_4	—OH
ROH, H_2SO_4 conc.	—OR

Ouverture des oxiranes en milieu basique (section 11.5.1.2 B)

Soit la réaction générale suivante.

$$
\begin{array}{c}
\text{H}_3\text{C}\text{---}\text{C}\text{---}\text{H} \xrightarrow{\text{Réactifs}} \text{H}\text{---}\text{C}\text{---}\text{C}\text{---}\text{OH}
\end{array}
$$

Attaque du nucléophile du côté le moins encombré de l'oxirane

Réactifs	—A
OH^-	—OH
RO^-	—OR
1) RMgX ou RLi 2) H_2O, H_3O^+	—R

VÉRIFICATION DES CONNAISSANCES

Après l'étude de ce chapitre, je devrais être en mesure:

○ de définir la nature du groupement fonctionnel éther;

○ de décrire les caractéristiques structurales et les propriétés physiques des éthers;

○ de préparer des éthers symétriques par substitution nucléophile à partir d'un alcool (H_2SO_4 conc. / Δ);

○ de préparer des éthers asymétriques par la synthèse de Williamson: 1) ROH + Na ou K ou NaH; 2) RO^- + RX (primaires, de préférence);

○ de prévoir les produits obtenus et les conditions expérimentales nécessaires au cours du clivage de la fonction éther (H_2SO_4 (*aq*) / Δ; HX / Δ);

○ d'illustrer les mécanismes réactionnels (S_N2 et S_N1) du clivage de la fonction éther;

○ de connaître quelques éthers cycliques courants tels que l'oxirane (époxyde), l'oxolane (tétrahydrofurane), l'oxane (tétrahydropyrane) et le 1,4-dioxane (dioxane);

○ de préparer des oxiranes en faisant réagir un alcène avec un peracide (p.ex.: MCPBA);

○ de prévoir les produits obtenus et les conditions expérimentales nécessaires au cours de l'ouverture des oxiranes en milieu acide ou en milieu basique;

○ d'illustrer les mécanismes réactionnels d'ouverture des oxiranes (symétriques et asymétriques) en milieu acide ou en milieu basique;

○ de déterminer la structure d'un éther ou d'un oxirane à l'aide de leurs propriétés physiques et chimiques caractéristiques;

○ de concevoir (séquence des étapes et conditions réactionnelles de chacune) la synthèse d'un composé en utilisant notamment les réactions des éthers et des oxiranes;

○ de connaître quelques exemples de polyéthers macrocycliques (éthers couronnes) ainsi que leurs caractéristiques.

EXERCICES SUPPLÉMENTAIRES

Propriétés physiques des éthers

11.18 Associez les composés suivants à leur point d'ébullition respectif. Expliquez brièvement.

Points d'ébullition : 11 °C, 66 °C, 82 °C, 97 °C.

a)

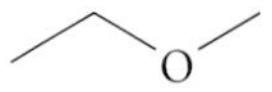

méthoxyéthane

b)

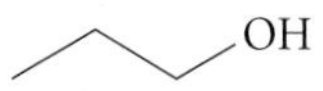

OH

propan-1-ol

c)

O

oxolane

d)

OH

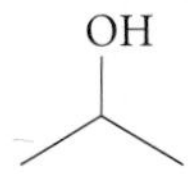

propan-2-ol

11.19 Classez les éthers suivants par ordre croissant de leur solubilité dans l'eau. Expliquez brièvement votre réponse.

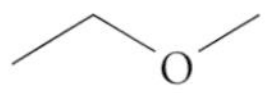

méthoxyéthane

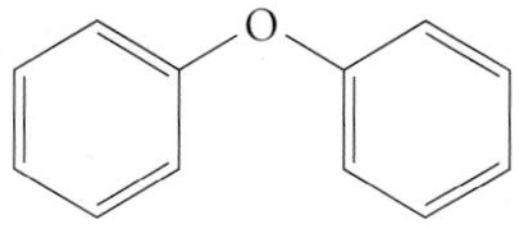

phénoxybenzène

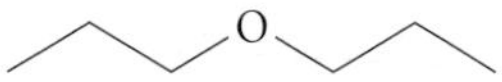

propoxypropane

Préparation des éthers

11.20 Proposez une voie de synthèse simple, en milieu acide, pour la formation de l'éther symétrique $CH_3CH_2CH(CH_3)OCH(CH_3)CH_2CH_3$. Illustrez le mécanisme de cette réaction.

11.21 Un chimiste souhaite synthétiser l'éthoxypropane. Pour ce faire, il considère deux possibilités de synthèse différentes. Laquelle de ces deux voies lui recommanderiez-vous ? Expliquez brièvement votre choix.

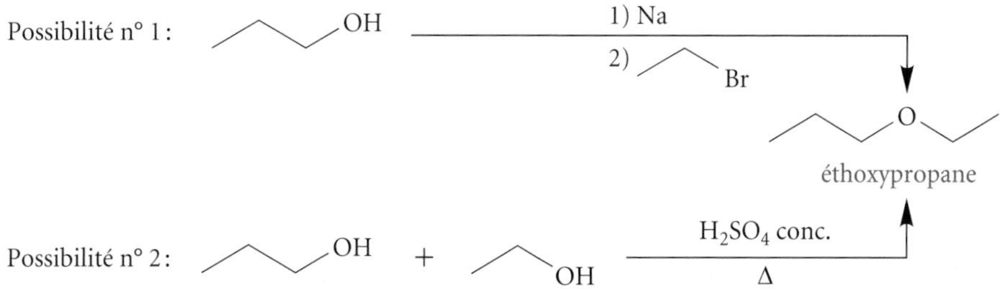

Possibilité n° 1 :

OH   1) Na
       2)   Br

O

éthoxypropane

Possibilité n° 2 :

OH +   OH H_2SO_4 conc.
                  Δ

11.22 Complétez les réactions suivantes et illustrez le mécanisme correspondant. S'il y a lieu, déterminez le produit majoritaire.

a) $Br-CH_2-CH_2-CH_2-CH_2-CH_2-OH \xrightarrow{Na}$

b) $CH_3-\underset{\underset{Br}{|}}{CH}-\underset{\underset{Br}{|}}{CH}-CH_2-CH_2-OH \xrightarrow{Na}$

11.23 Écrivez les équations chimiques permettant de former le 1-éthoxy-1-méthylcyclohexane selon la synthèse de Williamson. Justifiez le choix du substrat et du réactif organique.

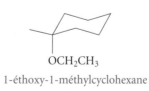

OCH_2CH_3

1-éthoxy-1-méthylcyclohexane

11.24 Au cours du xxᵉ siècle, l'acide 2,4,5-trichlorophénoxyacétique (2,4,5-T) a été largement utilisé comme herbicide. L'armée américaine utilisa d'ailleurs des quantités massives de cet herbicide lors de la guerre du Vietnam afin de défolier les forêts vietnamiennes et empêcher ainsi ses adversaires de se cacher. Le 2,4,5-T est aujourd'hui interdit dans de nombreux pays en raison de sa forte toxicité due à la formation de dioxine au cours de son procédé de fabrication.

acide 2,4,5-trichlorophénoxyacétique
(2,4,5-T)

Le 2,4,5-T est préparé à partir du 2,4,5-trichlorophénol et de l'acide chloracétique (ClCH₂COOH) en milieu basique.

a) Quel type de base serait-il pertinent d'utiliser pour cette synthèse ?
b) Écrivez l'équation chimique complète de la préparation du 2,4,5-T.
c) Illustrez le mécanisme.

Réactions des éthers

11.25 Complétez les réactions suivantes en dessinant la structure des produits organiques.

a)
$$\xrightarrow[\Delta]{\text{HI (excès)}}$$

b) $CH_3CH_2CH_2-O-CH(CH_3)_2$ $\xrightarrow[\Delta]{\text{HBr (1 éq.)}}$? $\xrightarrow[\Delta]{\text{HBr (1 éq.)}}$?

c) $CH_3-O-CH_2-\overset{\overset{\displaystyle CH_3}{|}}{\underset{\underset{\displaystyle CH_3}{|}}{C}}-CH_3$ $\xrightarrow[\Delta]{\text{HBr (excès)}}$

d) CH_3CH_2-O-⬠ $+$ H_2O $\xrightarrow[\Delta]{H_2SO_4}$

e) $\xrightarrow[\Delta]{\text{HI (1 éq.)}}$

11.26 Soit l'éther suivant.

(*tert*-butoxyméthyl)benzène

a) Écrivez la réaction globale lorsqu'il est traité avec un excès de HI.
b) Illustrez le mécanisme de la réaction.

Préparation et réactions des éthers cycliques

11.27 À partir d'un alcène, proposez une synthèse permettant de préparer le composé suivant.

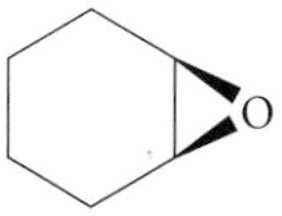

1,2-époxycyclohexane

11.28 Écrivez l'équation globale de la réaction entre le 1,2-époxycyclohexane préparé à l'exercice 11.27 et :

a) $CH_3-C\equiv C^-Na^+$, suivie d'une hydrolyse acide
b) H_2O avec H_2SO_4
c) CH_3CH_2MgCl, suivie d'une hydrolyse acide
d) $CH_2=CHLi$, suivie d'une hydrolyse acide

11.29 À partir du but-2-yne, proposez deux voies de synthèse différentes pour chacun des produits A et B formés.

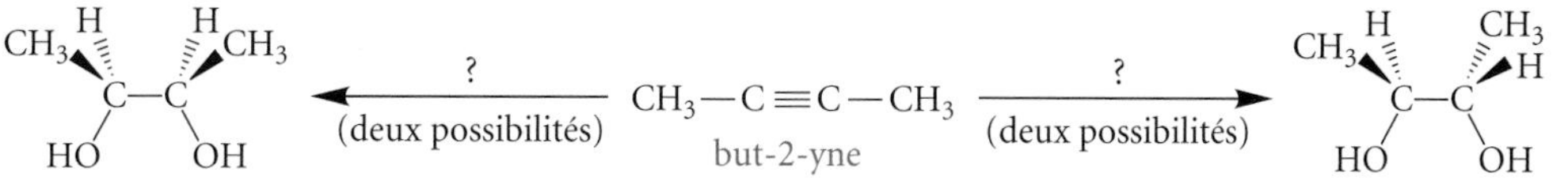

$$CH_3-C\equiv C-CH_3$$
but-2-yne

B $\xleftarrow[\text{(deux possibilités)}]{?}$ but-2-yne $\xrightarrow[\text{(deux possibilités)}]{?}$ A

11.30 Proposez un mécanisme réactionnel qui permet d'expliquer la réaction ci-dessous.

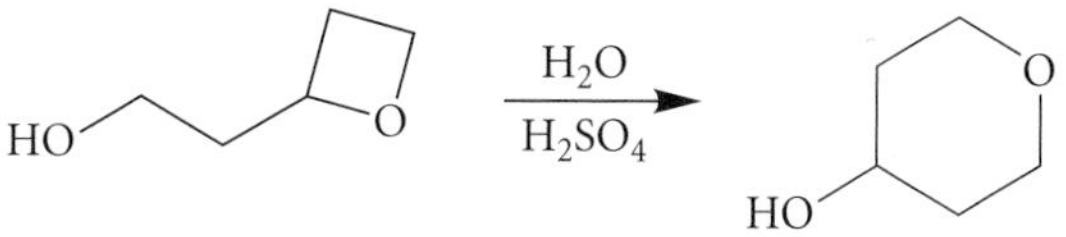

$$\xrightarrow[H_2SO_4]{H_2O}$$

11.31 De nos jours, les colles époxy sont largement utilisées pour des usages domestiques et industriels en raison de leur efficacité dans l'assemblage de divers matériaux tels que les plastiques, les métaux, le bois et le verre. Les colles époxy sont préparées à partir d'un monomère époxyde (I) et d'un agent de réticulation (II), communément appelés « résine » et « durcisseur » respectivement. Ce dernier possède plusieurs sites nucléophiles sur sa structure chimique. Le procédé de préparation de la colle époxy consiste à polymériser le monomère époxyde en présence de l'agent de réticulation.

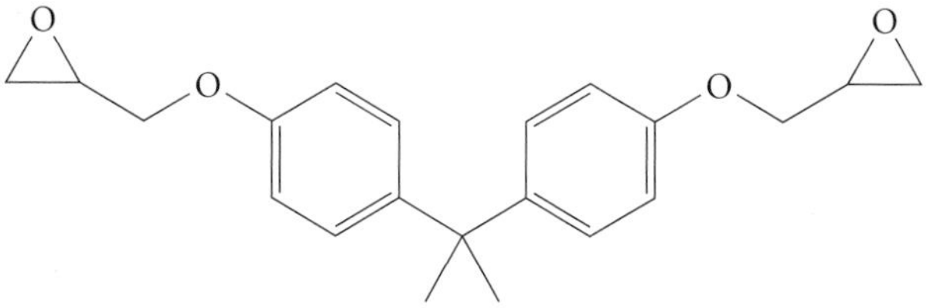

I

II

a) Illustrez le mécanisme de la réaction entre les deux structures (I et II).
b) De quel type de réaction s'agit-il ?
c) Quelles sont les répercussions sur le mécanisme de la présence d'un substrat (I) et d'un réactif (II) possédant plusieurs sites électrophiles et nucléophiles respectivement ?

Synthèse et réactions des éthers

11.32 Synthétisez les produits finaux demandés.

Attention!

- Indiquez toutes les conditions expérimentales.
- Tous les réactifs inorganiques peuvent être utilisés.
- Tous les composés organiques utilisés doivent provenir du substrat.
- N'inscrivez aucun mécanisme.

a)

b)

11.33 Déterminez les molécules correspondant aux lettres A à F dans les séquences suivantes de réactions chimiques.

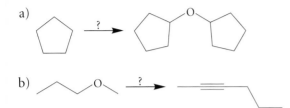

Problèmes à indices

Pour les problèmes suivants, découvrez la structure du composé grâce aux indices fournis ci-dessous. Pour chaque indice, expliquez l'information que vous en avez tirée. Écrivez toutes les étapes du raisonnement menant à votre réponse.

11.34 1) La formule moléculaire de l'éther est $C_8H_{16}O$.
   2) Cet éther est stable (tension angulaire très faible) et ne possède que des ramifications méthyles.
   3) Lorsque cet éther est traité avec un excès de HBr en présence de chaleur, une seule molécule organique peut être obtenue.
   4) Le mécanisme de la réaction décrite au point 3) est seulement de type S_N1.

   Déterminez la structure simplifiée de cet éther.

11.35 1) La formule moléculaire de l'éther est $C_{10}H_{14}O$.
   2) Lorsque cet éther est traité avec l'acide iodhydrique (HI), deux molécules organiques sont obtenues, soit le phénol et un composé chiral de formule moléculaire C_4H_9I (dont la configuration absolue du carbone portant l'iode est *R*).

   Déterminez la structure simplifiée de cet éther.

11.36 1) La formule moléculaire de cet oxirane est C_4H_8O.
   2) Cet oxirane possède deux carbones stéréogéniques.
   3) Lorsqu'il est traité en milieu acide dans l'eau, un seul produit est obtenu.

   Déterminez la structure simplifiée de cet oxirane.

Notes et références

Chapitre 1

1. Les noms des orbitales *s*, *p*, *d* et *f* proviennent des caractéristiques qualifiant l'apparence de groupes de raies spectrales des spectres d'émission atomique des métaux alcalins (de l'anglais, *s* = *sharp* ; *p* = *principal* ; *d* = *diffuse* et *f* = *fundamental*).

2. Toutefois, lorsqu'ils sont complexés à d'autres atomes grâce à une liaison de coordination, la règle de l'octet est alors respectée.

3. Il convient de préciser cependant que la taille des atomes influence également la nature des liaisons. En effet, plus l'atome est volumineux, plus le nuage électronique de la liaison est polarisable.

4. L'explication des structures moléculaires par le modèle théorique des orbitales hybrides est un point litigieux en chimie. En effet, certains chimistes croient que tous les atomes d'une molécule s'hybrident (à l'exception de l'orbitale atomique 1*s* de l'atome d'hydrogène), tandis que d'autres expliquent les résultats expérimentaux des structures en ne considérant que l'hybridation des atomes centraux. Dans ce manuel, l'hybridation de tous les atomes à l'intérieur de la molécule a été retenue.

Chapitre 2

1. Fontecave, M. (2009). *Chimie des processus biologiques : une introduction*, <lecons-cdf.revues.org/205> (page consultée le 14 mai 2012).

2. Merck Frosst Canada Ltée. (2011). *Recherche clinique – Les phases de la recherche clinique*, <www.merckfrosst.ca/mfcl/fr/corporate/research/clinical_research/phases.html> (page consultée le 5 mars 2012).

3. Evens, R. P. (dir.). (2007). *Drug and Biological Development : From Molecule to Product and Beyond*, New York, NY, Springer, 382 p.

4. Dannhardt, G. et S. Laufer. (2000). « Structural Approaches to Explain the Selectivity of COX-2 Inhibitors : Is There a Common Pharmacophore ? », *Current Medicinal Chemistry*, vol. 7, n° 11, p. 1101-1112.

5. Prasit, P. *et al.* (1999). « The Discovery of Rofecoxib, [MK 966, VIOXX®, 4-(4′-methylsulfonylphenyl)-3-phenyl-2(5*H*)-furanone], an Orally Active cyclooxygenase-2 Inhibitor », *Bioorganic & Medicinal Chemistry Letters*, vol. 9, n° 13, p. 1773-1778.

6. ConsumerAffairs.com. (2004). *FDA Estimates Vioxx Caused 27,785 Deaths*, <www.consumeraffairs.com/news04/vioxx_estimates.html> (page consultée le 5 mars 2012).

7. Guyton de Morveau, L. B. (1782). « Mémoire sur les dénominations chimiques, la nécessité d'en perfectionner le système, et les règles pour y parvenir », *Journal de physique*, vol. 19, p. 310.

8. Guyton de Morveau, L. B. *et al.* (1787). *Méthode de nomenclature chimique*, Paris, Librairie Cuchet, 312 p.

9. Société chimique de Paris. (1892). « Congrès de nomenclature chimique, Genève 1892 », *Bulletin de la Société chimique de Paris*, vol. 3, n° 7, p. xiii-xxiv.

10. En anglais : International Union of Pure and Applied Chemistry (IUPAC). (1979). *Nomenclature of Organic Chemistry,*

Sections A, B, C, D, E, F, and H, Oxford, Royaume-Uni, Pergamon Press, 559 p.

Id. (1993). *A Guide to IUPAC Nomenclature of Organic Compounds (Recommendations 1993)*, <www.acdlabs.com/iupac/nomenclature> (page consultée le 6 mars 2012).

Id. (2004). *Nomenclature of Organic Chemistry (IUPAC Provisional Recommendations 2004)*, <old.iupac.org/reports/provisional/abstract04/favre_310305.html> (page consultée le 6 mars 2012).

En français : Panico, R. et J.-C. Richer. (1994). *Nomenclature UICPA des composés organiques*, Paris, Masson, 232 p.

11. Orallo, F. *et al.* (1998). « Preliminary Study of the Potential Vasodilator Effects on Rat Aorta of Centaurein and Centaureidin, Two Flavonoids from *Centaurea corcubionensis* », *Planta Medica*, vol. 64, n° 2, p. 116-119.

12. Hodgkins, J. E., S. D. Brown et J. L. Massingill. (1967). « Two New Alkaloids in Cacti », *Tetrahedron Letters*, vol. 8, p. 1321-1324.

13. Doyle, T. W. *et al.* (1979). « Antitumor Agents from the Bohemic Acid Complex. 4. Structures of Rudolphomycin, Mimimycin, Collinemycin, and Alcindoromycin », *Journal of the American Chemical Society*, vol. 101, n° 23, p. 7041-7049.

14. Heretsch, P., L. Tzagkaroulaki et A. Giannis. (2010). « Cyclopamine and Hedgehog Signaling : Chemistry, Biology, Medical Perspectives », *Angewandte Chemie International Edition*, vol. 49, n° 20, p. 3418-3427.

15. Ryan, D. (1997). « Old MacDonald Named a Compound : Branched Enynenynols », *Journal of Chemical Education*, vol. 74, n° 7, p. 782.

Chapitre 3

1. L'utilisation des modèles moléculaires est fortement conseillée pour visualiser les contraintes de rotation des liaisons C—C des cycloalcanes.

2. Lodish, H. *et al.* (1997). *Biologie moléculaire de la cellule*, 2e édition, Bruxelles, De Boeck Université, 584 p.

3. Industry Canada. (2012). *Wex Pharmaceuticals Inc. – Complete Profile*, <www.ic.gc.ca/app/ccc/srch/nvgt.do?lang=eng&prtl=1&sbPrtl=&estblmntNo=123456259882&profile=cmpltPrfl&profileId=201&app=sold> (page consultée le 3 avril 2012).

Wex Pharmaceuticals Inc. (2012). <www.wextech.ca> (page consultée le 3 avril 2012).

4. Initialement, la substance polarisante était composée de petits cristaux de sulfate d'iodoquinine introduits dans un polymère de nitrocellulose. Elle a été améliorée par E. H. Land, en 1938, qui la créa à partir d'alcool polyvinylique (PVA) imprégné d'iode.

5. Les modèles moléculaires ou les logiciels de modélisation moléculaire deviennent indispensables pour bien visualiser et bien se familiariser avec ce type de transformation, et donc pour éviter les erreurs.

6. Le nombre de stéréoisomères peut être plus petit que celui prédit par la formule 2^n si une molécule présente un plan de symétrie malgré la présence de carbones stéréogéniques.

7. Laffite, E. et J. Revuz. (2001). *Thalidomide*, <www.therapeutique-dermatologique.org/article_main.php ?article_id=396> (page consultée le 4 avril 2012).

8. Sheskin, J. (1965). « Thalidomide in the Treatment of Lepra Reactions », *Clinical Pharmacology and Therapeutics*, vol. 6, p. 303-306.

9. Gordon, J. N. *et al.* (2005). « Thalidomide in the Treatment of Cancer Cachexia : A Randomised Placebo Controlled Trial », *Gut*, vol. 54, n° 4, p. 540-545.

   Khan, Z. H. *et al.* (2003). « Oesophageal Cancer and Cachexia : The Effect of Short-Term Treatment with Thalidomide on Weight Loss and Lean Body Mass », *Alimentary Pharmacology & Therapeutics*, vol. 17, n° 5, p. 677-682.

   Singhal, S. *et al.* (1999). « Antitumor Activity of Thalidomide in Refractory Multiple Myeloma » [archive], *New England Journal of Medicine*, vol. 341, p. 1565-1571.

   Wilkes, E. A. et J. G. Freeman (2006). « Thalidomide : An Effective Anabolic Agent in Gastrointestinal Cancer Cachexia », *Alimentary Pharmacology & Therapeutics*, vol. 23, n° 3, p. 445-446.

10. Lebrin, F. *et al.* (2010). « Thalidomide Stimulates Vessel Maturation and Reduces Epistaxis in Individuals with Hereditary Hemorrhagic Telangiectasia », *Nature Medicine*, vol. 16, n° 4, p. 420-428.

11. Pour de plus amples informations quant à la thalidomide, il est possible de consulter les ouvrages, articles et sites Web suivants :

    Association canadienne des victimes de la thalidomide. (2012). <www.thalidomide.ca> (page consultée le 14 juin 2012).

    Janicki, J. (2004). « La terrible affaire de la thalidomide – La thalidomide, erreur chimique, difficultés de tests, lenteurs administratives… », *Les génies de la science*, n° 21, p. 20-23.

    Janicki, J. (2009). *Le drame de la thalidomide : un médicament sans frontières, 1956-2009*, Paris, Éditions L'Harmattan, 280 p.

    Société Radio-Canada. (2008). *Thalidomide : le médicament de la difformité* [émissions de radio et de télévision], <archives.radio-canada.ca/sante/sante_publique/dossiers/65/> (page consultée le 14 juin 2012).

12. Les isomères géométriques sont également considérés comme étant des diastéréoisomères, c'est-à-dire des stéréoisomères qui ne sont pas des images spéculaires et qui ne sont pas superposables.

Chapitre 4

1. Cette phrase célèbre fut en fait adaptée par le philosophe grec Anaxagore de Clazomènes. La citation prononcée par Lavoisier était précisément : « […] car rien ne se crée, ni dans les opérations de l'art, ni dans celles de la nature, et l'on peut poser en principe que, dans toute opération, il y a une égale quantité de matière avant et après l'opération ; que la qualité et la quantité des principes est la même, et qu'il n'y a que des changements, des modifications. »

2. Medarus.org. (2011). *Il était une fois… un Nouveau Monde – Jacques Cartier, 1494-1557, navigateur, explorateur français*, <www.medarus.org/NM/NMPersonnages/NM_10_05_Biog_Others/nm_10_05_jacques_cartier.htm> (page consultée le 9 mai 2012).

3. Voet, D. et J. G. Voet. (1995). *Biochemistry*, 2ᵉ éd., Somerset, NJ, John Wiley & Sons, 224 p.

4. McCord, J. M. et I. Fridovich. (1969). « Superoxide Dismutase. An Enzymic Function for Erythrocuprein (Hemocuprein) », *Journal of Biological Chemistry*, vol. 244, n° 22, p. 6049-6055.

5. Liochev, S. I. (2013). « Reactive Oxygen Species and the Free Radical Theory of Aging », *Free Radical Biology & Medicine*, vol. 60, p. 1-4.

   Wu, J. Q., T. R. Kosten et X. Y. Zhang. (2013). « Free Radicals, Antioxidant Defense Systems, and Schizophrenia », *Progress in Neuro-Psychopharmacology & Biological Psychiatry*, vol. 46, p. 200-206.

6. En 1953, Charles G. Swain et Carleton B. Scott furent les premiers à établir une constante de nucléophilie (*n*) en comparant la vitesse de réaction de divers nucléophiles par rapport au méthanol sur le substrat de référence, l'iodométhane.

7. Il serait tout aussi indiqué de parler d'une augmentation ou d'une diminution du caractère électrophile.

8. Il convient également de parler d'une augmentation du caractère nucléophile.

9. Voici quelques ouvrages utilisant la rupture d'une liaison π comme point de départ pour illustrer les formes limites de résonance :

   Vollhardt, P., N. E. Schore et P. Depovere. (2004). *Traité de chimie organique*, 4ᵉ éd., Paris, de Boeck, 1297 p.

   Ege, S. (2003). *Organic Chemistry, Structure and Reactivity*, 5ᵉ éd., Boston, MA, Houghton Mifflin Harcourt, 1164 p.

   Streitwieser, A., C. H. Heathcock et E. M. Kosower. (1992). *Introduction to Organic Chemistry*, 4ᵉ éd., New York, NY, Macmillan, 1256 p.

Chapitre 5

1. Le Br_2 est dissous dans un solvant organique (p. ex. : le dichlorométhane) et non pas dans l'eau.

2. von Liebig, J. (1838). *Manuel pour l'analyse des substances organiques*, Paris, Librairie de l'Académie royale de médecine, 168 p.

3. Désourdy, F. (2012). « Tableau : le vrai ou faux », émission *Découverte*, Montréal, Québec, Radio-Canada, 13 min. (le 29 janvier 2012).

   Douma, M. (conservateur). (2002). *Investigating Bellini's Feast of the Gods*, <www.webexhibits.org/feast> (page consultée le 26 mars 2012).

   Nelson, M. R. (2011). « Authentic or Not ? Chemistry Solves the Mystery », *ChemMatters*, avril 2011, p. 15-17.

   Taft, W. S. *et al.* (2000). *The Science of Paintings*, New York, NY, Springer-Verlag, 236 p.

4. National Institute of Advanced Industrial Science and Technology (AIST) of Japan. (2012). *Spectral Database for Organic Compounds SDBS*, <http://riodb01.ibase.aist.go.jp/sdbs/cgi-bin/direct_frame_top.cgi> (page consultée le 25 avril 2012).

Chapitre 6

1. International Energy Agency (IEA). (2006). *Consommation énergétique selon le type d'énergie utilisé*, <http://fr.wikipedia.org/wiki/Ressources_et_consommation_%C3%A9nerg%C3%A9tiques_mondiales#cite_note-AIEw-22> (page consultée le 21 août 2012).

2. Nadeau, J.-B. (2008). « L'erreur canadienne », *L'Actualité*, vol. 33, n° 11, p. 18-20.

3. Statistique Canada. (2011). *Tableau 126-0001 : Approvisionnement et utilisation du pétrole brut et équivalent, mensuel (mètres cubes), CANSIM (base de données), E-STAT (distributeur)*, <http://estat.statcan.gc.ca/cgi-win/cnsmcgi.exe?Lang=F&EST-Fi=EStat/Francais/CII_1-fra.htm> (page consultée le 20 avril 2012).

4. Boy de la Tour, X. (2004). *Le pétrole : au-delà du mythe*, Paris, Éditions Technip, p. 7.

5. Demetz, J.-M. (mai 2002). « Sous le sable, le pétrole », *L'Express*, n° 2653, p. 78-82.

6. Index Mundi. (2011). *Consommation pétrolière – Monde*, <www.indexmundi.com/map/?v=91&l=fr> (page consultée le 4 juin 2012).

7. US Government Website on Deepwater Horizon Incident 2010, Task Force and Restoration Actions (March 2012) <www.restorethegulf.gov> (page consultée le 28 août 2012).

8. Voir à ce sujet :

   Tammisola, J. (2010). « Towards Much More Efficient Biofuel Crops – Can Sugarcane Pave the Way? », *GM crops*, vol. 1, n° 4, p. 181-198.

   Xie, G. et L. Peng. (2011). « Genetic Engineering of Energy Crops : A Strategy for Biofuel Production in China », *Journal of Integrative Plant Biology*, vol. 53, n° 2, p. 143-150.

9. Voir à ce sujet :

   King, A. J. *et al.* (2009). « Potential of *Jatropha curcas* as a Source of Renewable Oil and Animal Feed », *Journal of Experimental Botany*, vol. 60, n° 10, p. 2897-2905.

   Parawira, W. (2010). « Biodiesel Production from *Jatropha curcas* : A Review », *Scientific Research and Essays*, vol. 5, n° 14, p. 1796-1808.

10. Goudet, J.-L. (2009). « Le biocarburant au jatropha a fait voler un Boeing 747 », *Futura-Sciences*, <www.futura-sciences.com/fr/news/t/developpement-durable-1/d/le-biocarburant-au-jatropha-a-fait-voler-un-boeing-747_17838/> (page consultée le 25 septembre 2012).

11. Institut national de la recherche agronomique. (2010). *Lancement du projet européen BIOCORE*, <www.inra.fr/presse/lancement_du_projet_europeen_biocore> (page consultée le 3 août 2012).

12. Environnement Canada. (2012). *Règlement sur les carburants renouvelables*, <www.ec.gc.ca/energie-energy/default.asp?Lang=Fr&n=0AA71ED2-1&edit=on> (page consultée le 3 août 2012).

13. Le Canada a signé le Protocole de Kyoto le 29 avril 1998. Toutefois, le 12 décembre 2011, le ministre de l'Environnement, Peter Kent, a annoncé officiellement le retrait du Canada du protocole.

Chapitre 7

1. Les alcènes étaient autrefois désignés par le terme « oléfine », un nom dérivé du latin signifiant « qui fabrique de l'huile ».

2. Les mêmes préfixes peuvent être employés pour classer ou regrouper les alcynes.

3. Markovnikov a formulé de manière légèrement différente sa règle. Il a plutôt indiqué sur quel carbone de la liaison double (celui ayant le moins grand nombre d'hydrogènes) se lie l'halogène d'un halogénure d'hydrogène. Pour en savoir plus sur la règle formulée par Markovnikov, il est possible de consulter l'article suivant : Tierney, J. (1988). « Markownikoff's Rule : What Did He Say and When Did He Say It ? », *Journal of Chemical Education*, vol. 65, n° 12, p. 1053-1054.

4. L'**ion hydronium** est un exemple particulier d'**ion oxonium**, soit l'appellation réservée à tous les ions contenant de l'oxygène chargé positivement.

5. Même si la différence d'électronégativité entre les atomes d'hydrogène et de bore n'est que de 0,16 (et donc théoriquement une liaison covalente non polaire), elle doit être prise en considération pour ce type de réaction. En effet, la réaction d'hydroboration-oxydation est classée en tant que réaction d'addition électrophile polaire, car cette liaison possède une légère polarité.

6. Fondation des maladies du cœur et de l'AVC (2012). <www.fmcoeur.qc.ca> (page consultée le 16 juillet 2012).

7. Dalton, L. (2004). « Margarine », *Science & Technology*, vol. 82, n° 33, p. 24, <http://pubs.acs.org/cen/whatstuff/stuff/8233margarine.html> (page consultée le 11 octobre 2012).

8. Dufour, C. (2007). « Acide gras *trans*, le poison qui ne doit plus être ignoré », *Science et vie*, n° 1077, p. 102-109.

9. Société Radio-Canada (2003). « La margarine », émission de la série *L'épicerie*, <www.radio-canada.ca/actualite/lepicerie/docArchives/2003/03/07/enquete.html> (page consultée le 16 juillet 2012).

10. La couleur peut varier d'orange pâle à brun rougeâtre en fonction de la concentration de brome moléculaire dissous dans le solvant.

11. Scienceamusante.net. (2012). <www.scienceamusante.net/wiki/index.php?title=Polyacrylate_de_sodium_superabsorbant> (page consultée le 25 septembre 2012).

12. L'analyse des fragments s'effectue grâce aux techniques spectroscopiques telles que la spectroscopie infrarouge et la spectroscopie RMN décrites dans le chapitre 5 ainsi que dans les ressources numériques disponibles au <www.cheneliere.ca/chimieorganique>.

Chapitre 8

1. Plusieurs parfums renferment cependant des fonctions esters et non pas des composés aromatiques.

2. Les réactions de fluoration et d'iodation, quant à elles, sont également possibles, mais elles nécessitent des conditions et des méthodes expérimentales qui ne seront pas traitées dans cet ouvrage.

3. Bishop, E. (1972). *Indicators*, New York, NY, Pergamon Press, 746 p.

4. Trévi. (2012). *Trousse d'analyse complète*, <www.trevi.com/equipements/accessoires_piscines_trousse_analyse.html> (page consultée le 3 août 2012).

5. Harris, C. D. (1996). *Quantitative Chemical Analysis. 4th Edition*, New York, NY, W. H. Freeman and Company, 837 p.

6. Kroto, H. W. *et al.* (1985). « C_{60} : Buckminsterfullerene », *Nature*, vol. 318, p. 162-163.

7. Baum, R. (1996). « Buckyballs Nab Nobel », *Chemical & Engineering News*, vol. 74, n° 42, p. 7-8.

Curl, R. F., H. W. Kroto et R. E. Smalley. (1997). « The 1996 Nobel Prizes in Science », *Scientific American*, vol. 276, n° 1, p. 14-16.

8. Kroto, H. W. *et al.*, *loc. cit.*

9. *Ibid.*

10. Echegoyen, L. et L. E. Echegoyen. (1998). « Electrochemistry of Fullerenes and Their Derivatives », *Accounts of Chemical Research*, vol. 31, n° 9, p. 593-601.

11. *Ibid.*

12. Hirsch, A. et M. Brettreich. (2005). *Fullerenes : Chemistry and Reactions*, Weinheim, Allemagne, Wiley-VCH Verlag Gmbh & Co., 423 p.

13. Mateo-Alonso, A. *et al.* (2007). « Fulleres : Multitask Components in Molecular Machinery », *Angewandte Chemie International Edition*, vol. 46, n° 43, p. 8120-8126.

    Vives, G. et J. M. Tour. (2009). « Synthesis of Single-Molecule Nanocars », *Accounts of Chemical Research*, vol. 42, n° 3, p. 473-487.

14. Shirai, Y. *et al.* (2006). « Surface-Rolling Molecules », *Journal of the American Chemical Society*, vol. 128, n° 14, p. 4854-4864.

15. Günes, S., H. Neugebauer et N. S. Sariciftci. (2008). « Conjugated Polymer-Based Organic Solar Cells », *Chemical Reviews*, vol. 107, n° 4, p. 1324-1338.

    Thompson, B. C. et J. M. J. Frechet. (2008). « Polymer-Fullerene Composite Solar Cells », *Angewandte Chemie International Edition*, vol. 47, n° 1, p. 58-77.

Chapitre 9

1. Plusieurs composés chlorés étant suspectés d'être cancérigènes, une ventilation adéquate est essentielle au moment de leur emploi sous forme de solvants.

2. ChemCases.com. (2012). *Refrigerants for the 21st Century : 5. Fluorocarbon Preparations.* <http://chemcases.com/fluoro/fluoro05.htm> (page consultée le 3 novembre 2012).

   Programme des Nations Unies pour l'environnement – Secrétariat de l'ozone. (1987). *Protocole de Montréal relatif à des substances qui appauvrissent la couche d'ozone.* <http://ozone.unep.org/new_site/fr/Treaties/treaties_decisions-hb.php?sec_id=5> (page consultée le 4 novembre 2012).

   U. S. Department of Commerce – National Oceanic & Atmospheric Administration. (2011). *Twenty Questions and Answers About the Ozone Layer : 2010 Update.* <www.esrl.noaa.gov/csd/assessments/ozone/2010/twentyquestions/> (page consultée le 4 novembre 2012).

   U. S. Department of Energy – Carbon Dioxide Information Analysis Center. (2012). *Name that compound: The numbers game for CFCs, HFCs, HCFCs, and Halons.* <http://cdiac.ornl.gov/pns/cfcinfo.html> (page consultée le 19 novembre 2012).

3. U. S. Department of Commerce – Earth System Research Laboratory. (2012). *Chlorofluorcarbon-12 (CCl_2F_2) — Combined Data Set.* <http://www.esrl.noaa.gov/gmd/hats/combined/CFC12.html> (page consultée le 19 novembre 2012).

4. Les mesures pour 1979 et 1989 ont été prises par le spectromètre TOMS de la NASA, et celles pour 2010, par le spectromètre OMI du Royal Netherlands Meteorological Institute (KNMI).

5. En l'honneur du chimiste letton Paul Walden (1863-1957), qui observa ce phénomène pour la toute première fois en 1896.

6. Dans les différents ouvrages de référence, plusieurs façons d'écrire le nom de famille du chimiste russe Alexandre Saytzev (1841-1910) sont utilisées, notamment Saytzeff ou Zaitsev.

7. Cependant, les composés halogénés primaires et secondaires peuvent évoluer selon un mécanisme de type E1 si l'intermédiaire réactionnel (carbocation) est stabilisé par résonance.

Chapitre 10

1. Gay-Lussac, J. L. (1815). « Sur l'analyse de l'alcool et de l'éther sulfurique, et sur les produits de la fermentation », *Annales de chimie*, vol. 95, p. 311-318.

2. Moussard, C. (2002). *Biochimie structurale et métabolique*, 2ᵉ éd., Bruxelles, De Boeck Université, 324 p.

3. Vergé, S. *et al.* (1999). « Les polyphénols du vin : de la chimie pour la vie », *Bulletin de la société de pharmacie de Bordeaux*, vol. 138, p. 75-90.

4. Magrone, T. et E. Jirillo. (2011). « Potential application of dietary polyphenols from red wine to attaining healthy ageing », *Current Topics in Medicinal Chemistry*, vol. 11, n° 14, p. 1780-1796.

5. Baudelaire, C. (2004). « Du vin et du haschich », *Œuvres complètes*, Paris, Robert Laffont, p. 217.

6. Prickett, C. D. *et al.* (2004). « Alcohol : Friend or Foe ? Alcoholic Beverage Hormesis for Cataract and Atherosclerosis Is Related to Plasma Antioxidant Activity », *Nonlinearity in Biology, Toxicology, Medicine*, vol. 2, n° 4, p. 353-370.

7. De Keukeleire, D. (2000). « Fundamentals of Beer and Hop Chemistry », *Quimica Nova*, vol. 23, n° 1, p. 108-112.

8. En excluant, bien évidemment, les polyols, qui ont une solubilité élevée dans l'eau. Cette propriété est due à la présence de plusieurs fonctions alcools dans leurs structures qui peuvent effectuer un grand nombre de ponts hydrogène. À titre d'exemple, le sorbitol ($C_6H_{14}O_6$), qui tire son nom du sorbier (dont les baies sont riches en sorbitol), est un édulcorant utilisé comme substitut du saccharose. Il possède une solubilité dans l'eau de 220 g/100 mL.

9. Pour ce faire, il faut utiliser un minimum de temps, et aucun chauffage ne doit être appliqué au milieu réactionnel.

10. Il est quelquefois possible d'isoler certains aldéhydes très volatils par distillation en continu.

11. Akhavan, J. (2011). *The Chemistry of Explosives*, 3ᵉ éd., Cambridge, Royaume-Uni, Royal Society of Chemistry, 193 p.

12. Fant, K. (2006). *Alfred Nobel : A Biography*, New York, NY, Arcade Publishing, 342 p.

13. Braun, J. M. *et al.* (2009). « Prenatal Bisphenol A Exposure and Early Childhood Behavior », *Environmental Health Perspectives*, vol. 117, n° 12, p. 1945-1952.

    CBC.ca. (2011). *Bisphenol A Effects*, <www.cbc.ca/eyeopener/episode/2011/10/25/bisphenol-a-effects/> (page consultée le 20 novembre 2012).

    Environnement Canada. (2012). *Bisphénol A – Avis de la planification de la prévention de la pollution*, <www.ec.gc.ca/planp2-p2plan/default.asp?lang=Fr&n=6A389B0B-1> (page consultée le 20 novembre 2012).

    Nishikawa, M. *et al.* (2010). « Placental Transfer of Conjugated Bisphenol A and Subsequent Reactivation in the Rat Fetus », *Environmental Health Perspectives*, vol. 118, n° 9, p. 1196-1203.

Patisaul, H. (2010). « Le bisphénol A : un danger pour la santé ? », *Pour la science*, n° 396, p. 42-49.

Radio-Canada.ca. (2010). *Du bisphénol A chez 91 % des Canadiens*, <www.radio-canada.ca/nouvelles/sante/2010/08/16/001-etude-bisphenol-plomb.shtml> (page consultée le 12 décembre 2012).

Santé Canada. (2012a). *Bisphénol A*, <www.hc-sc.gc.ca/fn-an/securit/packag-emball/bpa/index-fra.php> (page consultée le 20 novembre 2012).

Santé Canada. (2012b). *Mise à jour de l'évaluation par Santé Canada de l'exposition au bisphénol A (BPA) par voie alimentaire*, <www.hc-sc.gc.ca/fn-an/securit/packag-emball/bpa/bpa_hra-ers-2012-09-fra.php> (page consultée le 12 décembre 2012).

Chapitre 11

1. Katzung, B. G. (2001). *Basic & Clinical Pharmacology* (8ᵉ éd.), New York, NY, McGraw-Hill, p. 419-445.

2. Gwathmey, J. T. et C. Baskerville (1914). *Anesthesia*, New York, NY, D. Appleton and Company, Princeton University, 945 p.

3. Sigma-Aldrich. (2012). *Diethyl ether*, <www.sigmaaldrich.com/catalog/product/sial/346136?lang=en&region=US> (page consultée le 3 décembre 2012).

4. Il semblerait que ce ne soit peut-être pas Lulle lui-même qui ait écrit des traités d'alchimie, mais bien quelqu'un qui aurait emprunté son nom, c'est-à-dire un pseudo-Lulle.

5. Bergman, N. A. (1992). « Michael Faraday and his Contribution to Anesthesia », *Anesthesiology*, vol. 77, n° 4, p. 812-816. <http://general-anaesthesia.com/michael-faraday.html> (page consultée le 3 décembre 2012).

6. Blatner, A. (2009). *The Discovery and Invention of Anesthesia*, <www.blatner.com/adam/consctransf/historyofmedicine/4-anesthesia/hxanesthes.html> (page consultée le 3 décembre 2012).

7. Katzung, B. G., *op. cit.*, p. 419-445.

8. La nomenclature élaborée par Charles J. Pederson présente toutefois des limites. En effet, il devient difficile, à l'aide de cette nomenclature, de préciser la position de substituants sur le cycle de l'éther couronne et d'indiquer une variante dans la répétition du groupement éthylèneoxy. La nomenclature systématique, selon les règles de l'UICPA, recommande, quant à elle, de décrire la position de chaque oxygène dans la molécule. Ainsi, le [18]couronne-6 se nomme, selon les règles de l'UICPA, le 1,4,7,10,13,16-hexaoxacyclooctadécane.

Sources iconographiques

Chapitre 1

p. 1 (**skieur**): iStockphoto/Thinkstock; 1 (**neige**): Steve Collender/Shutterstock.com; 3: Languepin/Rapho Agence/Science Source; 10: Emilio Segre Visual Archives/American Institute of Physics/Science Photo Library; 12: Omikron/Science Source; 13, 15: Benoît Deschênes-Simard; 17: Phil Degginger; 26 (**bananes**): sjlocke/iStockphoto; 26 (**acétone**): S. Girouard et D. Lapierre; 28: Gordon Saunders/iStockphoto; 30: Wikimedia Commons; 32: Jeffrey Keillor; 36: Kenishirotie/BigStock Photo.

Chapitre 2

p. 38: Vadim Petrakov/Shutterstock.com; 39: Sheila Terry/Science Photo Library; 40: © Tan Kian Yong/Dreamstime.com; 47 (**citronnelle**): dangdumrong/iStockphoto; 47 (**miel**): ivanmateev/iStockphoto; 48 (**civette**): John Devries/Science Photo Library; 48 (**café**): Roman Sigaev/Shutterstock.com; 53: Shebeko/Shutterstock.com; 56: reproduit avec la permission de l'Union internationale de chimie pure et appliquée (UIPAC); 57: diez artwork/Shutterstock.com; 58: S. Girouard et D. Lapierre; 93 (**Ritalin**), 96: C. Marrano; 93 (**murex**): Nicola Dal Zotto/Shutterstock.com; 97: E.G.Pors/Shutterstock.com.

Chapitre 3

p. 98: Superstock; 104, 135, 137 (**blé**): S. Girouard et D. Lapierre; 107: The Ohio State University Archives; 110, 119, 120 (**miroir**), 122 (**miroir**), 134, 135 (**illustrations**), 136, 139 (**illustration**): Marc Tellier; 112 (**chaise**): evirgen/iStockphoto; 112 (**bateau**): Markus Mainka/Shutterstock.com; 117 (**grenouille**): Steve Geer/iStockphoto; 117 (**pieuvre**): Matthew Oldfield/Science Photo Library; 117 (**poisson-hérisson**): Jung Hsuan/Shutterstock.com; 118 (**citrons**): Dino Osmic/Shutterstock.com; 118 (**oranges**): Alex Staroseltsev/Shutterstock.com; 119 (**hockey**): Rob Skeoch/Presse canadienne; 121, 123: Science Photo Library; 125 (**belladone**): kanusommer/Shutterstock.com; 125 (**ciguë**): iStockphoto/Thinkstock; 127: gracieuseté de Keith U. Ingold; 131: Alexander Bryljaev/iStockphoto; 137 (**GMS**): Paul Binet/Shutterstock.com; 139 (**Pasteur**): Gaspard-Félix Tournachon/Wikimedia Common; 139 (**cristaux**): Dirk Wiersma/Science Photo Library; 140: © Hulton-Deutsch Collection/Corbis; 146, 158: C. Marrano; 153: © Bettmann/Corbis; 165: Mark Birks/Big Stock Photo; 167: © Durand, Giansanti, Perrin/Sygma/Corbis; 168 (**canne à sucre**): margouillat photo/Shutterstock.com; 168 (**camphrier**): © Kenliu/Dreamstime.com.

Chapitre 4

p. 173: S. Girouard et D. Lapierre; 174: Dobermaraner/Shutterstock.com; 179: © Wksp/Dreamstime.com; 188: © British Library Board. All Rights Reserved/The Bridgeman Art Library; 189: Aleksejs Stemmers/Shutterstock.com; 194: Stephanie Colvey; 202: Thomas Phillips, 1842/Wikimedia Common; 203: Wikimedia Common; 220: Wouter van Caspel/iStockphoto; 221: AP Photo/Michael Mariant/Presse canadienne; 222: Steve Mann/Shutterstock.com; 223: C. Marrano.

Chapitre 5

p. 224 (**toiles**): © Institut canadien de conservation; 224 (**tapisserie**): Natykach Nataliia/Shutterstock.com; 224 (**cadres**): Ninell/Shutterstock.com; 225, 230: Wikimedia Commons; 228: Luis Carlos Torres/iStockphoto; 231: Marc Tellier; 232 (**Le Christ et la femme adultère**): AFP/Getty Images; 232 (**vermillon**): Charles D. Winters/Science Source/Photo Researchers; 232 (**Le festin des Dieux**): Giovanni Bellini et Le Titien, National Gallery of Art, Washington, D.C., USA/Wikimedia Commons; 233 (**NaCl**): S. Girouard et D. Lapierre; 233 (**KBr**): Jocelyn Lavallée; 233 (**FTIR**): S. Levchenkov/Wikimedia Commons; 233 (**ATR-FTIR**), 246 (**gomme**): C. Marrano; 236, 237, 239, 240, 241, 243, 246, 247, 248: National Institute of Advanced Industrial Science and Technology (AIST), Japon; 244 (**cigarette**): Audrey Boursaud; 244 (**soleil**): Michel Rouleau; 247 (**betterave**): Nadezda Verbenko/Shutterstock.com.

Chapitre 6

p. 249: iurii/Shutterstock.com; 250: © Richard Pasley – The Stock Conne/Science Faction/Corbis; 251: gracieuseté de Suncor Énergie inc.; 252:

Marc Tellier; 254 (**barbecue**), 259: S. Girouard et D. Lapierre; 254 (**briquet**): aurumarcus/iStockphoto; 258 (**pétrole**): Jim Edds/Science Source; 258 (**flamme**): © Ivansabo/Dreamstime.com; 258 (**échappement**): P.G. Adam, Publiphoto Diffusion/Science Photo Library; 260 (**encre**): Garsya/Shutterstock.com; 260 (**explosion**): USCG/Science Photo Library; 260 (**catastrophe**): Associated Press; 261: © Agung Angkawijaya/Dreamstime.com; 271: National Institute of Advanced Industrial Science and Technology (AIST), Japon; 274: Floortje/iStockphoto; 275: © Michael & Patricia Fogden/Corbis.

Chapitre 7

p. 277: © DLILLC/Corbis; 278: annalovisa/iStockphoto; 279 (**Amazonie**): JialiangGao, www.peace-on-earth.org/Wikimedia Commons; 279 (**camomille**): © Lucian Milasan/Dreamstime.com; 281: Benoît Deschênes-Simard; 287: Wikimedia Commons; 292: Taiftin/Shutterstock.com; 293: Keystone/Stringer/Getty Images; 303, 305, 307 (**petite fille**), 314: S. Girouard et D. Lapierre; 307 (**polystyrène**): HomeStudio/Shutterstock.com; 311: C. Marrano; 312: Jamie Trueblood/© Columbia Pictures/Courtesy Everett Collection; 313 (**Batman, 1966**): TM and Copyright © 20th Century Fox Film Corp. Tous droits réservés/Courtesy Everett Collection; 313 (**Batman, 1989**): © Warner Bros./Courtesy Everett Collection; 320: Norm Thomas/Science Photo Library; 336: © Pongsak Deethongngam/Dreamstime.com; 337: Guenter Guni/iStockphoto.

Chapitre 8

p. 342: avec l'autorisation de Forensics Source; 343 (**anis**): David Kerkhoff/iStockphoto; 343 (**muscade**): Helena Lovincic/iStockphoto; 344: Académie internationale des sciences moléculaires quantiques; 345, 358, 363, 364, 365: Benoît Deschênes-Simard; 347: UK Alumni Association; 355: © Jacques Boyer/Roger Violet/The Image Works; 356: Wikimedia Commons; 359: S. Girouard et D. Lapierre; 371, 372: François Raymond; 375: Marilyn Barbone/Shutterstock.com; 377: © Tarczas/Dreamstime.com; 378: © Iperl/Dreamstime.com.

Chapitre 9

p. 379: Hulton Archive/Stringer/Getty Images; 380: Anne Dupont; 383: NASA; 407: Wikimedia Commons; 419: © Mary Evans Picture Library/The Image Works; 420: Benoît Deschênes-Simard; 432: S. Girouard et D. Lapierre; 433: Getty Images.

Chapitre 10

p. 439: © Piotr Wawrzyniuk/Fotolia.com; 440: Christian Jegou Publiphoto Diffusion/Science Photo Library; 444: Benoît Deschênes-Simard; 461: © Viktor Kunz/Fotolia.com; 462 (**éprouvettes, gauche**): S. Girouard et D. Lapierre; 462 (**éprouvettes, droite**): Alco Prévention Canada; 462 (**filet**): © Richard Thomas/Dreamstime.com; 463: © Wacottin/Dreamstime.com; 465 (**Sobrero**): SSPL via Getty Images; 465 (**Nobel**): University of Pennsylvania; 465 (**chemin de fer**): Glenbow Archives NA-3740-29; 467: © Africa Studio/Fotolia.com; 469: Avent est une marque déposée de Philips. Tous droits réservés; 470: John Lund/Getty Images; 479: nanka/Shutterstock.com; 480: Édouard Manet, Le fifre, 1866/Wikimedia Commons; 481: Angel Simon/Shutterstock.com.

Chapitre 11

p. 483: John Wood Photography/Getty Images; 484 (**sirop pectoral**): © Vicks, Procter & Gamble; 484 (**taxol**): Inga Spence/Getty Images; 487 (**Morton**): Science Photo Library; 487 (**intervention**), 487 (**éther**): Massachusetts General Hospital, Archives and Special Collections; 488: Boston Globe via Getty Images; 492: © SSPL/The Image Works; 495: Benoît Deschênes-Simard; 501 (**bourgeon**): haraldmuc/Shutterstock.com; 501 (**Colombie**): Kaveh Kazemi/Getty Images; 502: Benoît Deschênes-Simard; 506 (**champignon**): © ondrej83/Fotolia.com; 506 (**eucalyptus**): Robyn Mackenzie/Shutterstock.com; 507: gracieuseté de DuPont; 509: Marc Tellier; 514: © Bettmann/Corbis; 515: S. Girouard et D. Lapierre.

Index